FERDINAND HAHN

# Christologische Hoheitstitel

Ihre Geschichte im frühen Christentum

GÖTTINGEN · VANDENHOECK & RUPRECHT · 1963

Forschungen zur Religion und Literatur
des Alten und Neuen Testamentes
Herausgegeben von
Ernst Käsemann und Ernst Würthwein
83. Heft der ganzen Reihe

MEINEN LIEBEN ELTERN

IN DANKBARKEIT

# VORWORT

Die vorliegende Arbeit wurde unter dem Titel „Anfänge christologischer Traditionen" im Dezember 1961 von der Theologischen Fakultät der Universität Heidelberg als Dissertation angenommen. Meinem verehrten Lehrer, Herrn Professor D. Günther Bornkamm, habe ich für seine persönliche Anteilnahme und reiche Belehrung, für die große Freiheit, die er mir bei der Ausführung der Untersuchung ließ, und die unermüdliche Geduld, mit der er ihr Werden begleitet hat, sehr herzlich zu danken. Mein Dank gilt zugleich der ganzen Theologischen Fakultät, besonders dem damaligen Dekan, Herrn Professor Dr. Claus Westermann, und Herrn Professor D. Dr. Karl Georg Kuhn, bei dem ich schon während meines Studiums viel gelernt habe und der jetzt das Korreferat zu meiner Arbeit erstattet hat, sowie den Herren Professoren D. Dr. Hans Frhr. von Campenhausen, D. Gerhard von Rad D. D., D. Dr. Edmund Schlink D. D. Herzlichen Dank schulde ich sodann Herrn Professor D. Ernst Käsemann, Tübingen; er war vor Jahren in Mainz mein erster neutestamentlicher Lehrer gewesen, vermittelte mir damals grundlegende methodische und sachliche Erkenntnisse, auf denen ich meine ganze weitere Arbeit aufbauen konnte, und hat nun als Herausgeber der „Forschungen zur Religion und Literatur des Alten und Neuen Testaments", zusammen mit Herrn Professor D. Ernst Würthwein, meine Untersuchung in diese Reihe aufgenommen. Für großzügige Förderung der Drucklegung spreche ich dem Verlag meinen besonderen Dank aus. Ein Wort des Dankes richte ich auch an den Protestantischen Landeskirchenrat der Pfalz, vor allem an Herrn Kirchenpräsident D. Hans Stempel und Herrn Oberkirchenrat D. Theo Schaller, für die Freistellung zu wissenschaftlicher Arbeit und viel Entgegenkommen in den vergangenen Jahren.

Die Untersuchung wurde im Frühjahr 1961 abgeschlossen und erscheint in weitgehend unveränderter Gestalt; nur in den Anmerkungen wurden noch Nachträge aufgenommen. Vollständigkeit in der Verwertung der Literatur konnte bei der Vielzahl der berührten Probleme nicht angestrebt werden; ich hoffe jedoch, nichts für meine Fragestellung Wesentliches übersehen zu haben. Auf ein Literaturverzeichnis wurde aus Gründen der Raumersparnis verzichtet; aus dem Autorenverzeichnis geht hervor, an welchen Stellen der Arbeit die genauen bibliographischen Angaben zu finden sind. Bei der Herstellung des Manuskriptes und bei den Korrekturen hat mich meine Frau unermüdlich unterstützt, bei der letzten Korrektur und den Registern haben freundlicherweise auch die Herren Assistenten Hartmut Löwe und Odil Hannes Steck mitgeholfen.

Heidelberg, im November 1962.                           Ferdinand Hahn

# INHALT

# EINLEITUNG

Die Untersuchung des ältesten Gebrauchs christologischer Hoheitstitel geht auf Vorarbeiten zu einer Darstellung der Theologie des Markusevangeliums zurück. Da bei Markus, anders als bei Matthäus und Lukas, jede feste Ausgangsposition fehlt und die notwendige Vergleichsbasis für die Beurteilung der redaktionellen Arbeit erst bestimmt werden muß, stellen sich vornehmlich zwei Aufgaben: einerseits sind für die Ablösung des redaktionellen Rahmens klare Prinzipien zu gewinnen, die sich an allen Teilen des zweiten Evangeliums bewähren, wenn die Feststellung redaktioneller Elemente nicht mehr oder weniger willkürlich bleiben soll; andererseits ist zur Erfassung der Konzeption des Evangelisten bei der Christologie einzusetzen[1] und dabei zu fragen, welche christologischen Traditionen verarbeitet sind.

Die zuletzt genannte Aufgabe ist hier in Angriff genommen. Es lag nahe, sich dabei an den christologischen Titeln zu orientieren, die im Markusevangelium vorkommen[2]. Zwar soll nicht übersehen werden, daß auch anderes Traditionsgut, das nicht mit einer Hoheitsbezeichnung verbunden ist, christologisch bedeutsam sein kann, aber die christologischen Anschauungen der ältesten Gemeinden haben sich doch weitgehend in Überlieferungsschichten Ausdruck verschafft, die durch einen bestimmten Hoheitstitel geprägt sind. Da

---

[1] WILLIAM WREDE, Das Messiasgeheimnis in den Evangelien. Zugleich ein Beitrag zum Verständnis des Markusevangeliums, 1901, hat dies klar erkannt. In neueren Arbeiten ist es merkwürdigerweise nicht genügend beachtet; das gilt, trotz vieler wertvoller Einzelergebnisse, für JAMES M. ROBINSON, Das Geschichtsverständnis des Markusevangeliums (AThANT 30), 1956, und vor allem für WILLI MARXSEN, Der Evangelist Markus. Studien zur Redaktionsgeschichte des Evangeliums (FRLANT NF 49), 1959², vgl. nur S. 66 Anm. 2: „In unserm Zusammenhang kann die Diskussion der Frage der Christologie übergangen werden"; hier liegt im Ansatz ein entscheidender Fehler.

[2] So auch ERNST LOHMEYER, Das Evangelium des Markus (Krit.-exeg. Komm. üb. d. NT I/2), 1959¹⁵, S. 1ff. Eine von den Hoheitstiteln ausgehende Darstellung der ältesten Christologie wird gegeben von F. J. FOAKES JACKSON — KIRSOPP LAKE, The Beginnings of Christianity (Part I) vol. I, 1920, S. 345ff.; HENRY J. CADBURY, ebd. vol. V, 1933. S. 354ff.; MARTIN DIBELIUS, Art. Christologie des Urchristentums, RGG² I, 1927, Sp. 1592—1607; VINCENT TAYLOR, The Names of Jesus, 1953; REGINALD H. FULLER, The Mission and Achievement of Jesus (StudBiblTheol 12), 1954, S. 79ff.; R. P. CASEY, The Earliest Christologies, JThSt NS 9 (1958) S. 253—277; und vor allem von OSCAR CULLMANN, Die Christologie des Neuen Testaments, 1957.

eine traditionsgeschichtliche Einordnung des dem Evangelisten vorliegenden Stoffes nur erreicht werden kann, wenn man sich nicht auf
das Markusevangelium beschränkt — die Belege für die Frühzeit sind
ohnedies spärlich genug —, führte die Fragestellung zu den Problemen
der Anfänge christologischer Traditionsbildung überhaupt[1].

Die Hoheitstitel wurden unabhängig voneinander behandelt, soweit
sich nicht Überschneidungen und Berührungen durch die Traditionsgeschichte selbst ergaben. Nach der Konvergenz der Ergebnisse ist
erst abschließend gefragt. Es erschien ratsam, die verschiedenen
christologischen Konzeptionen ebenso wie die Traditionsstufen innerhalb der einzelnen Anschauungen so sorgfältig wie möglich voneinander zu unterscheiden, damit Besonderheiten nicht übersehen werden.
Vieles konnte bei der Behandlung der fünf Hoheitstitel nur skizziert
und nicht allen Problemen gleich ausführlich Rechnung getragen
werden. Dort, wo eine für die Gesamtbeurteilung wesentliche Frage
auftaucht, wurde versucht, eine nähere Begründung zu geben.

Einige begriffliche Klärungen sind noch erforderlich. In der neutestamentlichen Forschung der letzten Jahrzehnte ist es üblich, für
das Judentum der Epoche von den Makkabäerkämpfen bis zur Nieder-
schrift der Mischna die Bezeichnung „Spätjudentum" zu gebrauchen.
Dies setzt voraus, daß die nachexilische Zeit des Alten Testamentes
als „Judentum" gekennzeichnet wird, was vor einem halben Jahrhundert in der alttestamentlichen Forschung allgemein verbreitet war,
sich aber heute seltener findet[2]. Statt dessen wird neuerdings im Blick
auf die weitere talmudische und nachtalmudische Ausprägung des
Judentums für die Zeit von ca. 200 v. Chr. bis 200 n. Chr. bisweilen die
Bezeichnung „Frühjudentum" gewählt[3]. Es soll nicht bestritten

---

[1] Auf WERNER KRAMER, Christos, Kyrios, Gottessohn (erscheint in AThANT),
konnte ich nicht mehr eingehen. Einer mir durch Herrn Prof. D. E. Schweizer,
Zürich, freundlicherweise zugänglich gemachten Inhaltsübersicht entnehme ich,
daß diese Arbeit vor allem die Verwendung der Hoheitstitel im paulinischen
Traditionsgut und bei Paulus selbst untersucht und in vieler Hinsicht wohl
meine Untersuchung ergänzt. Dazu die von mir nicht mehr verwertete Neu-
auflage des Buches von EDUARD SCHWEIZER, Erniedrigung und Erhöhung bei
Jesus und seinen Nachfolgern (AThANT 28), 1962[2], S. 80f; vgl. dort auch
die Neufassung der Abschnitte über Menschensohn S. 33ff. 65ff. und über
Kyrios S. 77ff.

[2] Vgl. nur Die Schriften des Alten Testaments in Auswahl neu übersetzt
und für die Gegenwart erklärt II/3: MAX HALLER, Das Judentum. Geschichts-
schreibung, Prophetie und Gesetzgebung nach dem Exil, 1925[2]; aus der neueren
Literatur: ENNO JANSSEN, Juda in der Exilszeit. Ein Beitrag zur Frage der
Entstehung des Judentums (FRLANT NF 51), 1956; ähnlich auch KURT
GALLING, Judentum I: vom Exil bis Hadrian, RGG[3] III, 1959, Sp. 978—986.

[3] Vgl. z. B. OTTO PLÖGER, Prophetisches Erbe in den Sekten der frühen
Judentums, ThLZ 79 (1954) Sp. 291—296; GEORG FOHRER, Messiasfrage und
Bibelverständnis (Samml. gemeinverständl. Vorträge 213/24), 1957, S. 23.
Demgegenüber will MARTIN NOTH, Geschichte Israels, 1959[4], S. 9ff., 386ff., von
Judentum erst nach der Katastrophe von 70 n. Chr. sprechen.

werden, daß diese Bestimmung mancherlei Vorzüge besitzt, doch ist an dem geläufigen Begriff festgehalten.

Für das neutestamentliche Zeitalter hat sich an Stelle der alten Unterscheidung von palästinischer Urgemeinde und paulinischem Christentum schon länger die Unterscheidung der palästinischen Urgemeinde, des vorpaulinischen hellenistischen Christentums und der eigentlich paulinischen Tradition durchgesetzt[1]. Doch ist zu fragen, ob diese Differenzierung genügt. Es ist mit Recht schon erwogen worden, ob nicht ein spezifisch jüdisch geprägtes hellenistisches Christentum von dem Heidenchristentum abgetrennt werden müsse[2]. Im folgenden ist von „hellenistischem Judenchristentum" dort die Rede, wo die hellenistische Herkunft zwar deutlich hervortritt, aber noch eine so starke Bindung an alte jüdische Vorstellungen erkennbar ist. daß dies nicht einfach dem „hellenistischen Christentum", worunter in der Regel das vom Judentum weitgehend gelöste und durch heidnische Herkunft bestimmte Frühchristentum verstanden wird, zugeordnet werden kann[3]. In jüngerer Zeit ist gelegentlich auch von einem Christentum im palästinisch-syrischen Randgebiet gesprochen worden[4]. Aber derartige Lokalisierungen von Überlieferungen, die für den Patristiker notwendig und möglich sind, erweisen sich im Neuen Testament fast durchweg als undurchführbar und beruhen meist auf vagen Vermutungen. Es ist daher richtiger, auf lokale Fixierungen zu verzichten, nach dem Anteil des jüdischen Erbes zu fragen und dementsprechend eine judenchristliche oder heidenchristliche Ausprägung der Überlieferung der hellenistischen Gemeinde zu unterscheiden[5]. Das hellenistische Judenchristentum verdient gerade

---

[1] Grundlegend WILHELM HEITMÜLLER, Zum Problem Paulus und Jesus, ZNW 13 (1912) S. 320—337; zur Durchführung vgl. WILHELM BOUSSET, Kyrios Christos. Geschichte des Christusglaubens von den Anfängen des Christentums bis Irenäus (FRLANT NF 4), 1921², S. 1ff., 75ff.; RUDOLF BULTMANN, Theologie des Neuen Testaments, 1958³, S. 34ff., 66ff.

[2] Vgl. RUDOLF BULTMANN, Die Geschichte der synoptischen Tradition (FRLANT NF 12), 1958⁴, S. 330f.; für die Erarbeitung einer hellenistisch-judenchristlichen Tradition vor allem MARTIN DIBELIUS, Jungfrauensohn und Krippenkind (1932), in: Botschaft und Geschichte (Ges. Aufsätze) I, 1953, S. 1—78. Etwas anders CULLMANN, Christologie S. 332f.

[3] Vgl. noch § 5 S. 309.

[4] So z.B. G. D. KILPATRICK, The Origins of the Gospel according to St. Matthew, 1946, S. 124ff. für die Gemeinde des Matthäus.

[5] Natürlich stellt sich auch die Frage, wieweit sich das palästinische Judentum dem Einfluß des Hellenismus geöffnet hat. Die reiche Materialsammlung von E. R. GOODENOUGH, Jewish Symbols in the Greco-Roman Period I—VIII, 1953—1958, vor allem Bd. I u. III, will in dieser Hinsicht wohl beachtet sein; vgl. auch JEAN-BAPTISTE FREY, Corpus Inscriptionum Judaicarum II, 1952, S. 113ff., 163ff. Eindeutige literarische Dokumente aus dem palästinischen Judentum, die den Synkretismus widerspiegeln, fehlen jedenfalls. Es darf auch nicht übersehen werden, daß es gerade in neutestamentlicher Zeit Strömungen

in der Christologie als wesentliches Zwischenglied sorgsame Beachtung und kann in einigen Fällen als ganz selbständige Traditionsschicht behandelt werden[1].

---

verschiedenster Art gab, welche die Eigenständigkeit des Judentums verteidigten und sich gegen jeden fremden Einfluß weitgehend abschirmten. Anders lagen die Dinge im Diasporajudentum, obwohl es auch dort an orthodoxen Kreisen nicht gefehlt haben wird; wir können uns leider kein annähernd zureichendes Bild machen, weil uns nur eine ganz fragmentarische Überlieferung erhalten geblieben ist und diese weitgehend aus dem ägyptisch-alexandrinischen Bereich stammt. Mehr als die Unterscheidung des palästinischen Urchristentums, das im hebräisch-aramäischen Sprachbereich erwachsen ist, und eines frühen hellenistischen Judenchristentums, dem, bei aller Bindung an überkommene Tradition, Sprache und Denken des Hellenismus vertraut gewesen ist, wird sich vorläufig nicht erreichen lassen. — Der Versuch, verschiedene Zentren des Urchristentums im palästinischen Bereich nachzuweisen, so ERNST LOHMEYER, Galiläa und Jerusalem (FRLANT NF 34), 1936, ist ebenfalls nicht gelungen.

[1] Am deutlichsten hebt sich die Tradition des hellenistischen Judenchristentums beim Kyriostitel, bei der Davidssohntradition und der Gottessohnvorstellung ab.

# § 1. MENSCHENSOHN

Von allen christologischen Titeln ist ‚Menschensohn' am eingehendsten untersucht worden[1]. Das hängt damit zusammen, daß man bei diesem Würdeprädikat hofft, unmittelbar zu der Verkündigung Jesu vorstoßen zu können; außerdem wird die Anschauung der frühen palästinischen Gemeinde über Person und Wirken Jesu in einem relativ geschlossenen Zusammenhang erkennbar[2]. Insofern eignet sich die Behandlung des Menschensohntitels auch als Ausgangspunkt für eine Untersuchung der ältesten christologischen Traditionen. Nun hat allerdings die Forschungsgeschichte gezeigt, wie viele Probleme mit diesem Überlieferungskomplex verbunden sind, und bis in die neueste Literatur hinein sind entscheidende Fragen umstritten, so daß auch an dieser Stelle nicht einfach von festen Ergebnissen ausgegangen werden kann, sondern eine kurze Entfaltung und Diskussion des Materials nötig ist[3].

## 1. *Philologische und religionsgeschichtliche Probleme*

Die in griechischer Sprache ungewöhnliche Wendung ὁ υἱὸς τοῦ ἀνθρώπου stellt die Aufgabe einer philologischen Ableitung. Da wir im Neuen Testament häufig mit Traditionen zu rechnen haben, die aus dem semit. Bereich stammen, scheint die Erklärung nicht schwierig zu sein. Denn es liegt nahe, mit einem Kollektivbegriff zu rechnen,

---

[1] An forschungsgeschichtlichen Überblicken kann für die ältere Zeit auf PAUL FEINE, Theologie des Neuen Testaments, 1953⁹, S. 52ff., hingewiesen werden, für die neuere Forschung auf C. C. McCOWN, Jesus Son of Man: a Survey of recent Discussion, JR 28 (1948) S. 1—12, und auf J. B. HIGGINS, Son of Man-Forschung since ‚The Teaching of Jesus', in: New Testament Essays (Studies in Memory of T. W. MANSON), 1959, S. 119—135.

[2] Das ist von WILHELM BOUSSET, Kyrios Christos, (1913) 1921², methodisch auf breiter Basis ausgewertet worden, indem er den Menschensohntitel als Charakteristikum der palästinischen Urgemeinde im Gegensatz zum kultisch verstandenen Kyriostitel der hellenistischen Christenheit behandelt hat. Auch die ausgezeichnete Arbeit von HEINZ EDUARD TÖDT, Der Menschensohn in der synoptischen Überlieferung, 1959, hat gezeigt, daß die Anschauung von Jesus als dem Menschensohn Eigentümlichkeiten besitzt, welche sie als eine der ältesten christologischen Konzeptionen ausweist, die aus unmittelbarer Weiterführung der Predigt Jesu erwachsen ist.

[3] Die folgende Darstellung beschränkt sich auf die wichtigste und meistbesprochene Literatur.

der mit Hilfe der Genitivverbindung ‚Sohn des . . .‘ zur Bezeichnung
eines Individuums verwendet wird. Das würde besagen, daß ‚Menschensohn‘ nichts anderes als ‚Mensch‘ bedeutet und nur eine sklavische
Wiedergabe des semitischen Ausdrucks darstellt: ebenso wie das
hebräische אָדָם wäre dann das aramäische אֱנָשׁ Gattungsbegriff und
die Form בֶּן אָדָם bzw. בַּר אֱנָשׁ diente dazu, das Einzelwesen zu bezeichnen[1]. Dies ist vor allem von WELLHAUSEN vertreten worden,
der im übrigen der Ansicht war, daß das Wort in Dan 7,13 und
IV Esra 13 nur bildlich und in den Bilderreden des Aethiopischen
Henoch nur unter ausdrücklichem Rückbezug auf Daniel gebraucht
werde[2]; deswegen könne auch ‚Menschensohn‘ im Munde Jesu lediglich allgemeine Bezeichnung eines Einzelmenschen gewesen sein und
erst die Urgemeinde habe dem im Zusammenhang mit ihrer Parusieerwartung einen titularen Charakter aufgeprägt[3]. Noch einen Schritt
weiter war LIETZMANN gegangen, der eine titulare Verwendung im
aramäischen Sprachbereich überhaupt bestritt und mit einem ganz
späten Aufkommen von ὁ υἱὸς τοῦ ἀνθρώπου im Bereich der hellenistischen Gemeinde rechnete[4]. Umgekehrt hatte er בַּר (אֱ)נָשׁ als eine bloß
pleonastische Form neben dem Simplex אֱנָשׁ angesehen und eine
Unterscheidung bei einer aller begrifflichen Distinktionen baren semitischen Sprache abgelehnt[5]. DALMAN hatte dann aber die entgegen-
gesetzte These vertreten, daß das einfache אֱנָשׁ das einzige damals
geläufige Wort für ‚Mensch‘ gewesen sei: „das singularische בַּר אֱנָשׁ
war ungebräuchlich und wurde nur in Nachahmung des hebräischen
Bibeltextes angewandt, wo בֶּן אָדָם der dichterischen Sprache angehört“[6]; das determinierte בַּר (אֱ)נָשָׁא im Jüdisch-Galiläischen und
späteren Christlich-Aramäischen sei zudem eine Neuerung unter Ein-

---

[1] בֶּן אָדָם kommt im AT nur undeterminiert vor. Die determinierte Form des
aramäischen בַּר אֱנָשׁ lautet בַּר אֱנָשָׁא oder, dialektmäßig verschieden, בַּר נָשָׁא.

[2] Dort heißt es fast durchweg ‚dieser‘ bzw. ‚jener Menschensohn‘.

[3] Vgl. JULIUS WELLHAUSEN, Skizzen und Vorarbeiten VI, 1899, S. 187—215,
bes. S. 194ff.; DERS., Einleitung in die drei ersten Evangelien, 1911[2], S. 123
bis 130.

[4] HANS LIETZMANN, Der Menschensohn. Ein Beitrag zur neutestamentlichen
Theologie, 1896, S. 51ff.: noch bei Paulus und in der nachapostolischen Literatur
fehle diese Bezeichnung, in den Synoptikern sei sie im Sinne eines messianischen
Titels erst unter dem Einfluß Marcions eingedrungen; „demnach wird sie vor
dem letzten Jahrzehnt des ersten Jahrhunderts in Pontus üblich gewesen
sein“ (S. 80). Diese These wurde von ihm selbst später aufgegeben; vgl. DERS.,
Geschichte der alten Kirche I, 1953[3], S. 46f.

[5] LIETZMANN, Menschensohn S. 38ff.; von WELLHAUSEN, Skizzen S. 194ff.,
scharf attakiert.

[6] GUSTAF DALMAN, Die Worte Jesu I, (1898) 1930[2], S. 191ff.; vgl. dazu
übrigens auch LIETZMANN, Menschensohn S. 31 Anm. 5.

fluß des mesopotamisch-aramäischen Dialektes gewesen[1]. Das habe
zur Folge, daß בַּר (אֱ)נָשָׁא nicht einfach ‚Mensch' heißen kann und in
keinem Fall eine bedeutungslose Redeweise darstellt, sondern eine
betonte und gewählte Ausdrucksform, die darum nur mit ‚Menschensohn' oder ‚Menschenkind' angemessen wiederzugeben ist[2]. Nach
diesen drei sehr verschiedenartigen Lösungsversuchen wurde das Problem noch einmal von FIEBIG aufgegriffen und philologisch auf breiter
Basis untersucht. Er zeigte, daß ein höchst vielfältiger Sprachgebrauch
für das Aramäische der Zeit Jesu vorausgesetzt werden muß: (אֱ)נָשׁ,
(אֱ)נָשָׁא, aber auch בַּר (אֱ)נָשׁ und בַּר (אֱ)נָשָׁא können alle in demselben
Sinn verwendet werden. Die Formen mit und ohne בַּר haben die gleiche
Bedeutung, es liegt also keine deutliche Unterscheidung von Gattungs-
und Individualbegriff vor; aber auch die indeterminierten und die
determinierten Formen sind nicht klar voneinander abgegrenzt, sie
können beide für ‚ein' bzw. ‚der Mensch' stehen[3]. Bei einer wenigstens
formal genauen Wiedergabe wird man jedoch damit rechnen dürfen,
daß ὁ υἱὸς τοῦ ἀνθρώπου auf בַּר (אֱ)נָשָׁא zurückgeht, ohne daß dieser
Wendung im Aramäischen eine Sonderstellung zukommt[4]. Diese
Lösung ist weitgehend akzeptiert worden[5]. Wenn im Aramäischen

[1] DALMAN, a.a.O. S. 195; zur Beurteilung des galiläischen Dialekts vgl.
DERS., Grammatik des jüdisch-palästinischen Aramäisch, 1905[2] (Neudruck
1960), S. 41f., 43ff.

[2] DALMAN, Worte Jesu S. 192, 204f.

[3] PAUL FIEBIG, Der Menschensohn. Jesu Selbstbezeichnung mit besonderer
Berücksichtigung des aramäischen Sprachgebrauchs für „Mensch", 1901,
bes. S. 53ff., 119f.

[4] FIEBIG, a.a.O. S. 55f.

[5] Vgl. ERIK SJÖBERG, Der Menschensohn im äthiopischen Henochbuch
(Acta Reg. Societatis Humaniorum Litterarum Lundensis XLI), 1946, S. 40f.;
JOACHIM JEREMIAS, Zur aramäischen Vorgeschichte unserer Evangelien, ThLZ 74
(1949) Sp. 527—532, bes. Sp. 528f. Auch DALMAN, Worte Jesu, hat sich in
den Nachträgen zur 2. Aufl. S. 386ff. dieser Ansicht genähert. Die philologischen
Probleme sind nochmals eingehend untersucht worden von ERIK SJÖBERG,
בֶּן אָדָם und בַּר אֱנָשׁ im Hebräischen und Aramäischen, Acta Orientalia 21
(1950/53) S. 57—65, 91—107. Im AT wird בֶּן אָדָם in poetisch-feierlicher Aussage verwendet, אִישׁ und אָדָם werden nicht nur kollektiv, sondern auch individuell gebraucht; nur בְּנֵי אָדָם ist etwas verbreiteter (S. 57ff.). Ähnlich steht es
im Hebräischen der rabbinischen Schriften, wo בֶּן אָדָם allerdings völlig fehlt
(S. 59f.). Im Aramäischen liegen die Dinge sehr viel schwieriger. Die neuen
aramäischen Inschriften und Papyri haben das bisher gewonnene Bild nicht
verändert (S. 61ff.). אֱנָשׁ ist kollektiv und individuell gebraucht, בַּר אֱנָשׁ fehlt
zum Teil ganz (S. 91ff.). Für das galiläische Aramäisch kommen vor allem der
palästinische Talmud, Midrasch Genesis Rabba und die von Kahle heraus-
gegebenen Handschriften des ältesten palästinischen Pentateuchtargums in
Frage, auch das Fragmententargum und bis zu einem gewissen Grad die Parallelen im samaritanischen Pentateuchtargum und im Syrischen. Die wichtigsten Belege ergeben, daß בַּר (א)נָשׁ im galiläischen Aramäisch gebräuchlich war

nicht mit einer besonders geprägten und betonten Ausdrucksweise
gerechnet werden kann, so schließt das aber keineswegs aus, daß בַּר
(אֱ)נָשָׁא) nicht doch mit einer festgeprägten Vorstellung verbunden und in
bestimmten Zusammenhängen auch terminologisch gebraucht werden
konnte, unter Umständen sogar einen titularen Charakter erhielt[1].
Ebenso wie der ‚Anthropos‘ in der Gnosis oder der ‚Tag‘ in der Apokalyptik war auch der ‚Mensch‘ in apokalyptischen Zusammenhängen
eine eindeutige Größe. Dan 7, 13 f.; IV Esra 13 und die Bilderreden
des Aethiopischen Henoch bieten dafür die Belege. Daß in Dan 7, 13 f.
und IV Esra 13 nur im Vergleich, also bildlich vom ‚Menschen‘ gesprochen wird, steht dieser Tatsache nicht entgegen. Lediglich ist zu
fragen, ob das כְּבַר אֱנָשׁ von Dan 7, 13 und das ‚quasi similitudinem
hominis‘ von IV Esra 13, 3 den Gebrauch der Bezeichnung im titularen
Sinne zuläßt. Eine eindeutige Antwort ist auch aus den Bilderreden
nicht zu gewinnen, denn die Bedeutung des Demonstrativums bei
‚Menschensohn‘ ist umstritten[2]. Es kann zwar so erklärt werden, daß
das Demonstrativum der Übersetzung des griechischen Artikels dient,
da das Aethiopische keine besondere Determination des Nomens
kennt, aber dies läßt sich wohl doch nicht ganz sicher erweisen[3].
Unbestritten ist, daß es sich bei Daniel und IV Esra ebenso wie in den
Bilderreden des Aethiopischen Henoch um die feststehende Bezeich-
nung eines ganz bestimmten himmlischen Wesens handelt. Nicht die
Vorstellung und die terminologische Verwendung ist problematisch,
nur der titulare Gebrauch. Er ist allerdings für das vorchristliche
Judentum überwiegend wahrscheinlich; denn zugunsten des titularen
Wortgebrauchs spricht nicht nur die demonstrative Verwendung im
Aethiopischen Henoch, sondern auch die selbstverständliche titulare
Anwendung in der gesamten synoptischen Tradition. Das der griechi-

---

(S. 92ff.). Hier liegt auch der vielfältige Gebrauch vor, auf den schon Fiebig
hingewiesen hat. Daß בַּר (אֱ)נָשׁ zur Zeit Jesu schon allgemein geläufig war, ist
nicht ganz sicher zu belegen, aber doch auf Grund dieses Materials überwiegend
wahrscheinlich (S. 100ff.); dies um so mehr, als Dalmans Gegenbeweis nicht
mehr stichhaltig ist, denn das von ihm herangezogene Targum Onkelos bietet
eine Sprachform, die im Alltagsleben nie gebräuchlich war (S. 104ff.). Ob der
Ausdruck בַּר (אֱ)נָשׁ in der Volkssprache einen gewissen feierlichen Klang hatte,
läßt sich nicht mehr ausmachen (S. 107).

[1] Dies wurde von WELLHAUSEN, Skizzen S. 206ff.; DERS., Einl. S. 129f.,
zugestanden, allerdings erst für die Urgemeinde.

[2] Die bildliche Redeweise ist übrigens auch hier z. T. noch erhalten: ‚und
bei ihm (sc. dem Hochbetagten) war ein anderer, dessen Gestalt das Aussehen
eines Menschen hatte‘ (AethHen 46, 1 b).

[3] Vgl. die eingehenden Erwägungen bei SJÖBERG, Menschensohn S. 42ff., bes.
S. 56ff.; JOACHIM JEREMIAS in der Rezension dieses Buches, ThLZ 74 (1949)
Sp. 405, sieht den titularen Gebrauch in der griechischen Vorlage für erwiesen
an.

schen Wortform zugrunde liegende aramäische בר (א)נשא nimmt zwar keine Sonderstellung ein, aber vielleicht wird man dennoch sagen dürfen, daß die individuelle Bedeutung wie auch die Determinierung hierbei noch am deutlichsten zum Ausdruck zu bringen war, was mit der wortgetreuen Wiedergabe ὁ υἱὸς τοῦ ἀνθρώπου im Unterschied zu dem υἱὸς ἀνθρώπου der Septuaginta (auch Dan 7, 13!) eindeutig festgehalten werden sollte[1].

Mancherlei Diskussion ergab sich in neuerer Zeit um die sog. *korporative Interpretation* der Menschensohngestalt. Nun ist nicht zu bestreiten, daß in Dan 7, 13f. 27 ein korporatives Verständnis vorliegt, denn der Menschensohn wird mit dem ‚Volk der Heiligen des Höchsten' gleichgesetzt; er repräsentiert das ewige Reich der Heilszeit, und unter den ‚Heiligen des Höchsten' sind wahrscheinlich die himmlischen Scharen zu verstehen[2]. Aber ein derartiges korporatives Verständnis liegt in IV Esra 13 und den Bilderreden des Aethiopischen Henoch nicht vor, und selbst in Dan 7 ist zu fragen, welche traditionsgeschichtlichen Voraussetzungen maßgebend sind. Abgesehen von den späteren Zusätzen in V. 7 fin. 8. 11a. 20—22. 24f.[3] ist die eigentliche Vision V. 1—7. 9f. 11b—14 und deren Deutung V. 15—19. 23. 26—28 zu unterscheiden; außerdem sind in der Vision die Vorstellung von den vier Weltreichen[4] und die Anschauung vom Gottesgericht und dem Erscheinen des Menschensohnes miteinander verbunden[5]. Es muß beachtet werden, daß nicht erst durch die Deutung V. 15ff., sondern bereits durch die Verbindung der Menschensohnvorstellung mit der Anschauung von den vier Weltreichen sich das korporative Verständnis ergab. Aber gilt das für die Vorstellung vom himmlischen Menschen überhaupt? Die Erwägung, daß hinter Dan 7

---

[1] Es bleibt zu erwägen, ob nicht auch der äthiopischen Übersetzung mit ihrem Demonstrativum daran liegt, die determinierte Fassung des Wortes eindeutig hervorzuheben.

[2] Vgl. dazu MARTIN NOTH, „Die Heiligen des Höchsten", in: Gesammelte Studien zum AT (Theol. Büch. 6), 1960[2], S. 274—290, der für diese früher schon von Procksch vertretene Ansicht erneut eingetreten ist. Es handelt sich dann also nicht um das Gottesvolk Israel. In das Reich der himmlischen Scharen einzugehen, ist die Hoffnung der Frommen.

[3] Diese Elemente sind in überzeugender Analyse von GUSTAV HÖLSCHER, Die Entstehung des Buches Daniel, ThStKr 92 (1919) S. 113—138, als sekundär ausgeschieden worden.

[4] Die Anschauung von den vier Weltreichen liegt auch der Vision Dan 2, 31ff. und deren Deutung in 2, 36ff. zugrunde, dort konfrontiert mit dem vom Berge losbrechenden, die Weltreiche zerstörenden und die Erde erfüllenden ‚Stein', dem Bild des ewigen, unzerstörbaren Reichs. Vgl. MARTIN NOTH, Das Geschichtsverständnis der alttestamentlichen Apokalyptik, in: Ges. Stud. S. 248—276, bes. S. 251ff.

[5] Zur Verbindung diente einerseits der Gegensatz der Tiere zum ‚Menschen', andererseits der Ursprung aus dem Chaosmeer und das Erscheinen vom Himmel her.

und den Bilderreden des Aethiopischen Henoch eine gemeinsame
individuelle Menschensohnkonzeption steht, die nur bei Daniel
korporativ gedeutet worden ist, hat immerhin einiges für sich[1]. Wie
immer es jedoch mit der Priorität der kollektiven und individuellen
Deutung stehen mag, in der nachdanielischen Tradition des Judentums
liegt eine eindeutig individuelle Konzeption vor. Im Hinblick auf Jesu
Verkündigung und Person bereitet die korporative Deutung jedenfalls
nicht unerhebliche Schwierigkeiten. T. W. MANSON, der dieses Verständnis vor allem vertreten hat, muß eine unmittelbare Bezugnahme
auf Dan 7 voraussetzen und im übrigen damit rechnen, daß Jesus
auf Grund des Versagens der Jünger am Ende seines Lebens die
Funktionen des korporativ zu verstehenden Menschensohnes stellvertretend selbst übernommen habe[2]. Immerhin kommt er also
letztlich nicht ohne eine personale Auslegung durch und konstatiert
eine sowohl korporative als auch individuelle Konzeption in den
Evangelien. Seine These, die in dieser Form sonst kaum übernommen
worden ist[3], wurde bisweilen mit gewissen Einschränkungen gleichwohl aufgegriffen, so etwa von TAYLOR, der die Worte vom eschatologischen Kommen des Menschensohnes auf „the Elect Community of
which He was to be the Head" deutet[4], oder von THÉO PREISS, der
der Menschensohngestalt einen zugleich „inklusiven" Sinn zuschreibt[5];
ähnlich spricht CULLMANN von einer gewissen Doppeldeutigkeit des
Ausdrucks und zieht Verbindungslinien zur Vorstellung von der voll-
kommenen Menschheit[6]. Es darf jedoch nicht übersehen werden, daß,

---

[1] MARTIN NOTH, Zur Komposition des Buches Daniel, ThStKr 98/99 (1926)
S. 143—163, bes. S. 144ff., versuchte Dan 7 literarkritisch in zwei selbständige
Quellen aufzulösen, deren eine (Dan 7,9.10.13) er auch als Vorlage der Bilderreden des Aeth. Henoch betrachtet. Dies ist m. E. problematisch, aber hinter
der literarisch wohl einheitlichen Komposition von Dan 7,1ff. dürften zwei
ursprünglich selbständige Traditionselemente stehen. Vgl. noch AAGE BENT-
ZEN, Daniel (HbAT I/19), 1952[2] S. 56f., 62f.

[2] Vgl. vor allem T. W. MANSON, The Teaching of Jesus, 1935[2], S. 211ff.;
DERS., The Son of Man in Daniel, Enoch and the Gospels, Bulletin of the John
Rylands Library 32 (1949/50) S. 171—193; jetzt in: Studies in the Gospels
and Epistles (ed. M. Black), 1962, S. 123—145.

[3] Eine Ausnahme stellt J. C. CADOUX, The Historic Mission of Jesus, 1941,
dar; vgl. HIGGINS, a.a.O. S. 126.

[4] VINCENT TAYLOR, The Gospel according to St. Mark, 1952 (repr. 1957)
S. 384; DERS., Names of Jesus S. 31ff. Er bezieht sich dabei besonders auf die
Stellen, an denen das redende Ich Jesu von dem zukünftigen Menschensohn
unterschieden ist.

[5] THÉO PREISS, Le Fils de l'Homme. Fragments d'un cours sur la Christologie
du Nouveau Testament, Montpellier 1951, bes. S. 16ff., 22ff., 69ff. Abgesehen
von dem Versuch einer Verbindung der individuellen und kollektiven Bedeutung
liegt ihm besonders daran, die spezifisch biblische Eigenart der Vorstellung
von den „juridischen" Elementen her zu bestimmen (vgl. S. 71, 72, 75), woraus
sich ein klarer Unterschied zu jeder mythischen Konzeption ergibt.

[6] CULLMANN, Christologie S. 157f.

ganz abgesehen von dem schon im vorchristlichen Judentum ausgeprägten individuellen Verständnis der Menschensohngestalt, die
neutestamentlichen Menschensohnworte keinerlei Indizien liefern, die
eine solche Auslegung fordern[1]; daß im Bereich des semitischen
Denkens korporative Vorstellungen geläufig waren[2], ist zusammen
mit dem einen Text Dan 7 noch kein ausreichender Grund, zumal die
urchristlichen Aussagen gerade nicht unter ausschließlicher Rück-
beziehung auf Dan 7 entstanden sind[3], sondern einen breiten, uns
gar nicht mehr zureichend erkennbaren Traditionsstrom voraussetzen[4].

Ein weiteres vielerörtertes Problem, das vor allem von JOACHIM
JEREMIAS aufgegriffen und von T. W. MANSON im Rahmen seiner
Deutung gleichfalls erörtert wurde, ist die Verbindung der Anschau-
ungen vom *Menschensohn und leidenden Gottesknecht*[5], nur mit dem
Unterschied, daß jener die Verbindung schon für das Spätjudentum
voraussetzt[6], dieser aber sie erst bei Jesus vollzogen sieht[7]; ähnlich

---

[1] Zur Kritik der Deutung T. W. Mansons vgl. McCOWN, a.a.O. S. 9; ERIK
SJÖBERG, Der verborgene Menschensohn in den Evangelien, 1955, S. 241ff.;
EDUARD SCHWEIZER, Erniedrigung und Erhöhung bei Jesus und seinen Nachfolgern (AThANT 28), 1955, S. 88ff.; vgl. außerdem die Übersicht bei HIGGINS,
a.a.O. S. 126f.

[2] Zur korporativen Vorstellungsweise vgl. den Exkurs bei E. SCHWEIZER,
a.a.O. S. 153f.

[3] R. H. FULLER, Mission and Achievement of Jesus S. 98ff., geht ebenfalls
von Dan. 7 aus, obwohl nur vergleichende und korporative Redeweise
vorliegt: "It may very well be that Jesus himself transformed Daniel's simile
into a title for the glorified, supernatural bringer of salvation. Further, the
objection that in Daniel the one like unto a son of man is not an individual
figure . . . is not really an objection at all, but the strongest indication we have
of the working of Jesus' mind . . . He individualized what was in the Old Testament a corporate conception" (S. 102). Diese Folgerung ist nötig, weil die
vorchristliche Entstehung der Bilderreden des Aeth. Henoch bezweifelt wird.
Aber trotz Fehlens alter aus Palästina stammender Zeugnisse ist doch mindestens
nicht zu bestreiten, daß hier ebenso wie in dem Ende des 1. Jh.s n.Chr.
entstandenen IV Esra altüberkommene apokalyptische Tradition aufgenommen
ist.

[4] Ebensowenig wie eine ausschließliche Anknüpfung an Dan 7 darf eine
einseitige Verbindung mit der Menschensohnkonzeption in den Bilderreden
des Aeth. Henoch angenommen werden, wie bei RUDOLF OTTO, Reich Gottes
und Menschensohn, (1934) 1954[3], bes. S. 132ff.

[5] Vgl. JOACHIM JEREMIAS, Erlöser und Erlösung im Spätjudentum und
Urchristentum, in: Der Erlösungsgedanke (Deutsche Theologie II), 1929,
S. 106—119; DERS., Art. παῖς θεοῦ, ThWb V bes. S. 686f. Außer den bereits
genannten Untersuchungen von T. W. MANSON vgl. noch sein Buch: The
Servant-Messiah, 1953, bes. S. 62ff., 73.

[6] So auch WILLI STAERK, Soter I, 1933, S. 72ff., 82ff.; JULIUS SCHNIEWIND,
Das Evangelium nach Markus (NTD 1), 1949[5], S. 116; C. H. DODD, According
to the Scriptures, 1952, S. 117.

[7] Ebenso WILLIAM MANSON, Bist du der da kommen soll? (= Jesus the
Messiah, 1943), 1952, bes. S. 142; PREISS, a.a.O. S. 51ff., 73f.; CULLMANN,
Christologie S. 164; mit gewissen Einschränkungen auch TAYLOR, Mk S. 119f.

urteilt auch R. H. FULLER[1]. Zwar ist der Einfluß der Vorstellung vom leidenden Gottesknecht in dem Menschensohnwort Mk 10,45 par nicht zu bestreiten[2], doch ist dies innerhalb der neutestamentlichen Menschensohnworte völlig singulär; auch läßt sich Mk 10,45 kaum auf Jesus selbst zurückführen. In der spätjüdischen Menschensohnkonzeption fehlt, soweit wir sehen können, jeder klare Beleg für die Übernahme von Elementen der Vorstellung vom leidenden Gottesknecht, denn allenfalls lassen sich gewisse Beziehungen der Menschensohnaussagen zu Jes 42,1ff.; 49,1ff. feststellen, aber nicht zu Jes 50,4ff.; 52,13ff., und bei der damaligen Exegese, für die die Gottesknechtslieder keine selbständige Einheit darstellten, darf nicht ohne weiteres angenommen werden, daß alle Elemente der deuterojesajanischen Anschauung übernommen sind. Verborgenheit und Entrückung hat nichts mit Leiden zu tun, und am wenigsten beweiskräftig ist die mehrfache Bezeichnung des Menschensohnes mit ‚Knecht‘ in IV Esra, denn dieser Ehrenname ist weder im Alten Testament noch im Judentum ausschließlich mit der Gottesknechtstradition Deuterojesajas verbunden[3].

Ein in vieler Hinsicht noch unzureichend geklärtes Problem ist die *Herkunft der Menschensohnvorstellung*[4]. Die älteren Ableitungen der

---

[1] FULLER, a.a.O. S. 95ff., 102ff., betont, daß die Wirksamkeit des Menschensohnes eine zukünftige ist und Jesus auf dessen Kommen ausblickt; gleichwohl könne Jesus die Funktionen des Menschensohnes proleptisch übernehmen, wie beispielsweise Sündenvergebung und Befreiung vom Sabbatgebot zeigen. Da das irdische Wirken Jesu durch Gehorsam und Leiden geprägt ist, sei hierfür primär das Motiv vom leidenden Gottesknecht aufgenommen. Von einer Verschmelzung der Vorstellungen vom Gottesknecht und Menschensohn könne nicht gesprochen werden, da die Einsetzung zum Menschensohn noch bevorsteht und Jesu Funktion zu den verschiedenen Zeiten klar unterschieden wird. Die Menschenworte aller drei Gruppen werden von F. im Grundbestand auf Jesus zurückgeführt. Bei der Vorhersage seines Todes habe Jesus neben allgemeinen Aussagen wie Lk 12,49f.; 13,32f. auch auf Jes 53 Bezug genommen (S. 55ff.), so daß den Worten vom Leiden des Menschensohnes eine weitgehend gleichartige, an Jes 53 angelehnte Terminologie eignet und erst nachträglich Aussagen hinzutraten, die deutlich durch die tatsächlichen Ereignisse bestimmt sind. Nun läßt sich sicher kein gemeinsames von Jes 53 abhängiges Grundschema der Leidensweissagungen nachweisen, vielmehr muß traditionsgeschichtlich erheblich stärker differenziert werden (vgl. dazu unten S. 46ff.); auch hinsichtlich der Echtheitsfrage wird man zurückhaltender urteilen müssen, aber immerhin ist anzuerkennen, daß hier die These einer Verbindung der Menschensohn- und Gottesknechtvorstellung in einer wesentlich vorsichtigeren Weise zur Diskussion gestellt worden ist.

[2] Vgl. Exk. I S. 57ff.

[3] Vgl. im einzelnen die ausführliche Kritik der Thesen von Jeremias bei SJÖBERG, Menschensohn im äth. Henoch S. 116f.; DERS., Verborgener Menschensohn S. 70f., 255ff.

[4] Die neuerdings im anglo-amerikanischen Bereich wieder unternommenen Versuche, die Menschensohnaussagen des NT statt auf die Apokalyptik auf das בן אדם bei Ezechiel zurückzuführen, bedürfen keiner ernsthaften Widerlegung; vgl. dazu HIGGINS, a.a.O. S. 123f.

religionsgeschichtlichen Schule[1] bedürfen einer Überprüfung[2], und eindeutige neuere Ergebnisse sind bisher nicht erzielt worden. Immerhin wird man an der These festhalten müssen, daß die Menschensohngestalt im Judentum nicht ohne Fremdeinflüsse erklärbar ist[3]. Eine gewisse, allerdings sehr gebrochene und durch mancherlei schwer erkennbare Zwischenglieder modifizierte Verbindung zu der Vorstellung eines Urmenschen wird sich nicht rundweg bestreiten lassen[4]. Doch wird man sich hüten müssen, hier allzu rasch ein Verwandtschaftsverhältnis mit anderen Ausformungen der Urmenschlehre, etwa der Adam-Christus-Typologie bei Paulus, anzunehmen[5]. Wie immer es mit den religionsgeschichtlichen Wurzeln stehen mag, die Menschensohnvorstellung war in neutestamentlicher Zeit längst ein eigenes Überlieferungselement im Judentum geworden und zugleich ein gewisser Kristallisationspunkt innerhalb der apokalyptischen End-

---

[1] Vgl. z.B. WILHELM BOUSSET, Hauptprobleme der Gnosis (FRLANT 10), 1907, S. 194ff.; WILHELM BOUSSET-HUGO GRESSMANN, Die Religion des Judentums im späthellenistischen Zeitalter (HbNT 21), 1926³, S. 354f., 489f.; C. H. KRAELING, Anthropos and Son of Man, 1927; WILLI STAERK, Die Erlösererwartung in den östlichen Religionen (Soter II), 1938, S. 421ff.

[2] Vgl. nur CARSTEN COLPE, Die religionsgeschichtliche Schule (FRLANT NF 60), 1961, S. 16ff., 53ff.

[3] Eine Ableitung aus innerisraelitischen Voraussetzungen, wie sie etwa W. KÜPPERS, Das Messiasbild der spätjüdischen Apokalyptik, Internat. Kirchl. Zeitschr. 23 (1933) S. 193—256; 24 (1934) S. 47—72, versucht hat, ist in keiner Weise überzeugend. Außerjüdische Einflüsse werden ebenfalls von ANDRÉ FEUILLET, Le fils de l'homme de Daniel et la tradition biblique, RB 60 (1953) S. 170—202, 321—346, abgelehnt.

[4] Vgl. dazu vor allem WALTHER BAUMGARTNER, Ein Vierteljahrhundert Danielforschung, ThR NF 11 (1939) S. 214ff.; SIGMUND MOWINCKEL, He That Cometh, 1956, S. 346ff., bes. S. 420ff.; SJÖBERG, Menschensohn im äth. Hen. S. 190ff.; BENTZEN, Dan S. 62ff.; GERHARD IBER, Überlieferungsgeschichtliche Untersuchungen zum Begriff des Menschensohns im NT, Diss. Heidelberg 1953 (Maschinenschrift), S. 6ff., 38ff.; ferner HIGGINS, a.a.O. S. 121f. Hier drängt sich auch die Frage nach der eigenartigen Überlieferung von AethHen 71 auf, wonach Henoch im Himmel von Gott als Menschensohn begrüßt wird; vgl. dazu vor allem SJÖBERG, a.a.O. S. 147ff. Die Stelle ist nicht durch Textänderung oder durch Bestreitung des Identitätsgedankens zu erklären, auch die Fragestellung „Inkarnationsaussage oder Erhöhungsgedanke" führt nicht weiter, denn weder ist an eine Menschwerdung eines vorzeitlichen Menschensohnes gedacht noch an eine „Erhöhung" dessen, der „früher nur ein Mensch wie die anderen" war (S. 168). Zunächst geht es einfach einmal um den Entrückungsgedanken wie Gen 5,24; Jub 4,23. Entrückt wird aber derjenige, der allein gerecht war, und um der Gerechtigkeit willen werden alle, die auf seinen Wegen wandeln, in der zukünftigen Welt mit ihm leben: AethHen 71,14ff. Aber Henoch wird nicht „mit dem präexistenten Menschensohn identifiziert" (S. 186), sondern als der einzig Gerechte unter den ersten Menschen ist er der Repräsentant des nach Gottes Ebenbild geschaffenen Menschen und wird von Gott als „Mensch(ensohn)" aufgenommen. Es sieht so aus, als läge hier ein spezifisch jüdischer Versuch vor, die im Hintergrund stehende Urmenschvorstellung von der biblischen Schöpfungslehre her zu erklären. Sehr viel weiter gehen dann SlavHen 22,1—10; 24,1ff. und der III. Henoch.

[5] Gegen CULLMANN, Christologie S. 169ff.

erwartung[1]. Die religionsgeschichtlichen Probleme sind daher für das Neue Testament von untergeordneter Bedeutung.

Eine letzte hier noch zu berührende Frage ist das Verhältnis von *Menschensohn und Messias*. Sofern ‚Messias‘ nicht in unsachgemäßer Weise als Allgemeinbegriff für den endzeitlichen Erlöser verwendet wird, sind bei der Annahme einer gegenseitigen Abhängigkeit dieser Vorstellungen in der Regel bestimmte religions- und traditionsgeschichtliche Thesen mit im Spiele. So vor allem, wenn RIESENFELD oder BENTZEN nicht nur die Messias-, sondern auch die Menschensohnvorstellung auf die Königsideologie zurückführen wollen[2]. Unbeschadet gewisser Berührungen mit der Anschauung vom königlichen Messias muß die Menschensohnvorstellung aber nicht nur ihres Ursprungs, vielmehr gerade auch ihrer selbständigen Weiterführung und Ausbildung wegen grundsätzlich von der eigentlichen Messianologie unterschieden werden, wenn man nicht einer Verwirrung der traditionsgeschichtlichen Tatbestände Vorschub leisten will. Eine Ableitung aus der Königsideologie dürfte hier ganz sicher ausscheiden. Nach den gegenseitigen Beeinflussungen muß von Fall zu Fall gefragt werden[3].

*Zusammenfassend* ist zu sagen, daß die philologischen Probleme im wesentlichen als geklärt angesehen werden können: בַּר (אֱ)נָשָׁא ist Bezeichnung für den einzelnen Menschen, aber nicht die einzig mögliche; eine besondere Bedeutung oder Betonung hat die Wortform jedenfalls nicht. Das hebt jedoch nicht auf, daß dieser allgemeine Begriff in festgeprägten apokalyptischen Zusammenhängen eine sehr klar umrissene Stellung als terminus technicus besitzt. Nicht ganz eindeutig, aber überwiegend wahrscheinlich ist, daß sich bereits im vorchristlichen Judentum ein titularer Gebrauch durchsetzte, der von Jesus und der Urgemeinde übernommen worden ist. Das bei Daniel vor-

---

[1] Daß die Menschensohnerwartung nicht für die Apokalyptik schlechthin Bedeutung erlangte, ist bekannt. Es gibt eine Vielzahl apokalyptischer Schriften, in denen diese Gestalt fehlt. Auch im Aeth. Henoch beschränkt sich das Vorkommen auf die Bilderreden. Daß die Qumrantexte bisher nichts für die Menschensohnvorstellung ergeben haben, ist mehrfach betont worden. Es sind wohl Vorlagen einzelner Teile des Henochbuches, aber gerade nicht der Bilderreden aufgefunden worden. Aus diesem Grunde den vorchristlichen Charakter der Bilderreden überhaupt zu bestreiten, ist sicher unsachgemäß, erweist aber die sehr verschiedenartigen Strömungen in der Apokalyptik. Vgl. dazu neuerdings KARL GEORG KUHN, Zum heutigen Stand der Qumranforschung, ThLZ 85 (1960) Sp. 651f.

[2] HARALD RIESENFELD, Jésus transfiguré (Acta Seminarii Neotestamentici Upsaliensis XVI), 1947, S. 63f.; AAGE BENTZEN, Messias-Moses redivivus-Menschensohn (AThANT 17), 1948, S. 71ff.; letzterer vertritt auch noch die problematische These, daß der erste Mensch nach Gen 1 und Ps 8 als Urkönig verstanden sei, vgl. S. 39ff.

[3] Zur Stellung der Apokalyptik im Spätjudentum und zur Unterscheidung von Menschensohn und Messias vgl. § 3 S. 142ff., 156ff.

liegende kollektivische Verständnis der Menschensohnvorstellung fehlt in IV Esra 13 und den Bilderreden des Aethiopischen Henoch und ist ebensowenig für das Neue Testament vorauszusetzen. Eine Verbindung mit der Anschauung vom leidenden Gottesknecht ist für das Judentum nicht zu erweisen; in urchristlicher Tradition ist sie nur in einem Einzelfall festzustellen. Die religionsgeschichtliche Ableitung ist noch nicht befriedigend geklärt. Mit Fremdeinflüssen wird unter allen Umständen zu rechnen sein; umgekehrt ist die Vorstellung in hohem Maße von jüdischem Denken adaptiert worden, wenn sie auch nicht allgemein verbreitet war. Sie gehört einer eigenen Traditionsschicht an und ist aus diesem Grund von der Messiasvorstellung grundsätzlich zu unterscheiden.

## 2. *Die Menschensohnvorstellung und die Verkündigung Jesu*

Die Menschensohnsprüche sind uns fast ausnahmslos als Aussagen Jesu überliefert. Es stellt sich daher die Frage, in welchem Verhältnis sie zur Verkündigung Jesu stehen. Wenn irgendwo bei christologischen Hoheitsaussagen, dann kann bei ‚Menschensohn‘ damit gerechnet werden, daß Jesus selbst von dieser Prädikation Gebrauch gemacht hat. Das schließt nicht aus, daß eine Reihe von Sprüchen sekundär zugewachsen sind. Aber welche Menschensohnsprüche als die ältesten angesehen und der Verkündigung Jesu zugerechnet werden können, ist umstritten. Es ist sogar gefragt worden, ob sich die Menschensohnvorstellung überhaupt der Verkündigung Jesu einordnen läßt. Je nach Beantwortung dieser Fragen wird auch die traditionsgeschichtliche Weiterentwicklung beurteilt werden müssen. So empfiehlt es sich, die grundsätzlichen Erwägungen der Einzelbesprechung der Menschensohnworte voranzustellen.

Ein gewisser Konsensus besteht in der kritischen Forschung darin, daß die *Leidensweissagungen*, wenigstens in ihrer jetzigen Form, erst in der Gemeinde entstanden sind, weswegen die Aussagen über das Sterben und Auferstehen des Menschensohnes an das Ende der Entwicklung gestellt werden. Umstritten ist, ob die Worte vom kommenden Menschensohn oder die Worte von seinem irdischen Wirken als primär angesehen und damit auf Jesus selbst zurückgeführt werden dürfen; daß beide gleich ursprünglich sind, ist wenig wahrscheinlich.

Bei den Worten vom *Erdenwirken des Menschensohnes* hat die ältere Forschung häufig die Echtheit unter Voraussetzung einer Fehlübersetzung der aramäischen Redeweise behauptet. Aus einem einfachen ‚der Mensch‘ oder ‚ich‘ sei erst nachträglich ein Hoheitstitel geworden[1].

---

[1] So Arnold Meyer, Jesu Muttersprache, 1896, S. 91 ff.; die bereits erwähnten Untersuchungen von Lietzmann und Wellhausen; zuletzt Bultmann, Theologie S. 31 f.

Aber dem stehen Schwierigkeiten entgegen. Denn einerseits sind nicht alle diese Worte als Aussagen über den Menschen wirklich sinnvoll und oft wird die eigentliche Pointe gerade erst durch den Titel ‚Menschensohn' gewonnen, andererseits ist die Wendung בַּר (אֱ)נָשָׁא als Umschreibung eines ‚ich' in den uns erhaltenen aramäischen Dokumenten nicht nachzuweisen, vielmehr steht in solchen Fällen הָהוּא גַבְרָא [1]. Nun hat EDUARD SCHWEIZER die These aufgestellt, daß in diesen Worten ‚Menschensohn' keineswegs eine nichtssagende Umschreibung sei, sondern daß Jesus sehr bewußt den Begriff als Selbstbezeichnung aufgegriffen habe; diese Sprüche seien die ursprünglichsten Menschensohnlogien und als Ausgangspunkt für die gesamte Anschauung zu betrachten[2]. Ganz abgesehen von der Frage, ob dies die einzelnen Worte inhaltlich zulassen, sind Bedenken geltend zu machen. Schon die philologischen Voraussetzungen nötigen zu Überlegungen: בר (אנשא) wird als Bezeichnung eines gewöhnlichen Menschen angesehen, dann aber zugleich damit gerechnet, daß es, an Stelle eines ‚ich' gebraucht, eine „etwas ungewohnte Umschreibung" gewesen sei[3]. Es ist also der Versuch unternommen, dem Wort seine allgemeine Bedeutung zu belassen, aus seiner Stellung jedoch eine gewisse Betonung zu entnehmen. Aber dies läßt sich m. E. in diesem Fall nicht erweisen: denn entweder war diese Ausdrucksweise als bescheidene Selbstbezeichnung geläufig, dann kann nicht von einer ungewohnten betonten Umschreibung die Rede sein, oder die Wendung war in Selbstaussagen ungebräuchlich, dann war sie eben nur als Aussage über den Menschen schlechthin zu verstehen. Im Aramäischen ist eine derartige Redeweise für ‚ich' jedenfalls nicht nachweisbar; zudem ist in einer Reihe anderer Menschensohnworte gerade das redende ‚Ich' sehr deutlich von der Menschensohnbezeichnung unterschieden[4]. Weiter muß gegen Schweizers These vorgebracht werden, daß bei einer titularen Verfestigung im Judentum am ehesten damit gerechnet werden könnte, daß die Menschensohnbezeichnung von Jesus in einen neuen Zusammenhang hineingestellt wurde. Aber er hat gerade bestritten, daß

---

[1] Vgl. DALMAN, Worte Jesu S. 204f., 392f.; SJÖBERG, Der verborgene Menschensohn S. 239 Anm. 3. Völlig unwahrscheinlich und unbeweisbar ist, daß Jesus zur Unterscheidung von einem gewöhnlichen הַהוּא גַבְרָא ein demonstratives הַהוּא בַּר נָשָׁא gebraucht habe, das Demonstrativum aber wegen der titularen Verwendung von ὁ υἱὸς τοῦ ἀνθρώπου im Griechischen überflüssig geworden sei; so J. Y. CAMPBELL, The Origin and Meaning of the Term Son of Man, JThSt 48 (1947) S. 145—155.

[2] EDUARD SCHWEIZER, Der Menschensohn, ZNW 50 (1959) S. 185—209, bes. S. 197ff., 205ff.

[3] SCHWEIZER, a.a.O. S. 198 mit Anm. 46; S. 201f.

[4] Lk 12,8f.; Mk 8,38//Lk 12,26; Mk 14,62.

eine „dogmatisch fest umrissene Größe" vorliegt. Jesus habe auf die Besonderheit seines Wirkens aufmerksam machen und keinerlei bequeme Formel an die Hand geben wollen. ‚Menschensohn' sei „eine zugleich verhüllende wie das Geheimnis seiner Person andeutende Umschreibung" und von vornherein doppeldeutig[1]. Aber wie soll diese Doppeldeutigkeit, die doch nur unter bestimmten festliegenden Prämissen möglich wäre, überhaupt erkennbar sein[2]? Ferner ist zu berücksichtigen, daß bei einem solchen Allgemeinbegriff die Verwendung als terminus technicus immer in einen ganz bestimmten Vorstellungskomplex hineingehört und von dort ihren Sinn erhält; aus solchem Rahmen gelöst, geht die besondere Bedeutung notwendig verloren[3]. Stehen die Aussagen über den kommenden Menschensohn traditionsgeschichtlich am Anfang, dann ist ein apokalyptischer Sachzusammenhang gegeben[4]. Stehen dagegen die Sprüche vom Erdenwirken voran, dann ist ein solcher Bezugspunkt und Verständnisrahmen nicht erkennbar. Nun bestreitet allerdings Schweizer nicht jeden übergeordneten sachlichen Zusammenhang. Statt auf die

---

[1] SCHWEIZER, a.a.O. S. 198, 210f. Er zieht sogar Verbindungslinien zu dem Messiasgeheimnis, aber ob dies so selbstverständlich für Jesus selbst vorausgesetzt werden kann, wie es hier im Anschluß an SJÖBERG, Der verborgene Menschensohn S. 214ff., geschieht, ist sehr fraglich.

[2] Die Annahme einer doppeldeutigen Bezeichnung oder gar eines Geheimnamens spielt in der neueren Forschung seit längerer Zeit eine Rolle. FIEBIG, a.a.O. S. 66ff., 97ff., stellt z.B. fest, daß ‚Menschensohn' eine aus Dan 7 entnommene Selbstbezeichnung Jesu sei, daß jene Stelle aber nur Ausgangspunkt, nicht Schranke für den Inhalt des Begriffes gewesen sei; durch die Übertragung auf Jesu irdisches Wirken und sein Leiden und Auferstehen sei es vor allem zu jener Doppelbedeutung gekommen. „Jesus hat den Ausdruck um dieser Eigentümlichkeit willen gewählt" (S. 120). ERNST PERCY, Die Botschaft Jesu. Eine traditionskritische und exegetische Untersuchung (Lunds Universitets Årsskrift N. F. Avd. 1, Bd. 49 Nr. 5), 1953, S. 256ff., rechnet, anders als Fiebig, nicht damit, daß ‚Menschensohn' bereits im Spätjudentum titular gebraucht worden sei. So habe die Bezeichnung im Munde Jesu „eine ähnliche Forderung zum Nachdenken an die Zuhörer gestellt" wie etwa die Gleichnisse, denn sie mußten mit der messianischen Interpretation von Dan 7 vertraut sein und diese Beziehung erkennen. Aber die These der Doppeldeutigkeit ist bei Fiebig, der mit einem bereits feststehenden Titel rechnet, noch eher akzeptabel als bei Percy und Schweizer. Doch auch der Annahme Fiebigs steht entgegen, daß die Worte vom irdischen oder leidenden Menschensohn durchaus nicht den Charakter von Rätselworten tragen und als Aussagen über den Menschen im allgemeinen nur in den seltensten Fällen sinnvoll sind (so allenfalls Mt 8, 20 par., aber nicht Mk 2,10.28 parr.; Mt 11,19 par. und ebensowenig die Leidensweissagungen). Es geht vielmehr um eine in Verbindung mit dem Menschensohntitel stehende eindeutige christologische Aussage; und dies läßt sich so nicht auf Jesus selbst zurückführen.

[3] Vgl. dazu SJÖBERG, Menschensohn im äth. Hen. S. 58f.

[4] Innerhalb der ausgebauten Menschensohnchristologie der Urgemeinde haben dann die Aussagen über Jesu Erdenwirken und sein Leiden ihren guten Platz: einerseits erlaubt die titulare Verfestigung eine gewisse Übertragung, andererseits ist der eschatologische Bezug, wenn nicht in jedem Einzelspruch, so doch in der Gesamtkonzeption gewahrt.

Apokalyptik weist er auf die Anschauung vom leidenden und erhöhten
Gerechten hin; er kann sich dabei aber nur auf Aeth. Henoch 70f.
sowie SapSal 2—5 berufen[1]. Neu sei in der Verkündigung Jesu, daß
er den Menschensohntitel nicht nur auf den erhöhten Gerechten, der
einst vor Gottes Gericht seinen Feinden entgegentritt, anwende,
sondern bereits auf den irdischen Weg des Gerechten[2]. Er muß dazu
den Nachweis führen, daß nicht die Parusieaussagen, sondern die
Erhöhungsaussagen zum ursprünglichen Bestand der Menschensohnworte Jesu gehören. Sein Versuch, aus Act 7,56 und den johanneischen
Menschenworten die notwendigen Belege zu gewinnen[3], ist jedoch
nicht überzeugend; denn es läßt sich zeigen, daß die Erhöhungsaussagen im Sinne einer selbständigen christologischen Hoheitsstufe
gegenüber den Parusieaussagen sekundär sind und eine deutliche
Enteschatologisierung voraussetzen[4]. Endlich enthalten einzelne
Worte vom kommenden Menschensohn mit ihrer Unterscheidung von
Jesus und dem Menschensohn eine Eigentümlichkeit, die sich nur
erklären läßt, wenn man diese Logien an den Anfang der Entwicklung
stellt und die Identifizierung des Menschensohnes mit Jesus als einen
ersten Schritt der christologischen Ausdeutung beurteilt. Gerade bei
diesen Worten steht am deutlichsten die apokalyptische Konzeption
im Hintergrund und bietet somit ein wichtiges Kriterium für das
Verständnis des Menschensohnbegriffs[5]. An der Priorität der Worte
vom eschatologischen Wirken des Menschensohnes ist daher festzuhalten.

---

[1] Da in SapSal 2—5 der Menschensohntitel fehlt, sind keine sicheren Schlüsse
zu ziehen. Die ohnedies problematischen Schlußkapitel der Bilderreden des
Aeth. Henoch tragen die Beweislast nicht; zudem liegt hier ein apokalyptischer
Rahmen vor.

[2] SCHWEIZER, a.a.O. S. 205f. Er kann auch Kurzformeln der Leidensweissagungen wie etwa Lk 9,44 diesen Herrenworten zurechnen; vgl. S. 195ff.

[3] A.a.O. S. 188ff., 202ff.

[4] Vgl. dazu im einzelnen Exk. II S. 126ff. Wenn SCHWEIZER, a.a.O. S. 192ff.,
darauf hinweist, daß auch Dan 7,13f. nicht im Sinne eines Herabkommens
vom Himmel, sondern als himmlische Erhöhung verstanden sei, so ist hier zu
beachten, daß es wohl um eine Thronbesteigung geht (vgl. BENTZEN, Dan
S. 64), aber diese „Erhöhung" mit der eschatologischen Vollendung zusammenfällt, während die nt. Vorstellung von der Erhöhung von einer Machtübertragung im Himmel vor der Endvollendung handelt. Beides wird man sorgsam
unterscheiden müssen. Außerdem darf nicht übersehen werden, daß im NT wohl
sehr bewußt nur die Wendung vom Kommen auf den Wolken aus Dan 7,13
aufgegriffen ist, wobei die Wolke als Symbol der Epiphanie verstanden wird
(vgl. dazu ALBRECHT OEPKE, Art. νεφέλη, ThWb IV S. 904—912); Dan 7,13
ist also in den Dienst einer Parusieanschauung gestellt.

[5] Daß die Parusieaussagen abgesehen von den Menschensohnworten schlecht
bezeugt sind, worauf SCHWEIZER, a.a.O. S. 192ff., hinweist, braucht nicht zu
überraschen; denn tatsächlich dürften die Worte vom kommenden Menschensohn die ältesten und maßgebenden Parusieaussagen gewesen sein (das Wort
παρουσία ist ohnedies sekundär).

Das höhere Alter der Aussagen vom *kommenden Menschensohn* beweist allein noch nicht ihre Echtheit. Als Hauptargument gegen die Herkunft dieser Sprüche von Jesus hat PHILIPP VIELHAUER die Unverbundenheit mit den Worten vom nahenden Gottesreich herausgestellt[1]. Aber in methodischer Hinsicht ist hier Vorsicht geboten. Daß die Unverbundenheit jedenfalls nicht für die Logienquelle und das bei Markus verarbeitete Traditionsgut gilt, muß zunächst beachtet werden[2]. Damit ist natürlich noch nicht ihre ursprüngliche Verbindung bei Jesus erwiesen, aber dort stehen noch andere Elemente anscheinend unverbunden nebeneinander. Wenn CONZELMANN deshalb beispielsweise die eschatologischen und ethischen Bestandteile der Verkündigung Jesu auch sachlich getrennt lassen und die Ethik nicht von der Eschatologie her verstanden sehen will, so erweckt das stärkste Bedenken[3]. Doch VIELHAUER verweist nicht nur auf die Verkündigung Jesu, sondern ebenso auf die spätjüdische Überlieferung, in der Gottesreich und Menschensohn durchweg unverbunden sind[4]. Dies ist in der Tat von Belang, wird jedoch etwas anders beurteilt werden müssen, als es bei ihm geschieht. Die Vorstellung von der Gottesherrschaft gehört ihrer Grundstruktur nach zu einer rein theokratischen Eschatologie, in der die Gestalt eines besonderen Heilbringers, des Messias oder des Menschensohns, fehlt. Will man zu einigermaßen brauchbaren Ergebnissen gelangen, so ist dreierlei zu beachten: einmal, daß eine Beschränkung auf den bloßen Begriff der Gottesherrschaft irreführt, vielmehr muß nach der theokratischen Vorstellung im ganzen gefragt werden[5]; sodann, daß die eschatologische Gottesherrschaft im Sinne

---

[1] PHILIPP VIELHAUER, Gottesreich und Menschensohn in der Verkündigung Jesu, in Festschrift für Günther Dehn, 1957, S. 51—79. Ihm schließen sich an HANS CONZELMANN, Gegenwart und Zukunft in der synoptischen Tradition, ZThK 54 (1957) S. 277—296, bes. S. 281ff.; DERS., Zur Methode der Leben-Jesu-Forschung, ZThK 56 (1959) Beih. 1 S. 9f.; teilweise auch EDUARD SCHWEIZER, a.a.O. S. 185ff., 206f., der durch Bezugnahme auf die Erhöhungsvorstellung die Unverbundenheit der Sprüche vom kommenden Menschensohn mit der Verkündigung der Gottesherrschaft erklären zu können meint. Die These der Unechtheit aller Menschensohnworte findet sich übrigens schon bei ERNST KÄSEMANN, Das Problem des historischen Jesus, ZThK 51 (1954) S. 149f., jetzt in: Exegetische Versuche und Besinnungen I, 1960, S. 211.

[2] Dies hat TÖDT, Menschensohn S. 301ff., mit Recht gegen Vielhauer herausgestellt.

[3] CONZELMANN, ZThK 56 (1959) Beih. 1 S. 10ff.; es gehe jeweils primär darum, die Hörer mit Gott zu konfrontieren, außerdem stelle sich hier wie dort implicit das Problem der Christologie.

[4] VIELHAUER, a.a.O. S. 71ff.

[5] Gegen VIELHAUER, a.a.O. S. 76. Mit guten Gründen beschränkt sich RUDOLF SCHNACKENBURG, Gottes Herrschaft und Reich, 1959, S. 23ff., bei seiner Untersuchung des Spätjudentums nicht auf Stellen, an denen dieser Begriff vorkommt. Leider hat er die theokratische und die an einen Heilsträger gebundene Vorstellung sowie die diesseitigen und transzendenten Anschauungen nicht klar genug geschieden (dies gilt besonders für seinen § 4 S. 23ff.).

der diesseitigen Erwartung und der Apokalyptik deutlich unterschieden werden muß[1]; endlich, daß die im Spätjudentum, vor allem im Rabbinat vorkommenden Aussagen über ein gegenwärtiges Königtum Gottes hierbei auszuklammern sind[2]. Für die Verkündigung Jesu ist die ‚Gottesherrschaft' eine eschatologische Vorstellung — unbeschadet der Aussagen, die über ihren Anbruch oder gar ihr Gegenwärtigwerden gemacht werden — und sie steht im Rahmen einer transzendenten Heilserwartung, mit anderen Worten: sie ist von der Apokalyptik bestimmt. Daß die Aussagen ausschließlich theokratisch gehalten sind, hängt zunächst damit zusammen, daß sie sachlich und gattungsmäßig in einer ganz bestimmten Tradition stehen, in der eine Verbindung mit der zwar ebenfalls in der Apokalyptik bekannten Gestalt des Menschensohnes nicht unmittelbar gegeben ist. Wie nun aber die Apokalyptik zeigt, schließt dies ein gewisses Nebeneinander nicht aus. Dies war schon deswegen naheliegend, weil bei der Menschensohnvorstellung weniger die bevorstehende Heilszeit selbst als in der Hauptsache das Weltende und das Gericht, bei dem alle zur Rechenschaft gezogen werden, im Blickfeld stehen. Das ist bei IV Esra 13 besonders deutlich, wo vom Gericht über die feindlichen Mächte und von der Erlösung der Erwählten die Rede ist, aber jede Aussage über die Heilszeit fehlt. Auch im Aethiop. Henoch steht Gericht und Erlösung bei den Menschensohnstellen im Vordergrund[3], und interessanterweise sind alle Aussagen, die von einer Machtübertragung handeln, in direkten Zusammenhang mit der Richterfunktion gebracht[4]. Wohl wird dann auch im Blick auf die Heilszeit von einem ‚Essen' bzw. ‚Wohnen' mit dem Menschensohn gesprochen[5], aber dabei darf der Umschlag nicht übersehen werden, der etwa in c. 45 markiert ist: in V. 1—3 handelt der Menschensohn im Gericht, in V. 4—6 bewirkt Gott selbst das ewige Heil, und er ist es, der den Menschensohn unter

---

[1] Also die diesseitig-politische Aufrichtung der ausschließlichen Herrschaft Gottes in Israel (unter Einbeziehung der Heiden) wie etwa DtJes; Tob 14,5ff.; Jub 1,15ff. einerseits und die apokalyptische Erwartung von Dan 2; AssMos 10; Aeth. Hen 1,3ff. u. ä. andererseits.

[2] Hierhin gehört die Wendung ‚Das Joch der Gottesherrschaft auf sich nehmen' sowie die Erwägungen über das Verborgensein und das Aufglänzen der Gottesherrschaft, wobei ein eschatologisches Grundverständnis Ausgangspunkt bleibt; vgl. KARL GEORG KUHN, Art. βασιλεία ThWb I S. 570ff.; SCHNAKKENBURG, a.a.O. S. 32ff.

[3] Dazu kommt in Aeth.Hen. 46,3; 51,3 noch die Offenbarung von Geheimnissen. Aber auch hierbei geht es um den Übergang vom alten zum neuen Äon und nicht um die Heilszeit selbst.

[4] Nicht zufällig daher auch die Unklarheit, ob der Menschensohn überhaupt auf Gottes Thron eingesetzt wird; vgl. SJÖBERG, Menschensohn im äth. Hen. S. 63ff. Im III Henoch setzt sich Metatron auf einen eigenen Thron; vgl. a.a.O. S. 66 Anm. 24. Nur Aeth.Hen. 51,3 bei der Geheimnisoffenbarung geht es bei dem Sitzen auf dem Thron nicht um die Gerichtsfunktion.

[5] Vgl. Aeth.Hen. 45,4ff; 62,14; 71,16.

den Erwählten ‚wohnen' läßt; ähnlich 62, 14: der Herr der Geister wohnt ‚über' den Erlösten, der Menschensohn ißt ‚mit' ihnen[1]. Für die apokalyptische Literatur ist der Menschensohn eine bezeichnende, aber keineswegs notwendige Gestalt. Immerhin steht er nicht wie der Messias und die Vorstellung von einem königlichen Reich der Heilszeit in grundsätzlicher Spannung zur rein theokratischen Eschatologie[2]. Wo er auftaucht, hat er nur im Zusammenhang mit dem Jüngsten Tag eine selbständige Funktion, ist gewissermaßen der Türhüter zwischen dem alten und neuen Äon; in der Heilszeit hat er dagegen eine völlig untergeordnete Stellung, und Gott selbst ist Herrscher[3]. Daß zwischen dem Auftreten des Menschensohnes und dem Kommen der Gottesherrschaft kein sachlicher Zusammenhang bestehe und von letzterem dort nicht die Rede sein kann, wo der Menschensohn eine aktive Rolle spielt, darf daher nicht ohne weiteres behauptet werden[4]. Im übrigen dürfte es unzutreffend sein, daß der Begriff עוֹלָם הַבָּא im Spätjudentum mit der Messiaszeit identifiziert, der Begriff der Gottesherrschaft aber „von apokalyptischen und nationalen Zukunftserwartungen unbelastet" war und nun Jesus „von der Gottesherrschaft in der olam-Terminologie spricht, aber den kommenden olam durch die Gottesherrschaft ersetzt"[5]. Die Ausdrucksweise von ‚diesem'

---

[1] Etwas anders liegen die Dinge Dan 7, 13 f., wo der Menschensohn inthronisiert wird und dabei Repräsentant der ewigen Herrschaft ist. Aber gerade hieran zeigt sich, daß das NT nicht primär auf Dan 7 zurückgreift, wie ja auch die Zitierung dieser Schriftstelle eine deutliche Modifikation der Anschauung enthält; vgl. o. S. 26 Anm. 4.

[2] Spätere rabbinische Theologie hat auch dafür einen Ausgleich geschaffen; vgl. PAUL VOLZ, Die Eschatologie der jüdischen Gemeinde im neutestamentlichen Zeitalter, 1934 S. 71 f.; JOSEPH KLAUSNER, The Messianic Idea in Israel, 1956, S. 408 ff.; ferner § 3 S. 151 ff.

[3] Vgl. dazu SJÖBERG, Menschensohn im äth. Hen. S. 80 ff. Die untergeordnete Stellung bezieht sich übrigens schon auf den Anbruch der eschatologischen Ereignisse, sofern dieser ausschließlich durch Gott bestimmt wird. — Die Anschauungen sind allerdings, was bei dem Charakter der apokalyptischen Literatur kaum überrascht, nicht völlig ausgeglichen. An einer Stelle, Aeth. Hen. 49, 2, wird auch von einer fortwährenden Macht und Herrlichkeit des Menschensohnes gesprochen; es kann also durchaus auch zu Spannungen mit der theokratischen Vorstellung kommen, aber dies ist nicht notwendig und keineswegs überall der Fall. Im ganzen IV Esra wird auf die Heilszeit immer nur verwiesen, nirgends wird sie beschrieben; alles richtet sich auf den so lange erwarteten Anbruch der endzeitlichen Ereignisse.

[4] Gegen VIELHAUER, a. a. O. S. 74 ff. Etwas anders liegen die Dinge bei der Verbindung der Messiaserwartung und einer apokalyptischen theokratischen Konzeption, denn dabei wird die messianische Zeit überhaupt zu diesem Äon gerechnet und noch schärfer von der Gottesherrschaft abgegrenzt, wie etwa IV Esra 7, 28 ff.; immerhin gehört dies bereits im Sinne einer Vorperiode zu den erhofften endzeitlichen Ereignissen. Vgl. auch das Kaddischgebet: ‚Er richte auf seine Königsherrschaft . . . und bringe hervor seinen Messias.' Dazu KUHN, ThWb I S. 573; TÖDT, Menschensohn S. 300 f.

[5] VIELHAUER, a. a. O. S. 77.

und dem ‚kommenden Äon' ist eine Unterscheidung, die ebenso mit
der traditionellen wie mit der apokalyptischen Heilshoffnung verbunden werden konnte[1]. Auf der anderen Seite ist der Begriff der
Gottesherrschaft keineswegs neutral und unbelastet, vielmehr konnte
das Ideal einer Theokratie sowohl im Rahmen der alten diesseitigen
wie auch der transzendenten apokalyptischen Erwartung entfaltet
werden. Damit war eine Auswechselbarkeit der beiden Begriffe
‚kommender Äon' und ‚Gottesherrschaft' gegeben und ist nicht erst
durch die Verkündigung Jesu ermöglicht worden. Allenfalls kann man
sagen, daß der Begriff des kommenden Äons durch den der Gottesherrschaft eindeutig definiert worden ist. Wenn in den Evangelien
meist ‚Gottesherrschaft', in der jüdischen Literatur häufiger ‚kommender Äon' gesagt wird, so ist dies in erster Linie eine Verschiedenartigkeit der Terminologie, nicht notwendig der Sache. Auf Grund solcher
Erwägungen kann die Unechtheit aller Menschensohnworte nicht erwiesen werden; die Vorstellung von der Gottesherrschaft läßt in der
Apokalyptik durchaus noch die Sonderfunktion des beim Weltende
erscheinenden Richters zu[2]. Die von VIELHAUER außerdem vor-
gebrachten Einzelargumente zu den Menschensohnsprüchen sollen im
folgenden Abschnitt berücksichtigt werden. Neben der Unverbundenheit der Aussagen über den kommenden Menschensohn und über die
Gottesherrschaft hat besonders CONZELMANN noch darauf hingewiesen,
daß die von Jesus verkündigte Gottesherrschaft sachlich überhaupt
keinen Raum mehr lasse für einen dazwischentretenden Gerichtsakt
und eine selbständige Richtergestalt, da es keinerlei Distanz mehr
gäbe[3]. Aber man wird sehr genau fragen müssen, ob das apokalyptische
Zeitschema bei den Menschensohnworten Jesu wirklich eine Rolle
spielt[4]. Es geht doch beispielsweise in Lk 12, 8f. nicht eigentlich darum,
daß auf das Gericht als ein selbständiges späteres Ereignis verwiesen

---

[1] Vgl. dazu VOLZ, Eschatologie S. 64ff.

[2] Eine Bestreitung sämtlicher Menschensohnaussagen liegt auch noch bei
F. C. GRANT, The Gospel of the Kingdom, 1940, und bei H. B. SHARMAN, Son
of Man and Kingdom of God, 1944, vor. Letzterer argumentiert ähnlich wie
Vielhauer: „they create the impression of two foci that do not belong to the
same ellipse" (S. 89); während aber Grant zutreffend den apokalyptischen
Charakter der Botschaft Jesu von der Herrschaft Gottes anerkennt, hat Sharman alle eschatologischen Züge bestritten und will sie ganz im moralischen
Sinne interpretieren; dazu McCOWN, a. a. O. S. 5f. Umgekehrt wird es aber
auch nicht möglich sein, so weitgehend wie CULLMANN, Christologie S. 154ff.,
bei den Menschensohnworten mit echter Jesustradition zu rechnen; zur Kritik
vgl. TÖDT, Menschensohn S. 288ff.

[3] CONZELMANN, ZThK 54 (1957) S. 287f.

[4] CONZELMANN, a. a. O. S. 281f., rechnet m. E. viel zu stark mit dem speziell
apokalyptischen Vorstellungsgehalt; aber auch die Anschauung von der Gottesherrschaft darf man bei Jesus unter keinen Umständen aus der Apokalyptik
auffüllen!

wird, sondern umgekehrt um die Tatsache, daß die Menschen in einem nicht zu überbietenden Maße gerade auf ihre Entscheidung gegenüber Jesus angesprochen werden. Zutreffend formuliert VÖGTLE: „Jesus erklärt den kommenden richtenden Menschensohn zu *seinem* Funktionär. Er, der gegenwärtige Jesus, ist also die eigentlich entscheidende, für Endheil und Unheil entscheidende eschatologische Mittlergestalt"; darum läßt Jesus „die Person des richtenden Menschensohnes völlig in der Schwebe"[1]. Das, was CONZELMANN über die indirekte Zusammengehörigkeit von Eschatologie und Ethik sagt, daß sie die Hörer unmittelbar mit Gott konfrontieren und Jesus sich als Vollzug solcher Konfrontation versteht, wird man in dieser Weise sehr viel eher für die Verbindung der Verkündigung der Gottesherrschaft und des kommenden Menschensohnes sagen dürfen[2]. Denn gerade dort gilt, daß der „Anbruch des Reiches nicht durch eine forensische Veranstaltung beschrieben" wird, sondern „durch einen Akt der Scheidung", bei dem die Künftigkeit nicht aufgehoben ist, es aber vornehmlich darum geht, „den Kairos so einzuschärfen, daß man auf nichts anderes mehr achtet als auf die sofortige Buße"[3]. Wie die Verkündigung der Gottesherrschaft die Zusage des anbrechenden Heils enthält, so die Menschensohnworte die Notwendigkeit der nun beginnenden eschatologischen Scheidung.

Fügen sich die Worte vom kommenden Menschensohn der Verkündigung Jesu durchaus ein, hat sich zudem ergeben, daß den Sprüchen vom irdischen Wirken des Menschensohnes keine Priorität zukommen kann, so ist damit die traditionsgeschichtliche Analyse der Arbeit von TÖDT, die unabhängig von den besprochenen Untersuchungen Schweizers, Vielhauers und Conzelmanns entstanden ist, im ganzen bestätigt. Das Hauptverdienst dieser Abhandlung ist der Aufweis des sachlichen Zusammenhangs der urchristlichen Verkündigung mit Jesu eigener Predigt. Wie es bei Weiterverkündigung der Botschaft Jesu und der Berufung auf seine Vollmacht sowie der Erwartung seiner Wiederkunft in der Urgemeinde zur Entfaltung einer umfassenden Menschensohnchristologie kam, ist ausführlich dargelegt. In den folgenden Abschnitten kann darauf zurückgegriffen werden. Die anschließende eigene Darstellung soll einen kurzen traditionsgeschichtlichen Überblick bieten, einzelne Argumente SCHWEIZERS und VIELHAUERS aufnehmen und einige kleine Abwei-

---

[1] ANTON VÖGTLE, Grundfragen zweier neuer Jesusbücher, ThRev 54 (1958) Sp. 103. Vgl. auch WILLI MARXSEN, Anfangsprobleme der Christologie, 1960 S. 27 ff.

[2] Vgl. CONZELMANN, ZThK 56 (1959) Beih. 1 S. 9 ff., bes. S. 12. Bei zwei eschatologischen Aussagereihen ist diese Bestimmung zutreffend, für die Verbindung von Eschatologie und Ethik aber wohl doch nicht ausreichend.

[3] CONZELMANN, ZThK 54 (1957) S. 285, 288.

chungen markieren. Aufs Ganze gesehen geht es dabei jedoch nicht um neue Ergebnisse[1].

*Zusammenfassend* soll festgehalten werden, daß von den drei Gruppen der Menschensohnworte diejenige über den leidenden und auferstehenden Menschensohn am wenigsten Anspruch auf Ursprünglichkeit erheben kann. Die Worte vom irdischen Wirken wird man nicht wie in der älteren Forschung als mißverstandene Aussagen über den ,Menschen' allgemein verstehen dürfen, wie auch die Wiedergabe von ,ich' durch ,Menschensohn' für das damalige Aramäisch nicht belegbar ist. Die Priorität der Aussagen über das Erdenwirken läßt sich auch dadurch nicht stützen, daß die Vorstellung vom leidenden und erhöhten Gerechten herangezogen wird. Denn nur im Rahmen der Apokalyptik finden sich eindeutige Voraussetzungen für ein Verständnis des Menschensohnbegriffs, weswegen auch die Worte vom kommenden Menschensohn notwendig an den Anfang der Entwicklung gehören. Erst nachdem die Gleichsetzung des zukünftigen Menschensohns mit Jesus bereits vollzogen war, konnte der vollmächtig auf Erden wirkende Jesus ebenfalls als ,Menschensohn' bezeichnet werden, was zuletzt auch noch auf Aussagen über sein Leiden und Auferstehen ausgedehnt wurde. Ist die Priorität der Worte vom eschatologischen Wirken des Menschensohnes geklärt, so kann ferner die Herkunft einzelner dieser Logien aus dem Munde Jesu sachlich nicht bestritten werden. Weder die relative Unverbundenheit mit Aussagen über die Gottesherrschaft noch die Eigentümlichkeit der Verkündigung Jesu insgesamt bieten grundsätzliche Argumente gegen die Ursprünglichkeit.

### 3. *Die Worte vom zukünftigen Wirken des Menschensohnes*

Die Worte vom kommenden Menschensohn stehen traditionsgeschichtlich am Anfang. Unter ihnen sind zwei verschiedenartige

---

[1] Nur kurz sei auf die Beurteilung der Menschensohnworte bei ETHELBERT STAUFFER, Jesus. Gestalt und Geschichte, 1957, S. 122ff., 128ff., hingewiesen: Er hält sie in allen drei Gruppen für authentisch, rechnet nur bei den Leidensweissagungen mit einer nachträglichen Ausgestaltung der Auferstehungsaussagen durch die Gemeinde (S. 130, 129). Die Urkirche habe von dem Menschensohnbegriff ,,keinerlei dogmatischen Gebrauch'' gemacht, eine ,,Menschensohndogmatik'' habe es nie gegeben. Jesus, der in der ,,galiläischen Henochtradition'' stand, welche vom Filius hominis absconditus sprach, habe sich selbst als den Filius hominis incognitus verstanden, nicht im Sinne einer apokalyptischen Spekulation, ,,sondern mit dem jenseitigen Hoheitsanspruch des großen Fremden aus der anderen Welt, an den man ganz persönlich glaubt oder nicht glaubt'' (S. 123). Er schließt sich damit, abgesehen von Parallelen zu Lohmeyer, im entscheidenden Punkt an die These von RUDOLF OTTO, Reich Gottes und Menschensohn, 1954[3], S. 146f., 171ff., an, die übrigens auch bei MARTIN DIBELIUS (-WERNER GEORG KÜMMEL), Jesus, 1960[3], S. 78ff., 84f., übernommen worden ist; dagegen mit Recht SJÖBERG, Verborgener Menschensohn S. 122f., 243f.

Gruppen zu unterscheiden; denn einmal geht es um die Richterfunktion des Menschensohnes, dann um sein endzeitliches Erscheinen.
In beiden Gruppen lassen sich ältere Logien, die sich auf die Andeutung
des Motivs beschränken, von jüngeren abheben, die eine apokalyptische Ausgestaltung erfahren haben. Unter den Sprüchen mit dem
Gerichtsmotiv können Lk 12, 8f. par. (Spruchquelle) und die Parallelfassung Mk 8, 38 par. den größten Altersanspruch erheben. Der
Doppelspruch vom Verleugnen und Bekennen ist allerdings in *Mk 8,38*
bereits sekundär umgestaltet[1]. An Stelle von ἀρνεῖσθαι steht hier
das wohl gräzisierende ἐπαισχύνεσθαι[2]; das Sich-Schämen bezieht sich
auch auf Jesu Worte, ist damit also auf die nachösterliche Situation
der Gemeinde bezogen; die Redeweise von ‚diesem ehebrecherischen
und sündigen Geschlecht‘ ist zwar altertümlich[3], zerstört aber die in
Lk 12, 8f. sehr betont durchgehaltene Korrelation der Satzglieder.
Endlich fehlt die Parallelaussage über das Bekennen. Mk 8, 38b zeigt
auch eine in verschiedener Hinsicht jüngere Erweiterung, denn hier
sind apokalyptische Elemente in Anlehnung an Dan 7, 13f. hinzugefügt[4], außerdem ist von der Herrlichkeit ‚seines Vaters‘ die Rede,
was auf eine sehr andersartige christologische Anschauung verweist[5].
Die ursprünglichere Fassung liegt zweifellos in Lk 12, 8f. vor. Denn
die Parallele in *Mt 10,32f.* zeigt trotz großer Nähe in Aufbau und
Formulierung eine fundamentale Umgestaltung, sofern das ‚Ich‘ auch
in den Nachsatz eingetragen ist, Jesus also ausdrücklich mit
dem zukünftigen Richter gleichgesetzt und die Menschensohnbezeichnung getilgt ist. Für *Lk 12,8f.*, aber auch noch für Mk 8, 38,
ist es gerade charakteristisch, daß Jesus und der richtende Menschensohn deutlich unterschieden bleiben. Diese Unterscheidung ist ein so
auffälliges Faktum und läßt sich aus der Christologie der Urgemeinde
schlechterdings nicht erklären, daß hier mit einem echten Jesuswort
gerechnet werden muß. Dagegen kann auch nicht vorgebracht werden,
daß ‚Bekennen‘ und ‚Verleugnen‘ eine Situation bezeichnen, die nur
für die verfolgte Gemeinde gelte und innerhalb des Lebens Jesu bestenfalls für Petrus während der Passion, aber nicht für die Jüngerschaft
insgesamt akut gewesen sei[6]. Es ist umgekehrt gerade bezeichnend,

---

[1] Lk hat diese Form in 9, 26 mit einer kleinen Verkürzung neben 12, 8f.
zusätzlich wiedergegeben; Mt hat in 16, 27 die Zweigliedrigkeit des Spruches
aufgelöst und aus dem Nachsatz eine Verheißung der Parusie und des Gerichtes
des Menschensohnes gemacht.
[2] Vgl. ERNST KÄSEMANN, Sätze heiligen Rechtes im Neuen Testament,
NTSt 1 (1954/55) S. 248—260, dort S. 256f.
[3] Vgl. Konkordanz.          [4] Vgl. TÖDT, Menschensohn S. 39ff.
[5] Vgl. dazu § 5 S. 319ff. Dieses Motiv ist auch in die Mt-Parallele zu Lk 12, 8f.
eingedrungen und hat das sicher ursprünglichere ἐνώπιον τῶν ἀγγέλων (τοῦ
θεοῦ) verdrängt.
[6] Gegen VIELHAUER, a.a.O. S. 69f.

daß im Zusammenhang mit dem Motiv des eschatologischen Gerichts
von dem Verhalten gegenüber Jesus in ausgesprochen forensischen
Termini gesprochen und auf diese Weise die ganze Bedeutsamkeit
der hier fallenden Entscheidung unterstrichen wird. Es kommt hinzu,
daß diese Aussage in die Form eines heiligen Rechtssatzes gefaßt ist[1].
Man geht m. E. fehl, wenn man wegen dieser formalen Eigenart das

---

[1] Vgl. dazu neuerdings noch JAMES M. ROBINSON, Kerygma und historischer
Jesus, 1960, S. 158 (f.) Anm. 1. Er will die innere Problematik des Nachweises
von KÄSEMANN, a. a. O., aufzeigen, da die neutestamentlichen Sätze heiligen
Rechtes kasuistisch formuliert seien, jedoch gerade im AT der kasuistische
Stil dem profanen Recht zugehört, während das „ius talionis gattungsgeschicht-
lich nicht zum kasuistischen, sondern zum apodiktischen Recht zu rechnen
ist“, und „das heilige, apodiktische Recht nach ganz anderen Strukturgesetzen
gebaut ist“. Die Dinge liegen allerdings, wenn ich recht sehe, etwas anders.
Im AT wird man dem apodiktischen und dem kasuistischen Recht wohl ohnedies
die talio zunächst als eine ganz selbständige Gattung zuordnen müssen; vgl.
ALBRECHT ALT, Zur Talionsformel, in: Kleine Schriften zur Geschichte des
Volkes Israel I, 1953, S. 341—344; DERS., Die Ursprünge des israelitischen
Rechts, ebd. S. 278—332. Das apodiktische Recht hat darin seine Eigenart,
daß der unbedingte Wille Gottes gesetzt, aber nicht ein menschliches Richten
festgelegt ist; abgesehen von der Begründung der Rechtsforderung (Ex 20,2
im Heilshandeln Jahwes an Israel) kann nur ein Fluch oder eine Verheißung
hinzutreten. HARTMUT GESE, Beobachtungen zum altisraelitischen Rechtsstil,
ThLZ 85 (1960) Sp. 147—150, hat daher zutreffend die apodiktisch gehaltenen
Rechtssätze, die die Todesstrafe auf Grund bestimmter Vergehen fordern, als
sekundäre Mischformen angesprochen. Das AT zeigt auch sonst im einzelnen
wie im ganzen der Gesetzeskorpora bereits mannigfache Mischbildungen, so
daß kasuistische Formulierungen direkt mit apodiktischen verbunden sind
(vgl. ALT, a. a. O. S. 303ff.). Bei dem ius talionis handelt es sich um ein altes
kultisches Recht, bei dem eine Wiedervergeltung vor die Gottheit durch die
Gemeinschaft(!) vollzogen werden mußte, was später durch Ersatzleistungen
abgelöst worden ist. Immerhin steht dies wegen des Strafvollzuges und wegen
des Gedankens der Vergeltung dem kasuistischen Recht näher als das genuin
israelitische apodiktische Recht, auch wenn es bei dem kasuistischen Recht
um Wiedergutmachung statt Vergeltung geht; vgl. dazu noch MARTIN NOTH,
Das zweite Buch Mose/Exodus (ATD 5), 1959, S. 147. Im AT ist die Talionsformel
nirgends selbständig erhalten, sondern steht im Zusammenhang des kasuistischen
Rechts; doch ist Ex 21,23 neben einem kasuistischen Vordersatz und der abschließenden Talionsformel interessanterweise auch noch ein Stilelement des apodiktischen Rechts erhalten (וְנָתַתָּה; Formulierungen mit ‚ich‘ und ‚du‘ sind nur
im apodiktischen Recht verwurzelt). So zeigt sich also schon in at. Überlieferung,
daß sich die Stilformen gegenseitig beeinflussen und durchdringen. Dies läßt sich
dann etwa auch an Lk 6,27ff. gut beobachten und wäre in spätjüdischer Literatur
ebenfalls zu untersuchen. Entscheidend für das Talionsmotiv im NT ist der Bezug
auf das eschatologische Gericht; hierdurch ist es allein von der Sache her zum
heiligen Recht geworden, ganz gleich, wie es mit den dabei angewandten Stilformen stehen mag. Ob man angesichts von Lk 12, 8f.//Mt 10,32f.; Mk 8,38//
Lk 9,26 noch einen Schritt weitergehen und auf die Formulierungsvarianten
hinweisen darf, ist mir nicht ganz sicher. Immerhin zeigt Lk 12,9 (nur dieser
Vers!) im Unterschied zu allen übrigen bedingenden, also eigentlich kasuistischen Formulierungen, einen mehr statuierenden Charakter; hier wird nicht
auf die Möglichkeit der rechten oder falschen Entscheidung, sondern auf die
Tatsache der sich schon vollziehenden Scheidung abgehoben, so daß unter
Umständen erwogen werden kann, ob nicht in diesem Zusammenhang der
eigentlich kasuistische Stil überhaupt sekundär ist.

Wort dem irdischen Jesus abspricht und der nachösterlichen Gemeindeprophetie zuweist[1]. Denn mag dort tatsächlich das heilige Recht eine
für Leben und Ordnung der Gemeinde ausschlaggebende Rolle gespielt
haben, so ist damit noch lange nicht gesagt, daß Jesus selbst sich nicht
ebenfalls dieser Form bedient haben kann, wie er doch auch sonst in
seinen Worten überkommene Gattungen verwendet hat. Vielleicht
war die älteste Gemeinde nicht nur durch das Geisteswirken, sondern
zu allererst durch den irdischen Jesus dazu veranlaßt, Sätze heiligen
Rechts zu gebrauchen, um den Menschen die Unbedingtheit ihrer
Entscheidung deutlich zu machen. Man kann ja nicht übersehen, daß
es in einem Spruch wie Lk 12, 8 f. darum geht, daß Heil und Unheil
den Hörern ganz unmittelbar dargeboten werden und alles in die
Situation der Anrede sich konzentriert; auf das Gericht muß nicht im
Sinne der Apokalyptik erst noch gewartet werden, der Menschensohn
wird das hier fallende Urteil nur noch bestätigen und wird kundtun,
daß Gottes letzter Richtspruch hinter Anspruch und Vollmacht Jesu
steht. Weil es eben in der Verkündigung Jesu um die unmittelbare
Nähe Gottes geht, kann in solcher Weise vom eschatologischen Gericht
und dem Menschensohn gesprochen werden[2]. TÖDT hat zutreffend
von einer soteriologischen Relation gesprochen[3]. Das Verhältnis
der Person Jesu zu der Gestalt des Menschensohnes bleibt völlig offen.
Wie Jesus vor dem nahekommenden Gott zurücktritt, so auch der
Menschensohn; auf Notwendigkeit und Ernst des jetzt schon beginnenden Gerichts beruht die eigentliche Pointe dieses Logions. Es
ist daher wohl nicht ganz zutreffend, wenn KÄSEMANN dieses Wort
mit den Überwindersprüchen der Apokalypse, sonstigen prophetischen Rechtssätzen des Neuen Testamentes oder 1 Kor 5, 3 ff. in eine
Reihe stellt[4]; denn in diesen prophetischen Sätzen heiligen Rechtes
zeigt sich ein nicht zu verkennender Unterschied: an die Stelle des
unmittelbar nahen Gottes ist der wiedererwartete nahe Kyrios Jesus
getreten[5]. Auch das Nebeneinander von ‚Menschensohn' in Lk 12, 8
und einem das Handeln Gottes umschreibenden Passiv in 12, 9 ist kein
Grund, die Echtheit der Aussage anzuzweifeln[6]. Dies macht vielmehr

---

[1] So erneut ERNST KÄSEMANN, Die Anfänge christlicher Theologie, ZThK 57
(1960) S. 162—185, bes. S. 171 ff., 179 ff.

[2] KÄSEMANN geht in den beiden genannten Aufsätzen auf die Form Lk 12, 8 f.
nicht ein, sieht aber das Menschensohnmotiv überhaupt nicht als Bestandteil
der Verkündigung Jesu an (Exeg. Vers. I S. 211; ZThK 57, 1960, S. 179).

[3] TÖDT, a. a. O. S. 37 ff., 50 ff.     [4] KÄSEMANN, NTSt 1 (1954/55) S. 257 f.

[5] Dies gilt zwar nicht durchweg, denn ein Satz wie 1 Kor 3, 17 stammt
natürlich aus der Urgemeinde; hier wirkt die alte auf Gott bezogene Aussageform noch nach, ähnlich auch 1 Kor 14, 38. Aber man braucht nur 1 Kor 16, 22;
Mt 10, 32 f. oder eben 1 Kor 5, 3 ff. und die Überwindersprüche anzusehen, um
die Modifikation zu erkennen.

[6] Vgl. dazu E. SCHWEIZER, a. a. O. ZNW 50 (1959) S. 188.

nur deutlich, wie wenig das Handeln des Menschensohnes selbst in den
Vordergrund rückt und den theokratischen Aussagen widerstreitet[1].
Ein wirklich stichhaltiger Grund gegen die Ursprünglichkeit dieses
Logions läßt sich nicht vorbringen. Zugunsten seiner Echtheit wird
nun umgekehrt bisweilen angeführt, daß der Menschensohn in diesem
Zusammenhang gar keine Richterfunktion habe, sondern als Zeuge und
Bürge vor Gottes Gericht stehe[2]. Aber dies ist nicht sicher. Einerseits
fehlen dafür Analogien in der spätjüdischen Literatur[3], andererseits
ist zu überlegen, ob die Aussage ‚der Menschensohn wird sich zu ihm
bekennen vor den Engeln Gottes‘ bzw. ‚er wird verleugnet werden
vor den Engeln Gottes‘ nicht einfach aus der Struktur des Satzes
erklärt werden muß, der auf ein Entsprechungsverhältnis zwischen
Vorder- und Nachsatz angelegt ist. Vergleicht man die Aussagen über
das Richten des Menschensohnes in den Bilderreden des Aethiopischen
Henoch und im IV Esra, so handelt es sich dort immer um ein Vernichten der Gottlosen und ein Erretten der Auserwählten. Richten
heißt jeweils Entscheiden über Heil und Unheil. Genau dasselbe liegt
in Lk 12,8 vor: ‚vor den Engeln‘ trifft der Menschensohn seine endgültige Gerichtsentscheidung je nach dem Verhalten der Menschen
zu Jesus. Nur so ist dann auch das auf Gott verweisende Passiv in
V. 9 verständlich, wobei es sicher nicht um eine Zeugenfunktion,
sondern um ein Gerichtsurteil geht. In Lk 12,8(f.) und Mk 8,38 ist
also von einem richterlichen Amt des Menschensohnes gesprochen,
wie dies aus der apokalyptischen Tradition, der die Menschensohngestalt nun einmal entnommen ist, naheliegt.

Ein ‚Kommen‘ oder ‚Erscheinen‘ des Menschensohnes ist an den
bisher genannten Stellen nicht erwähnt. Doch dieses Motiv läßt sich
innerhalb der Verkündigung Jesu ebenfalls nachweisen, wie andere
Menschensohnworte zeigen. Ernsthaften Anspruch auf Ursprünglich-
keit können allerdings nur die Aussagen Lk 17,24//Mt 24,27 und
Lk 17,26f. (28f.)//Mt 24,37—39 erheben. Bei dem erstgenannten
Spruch *Lk 17,24 par.* dürfte die Matthäusfassung in der Bildhälfte, die
Lukasfassung in der Sachhälfte den alten Wortlaut bewahrt haben[4].

---

[1] Daß in V. 9 nicht einfach von einem von Gott selbst vollzogenen Gericht
gesprochen ist, geht daraus hervor, daß die Wendung ‚vor den Engeln‘ (τοῦ
θεοῦ ist späterer Zusatz) wohl als Umschreibung eines ‚vor Gott‘ verstanden
werden muß; vgl. DALMAN, Worte Jesu S. 161.

[2] So vor allem TÖDT, a.a.O. S. 40f., 52, 61; auch E. SCHWEIZER, ZNW 50
(1959) S. 192; MARXSEN, Anfangsprobleme S. 25f.

[3] Mit guten Gründen sucht SCHWEIZER, ZNW 50 (1959) S. 193f., nach den
Wurzeln dieses Motivs. Aber der Hinweis auf den erhöhten Gerechten als Be-
lastungszeugen ist nicht stichhaltig.

[4] παρουσία ist ein typisch matthäischer Ausdruck innerhalb der synoptischen
Tradition. Vgl. TÖDT, a.a.O. S. 44ff. Dazu auch ANDRÉ FEUILLET, Le sens
du mot Parousie dans l'Evangile de Matthieu, in: The Background of the NT

Die Verbindung mit dem vorausgehenden Vers ist ganz sicher sekundär, daher gerade kein Argument gegen die Echtheit[1]. Daß eine von der späteren Gemeinde geschaffene Warnung vorliegen könne, die auf die alttestamentliche Vorstellung vom Tag des Herrn zurückgeht, ist kein stichhaltiges Argument[2]. Es geht um eine Ankündigung der plötzlichen, allen Menschen sichtbaren Ankunft des Menschensohnes in einer für Jesu Redeweise durchaus bezeichnenden bildhaft-knappen Formulierung. Gewiß ist bei diesem Vergleich mit dem am gesamten Firmament aufflammenden Blitz das Kommen des Menschensohnes „universal-kosmisch gedacht", aber das Wort zeigt die bei Jesus auch sonst zu beobachtende „radikale Reduktion aller apokalyptischen Ausmalungstendenzen"[3]. Wiederum liegt keine ausdrückliche Identifizierung Jesu mit dem Menschensohn vor und ist ursprünglich auch nicht impliziert. Ähnlich steht es bei *Lk 17,26 f. par.* Von dem nur bei Lukas zu findenden Zusatz 17,28 f. abgesehen, bei dem eine Entscheidung unsicher bleibt, liegen wiederum keine zwingenden Gründe gegen die Ursprünglichkeit vor[4]. Menschen, die dahinleben wie zu Noahs (und Lots) Zeiten, wird das Erscheinen des Menschensohnes völlig ahnungslos überraschen und zu ihrem Unheil treffen. In diesem Sinne wird vielleicht auch die schwer deutbare ursprüngliche Fassung des Wortes vom Jonazeichen Lk 11,30 zu verstehen sein[5]. Sucht man die Eigentümlichkeit aller dieser Sprüche vom Erscheinen des Menschensohnes zu bestimmen, so liegen die Dinge ebenso wie bei den Worten vom Gericht des Menschensohnes: es geht in beiden Fällen

---

and its Eschatology (In Honor of C. H. Dodd) 1956, S. 261—280, doch mit der problematischen These, παρουσία werde bei Mt mit Bezug auf das Gericht an den Juden gebraucht.

[1] Bei VIELHAUER, a.a.O. S. 67f., ist dies der einzige Grund gegen die Echtheit.

[2] So E. SCHWEIZER, ZNW 50 (1959) S. 190, aber mit einem selbstgesetzten Fragezeichen.

[3] TÖDT, Menschensohn S. 61.

[4] In Lk 17,26ff. liegt teilweise eine durch den Zusammenhang bedingte Umdeutung vor. In dem redaktionellen Einleitungsvers 22 ist offensichtlich von Jesus als dem auf Erden wirkenden Menschensohn die Rede, daher ‚die Tage des Menschensohnes' (Plur.!). In V. 24 ebenso wie in V. 30 geht es um das endzeitliche Kommen (vom ‚Tag' bzw. ‚seinem Tag' ist hier im Sing. gesprochen), in V. 25 wird auf den leidenden Menschensohn und in V. 26 auf ‚die Tage' des Menschensohnes im Sinne der der Parusie unmittelbar vorangehenden Zeit verwiesen. Der Evangelist bemüht sich, die verschiedenen Aspekte der auf Jesus übertragenen Menschensohnprädikation zur Geltung zu bringen und im einzelnen die Aussagen heilsgeschichtlich zu präzisieren. Mt gibt, wenn man von dem Begriff der Parusie absieht, mit seiner ausschließlichen Blickrichtung auf das Erscheinen des Menschensohnes die ursprüngliche Intention des Spruches wieder.

[5] Vgl. dazu TÖDT, Menschensohn S. 48ff.; ANTON VÖGTLE, Der Spruch vom Jonazeichen, in: Synoptische Studien (Festschrift für A. Wikenhauser), 1953, S. 230—277.

lediglich um allgemein bekannte Motive, mit deren Hilfe die Nähe der eschatologischen Ereignisse, vor allem aber die Qualifikation der gegenwärtigen Situation zum Ausdruck gebracht werden soll. Handelt es sich bei den Worten von der Gottesherrschaft um die Frohbotschaft vom anbrechenden Heil, bei den Worten vom richtenden Menschensohn um die Unausweichlichkeit des jetzt beginnenden Gerichts, so bei den Worten von der Erscheinung des Menschensohnes um die Unbedingtheit des Bußrufes Jesu, da die letzte Gnadenfrist verstreicht und dem Unheil dann nicht mehr zu entrinnen ist.

Die bisher besprochenen Worte zeigen, daß Jesus die Motive vom plötzlichen machtvollen Kommen und von der Richterfunktion des Menschensohnes in seine Verkündigung aufgenommen hat. Weitere Sprüche über das zukünftige Handeln des Menschensohnes lassen sich kaum noch als echt erweisen[1]. Immerhin ergibt sich aus den in der Urgemeinde entstandenen Menschensohnworten noch ein auffälliges Indizium für die Verwurzelung in der Verkündigung Jesu, da die Menschensohnaussagen alle in der 3. Person Singular formuliert und Jesus selbst in den Mund gelegt sind; ‚Menschensohn' begegnet niemals in der Anrede oder in einer Bekenntnisformel[2]. Diese streng durchgehaltene Stilform ist wie die Unterscheidung der Person Jesu von dem kommenden Menschensohn nicht überzeugend zu erklären, wenn man den Ursprung aller Menschensohnworte in der Urgemeinde sucht[3]. Die Tendenz, die sich in nachösterlicher Zeit durchsetzt, läßt sich in doppelter Hinsicht beobachten: einerseits wird die Identifizierung zwischen Jesus und dem kommenden Menschensohn vollzogen; andererseits werden die apokalyptischen Züge verstärkt, es erfolgt eine gewisse Ausmalung der endzeitlichen Vorgänge und eine häufige Zitierung, vor allem von Einzelheiten der Schriftstelle Dan 7,13f. Dies

---

[1] Ganz sicher sind Mt 10,23; 19,28 Gemeindebildungen; vgl. dazu Tödt, Menschensohn S. 56ff. Aber auch die Annahme, daß in Mt 24,44par. ein echtes Jesuswort vorliegt — so Tödt S. 50 — wird sich nicht halten lassen, denn hier wird im Verhältnis zu den Worten Mt 24,27.37.39 eine ausgesprochene paränetische Folgerung gezogen; auch spricht die Überlieferung des mit Mt 24,44 eng verbundenen Gleichnisses gegen hohes Alter; vgl. E. Schweizer, ZNW 50 (1959) S. 190f.

[2] Die einzige Ausnahme stellt Act 7,56 dar; aber dieser von Lk stark bearbeitete Text ist ohnehin ein Problem für sich und hebt das Gesagte nicht auf. Vgl. hierzu Ernst Haenchen, Die Apostelgeschichte (KrExKomm NT III), 1962[13], S. 243; Tödt S. 274ff. Mit der Traditionsgeschichte an dieser Stelle einzusetzen, wie es E. Schweizer S. 203f. tut, halte ich für verfehlt.

[3] Vielhauer, a.a.O. S. 79, beruft sich zugunsten einer Entstehung innerhalb der Gemeinde auf die eschatologische Bedeutsamkeit Jesu und im übrigen auf die Erhöhungsvorstellung, welche durch Aeth.Hen 71 präformiert sei. Aber die Analogie gerade zu dem umstrittenen Kapitel der Bilderreden ist höchst problematisch und die Erhöhungsvorstellung wird man für die Periode, in der die Menschensohnvorstellung ausgebaut wurde, überhaupt noch nicht voraussetzen dürfen.

ist an den beiden in diesen Zusammenhang gehörenden sekundären Markustexten gut zu erkennen[1]. *Mk 13,26 f.* zeigt „den Geist und die literarische Technik der Apokalyptik"[2]; daß hier keine Richtertätigkeit des Menschensohnes geschildert sei, darf nicht gesagt werden, denn das Aussenden der Engel und Sammeln der Auserwählten bezeichnet den richterlichen Rettungsakt, welcher dem Vernichtungsurteil über die Welt und die abgefallene Menschheit korrespondiert. Das Kommen auf den Wolken wird unter Verwendung von Dan 7,13 erwähnt; ‚mit großer Macht und Herrlichkeit' spielt wohl auf Dan 7,14 an, jedoch in der Weise, daß dies, anders als im Danielbuch, auf die Parusie des Menschensohnes vor aller Welt bezogen ist[3]. *Mk 14,62*, ein Text, der in anderem Zusammenhang ausführlich besprochen werden soll[4], zeigt, welch entscheidende Rolle die Schriftforschung spielt, denn die Antwort Jesu auf die Hohepriesterfrage stellt eine Kombinierung von Zitaten aus Dan 7,13 und Ps 110,1 dar[5]. Die apokalyptischen Elemente dienen dazu, Eschatologie und Christologie zu entfalten und zu explizieren[6].

---

[1] Ebenso an den redaktionellen Stellen des Mt-Evangeliums; vgl. 13,41; 16,27.28; 19,28 (25,31).

[2] TÖDT, Menschensohn S. 31 f.

[3] Daß in Mk 13 eine stark aus spätjüdisch-apokalyptischer Tradition gespeiste Darstellung der Endereignisse gegeben wird, ist bekannt; vgl. nur BULTMANN, Syn.Trad. S. 129 f.; WERNER GEORG KÜMMEL, Verheißung und Erfüllung. Untersuchungen zur eschatologischen Verkündigung Jesu, 1956[3], S. 88 ff. Nicht so sicher ist, daß eine jüdische Grundlage noch unmittelbar herausgelöst werden kann. Es dürfte eine vormarkinische, aber jedenfalls anfänglich bereits christliche Apokalypse vorliegen, welche natürlich jüdisches Material verarbeitet hat.

[4] Vgl. Exk. II S. 128 f. und § 3 S. 181 ff.

[5] Außerdem ist hier wieder gut zu erkennen, wie sehr das Motiv vom Kommen des Menschensohnes auf den Wolken des Himmels verselbständigt war; die Danielstelle wurde offensichtlich nur noch von diesem inzwischen umgedeuteten Motiv her verstanden; vgl. o. S. 26 Anm. 4. Zu beachten ist auch das Nebeneinander des ‚Ich' und der damit verbundenen Aussage über den Menschensohn in der 3. Pers. Sing.

[6] Die Besprechung von Texten beschränkte sich auf die ältere, in Q und Mk aufbewahrte Tradition; über die redaktionellen Weiterbildungen bei Mt und Lk ist TÖDT, Menschensohn S. 62 ff., 88 ff., zu vergleichen. Kurz hingewiesen sei aber noch auf das Nachwirken der Erwartung des kommenden Menschensohnes im Johannesevangelium.
Die Frage stellt sich zunächst bei *Joh 1,51.* Sofern mit Einheitlichkeit der Menschensohnmotive im Joh gerechnet wird, stehen diese der synoptischen Überlieferung ziemlich fern und können weitgehend „ohne Rücksicht auf den älteren, bei den Synoptikern vorliegenden Sprachgebrauch" erklärt werden; WALTER BAUER, Das Johannesevangelium (HbNT 6), 1933[3], S. 42. CHARLES HAROLD DODD, The Interpretation of the Fourth Gospel, 1953, S. 241 ff. geht dabei von der kollektiven Menschensohnkonzeption des AT aus, in die Elemente der Gottesknechtvorstellung mit aufgenommen sein sollen, was auf Jesu Leiden, Erhöhung und the new community hinziele; C. K. BARRETT, The Gospel according to St.John, 1955, S. 60 f., 156, denkt an apokalyptische Erwartung

*Zusammenfassung*: Die Eigentümlichkeit des Spruches Lk 12, 8 f.,
bei dem es um die Gerichtsfunktion des Menschensohnes geht, erweist

einer individuellen Heilsgestalt, die unter Rückgriff auf die Urmenschlehre
und in Verbindung mit dem Inkarnationsgedanken entfaltet sei, wobei 1,51
Ausdruck eines „eternal contact between heaven and earth" ist; im Anschluß
an HUGO ODEBERG denkt RUDOLF BULTMANN, Das Evangelium nach Johannes
(KrExKommNT II), 1959[16], S. 74f., an die Beziehung der irdischen Menschensohngestalt zu ihrem himmlischen Urbild und an das gnostische Erlösermotiv,
was 1,51 im Sinne der ungebrochenen Gemeinschaft zwischen Jesus und dem
Vater und im Blick auf die δόξα, die in seinem irdischen Wirken sich offenbart,
entfaltet wird. Auch WILHELM MICHAELIS, Joh 1,51, Gen 28,12 und das
Menschensohnproblem, ThLZ 85 (1960) Sp. 561—578, der ausschließlich von
der Apokalyptik ausgeht, sieht in 1,51 den Ausdruck der „dauernden und voll-
kommenen Gemeinschaft mit Gott" (578), hält den Vers im übrigen unlöslich
mit 1,45ff. verbunden und bestreitet die weitgehend angenommene Anlehnung
an Gen 28,12 (Sp. 564ff., 568ff). Zutreffend hat aber schon HANS WINDISCH,
Angelophanien um den Menschensohn auf Erden, ZNW 30 (1931) S. 215—233,
darauf aufmerksam gemacht, daß es sich in Joh 1,51 um einen isolierten Einzelspruch handelt, der trotz offenkundiger Anspielung auf Gen 28,12 primär aus
der eschatologischen Menschensohnvorstellung verstanden werden müsse, wie
der Vergleich mit Mk 14,62; 8,38 u. a. zeigt; doch sei dieses „eigenartige
Stück Menschensohn-Mythologie" im Joh auf die Geschichte Jesu übertragen
(S. 229f.; vgl. DERS., Joh 1,51 und die Auferstehung Jesu, ZNW 31, 1932,
S. 199—204). Ähnlich hat SIEGFRIED SCHULZ, Untersuchungen zur Menschensohn-Christologie im Johannesevangelium, 1957, S. 97ff., bes. S. 102f., geurteilt:
nach seiner Meinung soll gerade das Interpretament von Gen 28,12 Anlaß
gewesen sein, daß die rein eschatologische Schau des Menschensohnes hier zu
einer Schau des auf Erden wirkenden Menschensohnes geworden ist; aber obwohl er nur von einer „relativen Geschlossenheit" der Menschensohnaussagen
des Joh spricht, hat er sie doch alle zu rasch der gemeinsamen Thematradition
einer judenchristlichen Gemeinde zugeschrieben (S. 123f.). Am überzeugendsten
ist Joh 1,51 von GERHARD IBER in seiner ungedruckten, bereits erwähnten
Dissertation S. 98ff. erklärt worden (vgl. Selbstanzeige ThLZ 80, 1955, Sp. 115f.).
Der Ursprung dieses alten Menschensohnwortes liegt in der Gedankenwelt der
Apokalyptik, wofür er viele Belege bietet: dorthin gehört das Motiv der Öffnung
des Himmels und das in solchem Kontext eindeutige ὄψεσθε, obwohl es nicht
einfach term. techn. ist; dorthin gehört die Verbindung von Menschensohn
und Engel, die bei seiner eschatologischen Offenbarung in Erscheinung treten,
was mit Hilfe von Gen 28,12 beschrieben ist; sie sind also nicht Träger besonderer Offenbarungen, sondern dienen zur Veranschaulichung für die δόξα
des Menschensohnes bei seiner Parusie. Im Joh soll Nathanael nach 1,50 ‚noch
größere Dinge' sehen, vgl. 5,20.24: es geht nicht nur um Wunder, sondern
um das ‚Richten' und ‚Lebendigmachen', was nicht mehr im Sinne einer rein
futurischen Aussage verstanden ist; so wird 1,51 als „symbolisch-bildhafter
Ausdruck seines (sc. des Evangelisten) spezifischen Offenbarungsgedankens
verstanden" (S. 110). Es liegt also in Joh 1,51 ein alter Spruch vom kommenden
Menschensohn vor, der vom Evangelisten auf die Aussagen über die Gegenwärtigkeit von Gericht und Heil bezogen wird, ohne daß dem der eschatologische Aspekt genommen und die Wendung zu einem bloßen Motiv der „vita
filii hominis Jesu Christi" historisiert worden ist (gegen WINDISCH, ZNW 30,
1931, S. 230f.; vgl. IBER, a.a.O. S. 103ff.).

*Joh 5,27—29* wird von BULTMANN, Joh S. 195ff., einerseits als redaktionelle
Formulierung (V. 27), andererseits als spätere Glosse (V. 28f.) angesehen. Aber
es fragt sich, ob dieser Lösungsvorschlag sich zu einfach ist. Schon
BAUER, Joh S. 87, hat darauf hingewiesen, daß der Evangelist in der ζωοποίησις
„einen einheitlichen Prozeß sah, dem der Mensch nach seiner inneren und äußeren
Seite unterliegt", und es für ihn daher keinen Widerspruch in den Aussagen

sich als Ausgangspunkt; die Echtheit dieses Spruches läßt sich nicht bestreiten. Auch die auf die Tatsache des unmittelbar bevorstehenden Erscheinens des Menschensohnes hinweisenden Worte Lk 17,24. 26f. (28f.) und vielleicht 11,30 sind der Verkündigung Jesu zuzurechnen. In beiden Fällen sind nur die Motive vom richtenden bzw. erscheinenden Menschensohn aufgenommen, auf alle apokalyptische Ausmalung wird verzichtet. Außerdem geht es nicht primär um Zukunftsweissagung, sondern um Qualifizierung der Gegenwart, um die jetzt fallende Entscheidung über Heil und Unheil und um die Unbedingtheit des Bußrufs in der verstreichenden Gnadenfrist. Zweierlei muß dabei beachtet werden: einmal ist eine Identifizierung Jesu mit dem Menschensohn an keiner dieser Stellen vollzogen, in Lk 12,8f. ist sogar eine deutliche Unterscheidung wahrzunehmen; zum andern liegen jeweils Aussagen Jesu vor, bei denen vom Menschensohn in der 3. Person gesprochen ist, eine formale Eigenart, die in allen späteren Sprüchen gewahrt bleibt. Die nachösterliche Gemeinde hat die Stilform festgehalten und den kommenden Menschensohn mit dem wiedererwarteten Jesus identifiziert, so daß eine eigene Gattung von Selbstaussagen entstanden ist. Im Zusammenhang der apokalyptisch ausgebauten Naherwartung hat sie die Aussagen über Parusie und Gericht des Menschensohnes mittels traditioneller Elemente ausgestaltet, das Gewicht dabei allerdings einseitig auf die Zukünftigkeit verlagert, wodurch das Handeln des Menschensohnes nun zu einem eigenen

---

von V. 21—29 gab. Nun steht außer Zweifel, daß sowohl V. 27 als auch V. 28f. in ihren Motiven ausgesprochen traditionell sind, ja nicht einmal spezifisch christliche Elemente aufweisen. Das gilt für V. 28f., vgl. IBER, a.a.O. S. 112ff.; es gilt aber ebenso für V. 27, wo καὶ ἐξουσίαν ἔδωκεν αὐτῷ und die im NT singuläre indeterminierte Form υἱὸς ἀνθρώπου unmittelbar von Dan 7,13f. abhängig sind, während das Gerichtshandeln (κρίσιν ποιεῖν) im Spätjudentum zunehmend als Funktion des Menschensohnes angesehen wurde; vgl. SCHULZ, a.a.O. S. 109ff. Der ursprüngliche Zusammenhang von V. 27—29 ist überwiegend wahrscheinlich. Wie steht es aber mit der Zugehörigkeit zum Evangelium? IBER hat recht überzeugend gezeigt, daß der Offenbarungsgedanke in V. 19f. allgemein ausgesprochen, daß in V. 21—23 das „Daß" und in V. 24—29 das „Wie" konkretisiert wird, wobei V. 24—26 mit V. 21 korrespondieren, V. 27—29 mit V. 22f., zugleich aber noch über V. 24—26 hinausführt (vgl. 1 Joh 3,2); mit V. 30 hat der Evangelist dann eine weitere Klammer geschaffen, wodurch, zusammen mit V. 22f., das Traditionsstück eingebaut ist (S. 128ff.). D. h. also, daß durch V. 27—29 zum Ausdruck gebracht wird, daß die Gegenwärtigkeit des Heils und Gerichts die letzte Vollendung nicht aufhebt, sondern einschließt. Ähnlich wie in 1,51 soll bei aller Aktualität der Heilsaussagen der eschatologische Horizont offen gehalten werden. In V. 27—29 liegt ein alter Menschensohnspruch vor, der überdies stark jüdische Eigenart hat, vgl. SCHULZ, a.a.O. S. 112f.; IBER, a.a.O. S. 117 mit Anm. 71, meint allerdings, daß angesichts der Vielfalt der Traditionen nicht notwendig auf ein höheres Alter als bei der sonstigen Menschensohntradition geschlossen werden brauche. Alle übrigen johanneischen Menschensohnworte zeigen einen gegenüber der synoptischen Tradition stark abweichenden Charakter und können hier außerhalb der Betrachtung bleiben; doch vgl. noch S. 53 Anm. 2.

Geschehen bei dem Anbruch des Gottesreiches geworden ist. Doch ist
deutlich, daß dies eine Modifikation der ursprünglichen Konzeption ist.


## 4. Die Worte vom Erdenwirken des Menschensohnes

Die Worte vom irdischen Wirken des Menschensohnes können nicht
Ansatzpunkt für die ganze Menschensohnvorstellung sein. Eine derartige Verwendung der Menschensohnbezeichnung ist auch im Munde
Jesu, wie gezeigt, nicht wahrscheinlich zu machen. Wo ist dann der
traditionsgeschichtliche Ort dieser Spruchgruppe und welches ist ihre
Besonderheit? Sie begegnet uns sowohl in der Logienquelle wie in der
vormarkinischen Sammlung von Streitgesprächen Mk 2, 1—3, 6. Hier
wie dort ist deutlich, daß es sich um eine christologische Konzeption
der Urgemeinde handelt. Die Voraussetzung für diese Anwendung des
Menschensohntitels war die Identifizierung Jesu mit dem kommenden
Menschensohn. Da in Lk 12, 8f. der irdische Jesus in seiner Vollmacht
dem kommenden richtenden Menschensohn gegenübersteht, wurde
jetzt auf Grund solcher Gleichsetzung auch der irdische Jesus als
Menschensohn bezeichnet[1]. TÖDT hat gut herausgearbeitet, daß es
dabei nicht, wie vielfach behauptet worden ist, um eine Übertragung
der Vorstellung vom transzendenten Heilsbringer auf die irdische
Person Jesu geht, Jesus also nicht als verborgenes himmlisches Wesen
in Menschengestalt anzusehen ist, daß vielmehr der von Jesus selbst
erhobene Vollmachtsanspruch, der durch den kommenden Menschensohn bestätigt werden sollte, nun durch den Menschensohntitel näher
bestimmt wird[2]. Aus der Polarität des irdischen Anspruchs und der
machtvollen Wiederkehr des Menschensohnes ist die Logienquelle
entworfen, und dort haben die Menschensohnaussagen im Zusammenhang mit der Weitergabe der Jesustradition ihren wichtigsten Niederschlag gefunden[3]. Die einzelnen Logien über das irdische Wirken des
Menschensohnes können knapp behandelt werden[4]. Sie lassen ihren
sekundären Charakter meist auch inhaltlich erkennen.

---

[1] CASEY, JThSt NS 9 (1958) S. 265: "It seems probable ... that Jesus'
own eschatology included a figure something like 'the Man' of Enoch and
4 Ezra and that he regarded himself as 'the Man's' representative on earth
before the End ... Accomodation was necessary to equate Jesus with the
eschatological figure whose appearance was anticipated in the future. To
regard him as a figure in current history was almost as great a transformation
of traditional eschatology as the notion that a genuine Messiah's career could
end in humiliation and death at the hands of his enemies."

[2] TÖDT, Menschensohn S. 105ff.

[3] Die Erarbeitung der christologischen Eigenart der Logienquelle ist einer
der wichtigsten Abschnitte bei TÖDT, a.a.O. S. 212ff., auch S. 258ff. Der plan-
mäßige thematische Aufbau und die eschatologische Ausrichtung waren schon
von T. W. MANSON, The Sayings of Jesus, 1949², gut herausgestellt worden.

[4] Ich verweise für alle Einzelheiten auf TÖDT, a.a.O. S. 105ff.

In *Mk 2,10* wird die Vollmacht Jesu zur Sündenvergebung durch die Selbstbezeichnung mit ‚Menschensohn' unterstrichen; dies ist nur bei einer bereits feststehenden titularen Verwendung sinnvoll. Außerdem steht dieser Spruch in dem Abschnitt der Erzählung, der sich deutlich als jüngerer Zusatz abhebt und als Gemeindebildung angesehen werden muß[1]. In *Mk 2,28* ist der vorausgehende, in seiner grundsätzlichen Gültigkeit offensichtlich früh beanstandete, von Matthäus und Lukas dann sogar gestrichene Satz (V. 27), daß der Sabbat um des Menschen willen da ist und nicht umgekehrt, christologisch umgedeutet worden: Herr über den Sabbat ist nicht der Mensch, wohl aber der ‚Menschensohn'[2]. *Mt 12,32//Lk 12,10* erweist sich in seiner heilsgeschichtlichen Periodisierung als Gemeindebildung, ganz gleich, wie es mit seinem Verhältnis zu Mk 3,28 parr. stehen mag[3]. Auch *Lk 6,22* kann keinen Anspruch auf Ursprünglichkeit erheben, wie schon der Vergleich mit der bei Matthäus erhaltenen Fassung zeigt[4]; zudem dürfte wohl der ganze Makarismus Mt 5,11f.//Lk 6,22f.

---

[1] Seit der Analyse von WILLIAM WREDE, Zur Heilung des Gelähmten (Mc 2,1ff.), ZNW 5 (1904) S. 354—358, wird von vielen Exegeten V. 5b—10 ausgeschieden; vgl. BULTMANN, Syn.Trad. S. 12f.; ERICH KLOSTERMANN, Das Markusevangelium (HbNT 3), 1950[4], S. 197; JOHANNES SUNDWALL, Die Zusammensetzung des Markusevangeliums (Acta Academiae Aboensis Humaniora IX/2), 1934, S. 13f. Andere haben dagegen die Ansicht vertreten, daß man hinter die jetzige Fassung nicht mehr zurückfragen könne; so vor allem MARTIN ALBERTZ, Die synoptischen Streitgespräche, 1921, S. 7f.; MARTIN DIBELIUS, Die Formgeschichte des Evangeliums, 1961[4], S. 63f.; DERS., ThR NF 1 (1929) S. 211f.; GÜNTHER BORNKAMM, Rezension Sundwall, Gnomon 12 (1936) S. 656. Die enge Verbindung von Sündenvergebung und Heilung läßt sich tatsächlich für die Konzeption der Erzählung nicht bestreiten, zudem ist die Frage nach dem Verhältnis von Sünde und Krankheit dem Judentum der damaligen Zeit vertraut (vgl. Joh 9,2f.). Andererseits ist der überaus harte Übergang von V. 10 zu V. 11 nicht zu übersehen, auch hat der Mittelteil allzu deutlich den Charakter theologischer Reflexion. Man wird daher anders abgrenzen müssen: V. 5b ist noch Bestandteil des ursprünglichen Textes und findet in V. 11 (ohne das einleitende σοὶ λέγω) seine direkte Fortsetzung; sekundär eingeschoben ist V. 6—10. Sieht man die Sündenvergebung als einen Teil der Erzählung an, dann erklärt es sich auch viel leichter, wie es zu dem Zusatz des Mittelteiles gekommen ist. Bei der von der Gemeinde vorgenommenen Rechtfertigung der Vollmacht Jesu zur Sündenvergebung wurde dann auch der Menschensohntitel eingeführt.

[2] Vgl. dazu ERNST KÄSEMANN, Das Problem des historischen Jesus, ZThK 51 (1954) S. 145f., jetzt in: Exegetische Versuche und Besinnungen I, 1960, S. 206f.; etwas anders EDUARD LOHSE, Jesu Worte über den Sabbat, in: Judentum — Urchristentum — Kirche (Festschrift J. Jeremias, BZNW 26), 1960, S. 79—89, bes. S. 82f.: V. 28 geht weit über V. 27 hinaus, die Gemeinde bekennt sich zum Menschensohn, der „auch über Gültigkeit oder Aufhebung des Sabbats zu befinden hat".

[3] TÖDT, Menschensohn S. 109ff., 282ff., möchte die weitverbreitete Ansicht, daß Mk 3,28 gegenüber der Q-Fassung älter ist, umstoßen; vgl. dazu unten S. 299(f.) Anm. 5.

[4] Der Menschensohntitel wurde hier sicher nicht erst redaktionell von Lk hinzugefügt, andererseits wird er auch von Mt nicht gestrichen worden sein.

mit seinem Bezug auf die Verfolgungssituation erst in der Gemeinde entstanden sein[1]. Allenfalls bei Mt 8,20//Lk 9,58 und bei Mt 11,18f.// Lk 7,33f. kann erwogen werden, ob vielleicht echte Herrenworte zugrunde liegen. Bei *Mt 11,18f. par.* ist die Tatsache, daß der Täufer hier weder Zeuge Jesu noch dessen Konkurrent ist, kein ausreichender Grund für die Echtheit[2]. Es handelt sich um eine vergleichende Nebeneinanderstellung, die so doch erst in der Gemeinde durchgeführt werden konnte, und vor allem auch um eine zusammenfassende Charakterisierung des Auftretens beider[3]; das schließt nicht aus, daß hier tatsächlich laut gewordene Urteile über den Täufer und Jesus aufgenommen und als „Charakterisierung ‚dieses Geschlechts' und der haltlosen Vorwände, unter denen es der Botschaft ausweicht"[4], verwendet wurden. Bei *Mt 8,20//Lk 9,58* muß daran festgehalten werden, daß der Spruch, wenn man vom Menschensohntitel absieht, nichts enthält als eine allgemeine Sentenz[5]. Die Verbindung dieses einfachen Sprichwortes mit dem Nachfolgegedanken (Mt 8,19 par.) könnte insofern sinnvoll sein, als das Motiv des Verzichtes auf Besitz herausgestellt wird[6], was in der Heimatlosigkeit seinen schärfsten Ausdruck findet. Aber die Aussage ist hier auf Jesus angewandt. Es könnte also höchstens um eine Verschiebung der Aussage wie bei Mk 2,27 zu 2,28 gehen[7], doch wie müßte dann die ursprüngliche Form lauten? In dem jetzigen Zusammenhang von Mt 8,19f.//Lk 9,57f. geht es nicht nur um Besitz- und Heimatlosigkeit in der Nachfolge, sondern um die Übernahme des von Jesus selbst getragenen Geschickes, der in einem unüberbrückbaren Gegensatz zum Menschengeschlecht steht

---

Wie die Seligpreisungen insgesamt zeigen, ist die Q-Überlieferung den Evangelisten an dieser Stelle in zwei verschiedenen Fassungen zugekommen, wobei in Mt 5,11f./ Lk 6,22f. die Übereinstimmung noch relativ groß ist.

[1] Vgl. BULTMANN, Syn. Trad. S. 115.

[2] Gegen SCHWEIZER, ZNW 50 (1959) S. 199f.

[3] Vgl. das zweimalige ἦλθεν; dazu BULTMANN, Syn. Trad. S. 167f.

[4] TÖDT, Menschensohn S. 106.

[5] Mit BULTMANN, Syn. Trad. S. 102 Anm. 2 (vgl. Ergänzungsheft S. 14) gegen SCHWEIZER, ZNW 50 (1959) S. 199; daß Sentenzen nur für gewisse Situationen gelten, schließt ihre Allgemeingültigkeit nicht aus.

[6] Vgl. dazu HERBERT BRAUN, Spätjüdisch-häretischer und frühchristlicher Radikalismus (BHTh 24) II, 1957, S. 73ff.

[7] Vgl. dazu auch Mk 8,34, den Spruch vom Kreuztragen. Das uns geläufige Verständnis mit Bezug auf das Kreuz Jesu ist erst für die Urgemeinde vorauszusetzen. Wenn der Spruch auf Jesus zurückgeht, dann kann er von der Nachfolge nicht in diesem christologischen Sinne gehandelt haben. Nach ERICH DINKLER, Jesu Wort vom Kreuztragen, in: Neutestamentliche Studien für Rudolf Bultmann, 1957[2], S. 110—129, besteht allerdings die Möglichkeit, das Wort statt von der Leidensnachfolge her im Sinne einer Eigentumssignierung zu verstehen; dabei geht es dann bei dem Tav (Kreuzzeichen) um ein eschatologisches Zeichen und die Zugehörigkeit zu Gott (im Anschluß an Ez 9,4ff).

und darum ein Ausgestoßener und Heimatloser auf Erden ist[1]. Eine solche christologisch zugespitzte Fassung des Nachfolgegedankens ist erst in nachösterlicher Zeit denkbar. Ein Sonderfall liegt endlich in *Mk 10,45* (par. Mt 20,28) vor. Das gilt bereits für die erste Hälfte V. 45a, weil dort anders als in allen sonstigen Sprüchen vom Erdenwirken die willentliche Niedrigkeit betont wird[2]. Im Anschluß daran ist in V. 45b auch noch das Motiv von der Hingabe des Lebens als Lösegeld für viele aufgenommen und die Vorstellung vom leidenden Gottesknecht einbezogen[3].

Alle bisher besprochenen Worte vom Menschensohn stammen, abgesehen von redaktionellen Bildungen[4], aus der palästinischen Tradition. Außerhalb der Logienquelle und der erwähnten vormarkinischen Sammlung von Streitgesprächen findet sich nur noch ein einziges Wort über den auf Erden wirkenden Menschensohn, und zwar *Lk 19,10*, ein mit der Zacchäusgeschichte verbundener „Predigtspruch"[5]. Dieses Wort vom Gekommensein des Menschensohnes, um das Verlorene zu suchen und zu erretten, trägt wie die Erzählung selbst wohl eher hellenistisch-judenchristliche Züge[6], so daß vermutet werden kann, daß es vereinzelt noch auf hellenistischem Boden zur Bildung von Menschensohnsprüchen gekommen ist[7].

---

[1] Keinesfalls kommt man mit der Erklärung aus, ‚Menschensohn' bezeichne hier den „Menschen $\varkappa\alpha\tau'$ $\dot{\varepsilon}\xi o\chi\dot{\eta}v$" oder betone Jesu „Gemeinschaft mit den Menschen"; so einerseits THEODOR ZAHN, Das Evangelium des Matthäus (KommNT I), 1922[4], S. 349ff., 354ff., andererseits ADOLF SCHLATTER, Der Evangelist Matthäus. Seine Sprache, sein Ziel, seine Selbständigkeit, 1929 (1959[5]), S. 285f.

[2] In der ursprünglicheren Fassung des Spruches vom Dienen Lk 22,27 fehlt der Menschensohntitel; vgl. im einzelnen TÖDT, Menschensohn S. 126ff.

[3] Vgl. Exk. I S. 57ff.

[4] Als redaktionelle Logien über den auf Erden wirkenden Menschensohn sind Mt 13,37; 16,13; Lk 18,8b anzusehen.

[5] Vgl. zu diesem Begriff DIBELIUS, Formgeschichte S. 60f.

[6] Lk 19,10 nimmt das Hauptstichwort der Erzählung, $\sigma\omega\tau\eta\varrho\iota\alpha$ V. 9, auf. $\sigma\dot{\omega}\zeta\varepsilon\iota\nu$ wird, abgesehen vom ‚Erretten' aus Krankheit, in ältester Tradition vom zukünftigen Heil gebraucht, vgl. z.B. Mt 10,22; Mk 13,13b; noch bei Paulus geht $\sigma\omega\tau\eta\varrho\iota\alpha$ auf die eschatologische Heilsvollendung und entsprechend wird $\sigma\omega\tau\dot{\eta}\varrho$ in Phil 3,20 gebraucht. Auch $\dot{\alpha}\pi\dot{\omega}\lambda\varepsilon\iota\alpha$ ist zunächst eschatologisch verstanden, vgl. Phil 1,28; 3,19; die Wendung von den ‚verlorenen Schafen Israels' Mt 10,5; 15,24 spricht nicht dagegen, da es sich um ein Bildwort handelt, außerdem aber auch eine eschatologische Komponente enthält. In Lk 19,1ff. liegt jedoch ein anderes Verständnis vor. Hier ist $\sigma\omega\tau\eta\varrho\iota\alpha$ auf das irdische Wirken Jesu bezogen und ebenso in V. 10 von einem $\sigma\tilde{\omega}\sigma\alpha\iota$ $\tau\dot{o}$ $\dot{\alpha}\pi o\lambda\omega\lambda\dot{o}\varsigma$ des Menschensohnes gesprochen. Dabei stoßen wir auf ein vom AT abhängiges, aber nicht spezifisch palästinisches Denken, weswegen die Herkunft aus dem hellenistischen Judenchristentum am wahrscheinlichsten ist. Interessanterweise ergeben sich auch enge Verbindungen mit der Traditionsschicht von Jesus als Davidssohn; vgl. dazu § 4 S. 268ff. Der Gebrauch von $\sigma\dot{\omega}\zeta\varepsilon\iota\nu$, $\sigma\omega\tau\eta\varrho\iota\alpha$ und $\sigma\omega\tau\dot{\eta}\varrho$ bedarf im übrigen einer gründlichen neuen Untersuchung.

[7] Daß die Menschensohnbezeichnung auf dem Boden des Heidenchristentums bald ihre ursprüngliche Bedeutung verliert, zeigen einerseits IgnEph 20,2

*Zusammenfassend* ist auf das relativ hohe Alter der Worte vom Erdenwirken des Menschensohnes hinzuweisen, wodurch sich die Aufnahme in die Logienquelle erklärt. Die Identifizierung des kommenden Menschensohnes mit dem wiedererwarteten Jesus muß sehr früh die Identifizierung des irdischen Jesus mit dem Menschensohn nach sich gezogen haben. Dies ist verständlich, da Jesus sein eigenes Handeln und Verkündigen unter die Voraussetzung einer Bestätigung durch den kommenden Menschensohn gestellt hat. Als ursprüngliche Jesusworte sind die Sprüche vom Erdenwirken in ihrer jetzigen Form und bei Verwendung des Titels ‚Menschensohn' nicht denkbar. Sie setzen den festgeprägten christologischen Gebrauch der Menschensohnbezeichnung voraus und lassen auch im einzelnen ihre Herkunft aus der Tradition der Urgemeinde erkennen.

### 5. *Die Worte vom Leiden und Auferstehen des Menschensohnes*

Diese abschließend zu besprechende Gruppe der Menschensohnworte liegt, soweit es sich um überkommene Tradition und nicht um redaktionelle Bildungen handelt, vornehmlich im Markusevangelium vor[1]. Traditionsgeschichtlich darf schon auf Grund dieses Tatbestandes vermutet werden, daß die Leidensaussagen am spätesten von allen Menschensohnsprüchen ausgebildet worden sind und in der Logienquelle keine Aufnahme mehr fanden. Weiter ist damit zu rechnen, daß die in den jüngeren Teilen der Passionserzählung aufgenommenen

---

ἐν Ἰησοῦ Χριστῷ, . . . τῷ υἱῷ ἀνθρώπου καὶ υἱῷ θεοῦ, wo ‚Menschensohn' nur noch die Menschlichkeit Jesu bezeichnet (hier erstmals taucht dieses Verständnis auf!), andererseits Thomas-Evangelium 86: ‚[Die Füchse haben ihre Höhlen] und die Vögel haben [ihr] Nest, der Sohn des Menschen aber hat keinen Ort, um sein Haupt zu neigen und zu ruhen', wo bei enger Anlehnung an den Wortlaut von Mt 8,20par. doch eine Verallgemeinerung auf alle Christen vorausgesetzt und das gnostische Motiv der ‚Ruhe' aufgenommen ist; vgl. ERNST HAENCHEN, Die Botschaft des Thomas-Evangeliums (ThBibl 6), 1961, S. 41f., 65, 73f.

[1] *Mk* 8,31; 9,9b.12b.31; 10,33f.; 14,21.41b; dazu die synoptischen Parallelen. An sonstigen Belegen kommt bei *Mt* noch 26,2b in Frage, was jedoch eindeutig redaktionell ist, außerdem 12,40, eine vielleicht vormatthäische, aber völlig sekundäre Umgestaltung des Wortes vom Jonazeichen (vgl. Lk 11,30), wonach der Menschensohn 3 Tage und Nächte in dem Bauch des Walfisches ist (vgl. hierzu noch S. 166). *Lk* hat insofern einige Besonderheiten gegenüber Mk, als er die zweite Leidensweissagung Mk 9,31 in Lk 9,44 verkürzt (die Auferstehungsweissagung fehlt), außerdem Mk 14,41b übergeht und statt dessen Lk 22,48 die redaktionelle Formulierung ‚Judas, du übergibst den Menschensohn mit einem Kuß?' bringt. Zusätzlich bietet er 24,7 noch eine Leidens- und Auferstehungsweissagung, deren redaktioneller Charakter durchweg anerkannt wird. Dagegen ist umstritten, ob auch Lk 17,25 von Lk selbst formuliert oder von ihm übernommen ist; letzteres ist besonders von KÜMMEL, Verheißung und Erfüllung S. 63ff., vertreten, aber m. E. mit guten Gründen von TÖDT, Menschensohn S. 98ff., widerlegt worden.

Kurzformeln, die nur vom Leiden des Menschensohnes handeln[1], die ältesten Überlieferungsstücke dieser Gruppe sind[2]. Die Leidens- und Auferstehungsweissagungen in Mk 8,31; 9,31; 10,33f. stellen demgegenüber jüngere Ausformungen und Erweiterungen dar. Die dritte Leidensweissagung wird man überhaupt als redaktionelle Bildung anzusehen haben. Endlich müssen im Gegensatz zu Tödt, der die Leidensweissagungen alle auf eine einzige Grundstruktur zurückführt[3], zwei verschiedene Typen der Worte vom leidenden Menschensohn unterschieden werden, je nachdem, ob eine Bezugnahme auf die Schrift vorliegt oder nicht.

Bei der Einzelanalyse empfiehlt es sich, von *Mk 10,33f.* auszugehen. Diese Leidens- und Auferstehungsweissagung ist vom Evangelisten geschaffen[4]. Es handelt sich um eine Weiterbildung von Mk 9,31. Der Schluß *καὶ ἀποκτενοῦσιν, καὶ μετὰ τρεῖς ἡμέρας ἀναστήσεται* ist, von kleinen Formulierungsvarianten abgesehen, übernommen. Das *παραδίδοται εἰς χεῖρας ἀνθρώπων* ist auf Grund des Passionsberichtes breit ausgeführt; bis in den Wortlaut hinein läßt sich die Abhängigkeit von Mk 14f. feststellen. Nur die Reihenfolge ‚verspotten, anspeien, geißeln‘ scheint nicht zu passen; aber es geht dem Evangelisten in dieser Leidensweissagung um eine in dem ‚Töten‘ ausmündende Klimax, die er auf solche Weise am besten erreichen konnte[5]. Daß im übrigen Mk 10,33f. erst mit der Verhaftung einsetzt, ist weder ein Beleg dafür, daß die Leidensweissagung vormarkinisch sein müßte, und noch weniger dafür, daß die alte Passionsgeschichte erst mit der Verhaftung eingesetzt habe[6], sondern erklärt sich daraus, daß es in Mk 10,33f.

---

[1] Gegen Tödt, a.a.O. S. 134, 137, bin ich der Ansicht, daß die beiden Worte vom leidenden Menschensohn im ersten Teil der Passionsgeschichte (Mk 14,21. 41b) nicht erst von Mk eingearbeitet worden sind. Anders liegen die Dinge bei Mk 9,12b, weil diese Leidensansage mit der Verkündigung der Auferstehung des Menschensohnes in 9,9b eng zusammengehört; hier handelt es sich um eine redaktionelle Nachbildung.

[2] Auch Schweizer, ZNW 50 (1959) S. 196f., geht von den Kurzformulierungen aus, nur rechnet er gleich mit echten Herrenworten; gegen die Ansicht, daß Jesus selbst den Menschensohnnamen in Verbindung mit der Vorstellung vom leidenden Gerechten verwendet habe, sprechen die früher angeführten Argumente.

[3] Tödt, Menschensohn S. 141f.            [4] Anders Tödt, a.a.O. S. 186f.

[5] Vgl. Mk 14,53.65; dann 15,1 (auch hier ‚übergeben‘); 15,20 (nicht an V. 31 ist gedacht!); 15,19 (nicht auf 14,65 zu beziehen); 15,15 (daß hier *φραγελλοῦν*, in der Leidensweissagung *μαστιγοῦν* steht, ist ohne Belang, denn beides bezeichnet die nach römischem Recht mit der Exekution verbundene verberatio). Die Bezeichnung der jüdischen Oberen mit ‚die Hohenpriester (Plur.!) und die Schriftgelehrten‘ ist typisch redaktionell, vgl. noch 11,18 (dies soll in größerem Zusammenhang andernorts noch näher begründet werden). Daß die jüdischen Oberen genannt werden, hat sein Vorbild in dem Traditionsstück 8,31, doch zeigt dort die Nennung nicht die beiden für Mk charakteristischen Repräsentanten.

[6] So z.B. Joachim Jeremias, Die Abendmahlsworte Jesu, 1960[3], S. 88f.; eine auch sonst häufig vertretene These.

um den Teil der Passion Jesu geht, der in der Öffentlichkeit spielt. Wie in Mk 9, 31 handelt es sich um die Auslieferung des Menschensohnes an die Menschen, womit ein bezeichnendes Grundelement der älteren Menschensohnvorstellung aufgenommen ist[1]. Mk 10, 33 f. geht auf den Typus der Sprüche vom leidenden Menschensohn zurück, in denen ein Hinweis auf die Notwendigkeit der Schrifterfüllung fehlt. Dazu gehört auch die Kurzform Mk 14, 41 b, ferner Mk 9, 31, wo eine Verbindung mit der Auferstehungsweissagung vorliegt. Die am Schluß der Gethsemanegeschichte *Mk 14, 41 b* aufgenommene Aussage über das Leiden ist mit dem Motiv von der ‚Stunde' verknüpft, wodurch ein eschatologisch-soteriologischer Gedanke Raum gewinnt, der nicht unmittelbar zur Tradition vom leidenden Menschensohn hinzugehört[2]. Dagegen sind alle anderen Motive für die Menschensohnüberlieferung kennzeichnend. Das $\pi\alpha\rho\alpha\delta\ell\delta\sigma\tau\alpha\iota$ ist schon in der alten Passionstradition verwurzelt; von einem „Verkündigungswort" oder einer „$\pi\alpha\rho\alpha\delta\iota\delta\delta\nu\alpha\iota$-Formel" ist zunächst nicht zu reden, dazu wird es erst in der biblischen Wendung ‚hingegeben werden in jemandes Hände'[3]. Gerade durch diese Formulierung kommt der für die ganze Menschensohntradition charakteristische Gegensatz zwischen der Hoheit des Menschensohnes und der Feindschaft der Menschen, den Tödt herausgestellt hat, deutlich zum Ausdruck[4]. Daß die Kurzfassung der Weissagung, die bloße Voraussage des Leidens Jesu, älter sein muß, zeigt neben der Tatsache, daß nur diese eingliedrige Form in die Passionserzählung Aufnahme gefunden hat, auch noch die merkwürdige Formulierung in *Mk 9, 31*: $\varkappa\alpha\grave{\iota}\ \dot{\alpha}\pi\sigma\varkappa\tau\epsilon\nu\sigma\tilde{\nu}\sigma\iota\nu$ $\alpha\dot{\nu}\tau\dot{\sigma}\nu,\varkappa\alpha\grave{\iota}\ \dot{\alpha}\pi\sigma\varkappa\tau\alpha\nu\vartheta\epsilon\grave{\iota}\varsigma\ \mu\epsilon\tau\grave{\alpha}\ \tau\rho\epsilon\tilde{\iota}\varsigma\ \dot{\eta}\mu\acute{\epsilon}\rho\alpha\varsigma\ \dot{\alpha}\nu\alpha\sigma\tau\acute{\eta}\sigma\epsilon\tau\alpha\iota.$ Das wiederholende Part. Pass. soll offenbar die Zuordnung von Tod und Auferstehung zum Ausdruck bringen und hebt diese Aussage als mehr oder weniger selbständiges zweites Glied deutlich von der ursprünglichen Wendung ab, die mit der Tötung Jesu endet. Weiter fällt auf, daß sich $\dot{\alpha}\pi\sigma\varkappa\tau\epsilon\ell\nu\epsilon\iota\nu$

---

[1] Eine soteriologische Explikation des Todes Jesu ist im ganzen Mk-Evangelium auf Mk 10, 45 und die Abendmahlsparadosis Mk 14, 22—24 beschränkt und an keiner einzigen Stelle des redaktionellen Rahmens zu finden; da auch die Passionsgeschichte selbst von diesem Motiv nicht geprägt ist, kann das Fehlen einer entsprechenden Aussage in dem von Mk in Anlehnung an Leidensweissagungen und Passionsüberlieferung gebildeten Abschnitt 10, 32—34 nicht überraschen. Es ging dem Evangelisten um eine dritte vollständige, aber gegenüber Mk 8, 31; 9, 31 variierende Vorhersage des Sterbens und Auferstehens Jesu.

[2] Vgl. Karl Hermann Schelkle, Die Passion Jesu in der Verkündigung des Neuen Testaments, 1949, S. 75 f.; Tödt, Menschensohn S. 172 f.

[3] Vgl. Exk. I S. 62 ff.

[4] Wahrscheinlich ist $\epsilon\dot{\iota}\varsigma\ \tau\grave{\alpha}\varsigma\ \chi\epsilon\tilde{\iota}\rho\alpha\varsigma\ \tau\tilde{\omega}\nu\ \dot{\alpha}\mu\alpha\rho\tau\omega\lambda\tilde{\omega}\nu$ in Mk 14, 41 b schon eine sekundäre Modifikation und muß als ursprünglichste Formulierung $\epsilon\dot{\iota}\varsigma$ $(\tau\grave{\alpha}\varsigma)\ \chi\epsilon\tilde{\iota}\rho\alpha\varsigma\ (\tau\tilde{\omega}\nu)\ \dot{\alpha}\nu\vartheta\rho\dot{\omega}\pi\omega\nu$ wie in Mk 9, 31 vorausgesetzt werden, zumal der Urtext vermutlich das Wortspiel בר נשא und בני נשא beabsichtigt hatte; dazu Joachim Jeremias, Art. $\pi\alpha\tilde{\iota}\varsigma\ \vartheta\epsilon\sigma\tilde{\nu}$ ThWb V S. 711.

und ἀναστῆναι von den in sonstigen Passionsformeln geläufigen Termini ἀποθνήσκειν und ἐγερθῆναι unterscheiden [1]. Hierbei dürfte maßgebend sein, daß es sich mindestens bei ἀποκτείνειν, ähnlich der Wendung ‚übergeben werden in jemandes Hände‘, um einen geprägten Terminus handelt. Er hatte im Zusammenhang mit der im Spätjudentum ausgebildeten Tradition von der ‚Tötung‘ der Propheten einen besonderen Aussagegehalt gewonnen, wie im Neuen Testament das Zitat Röm 11, 13, das wahrscheinlich vorchristliche Wort Mt 23,37 und auch die paulinische Wendung 1 Thess 2,14 beweisen [2]. Auch bei ἀναστῆναι dürfte durch die Wortwahl eine bewußte Stilisierung vorgenommen worden sein [3], denn die Besonderheit gegenüber anderen Passionsformeln beschränkt sich keineswegs auf die Formulierung, sondern enthält ein sachliches Motiv: Jesus steht zwar in einer Reihe mit den alttestamentlichen Gottesboten und ihrem Geschick, schreitet aber als der Menschensohn durch den Tod hindurch; anders als bei dem ἐγερθῆναι liegt der Ton nicht auf dem göttlichen Handeln beim Ostergeschehen, vielmehr geht es um die Macht des Menschensohnes, selbst vom Tode wiederaufzustehen [4]. Dem Ausgeliefertsein und der Hinrichtung steht das souveräne Handeln des Auferstehenden gegenüber [5]. Im Hinblick auf die Leidens- und Auferstehungsaussagen hat die Menschensohnvorstellung ihre bezeichnendste Ausprägung in Mk 9,31 gefunden, denn die Grundkonzeption dieser Christologie ist hier am konsequentesten durchgehalten.

Die Leidensweissagung Mk 9,31 unterscheidet sich, zusammen mit der Kurzfassung Mk 14,41 b, von jenen Worten über den leidenden Menschensohn, die in irgendeiner Weise Bezug auf die Schrift nehmen, also dem anderen Typus zugehören. Es handelt sich dabei um ausgesprochene Mischbildungen, denn der Schriftbeweis ist kein Spezifikum der Menschensohnvorstellung. Umgekehrt läßt sich die Ent-

---

[1] Die beiden letztgenannten Begriffe begegnen häufig in der nt. Briefliteratur, und zwar vor allem dort, wo Aussagen vorliegen, die mit dem Christos-Titel verbunden sind; vgl. dazu § 3 S. 193 ff.

[2] Zur diesbezüglichen spätjüdischen Tradition vgl. HANS JOACHIM SCHOEPS, Die jüdischen Prophetenmorde, in: Aus frühchristlicher Zeit, 1950, S. 126—143, der neben Jer 26,20—24; 2 Chr 24,20 f.; 1 Kg 19,10.14 besonders die jüdische Grundschrift der Ascensio Jesajae und die Vitae Prophetarum heranzieht (Texte bei PAUL RIESSLER, Altjüdisches Schrifttum außerhalb der Bibel, 1928, S. 481 ff., 871 ff.). Zu Mt 23,37 vgl. BULTMANN, Syn. Trad. S. 120 f.

[3] Das ‚nach drei Tagen‘ zeigt noch einen älteren Gebrauch, der später durch das ‚am dritten Tage‘ verdrängt worden ist; ein sachlicher Unterschied besteht nicht, da bei der Berechnung im damaligen Judentum auch angefangene Tage mitgezählt werden konnten; vgl. GERHARD DELLING, Art. ἡμέρα, ThWb II S. 952 f. Zur Sache vgl. § 3 S. 205 f.

[4] Hier sind johanneische Gedanken präformiert, etwa Joh 10,17 f. oder die Wendung 5,26, daß dem Sohn ‚gegeben‘ ist, ‚Leben in sich selbst zu haben‘.

[5] Vgl. TÖDT, Menschensohn S. 172.

stehung dieser Mischformen gut erklären. Einmal enthält schon das Passiv παραδίδοσι einen gewissen Hinweis auf den verborgenen Willen Gottes, der sich im Leiden des Menschensohnes vollzieht. Ferner ist die Ausbildung der Sprüche vom leidenden Menschensohn durch die Passionsüberlieferung bedingt gewesen, und gerade die älteste Schicht der Passionstradition ist maßgebend von dem Motiv der Schrifterfüllung beherrscht[1], so daß sich ein Einfluß auf die Sprüche vom leidenden Menschensohn leicht ergab. Den ältesten Beleg für diesen Typus finden wir in *Mk 14,21*, wo in paralleler Aussage formuliert wird: ὁ υἱὸς τοῦ ἀνθρώπου παραδίδοται[2] und ὁ υἱὸς τοῦ ἀνθρώπου ὑπάγει καθὼς γέγραπται περὶ αὐτοῦ. In dem hiermit verbundenen Weheruf über den Verräter kommt jener Gegensatz zwischen der Hoheit des Menschensohnes, an dem sich Heil und Verderben entscheidet, und den Menschen, deren ,,Exponent und Repräsentant'' ,jener Mensch' ist, schroff zum Ausdruck[3]. — Ausgebaut und umgeformt ist diese Mischform der Leidensweissagung in *Mk 8,31*. Der zweite Teil bietet keine Besonderheit, sondern ergänzt wie in 9,31 die Vorhersage der Auferstehung. Aber der erste Teil der Weissagung enthält drei eigentümliche Züge: δεῖ, πολλὰ παθεῖν und ἀποδοκιμασθῆναι ὑπὸ τῶν πρεσβυτέρων καὶ τῶν ἀρχιερέων καὶ τῶν γραμματέων; die Wendung vom ,Ausgeliefertwerden in die Hände der Menschen' ist zugunsten dieser neuen Elemente preisgegeben. Das δεῖ nimmt zweifellos das Motiv der Schriftnotwendigkeit auf[4] und entspricht dem καθὼς γέγραπται von Mk 14,21. Aber anders als an jener Stelle und in manchen Zusammenhängen der Passionsüberlieferung wird nun die Schriftnotwendigkeit nicht nur im allgemeinen vorausgesetzt, sondern durch das ἀποδοκιμασθῆναι κτλ. aus Ps 118,22, das Bildwort von dem durch die Bauleute verworfenen Stein, expliziert, wobei noch genau gesagt wird, wer diese Bauleute gewesen sind. Ist die Formulierung soweit klar, so bereitet das πολλὰ

---

[1] Außerdem hat der Schriftbeweis in der synoptischen Überlieferung nur noch im Streitgespräch einen festen Platz.

[2] Hier steht das bloße ,ausgeliefert werden'; der charakteristische Zusatz ,in die Hände der Menschen (Sünder)' fehlt. Dies dürfte seinen Grund darin haben, daß bei Judas viel konkreter an den Akt des Verrates gedacht ist, während jene geprägte Wendung das Passionsgeschehen im ganzen bezeichnen will.

[3] Tödt, Menschensohn S. 183f.

[4] Daß dieses δεῖ den Gedanken der Schriftnotwendigkeit und nicht den einer apokalyptischen Gesetzmäßigkeit zum Ausdruck bringt, hat Tödt, a.a.O. S. 174ff. (vgl. auch S. 150ff.), näher begründet. Im Anschluß an Erich Fascher, Theologische Beobachtungen zu δεῖ, in: Neutestamentliche Studien für R. Bultmann, 1957[2], S. 228—254, hat er eine grundsätzliche Unterscheidung des Sprachgebrauchs von δεῖ durchgeführt. Es darf aber das gemeinsame Grundprinzip nicht übersehen werden: ganz gleich, ob auf die Schrift oder ein apokalyptisches Schema Bezug genommen wird, in jedem Falle hat δεῖ eine heilsgeschichtliche Bedeutung, dahinter steht hier wie dort der Wille Gottes.

παθεῖν einige Schwierigkeit. Es kommt im Neuen Testament überhaupt nur in Sprüchen vom leidenden Menschensohn vor, aber lediglich in Texten, die von Mk 8,31 abhängig sind und daher für das Verständnis dieser Stelle selbst nichts abwerfen[1]. Das bloße πάσχειν ist etwas häufiger und taucht, abgesehen von lukanischen Bildungen und den späten Stellen des Hebräerbriefes, immer in Formeln auf, die von dem Leiden des Χριστός handeln[2]. Jenes ‚viel leiden' dürfte diesen Gebrauch von ‚leiden' in christologischen Wendungen voraussetzen. Es wurde offensichtlich in dem Augenblick in die Worte vom leidenden Menschensohn aufgenommen, als das ‚ausgeliefert werden in die Hände der Menschen' verdrängt worden war, aber das dafür eintretende ‚verworfen werden von ...' nicht in gleich umfassendem Sinn das ganze Passionsgeschehen zu umschreiben vermochte — ein Hinweis mehr, daß hier ein Mischtypus vorliegt, denn gerade in den Χριστός-Formeln ist auch der Gedanke der Schriftnotwendigkeit bezeichnend und geläufig[3]. Nun wird man das δεῖ als eine typisch hellenistische Fassung des γέγραπται ansehen müssen; in der Septuaginta liegt nur eine einzige vergleichbare Stelle vor[4], aber im Neuen Testament nimmt seine Verwendung bei typisch hellenistischen Schriftstellern zu. Außerdem ist πάσχειν ein ausgesprochen griechisches Wort, wofür es im semitischen Sprachbereich keine wirkliche Entsprechung gibt[5]. So ist wie bei Lk 19,10 festzustellen, daß die Menschensohnworte auf hellenistischem Boden noch eine gewisse Weiterführung erfahren haben. Lk 19,10 und Mk 8,31 stehen sich auch insofern nahe, als in beiden Fällen neue Begriffe in die Menschensohnaussagen einbezogen wurden und nochmals sehr prägnant formulierte und gehaltvolle Logien geschaffen worden sind[6]. Das schließt nicht aus, daß die Menschensohntradition alsbald an Bedeutung verlor und verebbte. — *Mk 9,12b* kann nicht als ein weiterer selbständiger Menschensohnspruch angesehen werden. Er gehört zu der redaktionellen Formulierung in 9,9b und bildet mit dieser zusammen eine geschlossene Leidens-

---

[1] Außer in den synoptischen Parallelen zu Mk 8,31 steht es in den redaktionellen Bildungen Mk 9,12b; Lk 17,25.

[2] Vgl. Lk 24,26.46; Act 3,18; 17,3; 1Pt 3,21 (23); 4,1 (3,18 v. 1.).

[3] Vgl. nur 1Kor 15,3b—5; dazu § 3 S. 197ff.

[4] Dan 2,28f. und dort an Stelle eines ursprünglichen Futurs!

[5] Vgl. WILHELM MICHAELIS, Art. πάσχω, ThWb V S. 906f.; zwar kommt das Wort in der LXX 21mal vor, aber zur Wiedergabe völlig verschiedenartiger Vokabeln, ein wirkliches Äquivalent liegt nirgends vor. M. denkt S. 914f. an eine Beziehung von ‚viel leiden' zu Jes 53, gibt jedoch zu, daß es dafür keine terminologischen Belege gibt.

[6] Auch TÖDT, Menschensohn S. 186, stellt fest, daß sich bei Mk 8,31 keine eindeutigen Kriterien mehr für die Zugehörigkeit zur palästinischen Tradition gewinnen lassen; m. E. kann jedoch gesagt werden, daß die sprachlichen Indizien ganz eindeutig in den hellenistischen Raum verweisen.

und Auferstehungsweissagung. In dem Abschnitt Mk 9,9—13 ist
eine Eliatradition verarbeitet; das γέγραπται von V. 12b korrespondiert dem von V. 13b. Mk 9,12b unterscheidet sich von Mk 8,31 nur
darin, daß ebenso wie in 14,21 γέγραπται verwendet ist und statt
ἀποδοκιμασθῆναι (ὑπὸ κτλ.) das synonyme ἐξουδενηθῆναι, welches zur
Wiedergabe von מאס in Ps 118,22 ebenfalls gebraucht wurde[1] und
hier wohl deswegen vorgezogen worden ist, weil es sich für den absoluten Wortgebrauch besser eignete. Diese Überlieferung hat so wenig
Eigentümliches, daß sie bestenfalls als Formulierungsvariante zu 8,31
dem Evangelisten bekannt gewesen sein mag[2].

Eine Mischbildung ganz anderer Art ist *Mk 10,45b*, denn dort ist
die Aussage über die freiwillige Niedrigkeit des Menschensohnes
(V. 45a) als stellvertretendes Sühneleiden interpretiert[3]. Eine sonstige
Beziehung zu Jes 53 ist in den Worten vom leidenden Menschensohn
nicht zu konstatieren. Das gräzisierende πολλὰ παθεῖν spielt ganz
sicher nicht auf diesen alttestamentlichen Text an. Eher ist schon zu
erwägen, ob das absolute ἐξουδενηθῆναι Wiedergabe von נִבְזֶה Jes 53,3
sein könnte[4]; aber die Tatsache, daß damit nur ein ganz unter-
geordnetes Motiv aus Jes 53 aufgenommen wäre und im übrigen die
Übersetzungsvariante zu Ps 118,22 sehr viel näher liegt[5], macht diese
These höchst unwahrscheinlich.

*Zusammenfassung*: Von dem Nebeneinander der Kurz- und Langfassungen ist auszugehen. Anfänglich ist wohl nur vom Leiden des
Menschensohnes gesprochen worden und erst nachträglich wurde die
Aussage über sein Auferstehen mit einbezogen. Aus diesem Grunde
sind die Auferstehungsweissagungen ziemlich einheitlich. Dagegen
lassen sich bei den Leidensaussagen zwei Grundtypen unterscheiden.
Der eine lehnt sich eng an die Sprüche vom Erdenwirken des Menschensohnes an, indem hier die Hoheit des Menschensohnes und die Verwerfung durch die Menschen zum Ausdruck gebracht ist. Zu diesem
Typus gehören Mk 14,41b und 9,31, sowie die redaktionelle Nachbildung Mk 10,33f. Der andere Typus ist sehr viel stärker von der
Passionstradition beeinflußt und hat von dort das Motiv der Schriftnotwendigkeit übernommen, wie Mk 14,21 besonders deutlich zeigt.
Beide Typen sowie die Mischform Mk 10,45 gehen auf palästinische
Gemeindetradition zurück. Aber die Worte vom leidenden und auferstehenden Menschensohn haben auch im hellenistischen Bereich

---

[1] Belege bei MICHAELIS, ThWb V S. 913 Anm. 79.

[2] Daß Mk diese Überlieferung nicht als selbständig ansah, ergibt sich auch
daraus, daß er neben 8,31; 9,31 noch eine dritte programmatische Leidensweissagung in 10,33f. selbst formuliert hat.

[3] Vgl. dazu im einzelnen Exk. I S. 57ff.

[4] Vgl. JEREMIAS, ThWb V S. 704.                    [5] Vgl. nur Act 4,11!

noch eine selbständige Weiterführung erfahren, wie sich aus den gräzisierenden Fassungen Mk 8,31; 9,12b ergibt. Die ganze Gruppe dieser Menschensohnsprüche ist zweifellos die jüngste. In die Logienquelle ist sie nicht mehr aufgenommen worden, dagegen ist sie in das Traditionsgut des Markusevangeliums, wo von den anderen Gruppen nur wenige Worte erhalten geblieben sind, in relativ breitem Umfang eingegangen. Daß die verschiedenen Gruppen eine gemeinsame Wurzel haben, ist leicht zu erkennen. Trotz der Mischformen und der etwas stärker abweichenden Spätbildungen stellen sie eine erstaunliche Einheit dar, ein Zeichen dafür, welche Kraft die zugrunde liegende christologische Konzeption in der Urgemeinde besessen hat[1]. Ihr Wirkungsbereich war vor allem die palästinische Christenheit, aber auch bestimmte Kreise der hellenistisch-judenchristlichen Gemeinde haben hiervon gelebt und neben einzelnen Neuprägungen vor allem das Erbe bis zur Übernahme in die schriftlichen Evangelien bewahrt, obwohl die Menschensohnchristologie längst durch andere Anschauungen zurückgedrängt worden war[2].

---

[1] Daß die beiden jüngeren Spruchgruppen diejenige vom kommenden Menschensohn voraussetzen und von diesem eschatologischen Horizont her verstanden werden müssen, steht außer Frage, auch wenn dort auf die Endereignisse nicht unmittelbar Bezug genommen ist. Darin unterscheiden sich die Sprüche vom leidenden und auferstehenden Menschensohn von den sonstigen Passionsformeln, die Tod und Auferstehung Jesu als selbständige Heilsereignisse einander zuordnen, in der Regel auch eine soteriologische Aussage mit dem Sterben verbinden. Durch die kompositionelle Stellung der Leidensweissagungen bei Mk ist dies allerdings verdeckt. Dagegen ist im überkommenen Passionsbericht die sachliche Zuordnung der Aussagen über den leidenden Menschensohn Mk 14,21.41b zu der Parusieverheißung 14,62 noch gewahrt.

[2] IBER, a.a.O. S. 147ff., vermutet in der Wendung ($\delta\varepsilon\tilde{\iota}$) $\dot{\upsilon}\psi\omega\vartheta\tilde{\eta}\nu\alpha\iota$ $\tau\grave{o}\nu$ $\upsilon\dot{\iota}\grave{o}\nu$ $\tau o\tilde{\upsilon}$ $\dot{\alpha}\nu\vartheta\varrho\acute{\omega}\pi o\upsilon$ in drei johanneischen Menschensohnworten (3,14; 12,34; 8,28) ein Nachwirken der Worte vom leidenden Menschensohn. Doch ist der Rückgang von $\dot{\upsilon}\psi o\tilde{\upsilon}\nu$ auf das aramäische und syrische זקף, welches ‚kreuzigen' und ‚erhöhen' bedeuten kann, zu ungewiß, um daraus weitreichende Schlüsse zu ziehen.

# EXKURS I:

*Die Anschauung vom stellvertretend leidenden Gottesknecht im ältesten Christentum*

Im Zusammenhang mit Aussagen über das Leiden Jesu stellt sich die Frage, wieweit eine Bezugnahme auf die Gottesknechtsvorstellung von Jes 53 vorliegt[1]. Es ist bekannt, daß eindeutige Indizien äußerst spärlich sind. Methodisch muß man sich überdies klarmachen, daß es überhaupt nur ein einziges Motiv gibt, auf Grund dessen ein Einwirken dieser prophetischen Aussage zuverlässig nachgewiesen werden kann, das ist die für Jes 53 spezifische Vorstellung des stellvertretenden Sühneleidens[2]. Da bei der vielfach atomistischen Exegese der damaligen Zeit[3] Bezugnahmen auf Einzelheiten eines Textes keineswegs notwendig die Übernahme der Grundgedanken des betreffenden Textabschnittes einschließen, müssen alle Zitate und Anspielungen auf Jes 53, die nicht ausdrücklich das Motiv der stellvertretenden Sühne enthalten, ausgeschieden werden. Dies gilt für das Tragen der Krankheiten Mt 8, 17, für die beiden Anspielungen auf das Schweigen von Jes 53, 7 in Mk 14, 61 a und 15, 5, aber auch für das Wort vom Zugerechnetwerden zu den Übeltätern Lk 22, 37. Ebenso gilt es für das ausführliche Zitat in der Kämmerergeschichte Act 8, 32 f., wo vom Geschlachtetwerden des Lammes und der Errettung vom Tode gesprochen ist, jedoch der Gedanke der stellvertretenden Sühne fehlt, und gilt für die Wendung ἀρνίον ἐσφαγμένον in der Apokalypse, die im Anschluß an Jes 53, 7 auf die gehorsame und widerspruchslose Todes-

---

[1] Es kann hier nur eine knappe Skizze des Problems gegeben werden; es werden auch nur die wichtigsten neueren Arbeiten zum Thema berücksichtigt.

[2] Zudem müssen klar auseinandergehalten werden: 1. die sehr umfassende Vorstellung vom ‚Knecht Gottes' im AT, die auf Patriarchen, Könige, Propheten u. a. Anwendung finden konnte (kollektivisch auch auf Israel), 2. die Gottesknechtsvorstellung bei Deuterojesaja, die eine eschatologische Aufgabe umschreibt, aber nicht im ganzen von Jes 53 her bestimmt ist (bisweilen wurden sogar schon verschiedene Verfasser für Jes 53 und die übrigen Gottesknechtslieder erwogen), 3. die Vorstellung vom leidenden und stellvertretend sühnenden Gottesknecht Jes 53, wobei allein die Leidensaussagen aufgenommen werden konnten oder aber die Aussagen über die stellvertretende Sühne für die ‚Vielen', das eigentliche Spezifikum dieses Abschnittes.

[3] Diese ist nicht nur für das Spätjudentum, sondern bis zu einem gewissen Grade auch für die Urgemeinde vorauszusetzen.

bereitschaft abhebt[1]. Eher ist zu erwägen, ob nicht ὁ ἀμνὸς τοῦ θεοῦ ὁ αἴρων τὴν ἁμαρτίαν τοῦ κόσμου Joh 1,29(36) in Beziehung zu der Anschauung vom Sühneleiden des Gottesknechtes steht[2]. Auf der andern Seite wird die Bezeichnung παῖς θεοῦ bzw. ἅγιος παῖς θεοῦ in Act 3,13. 26; 4,27. 30 bei einer Untersuchung über den stellvertretend leidenden Gottesknecht ausscheiden müssen, denn trotz Anspielung auf die Aussage von Jes 52,13 über die Verherrlichung des Gottes-knechtes (Act 3,13) ist hier nicht der Leitgedanke von Jes 53 maß-gebend, wie ja auch jeder Hinweis auf das Sühnemotiv fehlt[3]. Es bleiben demnach an alten Aussagen und Texten nur zu untersuchen: die sogenannten ὑπέρ-Formeln, das λύτρον-Wort Mk 10,45b, die Abendmahlsparadosis und einige mit παραδιδόναι verbundene Wen-dungen.

Die „ὑπέρ-Formeln"[4] bringen den Gedanken stellvertretender Sühne zum Ausdruck und sind mit Aussagen über Jesu Tod fest ver-bunden. Das Sterben Jesu ist im Urchristentum nicht durchgängig, aber dennoch häufig als Sühnetod verstanden. Der Gedanke taucht zwar nicht in der ältesten Schicht des Passionsberichtes auf, ist jedoch zweifellos noch im Bereich der frühen palästinischen Gemeinde auf-genommen worden. Die soteriologische Bedeutung der Passion Jesu konnte auf diese Weise verständlich gemacht werden. Das hohe Alter

---

[1] Apk 5,6.(9.)12; 13,8; vgl. dazu noch ERNST LOHMEYER, Die Offenbarung des Johannes (HbNT 16), 1953[2], S. 54f.; WILHELM HADORN, Die Offenbarung des Johannes (ThHdKommNT XVIII), 1928, S. 76f. Beziehung auf das Passa-lamm ist hier weniger wahrscheinlich.

[2] Die Interpretation ist sehr umstritten. Daß nicht ganz allgemein an ein Opferlamm der täglichen Tamid gedacht ist, darf sicher behauptet werden; auch der Sündopferbock des Versöhnungstages (Lev 16) wird nicht in Frage kommen. Vielfach wird dagegen eine Beziehung zum Passalamm angenommen, weil dazu in Joh 19,33. 36 eine Parallele vorliegt; aber das Passalamm besitzt keine sündentilgende Kraft, weswegen dann z.B. BARRETT, Joh S. 147, erwägt, ob es auf dem Wege über die Passainterpretation des Abendmahles hier zu einer Verbindung der Vorstellung vom Sühnetod mit derjenigen von Jesus als Passalamm gekommen sei. Es wird aber auch häufig auf Jes 53 verwiesen. Selbst wenn man nicht die These akzeptieren will, daß ἀμνός für ein ursprüng-liches טַלְיָא stehe, welches sowohl ‚Lamm' wie ‚Knecht' bedeutet — so C. F. BUR-NEY, The Aramaic Origin of the Fourth Gospel, 1922, S. 104ff.; JOACHIM JEREMIAS, Art. ἀμνός, ThWb I S. 342—344; DERS., Ἀμνὸς τοῦ θεοῦ — παῖς θεοῦ, ZNW 34 (1935) S. 115—123, und andere —, dann bleibt doch festzuhalten, daß sowohl das Motiv des (geschlachteten) Lammes, welches ursprünglich allerdings bildlich gemeint war, als auch der Gedanke einer universalen Sühneleistung bezeichnend für Jes 53 ist; so neuerdings wieder HERMANN STRATHMANN, Das Evangelium nach Johannes (NTD 4), 1959[9], S. 48; auch W. BAUER, Joh S. 36, formuliert: „Die Erinnerung an Is 53 läßt sich . . . nicht verscheuchen." Anders BULTMANN, Joh S. 66f.; C. H. DODD, Interpretation of the Fourth Gospel S. 230ff.

[3] Vgl. dazu im einzelnen Anhang S. 385ff., 392. 395

[4] Diese zusammenfassende Bezeichnung bei JOACHIM JEREMIAS, Art. παῖς θεοῦ, ThWb V S. 704, 707.

beweist nicht nur die unter aramäisch sprechenden Christen entstandene Bekenntnisformel 1 Kor 15, 3 b—5, die noch eingehend untersucht werden soll[1], sondern auch das Sühnemotiv selbst. Es ist vor einigen Jahren von EDUARD LOHSE eindrücklich nachgewiesen worden, in welchem Maße die Vorstellung vom Sterben für eigene Sünden und als stellvertretende Sühne im palästinischen Spätjudentum verwurzelt und verbreitet war[2]. Jes 53 ist zwar der älteste Beleg für den Gedanken vom stellvertretenden Sühnetod, gleichwohl kann der gesamte Vorstellungskreis nicht von dorther abgeleitet werden, sondern hat eine sehr viel breitere Strömung aufzuweisen[3]. Zudem muß beachtet werden, daß der für Jes 53 charakteristische Gedanke einer Sühne ‚für viele (alle)'[4] sonst im Spätjudentum nicht auftaucht. Von einer universalen Geltung des Sühnetodes wird nirgendwo etwas gesagt, die Sühnkraft bleibt durchweg auf Israel begrenzt. Das bedeutet, daß Jes 53 ein offensichtlich schon älteres Motiv selbständig weitergeführt hat[5]. Umgekehrt ist zu beobachten, daß das ganze Spätjudentum in seinen Sühneaussagen eine Beziehung auf Jes 53 konsequent meidet[6]. Diese Voraussetzungen müssen für das Urchristentum berücksichtigt werden; auf der einen Seite ist mit einer ziemlich weiten Verbreitung des Gedankens der stellvertretenden Sühne zu rechnen, auf der anderen Seite ist das Sühnemotiv aber keineswegs notwendig mit Jes 53 verbunden, enthält daher auch nicht von vornherein den Gedanken eines stellvertretenden Einstehens ‚für viele (alle)'. Das bedeutet, daß die formelhaften Wendungen vom Sterben Jesu ‚für uns (euch)', ‚für unsere Sünden' u. ä. nicht von Jes 53 herzuleiten sind, vielmehr die allgemein verbreitete Sühnevorstellung des Spätjudentums voraussetzen. Nur die Aussagen, die von einem stellvertretenden Sterben ‚für viele' sprechen oder sonst noch deutliche Bezugnahmen auf die Sühnevorstellung von Jes 53 enthalten, dürfen mit dem prophetischen Kapitel in Verbindung gebracht werden. Daß man nicht sagen darf, die ursprüngliche präzise Fassung der Aussage

---

[1] Vgl. § 3 S. 197 ff.

[2] EDUARD LOHSE, Märtyrer und Gottesknecht. Untersuchungen zur urchristlichen Verkündigung vom Sühntod Jesu Christi (FRLANT NF 46), 1955, S. 38 ff., bes. S. 64 ff.; über die sehr andersartige Fassung des Sühnemotivs im hellenistischen Judentum vgl. S. 66 ff., auch S. 83 Anm. 7.

[3] LOHSE, a. a. O. S. 97 ff., 104 ff.

[4] Zum inklusiven Sinn von רַבִּים vgl. JOACHIM JEREMIAS, Art. πολλοί, ThWb VI S. 536—545.

[5] LOHSE, a. a. O. S. 106. Natürlich sagt er mit Recht, daß der Sühnegedanke in Jes 53 „seine tiefste Erfassung und Ausprägung" erhalten hat.

[6] LOHSE, a. a. O. S. 107; MORNA HOOKER, Jesus and the Servant, 1959, S. 53 ff. (vgl. die dortige Literaturübersicht S. 179 f. Anm. 4). Zum Jesaja-Targum vgl. § 3 S. 153 Anm. 1.

sei mit der Zeit teilweise zu einem ‚für uns' abgeblaßt[1], geht allein daraus hervor, daß 1 Kor 15,3 b ein sehr alter Beleg ist, der als geprägte und sorgsam formulierte Bekenntnisformel unter allen Umständen die genaue Fassung des Gedankens enthalten dürfte, zumal hier noch ausdrücklich auf die Schrift verwiesen ist. Die Entwicklung muß in umgekehrter Richtung verlaufen sein: das Sühnemotiv ist von der ältesten Gemeinde nicht aus Jes 53 übernommen worden und hat zunächst auch nichts mit dem Schriftbeweis zu tun[2]. Erst nachdem Sühneaussage und Schriftmotiv miteinander in Beziehung gesetzt wurden, 1 Kor 15,3 b—5 ist erstes Anzeichen dafür[3], hat dann sekundär Jes 53 eingewirkt, so daß es in einigen Fällen zu Formulierungen über Jesu Sterben im Sinne einer stellvertretenden Sühne ‚für viele (alle)' gekommen ist[4]. Man muß sich ja auch vor Augen halten, daß der Gedanke von Jes 53 dem partikularistischen Denken der ältesten judenchristlichen Gemeinde durchaus nicht selbstverständlich gewesen sein kann[5].

*Mk 10,45* ist, wie bereits dargelegt, aus einem älteren Spruch über das Dienen V. 45a, womit der Menschensohntitel verbunden wurde, und der Sühneaussage V. 45b zusammengesetzt[6]. Daß hierbei eine Abhängigkeit von Jes 53 vorliegt, macht schon der Wortlaut wahrscheinlich, doch ist dies verschiedentlich bestritten worden, so daß eine genauere Überprüfung notwendig ist. Selbst BÜCHSEL, der vom Alten Testament ausgeht, läßt es offen, ob hier ein Lösegeldmotiv oder eine Opferanschauung oder die Vorstellung vom leidenden Gottesknecht zugrunde liegt[7]. Es ist sogar mit paulinischem Einfluß[8] oder mit der

---

[1] So z.B. GERHARD KITTEL, Jesu Worte über sein Sterben, DtTh 3 (1936) S. 166—189, dort S. 186f.

[2] Gegen JEREMIAS, ThWb V S. 706.     [3] Vgl. § 3 S. 201ff.

[4] Abgesehen von Mk 10,45b par.; 14,24 par. ist zu verweisen auf 2 Kor 5,14f.; 1 Tim 2,6; Joh 6,51 fin; ferner auch auf 1 Pt 3,18 ($\delta i \varkappa a \iota o \varsigma$ $\upsilon \pi \grave{\varepsilon} \varrho$ $\dot{a} \delta i \varkappa \omega \nu$); 1 Joh 2,2. Wie der inklusive Sinn auch in einem $\upsilon \pi \grave{\varepsilon} \varrho$ $\dot{\eta} \mu \tilde{\omega} \nu$ berücksichtigt werden kann, zeigt Paulus Röm 5,6.8; 2 Kor 5,21 (vgl. V. 14f.).

[5] Es ist nicht ganz überflüssig, diese traditionsgeschichtlichen Überlegungen anzustellen, denn die These, daß Jes 53 als Schriftbeweis so verbreitet gewesen sei, daß eine Zitierung sich erübrigt habe, müßte wenigstens durch eindeutige Indizien gefestigt werden können. Aber die uns selbstverständlich erscheinende Bezugnahme auf Jes 53 war der Gemeinde in frühester Zeit offensichtlich nicht vertraut. Dieses im Judentum gemiedene oder umgedeutete Kapitel mußte vom Schriftbeweis her erst langsam zurückgewonnen werden. Daß die Vorstellung vom leidenden Gottesknecht schon in vorchristlicher Zeit mit der Messianologie verbunden gewesen wäre, ist nach wie vor unbewiesen.

[6] Vgl. § 1 S. 45 und 52.

[7] FRIEDRICH BÜCHSEL, Art. $\lambda \dot{\upsilon} \tau \varrho o \nu$, ThWb IV S. 341ff., bes. 344.

[8] So vielfach in älterer Forschung. Gründlich widerlegt durch MARTIN WERNER, Der Einfluß der paulinischen Theologie auf das Markus-Evangelium (BZNW 1), 1923, bes. S. 63ff., der zeigt, daß lediglich allgemein urchristliche Vorstellungen bei Paulus wie bei Mk vorkommen.

Einwirkung einer hellenistisch-christlichen Erlösungslehre gerechnet
und daher eine alttestamentlich-jüdische Grundlage überhaupt bestritten worden[1]. Neuerdings hat der Engländer BARRETT nachzuweisen versucht, daß ein unmittelbarer Zusammenhang mit Jes 53
nicht bestehen könne[2]; auf seine Argumente ist etwas näher einzugehen. Daß Mk 10,45a keinerlei Anklang an Jes 53 und dessen
Sühneaussage enthält, besagt noch nichts über V. 45b. δοῦναι τὴν
ψυχὴν αὐτοῦ hat Barrett merkwürdigerweise mit הֶעֱרָה לַמָּוֶת נַפְשׁוֹ
Jes 53,12 verglichen, dem es natürlich nicht korrespondiert, statt mit
נַפְשׁוֹ ... אִם־תָּשִׂים V. 10, zumal hier ja auch der Begriff אָשָׁם vorkommt.
Daß λύτρον und אָשָׁם sich nicht entsprechen, weil LXX-Belege dafür
fehlen, wird man nicht ohne weiteres behaupten dürfen. Die von
Barrett dargebotenen Stellen, welche λύτρον im Sinne einer gleich-
wertigen Ersatzleistung verwenden, enthalten entweder den Gedanken
des Gebens einer (dinglichen) Ersatzleistung ‚für‘ das Leben oder sie
enthalten das ius-talionis-Motiv, wonach der Ersatz für Leben nur
wieder Leben sein kann, aber nirgends ist Leben gegeben als Ersatzleistung, und zwar ‚für‘ die Sünde (Jes 53,11b. 12c)[3]. So muß daran
festgehalten werden, daß trotz der nicht klar erweisbaren Verbindung
im Wortgebrauch dennoch vom Inhalt her gesehen nur der Gedanke
von Jes 53,10 zugrunde liegen kann[4]. Die Wendung ἀντὶ πολλῶν hat
ebenfalls keine wörtliche, wohl aber eine sachliche Parallele; das
fünfmalige רַבִּים in Jes 52,13—53,12 ist auch von Barrett nicht übersehen worden. Daß ἀντὶ (ὑπὲρ) πολλῶν nicht nur als Ausdruck der allgemeinen spätjüdischen und urchristlichen Sühnevorstellung angesehen werden kann[5], sondern gerade wegen seines inklusiven,
universalen Sinnes in Verbindung mit Jes 53 stehen muß, ist bereits
gezeigt worden[6]. Im einzelnen kann hier auf JEREMIAS verwiesen

---

[1] So etwa BULTMANN, Syn. Trad. S. 154; KLOSTERMANN, Mk S. 109; zur
Auslegungsgeschichte vgl. TAYLOR, Mk S. 445f.

[2] C. K. BARRETT, The Background of Mark 10:45, in: New Testament Essays
(Studies in Memory of T. W. Manson), 1959, S. 1—18.

[3] Es handelt sich um folgende LXX-Stellen: Ex 21,30; 30,12; auch 21,23
und IV Reg 10,24; ferner Ps 48,8 LXX = Ps 49,8; Jes 52,3 (a. a. O. S. 6f.).

[4] So auch R. H. FULLER, Mission and Achievement S. 57f., wogegen BARRETT
zu Unrecht polemisiert.

[5] ἀντί wechselt mit ὑπέρ und περί; alle drei Präpositionen stehen für ursprüngliches תַּחַת bzw. aram. חֲלָף. Vgl. JEREMIAS, ThWb V S. 707 Anm. 435.
ἀντί hat hier also nicht einseitig die Bedeutung der Stellvertretung (‚anstatt‘);
vgl. LOHSE, a. a. O. S. 132f., gegen BÜCHSEL, Art. ἀντί, ThWb I S. 373. πολλοί
steht selbstverständlich inklusiv; so wird es 1 Tim 2,6 richtig gedeutet; vgl.
noch JOACHIM JEREMIAS, Die Abendmahlsworte Jesu, 1960³, S. 171ff.; LOHSE,
a. a. O. S. 119.

[6] BARRETT, a. a. O. S. 11ff., will Mk 10,45 mittels der Vorstellung vom Leiden
und Märtyrertod der Gerechten und Erwählten erklären (2 Makk 7,37f; 4 Makk

werden[1], dem sich EDUARD LOHSE mit der zweifellos richtigen Einschränkung angeschlossen hat, daß es sich in Mk 10,45b nicht um ein echtes Herrenwort, sondern um ein Interpretament der Urgemeinde handelt[2]. Ob von einem „Lösegeld im Endgericht" gesprochen werden muß[3], ist fraglich, denn gerade das hier vorliegende Menschensohnwort handelt von Jesu irdischem Wirken und dem durch seinen Tod bereits bewirkten Heil, welches sich natürlich für die Glaubenden im Endgericht bewähren wird. Durch die Bezugnahme auf Jes 53 erklären sich die Eigentümlichkeiten des Spruches Mk 10,45 und in der Tat muß festgestellt werden, daß Parallelen aus dem profanen Leben hier ausscheiden[4]. Denn weder wird gesagt und braucht in diesem Fall gesagt zu werden, wem das λύτρον dargebracht wird, noch warum es dargebracht werden muß. Für alttestamentlich-jüdisches Denken und besonders im Zusammenhang mit Jes 53 ist es selbstverständlich, daß der אשם Gott dargebracht wird; auf der anderen Seite geht es aber in keiner Weise darum, daß dies für Gott getan werden *muß*, wie in der späteren Satisfaktionslehre behauptet wird, sondern ausschließlich um die Tatsache, daß hier eine stellvertretende Sühne zugunsten der Vielen geleistet worden ist[5].

Das überaus komplizierte Problem der *Abendmahlsparadosis* kann hier nur in einem kleinen Ausschnitt behandelt werden. Von allen Aussagen des Rahmens, den Aufforderungen zu Essen und Trinken, dem Wiederholungsbefehl und dem eschatologischen Ausblick ist abgesehen; es geht lediglich um die Sühneaussagen in den Einsetzungsworten. Diese sog. „Deuteworte"[6] sind in zwei wesentlich verschiedenen Typen erhalten geblieben. Auf der einen Seite steht die Fassung des Markus, dem Matthäus folgt, auf der anderen Seite die Fassung des Paulus und des Lukas-Langtextes. Beim Brotwort liegen die Dinge noch verhält-

---

6,27ff.; 17,22; 18,4); die der Erscheinung des Menschensohnes nach Dan 7 vorausgehenden Leiden der Menschen werden vom Menschensohn selbst übernommen; er repräsentiert so das Volk und leidet stellvertretend. — Auch HOOKER, a.a.O. S. 74ff. bestreitet einen unmittelbaren Zusammenhang mit Jes 53; "There is, however, considerable evidence to justify the linking of λύτρον with the general theme of Deutero-Isaiah, which is the expected redemption of Israel by Yahweh" (S. 77).

[1] JOACHIM JEREMIAS, Das Lösegeld für Viele (Mk 10,45), Judaica 3 (1947/48) S. 249—264; DERS., ThWb V S. 709.

[2] LOHSE, a.a.O. S. 116ff.        [3] So JEREMIAS, Lösegeld, a.a.O. S. 263f.

[4] ADOLF DEISSMANN, Licht vom Osten, 1923⁴, S. 270ff., will die Stelle vom sakralen Sklavenfreikauf her erklären, WERNER ELERT, Redemptio ab hostibus, ThLZ 72 (1947) Sp. 265—270, aus dem antiken Kriegsrecht. Dagegen mit Recht JEREMIAS, Lösegeld, a.a.O. S. 250.

[5] Vgl. dazu BÜCHSEL, ThWb IV S. 343ff.

[6] Zu diesem Begriff und zur Sache vgl. GÜNTHER BORNKAMM, Herrenmahl und Kirche bei Paulus, in: Studien zu Antike und Urchristentum (Ges. Aufs. II), 1959, S. 138—176, bes. S. 156.

nismäßig einfach: Mk 14,22 par. bringt lediglich ‚Das ist mein Leib‘, während 1 Kor 11,24//Lk 22,19 auch noch eine Sühneaussage enthält: τὸ ὑπὲρ ὑμῶν bzw. τὸ ὑπὲρ ὑμῶν διδόμενον. Dies dürfte ein späterer Zusatz sein, denn einmal ist die Sühneaussage in dieser Form in einem aramäischen Text unmöglich, zum andern erklärt sich die Aufnahme des Sühnemotivs in das Brotwort aus den Bestrebungen nach liturgischer Parallelisierung der beiden Einsetzungsworte[1]. Das in der Paulus-Lukas-Form dem Brotwort hinzugefügte τὸ ὑπὲρ ὑμῶν (διδόμενον) zeigt keine Abhängigkeit von Jes 53; nur die in Joh 6,51c ebenfalls beim Brotwort stehende Sühneaussage ὑπὲρ τῆς τοῦ κόσμου ζωῆς läßt den inklusiven Charakter des Gedankens von Jes 53 erkennen. Beim Kelchwort durchdringen sich bei Markus, Matthäus und Lukas drei verschiedene Elemente: Das Blutmotiv, der Bundesgedanke und die Sühnevorstellung; bei Paulus fehlt an dieser Stelle das Sühnemotiv. Diese einfachere Fassung 1 Kor 11,25 hat sich dadurch ergeben, daß das Sühnemotiv vom Brotwort aufgenommen wurde. Im übrigen ist die paulinische Fassung vom Gedanken des ‚neuen‘ Bundes ausgezeichnet; gleichwohl spielt auch das Bundesopfer, welches in dem ἐν τῷ ἐμῷ αἵματι zum Ausdruck kommt, eine Rolle, wobei es beim Blut selbstverständlich nicht um eine dingliche Substanz, sondern nm das Sterben Christi geht, an dessen Heilswirkung Anteil gegeben wird[2]. Lk 22,20b hat über Paulus hinaus τὸ ὑπὲρ ὑμῶν ἐκχυννόμενον. Das ist sowohl als eine Angleichung an die Markus-Fassung des Kelchwortes wie an das Brotwort der Paulus-Lukas-Fassung zu verstehen. Angeglichen an Markus ist τὸ ... ἐκχυννόμενον, angeglichen an das eigene Brotwort ist ὑπὲρ ὑμῶν; umgekehrt ist das dem Lukastext eigentümliche διδόμενον beim Brotwort wiederum als redaktionelle Parallelbildung zu ἐκχυννόμενον anzusehen[3]. Daran läßt sich erkennen, daß für die Paulus-Lukas-Fassung im Unterschied zu der des Markus-Matthäus das Sühnemotiv im Sinne eines ‚für euch‘ konstitutiv war,

---

[1] Vgl. JEREMIAS, Abendmahlsworte S. 160f.; zur Liturgisierung auch BORNKAMM, a.a.O. S. 153.

[2] Vgl. BORNKAMM, a.a.O. S. 157f.; auch JOHANNES BEHM, Art. αἷμα, ThWb I S. 171—175; SCHELKLE, Passion Jesu S. 182ff.

[3] Das ergibt sich auch aus den sprachlichen Beobachtungen. Die Voranstellung des Partizips entspricht der Wortfolge im Semitischen (so Mk); das ursprünglich selbständige τὸ ὑπὲρ ὑμῶν kann in dieser Weise erst im hellenistischen Sprachbereich entstanden sein (so Paulus beim Brotwort) und wird nun in Anlehnung an das markinische Kelchwort mit einem nachgestellten Partizip verbunden (Lk). HEINZ SCHÜRMANN, Der Einsetzungsbericht Lk 22,19—20. II. Teil einer quellenkritischen Untersuchung des lukanischen Abendmahlsberichtes Lk 22,7—38 (Nt.Abh. XX/4), 1955, S. 36ff., 73ff., hält ebenfalls den Schluß des lk Kelchwortes für eine Angleichung an den Mk-Text, betrachtet aber die Sühneaussage beim Brotwort in ihrer lk Form als ursprünglich gegenüber Paulus. Vgl. ferner PAUL NEUENZEIT, Das Herrenmahl. Studien zur paulinischen Eucharistieauffassung (StANT 1), 1960, S. 108ff.

weswegen Lukas sich in dieser Hinsicht nicht von Markus bestimmen ließ. Eine Beziehung zu Jes 53 fehlt somit. Dagegen muß man für die Markus-Matthäus-Gestalt des Kelchwortes eine direkte Anspielung auf den prophetischen Text annehmen. Darauf weist eindeutig das ὑπὲρ (περὶ) πολλῶν hin[1]. Weiterhin ist zu beachten, daß das Blutvergießen hier im allgemeinen Sinne des Tötens verstanden ist[2], also sachlich eine Parallele zu הֶעֱרָה לַמָּוֶת נַפְשׁוֹ Jes 53,12b vorliegt, auch wenn keine wörtliche Abhängigkeit nachweisbar ist. Als Opferterminologie darf das ἐκχυννόμενον nicht von vornherein angesehen werden, dazu wurde es erst durch die Verbindung mit dem Bundesgedanken; denn hier ist das Sterben Jesu zugleich Sühnetod als auch bundesstiftendes Opfer[3]. Ohne die traditionsgeschichtlichen Probleme der Abendmahlsworte weiter verfolgen zu können, darf als vorläufiges Ergebnis doch festgehalten werden, daß mit dem Motiv des vergossenen Blutes offensichtlich zwei ganz verschiedene Aussagen verbunden waren, nämlich die der stellvertretenden Sühne und die des bundesstiftenden Opfers, welche erst sekundär miteinander verklammert worden sind; weiter ist zu beachten, daß das Sühnemotiv in dem paulinisch-lukanischen Typus keine Abhängigkeit von Jes 53 zeigt, während es in der Tradition des Markus und Matthäus auf den universalen Charakter der Verheißung von Jes 53 deutlich anspielt[4].

---

[1] Nicht nur εἰς ἄφεσιν ἁμαρτιῶν bei Mt, wie HOOKER, a.a.O. S. 80ff., annimmt.

[2] Der Gedanke des Blutvergießens ist im AT geläufig, vgl. zur Terminologie und zum Vorkommen LUDWIG KOEHLER-WALTER BAUMGARTNER, Lexicon in Veteris Testamenti Libros, 1953, S. 212 (דָּם 4.).

[3] JEREMIAS, Abendmahlsworte[3] S. 186ff, hat die früher selbst vertretene Ansicht, daß τῆς διαθήκης in Mk 14,24 Zusatz sein müsse, neuerdings aufgegeben. Als ausschlaggebend sah er bisher an, daß ein Nomen mit Pronominalsuffix im Aramäischen keinen Genitiv nach sich duldet (Abendmahlsworte[2] S. 99), während er jetzt mit einer anderen Wortstellung im Urtext rechnet. Aber die Gründe für eine sekundäre Aufnahme des Bundesgedankens in das Blutwort sind vornehmlich traditionsgeschichtlicher Art; insofern dürfte dann die im Griechischen schwerfällige, für einen aramäischen Text unmögliche Wortfolge immerhin noch ihren Wert als Hinweis auf eine nachträgliche Kompilation behalten. Zur ehemaligen Selbständigkeit der Sühneaussage in Mk 14,24 vgl. auch KARL GEORG KUHN, Der ursprüngliche Sinn des Abendmahls und sein Verhältnis zu den Gemeinschaftsmahlen der Sektenschrift, EvTh 10 (1950/51) S. 508—527, bes. S. 512ff.; überarbeitet in The Scrolls and the New Testament ed. K. Stendahl, 1957, S. 65—93, bes. S. 79ff. So selbstverständlich wie bei JEREMIAS, Abendmahlsworte[3] S. 213f., darf nicht mit „Termini der Opfersprache" gerechnet werden. Der Opfergedanke ist zwar fest mit dem Bundesmotiv, aber nicht mit dem Sühnegedanken verbunden; vgl. dazu auch LOHSE, a.a.O. S. 71f., 124f., 126. Bei der Sühneaussage darf auch nicht, wie es bisweilen geschieht, sofort der Begriff des Sühn-„Opfers" angewandt werden; erst die Verbindung von Sühneaussage und Bundesopfergedanke im Kelchwort Mk 14,24 führte zu der Vorstellung eines „Sühneopfers".

[4] Zur Diskussion der traditionsgeschichtlichen Probleme und des Alters der Einzelmotive vgl. noch den Forschungsbericht von EDUARD SCHWEIZER,

Die mit παραδιδόναι verbundenen Wendungen haben einen sehr
verschiedenartigen Charakter und dürfen nicht unter dem Oberbegriff
„παραδιδόναι-Formeln" zusammengefaßt werden[1]. Zunächst ist zu
beachten, daß das Wort seinen festen Platz in der Gerichtssprache hat
und in diesem Sinne als terminus technicus in der Geschichte der
Passion Jesu gebraucht wird[2]. Von hier aus ist Judas als ὁ παραδιδούς
bzw. ὁ παραδούς bezeichnet worden[3]. Zu einer „Formel" wurde das
Wort erst in der alttestamentlich-jüdischen Redeweise παραδιδόναι
(παραδοθῆναι) εἰς χεῖρας τινός, was in die Worte vom leidenden Menschensohn Aufnahme gefunden hat[4]. Aber das παραδιδόναι besitzt auch im
Zusammenhang mit Sühneaussagen eine relativ feste Stellung. Wie es
dazu gekommen ist, läßt sich vielleicht noch auf Grund von 1 Kor 11,
23ff. erschließen. In der Einleitung zur paulinischen Abendmahlsparadosis steht als Referat der Passionserzählung ὁ κύριος Ἰησοῦς ἐν
τῇ νυκτὶ ᾗ παρεδίδοτο, wobei παραδιδόναι den Sinn eines Terminus der
Gerichtssprache noch unverändert enthalten dürfte. Es steht aber
zugleich mit den Einsetzungsworten, vor allem der Sühneaussage des
Brotwortes in einer engen Verbindung, so daß sich von hier aus die
formelhaften Wendungen mit der Grundstruktur παραδιδόναι . . .
ὑπέρ . . . ergeben haben könnten. Zwei Gruppen sind dabei zu unterscheiden: in der einen ist ausgesagt, daß Jesus ‚ausgeliefert wird' bzw.
Gott ihn ‚ausliefert', in der anderen, daß Jesus ‚sich selbst ausliefert'[5].
Damit hat παραδιδόναι einen wesentlich anderen Sinn erhalten. War
schon in der Wendung ‚ausgeliefert werden in jmds. Hände' ein Hinweis auf den Ratschluß und das in allem menschlichen Tun verborgene
Handeln Gottes enthalten, so tritt das Wort im Zusammenhang der
Sühneaussagen in einen eindeutig heilsgeschichtlichen Bezug. Hat
hierbei Jes 53 eingewirkt? Daß 1 Tim 2, 6: ὁ δοὺς ἑαυτὸν ἀντίλυτρον
ὑπὲρ πάντων ähnlich wie Mk 10, 45 b eine Übernahme des entscheidenden Motivs von Jes 53, 10 enthält, ist unschwer zu erkennen. Aber auch
das ὑπὲρ ἡμῶν πάντων παρέδωκεν αὐτόν Röm 8, 32 könnte von Jes 53
her bestimmt sein[6]. Andererseits kann aber nicht bestritten werden,
daß παραδιδόναι im hebräischen Text von Jes 53 keine wirkliche Entsprechung hat. Wohl steht es dreimal in der Septuaginta: παρεδόθη

---

Das Herrenmahl im Neuen Testament, ThLZ 79 (1954) Sp. 577—592, bes.
Sp. 579ff.; DERS., Art. Abendmahl I. Im NT, RGG[3] I Sp. 10—21.

[1] Gegen JEREMIAS, ThWb V S. 704f., 708. Zur Auseinandersetzung mit
J. vgl. auch TÖDT, Menschensohn S. 144ff.

[2] παραδιδόναι τινὰ τινί; so z.B. Mk 14, 10. 11. 18; 15, 1. 15.

[3] Vgl. Mk 14, 42. 44; Mt 10, 4 u. ö.

[4] . . . נתן ביד bzw. . . . מסר ביד; vgl. SCHLATTER, Mt S. 537f.; BÜCHSEL,
Art. δίδωμι, παραδίδωμι, ThWb II S. 172; SCHELKLE, a.a.O. S. 70f.

[5] Vgl. einerseits Röm 4, 25; 8, 32; andererseits Gal 2, 20; Eph 5, 2; 1 Tim 2, 6.

[6] Vgl. Jes 53, 6 b: עָוֹן כֻּלָּנוּ.

εἰς θάνατον ἡ ψυχή αὐτοῦ ist eine sehr freie Wiedergabe von הֶעֱרָה לַמָּוֶת נַפְשׁוֹ Jes 53,12b, was sicher nicht in Frage kommt; κύριος παρέδωκεν αὐτὸν ταῖς ἁμαρτίαις ἡμῶν steht für יהוה הִפְגִּיעַ בּוֹ אֵת עֲוֹן כֻּלָּנוּ Jes 53,6b und διὰ τὰς ἁμαρτίας αὐτῶν παρεδόθη für וְלַפֹּשְׁעִים יַפְגִּיעַ Jes 53,12c, wobei aber nicht übersehen werden darf, daß das hiph von פגע in diesen beiden Fällen verschiedenen Sinn hat[1]. Eine Einwirkung des hebräischen Textes ist kaum anzunehmen. Jedoch legt sich die Erwägung nahe, daß ein Einfluß auf die mit παραδίδοται verbundenen urchristlichen Sühneaussagen auf Grund des griechischen Jesajatextes erfolgt ist. Daß Röm 8,32 sehr nahe an Jes 53,6b herankommt und Röm 4,25 mit seinem παρεδόθη διά ... stark an Jes 53,12c erinnert[2], kann nicht bestritten werden. Für 1 Tim 2,6 ist der Bezug ohnedies offenkundig. Ob auch der Gedanke der Selbsthingabe durch Jes 53 veranlaßt ist, kann im Zusammenhang mit 1 Tim 2,6 immerhin gefragt werden. Zwar ist er in Gal 2,20 nur mit einem ὑπὲρ ἐμοῦ verbunden, doch wird das hier durch den Kontext bedingt sein[3]. Die Verbindung der Selbsthingabe und Sühne ‚für uns‘ mit Opfermotiven in Eph 5,2 ist sicher sekundär. — παραδιδόναι ist also durchaus in formelhaften Zusammenhängen gebraucht, aber man muß einerseits alle Stellen aussondern, die das Wort als Terminus der Gerichtssprache verwenden, und andererseits zwischen den verschiedenartigen Formeln unterscheiden[4]. Nur bei der Verbindung von παραδιδόναι mit dem Sühnegedanken ist es zu Einwirkungen von Jes 53 gekommen, aber offensichtlich erst im Bereich der hellenistischen Gemeinde auf Grund des griechischen Alten Testamentes[5].

Die Einzeluntersuchungen haben ergeben, daß in ältester Tradition nur vereinzelt auf Jes 53 Bezug genommen wurde. Denn die soteriologischen Aussagen über Jesu Sterben sind relativ selten mit dem

---

[1] Es ist auch mit verschiedenen Präpositionen verbunden: Jes 53,6b mit Acc. und בְּ im Sinne von ‚jemanden etwas treffen lassen‘; Jes 53,12c mit לְ im Sinne von ‚eintreten für‘; vgl. KÖHLER-BAUMGARTNER, Lexicon S. 751.

[2] Zu Röm 4,25 vgl. im einzelnen OTTO KUSS, Der Römerbrief (1. Lieferung 1957), S. 193ff.

[3] Allerdings muß beachtet werden, daß die geläufige Sühneaussage ‚für uns (euch)‘ u. ä. in jüngerer Tradition auch in die von Jes 53 bestimmten Zusammenhänge eindringt, wie nicht zuletzt die Zitierung von Jes 53 in 1Pt 2,22ff., bes. V. 24 zeigt; auch bei Röm 4,25 wird man dies erwägen dürfen. Aber das darf so nicht schon für die älteste palästinische Überlieferung vorausgesetzt werden.

[4] Beziehungen der Worte vom Leiden des Menschensohnes zu Jes 53 liegen daher nicht vor (von Mk 10,45b natürlich abgesehen). Denn dort spielt nur die Wendung ‚ausgeliefert werden in jmds. Hände‘ eine Rolle. Daß ἐξουδενηθῆναι nicht als Anspielung auf Jes 53,3 zu verstehen ist, wurde bereits in § 1 S. 52 festgestellt.

[5] Ob dies die LXX war, ist nicht ganz sicher, aber mindestens muß der griech. Jes-Text dieser Übersetzung in vielen Zügen nahegestanden haben.

Gedanken einer universalen Sühne verknüpft worden. In jüngerer
Zeit ist aber vielfach die Ansicht vertreten worden, daß die Bedeutung
dieser Vorstellung für die frühe urchristliche Tradition gleichwohl viel
umfassender sei. HANS WALTER WOLFF, der die neuere Diskussion
eröffnet hat, vertritt mit Nachdruck den Grundsatz, daß es erforderlich sei, das Gesamtverständnis von Jes 53 zu berücksichtigen. Jesus
habe im Umgang mit der Schrift und besonders mit Deuterojesaja
gelebt, und da ihm das Schicksal der Propheten vor Augen stand,
könne er gerade an Jes 53 nicht vorübergegangen sein. Mk 10,45;
14,24 zeigen daher, in welchem Maße er sich diesen alttestamentlichen
Text angeeignet hatte: von ihm sei diese Prophetie in vollkommenster
Weise erfaßt und in ihm sei sie Gestalt geworden[1]. Über Jes 53 müsse
zudem eine Jüngerbelehrung stattgefunden haben, denn obwohl den
Jüngern der Gedanke nur schwer eingegangen sei, zeige sich doch,
daß Züge aus Jes 53 unbewußt nachwirken, vor allem in der Passionserzählung. Erst allmählich habe sich die palästinische Gemeinde dann
auch den Text von Jes 53 angeeignet[2]. Der hypothetische Charakter
dieser Argumentation ist leicht erkennbar, die Ergebnisse sind
völlig ungesichert. JOACHIM JEREMIAS hat deswegen versucht, die
Verwendung der Gottesknechtsvorstellung in der Verkündigung Jesu
und der ältesten Gemeindetradition durch sorgfältige Einzeluntersuchungen nachzuweisen und alle Anspielungen oder Wortanklänge
an Jes 53 sorgsam auszuwerten[3]. Das Material führt nach seiner
Meinung durchweg in die frühe palästinische Gemeinde, ja weitgehend auf Jesus selbst zurück. Er erschließt dies ähnlich wie Wolff
daraus, daß Jesus sich Gedanken über seinen bevorstehenden Tod
gemacht haben und bei der Bedeutung des Theologumenons von der
Sühnkraft des Todes notwendig auch auf Jes 53 gestoßen sein müsse[4].
Die Seltenheit der Bezugnahme auf Jes 53 in der synoptischen
Tradition erklärt er damit, daß Jesus davon nicht in öffentlicher
Predigt, sondern nur in esoterischer Lehre gehandelt habe. Aber dagegen
sind doch gewichtige Einwände vorzubringen: erstens besagt die Tatsache ältester palästinischer Tradition, wie Jeremias selbst einräumt,
noch gar nichts über die Herkunft aus dem Munde Jesu, und zusätz-
liche allgemeine Überlegungen werden den Erweis ebenfalls nicht
erbringen können; zweitens können die markinischen Leidensweissagungen und Abendmahlsworte in ihrer jetzigen Form nicht als
authentisch angesehen werden, umgekehrt ergibt aber der Nachweis

---

[1] HANS WALTER WOLFF, Jesaja 53 im Urchristentum, 1952³, S. 55ff.
[2] A. a. O. S. 75ff.                        [3] JEREMIAS, ThWb V S. 698ff.
[4] Das sollen bes. einige Leidensweissagungen und die Abendmahlsworte
beweisen; vgl. ThWb V S. 711ff.

der Echtheit einer Voraussage wie z. B. Lk 13,32f.[1] wiederum nichts über Jesu Beschäftigung mit Jes 53; drittens kann das Vorkommen der Vorstellung vom Sühneleiden bei ihrer Verbreitung im damaligen Judentum über einen Zusammenhang mit Jes 53 noch nichts erweisen; viertens muß auch bei tatsächlichen Anspielungen auf Jes 53 gefragt werden, ob die Sühnevorstellung dieses Kapitels aufgenommen ist; fünftens brauchen Gottesknechtstitel und Gottesknechtsaussagen weder mit Deuterojesaja zusammenhängen noch implizieren sie bei einer Bezugnahme auf Jes 42 oder 49 schon das Sühnemotiv von Jes 53. Trotz all dieser Einwände soll allerdings nicht bestritten werden, daß Jes 53 auch abgesehen von ausdrücklichen Zitierungen auf die Evangelientradition eingewirkt haben kann, aber der Nachweis muß unter Berücksichtigung der eindeutigen Kriterien geführt werden[2]. Auf die anderen neueren Beiträge zum Problem der Gottesknechtsvorstellung im Neuen Testament braucht nur kurz verwiesen zu werden. OSCAR CULLMANN setzt trotz der schwachen Bezeugung einen engen Kontakt Jesu mit Jes 53 voraus: Jesus hatte das Sühnwerk zu leben, nicht zu lehren[3]. Das Bewußtsein, die Rolle des Ebed-Jahwe übernehmen zu müssen, habe er bei seiner Taufe empfangen[4]. ERICH FASCHER geht davon aus, daß sich Jesus über die Wirkung seiner Taten und Worte nicht getäuscht haben könne, daher sein Amt als Leidensmessias erkannt und sich mit Jes 53 beschäftigt haben müsse. Wegen des Unverständnisses seiner Jünger habe er es aber unterlassen, vor ihnen über das Geheimnis seiner Sendung zu sprechen[5].

---

[1] Vgl. dazu JULIUS WELLHAUSEN, Evangelium Lucae, 1904, S. 75f.; GÜNTHER BORNKAMM, Jesus von Nazareth (Urban-Bücher 19), 1960[4, 5], S. 141f.; außerdem JOSEPH BLINZLER, Die literarische Eigenart des sogenannten Reiseberichts im Lukasevangelium, in: Synoptische Studien (Festschrift A. Wikenhauser), 1953, S. 20—52, dort S. 42ff.

[2] Der von WOLFF, a.a.O. S. 71, 73; JEREMIAS, ThWb V S. 703 natürlich mit Recht vertretene Grundsatz, daß eine Beschränkung auf Zitate unsachgemäß ist, stößt gerade bei Jes 53 auf besondere Schwierigkeiten, da eben in jedem Fall der für dieses at. Kapitel charakteristische Gedanke eindeutig nachgewiesen werden muß. Abgesehen von der universalen Sühneaussage kommt aber nur das אָשָׁם-Motiv und bis zu einem gewissen Grade die Verbindung von παραδιδόναι mit dem Sühnegedanken in Frage. Vgl. auch die methodischen Überlegungen bei HOOKER, a.a.O. S. 62ff.

[3] CULLMANN, Christologie S. 59ff., 68f.

[4] CULLMANN, Die Tauflehre im Neuen Testament, 1948, S. 11ff.; DERS., Christologie S. 65f., rechnet wie ähnlich schon DALMAN, Worte Jesu S. 227; BOUSSET, Kyrios Christos S. 57 Anm. 2; JEREMIAS, ThWb V S. 699f., damit, daß das ‚Du bist mein Sohn . . .' der Taufgeschichte auf ein ursprüngliches עַבְדִי zurückgeht; aber daraus können noch lange keine Folgerungen für das Bewußtsein Jesu gezogen werden. Vgl. dazu Exk. V S. 340ff.; Anhang S. 396f.

[5] ERICH FASCHER, Jesaja 53 in christlicher und jüdischer Sicht (Aufsätze und Vorträge zur Theologie und Religionsgeschichte 4), 1958, S. 9ff.

Doch für alle diese Deutungen[1] ist die exegetische Basis äußerst schmal und die Argumentation läuft weitgehend darauf hinaus, gerade das Fehlen wirklich erkennbarer Beziehungen zu Jes 53 zu erklären. Beachtet man jedoch, daß das Verständnis dieses Kapitels im Spätjudentum äußerst uneinheitlich war und die hier gemachten Sühneaussagen kaum eine Rolle spielten, was nicht ausschließlich mit nachträglichen antichristlichen Bestrebungen zusammenhängen dürfte, so wird verständlich, warum Jes 53 erst allmählich Bedeutung für das Urchristentum gewann und erst spät seine für uns selbstverständliche zentrale Stellung innerhalb der Christologie erhielt[2].

---

[1] Erwähnt sei auch noch CHRISTIAN MAURER, Knecht Gottes und Sohn Gottes im Passionsbericht des Markusevangeliums, ZThK 50 (1953) S. 1—38, der die Ansicht vertritt, daß im Leidensbericht „der Gotteskneschtgedanke schon ganz am Anfang der Tradition steht, und wir schon bei Markus nur noch einen fernen, aber bewußten Nachklang haben" (S. 10); aber gerade Mk 14f. läßt eine sehr frühe Stufe der Passionsüberlieferung noch relativ gut erkennen und zeigt keine Anspielungen auf den Sühnegedanken von Jes 53, auch dann nicht, wenn man von einem „de facto-Schriftbeweis" reden wollte (S. 7); teilweise muß M. seine Belege aus hellenistisch-jüdischer Literatur holen (SapSal), womit für die älteste palästinische Tradition der Urgemeinde m. E. gar nichts zu gewinnen ist. — Einen anderen Weg geht ERNST LOHMEYER, Mk S. 5f.; DERS., Gottesknecht und Davidssohn (FRLANT NF 43), 1953², bes. S. 12, 78ff., 93ff., 111f.: er betrachtet die Gottesknechtsvorstellung als Teilstück der galiläischen Menschensohnchristologie; sie „verhülle und enthülle" ebenfalls die eschatologische Vollendergestalt, sei aber weniger auf die Verborgenheit des Wesens als der Aufgabe ausgerichtet. Von hier aus werden eine Vielzahl von Texten herangezogen, die gar keine eindeutigen Zusammenhänge mit Jes 53 aufweisen, aber L.s Konzeption scheitert ohnehin an der Hypothese einer selbständigen galiläischen Christologie.

[2] Das mir erst nachträglich bekannt gewordene Buch von MORNA HOOKER — ich verdanke den Hinweis Herrn Prof. Fuller, Evanston/Illinois — bemüht sich ebenfalls um den Nachweis, daß Jes 53 weder für Jesus selbst noch für die älteste Gemeinde entscheidende Bedeutung gehabt hat. Nach einem forschungsgeschichtlichen Überblick (S. 1ff.) folgt eine Untersuchung des at. Befundes (S. 25ff.) und der jüdischen Tradition (S. 53ff., vgl. S. 155ff.), dann eine Analyse der synoptischen Texte (S. 62ff.) und der übrigen nt. Zeugnisse (S. 103ff.). Mag die kollektive Deutung des Jesajatextes auch sich beruhen, so sehr die Verfasserin im Recht ist, wenn sie eine erkennbare Nachwirkung von Jes 53 und überdies ein messianisches Verständnis dieser Stelle im Spätjudentum bestreitet, so hat sie doch umgekehrt die Bedeutung des Sühnemotivs innerhalb der Leidensvorstellung des Spätjudentums und auch des Urchristentums völlig verkannt (vgl. S. 140ff.; das wichtige Buch von E. Lohse ist ihr offensichtlich entgangen). Die Behandlung der synoptischen Texte ist etwas unbefriedigend, weil über die einzelnen Logien keinerlei traditionsgeschichtliche Erwägungen angestellt werden; ebenso unkritisch wie der markinische Aufriß des Lebens Jesu als historisch angesehen wird (S. 159), werden die synoptischen Herrenworte als echt behandelt. Selbstverständlich ist das Ergebnis zutreffend: "There is . . . very little in the Synoptics to support the traditional view that Jesus identified his mission with that of the Servant of the Songs" (S. 102); aber ein Einfluß von Jes 53 auf Mk 10,45b und 14,24 läßt sich schlechterdings nicht bestreiten. Das Buch ist deswegen sehr zu begrüßen, weil auf Grund sorgsamer Einzelanalysen die begrenzte Tragweite der Gottesknechtvorstellung im Urchristentum deutlich gemacht wird. Auch die klare Differenzierung zwischen Menschensohn- und Messiasvorstellung (S. 142ff.) verdient Beachtung.

# § 2. KYRIOS

Der Gebrauch von κύριος im Neuen Testament ist vielfältig. Abgesehen von der rein profanen Verwendung[1] taucht das Wort als Gottesbezeichnung auf, sodann als Bezeichnung des irdischen Jesus, aber auch als Prädikation des Erhöhten und Wiederkommenden. Diese Verwendungsarten haben teilweise eine ganz eigene Traditionsgeschichte, hängen andererseits jedoch auch wieder miteinander zusammen und haben sich gegenseitig beeinflußt. Es muß daher nach den Voraussetzungen und den einzelnen Überlieferungssträngen genau gefragt werden. Dies ist um so notwendiger, als nach wie vor die gegensätzlichen Thesen über die Herkunft des Kyriostitels nicht endgültig ausgeglichen sind. Haben WILHELM BOUSSET und RUDOLF BULTMANN ausschließlich den hellenistischen Charakter der Kyriosprädikation Jesu verfochten[2], so ist umgekehrt die schon von GUSTAF DALMAN in Grundzügen skizzierte Position eines palästinischen Ursprungs[3] von WERNER FOERSTER verteidigt[4] und neuerdings von OSCAR CULLMANN[5] und EDUARD SCHWEIZER[6] wiederaufgenommen worden. In der Tat wird man eine palästinische Vorgeschichte nicht bestreiten können, jedoch darf umgekehrt der beträchtliche Umbruch beim Übergang in die hellenistische Gemeindetradition nicht übersehen werden[7].

---

[1] Vgl. WERNER FOERSTER, Art. κύριος, ThWb III S. 1085.

[2] BOUSSET, Kyrios Christos, bes. S. 77 ff.; BULTMANN, Theol. S. 54 f., 123 ff.

[3] DALMAN, Worte Jesu S. 266 ff.

[4] WERNER FOERSTER, Herr ist Jesus. Herkunft und Bedeutung des urchristlichen Kyriosbekenntnisses (Neutest. Forschungen II/1), 1924, bes. S. 209 ff. (mit ausführlichem Bericht über die Diskussion um Boussets Anschauung S. 11 ff.); eine teilweise allzu knappe und vor allem im nt. Teil unergiebige Zusammenfassung seiner Thesen bietet DERS., ThWb III S. 1038—1056, 1081—1098.

[5] OSCAR CULLMANN, Urchristentum und Gottesdienst (AThANT 3), 1950², S. 16 f., 19 ff.; DERS., Christologie S. 200 ff.

[6] EDUARD SCHWEIZER, Erniedrigung und Erhöhung S. 93 ff.; DERS., Discipleship and Belief in Jesus as Lord from Jesus to the Hellenistic Church, NTSt 2 (1955/56) S. 87—99; DERS., Der Glaube an Jesus den ‚Herrn‘ in seiner Entwicklung von den ersten Nachfolgern bis zur hellenistischen Gemeinde, EvTh 17 (1957) S. 7—21 (= der zuvor genannte Aufsatz aus NTSt 2 mit einigen Änderungen); DERS., Jesus Christus, Herr über Kirche und Welt, in: Libertas Christiana (Festschrift für F. Delekat, BEvTh 26), 1957, S. 175—187.

[7] Vgl. die kurzen, aber sehr sorgsam abgewogenen Überlegungen bei HERBERT BRAUN, Der Sinn der neutestamentlichen Christologie, ZThK 54 (1957) S. 341—

### 1. Hellenistischer und alttestamentlicher Gebrauch der Herrenbezeichnung

Um die Besonderheit der Kyriosprädikation Jesu bestimmen zu können, müssen die Bedingungen der Umwelt in aller Kürze aufgezeigt werden. Gehen wir vom altgriechischen Wortgebrauch aus, so ist ein grundsätzlicher Unterschied zu orientalischer Denkweise festzustellen, sofern κύριος im Sinne des Machthabens und Besitzens primär durch den Gedanken der Rechtmäßigkeit bestimmt wird und der Gegensatz zu δοῦλος nicht eigentlich konstitutiv ist[1]. Die Anwendung auf Götter ist relativ selten, hat auch meist einen eingeschränkten Sinn, weil der Begriff lediglich den Gedanken einer Vollmacht und Verantwortung für bestimmte Personen oder einen bestimmten Bereich impliziert[2]. Die tiefgreifenden Wandlungen im Übergang vom klassischen Griechentum zum Hellenismus zeigen sich auch am Gebrauch des Kyriosbegriffs. Er gewinnt nun auf religiösem Gebiet zunehmend an Bedeutung. Dies ergibt sich vornehmlich aus den hellenistischen Mysterien und dem Kaiserkult. In den Mysterienreligionen[3] ist κύριος, dort auch absolut gebraucht, maßgebende Gottesprädikation. Der orientalische Hintergrund ist in diesen Kulten unschwer zu erkennen: es geht bei κύριος um das Besitzen und freie Verfügenkönnen der Gottheit über die in der Kultgemeinschaft zusammengeschlossenen δοῦλοι. Für Isis und Serapis läßt sich die Verwendung von κυρία bzw. κύριος schon im Anfang des 1. vorchristlichen Jahrhunderts nachweisen, aber für viele andere Kultgottheiten, auch außerhalb Ägyptens, ist der Titel gleichfalls noch im 1. Jahrhundert v. Chr. bezeugt[4]. Es ist zwar zu beachten, daß κύριος nicht generell Prädikat einer Kultgottheit ist; es taucht in den Mysterien ägyptischer und syrischer Herkunft, wo es bereits in den alten Volkskulten beheimatet war, auf, fehlt aber beispielsweise in den kleinasiatischen Attis-Mysterien. Ferner ist zu berücksichtigen,

---

377, dort S. 351f.; jetzt in: Gesammelte Studien zum NT und seiner Umwelt, 1962, S. 243—282, bes. S. 253f.

[1] Vgl. FOERSTER, ThWb III S. 1040ff.; auch KARL HEINRICH RENGSTORF, Art. δοῦλος, ThWb II S. 264ff. Das maßgebende Korrelat zu δοῦλος ist nicht κύριος, sondern ἐλεύθερος; δοῦλος hat zum religiösen Gebiet im Griechentum keinerlei Beziehung.

[2] So kann beispielsweise Poseidon als Herr über das Wasser bezeichnet werden; nur von Zeus heißt es gelegentlich einmal ὁ πάντων κύριος (Pindar, Isthm 5,53), vgl. FOERSTER, ThWb III S. 1045f.

[3] Zur Eigenart dieser Religionsgemeinschaften vgl. CARL SCHNEIDER, Einführung in die neutestamentliche Zeitgeschichte, 1934, S. 94ff.; GÜNTHER BORNKAMM, Art. μυστήριον ThWb IV S. 809ff.; KARL PRÜMM, Religionsgeschichtliches Handbuch für den Raum der altchristlichen Umwelt, 1954², S. (221ff.) 255ff.; RUDOLF BULTMANN, Das Urchristentum im Rahmen der antiken Religionen, 1954², S. 173ff.

[4] Belege bei BOUSSET, a.a.O. S. 95ff.; FOERSTER, ThWb III S. 1048ff.

daß auch bei häufigem Vorkommen wie im Isiskult der Titel *κύριος* einer unter vielen ist[1]. Die Entscheidung, wieweit der Kyriostitel zu *der* Bezeichnung eines Mysteriengottes geworden ist, ist schwierig. In vorchristlicher Epoche ist dies kaum der Fall gewesen, dagegen gibt es Belege aus dem 2. nachchristlichen Jahrhundert, aus denen zu schließen ist, daß *κύριος* mindestens bei bestimmten Kultgottheiten zur maßgebenden Prädikation geworden war, wie etwa das vielzitierte Beispiel beweist: *ἐρωτᾷ σε Χαιρήμων δειπνῆσαι εἰς κλείνην τοῦ κυρίου Σαράπιδος ἐν τῷ Σαραπείῳ*[2]. Der Kyriostitel befand sich daher in neutestamentlicher Zeit bei den Mysterienreligionen wohl noch im Vordringen. — Ähnliches läßt sich für die Verwendung im Kaiserkult feststellen[3]. Auch hier ist die Herkunft aus dem Orient unbestreitbar. Über Alexander den Großen, die Seleuciden und Ptolemäer dringt Hofzeremoniell und Herrscherapotheose allmählich nach Westen vor. Im 2. und 1. vorchristlichen Jahrhundert ist *κύριος* nur im Osten belegt[4]. Schon bei Cäsar, vor allem bei Augustus gewinnt die Herrscherverehrung auch im Westen an Boden[5]. Wohl hat Augustus selbst wie nach ihm noch Tiberius die Kyriostitulatur verabscheut, die ganze orientalische Herrschervorstellung war dem altrömischen Empfinden fremd[6]; allenfalls im Osten des Reiches wurde eine solche Kaiserverehrung geduldet[7]. Von Caligula und, rasch zunehmend, von Nero an wird aber Kyriostitel und Herrscherkult auch im Westen gebräuchlich und mit Domitian hat sich beides wohl endgültig durchgesetzt[8].

[1] Nachweise bei FOERSTER, Herr ist Jesus S. 79ff.

[2] PapOx I 110; bei BOUSSET, a.a.O. S. 96.

[3] Vgl. vor allem PRÜMM, Handbuch S. 89ff.; L. CERFAUX-J. TONDRIAU, Le culte des souverains dans la civilisation Gréco-Romaine (Bibliothèque de Théologie Série III Vol. V), 1957, bes. S. 123ff., 269ff.; ferner die Überblicke bei PAUL WENDLAND, Die hellenistisch-römische Kultur in ihren Beziehungen zu Judentum und Christentum (HbNT I/2), 1912[2. 3], S. 123ff., 147ff.; HANS LIETZMANN, An die Römer (HbNT 8), 1933[4], S. 97ff.; HERBERT PREISKER, Neutestamentliche Zeitgeschichte, 1937, S. 189ff.

[4] Im 2. Jh. v.Chr. in Übersetzung alter Pharaonentitel: *κύριος βασιλειῶν* u. ä., dann im 1. Jh. v.Chr. *κύριος βασιλεύς, κύριος θεός*; vgl. FOERSTER, ThWb III S. 1045, 1048.

[5] Vergils 4. Ekloge ist ein deutliches Symptom; vgl. im übrigen CERFAUX-TONDRIAU, a.a.O. S. 286ff., 313ff.

[6] Vgl. Sueton, Caes 53; Dio Cassius 57, 8,2; die Zitate bei FOERSTER, ThWb III S. 1054.

[7] 12 v.Chr. wird Augustus in Ägypten *θεὸς καὶ κύριος Καῖσαρ Αὐτοκράτωρ* genannt (BGU 1197 I 15); ThWb III S. 1048. In Rom wird Augustus erst nach seinem Tod zum Divus erhoben und ein Tempel zu seiner Verehrung errichtet; vgl. CERFAUX-TONDRIAU, a.a.O. S. 337ff.

[8] Nero wird *ὁ τοῦ παντὸς κόσμου κύριος* genannt, und zwar nicht auf einer orientalischen, sondern einer griechischen Inschrift; vgl. ADOLF DEISSMANN, Licht vom Osten, 1923[4], S. 301f. Domitian wird nach Martial mit Dominus et Deus angesprochen; vgl. C. SCHNEIDER, a.a.O. S. 136; FOERSTER, ThWb III S. 1053, 1055.

Act 25,26 spricht der Prokurator von Kaiser Nero kurzerhand als
dem κύριος[1]. So läßt sich auch hier für das 1. nachchristliche Jahrhundert noch ein starkes Vordringen des Kyriostitels feststellen.
Göttliches Wesen und Herrschermacht sind damit zum Ausdruck
gebracht. κύριος als rein politischen Titel und lediglich θεός als eigentlich religiöse Bezeichnung in der Kaisertitulatur anzusehen, ist
schwerlich zutreffend[2]. Daß die Kyriosprädikation im Hellenismus
eine wenn nicht singuläre, so doch gewichtige Rolle im kultischen
Bereich gespielt hat, liegt auf der Hand. Und die Christenheit im
römischen Weltreich mußte sich notwendig damit auseinandersetzen,
wenn sie Jesus als κύριος verkündigte.

Beim Alten Testament ist von den beiden Grundformen der Herrenbezeichnung auszugehen: בַּעַל bezeichnet denjenigen, der etwas besitzt;
אָדוֹן ist Inhaber einer Gewalt, vor allem über Menschen, seltener über
Dinge[3]. Hier wie dort steht weniger das Motiv der Rechtmäßigkeit als
die Tatsächlichkeit der Herrschaftsausübung im Vordergrund; und in
beiden Fällen ist die totale Abhängigkeit und Unterordnung konstitutiv, weswegen gerade das Verhältnis des Herrn zum Sklaven, die
absolute Knechtschaft kennzeichnend ist. Die Begriffe können im
profanen wie im religiösen Sinne Verwendung finden. בַּעַל ist in religiösem Bereich immer der Gott, dem man sich als dem Eigentümer, etwa
des Landes oder einer Stadt[4], zuwendet; mit Land oder Stadt sind
auch die dort wohnenden Menschen in seinem Besitz. Anders bei
אָדוֹן: hier ist es die Macht und Autorität eines Gottes, vor der sich die
Menschen beugen. VON BAUDISSIN hat diese Herrenvorstellung religions-
geschichtlich eingehend untersucht[5]. So sehr die Baal- und die Adōn-
vorstellung des Alten Testamentes speziell in den semitischen Reli-
gionsformen ihre Wurzeln und ihre Parallelen hat[6], so ist doch fest-

---

[1] HAENCHEN, Apg S. 603, vermutet, daß hier der Sprachgebrauch der Zeit
Domitians in die des Nero zurückgetragen ist, vor allem was den absoluten
Wortgebrauch betrifft.

[2] Gegen FOERSTER, Herr ist Jesus S. 103ff. Nach seiner Meinung soll sich
z. B. auch in MartPol 8,2: ‚Was ist es denn Schlimmes κύριος Καῖσαρ zu sagen,
zu opfern und das Dazugehörige zu tun, und dadurch das Leben zu retten'
nur das Opfern auf den Kaiserkult beziehen, aber die Kyriosbezeichnung das
Untertanenverhältnis im politischen Sinne ausdrücken (S. 106f.). Doch dagegen
spricht allein schon der Satzzusammenhang und die vielfache sonstige Parallele
von κύριος mit θεός, σωτήρ u. ä.; umgekehrt schließt dies natürlich nicht aus,
daß κύριος und besonders κυριακός gelegentlich in einem mehr profanen Sinn
gebraucht werden konnten. Vgl. noch CULLMANN, Christologie S. 203f.

[3] Vgl. GOTTFRIED QUELL, Art. κύριος (Der at.liche Gottesname), ThWb III
S. 1056—1080, bes. S. 1058.

[4] ‚Baal' kann auch Gott einer Quelle, eines Baumes u. ä. sein.

[5] W. GRAF VON BAUDISSIN, Kyrios als Gottesname, bes. Bd. III, 1927.

[6] Bei den Ausgrabungen von Ras-Schamra (Ugarit) sind hierzu wichtige
neue Dokumente ans Licht gekommen. Vgl. MARTIN NOTH, Die Welt des
Alten Testamentes, 1957[3], S. 156f., 167f., 233f.

zuhalten, daß die Grundelemente der Vorstellung — absolutes Verfügenkönnen und völlige Unterordnung — überall im alten Orient
maßgebend sind. Bei solchem Sprachgebrauch ist es verständlich, daß
für Jahwe nur אָדוֹן in Frage kam, niemals dagegen בַּעַל angewandt
werden konnte; gerade in dieser Hinsicht kam es sogar zu elementaren
Auseinandersetzungen mit dem Götterglauben der kanaanäischen
Umwelt. אָדוֹן bezeichnet im Alten Testament die Herrschergewalt
Jahwes, er ist der Gebieter und alleinige Herrscher[1]. Am deutlichsten
ist das in der Wendung אָדוֹן כָּל־הָאָרֶץ zum Ausdruck gebracht[2]. Aber
auch die Sonderform אֲדֹנָי drückt diesen singulären Anspruch aus[3].
Welche Bedeutung gerade dieser Ausdrucksweise im Laufe der Zeit
zukam, läßt sich daran erkennen, daß mit beginnender Meidung des
Jahwenamens das אֲדֹנָי als Qērē an seine Stelle trat. Nun ist allerdings
umstritten, ob dies nicht eine Rückwirkung der Septuaginta-Wieder-
gabe des Jahwenamens mit κύριος ist[4]. Die Frage ist deswegen von
Belang, weil bei der Priorität der Ersetzung von יהוה durch אֲדֹנָי
eine genuin jüdische Entwicklung für die Septuaginta vorausgesetzt
werden könnte, während bei dem Ursprung der Wiedergabe von יהוה
mit κύριος im hellenistischen Bereich unter Umständen schon mit einer
gewissen Hellenisierung gerechnet werden müßte. Doch ist es überwiegend wahrscheinlich, daß das κύριος der Septuaginta das Ersatz-
wort אֲדֹנָי bereits voraussetzt[5]. Denn einerseits ist κύριος im ägyptischen Entstehungsbereich der Septuaginta erst vom 2. Jahrhundert
v. Chr. an nachzuweisen, und zwar primär noch als Pharaonentitel[6],
andererseits wäre es immerhin auch naheliegend gewesen, den Jahwe-
namen wie bisweilen das geradezu als Name gebrauchte בַּעַל einfach
zu transkribieren, statt den Namen ganz zu beseitigen. Doch hier
waren offensichtlich schon sehr andere Entwicklungen vorausgegangen,
wie auch sonst die Septuaginta sehr bewußt in der Wiedergabe der

---

[1] Vgl. LUDWIG KÖHLER, Theologie des Alten Testaments, 1947[2], S. 11f.

[2] Jos 3,11.13; Mi 4,13; Sach 4,14; Ps 97,5.

[3] Mit gedehntem ā am Ende; vgl. QUELL, ThWb III S. 1058f.

[4] Diese These hat besonders v. BAUDISSIN, a.a.O. II, 1926, durch eingehende
Textanalysen zu stützen versucht; ihm schließt sich QUELL, ThWb III S. 1057,
an.

[5] So ETHELBERT STAUFFER - KARL GEORG KUHN, Art. ϑεός, ThWb III S. 92
Anm. 121; S. 93f. Vgl. außerdem LUCIEN CERFAUX, Le nom divin "Kyrios"
dans la Bible grecque, und DERS., "Adonai" et "Kyrios", beides in Recueil
Lucien Cerfaux I (Bibliotheca Ephemeridum Theologicarum Lovaniensium 6),
1954, S. 113—136. 137—172.

[6] Bei der Lückenhaftigkeit des frühhellenistischen Materials läßt sich daraus
allerdings kein ganz sicherer Schluß ziehen. Wieweit damals schon in den
ägyptischen Mysterienkulten die Herrenbezeichnung eine wirklich dominierende
Rolle spielte, ist recht unsicher; vgl. FOERSTER, Herr ist Jesus S. 83ff.

verschiedenen Herrenbezeichnungen verfährt. Mit κύριος ist sowohl
אָדוֹן wie בַּעַל wiedergegeben, aber letzteres nur dann, wenn es im
profanen Sinn gebraucht ist; steht es für einen kanaanäischen Gott,
so ist entweder Βάαλ oder αἰσχύνη bzw. εἴδωλον verwendet. Durchweg
steht aber für Jahwe κύριος[1] und ist hier zu der Gottesbezeichnung
geworden[2]. Daß natürlich auch eine unmittelbar aus jüdischer Tradition gewonnene Gottesbezeichnung später im hellenistischen Sinne
umgedeutet werden konnte, zeigt Philo, der umfangreiche Namens-
spekulationen hellenistischer Art mit κύριος verbindet[3].

Schließlich ist noch ein Blick auf die Gottesbezeichnung κύριος im
Neuen Testament zu werfen. Bei Zitaten aus dem Alten Testament
liegen die Dinge meist einfach: es handelt sich um Übernahme der
Septuagintaformulierung. So z.B. bei sämtlichen Markusstellen, in
denen Kyrios in diesem Sinne auftaucht[4]. Bei der einzigen zusätzlichen Stelle bei Lukas in 4,18f. (Zitat aus Jes 61,1f.) ist der alttestamentliche Text „frei nach LXX gegeben"[5]; das darf schon deswegen behauptet werden, weil die Apostelgeschichte in allen alttestamentlichen Zitaten ebenfalls die Septuaginta verwendet[6]. In den
älteren Teilen der Logienquelle fehlt Kyrios als Gottesbezeichnung.
Es taucht nur in der jüngeren Einleitung auf, die ohnehin eine Anzahl
traditionsgeschichtlicher und theologischer Probleme aufgibt; in der
Versuchungsgeschichte (Mt 4,1—11//Lk 4,1—13) steht es in zwei
von vier Schriftzitaten; alle diese vier Zitate schließen sich wörtlich
an die Septuaginta an, Mt 4,10 (Lk 4,8) sogar mit einer typischen
Septuagintaabweichung gegenüber dem Urtext[7]. Etwas anders liegen
die Dinge bei Matthäus und Paulus, sofern hier nicht in jedem Fall
die Septuaginta vorauszusetzen ist[8]. Doch bei der Verwendung von

---

[1] Es steht vielfach ohne Artikel, aber nicht regelmäßig.

[2] Die Annahme FOERSTERS, ThWb III S. 1081f., daß der spezifisch griechische Gedanke des rechtmäßigen Verfügens bei der Übernahme entscheidend
gewesen sei, dürfte kaum richtig sein. Die LXX hat ihren orientalischen Grund-
charakter weitgehend bewahrt. Das schließt eine gewisse Hellenisierung nicht
aus, jedoch ein unmittelbarer Einfluß klassisch-griechischen Denkens ist nicht
zu erkennen. Wie stark der Gedanke der totalen Herrschergewalt Gottes und
der einer völligen Abhängigkeit des Menschen ausgeprägt ist, zeigt sich z.B.
an der religiösen Verwendung von δοῦλος; vgl. dazu die LXX-Konkordanz.

[3] Vgl. FOERSTER, Herr ist Jesus S. 119.

[4] Mk 11,9parr. (Einzug); 12,10f. parr. (Winzergleichnis); 12,29parr. (Größtes
Gebot).

[5] So ERICH KLOSTERMANN, Das Lukasevangelium (HbNT 5), 1929², S. 63.
Von der lukanischen Vorgeschichte ist hier abgesehen.

[6] AT-Zitate mit Kyrios als Gottesbezeichnung in Act 2,20f. 25.34; 3,22;
13,10; 15,17.

[7] προσκυνεῖν statt φοβεῖσθαι; vgl. Dt 6,13 LXX v. l.!

[8] Für Mt vgl. die Arbeit von KRISTER STENDAHL, The School of St. Matthew
and its Use of the Old Testament (Acta Seminarii Neotestamentici Upsaliensis

Kyrios als Gottesbezeichnung entsteht kein Problem, weil sich κύριος
bei Direktübersetzung von dem Qērē אֲדֹנָי her nahelegte und außerdem
der diesbezügliche Septuagintagebrauch in jüdischen und christlichen
Gemeinden des hellenistischen Bereichs sich wohl schon völlig durchgesetzt hatte; von daher dürfte auch das Durchschlagen der Septuagintaformulierung gerade in Zusammenhängen mit κύριος zu erklären
sein[1]. Die anderen neutestamentlichen Schriften zeigen keine weiteren
Besonderheiten[2]. Außer den direkten Zitaten sind eine Reihe stehender
Wendungen im Anschluß an den alttestamentlich-jüdischen Sprachgebrauch benutzt, so z. B. ἄγγελος κυρίου, χεὶρ κυρίου, κύριος ὁ θεὸς ὁ
παντοκράτωρ, κύριος τοῦ οὐρανοῦ καὶ τῆς γῆς u. ä. Neben Einzelstellen,
an denen κύριος noch ganz selbstverständlich als Gottesbezeichnung
gebraucht ist[3], liegen besonders einige Überlieferungskomplexe vor,
in denen die Häufung dieser Verwendung von Kyrios auffällt, so vor
allem die Vorgeschichten des Matthäus- und Lukasevangeliums[4] und
bestimmte Abschnitte der Apokalypse[5], was nicht nur Vorliebe für
Bibelsprache, sondern wenigstens teilweise Eigenart des Traditionsmaterials sein muß. Fest steht, daß die alte Gottesbezeichnung im
Neuen Testament noch erheblich nachwirkt und die Verwendung
von Kyrios für Jesus daher um so merkwürdiger erscheint. Aber hier
müssen die verschiedenartigen Überlieferungselemente erst noch sorg-

---

XX), 1954, für Paulus LUCIEN CERFAUX, "Kyrios" dans les citations paulinien-
nes de l'Ancient Testament, in: Recueil L. Cerfaux I S. 173—188; E. EARLE
ELLIS, Paul's Use of the Old Testament, 1957, S. 11ff.

[1] So z. B. Mt 27,10: die Schlußwendung der Zitatenkomposition nach Ex
9,12 LXX; Röm 10,16: Zitierung von Jes 53,1 nach LXX mit dem einleitenden
κύριε, das im hebräischen Text fehlt.

[2] Von den at. Zitaten, die κύριος auf Jesus übertragen, z. B. Mk 1,2f., ist
hier abgesehen; vgl. unten S. 117f.

[3] Hier sei beispielsweise verwiesen auf Mk 5,19, wo nach allgemeinem
Urteil ὁ κύριος auf Gott bezogen werden muß, wie sich besonders aus ὁ Ἰησοῦς
in V. 20 ergibt; außerdem wäre im Munde Jesu eine derartige Selbstbezeichnung
völlig singulär (in Mk 2,28 liegen die Dinge anders, weil es sich nicht um einen
Titel handelt, sondern κύριος τοῦ σαββάτου das Verfügen- und Entscheiden-
können über ... bezeichnet und diese Wendung Näherbestimmung zu ‚Menschensohn' ist). Ferner liegt ὁ κύριος als Gottesbezeichnung in Mk 13,20 vor, wo
jedoch mit starkem Einwirken von jüdischer Tradition gerechnet werden muß.
In Mk 12,9 ist κύριος τοῦ ἀμπελῶνος in bildhafter Rede gebraucht, aber in
diesem allegorischen Zusammenhang schlägt mehrfach die Deutung durch;
vgl. auch das angehängte Zitat V. 11. An redaktionellen Stellen ist die Verwendung als Gottesbezeichnung ebenfalls gelegentlich festzustellen, so Lk 5,17;
20,37.

[4] Mt 1,20.24; 2,13.19, ferner 1,22; 2,15. In Lk 1 und 2 kommt das Wort
26mal vor, davon zweimal als Christusbezeichnung (1,43; 2,11, wohl redaktionell), 11mal in stehenden Wendungen: 1,6.9.11.66.67; 2,9 (bis).22.23.24.39,
aber auch noch an 13 weiteren Stellen: Lk 1,15.16.17.25.28.30.38.45.46.58.
76b; 2,15.26.

[5] Vgl. Konkordanz.

fältig untersucht werden, um zu sehen, ob und wieweit eine Übertragung der Gottesprädikation überhaupt vorliegt.

*Zusammenfassung*: Im hellenistischen Bereich hatte die Kyriostitulatur unter orientalischem Einfluß vor allem in den Mysterienreligionen und im Kaiserkult Bedeutung erlangt. Sie bezeichnete die unbedingte Macht und die Göttlichkeit ihres Trägers und befand sich in neutestamentlicher Zeit noch im Vordringen, so daß sich die Christenheit notwendig damit auseinandersetzen mußte, wenn sie Jesus als κύριος verkündigte. Auch das Alte Testament kennt die Herrenbezeichnung in religiösem Zusammenhang. Für Jahwe kam nicht das den Besitzer bezeichnende בַּעַל in Frage, sondern nur das die Autorität und Herrschermacht ausdrückende אָדוֹן; als Gottesprädikation gewann es auf palästinischem Boden vor allem in der Form אֲדֹנָי zunehmend an Bedeutung, womit der Jahwename schließlich ganz ersetzt wurde. Im Bereich des Diasporajudentums trat durch die Septuaginta κύριος an die Stelle des Jahwenamens, so daß dies zur maßgebenden biblischen Gottesbezeichnung wurde. Die Nachwirkung zeigt sich nicht zuletzt im Neuen Testament, wo κύριος als Gottesbezeichnung noch eine wichtige Rolle spielt.

## 2. Die Herrenbezeichnung Jesu in palästinischer Tradition

Um für die Herrenbezeichnung Jesu den richtigen Ausgangspunkt zu gewinnen, muß von den im vorigen Abschnitt besprochenen Verwendungen von ‚Herr' als Gottesprädikation zunächst abgesehen werden. Es ist auch nicht von dem Sprachgebrauch der nachösterlichen Gemeinde und ihrer Anwendung der Bezeichnung ‚mein' bzw. ‚unser Herr' auf den wiedererwarteten Jesus auszugehen, sondern die Frage zu stellen, wieweit schon gegenüber dem irdischen Jesus ‚Herr' in der Anrede gebraucht wurde und in welcher Weise dies in der späteren Entwicklung nachgewirkt hat.

In der synoptischen Überlieferung liegt eine überraschende Parallelität von διδάσκαλε und ὁ διδάσκαλος zu κύριε und ὁ κύριος vor. Der Gebrauch von διδάσκαλε / ὁ διδάσκαλος kann daher auch für κύριε / ὁ κύριος einigen Aufschluß geben. Die Anrede διδάσκαλε ist Übersetzung des aramäischen רַבִּי, das in Transkription mehrmals in den Evangelien vorkommt. Daß ῥαββί in griechischer Sprache zum Teil unübersetzt erhalten geblieben ist, ist Hinweis auf Alter und Geläufigkeit dieser Anrede. ῥαββί und die Steigerungsform ῥαββουνί[1] finden sich in

---

[1] Vgl. DALMAN, Worte Jesu S. 272 ff.; DERS., Jesus-Jeschua, 1922, S. 12; EDUARD LOHSE, Art. ῥαββί, ThWb VI S. 962—966, bes. S. 962 f.

alter Überlieferung des Markus- und Johannesevangeliums[1]. In der
Logienquelle läßt sich das Wort nicht nachweisén, was aber mit dem
besonderen Charakter dieser Traditionsschicht zusammenhängen
könnte[2]. Später wird es zurückgedrängt. Lukas vermeidet zwar die
Anrede Jesu mit ‚Meister' nicht grundsätzlich, nimmt aber das aramäische Wort nicht auf. Matthäus dagegen hat den Gebrauch ganz
bewußt eingeschränkt: ‚Rabbi' ist die Anrede, mit der sich die Schriftgelehrten anreden lassen, die für die Jünger Jesu aber nicht in Frage
kommt; gegenüber Jesus ist es nur noch Anrede des Verräters Judas[3],
im Munde der anderen Jünger wird es konsequent gemieden, wie der
Vergleich mit Markus zeigt[4]. Sieht man von Matthäus ab, so liegt
ein ausgesprochen unreflektierter Gebrauch vor. Das zeigt sich bei
Markus darin, daß sowohl ein Mann aus dem Volk[5] als auch Jünger
und in gleicher Weise der Verräter diese Anrede benützen. Ähnlich
liegt es bei Johannes; nur in 3,2 findet sich, wie die anschließende
Erklärung zeigt, eine etwas betontere Anwendung[6]; allenfalls kann
noch in 1,38 gefragt werden, wieweit ein auszeichnender Gebrauch
nachklingt, da in Joh 1,35ff. die verschiedensten Prädikationen auf
Jesus übertragen werden sollen und ‚Rabbi' mit aufgenommen ist;
jedoch in 1,50 ist dieses ‚Rabbi' durch ‚du bist der Sohn Gottes, du
bist der König Israels' überhöht[7] und umgekehrt wird ganz unbefangen gegenüber dem Täufer die Anrede ‚Rabbi' verwendet. Jesus
ist zu seinen Lebzeiten sicher mit ‚Rabbi' angesprochen worden, er hat
sich in seinem Auftreten äußerlich ja auch nicht wesentlich von den
Schriftgelehrten seiner Zeit unterschieden[8]. Die Anrede ‚Rabbi' war

---

[1] Mk 9,5; 11,21; 14,45; ferner 10,51; Joh 1,38.50; 3,2; 4,31; 6,25; 9,2;
11,8; ferner 20,16; vgl. außerdem Joh 3,26 (gegenüber Johannes dem Täufer).

[2] In Q finden sich kaum Gespräche und Erzählungen. Die Anrede διδάσκαλε
in Mt 8,19 und 12,38 kann unter Umständen auf Q zurückgehen, aber sichere
Schlüsse lassen sich hier nicht ziehen; vgl. unten S. 83f.

[3] Mt 23,7.8; außerdem Mt 26,25.49.

[4] Vgl. GÜNTHER BORNKAMM, Enderwartung und Kirche im Matthäusevangelium, in: G. BORNKAMM-G. BARTH-H. J. HELD, Überlieferung und Auslegung im Matthäusevangelium (WMANT 1), 1960, S. 13—47, dort S. 38.

[5] Mk 10,51; die Erzählung 10,46ff. zeigt eine jüngere Überarbeitung, die
unter dem Gesichtspunkt der Davidssohnschaft Jesu steht, vgl. § 4 S. 262ff.

[6] In Joh 3,2 ist dies aber vornehmlich durch das Nomen ὁ διδάσκαλος bedingt; vgl. unten.

[7] Ähnlich ist auch der Zusammenhang Mk 9,5.7 zu beurteilen, wo ein unbetontes ‚Rabbi' vor dem Hoheitsprädikat ‚Gottessohn' steht.

[8] Dies gilt trotz der Durchbrechung herkömmlicher Grenzen. So hat Jesus
Jünger um sich gesammelt, sich schriftgelehrter Lehr- und Diskussionsweise
bedient u. ä.; vgl. dazu G. BORNKAMM, Jesus S. 88f.; CHARLES HAROLD DODD,
Jesus als Lehrer und Prophet, in: Mysterium Christi, 1931, S. 67—86. Auch
Wundertaten galten bei den Schriftgelehrten als nichts schlechthin Außergewöhnliches; vgl. PAUL FIEBIG, Rabbinische Wundergeschichten (Kl. Texte 78),
1933[2]; DERS., Die Umwelt des Neuen Testamentes, 1926, S. 38ff.

in damaliger Zeit allgemein üblich, gegenüber den Kennern und Lehrern der Tora besonders bevorzugt, aber noch nicht auf die ausgebildeten und ordinierten Gelehrten beschränkt[1]. Daß die spätere Gemeinde darin auch die Besonderheit des Wirkens und der Lehre Jesu sowie seines Verhältnisses zu den Jüngern ausgedrückt fand, ist nicht ausgeschlossen, aber in den uns erhaltenen Traditionsstücken, von Joh 3,2 abgesehen, nirgends deutlich zum Ausdruck gebracht[2]; auch Mk 10,51f. steht mit dem Nachfolgegedanken nur sekundär in Verbindung[3] — ein Zeichen dafür, daß der ursprüngliche Gebrauch der Anrede noch spürbar nachwirkt[4].

διδάσκαλε ist Übersetzung des aramäischen רַבִּי bzw. רַבּוּנִי, was im Johannesevangelium an zwei Stellen eigens erwähnt wird[5]. Es muß beachtet werden, daß das griechische und das semitische Wort sich ihrer Bedeutungsgeschichte nach nicht ohne weiteres entsprechen; die Septuaginta hat daher — trotz Übernahme von διδάσκω — διδάσκαλος fast völlig gemieden[6]. Die Dinge liegen im Neuen Testament ganz ähnlich wie bei ῥαββί. Wiederum hat Matthäus an vielen Stellen die Anrede in seiner Vorlage gestrichen und nur im Munde der Gegner und Fernstehender beibehalten[7]. Anders Lukas, der διδάσκαλε in vielen Fällen übernommen[8], selbst allerdings die Anrede ἐπιστάτα

---

[1] (HERMANN L. STRACK-)PAUL BILLERBECK, Kommentar zum NT aus Talmud und Midrasch Bd. I, 1922, S. 916f.; EDUARD LOHSE, Die Ordination im Spätjudentum und im Neuen Testament, 1951, S. 50ff.; DERS., ThWb VI S. 963.

[2] In dieser Hinsicht hat LOHSE, ThWb VI S. 965f., der Anrede ‚Rabbi‘ wohl schon ein zu starkes Gewicht gegeben.

[3] Mk 10,52 fin läßt sich als redaktioneller Zusatz erweisen, wie sich aus dem Sprachgebrauch (ἐν τῇ ὁδῷ ist typisch markinisch) und aus der Spannung zur Entlassungsformel in V. 52a ergibt.

[4] Sowohl das unbefangene Tradieren dieser Anrede (einschließlich διδάσκαλε) im Munde der Gegner als auch das später erkennbar werdende Zurückdrängen als Anrede der Jünger zeigt, wie wenig man mit dieser Anredeform eine spezifisch christologische Aussage verbunden hat.

[5] Vgl. Joh 1,38; 20,16; sonst kommt διδάσκαλε im Joh-Ev. nur 8,4 in dem textkritisch sehr unsicheren Abschnitt 7,53—8,11 vor.

[6] Vgl. KARL HEINRICH RENGSTORF, Art. διδάσκω, ThWb II S. 138—168, bes. S. 138ff., 150ff.

[7] Mt 12,38 (fehlt in Lk 11,29); 19,16 (par. Mk 10,17); 22,16 (par. Mk 12,14); 22,24 (par. Mk 12,19); 22,36 (par. Lk 10,25, vgl. Mk 12,32); zu διδάσκαλε in Mt 8,19 vgl. unter κύριε.

[8] Lk 9,38 (par. Mk 9,17); 10,25 (par. Mt 22,36; vgl. Mk 12,32); 18,18 (par. Mk 10,17); 20,21 (par. Mk 12,14); 20,28 (par. Mk 12,19); 20,39 (par. Mk 12,32); 21,7 (par. Mk 13,1.4); ferner aus dem Sondergut Lk 7,40; 11,45; 12,13; 19,39. Da Lukas διδάσκαλε in vielen Fällen aus Mk übernommen, aber in dessen Traditionsgut nirgends von sich aus hinzugefügt hat, darf man annehmen, daß die 4 Belege aus dem Sondergut ebenfalls traditionell sind. Es handelt sich im Lk-Evangelium bei διδάσκαλε in der Regel um die Anrede Außenstehender und Gegner, in Lk 9,38 um die eines Hilfesuchenden, in 21,7 wohl um die Anrede durch Jünger.

bevorzugt und bisweilen redaktionell eingetragen hat[1]. Die Anrede διδάσκαλε besitzt jedenfalls kein besonderes christologisches Gewicht[2], wie sie ja auch in 3,12 dem Täufer gegenüber gebraucht wird. Vergleichen wir die ältesten Belege, 10 Stellen bei Markus und 4 Stellen im Lukas-Sondergut, so bestätigt sich das bei ῥαββί gewonnene Ergebnis: die Anrede διδάσκαλε findet sich im Munde von Widersachern oder Außenstehenden[3], in der Bitte eines Hilfesuchenden[4] und ebenso in der Anrede Jesu durch seine Jünger[5]. Es hat sich also ein weitgehend unreflektierter Gebrauch erhalten, in dem sich die Tatsache spiegelt, daß Jesus vom Volk, von Jüngern und auch von Gegnern als ‚Rabbi‘ angesprochen worden ist[6]. Der irdische Jesus wurde als Lehrer und Meister anerkannt und noch die spätere Gemeinde hat dies festgehalten.

An einigen Stellen findet sich ὁ διδάσκαλος als Bezeichnung Jesu. Ohne besonderes Gewicht ist das im Munde Außenstehender gegenüber den Jüngern gebrauchte ὁ διδάσκαλος ὑμῶν[7]. Wichtiger ist die sentenzartige Aussage Mt 10,24f.//Lk 6,40. Hinzu kommt dann vor allem die Formulierung Mt 23,8 und die Verwendung des absoluten ὁ διδάσκαλος im Erzählungsgut[8]. Wie ist es dazu gekommen? רַב ist im palästinischen Judentum fast ausschließlich suffigiert gebraucht worden. Dennoch wird man vorsichtig sein müssen, die absolute Verwendung des Wortes von vornherein der griechisch sprechenden Gemeinde zuzuweisen. Denn wir wissen, daß im 1. Jahrhundert n. Chr. im palästinischen Judentum רִבִּי nicht nur als Anrede gebraucht

---

[1] Lk 8,24 (an Stelle von διδάσκαλε Mk 4,38); 8,45 (vgl. Mk 5,31); 9,33 (an Stelle von ῥαββί in Mk 9,5); 9,45 (an Stelle von διδάσκαλε in Mk 9,38). Da es an diesen Stellen regelmäßig auf Redaktion zurückgeht, wird man es auch an den beiden Stellen des Lk-Sondergutes auf den Evangelisten zurückführen dürfen; vgl. Lk 5,5; 17,13. Es handelt sich in den Mk-Parallelen durchweg um Anrede Jesu durch die Jünger, in Lk 5,5 um die Anrede durch Petrus vor dessen Berufung, in 17,13 um die eines Hilfesuchenden.

[2] Ob bei der Übernahme von ἐπιστάτης das Empfinden „nicht völliger Äquivalenz" von διδάσκαλος und רִבִּי eine Rolle spielte — so ALBRECHT OEPKE, Art. ἐπιστάτης, ThWb II S. 619f. —, ist schwer zu entscheiden. Eher liegt wohl doch der Versuch vor, einen dem hellenistischen Leser vertrauten Ausdruck zu übernehmen.

[3] Mk 10,17 parr.; 10,20; 12,14 parr.; 12,19 parr.; 12,32 (par. Lk 20,39, vgl. Mt 22,36//Lk 10,25); Lk 7,40; 11,45; 12,13; 19,39.

[4] Mk 9,17 (par. Lk 9,38).

[5] Mk 4,38; 9,38; 10,35; 13,1 (par. Lk 21,7).

[6] Kaum zufällig zeigt sich, ganz abgesehen von dem konsequent vorgehenden Mt, eine rückläufige Tendenz, denn das Lk-Sondergut bringt die Anrede nur im Munde Außenstehender und Lk selbst hat sie im Munde der Jünger zwar nicht durchweg, aber doch weitgehend durch ἐπιστάτα ersetzt (obwohl andererseits auch dieses Wort nicht ausschließlich als Jüngeranrede verwendet ist).

[7] Mt 9,11 (par. Mk 2,16); 17,24.

[8] Mk 5,35 par.; 14,14 parr.; Joh 3,2; 11,28; 13,13f.

worden ist, sondern auch als Titel, wobei das Suffix seine Pronominal-
bedeutung verlor[1]. Am Anfang der hier zu untersuchenden Entwicklung steht das Logion Mt 10,24f.//Lk 6,40. Sieht man von dem Zusatz
in Mt 10,25b ab, so kommt in dem Spruch ein Grundsatz des jüdischen
Botenrechtes zum Ausdruck, wonach der Beauftragte den Auftrag-
geber voll und ganz repräsentieren kann[2]; dies ist in Mt 10,25a//
Lk 6,40b klar formuliert. Daß bei Matthäus Jünger und Meister
ebenso nebeneinander stehen wie Knecht und Herr, ist nicht überraschend und es bedarf keineswegs der Annahme, daß Lukas die ursprüngliche Fassung erhalten, Matthäus aber auf Grund seiner
Christologie erweitert habe[3]. Denn Joh 13,16 und 15,20 zeigen, daß
die Wendung gerade auch in der Formulierung mit Knecht und Herr
ziemlich verbreitet war[4]. Auffällig ist nun das ὁ διδάσκαλος, das im
Vordersatz der Matthäus- wie der Lukasfassung auftaucht, aber im
Nachsatz ein Personalpronomen bei sich führt und in der Parallelaussage mit Knecht-Herr keine Entsprechung hat. Wie immer
es sprachlich erklärt werden mag[5], es handelt sich in jedem
Fall nicht um einen eigentlich absoluten Gebrauch, denn das Korre-
lationsverhältnis zu ‚Jünger' ist sachlich bestimmend. Der Spruch
verträgt eine sehr verschiedenartige Anwendung[6]. In Mt 10,24f. ist
durch V. 25b eine unmißverständliche Bezugnahme auf Jesus als den
‚Meister' und ‚Herrn' gegeben; ihm wird eine singuläre Stellung zuerkannt. „Jesus hört damit auf, ein διδάσκαλος im jüdischen Sinne zu
sein"[7]. Und kaum zufällig ist dann in dem Spruch aus dem Matthäus-
Sondergut Mt 23,8 die Bezeichnung ‚Meister' Jesus allein vorbehalten:
ὑμεῖς δὲ μὴ κληθῆτε ῥαββί. εἷς γάρ ἐστιν ὑμῶν ὁ διδάσκαλος, πάντες δὲ ὑμεῖς
ἀδελφοί ἐστε[8]. Diese Aussage unterscheidet sich von der Anrede ῥαββί/

---

[1] Auf Grund von datierbaren Grabinschriften ist dies gut nachzuweisen;
vgl. Lohse, ThWb VI S. 963f. רַב ist später Bezeichnung der babylonischen
Schriftgelehrten geworden. Die nominale Verwendung von רִבִּי ist so selbstverständlich geworden, daß im 3./4. Jh. n. Chr. sogar חַד רַבִּי ‚ein Rabbi' gesagt
werden konnte; vgl. Dalman, Worte Jesu S. 273f.

[2] Vgl. Karl Heinrich Rengstorf, Art. ἀπόστολος, ThWb I bes. S. 414ff.;
auch Billerbeck I S. 577f.

[3] Überdies bietet Lk 6,40b mit dem Motiv des Ganz-Vollendet- bzw. Durch-
gebildet-Seins eine sekundäre Umformung im hellenistischen Sinne.

[4] In Joh 13,16b findet sich auch noch die sehr bezeichnende Parallelaussage:
. . . οὐδὲ ἀπόστολος μείζων τοῦ πέμψαντος αὐτόν.

[5] Vgl. Dalman, Jesus-Jeschua S. 207; T. W. Manson, The Teaching of
Jesus S. 239f.

[6] Julius Schniewind, Das Evangelium nach Matthäus (NTD 2), 1950⁴,
S. 132, über die unterschiedlichen Anwendungen bei Mt, Lk und Joh.

[7] Bornkamm, Enderwartung, a. a. O. S. 38.

[8] In Mt 23,9 wird auch noch das Führen des jüdischen Ehrentitels אָב den
Jüngern untersagt. Hinzu kommt dann in V. 10 eine jüngere Umformung des

διδάσκαλε ebenso wie von dem Logion Mt 10,24. 25a//Lk 6,40 dadurch, daß sie aus jüdischen Voraussetzungen überhaupt nicht mehr erklärbar ist. Weder die Anweisung an die Jünger, sich nicht ‚Rabbi‘ nennen zu lassen, noch die bleibende Meisterstellung Jesu sind aus dem Verhältnis der jüdischen תַּלְמִידִים zu ihrem Rabbi zu verstehen. Es geht um die Besonderheit der Nachfolge Jesu, die nicht nur eine zeitweise Bindung an einen Meister zum Zweck der Erlernung der Tora impliziert, sondern bei der es um eine totale personale Bindung geht. Deswegen gilt diese Bindung auch nicht nur für die Zeit des gemeinschaftlichen Zusammenlebens, sondern noch über Jesu Tod hinaus[1]. Aus diesem Grunde kann μαθητής in der nachösterlichen Periode auch als Christenbezeichnung gebraucht werden[2]. In Mt 23,8 taucht der Begriff ‚Jünger‘ nicht auf, aber ἀδελφός bringt indirekt die Unterordnung und die Abhängigkeit von dem einen Meister ebenfalls zum Ausdruck[3]. Es steht außer Zweifel, daß es sich hier um ein Problem handelt, das so erst in der nachösterlichen Zeit akut geworden ist und mit der Feststellung der bleibenden Bindung an Jesus als alleinigen ‚Meister‘ seine Antwort erhalten hat; Mt 23,8 ist daher als Gemeindebildung anzusehen[4]. Hier wird erstmals erkennbar, wie der Bezeichnung διδάσκαλος ein spezifisch christologischer Inhalt aufgeprägt ist. Noch liegt in Mt 23,8 kein absoluter Wortgebrauch vor, aber die Voraussetzungen dafür sind gegeben. Ein relativ unbetonter Gebrauch des absoluten ὁ διδάσκαλος findet sich in *Mk 5,35 par.* innerhalb der Jairuserzählung; das Wort ist auf den anwesenden Jesus bezogen und gewinnt auf diese Weise seinen Aussagegehalt[5]. Anders steht es in der

---

Spruches V. 8; καθηγητής ist eine ausgesprochen griechische Bezeichnung und kommt im NT nur hier vor. Sowohl die Stellung nach V. 9 wie auch der Christos-Titel weisen auf den sekundären Charakter hin.

[1] Vgl. hierzu vor allem G. BORNKAMM, Enderwartung, a.a.O. S. 37.

[2] Es steht außer Frage, daß die Mehrzahl der synoptischen Stellen zunächst die konkrete Lebensgemeinschaft Jesu mit einem bestimmten Kreis von Menschen voraussetzt. Aber das schließt doch nicht aus, daß die Jüngerschaft auch in einem die nachösterliche Existenz der Gemeinde betreffenden Sinne gesehen wird. Besonders deutlich ist der Gebrauch als Christenbezeichnung in der Apostelgeschichte, vgl. Konkordanz; aber auch bei Matthäus spielt die Jüngerschaft in diesem Sinne eine ausschlaggebende Rolle, wie nicht zuletzt an dem μαθητεύσατε von Mt 28,19 zu ersehen ist. Vgl. zu Mt bes. G. BORNKAMM, Enderwartung, a.a.O. S. 39f.; im übrigen RENGSTORF, Art. μαθητής, ThWb IV S. 462f.

[3] Daß auch hierbei jüdische Voraussetzungen maßgebend sind, ist offenkundig; vgl. HANS VON SODEN, Art. ἀδελφός ThWb I S. 144—146. Bei der in der späteren Gemeinde üblichen Verwendung der Bruderbezeichnung dürften auch noch hellenistische Komponenten im Spiele sein.

[4] Vgl. dazu vor allem ERNST HAENCHEN, Matthäus 23, ZThK 48 (1951) S. 38—63, bes. S. 42ff.; aber auch SCHNIEWIND, Mt S. 228.

[5] Der Mk-Text ist nur von Lk in 8,49 übernommen, aber bei Mt liegt keine Streichung gerade dieses Ausdrucks vor, sondern bei der starken Kürzung des Zusammenhangs ist Mk 5,35—37 insgesamt entfallen.

Geschichte von der Zurüstung zum Passamahl *Mk 14,14 parr.* Jesus
schickt zwei seiner Jünger in die Stadt, sagt ihnen die Begegnung mit
einem Wasserträger voraus und läßt sie zu diesem sprechen: ὁ διδάσκαλος λέγει· ποῦ ἐστιν τὸ κατάλυμά μου κτλ. An eine vorherige Absprache
darf nicht gedacht werden[1]. Es geht um die Einzigartigkeit der Vollmacht Jesu, der so seine Jünger anweisen und in solcher Art selbst
gegenüber einem Fremden seine Forderung erheben kann. Hier liegt
eine ausgeprägt christologische Anwendung der Bezeichnung ὁ διδάσκαλος vor[2]. Ähnlich wie bei dem jüdischen רַבִּי, aber doch durch einen
ganz anderen Inhalt geprägt, ist es also zu einer titularen Verwendung
gekommen, auch wenn dieses Würdeprädikat bei weitem nicht das
Gewicht erlangt hat wie die anderen christologischen Hoheitsnamen.
Immerhin zeigt Mt 23,8, welch zentrale Aussage damit verbunden
werden konnte, und Mk 14,14 macht den darin gründenden Anspruch
deutlich. Obwohl man bei der Erzählung von der Zurüstung zum
Passamahl annehmen muß, daß sie im Bereich der hellenistischen
Gemeinde entstanden ist, so darf nicht übersehen werden, daß sich
ein aus jüdisch-palästinischen Voraussetzungen erwachsener Wortgebrauch niedergeschlagen hat, denn der griechische διδάσκαλος-
Begriff ist hierbei sicher nicht maßgebend gewesen. Das *Johannes-*
*evangelium* kennt diese Tradition ebenfalls und das ist bei der Selbständigkeit gegenüber den Synoptikern ein Zeichen für das hohe Alter
der Anschauung. Sie ist dort aber mit der christologischen Konzeption
vom Gottessohn verknüpft, wie das erklärende ἀπὸ θεοῦ ἐλήλυθας
διδάσκαλος in 3,2 und das Nebeneinander der Bezeichnungen ὁ χριστός,
ὁ υἱὸς τοῦ θεοῦ und ὁ διδάσκαλος in 11,27.28 zeigt[3]. Etwas anders liegen
die Dinge in 13,13f., wo ὁ διδάσκαλος mit ὁ κύριος zusammensteht,
worauf noch zurückzukommen ist. — Aufs Ganze gesehen hat die
titulare Verwendung von ὁ διδάσκαλος natürlich keine breite Wirkung
erzielt[4]. Immerhin läßt sich der Wandel vom unreflektierten Gebrauch
der Anrede bis zu dem absolut gebrauchten, christologisch gefüllten
Terminus noch erkennen. Was am meisten auffällt, ist das relativ

---

[1] So zuletzt TAYLOR, Mk S. 537f.

[2] Es ist allerdings verfehlt, an dieser Stelle oder bei Mt 23,8 von Jesus als
dem neuen Mose zu reden; gegen RENGSTORF, ThWb II S. 159. Bei der Vorstellung vom neuen Mose handelt es sich um eine ganz andere Traditionsschicht;
vgl. Anhang.

[3] In Joh 3,2b ist ausdrücklich auch noch auf das Wundertun hingewiesen;
ebenso handelt es sich in c. 11 um eine Wundererzählung.

[4] ERICH FASCHER, Jesus der Lehrer, ThLZ 79 (1954) Sp. 325—342, jetzt in:
Sokrates und Christus. Beiträge zur Religionsgeschichte, 1959, S. 134—174,
stützt daher seine Untersuchung vornehmlich auf Wendungen und Begriffe
wie ἔρχεσθαι πρός με, ὀπίσω μου, ἀκολουθεῖν, μαθητής u. ä., während διδάσκαλος
bei ihm nur eine untergeordnete Rolle spielt (vgl. Sp. 332f., 336f. bzw. S. 151f.,
160f.).

unverbundene Nebeneinander der unbetonten Anrede ῥαββί/διδάσκαλε mit diesem absoluten ὁ διδάσκαλος. Aber dafür gibt es auch sonst Beispiele[1]. Gerade Matthäus, der die Anredeform konsequent beseitigt, aber andererseits Mt 10,24f.; 23,8; 26,18 (par. Mk 14,14) belassen hat, läßt erkennen, daß hier kein einheitlicher Gebrauch vorlag. Eine Rückwirkung der absoluten Verwendung des Wortes auf die Anrede ist nur in Einzelfällen nachzuweisen[2] und bei der geringen Verbreitung von ὁ διδάσκαλος für die Anredeform auch nicht generell vorauszusetzen.

Eine analoge Entwicklung wie διδάσκαλε/ὁ διδάσκαλος hat die *Herrenbezeichnung* durchgemacht. Am Anfang steht die allgemein gehaltene Anrede und allmählich hat sich der absolute Wortgebrauch herausgebildet. Von sprachlichen Überlegungen ist auszugehen. Es könnte wegen des Ersatzes von ῥαββουνί Mk 10,51 durch κύριε in Lk 18,41 erwogen werden, ob nicht κύριε gleichfalls auf ein ursprüngliches רַבִּי zurückgeht[3], zumal διδάσκαλε nur eine unzureichende Übersetzung von רַבִּי war. Dennoch hat sich διδάσκαλε als Wiedergabe von רַבִּי offensichtlich durchgesetzt und für κύριε muß ein anderes Äquivalent vorausgesetzt werden[4]. Hinter der Herrenanrede steht ein aramäisches מָרֵא bzw. dessen jüngere Form מַר, ein Wort, das ebenso wie רַב nicht absolut, ohne abhängiges Substantiv oder Suffix, gebraucht worden ist[5]. אָדוֹן war aus dem allgemeinen Sprachgebrauch zurückgetreten und wurde nur noch in bestimmten Titulaturen eines Königs, Hohenpriesters u. ä., vor allem aber als Gottesbezeichnung gebraucht. Wenn die Rabbinen im 2. Jahrhundert n. Chr. erörtern, wann Gott erstmals אָדוֹן genannt wurde, so bezeugen sie damit, welche exklusive Stellung diese Bezeichnung gewonnen hatte[6]. Auf der anderen Seite spielt מָרֵא als Gottesbezeichnung in neutestamentlicher Zeit keine maßgebende Rolle. Wohl heißt es schon Dan 5,23 מָרֵא־שְׁמַיָּא und Gott wird Dan 2,47 als מָרֵא מַלְכִין bezeichnet, aber die Anrede מָרִי oder die Redeweise von ‚deinem Herrn' (מָרָךְ) u. ä. findet sich auf Gott bezogen erst in Belegen der amoräischen Epoche[7]. Dagegen ist מַר übliche Bezeichnung des

---

[1] Vgl. etwa das Markusevangelium, wo den Begriffen διδάσκω und διδαχή eine große Bedeutung und inhaltliche Füllung zukommt, aber ὁ διδάσκαλος in redaktionellen Formulierungen nirgends für betont christologische Aussagen herangezogen wird.

[2] So vor allem Joh 3,2.

[3] Ebenso auch Mt 17,4; 20,33, doch steht dies bei Mt in einem besonderen, noch zu besprechenden Zusammenhang.

[4] Vgl. DALMAN, Worte Jesu S. 269; FOERSTER, Herr ist Jesus S. 221f.

[5] Dazu FOERSTER, ThWb III S. 1084; auch DALMAN, Worte Jesu S. 268.

[6] FOERSTER, ThWb III S. 1083.

[7] So etwa GenR 13,2 bzw. LevR 10,4; vgl. SCHLATTER, Mt S. 257; DERS., Der Evangelist Johannes, 1930 (1960³) S. 142; FOERSTER, ThWb III S. 1083; weitere Belege bei DALMAN, Worte Jesu S. 147f.

menschlichen Herrn gewesen, wie ähnlich auch רַב, nur daß letzteres sehr bald auf den Schriftgelehrten beschränkt wurde, מַר dagegen seine umfassende Bedeutung behielt[1]. מַר findet sich daher in den verschiedensten Verwendungsarten. מָרִי ist wie רַבִּי als Anrede gegen Höhergestellte geläufig gewesen[2]; es wurde aber ferner gegenüber Gleichgestellten gebraucht, so daß es auch den Charakter einer Höflichkeitsbezeugung annahm. Mit einer Promiscuität von מָרִי und רַבִּי zur Zeit Jesu muß auf jeden Fall gerechnet werden; war רַבִּי gegenüber einem Toralehrer bevorzugt, so konnte diesem gegenüber doch auch מָרִי gebraucht werden. Schon auf Grund dieser sprachlichen Erwägungen ist damit zu rechnen, daß Jesus nicht nur mit רַבִּי, sondern ebenso mit מָרִי angesprochen wurde. Unter keinen Umständen darf bei der Anrede מָרִי/κύριε eine auf Jesus übertragene Gottesbezeichnung angenommen werden. Es geht um einen ursprünglich profanen Sprachgebrauch, dem erst allmählich eine besondere christologische Bedeutung aufgeprägt wurde und der von der Herrenbezeichnung Gottes daher zunächst grundsätzlich unterschieden blieb. Dies wird durch die Überlieferung im einzelnen bestätigt. — Bei Markus findet sich nur eine Stelle mit der Anrede κύριε in Mk 7,28. Das Überlieferungsstück von der Syrophönizierin, in dessen Rahmen dieses κύριε steht, besitzt seine Eigentümlichkeit darin, daß, von dem sekundären V. 27a abgesehen, keinerlei geprägte Termini auftauchen; es wird in einer ausgesprochen profanen Redeweise erzählt, was für die Bildrede, aber auch für den Erzählungsrahmen gilt, wo nicht einmal das Stichwort ‚Glaube' auftaucht, obwohl es um ein bedingungsloses und unerschütterliches Vertrauen tatsächlich geht. Auch die Anrede ist in ihrem allgemeinen Sinne zu verstehen, wenngleich sie die wirkliche Unterordnung und nicht nur eine Höflichkeitsaussage zum Ausdruck bringt. ῥαββί/διδάσκαλε ist vielleicht mit Absicht vermieden, da es sich hier um eine Heidin handelt, in deren Munde das die Sonderstellung eines jüdischen Toralehrers betonende ‚Rabbi' der tradierenden Gemeinde unangemessen erschien. — Auch in dem einzig sicheren Beleg aus der Logienquelle, in der Erzählung vom Hauptmann von Kapernaum Mt 8,(6)8//Lk 7,6, geht es um die Anrede κύριε durch einen Heiden. Hier ist sie durch das Motiv der ἐξουσία eines Herrn über seine Untergebenen ausdrücklich unterstrichen (Mt 8,9 par.). Umgekehrt

---

[1] Bei רב ist die Form רִבּוֹן später für Gott reserviert worden, doch gilt dies für nt. Zeit noch nicht, wie das gegenüber Jesus angewandte ῥαββουνί zeigt; vgl. DALMAN, Worte Jesu S. 266f.; auch BILLERBECK III S. 673f.

[2] So z.B. im NT in Gleichnissen als Anrede gegenüber dem Vater Mt 21,30 oder irdischen Herrn Mt 25,22ff. Vgl. ferner die Anrede des Pilatus in Mt 27,63.

zeigt sich, daß diese κύριε-Anrede nicht im Sinne einer göttlichen Prädikation gemeint sein kann[1], sondern den Gedanken der Autorität und der Abhängigkeit, also den eigentlichen Sinn der orientalischen Herrenbezeichnung zum Ausdruck bringt. Die Aufnahme des Überlieferungsstückes in die Logienquelle wurde wohl durch dieses Motiv der ἐξουσία veranlaßt[2]. Da die Herrenbezeichnung Jesu in Q sonst keine betonte Rolle spielt, darf vermutet werden, daß es sich wie in Mk 7,28 um das Nachwirken der alten, gegenüber Jesus tatsächlich gebrauchten Anrede handelt, die aber hier in ihrem Vollsinn deutlich herausgestellt ist. — Schwieriger ist die Entscheidung bei den anderen Belegen der Logienquelle. Von Mt 7,21//Lk 6,46 ist abzusehen, denn die ursprüngliche Form des Logions dürfte eine Anrede des eschatologischen Richters enthalten[3]. Bei Mt 18,21f.//Lk 17,4, dem Wort von der Versöhnlichkeit, wird die sentenzartige Formulierung bei Lukas, bei der das κύριε fehlt, älter sein, während die Umformung des Spruches bei Matthäus der Gestaltung der Komposition von 18,15—35 dient. Überaus kompliziert liegen die Dinge bei den Nachfolgesprüchen *Mt 8,19—22//Lk 9,57—62*. Matthäus hat an dieser Stelle zwei Nachfolgesprüche, Lukas drei. Während nun Matthäus einmal die Anrede διδάσκαλε (V. 19), im anderen Falle κύριε bietet (V.21), fehlt bei Lukas in den beiden ersten Sprüchen eine Anrede. In dem dritten Spruch, der keine Parallele bei Matthäus hat, steht κύριε (9,61). Wieweit in Lk 9,61f. mit einem Überlieferungsstück gerechnet werden muß, das erst redaktionell mit der Q-Tradition verbunden worden ist, mag offen bleiben[4]. Wichtiger ist die Tatsache, daß offensichtlich in solchen Zusammenhängen eine Anrede Jesu nahelag, so daß nicht unbedingt mit redaktionellen Zutaten zu rechnen ist. Immerhin fällt auf, daß διδάσκαλε und κύριε auffällig parallel stehen und daher zunächst auch im gleichen Sinne gebraucht erscheinen. Nun ist zwar darauf hinzuweisen, daß bei Matthäus in V. 19 ein γραμματεύς Jesus anspricht, in V. 21 dagegen ein Jünger. Das hat zur Folge, daß V. 19f. als Abweisung eines die Jüngerschaft begehrenden Menschen, V. 21f. umgekehrt als die Bindung eines Jüngers an das schon bestehende Nachfolgeverhält-

---

[1] Von dem spezifisch matthäischen Verständnis ist hier abzusehen; es geht um die Bedeutung der Anrede ‚Herr‘ in dem vorgegebenen Traditionsstück. Dabei ist von untergeordneter Bedeutung, daß Mt in V. 6 diese Anrede noch ein zweites Mal hat.

[2] Vgl. TÖDT, Menschensohn S. 234.     [3] Vgl. unten S. 97f.

[4] Am nächsten liegt m. E. die Annahme, daß Mt und Lk die Logienquelle nicht in genau gleicher Gestalt gekannt haben, was sich auch bei vielen anderen Stellen nahelegt; vgl. GÜNTHER BORNKAMM, Art. Evangelien synoptische, RGG[3] II Sp. 734. Möglicherweise gehört daher auch Lk 9,61f. zu der ihm überkommenen Q-Fassung, während dieser Spruch in der Vorlage des Mt fehlte; es wäre dann also weder mit einer redaktionellen Ergänzung aus Sondergut, noch mit einer Streichung zu rechnen.

nis zum Ausdruck bringt[1]. Doch ist diese Ausrichtung redaktionell.
Die Sprüche zielen als solche, wie die Lukas-Fassung zeigt, gar nicht
darauf ab, ob jemand in die Jüngerschaft aufgenommen wird oder
nicht, sondern wollen nur die Unbedingtheit der Nachfolgeforderung
herausstellen; so sind auch bei Lukas, sicher ursprünglich, die jeweiligen Fragesteller nicht näher gekennzeichnet. Die Anreden in Mt 8,19.
21 sind zudem von der spezifisch matthäischen Konzeption nicht unbedingt abhängig, was gerade Lk 9,61 zeigt. Außerdem hat Matthäus
διδάσκαλε in einer Reihe von Fällen im Munde der Gegner und Außenstehenden beibehalten, aber nirgends ist die Tendenz erkennbar, daß
er es sekundär einträgt[2]. So kann eine sichere Entscheidung nicht
getroffen werden, aber es ist zumindest nicht ausgeschlossen, daß
διδάσκαλε und κύριε in Mt 8,19.21 bereits zur Vorlage gehörten und
unter Umständen sogar auf ursprüngliches רַבִּי und מָרִי zurückgehen[3]. — Sehr häufig findet sich die Anrede κύριε bei Lukas und
Matthäus, aber aus ihren Evangelien ergibt sich ein ganz verschieden-
artiges Bild. *Lukas* hat an einer Reihe von Stellen diese Anrede
sekundär ergänzt, sowohl im Traditionsstoff des Markus[4] als auch in
der Logienquelle[5]. Daher ist bei den Belegen aus seinem Sondergut[6]

---

[1] Vgl. dazu GÜNTHER BORNKAMM, Die Sturmstillung im Matthäusevangelium, in: G. BORNKAMM-G. BARTH-H. J. HELD S. 48—53, bes. S. 50f., der
im übrigen die enge redaktionelle Verklammerung der matthäischen Nachfolgesprüche mit der anschließenden Sturmstillungsgeschichte aufzeigt; außerdem
HEINZ JOACHIM HELD, Matthäus als Interpret der Wundergeschichten, ebd.
S. 155—287, bes. S. 191f.

[2] Auch bei Mt 12,38(—40) kann dies nicht gesagt werden, denn hier handelt
es sich um die Aufnahme einer Sonderüberlieferung an Stelle der Q-Fassung
vom Jonazeichen. Allenfalls könnte ὁ διδάσκαλος ὑμῶν in Mt 9,11 (par. Mk 2,16)
als Analogie herangezogen werden.

[3] Mit allem Vorbehalt sei die Erwägung ausgesprochen, ob vielleicht gerade
das διδάσκαλε dem Evangelisten Anlaß gegeben hat, hier einen Schriftgelehrten
einzuführen und die Antwort Jesu im Sinne der Abweisung zu verstehen.

[4] Sekundär ist ‚Kyrie' viermal in Mk-Stoffen ergänzt: Lk 5,12 (Zufügung
zu Mk 1,40); 18,41 (ῥαββουνί Mk 10,51 ersetzt); 22,33 (Zusatz innerhalb der
Petrusverleugnung Mk 14,29); 22,49 (Zusatz bei der Gefangennahme Mk 14,46).
Bei Lk 5,12; 18,41; 22,49 ist es deutlich, daß lukanische Redaktion vorliegt. —
Bei Lk 22,33 könnte erwogen werden, ob nicht in V. 33f. eine mit 22,31f.
zusammengehörige Sonderüberlieferung vorliegt; doch HEINZ SCHÜRMANN,
Jesu Abschiedsrede Lk 22,21—38, III. Teil einer quellenkritischen Untersuchung des lukanischen Abendmahlsberichtes Lk 22,7—38 (Nt. Abh. XX/5),
1957, S. 21 ff., bes. S. 27 ff., hat gezeigt, daß in V. 33 f. eine lukanische Überarbeitung
der Mk-Parallele vorliegen dürfte. Anders FRIEDRICH REHKOPF, Die lukanische
Sonderquelle. Ihr Umfang und Sprachgebrauch (WUNT 5), 1959, bes. S. 58f.,
86 ff., der κύριε als Kennzeichen einer umfangreichen Sonderquelle ansieht;
dazu § 3 S. 168 Anm. 4.

[5] Im Zusammenhang einer einleitenden oder überleitenden Jüngerfrage ist
‚Kyrie' im Traditionsstoff der Logienquelle redaktionell eingetragen in Lk
12,41; 13,23; 17,37.

[6] Im Sondergut findet sich die Anrede ‚Kyrie' an 7 Stellen: Lk 5,8; 9,54;
10,17; 10,40; 11,1; 19,8; 22,38.

kein sicheres Urteil über die Ursprünglichkeit mehr möglich. Aber dies braucht im einzelnen auch nicht untersucht zu werden, da es sich zeigt, daß Lukas in eigener redaktioneller Verwendung die Anrede ebenfalls in ihrem alten Sinne erhalten hat. Es geht bei ihm nicht um ein göttliches Hoheitsprädikat wie bei Matthäus. Natürlich ist κύριε nicht im Sinne bloßer Höflichkeit gebraucht, sondern als echtes Unterordnen und Sich-Fügen gegenüber dem Angeredeten[1]. Sehr aufschlußreich ist in dieser Hinsicht die Änderung von Mk 1,40 bei Lukas und bei Matthäus. Bei Markus fehlt eine Anrede, doch ist von einem γονυπετεῖν des Kranken vor Jesus die Rede. Lk 5,12 steigert dies in πεσὼν ἐπὶ πρόσωπον und ergänzt κύριε; Mt 8,2 hat ebenfalls κύριε eingetragen, aber außerdem auch noch γονυπετεῖν in προσκυνεῖν geändert, um auf die göttliche Würde des Angesprochenen hinzuweisen. An einer Stelle hat auch Lukas ein solches Verständnis in seinem Traditionsgut vorgefunden und übernommen, in der Epiphaniegeschichte Lk 5,1—11, wie das Petruswort V. 8b deutlich zeigt. Aber dies stellt bei ihm eine Ausnahme dar und ist für seine Gesamtkonzeption nicht eigentlich bezeichnend. Vielmehr ergibt sich aus der Parallelität zu dem redaktionell bevorzugten ἐπιστάτα, das seinerseits wiederum mit διδάσκαλε eng zusammensteht, daß Lukas die κύριε-Anrede in der Weise erhalten und durchgeführt hat, wie sie ihm unter anderem in der Erzählung vom Hauptmann von Kapernaum vorgegeben war. Allerdings ist insofern eine gewisse Weiterführung erfolgt, als die Anrede in betonte Beziehung zu dem auf den irdischen Jesus angewandten ὁ κύριος gestellt ist[2], das noch näher bestimmt werden muß[3]. — Eine wesentlich andere Bedeutung hat die Anrede κύριε bei *Matthäus*[4]. Ein absolutes ὁ κύριος fehlt bei ihm außer 21,3, wo er es aus Mk 11,3 übernommen hat[5]. Es steht außer Zweifel, daß die Anrede „den Charakter eines göttlichen Hoheitsnamens" erhalten hat[6]. Das zeigt sich sowohl an der schon im Zusammenhang mit Mk 1,40 parr. erwähnten, aber auch sonst häufigen Verbindung mit

---

[1] In der Regel findet es sich im Munde der Jünger, so Lk 5,8; 9,54; 10,17; 11,1; 12,41; 13,23; 17,37; 22,33.38.49; im Munde Hilfesuchender Lk 5,12; 7,6; 18,41; ferner noch im Nachfolgespruch Lk 9,61 und in der Zacchäuserzählung Lk 19,8.

[2] Vgl. das Nebeneinander von κύριε und ὁ κύριος in Lk 10,1.17; 10,39.40.41; 12,41.42; 19,8a.8b.

[3] Ein etwas anderer Gebrauch der Kyrie-Anrede liegt Lk 6,46 (par. Mt 7,21) und 13,25 (par. Mt 25,11) vor; hier handelt es sich ursprünglich um eine Anrede des Weltrichters, was allerdings in Lk 6,46 verwischt ist; vgl. dazu unten S. 97f.

[4] Von der an den Richter gerichteten Kyrie-Anrede in Mt 7,21.22; 25,11.37.44 ist ebenfalls vorerst abzusehen.

[5] Nur für den Wiederkommenden wird in Gleichnissen gelegentlich ὁ κύριος (ὑμῶν) gebraucht.

[6] Vgl. G. BORNKAMM, Enderwartung, a.a.O. S. 38f.

προσκυνεῖν[1] und zeigt sich ebenso an der Verbindung mit geradezu gebetsartigen Rufen σῶσον (με), ἐλέησόν με, βοήθει μοι u. ä.[2]. Insofern muß der Gebrauch bei Matthäus[3] in der jetzigen Untersuchung ausscheiden, denn er setzt eine spätere Entwicklungsstufe voraus. Für den Evangelisten steht beim Verständnis der Anrede κύριε wohl schon ein bestimmtes Verständnis der Davidssohnstelle Mt 22, 41—45 (par. Mk 12, 35—37a) im Hintergrund. Dort wird die κυριότης Jesu auf Grund von Ps 110, 1 mit der Erhöhung begründet, aber für Matthäus besteht zwischen dem irdischen Kyrios, trotz seiner Niedrigkeit, kein Unterschied mehr gegenüber dem himmlischen. Doch schon Mk 12, 35—37a setzt ein jüngeres Verständnis der Kyrios-Prädikation voraus und läßt sich auf alte palästinische Tradition nicht zurückführen; es ist daher vorläufig zurückzustellen[4].

Wie bei ‚Meister‘ läßt sich neben der alten Anredeform κύριε eine sachlich entsprechende Verwendung von ὁ κύριος erkennen. Zwar ist

---

[1] Zusammen mit der Kyrie-Anrede steht es Mt 8,2 (vgl. Mk 1,40); 14,33 (dort Übergang von ‚Kyrie‘ zu ‚Gottessohn‘! Erzählungsschluß gegenüber Mk 6,51 stark abgewandelt); 15,25 (vgl. Mk 7,25). Ferner steht προσκυνεῖν bei Mt noch in 9,18 (vgl. Mk 5,22); 20,20 (vgl. Mk 10,35); außerdem im Sondergut in 2,2.8.11. Bei Markus steht das Wort nur einmal in Verbindung mit dem Gottessohntitel 5,6; an dieser Stelle, einer Huldigung durch Dämonen, hat es Mt interessanterweise gestrichen. Auch in Mt 27,30 ist das προσκυνεῖν aus Mk 15,19 getilgt; für Mt ist das Wort nur bei einer echten Anbetung möglich. Bei Lukas findet sich der Begriff nur in der aus Q-Tradition übernommenen Versuchungsgeschichte, wo er bei Mt gleichfalls erscheint (Mt 4,9f.//Lk 4,7f.). Wenn bei Mt das Wort überdies 18,26 in einem Gleichnis vorkommt, so ist das nicht ein Anzeichen für einen mehr profanen Gebrauch, sondern zeigt, wie stark die Deutung durchschlägt. Im Gegensatz zu dem Kniebeugen und dem Sich-aufs-Angesicht-Werfen, das Ausdruck totaler Unterwerfung unter einen Herrn ist und auch profan angewandt sein kann, zeigt προσκυνεῖν einen ausgesprochen religiösen Gebrauch; vgl. HEINRICH SCHLIER, Art. γόνυ, ThWb I S. 738—740; HEINRICH GREEVEN, Art. προσκυνέω, ThWb VI S. 759—767, bes. S. 764ff.

[2] So Mt 8,25 (vgl. Mk 4,38); 15,22.25 (vgl. Mk 7,24ff., wo in V. 28 das bloße ‚Kyrie‘ steht, das Mt in V. 27 zudem übernommen hat); 17,15 (vgl. Mk 9,17). In Mt 20,30.31 ist das ἐλέησον ἡμᾶς (με) zwar der Mk-Vorlage entnommen, doch ist dieses dort mit der Anrede ‚Davidssohn‘ verbunden, was Mt noch durch ‚Kyrie‘ ergänzt hat; vgl. § 4 S. 262ff. Im Mt-Sondergut findet sich in der Erzählung vom sinkenden Petrus 14,28—31, die der Evangelist der Tradition entnommen haben dürfte (so ERICH KLOSTERMANN, Das Matthäusevangelium [HbNT 4], 1938³, S. 130; anders HELD, a.a.O. S. 193f.), κύριε σῶσόν με in 14,30, welches in so auffälliger Parallele zu der Wendung der Seesturmgeschichte Mt 8,25 steht, daß man sicher einen redaktionellen Zusatz annehmen darf, was aber wohl auch für die in 14,28 vorangehende bloße Kyrie-Anrede gelten wird.

[3] Vgl. außer den in der vorigen Anmerkung genannten Stellen und den übernommenen Belegen in Mt 8,8.21 noch Mt 8,6 (// Lk 7,3, wo die Erzählung allerdings eine etwas andere Exposition hat, so daß möglicherweise nicht nur Mt 8,8, sondern auch V. 6 übernommen sein könnte); 9,28; 16,22 (vgl. Mk 8,33); 17,4 (an Stelle von ῥαββί Mk 9,5); 18,21 (vgl. Lk 17,4); 20,33 (an Stelle von ῥαββουνί Mk 10,51); 26,22 (vgl. Mk 14,19).

[4] Mk 12,35—37a parr. wird unten S. 113ff. ausführlich besprochen.

in diesem Falle der Übergang von der Anrede zum absoluten Gebrauch nicht im einzelnen erkennbar, aber auf Mt 10, 24. 25a kann immerhin verwiesen werden, wo sich bei dem Spruch über das Verhältnis von Meister und Jünger die Parallelaussage über Herr und Knecht findet, auch wenn absoluter Wortgebrauch fehlt; zugleich ist dieser Doppelspruch ein Hinweis auf die enge Verwandtschaft beider Bezeichnungen. Belege für absolutes ὁ κύριος lassen sich bei Markus und Lukas finden, aber auch bei Paulus und Johannes. Die eigenartige, im Markusevangelium singuläre Verwendung von ὁ κύριος innerhalb der Einzugsgeschichte Mk 11, 3 ist schon immer aufgefallen, ebenso die Parallelität zu Mk 14, 14. Weder läßt sich hier der absolute Wortgebrauch bestreiten[1], noch darf dieses ὁ κύριος auf den Besitzer des Esels bezogen werden, der sich in Jesu Gefolgschaft befinden soll[2]. Es geht um eine Würdebezeichnung, in der die Vollmacht Jesu zum Ausdruck kommt, mit der er die Freigabe des Esels beanspruchen kann und auf Grund deren die Menschen tatsächlich gehorchen. Die Einzugsgeschichte ist ein vielschichtiges Gebilde. Zugrunde liegt wohl eine alte Erzählung von einem mehr zufälligen Ereignis bei der Ankunft Jesu in Jerusalem, wobei der beim Passafest von den Wallfahrern rezitierte Ps 118, 25f. auf Jesus bezogen wurde[3]. Das ist einerseits von der späteren Gemeinde in die Davidssohntradition hineingestellt[4], andererseits von Sach 9, 9 her ausgestaltet worden[5]. Diese Ausgestaltung hat sich in der Markus-Fassung der Erzählung vor allem in V. 2—6 niedergeschlagen; der Einzug wird damit zu einer von Jesus beabsichtigten und genau vorbereiteten Selbstdarstellung. In wunderbarem Vorherwissen veranlaßt er das Geschehen und die Aussage von V. 2 fin., daß bisher noch kein Mensch den Esel benutzt hat, weist eindeutig auf die Abhängigkeit von der Septuaginta, wo in Sach 9, 9 fin. von einem

---

[1] So CULLMANN, Christologie S. 209f., der entweder an ein ursprünglich suffigiertes aramäisches Nomen denkt oder מר „hier einfach als Ausdruck des Jünger-Rabbi-Verhältnisses" ansehen will. Daß das Wort nicht „den göttlichen Kyrios" bezeichnet, ist selbstverständlich zutreffend, aber gleichwohl wird man einen titularen Gebrauch, dessen Bedeutung es im einzelnen zu bestimmen gilt, nicht leugnen können. „Daß das Jünger-Rabbi-Verhältnis der Bezeichnung Kyrios je nach der Situation doch bereits einen ganz besonderen Klang zu verleihen vermag, der weit über die Würde eines Lehrers hinausweist", wird ja auch von C. anerkannt.

[2] So immer noch weit verbreitet in der englischen Forschung; z. B. TAYLOR, Mk S. 455; C. E. B. CRANFIELD, The Gospel according to Saint Mark (Cambridge Greek Testament Commentary), 1959, S. 349f.

[3] So schon JULIUS WELLHAUSEN, Das Evangelium Marci, 1909², S. 87f.; BOUSSET, Kyrios Christos S. 35f. Zu dem Gebrauch von Ps 118 vgl. BILLERBECK I S. 845ff.

[4] Vgl. dazu § 4 S. 264ff.

[5] Die Überlieferung bei Joh 12, 12ff. zeigt noch die relative Unverbundenheti der alten Erzählung und der Bezugnahme auf Sach 9, 9.

πῶλος νέος die Rede ist, was im hebräischen Urtext keine Entsprechung hat[1]. In dem Zusammenhang dieser Aussagen steht auch das absolute ὁ κύριος. Die Herkunft aus hellenistisch-judenchristlicher Gemeinde ist nicht zu bestreiten; dennoch muß eine alte Tradition nachwirken. Der Kyrios-Titel ist hier nämlich keinesfalls Übertragung einer Prädikation des Erhöhten auf den Irdischen, sondern kann nur von der alten Anrede ‚Herr' aus erklärt werden, in der es, wie gezeigt, gerade um die eigenartige Stellung und Autorität des irdischen Jesus ging. Nicht zufällig hatte ja die κύριε-Anrede in einer bestimmten Überlieferungsschicht ein besonderes Gewicht erhalten und den Gedanken unbedingter Unterordnung unter Jesu Person herausgestellt. — Es ist sehr aufschlußreich, daß sich gerade bei *Lukas*, der den alten Gebrauch der Anrede, wie er schon bei Markus und in der Logienquelle vorlag, festgehalten hat, auch eine relativ große Zahl von Belegen für die eben gekennzeichnete Verwendung von ὁ κύριος findet. Der absolute Gebrauch liegt, abgesehen von der Parallelstelle zu Mk 11,3 in Lk 19,31, was Lk 19,34 betont wiederholt ist[2], noch an 15 weiteren Stellen vor[3]. Daß ὁ κύριος vom Evangelisten verschiedentlich ergänzt wurde, ist offenkundig; das zeigen sowohl Zusätze zum Markus-Stoff[4] wie zu der Logienquelle[5]. Zu diesen 8 redaktionellen Stellen[6]

---

[1] Gegen WALTER BAUER, The ‚Colt' of Palm Sunday, JBL 72 (1953) S. 220—229, der πῶλος in Mk 11,2.4.5.7 in der Bedeutung „Pferd" gemäß griechischem Sprachgebrauch verstehen will, ist an der Bedeutung „Esel" bzw. „Eselsfüllen" auch für Mk 11,1ff. festzuhalten. HEINZ-WOLFGANG KUHN, Das Reittier Jesu in der Einzugsgeschichte des Markusevangeliums, ZNW 50 (1959) S. 82—91 hat zutreffend herausgestellt, daß wir es in dem von Mk aufgegriffenen Traditionsstück mit einem spezifisch christlichen Sprachgebrauch von πῶλος zu tun haben, der durch die messianische Weissagung geprägt ist. Im Hintergrund steht eben Sach 9,9, aber auch Gen 49,11, wo das Motiv vom ‚angebundenen' Messiastier herstammt. Übernommen von OTTO MICHEL, Eine philologische Frage zur Einzugsgeschichte, NTSt 6 (1959/60) S. 81f.

[2] In Gegenüberstellung zu οἱ κύριοι αὐτοῦ (sc. τοῦ πώλου) Lk 19,33!

[3] Nicht berücksichtigt ist dabei das Traditionsstück von Jesu Davidssohnschaft Lk 20,41—44 (par. Mk 12,35—37a). Von den beiden Stellen innerhalb der Auferstehungsberichte Lk 24,4.34 ist hier zunächst abgesehen. Zu Lk 1,43; 2,11 vgl. § 4 S. 269ff.

[4] Lk 22,61 (bis) vgl. Mk 14,72 (Verleugnung des Petrus).

[5] Es handelt sich um 6 Stellen: Lk 7,19 in der Einleitung zur Anfrage des Täufers (vgl. Mt 11,2b.3); 10,1 in der Einleitung zur Aussendung der 70 Jünger, in der die Q-Tradition übernommen ist (Mt 9,37ff.//Lk 10,2ff.); Lk 11,39 in der Überleitung zu dem Spruch Mt 23,25f.//Lk 11,39f.(41), der in Lk 11,37f. einen Erzählungsrahmen erhalten hat und zu einem Apophthegma umgeformt ist; ferner Lk 12,42, wo als Überleitung in V. 41 eine Jüngerfrage eingeschaltet ist (mit κύριε!) und ‚der Herr' nun antwortet; endlich Lk 17,5.6, wo ein Einzelspruch durch eine Jüngerbitte eingeführt wird.

[6] Allenfalls bei Lk 7,19(ff.) wäre zu fragen, ob der Evangelist die Erzählung in einer etwas anderen Fassung bereits übernommen hat, und auch bei Lk 11,37ff., ob ihm die apophthegmatische Gestalt überkommen war. Ich halte beides nicht für wahrscheinlich.

kommen noch 7 weitere aus dem Sondergut[1]. Die Entscheidung über die Ursprünglichkeit einzelner Elemente des Sondergutes ist immer schwierig, wenn damit eine bestimmte, vom Evangelisten selbst vertretene Tendenz zusammenfällt; es muß dann oft bei Vermutungen bleiben. Aber hier sind wir insofern in einer günstigen Lage, als an zwei Stellen eindeutig nachgewiesen werden kann, daß die Bezeichnung ὁ κύριος mit dem Traditionsgut übernommen wurde. In *Lk 16,8* handelt es sich um den alten Abschluß des Gleichnisses, in dem ‚der Herr', nämlich Jesus, den ungerechten Haushalter lobt[2]; V. 8b ist nur im Munde Jesu sinnvoll. Aber das Lob eines solchen Halunken hat schon frühzeitig Anstoß erregt, weswegen in V. 9ff. mit einem betont neueinsetzenden καὶ ἐγὼ ὑμῖν λέγω weitere Ausdeutungen des Gleichnisses folgen, die V. 8 entschärfen, ja letztlich zu der irrigen Meinung Anlaß gegeben haben, daß der in V. 8 redende κύριος der im Gleichnis erwähnte Herr des Haushalters sein müsse. Es ist in unserem Fall gleichgültig, ob V. 9—13 von Lukas selbst hinzugefügt oder en bloc übernommen worden ist oder ob er eine vorhandene Ergänzung noch erweitert hat. Deutlich ist jedenfalls, daß V. 8 zum alten Bestand gehören muß und nicht redaktionell sein kann. Ebenso ist über *Lk 18,6* zu urteilen. Hier liegt in V. 6—8a ein älterer Gleichnisabschluß vor, der von Lukas in V. 8b durch einen weiteren Spruch ergänzt worden ist. Da in V. 8b der Menschensohntitel auftaucht, ist es ganz unwahrscheinlich, daß Lukas in V. 6a nachträglich ὁ κύριος eingetragen hat[3]. Auch in Lk 7,13 und 13,15 ist es nicht ausgeschlossen, daß vorlukanische Überlieferung vorliegt, aber die Entscheidung ist ebenso wie bei Lk 10,39.41; 19,8 nicht sicher zu fällen[4]. — Daß in Lk 16,8; 18,6 eine sehr alte Tradition erkennbar wird, ist jedenfalls nicht zu bestreiten und es ist nicht ausgeschlossen, daß diese unter Umständen auf palästinisches Gut zurückweist. Zwar ist der absolute Gebrauch von מר(א) dort nicht üblich gewesen, aber es könnte sich ebenso wie bei רבִּי eine erstarrte Suffixform durchgesetzt haben[5]. Auch wenn der absolute Wortgebrauch erst in der griechisch sprechenden Gemeinde entstanden ist, so liegt doch sachlich ein Anschluß an alte palästinische Tradition vor. Wo die Gemeinde in dieser Weise sich

---

[1] Lk 7,13 (Jüngling zu Nain); 10,39.41 (Maria und Martha); 13,15 (Heilung der verkrümmten Frau); 16,8 (Abschluß des Haushaltergleichnisses); 18,6 (Abschluß des Gleichnisses von der bittenden Witwe); 19,8 (Zacchäus).

[2] Vgl. JOACHIM JEREMIAS, Die Gleichnisse Jesu, 1958[5], S. 34ff.; G. BORNKAMM, Jesus S. 80.

[3] JEREMIAS, Gleichnisse S. 135 Anm. 5, rechnet V. 8b noch der vorlukanischen Überlieferung zu; anders TÖDT, Menschensohn S. 92f.

[4] Daß der ganze Vers Lk 19,8 sekundär ist, steht außer Frage, aber er könnte auch schon vor Lukas hinzugewachsen sein.

[5] Vgl. DALMAN, Worte Jesu S. 270.

auf ‚den Herrn' beruft, geht es ihr um Wort und Vollmacht des irdischen Jesus, dem sie sich beugt. Lk 16,8 und 18,6, aber auch Mk 11,3 sind als sichere Belege hierfür anzusehen und das Weiterleben dieser Anschauung zeigt sich vornehmlich in der redaktionellen Konzeption des Lukas. Daß die Vermittlung über das hellenistische Judenchristentum erfolgte, steht auf Grund von Mk 11,3 fest. Das schließt nicht aus, daß dort, wie noch zu zeigen sein wird, κύριος auch als Prädikation des Erhöhten wesentliche Bedeutung erlangt hat. Doch beide Verwendungsarten sind weder unmittelbar voneinander abzuleiten noch ohne weiteres zu vermischen, so sehr sie später natürlich auch aufeinander bezogen wurden. Bei jenem hier besprochenen absoluten ὁ κύριος soll Hoheit und Autorität des irdischen Jesus ausgedrückt werden, wie es ähnlich in der Konzeption des auf Erden wirkenden Menschensohnes geschehen ist. Während aber bei letzterem die Betonung auf die von Gott verliehene Stellung und ἐξουσία fällt, die den Gegensatz zu diesem Geschlecht hervorruft und Jesus schließlich auf den Weg der Passion führt, ist bei ὁ κύριος die Vollmacht betont, die gerade die Menschen zur Unterordnung bewegt und die Anerkennung Jesu impliziert. Mit dieser Anschauung sind wir in die Denkweise der palästinischen Urgemeinde zurückgeführt, die ihre bleibende Bindung an Werk und Wort Jesu bezeugt. Von der Anrede מָרִי her, bei der der Gedanke echter Unterwürfigkeit in vielen Fällen hervorgehoben war, ist diese inhaltliche Ausprägung der Herrenbezeichnung Jesu erfolgt. Daß Jesus selbst in „weiser Pädagogik" das Bild des Dienstgedankens gegenüber einem Herrn gezeichnet und langsam der Seele seiner Jünger eingeprägt habe — so versucht FOERSTER den Ursprung der Kyriosprädikation zu bestimmen[1] —, wird man allerdings nicht sagen dürfen, zumal ja die Herrenbezeichnung keineswegs ein dem alltäglichen Leben entnommenes „Bild" für völlige Hingabe ist. Denn daß Jesus kein Herr mit einer Anzahl von Sklaven gewesen und seine Herrschaft „an und für sich überhaupt nicht zu begreifen" sei[2], beruht auf einem tiefgreifenden Mißverständnis. Bei dem Begriff ‚Herr' handelt es sich ja nicht ausschließlich um ein bestimmtes soziologisches Verhältnis, sondern viel allgemeiner um die eine völlige Unterordnung beanspruchende Autorität. Mit Recht betont LIETZMANN, daß in erster Linie an den Schüler bzw. Jünger gedacht werden müsse, dessen Verhältnis zu seinem Meister als völlige Abhängigkeit wie die eines Sklaven verstanden wurde[3].

---

[1] Vgl. FOERSTER, Herr ist Jesus S. 206f., 225f., 227ff.

[2] A.a.O. S. 207 Anm. 1.

[3] LIETZMANN, Röm S. 99f. Vgl. Keth 96a: ‚Alle Arbeit, die ein Sklave seinem Herrn verrichtet, soll ein Schüler seinem Lehrer tun, ausgenommen das Lösen des Schuhwerks'; dies war aber nach MekhEx 21,2 auch dem hebräischen

Eine ,,Übertragung'' der Herrenvorstellung war gar nicht notwendig und die bildliche Verwendung ist nur eine neben anderen[1], keinesfalls Voraussetzung für die Anwendung der Bezeichnung auf Jesus. Daß Jesus sich selbst ,der Herr' genannt habe, kann nicht angenommen werden[2] und erst recht ist es nicht angängig, von der Herrenvorstellung aus Rückschlüsse auf sein Selbstbewußtsein zu ziehen[3]. Zweifellos war die Einzigartigkeit des Auftretens und Anspruchs Jesu maßgebend für diese Ausbildung der Bezeichnung ὁ κύριος. Aber dies erfolgte im Bereich der Gemeinde, die vor der Aufgabe stand, die Wirklichkeit des Werkes und der Person Jesu zu bestimmen[4].

Die Belege für ein in diesem Sinn ausgeprägtes ὁ κύριος beschränken sich nicht auf Mk 11,3 und Lukas. Daß mit einer relativ großen Verbreitung gerechnet werden muß, zeigt besonders der Apostel *Paulus*. Denn abgesehen von dem bei ihm geläufigen, durch hellenistische Vorstellungen beeinflußten Bekenntnis zu dem Erhöhten als κύριος, verwendet Paulus diese Bezeichnung noch in sehr andersartigen und auf eine eigene Traditionsschicht verweisenden Zusammenhängen. Am deutlichsten tritt dies dort zutage, wo sich der Apostel auf Worte Jesu beruft; dazu kommen Stellen, an denen von den ,Brüdern des Herrn' die Rede ist. Bei dieser Anwendung von ὁ κύριος ist der Blick primär auf den irdischen Jesus gerichtet; es geht um Worte, hinter denen die Autorität des Irdischen steht, und es geht um die leiblichen Verwandten Jesu. Daß bei ἀδελφοὶ τοῦ κυρίου *1Kor 9,5; Gal 1,19* eine geprägte Wendung vorliegt, darf vorausgesetzt werden. Die Verwandten Jesu haben im palästinischen Bereich eine nicht unerhebliche Rolle gespielt, wie für die Frühzeit allein die dem Jakobus zukommende

---

Sklaven nicht erlaubt, sondern nur dem kanaanäischen. Vgl. dazu BILLERBECK I S. 121.

[1] Eine Übersicht über verschiedene Verwendungsarten (bildlich, höflich, höfisch, sakral u. a.) bietet ERNST VON DOBSCHÜTZ, *ΚΥΡΙΟΣ ΙΗΣΟΥΣ*, ZNW 30 (1931) S. 97—123, bes. S. 107ff.

[2] So z. B. FOERSTER, Herr ist Jesus S. 225f.; CULLMANN, Christologie S. 209f., auf Grund von Mk 11,3. Mk 12,35ff. scheidet gleichfalls aus.

[3] So vor allem D. A. FRÖVIG, Der Kyriosglaube des Neuen Testaments und das Messiasbewußtsein Jesu (BFchrTh 31/2), 1928, bes. S. 81ff.

[4] Weil es sich um eine geschlossene Vorstellung handelt, ist es auch nicht möglich, Mk 11,3 aus der Königsvorstellung zu erklären; dagegen spricht schon die Parallelität zu 14,14. Gegen v. DOBSCHÜTZ, ZNW 30 (1931) S. 111f.: ,,Der Herrscher verlangt, die Obrigkeit requiriert''; ETHELBERT STAUFFER, Messias oder Menschensohn?, NovTest 1 (1956) S. 81—102, dort S. 85: ,,Der heimliche König Israels (schickt) seine heimlichen Botschafter an einen heimlichen Genossen mit dem geheimen Losungswort κύριος, mit dem geheimnisvollen Befehlswort ὁ κύριος αὐτοῦ χρείαν ἔχει'', wobei letzteres Requisitionsformel für den königlichen Adventus, ὁ κύριος aber Ersatz für ὁ χριστός sei, was der demonstrativen Wahl des Reittieres eines Friedensherrschers und Armenkönigs entspreche.

Stellung zeigt[1]. Wenn sie später δεσπόσυνοι genannt wurden[2], so liegt
darin ebenfalls eine Herrenbezeichnung Jesu und es ist nicht ausgeschlossen, daß dies hier wie dort auf die gleiche aramäische Wurzel
zurückgeht[3]. In jedem Fall bezeichnet ὁ κύριος in der Wendung
‚Brüder des Herrn' den irdischen Jesus; eine Anwendung der Herrenbezeichnung ist ja überhaupt nur sinnvoll, wenn damit auf Jesu
irdische Person Bezug genommen wird und es sich nicht um einen
Titel handelt, der dem Erhöhten gilt. Wie stark im Zusammenhang
mit ὁ κύριος bei Paulus das Gewicht auf den irdischen Jesus fallen
kann, zeigt auch die Verwendung in *1Kor 7,10; 9,14*. In beiden Fällen
ist auf Jesusworte Bezug genommen[4]; das wird noch dadurch unterstrichen, daß Paulus in 1 Kor 7,12.25 ausdrücklich sagt, daß in den
dort zur Debatte stehenden Fragen keine Herrenworte überkommen
sind[5]. Man muß die Erörterung unvermischt lassen von der Frage nach
der Echtheit der angeführten Logien. Steht die Authentizität für das
Ehescheidungswort 1 Kor 7,10 sachlich außer Frage, so ist sie in
1 Kor 9,14 nicht ganz sicher, aber in 1 Thess 4,15ff kaum wahrscheinlich
zu machen[6]. Dennoch muß auch für *1Thess 4,15 (16f.)* angenommen
werden, daß der Apostel sich auf einen überlieferten, Jesus in den Mund

---

[1] Weiteres § 4 S. 244 f.　　　　　　　[2] Vgl. Euseb, hist. eccl. I 7,14.

[3] Von der Gottesbezeichnung δεσπότης Lk 2,29; 4,24 ist dabei selbstverständlich nicht auszugehen; diese Stellen gehen auf die LXX zurück, wo
übrigens nur ein zurückhaltender Gebrauch von diesem Wort gemacht ist.
Auch die Bezeichnung Jesu als δεσπότης Jud 4 (oder Gottesbezeichnung?);
2 Petr 2,1 ist hier beiseite zu lassen, weil es sich dabei um eine späte Übernahme
der Gottesprädikation handelt. Da das griechische Wort neben der Bezeichnung
des Gewaltherrschers auch den Hausherrn kennzeichnen kann, kommt dies
dem semitischen בַּעַל הַבַּיִת nahe, was im NT mit der ungriechischen Wortbildung
οἰκοδεσπότης aufgenommen ist; vgl. KARL HEINRICH RENGSTORF, Art. δεσπότης,
ThWb II S. 43—48. οἰκοδεσπότης kommt im NT außer Mk 14,14 parr., wo es
einen Hausbesitzer meint, nur in Gleichnissen vor (Mt 24,43//Lk 12,39; Mt
13,27.52; 20,1.11; 21,33; Lk 13,24; 14,21); allenfalls in Mt 10,25b wäre an
eine direkte Übertragung auf Jesus zu denken, doch hier dürfte ein aufs
Aramäische zurückgehendes Wortspiel zugrunde liegen, bei dem neben בַּעַל
זְבוּל das בַּעַל הַבַּיִת bildlich auf Jesus bezogen ist; vgl. SCHNIEWIND, Mt S. 132.
Daher ist es auch sehr viel wahrscheinlicher, daß dem griechischen Ausdruck
δεσπόσυνοι, der die Hausgemeinschaft bezeichnet, eine Wendung zugrunde
liegt, in der Jesus in irgendeiner Weise als מַר bezeichnet war.

[4] Vgl. inhaltlich Mk 10,11f. parr., dazu JOHANNES WEISS, Der erste Korintherbrief (KrExKommNT V), 1925[10], S. 178; ferner Lk 10,7 par.

[5] In 1 Kor 7,25 wird an Stelle eines fehlenden, auf die Autorität des irdischen
Jesus zurückgehenden Wortes indirekt die Autorität des Erhöhten in Anspruch
genommen, indem Paulus sich auf die ihm vom Erhöhten verliehene Vollmacht
beruft.

[6] Zu Abgrenzung und Inhalt vgl. MARTIN DIBELIUS, An die Thessalonicher I/
II, An die Philipper (HbNT 11), 1937[3], S. 25. Daß mit ἐν λόγῳ κυρίου auf in-
spirierte Prophetenrede hingewiesen sei, so ERNST VON DOBSCHÜTZ, Die Thessa-
lonicherbriefe (KrExKommNT X), 1909[7], S. 193, ist sicher unzutreffend.

gelegten apokalyptischen Spruch bezieht. Natürlich ist auf der anderen Seite für Paulus selbst nicht auszuschließen, daß die Autorität jenes irdischen ‚Herrn' unablöslich mit der Herrschaftsgewalt des Erhöhten verbunden ist und von diesem legitimiert wird[1]. Von daher ist die letzte, vielumstrittene Stelle in der Einleitung der Abendmahlsparadosis *1Kor 11,23* zu verstehen: ἐγὼ γὰρ παρέλαβον ἀπὸ τοῦ κυρίου. Es bedarf keiner langen Diskussion, daß für Paulus die Überlieferung ihre Bedeutung und Garantie nicht durch ihre irdischen Träger erhält, sondern durch Jesu eigene Gegenwart und Offenbarung[2]. Aber das heißt nicht, daß die Überlieferung auch inhaltlich auf den Erhöhten zurückgeführt werden müsse[3]; umgekehrt ist nun aber ‚der Herr' keinesfalls nur das erste Glied einer langen Kette von Tradenten[4]. Es geht darum, daß die Autorität des irdischen Herrn hinter diesen Abendmahlsworten steht, daß ihre Überlieferung aber gleichwohl vom Erhöhten aktualisiert und legitimiert wird[5]. Doch das ἀπό behält sein Gewicht[6], sofern es hierbei eben primär um das Wort des irdischen Jesus geht. Es kommt sehr darauf an, daß die Akzente richtig gesetzt werden: man wird in diesem Falle nicht sagen dürfen, daß der Erhöhte ja einfach der Irdische ist, sondern es gilt, von der Autorität des Irdischen her, die durch die lebendige Gegenwart des Erhöhten nur bestätigt wird, den Zusammenhang zu verstehen. Es darf auch nicht übersehen werden, daß es in V. 23b in der einleitenden Zeitangabe mit dem Hinweis auf die Nacht der Auslieferung ὁ κύριος Ἰησοῦς heißt, also das Kyriosprädikat gleichfalls im Blick auf den irdischen Jesus gebraucht ist[7]. So läßt sich bei Paulus an allen in Frage kommenden Stellen ein einheitlicher Gebrauch feststellen. Dabei ist der Apostel

---

[1] Von daher erklärt sich unter Umständen das Präsens in 1Kor 7,10, obwohl es dabei auch um die bleibende Gültigkeit des Herrenwortes gehen kann. 1Kor 9,14 steht Aorist.

[2] Es braucht nur auf die paulinische Verwendung der traditionstechnischen Termini παραλαμβάνειν und παραδιδόναι hingewiesen zu werden, wobei nebeneinander von einem παραλαμβάνειν δι᾿ ἀποκαλύψεως Ἰησοῦ Χριστοῦ (Gal 1,12) und einem menschlichen Tradieren gesprochen ist (1Thess 2,13; 4,1; 1Kor 11,2; 15,1.3; Gal 1,9). Aufschlußreich ist dabei vor allem 1Thess 2,13: παραλαβόντες λόγον ἀκοῆς παρ᾿ ἡμῶν τοῦ θεοῦ ἐδέξασθε οὐ λόγον ἀνθρώπων ἀλλὰ καθὼς ἀληθῶς ἐστιν λόγον θεοῦ.

[3] So HANS LIETZMANN-WERNER GEORG KÜMMEL, An die Korinther I/II (HbNT 9), 1949⁴, S. 57; HANS LIETZMANN, Messe und Herrenmahl (Arb. z. KG 8), 1926, S. 251ff., bes. S. 254f.

[4] So JEREMIAS, Abendmahlsworte S. 95; vgl. auch S. 195.

[5] Vgl. GÜNTHER BORNKAMM, Herrenmahl und Kirche, Studien S. 138—176, bes. S. 146ff.; auch OSCAR CULLMANN, Die Tradition als exegetisches, historisches und theologisches Problem, 1954, S. 8ff.

[6] Vgl. LIETZMANN-KÜMMEL, 1Kor S. 185; CULLMANN, Tradition S. 18; JEREMIAS, Abendmahlsworte S. 195, zum Unterschied von ἀπό und παρά.

[7] Die sonstigen Stellen mit ‚Kyrios', die sich auf das Abendmahl beziehen, sind anders zu beurteilen; darauf ist im nächsten Abschnitt zurückzukommen.

zweifellos von jener zuvor besprochenen Tradition bestimmt, denn im übrigen steht bei ihm eine sehr andere Verwendung des Kyrios-Titels im Vordergrund[1]. Interessant ist, daß selbst im *Hebräerbrief* dieser alte Gebrauch noch nachwirkt, wenn an zwei Stellen der irdische Jesus als *κύριος* bezeichnet wird[2]. Zuletzt ist noch das *Johannesevangelium* heranzuziehen. Denn dort ist sowohl die Anrede *κύριε* wie das absolute *ὁ κύριος* aus alter Überlieferung erhalten geblieben. Im einzelnen mag die Frage nach Tradition und Redaktion auf sich beruhen; Anrede und Titel heben sich einigermaßen gut ab, weil beides nicht ohne weiteres in die Gesamtkonzeption des Evangelisten eingeschmolzen ist. Doch brauchen die verschiedenen Stellen nicht besprochen zu werden[3], da es einen Beleg gibt, bei dem die Übernahme einer vorjohanneischen Anschauung außer jeder Diskussion steht, nämlich Joh 13,13f., wo *ὁ διδάσκαλος καὶ ὁ κύριος* gebraucht wird[4]. Daß dieses *ὁ κύριος* nur aus seiner Parallelität zu *ὁ διδάσκαλος* erklärt werden kann, ist offenkundig[5]. Damit erfährt die vorliegende Darstellung des Gebrauchs von *ὁ κύριος* für den irdischen Jesus ihre letzte Bestätigung. Denn an dieser Stelle zeigt sich, daß tatsächlich die gleiche Entwicklung erfolgt ist wie bei *ῥαββί/διδάσκαλε* zu dem absoluten *ὁ διδάσκαλος*. Aus der Anrede *κύριε* hat sich schrittweise *ὁ κύριος* für den irdischen Jesus herausgebildet und in einer noch gut erkennbaren, relativ breiten Traditionsschicht entfaltet. Die Parallelität, die schon in Mk 11,3 und 14,14 aufgefallen war, ist somit zu Recht zum Ausgangspunkt genommen worden.

[1] Es sei kurz darauf hingewiesen, daß ‚Kyrios' bei Paulus einer der umfassendsten christologischen Titel ist. Denn es kann damit, wenngleich mit sehr verschiedener Akzentuierung, sowohl der irdische wie der erhöhte und außerdem der wiederkommende Jesus bezeichnet werden. Auch bei den eschatologischen Zusammenhängen zeigt sich deutliche Abhängigkeit von älterer Tradition. Aufs Ganze gesehen ist bei Paulus durch den auf den Erhöhten bezogenen Kyriostitel der hellenistischen Gemeinde aber doch ein neuer Horizont abgesteckt.

[2] Vgl. Hebr 2,3; 7,14. An der letztgenannten Stelle steht *ὁ κύριος ἡμῶν*. Es sei darauf hingewiesen, daß *κύριος* als Bezeichnung des Erhöhten und des eschatologischen Vollenders im Hebräerbrief nur noch in zwei formelhaften Wendungen in 12,14 und 13,20 fin. erhalten ist.

[3] In bestimmten Zusammenhängen, wo die Anrede *κύριε* häufiger auftritt, könnte sie durch die vorgegebenen Überlieferungsstücke bedingt sein, so z. B. in Joh 4,11.15.19; 4,49 (vgl. Mt 8,8 par.); 5,7; auch 11,1ff., was natürlich redaktionellen Gebrauch nicht ausschließt. Ebenso wird man das dreimalige *ὁ κύριος* in 4,1; 6,23; 11,2 (von dem Vorkommen in Joh 20f. ist wiederum zunächst abzusehen) als Überreste von Tradition anzusehen haben, kaum als spätere Glosse (so BULTMANN, Joh S. 128 Anm. 4; TAYLOR, Names S. 43), wogegen auch der Gebrauch in Joh 13,13f. spricht.

[4] In Joh 13 liegt eine alte Erzählung zugrunde, zu der auch die Deutung der Handlung in V. 12—17.20 gehört; vgl. BULTMANN, Joh S. 351f.

[5] So auch BULTMANN, Joh S. 362 Anm. 2. Unbefriedigend die Auskunft bei BARRETT, Joh S. 369.

*Zusammenfassung*: Die Herrenbezeichnung Jesu hat in palästinischer Tradition nichts mit einer Gottesprädikation zu tun, sondern ist aus einer profanen Anrede erwachsen. Das parallele ῥαββί/διδάσκαλε, das in neutestamentlicher Zeit noch allgemein üblich, aber gegenüber dem Toralehrer bevorzugt war, zeigt in den Evangelien weitgehend einen ganz unreflektierten Gebrauch. Später wird diese Anrede zurückgedrängt. Dem steht überraschenderweise eine andere Entwicklung gegenüber, wonach Jesus als ‚Rabbi' eine singuläre Stellung innehat. Dabei spielt der christliche Nachfolgegedanke eine Rolle, weswegen die Bindung an den einen Meister auch über dessen Tod hinaus Gültigkeit behält. Wenn der absolute Wortgebrauch auch erst in hellenistisch-judenchristlicher Tradition üblich geworden sein wird, so ist doch eine alte Anschauung festgehalten. Mit dem geradezu titularen ὁ διδάσκαλος wird auf Jesu Autorität und seinen darin gründenden Anspruch verwiesen. Ganz ähnlich ist die alte Herrenbezeichnung Jesu entstanden. Auch hier steht die Anrede am Anfang. In ältester Überlieferung wird gern der Gedanke der uneingeschränkten Vollmacht und der völligen Unterordnung betont. Der Anrede κύριε entspricht sachlich das auf den irdischen Jesus bezogene ὁ κύριος. Die einzigartige ἐξουσία und die darin gründende Hoheit sind in dem Würdetitel beschlossen; mit dem Prädikat des Erhöhten hat dies nichts zu tun. Wiederum handelt es sich um eine alte palästinische Konzeption, selbst wenn der absolute Wortgebrauch sich erst später durchgesetzt hat. Sie steht der Anschauung von dem auf Erden wirkenden Menschensohn nahe, obwohl es weniger um den Gegensatz zu den Menschen als um deren willentliches Sich-Beugen unter den Hoheitsanspruch Jesu geht. ὁ κύριος findet sich in diesem Sinne noch bei Paulus und bei Johannes. ὁ διδάσκαλος καὶ ὁ κύριος in Joh 13,13f. zeigt, wie lange sogar die Parallelität der beiden Bezeichnungen nachgewirkt hat.

### 3. *Der wiederkommende ‚Herr'*

Was den Gebrauch von κύριε und ὁ κύριος vor ῥαββί/διδάσκαλε und ὁ διδάσκαλος auszeichnet, ist die Tatsache, daß letzteres auf den irdischen Jesus beschränkt blieb, die Anrede ‚Herr' dagegen sehr früh auch auf den wiedererwarteten Jesus angewandt worden ist, was dann ebenso zu einem absoluten Wortgebrauch geführt hat. Im Rahmen der Herrenbezeichnung Jesu ist an Hand der bisher besprochenen Texte nur eine Linie verfolgt, die durch eine wichtige zweite ergänzt werden muß. Beide Verwendungsarten stehen schon in alter Tradition nicht unverbunden nebeneinander, sind aber klar unterschieden. Das Material ist nicht sehr groß, doch tritt die Eigenart der eschatologischen Verwendung von מָרִי und מָרָן (מָרַנָא) noch deutlich heraus.

Von einigen synoptischen Texten ist auszugehen. In Frage kommen die beiden Sprüche über die Herr-Herr-Sager, die Anrede ‚Herr Herr' im Gleichnis von den zehn Jungfrauen und die Herrenanrede in der Schilderung des Weltgerichtes. Bei dreien dieser vier Texte liegt eine Verdoppelung der Anrede vor, was als typisch semitische Eigenart anzusehen ist[1] und auf das hohe Alter der Tradition hinweist, allerdings steht eine frühe Entstehungszeit für den vierten Text, die Rede vom Weltgericht, aus sachlichen Gründen ebenfalls fest. Der Spruch von den Herr-Herr-Sagern ist in Mt 7,21 par. und in Mt 7,22f. par. in zwei verschiedenen Fassungen erhalten[2]. Es empfiehlt sich, von *Mt 7,22f.//Lk 13,(25)26f.* auszugehen. Vergleicht man nur den unmittelbaren Paralleltext, so fehlt bei Lukas eine Anrede. Doch ist zu beachten, daß bei ihm in 13,25 eine gleichnishafte Einleitung mit χύριε vorausgeht, die stark an das Gleichnis von den zehn Jungfrauen erinnert und eine Entsprechung in Mt 25,11f. hat; auch dort findet sich die Herrenanrede. In Lk 13,25 geht es um die eschatologische Wende: die Türen werden vom Hausherrn verschlossen, der Ruf: χύριε, ἄνοιξον ἡμῖν, wird abgewiesen mit der Begründung: οὐκ οἶδα ὑμᾶς πόθεν ἐστέ. Dem folgt dann in Lk 13,26f. die Berufung auf die Tischgemeinschaft mit Jesus und auf die Belehrung durch ihn, gleichwohl erfolgt eine endgültige Abweisung. Es handelt sich um ein Drohwort, und die Situation der Entstehung ist leicht zu erschließen: den Menschen, die Jesus zu Lebzeiten anhingen, sich aber nach seinem Tode nicht zur Gemeinde halten, soll der Ernst der Entscheidung deutlich gemacht werden; sie werden im Endgericht nicht bestehen können, wenn sie sich allein auf ihr Verhalten gegenüber dem irdischen Jesus berufen können. So sehr dieser Spruch in der Sache wohl die ursprüngliche Intention bewahrt hat, so wird man ihn in seiner Form, gerade auch in der Verbindung mit dem Gleichnismotiv von der verschlossenen Tür, als sekundär beurteilen müssen. Es ist sehr viel wahrscheinlicher, daß er zunächst die Gestalt eines Prophetenwortes hatte, wie es in Mt 7,22f. noch vorliegt[3], wo ein urchristlicher

---

[1] Vgl. FOERSTER, ThWb III S. 1084.

[2] Mt 7,21//Lk 6,46 ist sicher in Q überliefert worden und hat die alte Stellung im Zusammenhang mit Mt 7,15—20.24—27//Lk 6,43—45.47—49 bewahrt, auch wenn die beiden Fassungen des Spruches stark voneinander abweichen und zudem ihre Stellung im Kontext bei den beiden Evangelisten eine etwas andere Ausrichtung erfahren hat; vgl. KLOSTERMANN, Lk S. 84. — Mt 7,22f.// Lk 13,(25)26f. wird vielfach der Logienquelle gar nicht zugerechnet, sondern als jeweilige Sondertradition angesehen, vgl. etwa T. W. MANSON, The Sayings of Jesus, 1949², S. 124f.; entsprechend rechnet ADOLF SCHLATTER, Das Evangelium des Lukas, 1931 (1960²), S. 328f., das Überlieferungsstück in seiner lukanischen Form dem neuen Erzähler zu. In Lk 13,24—30 liegt, wie JEREMIAS, Gleichnisse S. 81, gezeigt hat, eine sekundäre Gleichniskomposition vor.

[3] Gerade auch die Einleitung samt χύριε χύριε von Mt 7,22 wird ursprünglich sein; bei Lk ist sie entfallen, weil sie nach 13,25 nicht mehr nötig war.

Prophet im Namen Jesu und daher in der ersten Person das Drohwort ausspricht[1]. Nur ist andererseits in der Matthäusfassung der Inhalt umgestaltet. Denn dort geht es um ein Urteil, das über christliche Irrlehrer — falsche Propheten und Charismatiker — gefällt wird[2]. In beiden Fassungen befinden wir uns im Bereich der Auseinandersetzungen auf palästinischem Boden. Das wird bestätigt durch das ausgeprägt apokalyptische Denken. Dies zeigt aber, daß die Anrede ‚Herr Herr‘ gegenüber dem Wiederkommenden und Richter schon früh ihren festen Platz gehabt hat.

Etwas anders liegen die Dinge in *Mt 7,21//Lk 6,46*. Die weitverbreitete Annahme, daß die Lukasfassung den ursprünglichen Text enthält[3], ist m. E. unzutreffend. Denn einerseits ist diesem Spruch bei Lukas die eschatologische Ausrichtung genommen, andererseits ist an Stelle eines Tuns des Gotteswillens von einem Tun dessen, was Jesus sagt, die Rede[4]. Der Spruch ist vielleicht schon so auf Lukas gekommen, hat möglicherweise aber auch erst durch ihn diese Form erhalten. Wir müssen uns daher an die Matthäusfassung halten. Wiederum ist von einem Verhalten die Rede, welches über das eschatologische Heil, das ‚Eingehen in die Himmelsherrschaft‘ entscheidet. Es sei nicht bestritten, daß das Motiv vom Eingehen in die Gottesherrschaft schon in der Verkündigung Jesu eine Rolle gespielt hat[5]; auch Mt 7,21 fin. macht einen durchaus altertümlichen Eindruck[6]. Aber gleichwohl ist der Spruch in seiner Antithetik von Herr-Herr-Sagen und rechtem Tun als Einlaßbedingung für die Gottesherrschaft im Munde Jesu nicht ohne weiteres möglich. Hier sind wohl ältere Elemente in einen neuen Spruch übernommen. Das ‚Herr Herr‘ kann auch nicht als Anrede des irdischen Jesus gemeint sein, sondern wie in Mt 7,22f. handelt es sich offensichtlich um ein Problem, das die nachösterliche Gemeinde beschäftigt hat. So kann diese Anrede nur

---

[1] Vgl. dazu ERNST KÄSEMANN, Die Anfänge christlicher Theologie, ZThK 57 (1960) S. 162—185; zu Mt 7,22f. vgl. S. 163f., wo allerdings die Lk-Parallele einseitig als jünger gekennzeichnet wird.

[2] So mit Recht BULTMANN, Syn.Trad. S. 123; KLOSTERMANN, Mt S. 71.

[3] So BOUSSET, Kyrios Christos S. 51; BULTMANN, Syn.Trad. S. 122; KLOSTERMANN, Mt S. 70f.

[4] Vgl. die bei KLOSTERMANN, Lk S. 84, angeführte noch jüngere apophthegmatische Weiterbildung in PsClem hom 8,4.

[5] Vgl. HANS WINDISCH, Die Sprüche vom Eingehen in das Reich Gottes, ZNW 27 (1928) S. 163—192, der auf die alte jüdische Tradition hinweist, aber andererseits auch zeigt, wie die Einlaßbedingungen bei Jesus vielfach etwas ausgesprochen Paradoxes und Erschreckendes haben, was sich in dieser Art in jüdischer Überlieferung nicht findet (bes. S. 172, 184).

[6] Zur Bedeutung des ‚Tuns‘ in der Verkündigung Jesu vgl. HERBERT BRAUN, Radikalismus II S. 29ff.

auf den Gebetsruf der Christen bezogen werden[1]; und wie aus dem Nebeneinander von Mt 7,21 und 7,22f. hervorgeht, wird im besonderen an die eschatologische Funktion Jesu gedacht sein[2]. Darauf ist später zurückzukommen.

Mit der Anrede des Weltenrichters in Mt 7,22 ist das κύριε κύριε im Gleichnis von den zehn Jungfrauen Mt 25,1—12 (13) eng verwandt. In der erwähnten Parallelstelle zu V. 11f. in Lk 13,25 findet sich nur ein einfaches κύριε, doch dürfte die Doppelung ursprünglicher sein. In Mt 25,1ff. kann nicht mit einem authentischen Krisisgleichnis gerechnet werden, das später umgedeutet wurde[3], sondern der Text enthält in seinem Entwurf bereits das Problem der Parusieverzögerung, ist somit als Gemeindebildung anzusprechen[4]. Von hier aus erklären sich die deutlich allegorischen Züge, das ständige Durchschlagen der Deutung durch die bildliche Darstellung. Der erwartete ‚Bräutigam' ist selbstverständlich der wiederkommende Jesus, zu dessen ὑπάντησις

---

[1] Auch WERNER GEORG KÜMMEL, Kirchenbegriff und Geschichtsbewußtsein in der Urgemeinde und bei Jesus (Symbolae Biblicae Upsalienses 1), 1943, S. 14, betrachtet Mt 7,21f. als Zeugnis für die Anrufung Jesu in der Urgemeinde. Allerdings hält er Lk 6,46 für älter und sieht darin einen Hinweis auf die Anrede des irdischen Jesus mit ‚Herr' durch die Jünger.

[2] Daß Mt dabei ausschließlich an eine Anrufung Jesu ‚an jenem Tage' wie in V. 22 gedacht habe, so KLOSTERMANN, Mt S. 71, ist m. E. weniger wahrscheinlich. Unzutreffend ist es jedenfalls, wenn SCHNIEWIND, Mt S. 103, diese Anrede unter Bezugnahme auf Act 2,36 von der Erhöhung her verstehen will, sie aber andererseits doch auf den Irdischen als den auf Erden „verborgenen Gebieter" bezieht; denn er trägt hier Anschauungen ein, die mit der alten palästinischen Tradition von Jesus als ‚Herr' überhaupt nichts zu tun haben.

[3] So CHARLES HAROLD DODD, The Parables of the Kingdom, 1936² (repr. 1958), S. 171ff.; JEREMIAS, Gleichnisse S. 43ff., 157ff.; anders, aber gleichfalls unter Voraussetzung der Echtheit KÜMMEL, Verheißung und Erfüllung S. 50ff.; MAX MEINERTZ, Die Tragweite des Gleichnisses von den zehn Jungfrauen, in: Synoptische Studien (Festschrift A. Wikenhauser), 1953, S. 94—106; WILHELM MICHAELIS, Kennen die Synoptiker eine Verzögerung der Parusie?, ebd. S. 107 bis 123, bes. S. 116ff.

[4] Dazu GÜNTHER BORNKAMM, Die Verzögerung der Parusie, in: In Memoriam Ernst Lohmeyer, 1951, S. 116—126, bes. S. 119ff. Ferner ERICH GRÄSSER, Das Problem der Parusieverzögerung in den synoptischen Evangelien und in der Apostelgeschichte (BZNW 22), 1957, S. 119ff.; BULTMANN, Syn. Trad. S. 190f. Sehr beachtenswert sind auch die Untersuchungen von AUGUST STROBEL, Zum Verständnis von Mt XXV 1—13, NovTest 2 (1958) S. 199—227, und DERS., Untersuchungen zum eschatologischen Verzögerungsproblem auf Grund der spätjüdisch-urchristlichen Geschichte von Habakuk 2,2ff. (Suppl. to NovTest II), 1961, S. 233ff.; es geht ihm um den Nachweis, daß ein festgeprägter, altüberkommener Motivzusammenhang für die Verzögerungsthematik vorliegt und daß zudem Mt 25,1ff. mancherlei Anklänge an die Passaerwartung erkennbar sind. Leider geht er viel zu wenig auf die mit Verzögerungsproblem und Passaerwartung verbundenen christologischen Probleme ein; christologisch fehlt jedenfalls eine deutliche Verbindung zur Passatradition (vgl. Anhang S. 398), außerdem ist von der Christologie her eine frühere Ansetzung des Gleichnisses möglich, als bei Str. angenommen.

($\dot{\alpha}\pi\dot{\alpha}\nu\tau\eta\sigma\iota\varsigma$) seine Gemeinde stets bereit sein muß[1]. Er ist es, dem als Weltenrichter die Anrede ‚Herr Herr' zukommt, und der sein Urteil über die Säumigen fällen wird. Aber es ist umgekehrt abwegig, einfach von einer „späten" Gemeindebildung zu sprechen und für die Allegorie Bräutigam = Messias gar gnostische Motive heranzuziehen[2]. Man wird dieses Überlieferungsstück der palästinischen Urgemeinde nicht abstreiten können[3]. Denn einmal kommt man zur Erklärung ohne Bezugnahme auf die palästinischen Hochzeitssitten nicht aus; zum andern liegt bei dem Bildwort $\nu\nu\mu\varphi\iota\sigma\varsigma$, wofür es im Alten Testament und Judentum keine Parallelen gibt, eine sehr frühe allegorische An-wendung des Herrenwortes Mk 2,(18)19a vor, wie sie uns ähnlich in Mk 2,19b.20 begegnet[4]; und endlich ist die christologisch-eschatolo-gische Konzeption sowohl in Mk 2,19f. wie in Mt 25,1ff. nur aus den Voraussetzungen der palästinischen Urgemeinde erklärbar, welche die Erhöhungsvorstellung noch nicht kennt[5]. Die Parusieverzögerung wird nicht in der Weise bewältigt, daß sich die Gemeinde zunehmend der ständigen Gegenwart ihres Herrn versichert und von seiner bereits angetretenen Herrschaft im Himmel her lebt, sondern daß sie nur um so sehnsüchtiger auf die Wiederkunft ausblickt und sich zum unverbrüchlichen Warten und Bewähren gerufen weiß[6]. Das Heil steht

---

[1] Vgl. die Zusammenstellung der aus jüdischer Hochzeitssitte nicht erklär-baren Züge bei G. BORNKAMM, a.a.O. S. 121ff.; dagegen sprechen auch die von JEREMIAS, Gleichnisse S. 157ff., angeführten Gegenargumente nicht, weil es in Mt 25,10ff. überhaupt erst um den Beginn der Hochzeitsfeier geht, nicht um deren Abschluß.

[2] So GRÄSSER, a.a.O. S. 121f., 126f.

[3] Gegen STROBEL, Verzögerungsproblem S. 235, 250, auch S. 161ff., der das Gleichnis als „späte Bildung" ansieht und einer „lokalen (antiochenischen?) Gemeindetradition" des hellenistischen Raumes zurechnet. Aber trotz $\chi\rho\sigma\nu\iota\zeta\epsilon\iota\nu$ V. 5 besteht kein Anlaß, das Überlieferungsstück der palästinischen Gemeinde abzusprechen, zumal die Übergänge von der Bedeutung ‚ausbleiben (aufhalten)' zu ‚lange bleiben (zögern)' ohnedies fließend sein dürften. Str. selbst stellt S. 221f. fest: „Mag sein, daß sich für die Christengemeinde später das Problem hin zu dem der ‚Verzögerung' verschob, für den Kreis der ältesten Zuhörer war es dann fraglos das des ‚Ausbleibens'". Es besteht kein zwingender Grund, diese Verschiebung erst der griechisch denkenden Gemeinde zuzuschreiben; das hebräisch-aramäische Äquivalent ist ja nur „erheblich weiter" (so S. 164), schließt aber jene für den griechischen Begriff bezeichnende Komponente nicht einfach aus, auch wenn der aramäische Gebrauch stärker in die andere Richtung tendierte (dazu a.a.O. S. 167ff.).

[4] Es darf nicht mit einem erstmaligen Aufnehmen dieser Allegorie bei Paulus (2 Kor 11,2; ferner Eph 5,22ff.) gerechnet werden, so daß Mk 2,20 und das von Mt 25,13 her sich ergebende redaktionelle Verständnis des Jung-frauengleichnisses der nachpaulinischen Tradition zuzurechnen wäre; gegen JOACHIM JEREMIAS, Art. $\nu\nu\mu\varphi\iota\sigma\varsigma$ ThWb IV S. 1092—1099, bes. S. 1097ff.

[5] Vgl. dazu außer dem nachfolgenden Abschnitt vor allem Exk. II S. 126ff.; über Mk 2,18—20 vgl. S. 126(f.) Anm. 4. Vgl. ferner die Besprechung von Act 3,20.21a in § 3 S. 184ff.

[6] Ebenso die Anwendung des Gleichnisses von der bittenden Witwe Lk 18, 6—8a (8b).

7*

ihr noch bevor. Teilhaber an der ‚Hochzeit' zu werden und die Zu-
lassung zur endzeitlichen Freude nicht zu verscherzen, ist ihr einziges
Anliegen. Daher ist es auch gerade der Wiederkommende, der mit
‚Herr Herr' angesprochen wird.

Die mit gleichnisartigen Elementen durchzogene Schilderung des
Weltgerichtes in *Mt 25,31—46* kennt ebenfalls die Herrenanrede. Das
einfache *κύριε* steht in V. 37 und 44. Hier handelt es sich allerdings
nur um einen etwas abgeschwächten Nachklang, denn die christologischen Leitmotive sind Menschensohn und Messiaskönig. Der in
einem späteren Zusammenhang noch zu besprechende Text gehört
aber ebenso zum Überlieferungsgut der alten palästinischen Gemeinde[1].
Die Anrede des Wiederkommenden und Richters war nach alledem
dort fest verankert.

Ins Zentrum der Problematik stoßen wir vor, wenn wir die Verwendung der Formel *μαραναθά* besprechen. Sie ist in 1 Kor 16, 22 und
Did 10, 6 in ihrem alten aramäischen Wortlaut erhalten. Die zuerst von
Heitmüller vertretene, dann von Bousset aufgenommene These,
daß dieses ‚Maranatha' nicht aus der palästinischen Urgemeinde
stamme, sondern im Bereich der zweisprachigen Gemeinden von
Damaskus oder Antiochia entstanden sei[2], ist unhaltbar und wird von
der neueren Forschung abgelehnt. Die festgeprägte aramäische Form
des Gebetswortes kann nur erklärt werden, wenn es sich um älteste
urgemeindliche Tradition handelt[3]. Auch die bisweilen aufgestellte
Behauptung, daß es sich um eine auf Gott bezogene Schwur- und
Bekräftigungsformel handle[4], ist abzuweisen. Das ‚unser Herr' dieser
Formel ist unter allen Umständen auf Jesus zu beziehen, was auf
Grund des bisher behandelten Textmaterials auch nicht zweifelhaft
sein kann. Bevor die sachlichen Fragen erörtert werden, ist auf die
philologischen Probleme kurz hinzuweisen. Für Verständnis und Übersetzung ergeben sich, wie Karl Georg Kuhn eingehend dargelegt
hat[5], verschiedene Möglichkeiten: der erste Bestandteil des Wortes ist
klar und heißt ‚unser Herr', nur bleibt offen, ob die alte Suffixform

---

[1] Vgl. § 3 S. 186 ff.

[2] Wilhelm Heitmüller, Zum Problem Paulus und Jesus, ZNW 13 (1912)
S. 320—337, dort S. 333 f.; Bousset, Kyrios Christos S. 84.

[3] Dasselbe gilt auch für *ῥαββί* und *ἀββά*.

[4] So Wilhelm Bousset, Jesus der Herr (FRLANT NF 8), 1916, S. 22;
von ihm selbst widerrufen in: Kyrios Christos S. 84 Anm. 3. Bultmann, Theol.
S. 52f., rechnet mit Herkunft aus der palästinischen Urgemeinde, nimmt aber
an, daß ‚Maranatha' ursprünglich auf Gott bezogen war und erst später auf
Jesus übertragen wurde. Daß es für die Anredeformen מָרִי und מָרַן gegenüber
Gott nur sehr späte Belege gibt, ist bereits im vorigen Abschnitt festgestellt
worden.

[5] Karl Georg Kuhn, Art. *μαραναθά*, ThWb IV S. 470—475; vgl. zu allen
Einzelheiten diesen Artikel.

מָרְנָא oder die jüngere volkstümliche מָרַן vorliegt. Schwieriger ist das zweite Glied der Formel zu bestimmen; denn entweder ist es ein Perfekt: אֲתָא ,er ist gekommen', oder aber ein Imperfekt: ,komm', was nun wieder verschieden ausgedrückt werden konnte mit אֲתָא oder תָּא[1]. So ergeben sich also die verschiedensten Verbindungen: entweder Perfekt מָרַן אֲתָא oder Imperativ מָרַן אֲתָא[2] bzw. מָרְנָא תָא. Auf philologischem Wege ist eine Entscheidung über Form und Sinn der Aussage somit nicht erreichbar. Eine gewisse Hilfe bietet nur die nicht ganz wörtliche, aber zweifellos von μαραναθά abgeleitete Wendung ἔρχου κύριε Ἰησοῦ in Apk 22,20b. Dem steht zwar gegenüber, daß die koptische Übersetzung der Didache das μαραναθά von 10,6 präterital wiedergibt[3]. Doch Apk 22,20 ist traditionsgeschichtlich wesentlich älter und verdient einen gewissen Vorzug, auch wenn auf diesem Wege allein noch keine endgültige Entscheidung gefällt werden darf. Es muß eine sachliche Begründung gesucht werden. Wichtig ist der jeweilige Kontext. Bei 1 Kor 16,22 und Did 10,6 ist leicht zu erkennen, daß er sich auf das Abendmahl bezieht. Peterson hat besonders auf die Verbindung von ἀνάθεμα und μαραναθά in 1 Kor 16,22 und auf die Verkoppelung der Einladeformel mit Bußruf und folgendem μαραναθὰ ἀμήν in Did 10,6 hingewiesen, um ein apotropäisches Verständnis der Formel wahrscheinlich zu machen[4]. Dies ist zwar auf einer in Salamis gefundenen christlichen Inschrift zum Schutze eines Grabes später tatsächlich nachzuweisen[5], aber eine derartige superstitiöse Abart darf nicht in die Frühzeit zurückverlegt und in die Abendmahlstradition eingetragen werden[6]. Wichtiger ist die Untersuchung von

---

[1] Andere Ableitungen als vom Verbum אתא werden heute allgemein abgelehnt.

[2] Zu -αθά als Umschrift der imperativischen Form אֲתָא vgl. Kuhn, ThWb IV S. 472 Anm. 25.

[3] Vgl. Die Apostolischen Väter I ed. Funk-Bihlmeyer, 1956², S. XVIIIf. Perfekt hat nach Lietzmann, 1 Kor S. 90, auch die Peschitta.

[4] Erik Peterson, ΕΙΣ ΘΕΟΣ. Epigraphische, formgeschichtliche und religionsgeschichtliche Untersuchungen (FRLANT NF 24), 1926, S. 130ff. Ähnlich neuerdings C. F. D. Moule, A Reconsideration of the Context of Maranatha, NTSt 6 (1959/60) S. 307—310, jedoch unter Beachtung des eschatologischen Aspektes.

[5] CIG 9303 (IV./V. Jh.).

[6] Peterson, a.a.O. S. 131. Natürlich geht es ihm um den apotropäischen Sinn im allgemeinen, nicht um die spezielle Zaubervorstellung dieses Textes. Aber das ist eben die Frage, ob die exorzistische Bedeutung anfänglich überhaupt mit ,Maranatha' verbunden war. Wenn P. dagegen polemisiert, den Sinn aus der Übersetzung des aramäischen Wortlautes gewinnen zu wollen, und fordert, daß man allein den Formzusammenhang eines solchen Satzes zum Ausgangspunkt nehmen müsse, so ist das methodisch ungerechtfertigt. Das Ergebnis der philologischen Untersuchung muß bei der Erörterung des Formzusammenhangs berücksichtigt werden, denn mindestens in der Frühzeit kann vom Inhalt der Aussage nicht einfach abgesehen werden, auch wenn eine ara-

LIETZMANN, der zwar auch bei späteren Quellen einsetzt und von
dort aus zurückfragt, aber die Entwicklung innerhalb der Liturgie
selbst verfolgt und daher zu einem brauchbareren Ergebnis kommt.
Zwar konnte er auf diesem Wege die spezielle Bedeutung von μαραναθά nicht erhellen, aber er hat gezeigt, daß sie in einem größeren
liturgischen Zusammenhang ihren Platz hat und mit der der Com-
munio vorausgehenden Einlade- und Bußformel fest verbunden ist;
außerdem erkannte er, daß in Did 10,6 ein Responsorium vorliegt,
wobei das ἐλθέτω χάρις καὶ παρελθέτω ὁ κόσμος οὗτος sowie εἴ τις ἅγιός
ἐστιν, ἐρχέσθω· εἴ τις οὐκ ἔστιν, μετανοείτω· μαραναθά vom Liturgen gesprochen wurde, während die Gemeinde im ersten Fall mit ὡσαννὰ
τῷ θεῷ Δαυίδ, im zweiten Fall mit ἀμήν antwortete[1]. Vor allem hat
dann GÜNTHER BORNKAMM durch Vergleiche mit Paralleltexten im
Neuen Testament und in den Apostolischen Vätern weitere wesentliche
Erkenntnisse gewonnen[2]. Die in 1 Kor 16,22 vorliegenden Elemente
der Abendmahlsliturgie lassen sich außer in Did 10,6 auch noch in
Apk 22,12—20 nachweisen[3]. Das bedeutet, daß das ἔρχου κύριε Ἰησοῦ
aus Apk 22,20b gerade auch wegen seines Sitzes im Rahmen des
Herrenmahles zur Erklärung von ‚Maranatha' herangezogen werden
darf. BORNKAMM ist sodann der festen Verbindung des ‚Anathema'
mit der Abendmahlsliturgie nachgegangen und hat gezeigt, daß es
seinen Ursprung in der Zulassung zum Herrenmahl hatte. Denn
während in der traditionsgeschichtlich ältesten Stelle Did 10,6 die
Einladeformel an die gerichtet wird, die ‚heilig' sind, und die übrigen
zur Bekehrung aufgefordert werden, kommt es, wie schon aus 1 Kor 16,
22 hervorgeht, bald zu einem Abwehrspruch, der der Einladung wohl
in der Regel wie in Apk 22,15.17 parallel geht. Dieser Abwehrspruch,
der der Sphäre heiligen Rechtes angehört und keine disziplinarische
Anweisung für eine menschliche Instanz enthält, wird erst in späterer

mäische Formel in die griechische Sprache übernommen ist. Darüber hinaus
wird sich der Formzusammenhang aber auch kaum durch so späte Texte
zutreffend bestimmen lassen.

[1] LIETZMANN, Messe und Herrenmahl, bes. S. 228ff., 230ff. Seine problematische Umstellung von 10,6 innerhalb von Did 9f. mag hier auf sich beruhen.
Jedenfalls ist seine Gliederung dieses Verses überzeugender als die von MARTIN
DIBELIUS, Die Mahlgebete der Didache, in: Botschaft und Geschichte II,
1956, S. 117—127, dort S. 125f., wo μαραναθὰ ἀμήν als Responsorium der Gemeinde angesehen wird; in Did 10,6a liest er mit der koptischen Übersetzung
ἐλθέτω ὁ κύριος. Diese Gliederung ist m. E. auch deswegen unwahrscheinlich,
weil offensichtlich in 1 Kor 16,20b.22ff. nur die Aussagen des Liturgen aufgenommen sind, aber die Responsorien der Gemeinde fehlen (selbst das ἀμήν
am Ende des Briefes fehlt in den wichtigsten Handschriften!).

[2] GÜNTHER BORNKAMM, Das Anathema in der urchristlichen Abendmahlsliturgie, in: Das Ende des Gesetzes (Ges. Aufs. I), 1958², S. 123—132.

[3] In dieser Richtung hatte LOHMEYER, Apk S. 179ff., bes. S. 182, schon
einige Andeutungen gemacht, BORNKAMM hat dies in einen größeren Zusammenhang hineingestellt und im einzelnen erwiesen.

Zeit durch die Bestimmung ersetzt, daß nur Getaufte zum Abendmahl kommen dürfen[1]. Hinzu kam eine andere Verwendung, in der das zum Abendmahl gehörende ‚Anathema' paränetisch auf die Gemeinde selbst angewandt ist, sei es um einem unwürdigen Gebrauch des Mahles zu wehren wie in 1 Kor 11, 27 ff., sei es, um die drohende Gefahr des Abfalls aufzuzeigen wie in Hebr 6, 6; 10, 29; 13, 10, oder sei es — und in diesem Zusammenhang behält das Anathema noch lange seinen festen Platz in Verbindung mit dem Herrenmahl —, um gegen Irrlehre und Falschprophetie Stellung zu nehmen, wie dies Röm 16, 17 ff., den Sendschreiben der Apokalypse, Did 11—13 u. ö. vorliegt[2]. Wesentlicher ist für unseren Zusammenhang die Frage, wieweit auch das ‚Maranatha' über 1 Kor 16, 22; Did 10, 6 und Apk 22, 20 b hinaus nachgewirkt hat. Aufschlußreich ist das $\check{\alpha}\chi\varrho\iota$ $o\check{v}$ $\check{\epsilon}\lambda\vartheta\eta$ von 1 Kor 11, 26 fin., der mit den Einsetzungsworten verbundene eschatologische Ausblick; denn diese Wendung hat, wenn auch nicht mehr in Form eines Gebetsrufes, eine ähnliche Funktion wie das $\mu\alpha\varrho\alpha\nu\alpha\vartheta\acute{\alpha}$ bzw. $\check{\epsilon}\varrho\chi\upsilon$ $\varkappa\acute{\upsilon}\varrho\iota\epsilon$ $^{\prime}I\eta\sigma o\tilde{\upsilon}$[3]. Auch in dem Abschnitt Hebr 13, 10—16, wo unter Verwendung der Abendmahlsterminologie der Stand der Christen außerhalb jeden überkommenen kultischen Bereiches verdeutlicht werden soll, ist in V. 14 ein Ausblick, zwar nicht auf den kommenden Herrn, aber doch auf die $\mu\acute{\epsilon}\lambda\lambda o\upsilon\sigma\alpha$ $\pi\acute{o}\lambda\iota\varsigma$ gegeben. In der mit Recht hier herangezogenen Paränese 1 Clem 34, die starke Anklänge an die eucharistische Liturgie besitzt, ist ebenfalls ein eschatologischer Zug und in V. 3 sogar ein ausdrücklicher Hinweis auf den kommenden Herrn erhalten[4]. In den Sendschreiben der Apokalypse ist im Anschluß an Polemik gegen Irrlehrer zweimal auf das endzeitliche Mahl des Herrn Bezug genommen[5]. Gerade hieraus kann gefolgert werden, daß $\mu\alpha\varrho\alpha\nu\alpha\vartheta\acute{\alpha}$ tatsächlich nur imperativisch verstanden werden darf und die eschatologische Ausrichtung der Mahlfeier kennzeichnet[6]. Obwohl

---

[1] So Did 9, 5; vgl. BORNKAMM, a. a. O. S. 125 f.

[2] Für alle Einzelheiten verweise ich auf BORNKAMM, a. a. O. S. 128 ff.

[3] Vgl. BORNKAMM, a. a. O. S. 129; NEUENZEIT, Herrenmahl S. 120 ff., 221 ff.

[4] Vgl. BORNKAMM, a. a. O. S. 130 f.; GEORG KRETSCHMAR, Studien zur frühchristlichen Trinitätslehre (BHTh 21), 1956, S. 144 ff.

[5] Apk 2, 7. 17. Vgl. auch am Ende der Sendschreiben den Spruch Apk 3, 20 f.; über sein eschatologisches Verständnis vgl. WILHELM BOUSSET, Die Offenbarung Johannis (KrExKommNT XVI), 1906[6], S. 233; HADORN, Apk S. 64, gegen LOHMEYER, Apk S. 39. Hierzu im übrigen BORNKAMM, a. a. O. S. 127.

[6] Wie stark das Anathema und das Maranatha miteinander verkoppelt waren und wie deutlich sich diese Verbindung noch später erhalten hat, geht aus folgender Beobachtung hervor. Wie BORNKAMM, a. a. O. S. 127, gezeigt hat, ist Eigenart und Stellung der Verwerfung der Irrlehrer und Lügenpropheten in Did 11—13 auf das alte Anathema der Abendmahlsliturgie zurückzuführen; andererseits hat DERS., Enderwartung, in: G. BORNKAMM-G. BARTH-H. J. HELD S. 15, darauf hingewiesen, daß dem Aufbau der Bergpredigt und dem Aufriß der Didache ein gemeinsames Schema zugrunde liegt, wobei die

die Gebetsanrede selbst nirgends mehr auftaucht, ist doch allein mit der imperativischen Form ‚Unser Herr komm' die eschatologische Komponente in den hier angeführten Texten zu erklären.

Das bisher gewonnene Ergebnis entspricht nun aber auch dem, was wir über die *älteste Mahlfeier* der palästinischen Urgemeinde wissen. Bei dem festen Platz des ‚Maranatha' in der frühen Abendmahls-liturgie wird man ohne weiteres voraussetzen dürfen, daß es von Anfang an dort verankert war. In der ersten nachösterlichen Zeit ist ein Herrenmahl gefeiert worden, das einen ausgesprochen eschatologi-schen Charakter hatte. Der Blick war in vollem Maße auf die noch ausstehende Heilsvollendung gerichtet. Auf Grund dieser Erkenntnis stellen sich schwierige traditionsgeschichtliche Probleme. LIETZMANN versuchte, durch Unterscheidung zweier grundsätzlich verschiedener Herrenmahlsfeiern, einer jerusalemischen und einer paulinischen, eine Lösung zu gewinnen[1]. Auch LOHMEYER hat mit zwei ganz verschiede-nen Wurzeln des Abendmahls gerechnet[2]. Aber diese scharfe Trennung zweier im Ansatz verschiedener Typen der Feier hat sich nicht be-währt und ist in der neueren Forschung aufgegeben worden[3]. Offen-sichtlich haben sich doch die verschiedenen Formen auseinander ent-wickelt, wobei die Einzelelemente ein sehr unterschiedliches Gewicht erhielten, zum Teil auch erst im Laufe der Zeit hinzutraten[4]. Zu

---

Warnung vor den falschen Propheten und die Eschatologie am Ende stehen. Daraus läßt sich nun noch eine Folgerung ziehen: Did 16 zeigt, daß es nicht nur um eschatologische Ereignisse im allgemeinen geht, sondern im besonderen um das Kommen des Kyrios (V. 1.7f.). Ebenso wie die Warnung vor Irrlehrern mit dem Anathema, so steht auch dieser eschatologische Ausblick mit dem Maranatha in Verbindung und zeigt die enge, noch lange nachwirkende Zu-sammengehörigkeit.

[1] LIETZMANN, Messe und Herrenmahl S. 249ff. Nach seiner Meinung setzte man in der Jerusalemer Urgemeinde die Tischgemeinschaft Jesu fort, sprach den Brotsegen und trank aus dem Segensbecher, wußte um Jesu Gegenwart und erwartete mit Jauchzen sein Kommen; in den paulinischen Gemeinden knüpfte man dagegen an die letzte Mahlzeit Jesu an und feierte ein Gedächtnis-mahl, wobei die hellenistische Opfervorstellung, auch der Gedanke des neuen Bundes, eine Rolle spielte, jedoch der eschatologische Ausblick nicht fehlte. Er bestreitet nicht die Abhängigkeit bestimmter Einzelmotive voneinander, sieht aber in der Fassung als Totengedächtnismahl einen Sprung und unab-leitbaren Faktor (S. 252ff.). Im übrigen hält er Paulus für den Schöpfer dieses zweiten Typus des Herrenmahls und sieht darin sein Verständnis von ἐγὼ παρέλαβον ἀπὸ τοῦ κυρίου im Sinne der Offenbarung durch den Erhöhten be-stätigt (S. 254f.). Vgl. dazu oben S. 93f.

[2] ERNST LOHMEYER, Vom urchristlichen Abendmahl, ThR NF 9 (1937) S. 168—227. 273—312; 10 (1938) S. 81—99. Er hat einen galiläischen und einen Jerusalemer Typus angenommen; letzterer habe sich zur paulinischen Form des Abendmahles weiterentwickelt.

[3] Vgl. EDUARD SCHWEIZER, Herrenmahl im NT, ThLZ 79 (1954) Sp. 577—596, bes. Sp. 577ff.

[4] Vgl. dazu SCHWEIZER, ThLZ 79 (1954) Sp. 584ff.; DERS., Art. Abendmahl, in: RGG[3] I Sp. 10—21.

beachten ist vor allem, daß die geläufige Kongruenz der Einsetzungsworte erst allmählich gewonnen wurde und daß zudem, wie noch Paulus mit seinem μετὰ τὸ δειπνῆσαι erkennen läßt, Brot- und Weinwort anfangs überhaupt voneinander getrennt waren[1]. Da das letzte Mahl Jesu kaum ein Passamahl gewesen sein wird[2], steht es in sachlicher Beziehung zu seiner regelmäßigen Tischgemeinschaft[3], ist aber im besonderen durch den bevorstehenden Tod[4] und den eschatologischen Ausblick gekennzeichnet[5]. Auf dem eschatologischen Motiv lag zunächst das ganze Gewicht; das Abendmahl war eine Vorwegnahme des Mahles der Endzeit und die eschatologische Freude bestimmte die Feier[6]. Erst schrittweise erhielt dann der Rückblick auf Jesu Tod und auf dessen Heilsbedeutung eine selbständige Stellung, vor allem durch das noch auf palästinischem Boden aufgenommene Motiv der stellvertretenden Sühne und durch den Bundesgedanken[7], ferner durch das Gedächtnismotiv[8].

Diese Skizze mag genügen, da es hier nur auf die Vorrangstellung des eschatologischen Elementes in der frühesten Herrenmahlsfeier ankommt, woraus die besondere *Bedeutung von ‚Maranatha'* erkennbar wird. Auf diesen Zusammenhang ist CULLMANN in seiner Behandlung des Kyriosbegriffs näher eingegangen[9]. Die feste Verwurzelung der Formel in der ältesten Abendmahlsfeier ist ihm deutliches Anzeichen dafür, daß Jesus bereits in der palästinischen Urgemeinde „Gegenstand kultischer Verehrung" war, und er sieht darin die entscheidende Voraussetzung und Brücke zur hellenistischen Christenheit[10]. Aber man wird sich hüten müssen, unter einem allgemeinen Oberbegriff des Kultischen den Gebrauch der Herrenbezeichnung Jesu im palästinischen und hellenistischen Bereich zusammenzufassen und die tief-

---

[1] Vgl. G. BORNKAMM, Herrenmahl und Kirche, a.a.O. S. 150ff.

[2] Anders JEREMIAS, Abendmahlsworte S. 9ff.

[3] Das zeigt vor allem das Motiv des ‚Brotbrechens' innerhalb der Abendmahlstradition.

[4] In diesem Sinne sind die Einsetzungsworte in ihrer ursprünglichsten Gestalt (ohne Bezugnahme auf Passa, Sühne, Bund und Opfer) zu verstehen; doch ist auf dieses schwierige Problem im einzelnen hier nicht einzugehen.

[5] So vor allem Mk 14,25 parr.

[6] Vgl. besonders Act 2,46. Zu diesem Motiv der Freude vgl. RUDOLF BULTMANN, Art. ἀγαλλιάομαι, ThWb I S. 18—20; ferner die umfangreichen, aber für diesen Zusammenhang nicht ganz befriedigenden Untersuchungen bei Bo REICKE, Diakonie, Festfreude und Zelos (Uppsala Universitets Årsskrift 1951/5), 1951, S. 167ff., bes. S. 201ff.

[7] Zu stellvertretender Sühne und Bundesgedanke im Zusammenhang der Abendmahlsworte vgl. Exk. I S. 59ff.

[8] Vgl. das ausführliche Material bei JEREMIAS, Abendmahlsworte S. 229ff.

[9] CULLMANN, Urchristentum und Gottesdienst S. 16f., 17ff. DERS., Christologie S. 211ff.

[10] Vgl. vor allem CULLMANN, Christologie S. 211f.

greifenden inhaltlichen Unterschiede zu nivellieren[1]. Vor allem muß man sich im klaren sein, daß eine „kultische Verehrung Jesu" im strengen Sinne gefaßt zweierlei einschließt: einmal das Erhöhungsmotiv, zum andern die Vorstellung von Jesu göttlichem Wesen, mindestens seiner gottähnlichen Stellung. Beides wird von CULLMANN für die frühe palästinische Gemeinde vorausgesetzt. Ohne die intensive eschatologische Erwartung abzuschwächen, rechnet er bei der ältesten Gemeinde auf Grund der Auferstehungserscheinungen mit dem Bewußtsein der bereits erfolgten Äonenwende und stellt fest, daß das ‚Maranatha' dem ‚Kyrios Jesus' schon ganz nahe komme und so viel bedeuten müsse wie „göttlicher Herrscher"[2]. Doch auf diese Weise ist die Konzeption der hellenistischen Gemeinde in das Denken der frühen palästinischen Christenheit eingetragen[3]. Aussagen über Jesu göttliches Wesen sind in palästinischer Überlieferung jedoch überhaupt nicht gemacht worden, es geht dort um ein Denken in Funktionen. Aber auch die Ansicht, daß bereits die erste Gemeinde die Anschauung vertreten habe, Jesus sei auf Grund der Auferstehung in die himmlische Messiaswürde und Machtstellung eingesetzt worden, läßt sich kaum halten[4]. Zweifellos galt der ältesten Gemeinde das Auferstehungsgeschehen als erstes und bedeutsames Zeichen für den Anbruch der Endereignisse. War von Jesus die unmittelbare Nähe des Heiles verkündigt worden, so hat dies durch Ostern seine Bestätigung erfahren, jetzt kamen die Geschehnisse in Gang und die ganze Erwartung richtete sich auf die unmittelbar bevorstehende Verwirklichung des Gottesreiches. Die Gemeinde lebte nicht in einer „erfüllten Zeit", sondern der Zukunft entgegenharrend. Sie wußte sich in einem eigentümlichen Zwischenzustand, den sie aber nicht als eigene Zeitspanne empfand, sondern als Übergang. Jesus war hinweggenommen, sie mußte seiner vorübergehend entbehren[5]. Das heben auch die Auferstehungserscheinungen nicht auf, denn diese waren, wie die Überlieferung durchweg zeigt, befristet, und die in ihrer Grundstruktur

---

[1] Diese Gefahr taucht schon bei JOHANNES WEISS, Das Urchristentum, 1917, S. 576 (f.) Anm. 2, in seiner Kritik an Boussets These auf; besonders zeigt sie sich bei ADOLF DEISSMANN, Paulus. Eine kultur- und religionsgeschichtliche Skizze, 1925[2], S. (90ff.) 98ff.

[2] CULLMANN, Christologie S. 212f., 219; ferner S. 214: „Christologische Offenbarung über seine gegenwärtige Seinsweise . . . geschah bereits in den ersten gottesdienstlichen Versammlungen der Urgemeinde".

[3] CULLMANN rechnet nicht nur Mk 12,35ff.; Röm 1,3f.; Act 2,36 zur ältesten Tradition, sondern auch Phil 2,6ff. (vgl. Christologie S. 178ff.) im Anschluß an ERNST LOHMEYER, Kyrios Jesus (SAH phil.-hist. Kl. 1927/28 Nr. 4), 1928 = 1961[2], bes. S. 73ff.

[4] Vgl. Exk. II S. 126ff.

[5] Vgl. Act 3,20.21a; Mk 2,19f.; auch den oben herangezogenen Text Mt 25,1ff.

sehr alte Himmelfahrtsgeschichte läßt die Ausrichtung auf die Parusie noch deutlich hervortreten[1]. Es war für das apokalyptische Denken der frühen Gemeinde nicht schwer, diese Übergangszeit von dem Gedanken der eschatologischen ,Wehen' her zu erfassen, wie besonders Mk 13 zeigt, wo die Gemeinde nach V. 9ff. ihren Stand in dem die Heilszeit erst noch heraufführenden Geschehen mit seinen Drangsalen und Anfechtungen hat[2]. Ein in der Erhöhung begründetes gegenwärtiges Handeln Jesu kannte diese Gemeinde noch nicht. Als ,,Ersatz'' war ihr der Gottesgeist gegeben, auch dieser ein Zeichen der Endzeit[3]; erst später ist der Geist mit Jesu himmlischem Wirken in Beziehung gesetzt worden[4]. Diese Geistesgabe machte die Urgemeinde des Anteils am Heil gewiß und ließ sie die schweren Zeiten in dieser vergehenden Welt durchstehen[5]. Daher entschied sich für sie auch alles am Verhalten gegenüber dem göttlichen Geist, wie das Wort von der Lästerung klarmacht, wonach selbst die Ablehnung des irdischen Menschensohnes vergeben wird. nicht aber die Verachtung des Geistes[6]. Nun bietet der Geist, der vornehmlich als ekstatisches Phänomen erfaßt

---

[1] Act 1,9ff., bes. V. 11. Die Anschauung von den 40 Tagen ist selbstverständlich sekundär. HAENCHEN, Apg S. 115ff., will die Himmelfahrtsgeschichte als Abwehr der Naherwartung verstehen und sieht sie im wesentlichen als lukanisch an, doch ist dies m. E. nicht überzeugend; vgl. Exk. II S. 126(f.) Anm. 4.

[2] In Mk 13 liegt noch relativ unversehrt eine alte palästinische Überlieferung vor; in V. 9ff. ist nur V. 10 eingeschoben, wohl um der sich verzögernden Parusie eine positive Begründung zu geben.

[3] Vgl. Act 2,1ff., vor allem auch das der lukanischen Pfingstrede sich nicht spannungslos einfügende Zitat aus Joel 3,1ff.; ferner Act 5,31; 10,44.46. Auch die Wendung ἀπαρχὴ τοῦ πνεύματος Röm 8,23 gehört hierher.

[4] Vgl. vor allem Act 2,33; Paulus redet ganz selbstverständlich vom πνεῦμα Χριστοῦ bzw. πνεῦμα κυρίου.

[5] Vgl. Mk 13,11 und die Parallelfassung der Logienquelle in Mt 10,19f.// Lk 12,11f., wo vom Beistand des Geistes in der Gerichtssituation die Rede ist. Mt hat wegen der Q-Fassung den Mk-Zusammenhang in Mt 24 gekürzt und Mk 13,11 nicht übernommen. Lk hat Mk 13,11 in Lk 21,14f. geändert: das betont christologische ἐγὼ δώσω ὑμῖν στόμα καὶ σοφίαν ist keinesfalls ursprünglich (gegen C. K. BARRETT, The Holy Spirit and the Gospel Tradition, 1947, S. 130ff.); es steht vielmehr im Zusammenhang mit der lukanischen Konzeption, daß der Geist Gottes durch den Erhöhten der Gemeinde gegeben wird (Act 2,33). Statt ,heiliger Geist' Mk 13,11; Lk 12,12 steht Mt 10,20 ausdrücklich τὸ πνεῦμα τοῦ πατρὸς ὑμῶν; mag dies innerhalb des Spruches eine nachträgliche Verdeutlichung sein, so ist doch insofern die ursprüngliche Intention getroffen, als hier die Geistesgabe nicht christologisch verstanden wird. Vgl. noch Mt 7,11//Lk 11,13, wo Mt die ältere Fassung hat, im Lk-Text dagegen als Gabe des himmlischen Vaters statt ἀγαθά das πνεῦμα ἅγιον genannt wird; der Sache nach ist dies nicht als spezifisch lukanisch anzusehen, sondern von ihm wohl schon übernommen.

[6] Vgl. Mk 3,28f. sowie die entsprechende Q-Fassung Mt 12,31f.// Lk 12,10; über das Verhältnis der beiden Texte vgl. § 5 S. 299(f.) Anm. 5. Auch Act 5,3 ist hier zu beachten; in dem sekundären zweiten Teil der Ananiaserzählung V. 7ff. ist an Stelle von ψεύσασθαι τὸ πνεῦμα τὸ ἅγιον (V.3) von einem πειράσαι τὸ πνεῦμα κυρίου die Rede (V. 9), was wohl auf den Erhöhten zu beziehen ist; ähnlich ja auch 1 Kor 5,4.

wurde, die Möglichkeit eines gewissen Antizipierens. Im Gottesdienst der Gemeinde wurde das Ende schon in seiner unmittelbaren Nähe und Wirklichkeit erfahren. Aus diesem Grunde konnte allein die Zukünftigkeit des Wirkens Jesu die Existenz der Christen bestimmen, ohne daß seine Gegenwart eigentlich vermißt wurde. Deswegen ist das Argument, daß sich die frühe Gemeinde keinen tatenlos im Himmel weilenden Herrn vorgestellt haben könne, bereits in der Definierung unzutreffend[1]. Da die Zeit bei der glühenden Naherwartung überhaupt noch keine Rolle spielte, war auch die Frage nach der Tätigkeit Jesu in einer solchen Frist nicht aktuell. Eine selbständige Konzeption des gegenwärtigen Wirkens Jesu würde die andringende Nähe des Endes bereits in die Ferne gerückt haben. Die Gegenwärtigkeit Jesu läßt sich auch nicht von den sog. „Erscheinungsmahlzeiten" her erfassen[2]. Hierbei ging es um die Begründung der Gemeinde, um die Erneuerung der Tischgemeinschaft, aber es blieb etwas Außergewöhnliches, Einmaliges, was in dieser Weise nicht wiederholbar war oder irgendwie prolongiert werden konnte, vielmehr ausgerichtet blieb auf das Mahl der Heilszeit. Aus diesen Gründen darf das ‚Maranatha' keinesfalls in dem doppelten Sinn erklärt werden: Herr, komme am Ende zur Aufrichtung deines Reiches! und: Herr, komme schon jetzt, während wir beim Mahl versammelt sind![3]. Und erst recht darf dabei nicht die Herrschaft über die Gemeinde und die Herrschaft über die Welt unterschieden werden[4]. Es handelt sich um einen Gebetsruf der gottesdienstlich versammelten Gemeinde, die das endzeitliche Kommen ihres und aller Welt Herrn herbeifleht und sich der Parusie bereits unmittelbar gegenübergestellt weiß, ohne daß sie den eschatologischen Vorbehalt ihrer Feier aufgegeben hätte. Auf Grund dieser Erwägungen kann entschieden werden, daß das sprachlich mögliche Verständnis von μαραναθά als Perfectum praesens: ‚Unser Herr ist da, ist gegenwärtig' nicht in Frage kommt[5], wie umgekehrt auch die imperativische

---

[1] Gegen E. SCHWEIZER, Erniedrigung und Erhöhung S. 97f.

[2] So CULLMANN, Christologie S. 214f.: „Die ‚Erscheinungsmahlzeiten' ... mußten ja die Urgemeinde dazu anspornen, immer wieder die Gegenwart des Herrn zu erleben, wenn auch nicht in so handgreiflicher Weise, wie dies während jener ‚vierzig Tage' nach Ostern geschehen war."

[3] CULLMANN, Christologie S. 218; auch wenn hinzugesagt wird, daß diese theologisch-theoretische Unterscheidung der Gemeinde nicht bewußt gewesen sei, ist diese Interpretation unzulässig.

[4] A. a. O. S. 218f.

[5] Zu dieser Möglichkeit der Deutung des aramäischen Wortlauts vgl. KUHN, ThWb IV S. 472f. Unter keinen Umständen darf man mit JOHANNES WEISS, 1 Kor S. 387, מָרַן אֲתָא mit ‚unser Herr kommt' übersetzen und als Parallele dazu ὁ κύριος ἐγγύς Phil 4,5 anführen; ähnlich interpretiert ADOLF SCHLATTER, Paulus, der Bote Jesu. Eine Deutung seiner Briefe an die Korinther, 1934 (1956²) S. 460. Ein solches Perfectum propheticum ist im Aramäischen

Fassung ihren streng eschatologischen Bezug behalten muß[1]. Ein perfektisches Verständnis hat sich erst in der alten Kirche durchgesetzt und ist durch die Wandlungen in der Christologie und dem Sakramentsverständnis bedingt[2]. Nun wird man allerdings zugestehen müssen, daß das enthusiastische Antizipieren des endzeitlichen Kommens den Boden für die Erhöhungsvorstellung bereitet hat, die mit dem Bewußtwerden der Parusieverzögerung nicht sogleich, aber doch bald entfaltet wurde. Um einer klaren Differenzierung willen wird man im Blick auf die frühe palästinische Tradition von einer „kultischen Verehrung" Jesu jedoch nicht sprechen dürfen, unbeschadet der Tatsache, daß die Bitte um das eschatologische Kommen des Herrn im kultischen Rahmen ihren festen Sitz hatte. Die Gemeinde bleibt an den irdischen Herrn gebunden und ist ausgerichtet auf sein endzeitliches Erscheinen. Die Auferstehung ist Unterpfand der eschatologischen Wirklichkeit und Funktion Jesu, impliziert aber nicht die Anschauung der Erhöhung und Gegenwärtigkeit und ebensowenig die seiner wesenhaften Göttlichkeit. — Von diesen Erwägungen her müssen auch Bedenken gegen die von EDUARD SCHWEIZER vertretenen Thesen erhoben werden. Mit Recht hat er das Nachfolgemotiv für die nachösterliche Gemeinde betont, was sich ja nicht nur an der Herrenbezeichnung, sondern ebenso an der Bezeichnung ‚Meister' deutlich machen läßt. Auf der andern Seite verbindet er aber damit auf Grund der Osterereignisse die Vorstellung von der Erhöhung des leidenden Gerechten und die Anrufung Jesu ist für ihn von Anfang an Anrufung des Erhöhten, des Herrn der Gemeinde, desjenigen, „der sie leitet, schützt, zurechtweist, vielleicht sogar in den Tod schickt, der mit ihr geht durch alle Nöte und Angriffe, bis er sie im Gottesreich als die zu ihm Gehörenden empfängt"; nur die göttliche Natur spiele noch keine Rolle, ebensowenig die Frage nach der Anteilhabe an Jesu bereits vollzogenem Heilswerk[3]. Wenn er auch nicht ganz so weit wie Cullmann geht, so ist doch die Eigenständigkeit der palästinischen Tradition ebenfalls überdeckt[4].

Die *Nachwirkung dieser palästinischen Tradition* zeigt sich in mehrfacher Hinsicht. Denn obwohl die Suffixe in griechischem Sprach-

nicht gebräuchlich; vgl. KUHN, ThWb IV S. 472 mit Anm. 29. Eher darf umgekehrt gefragt werden, ob nicht in Phil 3,4f. das futurisch verstandene ‚Maranatha' nachwirkt.

[1] Gegen CULLMANN, Christologie S. 218f.

[2] So ist die koptische Wiedergabe von ‚Maranatha' in Did 10,6 zu beurteilen; vgl. außerdem die ältesten patristischen Belege bei THEODOR ZAHN, Einleitung in das Neue Testament I, 1906³, S. 216.

[3] Vgl. EDUARD SCHWEIZER, EvTh 17 (1957) bes. S. 10ff., das Zitat dort S. 13; auch DERS., Erniedrigung und Erhöhung S. 93ff.

[4] Es bleibt hier noch offen, wie es mit der Anwendung von ὁ κύριος auf den Auferstandenen steht. Vgl. u. S. 123f.

gebrauch gerne abgestoßen wurden, wie allein die Wiedergabe des ‚Maranatha' in Apk 22,20b erkennen läßt, ist in vielen Fällen ‚unser Herr' erhalten geblieben. In der ältesten Überlieferung war es Anrede gewesen, nun wird es in der Aussage gebraucht. *ὁ κύριος ἡμῶν* ist wohl vornehmlich durch den liturgischen Gebrauch bestimmt. Das ist deswegen zu vermuten, weil es meist in stark formelhaften Wendungen vorkommt[1], vor allem in den Praeskripten, Prooemien und Postskripten der neutestamentlichen Briefe[2]. Ebenso aufschlußreich wie dieser Sprachgebrauch, wobei ältere Anschauung weitgehend unbewußt nachwirkt, ist die Verwendung von *ὁ κύριος ἡμῶν* und von *ὁ κύριος* oder *ὁ κύριος Ἰησοῦς* in Sachzusammenhängen, in denen die Herrenbezeichnung Jesu schon in palästinischer Tradition ihren Platz hatte. Dies zeigt sich bei Paulus bei den Parusieaussagen, in denen fast regelmäßig der Kyriostitel auftaucht[3], aber auch im Zusammenhang mit der Anrufung des Herrn[4], ferner in Aussagen über das Herrenmahl[5]. Selbstverständlich haben sich jüngere Elemente mit all dem verbunden, und es liegen noch sehr andere Verwendungsarten vor, dennoch ist die alte Struktur der Kyriosvorstellung nicht einfach überdeckt, sondern wirkt kräftig nach. Dies um so mehr, als die Menschensohnkonzeption auf hellenistischem Boden weitgehend nicht übernommen wurde, die eschatologisch verstandene Messianität Jesu auch keine entscheidende Rolle mehr besaß und die endzeitlichen Aussagen nun vornehmlich mit dem Kyriostitel verbunden blieben.

Ein auf das endzeitliche Wirken Jesu bezogenes absolutes *ὁ κύριος* findet sich in zwei jüngeren Gleichnissen. Das Gleichnis von den anvertrauten Geldern Mt 25,14—30 ist Lk 19,11—27 durch Kombination mit einem anderen Gleichnismotiv sekundär umgestaltet; Matthäus hat die relativ ursprünglichere Form, aber auch bei ihm sind Zusätze zu erkennen. Das Gleichnis war zunächst nicht auf Jesus bezogen; erst mit V. 21 fin. 23 fin. 30 sind Interpretamente hinzu-

---

[1] Vgl. nur bei Paulus *ὁ κύριος ἡμῶν Ἰησοῦς* Röm 4,24; 1 Kor 5,4b; 9,1b u. ö.; *ὁ κύριος ἡμῶν Χριστός* Röm 16,18; *ὁ κύριος ἡμῶν Ἰησοῦς Χριστός* Röm 1,4 fin.; 15,6; 1 Kor 1,9.10 u. ö.; ferner die Wendung in 1 Kor 1,2 *οἱ ἐπικαλούμενοι τὸ ὄνομα τοῦ κυρίου ἡμῶν Ἰησοῦ Χριστοῦ*.

[2] Vgl. Röm 15,30; 16,18.20b; 1 Kor 1,9 (vgl. auch 15,57); 2 Kor 1,3; Gal 6,18; 1 Thess 1,3; 5,28 u. ö. Allerdings steht in diesem Zusammenhang auch das absolute *ὁ κύριος*. Vgl. noch ERNST LOHMEYER, Briefliche Grußüberschriften, in: Probleme paulinischer Theologie, 1954, S. 9—29, dort S. 17 ff., bes. S. 21 ff.

[3] Mit *ὁ κύριος ἡμῶν* 1 Thess 1,3; 2,19; 3,13; 5,23; 1 Kor 1,7.8; 2 Kor 1,14; Phil 3,20; mit *ὁ κύριος* bzw. *ὁ κύριος Ἰησοῦς* 1 Thess 4,15.16.17; 5,2; 1 Kor 4,4 f.; 5,5; 2 Kor 10,17 f.; Phil 4,5. Vgl. dazu FOERSTER, Herr ist Jesus S. 138 ff., der aber diese Aussagen einseitig aus dem Dienstgedanken interpretiert.

[4] Vgl. außer 1 Kor 1,2b noch Röm 10,12.13 (AT-Zitat!); 2 Kor 12,8.

[5] 1 Kor 10,21 f.; 11,27.31 f. (16,22); auch 11,20: *κυριακὸν δεῖπνον*. Anders dort, wo Paulus an die *σῶμα Χριστοῦ*-Vorstellung anknüpft.

gekommen, wodurch es eine eindeutige Anwendung auf Jesus als den Weltenrichter erhielt[1]. Das gleiche gilt für das in der synoptischen Tradition bereits stark zersagte Gleichnis vom Türhüter Mk 13, 33—37 samt Parallelen, auf dessen Einzelanalyse hier nicht eingegangen werden braucht[2]. Daß der Hausherr in Mk 13,35 Jesus ist, ist offenkundig, und in Mt 24,42 heißt es sogar: ὁ κύριος ὑμῶν.

Überblickt man das herangezogene Material, so steht außer Zweifel, daß die Kyriosprädikation der hellenistischen Gemeinde nicht nur eine Vorgeschichte im palästinischen Bereich gehabt hat, sondern von der dortigen Christenheit in wichtigen Punkten bereits eine feste, geprägte Vorstellung übernahm, die auch später nicht preisgegeben wurde. Das schließt nicht aus, daß sich andererseits die alte palästinische Konzeption von der hellenistischen grundsätzlich unterscheidet, da später dominierende Elemente dort noch gänzlich fehlen.

Beachtenswert ist, daß die Herrenanrede Jesu und die spätere titulare *Herrenbezeichnung* nicht einer bestimmten Erlösererwartung des Judentums entnommen, vielmehr von der Gemeinde selbst *auf Grund des irdischen Wirkens und der Verheißung Jesu ausgebildet* worden sind. Anders als die Menschensohnvorstellung, so selbständig die Gemeinde auch dort vorgegangen ist, hat die Anrufung Jesu als des Herrn ihren Sitz im Leben zudem weniger in lehrhafter Explikation, vielmehr im Gottesdienst, was dann zu Akklamation und Bekenntnis weiterführt. Die frühe Urgemeinde hat nur Schritt um Schritt überkommene Heilbringervorstellungen aufgenommen, zunächst die Menschensohnanschauung, dann die Vorstellung vom Messias[3]. Ihren unmittelbarsten Ausdruck fand die Stellung und Würde Jesu in der Anrufung als ,Herr'. Hier liegen die Wurzeln und das Zentrum der ältesten Christologie. Die im Hinblick auf das irdische Wirken Jesu parallel gebrauchte Meisterbezeichnung leistete das nicht, denn, soweit wir sehen können, ist sie in eschatologische Zusammenhänge nicht aufgenommen worden. Dafür war wohl die Vorstellung von einem jüdischen Lehrer und seinen Schülern zu fest geprägt und bei aller Erweiterung im Sinne bleibender Autorität war eine Übertragung auf das endzeitliche Werk Jesu unangebracht, nicht zuletzt deshalb, weil die eschatologische Vollmacht nicht allein Jesu Gemeinde, sondern die ganze Welt betraf. Mit der Anrede ,mein' bzw. ,unser Herr' war Jesu irdisches und endzeitliches Wirken zusammengefaßt, so daß in der Herren-

---

[1] Vgl. im einzelnen dazu JEREMIAS, Gleichnisse S. 50ff., 144f.

[2] Vgl. JEREMIAS, Gleichnisse S. 45ff.; STROBEL, Verzögerungsproblem S. 222ff.

[3] Diese Übernahme geprägter Anschauungen wird nicht zuletzt durch die missionarische Verkündigung bedingt gewesen sein. Allerdings bot die Menschensohnvorstellung auch einen Anhalt in der Verkündigung Jesu.

bezeichnung schon auf palästinischem Boden eine umfassende Hoheitsaussage beschlossen lag, auch wenn der Erhöhungsgedanke noch fehlte.

*Zusammenfassung*: Die Urgemeinde hat die Herrenbezeichnung Jesu nicht nur im Hinblick auf sein irdisches Wirken ausgebildet, sondern vor allem auch der Hoheit und Vollmacht des Wiederkommenden damit Ausdruck verliehen. Spruchgut und Gleichnistradition der frühen Gemeinde enthalten die Herrenanrede gegenüber dem Weltenrichter. Außerdem wird der Wiedererwartete von der Gemeinde im Gottesdienst mit ‚unser Herr‘ angerufen, wie besonders der aus ältester palästinischer Überlieferung stammende Gebetsruf ‚Maranatha‘ zeigt. Dieser hat seinen festen Platz in der Abendmahlsliturgie und wird dort bisweilen durch einen eschatologischen Ausblick ersetzt. ‚Maranatha‘ kann daher nur imperativisch verstanden werden, die philologisch mögliche Deutung als Perfectum oder Perfectum praesens scheidet aus. Außerdem ist die imperativische Form streng eschatologisch zu interpretieren und nicht als Bitte um das Kommen Jesu bei der Mahlfeier. Die älteste Gemeinde lebt nicht in einer erfüllten Zeit, sondern harrt auf das endzeitliche Kommen ihres Herrn. Wohl ist ihr der Geist als Angeld der Endzeit gegeben und sie vermag die endzeitliche Vollendung schon in einem gewissen Grade zu antizipieren, aber sie kennt noch nicht die Vorstellung von der Erhöhung und der gegenwärtigen Wirksamkeit Jesu. In liturgischer Verwendung hat sich ‚unser Herr‘ lange erhalten, außerdem wird die Herrenbezeichnung im Zusammenhang der Parusie und des Abendmahls auch später noch bevorzugt. Die frühe Gemeinde hat mit dieser Herrenbezeichnung unabhängig von irgendeiner herkömmlichen Erlöseranschauung eine christologische Konzeption entworfen, in der sie irdisches und endzeitliches Wirken Jesu zusammenfassen konnte.

#### 4. *Der Erhöhte als ‚Kyrios‘*

Aus dem bisher Besprochenen ist hervorgegangen, daß die Erhöhungsvorstellung nicht am Anfang der Entwicklung stehen kann, vielmehr eine grundsätzliche und weitreichende Neufassung der Christologie der frühen Gemeinde darstellt. An Hand einer traditionsgeschichtlichen Analyse der Texte, die das Motiv des ‚Sitzens zur Rechten Gottes‘ enthalten[1], läßt sich erkennen, daß die Vorstellung der messianischen Inthronisation auf Grund von Ps 110, 1a sekundär mit einem himmlischen Amt Jesu verbunden wurde, welches ihm im Anschluß an seine Auferstehung verliehen wird, während ursprünglich die Einsetzung in die messianische Würde und die Übertragung der

---

[1] Vgl. im einzelnen dazu Exk. II S. 126 ff.

königlichen Macht zu den endzeitlichen Ereignissen gehörte. Mit Hilfe von Ps 110,1 b (ἕως ἂν θῶ κτλ.) konnte der eschatologische Vorbehalt der Erhöhungsvorstellung und der proleptische Charakter zum Ausdruck gebracht werden. Von Ps 110,1 aus kam es sodann zur Verbindung der Herrenbezeichnung mit dem Erhöhungsmotiv. Hier dürfte geradezu das Einfallstor für die neuartigen Elemente liegen, die den Wandel des Kyriostitels bedingen.

Die Erhöhungsvorstellung ist aus der Anschauung von Jesu endzeitlicher Messianität hervorgewachsen, nicht zuletzt bedingt durch die Parusieverzögerung. Die Herrenbezeichnung war offensichtlich auf palästinischem Boden mit der Vorstellung von Jesu endzeitlicher Messianität noch nicht verbunden, wird nun aber im *hellenistischen Judenchristentum* über Ps 110,1 einbezogen und mit der Prädikation Jesu als ,Messias' ausdrücklich gleichgesetzt. Dies ergibt sich eindeutig aus der Davidssohnfrage *Mk 12,35—37a parr.* Der Text ist bei Markus sicher in seiner ursprünglicheren Fassung erhalten[1]. Lukas hat ihn weitgehend unverändert übernommen; Matthäus hat wohl das Empfinden gehabt. daß der Text in dieser Form nicht voll befriedigt, hat ihm daher durch Umgestaltung der Einleitung den Charakter eines Streitgesprächs gegeben und hat unter Verwendung von Mk 12,34b einen neuen Abschluß angefügt. Markus hat nur διδάσκων ἐν τῷ ἱερῷ hinzugefügt[2], im übrigen aber ein Traditionsstück aufgegriffen. Eingangs- und Schlußfrage zielen auf die Davidssohnschaft, worauf erst in einem späteren Zusammenhang einzugehen ist[3]. Hier ist die Bedeutung des Zitates Ps 110,1 und des Kyriostitels zu klären. V. 36 ist, wie V. 37a a zeigt, als Antwort auf die Eingangsfrage V. 35b verstanden, wird dann aber durch eine neue Frage ergänzt. V. 37a a folgert aus V. 36: αὐτὸς Δαυὶδ λέγει αὐτὸν — sc. τὸν χριστὸν — κύριον. Das bedeutet, daß die Davidssohnprädikation aus ihrer herkömmlichen Gleichsetzung mit dem Messiastitel gelöst und dieser stattdessen mit ,Kyrios' gleichgesetzt wird. Bei ,Messias' und ,Kyrios' handelt es sich um den zur Rechten Gottes inthronisierten Herrscher, für den, wie der aus Ps 110 mitzitierte V. 1b deutlich zu erkennen gibt, die endgültige Unterwerfung der Feinde noch bevorsteht. Die beiden Prädikationen sind somit auf den Erhöhten bezogen. Ein Traditionsstück der palästinischen Gemeinde kann hier nicht vor-

---

[1] Der Versuch von ROBERT PAUL GAGG, Jesus und die Davidssohnfrage. Zur Exegese von Markus 12,35—37, ThZ 7 (1951) S. 18—30, die Mk-Fassung als einen verkürzten Text eines ursprünglichen Streitgesprächs zu betrachten, halte ich ebenso wie die sachliche Interpretation der Perikope für unzutreffend; vgl. zur Kritik § 4 S. 260 Anm. 4.

[2] Wörtlich wiederaufgenommen in Mk 14,49. ,Lehren im Tempel' ist das redaktionelle Leitmotiv für c. 11 und 12 insgesamt, vgl. nur 11,17.27; 12,38a.

[3] Dazu vgl. § 4 S. 259 ff.

liegen, erst recht keine authentische Aussage Jesu. Dagegen sprechen verschiedene Gründe. Schon die Tatsache, daß Jesus die Initiative ergreift und ein Problem der jüdischen Messiasdogmatik aufwirft, ist auffällig; hinzu kommt, daß die Frage unter der Voraussetzung jüdischer Messiaslehre gar nicht zu beantworten ist. Gegen die Echtheit spricht auch das so betont christologische Interesse dieses Überlieferungsstückes, im besonderen das Schwergewicht, das auf die Hoheitstitel fällt. Ferner wird in einer so ausgesprochen spitzfindig schriftgelehrten Art argumentiert, wie wir dies sonst bei Jesus nicht kennen; ohne Anlaß stellt er eine Frage, gibt eine Antwort und stellt daraufhin nochmals eine Frage, deren Antwort erschlossen werden muß. Hier liegt der Niederschlag christologischer Reflexion vor, welche auf apologetische Weise von der Schrift her begründet werden soll, wobei die schon spät-alttestamentliche Anschauung von der davidischen Verfasserschaft von Ps 110 zu Hilfe genommen ist. Daß dieses Überlieferungsstück nicht auf palästinischem Boden entstanden sein kann, ergibt sich einmal schon aus der Erhöhungsvorstellung. Dazu kommt aber auch der sprachliche Befund[1]. Mk 12,36 enthält fast wörtlich den Text der Psalmstelle nach der Septuaginta[2]. Nun könnte dies noch als sekundäre Angleichung angesehen werden. Aber das Gewicht liegt, wie aus V. 37a hervorgeht, im besonderen auf der Herrenbezeichnung; das κύριος nimmt das εἶπεν . . . τῷ κυρίῳ μου des Zitates auf. Dem liegt ein hebräisches אֲדֹנִי zugrunde, was im Alten Testament gelegentlich in der Königsanrede, vor allem in der Verbindung אֲדֹנִי הַמֶּלֶךְ, vorkommt[3]. In der messianischen Terminologie spielt אָדוֹן, אֲדֹנִי keinerlei Rolle. Nun muß ferner berücksichtigt werden, daß bei der Zitierung der Wendung נְאָם יהוה לַאדֹנִי Ps 110,1a zur Zeit Jesu der Jahwename durch אֲדֹנָי ersetzt wurde, weswegen ja אָדוֹן, אֲדֹנִי im allgemeinen Gebrauch weitgehend gemieden wurde. Eine betonte Anwendung gerade des אֲדֹנִי aus Ps 110,1a auf Jesus ist daher kaum denkbar, und mit der Übertragung einer eigentlichen Gottesprädikation auf Jesus war im palästinischen Bereich schon gar nicht zu rechnen. Aber die Übernahme von אֲדֹנִי ist auch deswegen unwahrscheinlich, weil in der Urgemeinde מָרִי schon so früh christologische Bedeutung erlangt hatte. Man müßte dann schon mit DALMAN annehmen, daß in Ps 110,1 ebenso wie יהוה durch אֲדֹנָי so אֲדֹנִי durch

---

[1] Es ist überraschend, wie wenig dieses Problem in den Kommentaren und Monographien berücksichtigt wird.

[2] Ps 109,1 LXX, nur hat Mk ὑποκάτω statt ὑποπόδιον.

[3] So 1Sam 26,17; 2Sam 3,21; 14,22 u. ö. LXX gibt dies entweder mit κύριε βασιλεῦ oder mit ὁ κύριός μου ὁ βασιλεύς wieder.

מָרִי ersetzt gewesen wäre[1] — doch dies ist eine äußerst problematische These. Zwar würde das dann mit der sonstigen Herrenbezeichnung Jesu zusammenstimmen, aber diese war, wie sich im vorigen Abschnitt ergeben hatte, doch eine ganz selbständige Konzeption gewesen und ließ keinen Einfluß der Messianologie erkennen. Zudem bliebe schwer zu sagen, wie die Schlußfrage nach dem Verhältnis von Davidssohn und מָרִי zu beantworten wäre; es bestünde nur die Möglichkeit, sie als unangemessen anzusehen, was aber wiederum nicht damit zusammenstimmen will, daß man Jesu Davidssohnschaft gerade im palästinischen Bereich herausstellte und durch Genealogien zu stützen versuchte[2]. Ganz einfach liegen dagegen die Dinge, wenn man bei der christologischen Anschauung des hellenistischen Judenchristentums einsetzt. Dort treffen zwei Elemente zusammen: die alte, aus palästinischer Tradition übernommene Herrenbezeichnung Jesu, ferner das unter Heranziehung von Ps 110,1 ausgebildete Erhöhungsmotiv. In der Eingangswendung von Ps 110,1 ist deren Verschmelzung geradezu schrifttheologisch begründet, wobei aber nicht der Urtext, sondern die Septuaginta vorausgesetzt ist. Der Kyriostitel hat damit seinen Platz im Zusammenhang der Erhöhungsvorstellung erhalten. Innerhalb des Traditionsgutes des hellenistischen Judenchristentums ist es zudem sinnvoll, den Davidssohntitel von dieser himmlischen Messiaswürde Jesu abzulösen, da er hier eine ganz eigene Ausprägung im Sinne einer vorläufigen, das Erdenwirken Jesu betreffenden Hoheitsstufe erhalten hat. Andererseits wird jetzt die Messiaswürde, wenn auch nur vorübergehend, mit der himmlischen κυριότης Jesu verbunden[3].

Eng mit Mk 12,35ff. ist *Act 2,34—36* verwandt, die einzige weitere Stelle im Neuen Testament, die ein vollständiges Zitat von Ps 110,1 enthält. Bei aller Anerkennung der Selbständigkeit des Lukas in der Gestaltung seiner Reden wird man hier schwerlich bestreiten können, daß er auf eine Tradition zurückgreift, auch wenn man dabei nicht sogleich auf palästinische Überlieferung rekurrieren darf[4]. Die Schrift-

---

[1] Vgl. DALMAN, Worte Jesu S. 270. Dort auch eine Übertragung des ganzen Abschnitts Mk 12,35—37a ins Aramäische. Auch in V. 37a ist מָרִי aufgenommen.

[2] Vgl. § 4 S. 242ff.

[3] LUCIEN CERFAUX, Le titre Kyrios et la dignité royal de Jésus, Recueil Lucien Cerfaux I, 1954, S. 3—63, bes. S. 35ff., 40ff., möchte nachweisen, daß die Herrenbezeichnung von Anfang an im Urchristentum mit der Anschauung von der königlichen Messianität verbunden gewesen sei. Als Beleg zieht er Mk 12,35ff. heran, wo er im Anschluß an Dalman ebenfalls mit der Austauschbarkeit von אֲדֹנִי und מָרִי rechnet. Aber gerade unter seinen Belegen für die Zusammengehörigkeit von Königtum und Herrenbezeichnung (S. 3ff.) findet sich kein einziger Text aus den at. und spätjüdischen Messiasverheißungen.

[4] So in neuerer Zeit vor allem CHARLES HAROLD DODD, The Apostolic Preaching and its Developments, 1944[2] (repr. 1956), S. 22; HAENCHEN, Apg

8*

stelle Ps 110, 1 ist durch die geprägte Wendung ὅτι καὶ κύριον αὐτὸν καὶ χριστὸν ἐποίησεν ὁ θεός in ihrem Sinn klar definiert. Nun ist allerdings jüngst von ULRICH WILCKENS gerade die Formulierung in 2, 36 als spezifisch lukanisch bezeichnet worden[1]. Daß der Kontext in V. 36 von Lukas stammt, steht außer Zweifel; daß αὐτόν darauf bezogen ist und daß die zitierte Wendung sich formal und sachlich ganz glatt einfügt, hebt das Vorhandensein einer alten formelhaften Wendung nicht auf[2]. Ganz ausgeschlossen ist, daß das Nebeneinander von ‚Kyrios' und ‚Christos' von Lukas der Schrift entnommen sei, denn die einzige in Frage kommende Stelle Ps 2, 1 f. kann schon deswegen nicht herangezogen werden, weil ‚Kyrios' dort Gottesbezeichnung ist. Ebensowenig darf unter Berufung auf Act 4, 27 gesagt werden, daß das Christusprädikat und entsprechend die Herrenbezeichnung von der Taufe her, also im Blick auf Jesu irdisches Wirken insgesamt, verstanden werden müßten, was sich auch dadurch nicht stützen läßt, daß 2, 36 als eine zusammenfassende, die ganze Rede abschließende Formulierung angesehen wird[3]. Denn gerade in dieser spezifisch lukanischen Gegenüberstellung ‚Ihr habt ihn . . ., Gott aber hat ihn . . .' bezieht sich die Aussage über Gottes Handeln immer auf die souveräne Machttat nach Jesu Tötung[4]. Zudem ist in V. 36 fin. die Aussage über die Kreuzigung kaum unabsichtlich auf τοῦτον τὸν Ἰησοῦν bezogen. Umgekehrt ist κύριος πάντων in Act 10, 36 sicher eine Aussage über den Erhöhten und in 2, 31 wird ‚Christos' ebenfalls nicht für den Irdischen, sondern für den Auferstandenen gebraucht. Man wird daher WILCKENS' These für Act 2, 36 ablehnen müssen. Dies um so mehr, als sich die Stelle in den bisher besprochenen traditionsgeschichtlichen Zusammenhang ausgezeichnet einfügt. Die Ausbildung der Erhöhungsvorstellung und die Verbindung messianischer Aussagen

S. 150, weist die Aussage zwar der Tradition zu, sagt aber nicht, woher diese stammt.

[1] ULRICH WILCKENS, Die Missionsreden der Apostelgeschichte (WMANT 5), 1961, S. 172 ff.

[2] Das αὐτόν mag von Lukas eingefügt sein, aber sowohl das καί—καί wie die für Lukas in keiner Weise bezeichnende Verwendung von ποιεῖν sprechen im übrigen dafür, daß eine festgeprägte Formulierung aufgenommen ist.

[3] Betrachtet man den Aufbau der ganzen Rede, so ergibt sich, daß der Schluß nach der breiten Entfaltung des Kerygmas zu der Eingangssituation zurückleiten will. Dort ging es um die Geistausgießung und diese ist, wie nun in V. 33 ff. gezeigt werden konnte, in Jesu Erhöhung begründet. Nachdem schon in V. 17 ff. ein Schriftbeweis für die Geistausgießung gegeben war, in V. 22 f. dann das Christuskerygma mit Schriftbeweis für seine Auferstehung entfaltet wurde, wird die in V. 33 erreichte Erhöhungsaussage in V. 34 f. ebenfalls durch einen Schriftbeweis gestützt und in V. 36 nochmals abschließend formuliert, verbunden mit einer Anklage der Juden wegen der Tötung Jesu; auf die Frage der Hörer wird dann von hier aus mit dem Bußruf in V. 38 f. geantwortet.

[4] Vgl. Act 3, 13 ff.; 4, 10; 5, 30; 10, 40. Voranstellung des Gotteshandelns auch in 5, 30.

mit dem Kyriostitel hat sich im Bereich des hellenistischen Judenchristentums vollzogen. Gerade eine so „adoptianische" Aussage wie die in Act 2, 36 ist hierfür bezeichnend, denn das Betonen der in einer Einsetzung beruhenden Herrschaft Jesu ist genuin jüdisch und wäre in dieser Weise im hellenistischen Heidenchristentum kaum möglich.

Man wird konstatieren müssen, daß an den beiden Stellen Mk 12, 35 ff. und Act 2, 34 ff. eine Traditionsstufe erkennbar ist, die den Kyriostitel nicht als ein die göttliche Würde implizierendes Prädikat versteht. Der Unterschied zwischen dem doppelten Kyrios von Ps 110, 1 ist noch festgehalten. Indessen kann nicht übersehen werden, daß Jesus nun, anders als im Bereich der aramäisch sprechenden Gemeinde, Gottes eigene Hoheitsbezeichnung trägt, was notwendig zu Angleichungen führen mußte. Allein die Tatsache der Übersetzung von מָרָן/מָרִי hat also ein Problem entstehen lassen, das der ursprünglichen Herrenbezeichnung Jesu ganz fremd war. Die frühe hellenistisch-judenchristliche Gemeinde mag sich noch so sehr gewehrt haben, Jesu Person und Werk im gottheitlichen Sinne zu verstehen, ein in diese Richtung führendes Gefälle war vorhanden und nicht mehr zu beheben. Gerade das hellenistische Judenchristentum hat, wie wir früher gesehen haben, die alte palästinische Anschauung von Jesu irdischem Wirken, seiner Autorität und Vollmacht, ebenso wie die von Jesu endzeitlichem Herrenamt aufgenommen und weitergeführt. Sie hat den ausgesprochen titularen Gebrauch von ‚Kyrios' in diesem Zusammenhang ausgebildet und darüber hinaus die Erhöhungsvorstellung der alten Konzeption hinzugefügt.

Innerhalb dieses Rahmens, der so fest geprägt war, daß er sich noch lange durchhalten konnte, setzt nun schrittweise der *Einfluß der Septuaginta* ein. Die Gottesbezeichnung κύριος wird in Einzelfällen, später häufiger auf Jesus übertragen, ohne daß dabei natürlich sofort schon an seine Göttlichkeit gedacht ist[1]. Man brauchte nur für die Funktionen Jesu, die mit der Herrenbezeichnung verbunden waren, einige Belege aus der Bibel aufzugreifen, ein für jüdische Denkweise selbstverständliches Vorgehen, um Aussagen, die ehemals auf Gott bezogen waren, jetzt auf Jesus als ‚Kyrios' zu übertragen. Ich beschränke mich auf wenige Beispiele. Das Amt des Weltenrichters war schon in palästinischer Tradition mit Jesu Herrenamt verbunden

---

[1] Der Einfluß der Septuaginta auf den neutestamentlichen Kyriostitel wird vielfach vorausgesetzt, ist aber nirgends umfassend untersucht. Vgl. die wenigen forschungsgeschichtlichen Hinweise bei FOERSTER, Herr ist Jesus S. 37 ff.; er selbst bestreitet den Einfluß der Septuaginta auf den urchristlichen Kyriosbegriff für die apostolische Zeit. Daß es sich nicht um die Übertragung des Gottesnamens der LXX handle, vielmehr durchweg von der Kyriosbezeichnung der Engelmächte auszugehen sei, ist schwerlich zutreffend; gegen MARTIN WERNER, Die Entstehung des christlichen Dogmas, 1954², S. 307 ff.

worden. Nichts lag näher als die Aussage von der ἡμέρα κυρίου auf ihn anzuwenden, ein Vorgang, der auf palästinischem Boden undenkbar gewesen wäre, sich im hellenistischen Bereich aber ohne weiteres nahelegte[1]. Ganz ähnlich konnte auch im Blick auf Jesu irdische Wirksamkeit ein alttestamentliches Zitat mit ‚Kyrios' Anwendung finden. Dies gilt für Jes 40,3, das in Verbindung mit Mal 3,1 am Anfang eines von Markus en bloc aufgenommenen Traditionsstückes über Johannes den Täufer steht[2]. Das ἑτοιμάσατε τὴν ὁδὸν κυρίου konnte einfach übertragen werden, im parallelen Nachsatz mußte allerdings εὐθείας ποιεῖτε τὰς τρίβους τοῦ θεοῦ ἡμῶν in τὰς τρίβους αὐτοῦ geändert werden. Noch ein weiterer charakteristischer Beleg für derartige Anwendung von Septuaginta-Aussagen mit κύριος auf Jesus bietet die Wendung οἱ ἐπικαλούμενοι τὸ ὄνομα τοῦ κυρίου ἡμῶν Ἰησοῦ Χριστοῦ[3]. An zwei Stellen des Neuen Testamentes, in Act 2,21 und Röm 10,13 wird ausdrücklich auf Joel 3,5 Bezug genommen, aber es handelt sich bei dem Anrufen des Namens des Herrn um eine Wendung, wie sie sich in der Septuaginta noch an vielen anderen Stellen findet und durchweg auf Gott ausgerichtet ist[4]. Wohl kannte schon die palästinische Gemeinde den Anruf Jesu und die Bitte um sein Kommen, aber dies war von dem Gebet zu Gott eindeutig geschieden, während sich nun im hellenistischen Bereich bei der *Anrufung des Kyrios* die Grenzen verwischten und Jesus zunehmend in göttlicher Hoheit gesehen wurde[5]. Und das erfolgte sicher auf einer Traditionsstufe, wo mit dem Einfluß der hellenistischen Kulte noch gar nicht zu rechnen

---

[1] Vgl. 1 Kor 5,5; 1 Thess 5,2; 2 Thess 2,2; ausdrücklich christianisiert 1 Kor 1,8; 2 Kor 1,14.

[2] Daß es sich in Mk 1,2—8 nicht, wie üblicherweise angenommen, um eine redaktionelle Komposition des Markus handelt, habe ich im Anhang S. 378 ff. näher begründet. Mal 3,1 ist der ältere Schriftbeleg für den Täufer, der schon in der Q-Tradition Mt 11,10 par. vorkommt, und dann den sehr eng verwandten Spruch Jes 40,3 nach sich gezogen hat, was jedoch erst auf hellenistischem Boden möglich war. Mal 3,1 ist wohl unter dem Einfluß von Ex 23,20a umgeformt; das κατασκευάσει, das sich in Mt 11,10 par. wie in Mk 1,2 findet, ist von der LXX her nicht zu erklären; vgl. KLOSTERMANN, Mk S. 5; STENDAHL, School of St. Matthew S. 49ff.

[3] In dieser Gestalt findet sich die Wendung 1 Kor 1,2; ganz ähnlich aber auch noch Röm 10,12f.; Act 9,14.21; 22,16; 2 Tim 2,22.

[4] Vgl. E. HATCH-H. A. REDPATH, A Concordance to the Septuagint, 1897 (1954²), I S. 521f.; z. B. Gen 12,8; 13,4; 26,25; III Reg 18,24; ψ 115,4.8 (116,13.17).

[5] Das Gesagte gilt auch dann, wenn man daran festhält, daß in neutestamentlicher Zeit das Gebet weitgehend noch an Gott gerichtet bleibt. Immerhin haben wir in 2 Kor 12,8 einen eindeutigen Beleg für das Gebet zu Jesus als Kyrios. Man wird daher das ‚Anrufen der Herrn' kaum eingrenzen dürfen auf Akklamation und Doxologie; natürlich steht dies am Anfang und im Bereich des hellenistischen Judenchristentums sicher im Vordergrund. Vgl. dazu HANS WINDISCH, Der zweite Korintherbrief (KrExKommNT VI), 1924⁹, S. 388f.; BULTMANN, Theologie S. 128f., 130.

ist, vielmehr ist umgekehrt anzunehmen, daß es zu einer Einwirkung seitens der Mysterienkulte wohl hauptsächlich deswegen kam, weil sich eine „kultische Verehrung Jesu" bereits durchgesetzt hatte oder zum mindesten aufs stärkste vorbereitet war. Die Herrenbezeichnung hatte schon in palästinischer Überlieferung ihren festen Platz im Gottesdienst und es ist nicht verwunderlich, daß in der frühen hellenistisch-judenchristlichen Gemeinde die Anrufung des Kyrios eine besondere Rolle spielte. Zwar hat durch die Ausbildung und Verwendung des titularen Gebrauchs von κύριος und durch die Erhöhungsvorstellung die Anschauung auch einen stärker theologisch-lehrhaften Zug erhalten, aber das hebt die gottesdienstliche Bedeutung nicht auf. Im Gegenteil wird man sagen können, daß trotz der Bindung an die messianische Aussage einer himmlischen Inthronisation der Kyriostitel gerade seine Eigenständigkeit und wichtigste Funktion im kultischen Bereich behalten hat. Durch den Erhöhungsgedanken war im besonderen das Wissen um Jesu Gegenwärtigkeit lebendig geworden. Kaum zufällig dürfte in Mt 18,20 ein Wort, für das es mancherlei jüdische Parallelen gibt, in denen von der Gegenwart der Schechina Gottes gesprochen ist, auf Jesus übertragen worden sein, so daß er seine Gegenwart verheißt, wo zwei oder drei in seinem Namen versammelt sind[1]. Ebenso gilt fortan die Verheißung, daß er bei den Seinen ist alle Tage bis an der Welt Ende Mt 28,20b. An diesen gegenwärtigen Herrn richtet sich daher die Akklamation und das *Bekenntnis κύριος Ἰησοῦς*[2]. Wer hier einstimmt, der ist nach 1 Kor 12,3 vom heiligen Geist erfaßt und getrieben[3]. Man wird zu beachten haben, daß auch die älteste Gemeinde vom Geist ergriffen ihre Gottesdienste feierte und die Anrufung des Herrn davon im besonderen geprägt war, aber nun tritt die eschatologische Spannung zurück. Der appellativische Gebrauch von κύριος in Verbindung mit dem Jesusnamen ist in der hellenistischen Gemeinde sicher früh aufgekommen, denn Röm 10,9 wird κύριος Ἰησοῦς als das eine heilbringende Bekenntnis angesehen und in dem Christushymnus Phil 2,11 ist es vorausgesetzt. Die Be-

---

[1] Die rabbinischen Parallelen zu Mt 18,20 bei BILLERBECK I S. 794f. Wenn dieses Wort in seiner christlichen Fassung schon in die palästinische Tradition hineingehört, was m. E. wenig wahrscheinlich ist, so kann es doch erst im Rahmen der Erhöhungsvorstellung seine grundsätzliche Bedeutung erlangt haben. Die Entstehung im frühen hellenistischen Judenchristentum liegt am nächsten.

[2] Zwischen Akklamation und Bekenntnis wird man für die frühe Zeit keine scharfe Grenze ziehen dürfen. Wie 1 Kor 14,23ff. zeigt, soll der bisher Ungläubige durch das Geisteswirken zur Akklamation geführt werden und auf diese Weise bekennen. Paulus versucht hierbei, gewisse Mißbräuche und Gefahren abzuwehren.

[3] Vgl. JOH. WEISS, 1 Kor S. 296f. Auf das ‚Anathema Jesus' ist hier nicht einzugehen.

dingungen dafür waren schon im hellenistischen Judenchristentum gegeben. Aber diese Akklamation konnte mit sehr verschiedenem Inhalt gefüllt werden und war als solche nicht eindeutig fixiert. Was das hellenistische Judenchristentum betrifft, so ist festzuhalten, daß hier ein primär funktionales Denken maßgebend war, wie insbesondere die Gleichsetzung von ‚Kyrios' und ‚Christos' im Zusammenhang der Erhöhungsvorstellung zeigt. Stellung und Würde erhält der im Himmel Inthronisierte von seinem Amt her, die Frage nach seinem Wesen und seiner Göttlichkeit wurde zunächst wohl gar nicht gestellt. Die Übernahme gewisser Aussagen der Septuaginta hebt diese Tatsache nicht ohne weiteres auf, wenngleich nicht bestritten werden soll, daß von daher wie auch von dem kultischen Anruf des Gegenwärtigen her einem zunehmenden Verständnis der Kyriosprädikation im Sinne der Göttlichkeit der Weg gebahnt war.

Im *hellenistischen Heidenchristentum* ist es endgültig zu einer Anschauung vom göttlichen Wesen des erhöhten Kyrios gekommen. Die Übergänge sind dabei fließend gewesen und die stärkere Hellenisierung hat umgekehrt sicher zu einer verstärkten Übernahme der Gottesbezeichnung der Septuaginta geführt[1]. Daß auch noch im Heidenchristentum das griechische Alte Testament sehr kräftig eingewirkt hat, wird man kaum bezweifeln können[2]. Erst in diesem Bereich hat aber der Kyriostitel die Ausprägung gefunden, die BOUSSET als kennzeichnend herausgestellt hat. Doch damit liegt nicht ein völliger Neueinsatz vor, sondern die letzte Ausformung einer langen Entwicklung. Fast noch an der Schwelle des hellenistischen Judenchristentums scheint der zweite Teil des Christushymnus *Phil 2,9—11* zu stehen. Denn betont wird hier an dem Gedanken der Amtseinsetzung festgehalten. Der Kyriosname wird Jesus ‚aus Gnaden geschenkt' (ἐχαρίσατο) und ὑπερυψοῦν hat gerade darin seinen Sinn, daß dem Präexistenten und Erniedrigten in feierlicher Inthronisation durch Gott selbst seine Machtstellung vor aller Welt manifestiert wird[3]. Auf der andern Seite wird aber eine alttestamentliche Stelle auf den Erhöhten

---

[1] BOUSSET, Kyrios Christos S. 101f., will einen Einfluß der LXX auf den Kyriosbegriff überhaupt erst auf Grund der Übernahme des hellenistischen Kultbegriffs anerkennen. Aber die Dinge liegen hier sehr viel komplizierter und auf alle Fälle muß daran festgehalten werden, daß der LXX-Einfluß zunächst einmal dem der Mysterienkulte vorauslief.

[2] Die gegenteilige These von WALTER BAUER, Der Wortgottesdienst der ältesten Christen (Sammlung gemeinverständlicher Vorträge 148), 1930, S. 19f., 39ff., ist nicht überzeugend.

[3] Vgl. dazu GÜNTHER BORNKAMM, Zum Verständnis des Christus-Hymnus Phil 2,6—11, in: Studien zu Antike und Urchristentum (Ges. Aufs. II), 1959, S. 177—187, bes. S. 183; ferner ERNST KÄSEMANN, Kritische Analyse von Phil 2,5—11, in: Exegetische Versuche und Besinnungen I, 1960, S. 51—95, bes. S. 82ff. E. SCHWEIZER, Erniedrigung und Erhöhung S. 66 Anm. 286, bestreitet zu Unrecht die Eigenbedeutung des ὑπερ-.

übertragen, die ursprünglich von der Einzigkeit Gottes als des Kyrios sprach[1]. Die dort allein Gott gebührende Verehrung und Exhomologese wird auf Jesus übertragen. „Hier ist die προσκύνησις Jesu bereits angedeutet."[2] In der Tat wird man von einer Anbetung Jesu zu reden haben. Ihm als dem Erhöhten ist Gottes eigener Name, ,der über alle Namen ist', übertragen, und die Mächte der Welt müssen ihm untertan sein[3]. Dabei ist an die Geistermächte als Herrscher über die drei Bereiche alles Bestehenden zu denken[4]. Jesus ist als κύριος der göttliche Herr über alle Welt[5]. Aber nicht nur das die Proskynese andeutende Jesajazitat und die Tatsache, daß Gott selbst seinen eigenen Namen und damit seine göttliche Würde auf Jesus überträgt[6], sprechen dafür, daß die Göttlichkeit Jesu im eigentlichen Sinne bezeichnet ist, sondern der Zusammenhang des Hymnus im ganzen, wonach Jesus in seiner Präexistenz schon gottgleich war, sich dann entäußerte, aber durch Gott dieser ὑπερύψωσις teilhaftig geworden ist. Die Herkunft des Christushymnus aus der hellenistisch-heidenchristlichen Gemeinde ist von KÄSEMANN an Hand der Begrifflichkeit und Denkweise im einzelnen nachgewiesen worden[7]. Nur von hier aus ist auch zu verstehen, wie stark an dieser Stelle auf Grund der Erhöhung Jesu nicht nur von einer Inthronisation, sondern von der schon tatsächlich verwirklichten Herrschaft gesprochen werden kann[8], so daß der eschatologische Vorbehalt von Ps 110,1b ganz in den Hintergrund getreten ist.

Die weitere Entwicklung im heidenchristlichen Bereich kann nur noch angedeutet werden. Wieweit es zu einem *Einfluß der Mysterienkulte* gekommen ist, müßte vor allem in den Paulusbriefen von Fall zu Fall geprüft werden. Solche Beeinflussung rundweg abzustreiten, ist nicht möglich. Zu deutlich ist ja, daß die jungen Christengemeinden, wie etwa die Korintherbriefe erkennen lassen, unter Umständen in den Strudel des hellenistischen Konventikelwesens hineingerieten und dabei Anschauungen ihrer Umwelt bisweilen bedenkenlos übernommen

---

[1] Jes 45,18—25 stellt eine Überlieferungseinheit dar. Zitiert wird in Phil 2,10f. aus Jes 45,23. Doch vgl. nur den Eingang 45,18: ὄντως λέγει κύριος . . . ἐγώ εἰμι καὶ οὐκ ἔστιν ἔτι (אֲנִי יְהוָה וְאֵין עוֹד).

[2] BOUSSET, Kyrios Christos S. 89 Anm. 3.

[3] Vgl. hierzu besonders LOHMEYER, Kyrios Jesus S. 56ff.

[4] Vgl. DIBELIUS, Phil. S. 79.

[5] Daß hier, wie schon in der Anrede des Weltenrichters in palästinischer Tradition, nicht an den Herrn der Gemeinde, sondern den Herrn der Welt gedacht werden muß, hat ERNST LOHMEYER, Der Brief an die Philipper (KrEx KommNT IX/1), 1953[9], S. 97f., mit Recht nachdrücklich betont.

[6] Vgl. BORNKAMM, a.a.O. S. 183f.

[7] KÄSEMANN, a.a.O. S. 65ff.; BORNKAMM, a.a.O. S. 178 Anm. 3, schließt sich ihm an.

[8] Vgl. dazu KÄSEMANN, a.a.O. S. 86ff.

haben. Auch sonst zeigt die Christologie so mannigfache hellenistische
Elemente, daß eine Beeinflussung des Kyriostitels ebenfalls wahr-
scheinlich ist. Daß die Anrufung des Kyrios in Analogie zu derjenigen
der Kultgottheiten verstanden werden konnte, liegt auf der Hand.
Auch eine Aussage wie Röm 13,14 vom ‚Anziehen des Kyrios Jesus
Christos' läßt sich nur von einem derartigen religionsgeschichtlichen
Hintergrund her erklären[1]. Sosehr das Heidenchristentum bestimmte
Anschauungen und Einflüsse aufnehmen, auch theologisch sachgemäß
verarbeiten konnte, ging es dabei doch nicht ohne eine schroffe
Distanzierung und Auseinandersetzung ab. An 1 Kor 8,5f. ist zu ersehen, wie an einem entscheidenden Punkte des christlichen Kyriosbegriffs keine Konzession geduldet wurde. Jesus ist nicht einer unter
den vielen κύριοι, sondern der eine κύριος und Herrscher über alle Welt,
was hier sogar damit begründet wird — und diese Aussage geht noch
über Phil 2,9ff. hinaus —, daß er sein Herrenamt gegenüber dem
Kosmos schon bei der Schöpfung innehatte[2]. Auch in der Bekenntnisformel Eph 4,5 hat das εἷς κύριος seinen festen Platz.

Sehr bald ist es für die Christenheit dann auch zur *Auseinandersetzung mit dem Kaiserkult* gekommen. Die alte These, daß die Kyriosprädikation Jesu überhaupt erst durch die „Kontraststimmung" zum
Kaiserkult ausgeformt worden sei, läßt sich nicht halten[3]. „Wir
würden das Wesentliche der christlichen Botschaft nicht verstehen,
wenn wir sie in ihrem Ursprung und Grund von dieser Antithese zum
politischen Reichs- und Kaisermythos ableiten wollten. Von diesem
Gegenüber hat sie nicht ihre Konturen empfangen, sosehr sie sich in
diesem Gegenüber bewährt hat"[4]. Die furchtbare Not, die noch im
1. Jahrhundert durch die Verfolgungen entstanden ist, hat sich in der

---

[1] Vgl. OdSal 33,12. Dazu ERNST KÄSEMANN, Leib und Leib Christi (BHTh 9),
1933, bes. S. 87ff.; HEINRICH SCHLIER, Der Brief an die Galater (KrExKomm
NT VII), 1949[10], S. 128ff.; OTTO MICHEL, Der Brief an die Römer (ebd. IV),
1955[10], S. 294f.

[2] Vgl. die ausführliche Behandlung dieser Stelle bei JOH. WEISS, 1 Kor
S. 219ff.

[3] So z. B. noch ADOLF DEISSMANN, Licht vom Osten, 1923[4], S. 287ff.,
der zwar eine ältere Vorgeschichte dieser Christusbezeichnung zugesteht, aber
doch damit rechnet, daß auf hellenistischem Boden das Bestreben geherrscht
habe, gerade die auf den vergöttlichten Kaiser angewandten Kultworte für
Christus zu reservieren, weswegen besonders der Kyriostitel immer in Antithese
zur Herrscherverehrung gebraucht worden sei. ERNST LOHMEYER, Christuskult
und Kaiserkult (Sammlung gemeinverständl. Vorträge 90), 1919, bes. S. 23ff.,
37ff., nimmt eine parallele Entwicklung aus gleichen Wurzeln an, keine unmittelbare Abhängigkeit, aber er geht doch zu weit, wenn er von den gleichen
zentralen Gedanken aus die Ähnlichkeit und Gegensätzlichkeit zwischen beiden
Kulten zu bestimmen sucht.

[4] GÜNTHER BORNKAMM, Christus und die Welt in der urchristlichen Botschaft, in: Das Ende des Gesetzes (Ges. Aufs. I), 1958[2], S. 157—172, dort S. 165.

Apokalypse Johannis niedergeschlagen[1]. Obwohl dort ‚Kyrios' weitgehend noch als Gottesbezeichnung Verwendung gefunden hat, ist an zwei zentralen Stellen von Jesus als dem κύριος κυρίων καὶ βασιλεὺς βασιλέων gesprochen[2]. Für die Gemeinde ging es um das Festhalten am Bekenntnis zum κύριος Ἰησοῦς im Gegensatz zu dem κύριος Καῖσαρ des Herrscherkultes, wie auch die Märtyrerakten eindrücklich zeigen[3].

Abschließend muß noch eine Frage aufgenommen werden, die bisher zurückgestellt war: Wie steht es mit der Verwendung von ‚Kyrios' in den Auferstehungserzählungen? Könnte dies nicht Anzeichen dafür sein, daß die Prädikation primär dem *Auferstandenen* zukam?[4] Am ehesten scheint das Johannesevangelium diesen Schluß nahezulegen, denn während das absolute ὁ κύριος in den ersten 19 Kapiteln sehr selten ist, kommt es in den beiden Kapiteln 20 und 21 überraschend häufig vor[5]. Markus und Matthäus haben den Kyriostitel in ihren Ostererzählungen nicht; nur Lukas bringt ihn an zwei Stellen[6]. Das Vorherrschen in Joh 20f. im Vergleich zu den Synoptikern kann nicht ausschließlich auf die Absicht des Evangelisten bzw. des Redaktors zurückgeführt werden, sondern ist durch das Traditionsgut bedingt, wie dies auch in Lk 24 der Fall ist. Aber von einer ursprünglichen traditionsgeschichtlichen Verwurzelung des Kyriostitels in den Osterberichten kann keine Rede sein. Doch müssen die einzelnen Belege geprüft werden. Wie wenig an ein Hoheitsprädikat speziell des Auferstandenen gedacht ist, zeigen zunächst schon Lk 24,2 und Joh 20, 2.13, wo die Frauen den Gestorbenen und Begrabenen suchen. Auch in Lk 24,34 liegt in der Formulierung ὄντως ἠγέρθη ὁ κύριος der Ton auf der Auferstehungstatsache, so daß umgekehrt ὁ κύριος Bezeichnung des irdischen Jesus sein muß. Ähnlich wird auch in dem Überlieferungsstück Joh 20,19—23 auf den irdischen Jesus zurückgewiesen, zumal es gerade um die Identität des Auferstandenen mit dem Irdischen geht, ὁ κύριος im Wechsel mit ὁ Ἰησοῦς gebraucht wird, und zwar in dem Augenblick, wo berichtet ist, daß die Jünger ihn erkennen. Ebenso ist Joh 20,25, aber auch 20,18 zu verstehen. Fast noch deut-

---

[1] Vgl. zu diesem Aspekt besonders ROLAND SCHÜTZ, Die Offenbarung des Johannes und Kaiser Domitian (FRLANT NF 32), 1933, bes. S. 26ff., 33ff.

[2] Apk 17,14; 19,16. Es handelt sich ursprünglich um die Titulatur der orientalischen Großkönige. Als Gottesprädikat findet sich diese Bezeichnung 1 Tim 6,15; vgl. dazu MARTIN DIBELIUS - HANS CONZELMANN, Die Pastoralbriefe (HbNT 13), 1955[3], S. 68f. Sonst ist außer ἔρχου κύριε Ἰησοῦ Apk 22,20b und der Grußformel 22,21 nur noch in 11,8 und 14,13 ein auf Christus bezogenes, aber unbetontes ‚Kyrios' gebraucht.

[3] Vgl. nur MartPol 8,2; Passio Sanctorum Scilitanorum 5f.

[4] So besonders TAYLOR, Names of Jesus S. 41, 49ff.

[5] Joh 20,2.13.18.20.25.28; 21,7 (bis).12. In Joh 20,13.28 steht ὁ κύριός μου, sonst ὁ κύριος. Hinzu kommt noch die Anrede κύριε in 21,15.16.17.20.21.

[6] Lk 24,3.34.

licher liegen die Dinge in 21,7 (bis). 12, denn mit ὁ κύριός ἐστιν wird ausdrücklich das Wiedererkennen zum Ausdruck gebracht. In allen diesen Fällen liegt Traditionsgut vor[1], das seine Prägung in jener Überlieferungsschicht erhalten hat, die von dem irdischen Jesus als ,Herrn' sprach[2]. Aber umgekehrt war nun der Evangelist Johannes mit dieser Anschauung nicht zufrieden. Er hat dem Kyriosprädikat durch das Bekenntnis des Thomas in 20,28 ein sehr anderes Gewicht und eine wesentlich weiterreichende Bedeutung verliehen: ὁ κύριός μου καὶ ὁ θεός μου. Hier ist in letzter Konsequenz ausgesprochen, was im Blick auf den Erhöhten schon in Phil 2,9 ff. anklingt und dem Denken des hellenistischen Heidenchristentums letztlich immer zugrunde liegt; daß dies im Johannesevangelium in einem größeren, sehr sorgsam durchdachten christologischen Gefüge steht, ist allein vom Prolog her gut zu erkennen[3]. In dem sekundären Markusschluß hat sich 16,19f. ein Joh 20,28 mindestens ähnlicher Gebrauch der Kyriosbezeichnung niedergeschlagen; hier wird der Titel tatsächlich in erster Linie von Auferstehung und Erhöhung her gefaßt, doch ist dies eine späte Ausprägung, die keinesfalls zum Ausgangspunkt genommen werden darf[4]. Interessanterweise hat die Anschauung von der Göttlichkeit des Kyrios schließlich auch die Darstellung des irdischen Wirkens Jesu bestimmt, wie an der Behandlung der Kyrie-Anrede im Matthäusevangelium zu ersehen war[5].

*Zusammenfassung*: Die entscheidende Neufassung des Kyriosbegriffs auf hellenistischem Boden ergab sich durch den Erhöhungsgedanken. Die Messiasvorstellung wurde auf ein eigenständiges himmlisches Amt Jesu übertragen und der Kyriostitel auf Grund von Ps 110,1 hiermit verbunden. Von da aus erklärt es sich, daß die κυριότης des Erhöhten im hellenistischen Judenchristentum ausgesprochen adoptianisch und funktional verstanden wurde. An die

---

[1] Für die Belegstellen in Joh 20 wird dies auch von BULTMANN, Joh S. 528 ff., 534 ff., vorausgesetzt, für 20,2 wenigstens so, daß er mit einer redaktionellen Formulierung im Anschluß an das Quellenstück V. 13 rechnet (S. 530 Anm. 2). In c. 21 sieht er dagegen V. 7 als eine redaktionelle Zutat an (S. 545); dies mag, was die Erwähnung des Lieblingsjüngers betrifft, richtig sein, doch ist der Vers sonst sicher überkommen.

[2] Ebenso ist die Kyrie-Anrede in Joh 21,15 ff. zu verstehen.

[3] Vgl. STRATHMANN, Joh S. 259; CULLMANN, Christologie S. 239 f., 241 ff.; auch RUDOLF BULTMANN, Das christologische Bekenntnis des oekumenischen Rates; in: Glauben und Verstehen II, 1952, S. 246—261.

[4] Wie stark der ganze Markusanhang von jüngeren Anschauungen über den Auferstandenen geprägt ist, zeigt auch das ἐφανερώθη ἐν ἑτέρᾳ μορφῇ in V. 12.

[5] Die starke heidenchristliche Komponente im Matthäusevangelium darf über den judenchristlichen Tendenzen keinesfalls übersehen werden. Mit guten Gründen hat KILPATRICK, Origins of the Gospel acc. to St. Matthew S. 101 ff., von einer Rejudaisierung gesprochen.

Göttlichkeit Jesu als κύριος wurde zunächst nicht gedacht. Immerhin trug Jesus nun Gottes eigenen Hoheitsnamen und sowohl der Einfluß der Septuaginta als auch die kultische Anrufung des Gegenwärtigen bereiteten zunehmend diese Anschauung vor. Im hellenistischen Heidenchristentum gewann der Kyriostitel dann die fortan beherrschende Ausprägung, die eine Aussage über das göttliche Wesen und die göttliche Würde des Erhöhten impliziert, was schließlich auch im Hinblick auf den Auferstandenen und den Irdischen entfaltet wurde. Ein gewisser Einfluß der Mysterienreligionen ist nicht zu verkennen, doch hat die Christenheit daran festgehalten, daß Jesus nicht einer unter den vielen Kultgöttern, sondern der eine Herr über alle Welt ist, ein Bekenntnis, das die Gemeinde auch gegenüber dem Kaiserkult zu bewähren hatte.

# EXKURS II

## Psalm 110,1 und die Anschauung von der Erhöhung Jesu

Die Erhöhung Jesu wird meist ganz selbstverständlich für die gesamte urchristliche Überlieferung vorausgesetzt; mit traditionsgeschichtlich bedingten Modifikationen wird kaum gerechnet. Nun hat aber TÖDT überzeugend nachgewiesen, daß innerhalb der Menschensohnchristologie eine Erhöhungsvorstellung keinen Raum hat, ihre Verwendung in der ältesten Zeit also mindestens nicht in allen Schichten angenommen werden darf[1]. Umgekehrt hat EDUARD SCHWEIZER von der jüdischen Konzeption der Erhöhung des leidenden Gerechten aus ihren frühzeitigen Gebrauch in der Urgemeinde nachzuweisen versucht[2].

Zur begrifflichen Klärung muß zunächst darauf hingewiesen werden, daß ‚Erhöhung‘ nicht nur das Motiv einer Auffahrt in den Himmel impliziert — dies ist für die Urgemeinde von Ostern bzw. Himmelfahrt an selbstverständlich gewesen —, sondern vornehmlich die auf Grund eines Inthronisationsaktes verliehene besondere Würde und die Einsetzung in eine Machtstellung bezeichnet. Nur wenn der Begriff der Erhöhung in dieser Weise als terminus technicus verstanden wird und klar abgegrenzt bleibt, ist ein brauchbares Ergebnis zu erwarten, wenn nach Ursprung und Ausbildung der Erhöhungsvorstellung gefragt wird[3]. Denn die Auffahrt in den Himmel allein konnte nach alttestamentlichem Vorbild auch als eine Entrückung verstanden werden; und im Zusammenhang der Parusieerwartung bedeutete dies, daß mit einer vorübergehenden Aufnahme Jesu in den Himmel bis zur Übernahme seiner eigentlichen Funktion in der Endzeit gerechnet wurde[4].

---

[1] TÖDT, Menschensohn S. 258 ff.

[2] E. SCHWEIZER, Erniedrigung und Erhöhung bes. S. 60 ff.

[3] Aus diesem Grunde sollte der Begriff der Erhöhung auch ausschließlich auf die besondere himmlische Stellung des auferstandenen Jesus angewandt werden; denn die messianische Komponente dieser Vorstellung muß auf alle Fälle Berücksichtigung erfahren. Das Erhöhtwerden des Erniedrigten, also die Errettung des Gerechten, stellt keine unmittelbare Parallele dar, auch wenn über den erlösten Gerechten gelegentlich geradezu Herrschaftsaussagen gemacht werden können, wie E. SCHWEIZER, a.a.O. S. 38 f., zeigt. Im übrigen muß beachtet werden, daß Aussagen über Jesu Erhöhung in ältester Tradition nicht auftauchen. Vgl. zur Kritik an Schweizers These auch TÖDT, a.a.O. S. 260 f.

[4] Dies ist vor allem an der in § 3 S. 184 ff. ausführlich behandelten Stelle Act 3,20 f. deutlich zu sehen. Aber auch *Mk 2,18—20* ist in diesem Sinne zu

Die Erhöhungsvorstellung ist im Neuen Testament verhältnismäßig leicht zu verfolgen, weil sie durchweg mit einem ganz bestimmten alttestamentlichen Zitat verbunden ist: Ps 110,1 ist zur maßgebenden Aussage über Jesu himmlische Würde und Funktion geworden[1]. Es ist bekanntlich eine der meistgebrauchten alttestamentlichen Schriftstellen in urchristlicher Tradition[2]. Aber es sind drei verschiedene Elemente in ihr enthalten, die eine recht unterschiedliche Verwendung im Neuen Testament aufweisen: Vorrangstellung hat das Motiv vom

---

verstehen; denn V. 19b.20 muß sicher als nachträgliches vaticinium ex eventu betrachtet werden; vgl. ALBERTZ, Streitgespräche S. 8f.; BULTMANN, Syn.Trad. S. 17f.; LOHMEYER, Mk S. 59; JEREMIAS, Art. νυμφίος, ThWb IV S. 1096, 1098. Es muß jedoch beachtet werden, daß V. 19a an diesen Zusatz angeglichen ist, weswegen die ursprüngliche Fassung des Textes nicht mehr genau rekonstruiert werden kann; vgl. WELLHAUSEN, Mk S. 18f.; DIBELIUS, Formgeschichte S. 62f. Daß V. 19b.20 eine sachliche Ergänzung ist, gilt auch dann, wenn man mit KARL TH. SCHÄFER, „... und dann werden sie fasten an jenem Tage" (Mk 2,20 und Parallelen), in: Synoptische Studien (Festschrift für A. Wikenhauser), 1953, S. 124—147, annimmt, daß es nur um eine bildliche Verwendung des Fastens, also um eine Weissagung der Zeit, in der die Gegenwart Jesu entbehrt werden muß, geht; allerdings liegt es im Zusammenhang mit V. 18f. näher, daß auch in V. 20 ein konkretes Fasten gemeint ist. Die Aussage ὅταν ἀπαρθῇ ἀπ᾽ αὐτῶν ὁ νυμφίος bezeichnet jedenfalls, unbeschadet der Verwendung eines einzelnen Bildwortes, die Zeit der Entrückung Jesu ähnlich wie Act 3,20f. in einem bloß negativen Sinn, wozu die Sitte des Trauerfastens ausgezeichnet paßt. Wir werden daher dieses Traditionsstück in seiner jetzigen Form einer sehr frühen palästinischen Überlieferung zuschreiben dürfen; daß es in seinem Grundbestand von V. 18.19a auf Jesus selbst zurückgeführt werden darf, steht außer Zweifel. — Außerdem ist Act 1,9—11 hier zu erwähnen; die Erhöhung spielt in dieser Himmelfahrtsgeschichte keinerlei Rolle, der Blick ist ausschließlich auf die Wiederkehr Jesu gerichtet, wobei wahrscheinlich die Anschauung von dem auf den Wolken kommenden Menschensohn das Vorbild gewesen ist. Diese Erzählung läßt sich nicht so ohne weiteres als eine lukanische Komposition bestimmen, wie dies HAENCHEN, Apg S. 118f., tut; bei aller lukanischen Stilisierung wird man eine ältere Tradition hier nicht bestreiten dürfen.

[1] Ps 110 gehört zu den sog. Königspsalmen und steht daher sachlich in gewisser Beziehung zur späteren Messiasvorstellung. Aus vorisraelitischer Jerusalemer Königstradition ist in V. 4 auch noch ein Element der Anschauung vom Priesterkönig erhalten geblieben. Vgl. bes. HERMANN GUNKEL, Die Psalmen (HdKommAT II/2), 1926, S. 481ff.; HANS-JOACHIM KRAUS, Psalmen (BiblKommAT XV), 1960, II S. 752ff.; zur ursprünglichen Bedeutung des Sitzens zur Rechten Jahwes auch noch v. RAD, ThWb II S. 38 Anm. 9. Über die Verwendung im Spätjudentum vgl. BILLERBECK IV/1 S. 452ff., Exkurs über Ps 110 in der altrabbinischen Literatur; er rechnet mit einer absichtlichen Unterdrückung dieser Belegstelle aus antichristlicher Polemik. Nun wird man sagen müssen, daß die nachweisbare nichtmessianische Anwendung von Ps 110 der ehemaligen at. Bedeutung der Aussagen entspricht; umgekehrt würde es innerhalb der von den Rabbinen festgehaltenen traditionellen Messianologie nicht überraschen, wenn auch dieser Text herangezogen wäre, natürlich nicht im christlichen Sinne einer himmlischen Inthronisation; Belege dafür fehlen allerdings. Das Urchristentum beschränkt sich auf die Verwendung von Ps 110,1, nur der Hebräerbrief zieht im Zusammenhang seiner Hohenpriesterlehre auch V. 4 heran.

[2] WALTER GRUNDMANN, Art. δεξιός, ThWb II S. 37ff., bietet nur das Stellenmaterial, ist traditionsgeschichtlich aber völlig unergiebig.

Sitzen zur Rechten Gottes, das in vielen Belegen auftaucht, ohne daß
sonst noch auf Aussagen von Ps 110,1 Bezug genommen wird[1]; dazu
kommt in zweiter Linie die Wendung Ps 110,1b, wonach dem von
Gott Inthronisierten die endgültige Unterwerfung der Feinde zu-
gesagt wird; nur in einzelnen Fällen wird endlich die Eingangsformel
von Ps 110,1a, welche den Kyriostitel enthält, mitzitiert. Es muß
daher jeweils genau beachtet werden, welche dieser drei Elemente
aus Ps 110,1 aufgegriffen und wie sie verwendet sind.

Das Sitzen Jesu zur Rechten Gottes hat schon in *alter palästinischer
Tradition* eine Rolle gespielt. In der Frage des Hohenpriesters und
Jesu Antwort innerhalb des Verhörs vor dem Hohen Rat *Mk 14,61f.*
liegt eine eigentümliche Verschmelzung der Anschauung vom königlichen Messias und vom Menschensohn vor. Zur Menschensohnkonzeption gehört das Kommen auf den Wolken des Himmels. Die
bezeichnenden Elemente der Messianologie sind die Titel ὁ χριστός und
ὁ υἱὸς τοῦ εὐλογητοῦ, aber auch die Wendung ἐκ δεξιῶν καθήμενος τῆς
δυνάμεως. Die vielerörterte Unanschaulichkeit der Aussage von 14,62
dürfte eben durch diese Verbindung ganz verschiedenartiger christologischer Motive bedingt sein[2]. Entscheidend ist in sachlicher Hinsicht,
daß in diesem Überlieferungsstück das Sitzen zur Rechten Gottes
endzeitlich verstanden ist. Die messianische Inthronisation ist ebenso
wie das Kommen auf den Wolken des Himmels ein eschatologisches
Ereignis; Machtübertragung und Parusie gehören zusammen, beides
spielt sich daher vor den Augen der Welt ab. Wenn Jesus in sein
messianisches Amt eingesetzt wird, dann ist auch der Zeitpunkt gekommen, an dem er als Richter der Welt auftreten wird[3].

Eine eschatologische Verwendung des Motivs vom Sitzen zur
Rechten Gottes wie in Mk 14,61f. findet sich sonst im Neuen Testament nicht mehr. Wir machen die interessante Feststellung, daß dieses
Motiv seine weitreichende Bedeutung überhaupt erst im *Zusammenhang mit der Vorstellung von der ‚Erhöhung' Jesu* gewonnen hat. Daß

---

[1] Daß dieses Motiv gleichwohl mit Ps 110,1 in Zusammenhang steht, ist
eindeutig, da es dafür sonst keinerlei Beziehungspunkte gibt.

[2] Ähnlich liegt es ja auch in Act 7,55f. Aus Ps 110,1 stammt dort nur das
‚zur Rechten Gottes', während das vielumstrittene ‚Stehen' zur Menschensohnvorstellung gehört. Die Erzählungen vom Verhör Jesu vor dem Hohen Rat
und vom Stephanusverhör hängen ohnedies voneinander ab; in Mk 14,62 ist
eine deutlichere Anlehnung an die at. Formulierung gewahrt. Zu Act 7,55f.
und den verschiedenen Auslegungen vgl. HAENCHEN, Apg S. 243 bes. Anm. 2;
TÖDT, Menschensohn S. 274ff.

[3] GRÄSSER, Parusieverzögerung S. 172ff., will nachweisen, daß schon Mk
14,61f. die Vorstellung von der Erhöhung Jesu vorliege; auch OLOF LINTON,
The Trial of Jesus and the Interpretation of Psalm CX, NTSt 7 (1960/61)
S. 258—262, behandelt das Zitat aus Ps 110,1 in Mk 14,62 als Hinweis auf „the
exaltation of Christ to heaven" (S. 260). Aber dies ist, wie im einzelnen noch
bei der Besprechung dieses Textes in § 3 S. 181ff. zu zeigen ist, nicht zutreffend.

die Erhöhungsanschauung in der alten palästinischen Christologie völlig fehlt, ist offensichtlich keine zufällige Lücke in unserer Kenntnis der nur bruchstückhaft erhaltenen ältesten Überlieferung, vielmehr eine sachlich bedingte Gegebenheit. Es kann ja nicht übersehen werden, daß die Ausbildung des Erhöhungsmotives bereits eine tiefgreifende Umgestaltung der Eschatologie voraussetzt[1]. War die Auferstehung Jesu bisher die Vorwegnahme eines Endereignisses und die Himmelfahrt das Zeichen für ein nur vorübergehendes Hinweggenommenwerden des Auferstandenen bis zu seiner siegreichen Wiederkunft, so wurde die Auffahrt zum Himmel jetzt mit dem Inthronisationsakt verbunden und somit dem himmlischen Aufenthalt und Wirken Jesu eine neue und eigenständige Bedeutung zuerkannt[2]. Die alttestamentliche Aussage vom Sitzen zur Rechten Gottes wird zur beherrschenden Kennzeichnung gerade dieser auf Jesus übertragenen himmlischen Stellung und Würde. Jesus hat als der Erhöhte den Platz des Messias an der Rechten Gottes bereits eingenommen und übt sein Herrscheramt im Himmel jetzt schon aus[3]. Hier liegt Traditionsgut der frühen hellenistisch-judenchristlichen Gemeinde vor, was sich auch noch durch andere Indizien bestätigen wird.

Schon in Mk 14,62 ist kein ganz wörtliches Zitat aus Ps 110,1 aβ festzustellen, so eng sich die Aussage an das alttestamentliche Ver-

---

[1] Bei GRÄSSER, a.a.O., ist nicht klar gesehen, daß die Erhöhungsvorstellung gerade durch die bewußte Umformung ehemaliger Parusieaussagen gewonnen worden ist. Er beschränkt sich merkwürdigerweise auf die Behandlung von Mk 14,61f. und hat die zentrale Bedeutung von Ps 110,1 nicht herausgestellt. STROBEL, Verzögerungsproblem S. 1, geht nur der „wohl vor allem im östlichen Raum der Kirche" unter judenchristlichem Einfluß stehenden Verzögerungsthematik und ihrer spätjüdischen Vorgeschichte nach, während „in der Kirche des Westens" die Parusieerwartung weitgehend „außer Kurs gesetzt war zugunsten der österlichen Auferstehungshoffnung, ein Theologumenon, das dem vom griechischen Unsterblichkeitsdenken her kommenden Heidenchristentum mehr lag"; doch sind hier, unbeschadet der reichen Erkenntnis, die wir seiner Untersuchung verdanken, die Grenzlinien recht unzutreffend bestimmt und werden die spezifisch urchristlichen Probleme sowie die im hellenistischen Judenchristentum sich durchsetzenden christologischen Konzeptionen, die von Auferstehung und Erhöhung ausgehen, ohne sich der hellenistischen Unsterblichkeitshoffnung anzugleichen, völlig übersehen. Einige zutreffende, aber nicht klar durchgeführte Beobachtungen bei HANS WERNER BARTSCH, Zum Problem der Parusieverzögerung bei den Synoptikern, EvTh 19 (1959) S. 116—131, bes. S. 125ff.

[2] Daß die Vorstellung einer gegenwärtigen Wirksamkeit des zum Himmel entrückten Jesus in der frühesten palästinischen Gemeinde noch nicht ausgebildet war, ist in § 2 S. 95ff. schon besprochen worden. Es soll allerdings nicht bestritten werden, daß das Wirken des Geistes, das Wissen um die unmittelbare Nähe des Kyrios und die gottesdienstliche Anrufung dazu beigetragen haben, daß eine solche Anschauung vorbereitet wurde. Expliziert hat sie allerdings erst die hellenistisch-judenchristliche Gemeinde.

[3] Unabhängig von einer Bezugnahme auf Ps 110,1 und verbunden mit dem schon stärker hellenistisch verstandenen Kyriostitel ist dies sehr eindrücklich in Phil 2,9—11 dargestellt; vgl. o. § 2 S. 120f.

heißungswort anlehnt. Alle Belege, die die *Wendung vom Sitzen zur Rechten Gottes* in Beziehung auf Jesu Erhöhung aufgreifen, zeigen gleichfalls gewisse Abweichungen vom alttestamentlichen Text, und zwar infolge eines deutlich geprägten Aussagestiles, sei es in Gestalt eines Relativsatzes, einer Partizipialwendung oder einer präteritalen Formulierung[1]. Bisweilen wird das Sitzen zur Rechten Gottes auch ausdrücklich mit dem *Begriff ὑψοῦν* verbunden[2]. An einigen Stellen wird überdies die Aussage über die Auferstehung durch diejenige über Jesu Erhöhung gänzlich ersetzt[3]. Dieser auffällige Tatbestand ist bisweilen so gedeutet worden, daß es sich bei der Erhöhung um ein ganz altes Theologumenon handeln müsse, welches sekundär von der Auferstehungsanschauung verdrängt worden sei[4]. Aber davon kann keine Rede sein. Die Bedeutung der Auferstehung für die älteste Tradition steht außer Frage und kann nicht eingeschränkt werden. Umgekehrt ist es aber sehr wohl verständlich, daß bei der Ausbildung der Erhöhungsvorstellung und der dadurch bedingten Zurückdrängung der eschatologischen Erwartung die Auferstehung ihren ursprünglichen Bezugspunkt verlor[5] und von dem Erhöhungsgedanken in bestimmten Fällen absorbiert werden konnte[6].

---

[1] An Stelle des Imperativs von Ps 110,1aβ steht ὅς ἐστιν Röm 8,34; 1Pt 3,22; eine partizipiale Wendung findet sich Kol 3,1; Eph 1,20; auch Mk 14,62; eine präteritale Aussage Mk 16,19; Hebr 1,3; 8,1; 10,12; 12,2.

[2] Act 2,33; 5,31. Unabhängig vom dem Sitzen zur Rechten Gottes kommt ‚erhöhen' vor allem noch Phil 2,9(ff.) (ὑπερυψοῦν) und im Joh-Ev vor, wo ὑψωθῆναι sachlich mit δοξασθῆναι zusammengehört; vgl. hierzu BULTMANN, Joh S. 110 Anm. 2.

[3] Eindeutig in Ph 2,9ff.; 1Tim 3,16; 1Pt 3,18; Hb 1,4; 2,9f.; 10,12; 12,2 (im Hebr wird nur 13,20 die Auferstehung erwähnt); Joh 3,14; 8,28; 12,32.34 u. ö.

[4] So zuerst andeutungsweise JOHANNES WEISS, Urchristentum S. 19f., 56f.; aufgenommen und eingehend behandelt von GEORG BERTRAM, Die Himmelfahrt Jesu vom Kreuze aus und der Glaube an seine Auferstehung, in: Festgabe für Adolf Deißmann, 1927, S. 187—217. Die Erscheinungen sollen in Verbindung mit der Erhöhungsvorstellung stehen; die volkstümliche Erwartung einer unmittelbaren Aufnahme in den Himmel nach dem Tode (Lk 16,19ff.; 23,43.46; Ph 1,23; 2Kor 5,1ff.) sei der maßgebende Hintergrund; Auferstehung und Himmelfahrt werden demgegenüber als Anschauungen beurteilt, die überhaupt erst im Zusammenhang der Abwehr des Doketismus ausgebildet worden sind. Aber dabei ist weder die Traditionsgeschichte der Auferstehungsaussagen des NT und der Texte über die Aufnahme in den Himmel bzw. über die Erhöhung im Sinne einer Inthronisation zutreffend behandelt, noch ist zwischen der Vorstellung einer unmittelbaren Aufnahme der Verstorbenen in den Himmel und dem Erhöhungsgedanken richtig unterschieden.

[5] Nachdem die Verbindung der Auferstehung mit der Eschatologie gelöst war, sind die Auferstehungsaussagen in einen anderen traditionsgeschichtlichen Zusammenhang gestellt worden und haben neben dem Tod Jesu innerhalb der durch den Christostitel geprägten Passionstradition eine wesentliche neue Bedeutung erlangt; vgl. dazu § 3 S. 193ff.

[6] CHARLES HAROLD DODD, Matthew and Paul, in: New Testament Studies, 1953, S. 53—66, macht S. 56f. im Anschluß an R. H. Lightfoot darauf auf-

Eine völlige Enteschatologisierung war bei der Erhöhungsvorstellung keineswegs beabsichtigt und trat zunächst auch nicht auf. Neben dem Motiv der Himmelsherrschaft wurde die *Erwartung der endzeitlichen Vollendung* durchaus festgehalten. Wenn nicht bei allen Erhöhungsaussagen des Neuen Testamentes, so ist mindestens in einigen sehr bezeichnenden Zusammenhängen der „eschatologische Vorbehalt" unmißverständlich ausgesprochen. Und dafür ist interessanterweise gerade die zweite Zeile von Ps 110,1 herangezogen worden: ἕως ἂν ϑῶ τοὺς ἐχϑρούς σου ὑποκάτω τῶν ποδῶν σου. In Hebr 10, 12f. (vgl. 1,13) tritt dies in einfacher Form auf, sofern es dort um den Ausblick von der Inthronisation zur endgültigen Unterwerfung der Widersacher und damit zur letzten Verwirklichung der Herrschaft Jesu Christi geht. In 1 Kor 15,25—28 ist dieser Gedanke noch weiter ausgeführt: es wird die Herrschaft Jesu als des Erhöhten und Wiederkommenden begrenzt durch die danach einsetzende ewige Gottesherrschaft, aber umgekehrt wird nun gerade hier betont von einer βασιλεία Christi neben der βασιλεία Gottes gesprochen[1].

Daneben ist es auch zur Übernahme der *Eingangswendung von Ps 110,1aα* gekommen. Somit wurde dann der Kyriostitel in einer neuen Weise auf Jesus übertragen und im besonderen mit dem status exaltationis verbunden[2]. Die dadurch ermöglichte vollständige Zitierung von Ps 110,1 liegt in Mk 12,36 parr. und Act 2,34 vor.

Erwähnt werden muß schließlich noch, daß das Neue Testament erkennen läßt, wie es von der Erhöhungsvorstellung her unter Umständen zu einer völligen *Enteschatologisierung* kommen konnte. Mit dem weiterhin maßgebenden Motiv von dem Sitzen zur Rechten Gottes wurde dann nicht mehr Ps 110,1b verbunden, sondern Ps 8,7,

---

merksam, daß die Christophanie in Mt 28,16—20 einen völlig anderen Charakter als die sonstigen Auferstehungserscheinungen hat, weil es hier um „a kind of proleptic παρουσία" gehe: "The Resurrection is for Matthew the moment at which Christ is invested with His Messianic kingship . . .". Hier zeigt sich also, daß einerseits die Erhöhung als ein vorweggenommenes Endzeitgeschehen verstanden, andererseits die Auferstehung Jesu von seiner himmlischen Inthronisation her interpretiert worden ist. Die Auferstehung ist nicht mehr ein erstes Zeichen für die nun anbrechenden Endereignisse und das baldige Kommen Jesu, sondern ist Manifestation seiner himmlischen Herrschaft und ständigen Gegenwart. Über das Inthronisationsschema in Mt 28,18—20 vgl. OTTO MICHEL, Der Abschluß des Matthäusevangeliums, EvTh 10 (1950/51) S. 16—26.

[1] Vgl. auch noch 2 Tim 4,1.18. Dazu KARL LUDWIG SCHMIDT, Art. βασιλεία, ThWb I S. 581f.; OSCAR CULLMANN, Königsherrschaft Christi und Kirche im Neuen Testament (Theol. Studien 10), 1950³, bes. S. 5ff., 11ff.; letzteres eine stark systematisierende Darstellung, bei der die traditionsgeschichtliche Sonderstellung des Motivs der Königsherrschaft Christi nicht genügend berücksichtigt ist.

[2] Gerade die Verwendung des Kyriostitels im Rahmen der Erhöhungsvorstellung weist ebenfalls deutlich darauf hin, daß es sich um Tradition der hellenistisch-judenchristlichen Gemeinde handelt. Vgl. § 2 S. 112 ff.

eine Aussage über die bereits verwirklichte Herrschaft und die tatsächliche Untertänigkeit aller Kreatur[1]. Diese Verbindung von Ps 110,
1 a$\beta$ mit Ps 8,7 und damit die Preisgabe des eschatologischen Vor-
behaltes der Erhöhungsvorstellung ist in Eph 1,20—22 a klar belegt.

Wir kommen zu dem *Ergebnis*, daß das Motiv von der Inthronisation
zur Rechten Gottes anfänglich auf Jesu Wiederkunft und sein Wirken
als Vollender Anwendung fand, während eine selbständige Erhöhungsvorstellung noch völlig fehlte. Diese setzt in gewissem Maße die Erfahrung der Parusieverzögerung voraus, entfaltet umgekehrt aber
auch die Bedeutsamkeit der gegenwärtigen Wirksamkeit des zum
Himmel aufgefahrenen Jesus. Die in der frühen hellenistisch-judenchristlichen Gemeinde ausgebildete Erhöhungsvorstellung hält sich
ziemlich konstant in der weiteren urchristlichen Überlieferung durch,
einerseits durch das Motiv vom Sitzen zur Rechten Gottes, andererseits durch den Ausblick auf die Parusie gekennzeichnet. Außerdem
kommt es zur Verbindung mit dem Kyriostitel (über die Eingangswendung von Ps 110,1), mit dem Begriff ὑψοῦν und zur Ausbildung der
Vorstellung von der βασιλεία Χριστοῦ. Erst in dem deuteropaulinischen
Epheserbrief zeigt sich die völlige Enteschatologisierung und damit
eine erhebliche Umgestaltung des Erhöhungsmotivs.

---

[1] Dieser Psalmvers 8,7 ist im NT ursprünglich nur in eschatologischen Zusammenhängen verwendet worden! Vgl. 1 Kor 15,26f.; Hebr 2,5ff.

# § 3. CHRISTOS

## 1. *Die Vorgeschichte im Alten Testament und Spätjudentum*

Die Messiasvorstellung hat von allen Erwartungen einer Heilsgestalt die älteste und bedeutsamste Vorgeschichte. Sie ist tief im Alten Testament verwurzelt und insofern als genuin biblisch anzusehen. Die prophetischen Messiasverheißungen gründen in der Königsvorstellung Israels. Die ‚Salbung' des Königs hat von Anfang an, wohl durch kanaanäische Vermittlung, eine maßgebende Rolle gespielt[1]. Das Königtum, gegen das sich die alte israelitische Amphiktyonie so lange gewehrt hat, dann aber aus politischer Notwendigkeit doch übernehmen mußte[2], zeigt noch deutlich seinen altorientalischen Hintergrund, ist aber gleichwohl in hohem Maße umgestaltet und vom Jahweglauben angeeignet worden[3]. Während das charismatische

---

[1] Vgl. zu Begriff und Vorstellung HEINRICH WEINEL, משח und seine Derivate, ZAW 18 (1898) S. 1—82; ferner MARTIN NOTH, Amt und Berufung im Alten Testament, in: Gesammelte Studien zum AT (ThBüch 6), 1960², S. 309—333, bes. S. 319ff., wo auf die religionsgeschichtlichen Zusammenhänge mit hurritischem und hethitischem Salbungsbrauch hingewiesen wird, da in Ägypten und Mesopotamien ein solcher Sakralakt fehlt. Die Übertragung der Salbung auf Priester und Prophet ist erst sekundär in Israel vollzogen worden.

[2] Ich verweise nur auf die grundlegende Arbeit von ALBRECHT ALT, Die Staatenbildung in Israel, in: Kleine Schriften zur Geschichte Israels II, 1953, S. 1—65.

[3] Vgl. GERHARD VON RAD, Theologie des Alten Testaments I, 1957, S. 304ff. — Zu der in der neueren englischen und vor allem skandinavischen Forschung vertretenen These, daß mit der Übernahme des Königtums in Israel ein sehr starker Zustrom orientalischer Sakralvorstellungen erfolgt sei, dessen vielfältige Spuren sich im AT noch erkennen ließen, vgl. die zusammenfassende Darstellung von GEO WIDENGREN, Sakrales Königtum im Alten Testament und Judentum, 1955; doch zeigt gerade dieses Buch, wie sehr die at. Belege aus ihrem Kontext herausgerissen sind und die Eigenständigkeit der von Anfang an mit der amphiktyonischen Überlieferung verschmolzenen Königstradition Israels verkannt ist. Vgl. außerdem IVAN ENGNELL, Studies in Divine Kingship in the Ancient Near East, 1943; AUBREY R. JOHNSON, Sacral Kingship in Ancient Israel, 1955; DERS., Hebrew Conceptions of Kingship, in: Myth, Ritual and Kingship ed. S. H. Hooke, 1958, S. 204—235. Zur Kritik vgl. MARTIN NOTH, Gott, König, Volk im Alten Testament. Eine methodologische Auseinandersetzung mit einer gegenwärtigen Forschungsrichtung (1950), Ges. Studien S. 188—229; KARL-HEINZ BERNHARDT, Das Problem der altorientalischen Königsideologie im Alten Testament (Suppl. to VetTest VII), 1961, S. 51f., 91ff., 243ff. und zusammenfassend S. 303ff.; gewisse Zugeständnisse macht KLAUS KOCH, Rez. v. M. Noths Ges. Studien, ThLZ 83 (1958) Sp. 832f.

Königtum des Nordreichs am stärksten die Überlieferungen der vor-
königlichen Zeit bewahrte, hat doch auch das Königtum des Südreiches
spezifisch israelitisches Gepräge erhalten, unbeschadet des Einflusses
alter Jerusalemer Traditionen[1]: die Dynastie ist in der Zusage
Jahwes durch Nathan begründet[2], die alte amphiktyonische Überlieferung mit dem Zion verbunden worden[3] und selbst dem charismatischen Element wurde Raum gegeben[4]. Die herkömmlichen
Elemente des Königsrituals sind dem Jahweglauben eingefügt[5]:
der König wird von Jahwe zum Sohn adoptiert[6], mit der Herrschaft über die ganze von Jahwe geschaffene Welt betraut[7], erhält
die Zusage der Überwindung der Feinde[8] und des fortwährenden

---

[1] Vgl. ALBRECHT ALT, Das Königtum in den Reichen Israel und Juda, in:
Kl. Schriften II S. 116—134.

[2] 2 Sam 7. Dazu ist im einzelnen die literarkritische Analyse von LEONHARD
ROST, Die Überlieferung von der Thronnachfolge Davids (BWANT III/6),
1926, S. 47 ff., zu vergleichen. Bedenken gegen die Bestreitung der Einheitlichkeit bei MARTIN NOTH, David und Israel in 2. Samuel 7, Ges. Studien, 1960[2],
S. 334—345, und ERNST KUTSCH, Die Dynastie von Gottes Gnaden, ZThK 58
(1961) S. 137—153; letzterer betrachtet nur V. 11 b als älteren Kern und V. 12 b.
13 a als späteren Zusatz (S. 144f.). Zur traditionsgeschichtlichen Verwurzelung
der Nathanweissagung vgl. NOTH, a. a. O. S. 339 ff.; zur Frage des gattungsmäßigen Einflusses der ägyptischen Königsnovelle einerseits NOTH, a. a. O.
S. 342 ff., andererseits KUTSCH, a. a. O. S. 151 ff. Daß es sich bei 2 Sam 7 (zus.
mit c. 6) um den Hieros Logos für eine kultische Aktualisierung der Nathan-
verheißung handle, ist wenig wahrscheinlich; gegen HANS-JOACHIM KRAUS,
Gottesdienst in Israel (BEvTh 19), 1954, S. 73 f.

[3] 2 Sam 6. Hierzu vgl. bes. v. RAD, Theol. I S. 53 f.; MARTIN NOTH, Jerusalem und die israelitische Tradition, Ges. Studien S. 172—187.

[4] Eine eigenständige Tradition stellt wohl die Aussage über David als geist-
begabten Sänger dar, wie sie in dem sehr alten Überlieferungsstück der sog.
Letzten Worte Davids 2 Sam 23, 1—7 erwähnt wird (V. 1 f.). Dagegen steht
die Erzählung von der Salbung des jungen David durch Samuel und seiner dadurch erfolgten göttlichen Designation 1 Sam 16 im Bericht über Davids Aufstieg recht isoliert und dürfte eine Angleichung an die entsprechende Erzählung
von Sauls Salbung in 1 Sam 9, 1—10, 16 sein. Auch die vom Krönungsritual her
unmotivierte Mitwirkung des Propheten Nathan bei der Inthronisation Salomos
1 Kg 1, 34. 45 (anders V. 39) wird sekundär ergänzt sein und ist im gleichen
Sinne gemeint.

[5] GERHARD VON RAD, Das judäische Königsritual, in: Gesammelte Studien
zum Alten Testament (ThBüch 8), 1958, S. 205—213.

[6] Vgl. 2 Sam 7, 13f.; Ps 2, 7; 89, 27f.; Jes 9, 5; dazu MARTIN NOTH, Gott,
König, Volk, in: Ges. Studien S. 188—229, dort S. 211 ff., bes. S. 222f.

[7] Ps 2; 18, 44—48; 72, 8—11 u. ö. Dazu HERMANN GUNKEL, Die Psalmen
(HdKommAT II/2), 1926, S. 8 f.; HANS-JOACHIM KRAUS, Psalmen I (BiblKomm
AT XV/1), 1960, S. 14 ff.

[8] Hier finden sich verschiedenartige Aussagen: entweder wird der Sieg durch
das Vorgehen des Königs selbst errungen, dessen Vertrauen auf Jahwes Beistand bisweilen noch betont ist (Ps 2, 8; 18, 32—43; 21, 9—13), oder aber der
König überläßt es Jahwe, die Feinde zu überwinden (Ps 20, 7—9; 110, 1;
1 Sam 2, 10). Dabei spielen die Traditionen des heiligen Krieges eine Rolle, der
ja in späterer Zeit im Sinne eines reinen Wunders verstanden wurde; vgl.
GERHARD VON RAD, Der heilige Krieg im alten Israel, 1952[2], S. 43 ff., 56 ff.

Bestandes seines Königtums[1], und er übernimmt die Aufgabe der Rechtswahrung[2].

Die prophetische Aufgabe Nathans war es — und ähnlich verstand sich wohl auch die spätere Hofprophetie —, im Namen Jahwes die Zusage des Bestandes der königlichen Ordnungen und der davidischen Dynastie zu geben[3]. Aber vom 8. Jh. an wird die Aufgabe der Jahwepropheten eine andere: die Zusage ist verbunden mit einer Gerichtsdrohung; es kommt zur Ankündigung einer Unheilszeit über König und Volk, nach deren Ende das davidische Königtum und Israel erst die Segnungen Jahwes erfahren werden. Es geht also nicht mehr um Bestätigung des Bestandes, sondern um Ankündigung einer Neuverwirklichung der alten Verheißungen. Die Besonderheit dieser prophetischen Weissagungen ist unabhängig davon, ob im Einzelfall von einer innergeschichtlichen oder einer endgeschichtlichen Restitution des davidischen Königtums die Rede ist. Entscheidend ist, daß es um ein neues, noch zukünftiges Heilshandeln Jahwes geht. Wie sich die Struktur von Verheißung und Erfüllung dabei wandelt und wie aus der innergeschichtlichen Weissagung eine endgeschichtliche wird, ist eine beachtenswerte, jedoch untergeordnete Frage[4].

---

[1] Ps 45,7; 89,5.30.37f.

[2] Die Rechtswahrung war in Israel einer eigenen Institution anvertraut und ist erst allmählich auch dem König zuerkannt worden; eine Sonderstellung nahm nur Jerusalem ein, wo die Davididen als Nachfahren der Stadtkönige von Anfang an die Rechtssprechung innehatten. Vor allem in der mesopotamischen Überlieferung wird das Recht vornehmlich als königliche Funktion angesehen; dazu LORENZ DÜRR, Ursprung und Ausbau der israelitisch-jüdischen Heilandserwartung, 1925, S. 74ff. An Texten vgl. Ps 45,5f.; 72,1—7; 1Sam 8,19f., dazu KRAUS, Psalmen I S. 495f. — Von einem priesterlichen Amt des Königs im AT ist abgesehen von Ps 110,4 kaum die Rede; nur das Motiv der ‚freien Bitte‘ des Königs vor Jahwe dürfte aus diesem Bereich stammen, vgl. Ps 2,8a; 20,5; 21,3; 2Kg 3,5ff.

[3] In diesem Sinne ist die Geschichte von der Thronnachfolge Davids erzählt (2Sam 9—20; 1Kg 1f.); vgl. v. RAD, Theol. I S. 309ff.

[4] Vgl. dazu vor allem GERHARD VON RAD, Theologie des Alten Testaments II, 1960, S. 125ff., der von hierher auch die Berechtigung des Begriffes der „eschatologischen" Weissagung bei den Propheten verteidigt: „Freilich, mit der Vorstellung von etwas Endgültigem würde, allein für sich genommen, das Spezifische der prophetischen Verkündigung noch nicht umschrieben sein; es muß das zum Tragen kommen, was man die ‚dualistische Konzeption der Geschichte‘, die Vorstellung von den beiden ‚Zeitaltern‘ genannt hat, einschließlich jenes Bruches, vor dem die große Abbau Jahwes und hinter dem das Neue, von Jahwe Gewirkte liegen" (S. 129). — An die Stelle der göttlichen Treue zu dem Bestehenden trat also die göttliche Treue zur Wahrheit und Unverfälschtheit seiner Zusage. Man wird noch hinzufügen können: konsequent gedacht führte die prophetische Verheißung notwendig über die Vorstellung eines innergeschichtlichen Neuanfangs hinaus und implizierte eigentlich von vornherein die endgeschichtliche Vorstellung. Nicht zufällig dürfte es sein, daß bereits im 8. Jh. gewisse mythologische Züge wie die des Paradiesesfriedens in solchem Zusammenhang auftauchen (vgl. Jes 11,6—8, auch V. 4b, und die Aussage

Der Begriff Messias wird im Alten Testament innerhalb prophetischer Verheißungen einer Neuerrichtung des Königtums nirgends verwendet. Daß gleichwohl von „messianischer" Erwartung gesprochen werden darf, ist schon darin begründet, daß es sich um einen Vorstellungskomplex handelt, der aufs engste mit der Königsvorstellung verbunden ist[1]. Messianische Verheißungen begegnen erstmals bei *Jesaja* und *Micha*[2], lassen sich trotz gelegentlichen Zurücktretens durch die ganze Zeit vor und während des Exils verfolgen, leben in nachexilischer Epoche für eine kurze Zeit neu auf, verlieren dann etwas an Bedeutung, sind aber dennoch bis in späte alttestamentliche Traditionen hinein nachweisbar[3]. Von den jesajanischen Weissagungen zeigt 8, 23—9, 6 am deutlichsten den innergeschichtlichen Horizont

---

über die Herkunft des Herrschers in Mi 5, 1f.). Selbstverständlich ist alle endzeitliche Erwartung in vollem Sinne diesseitig gedacht und der erhoffte König der Heilszeit eine durch und durch menschliche Gestalt.

[1] HUGO GRESSMANN, Der Messias (FRLANT NF 26), 1929, S. 1, meint, es sei wohl nur ein Zufall, daß der Herrscher der Endzeit im AT nirgends ‚Messias' genannt wird. — Auf Grund der häufigen Verwendung dieser Bezeichnung im Rahmen der Königsvorstellung außerhalb eschatologischer Verheißungen kann natürlich erwogen werden, ob das Wort nicht in einem sehr viel weiteren Sinne gebraucht werden müsse; so bezeichnet v. RAD, Theol. I S. 315, die Thematik des deuteronomistischen Geschichtswerkes als ‚messianisch', weil dort alles auf den König Israels bezogen ist und dieser an dem Idealbild Davids gemessen wird (S. 342f.). Doch empfiehlt es sich, den herkömmlichen Gebrauch des Wortes für den verheißenen König der Heilszeit beizubehalten, da schon genug andere Verwirrung in der Verwendung des Messiasbegriffes aufgetreten ist.

[2] Von *Gen 49, 8—12* und *Num 24, 17—19* sei hier abgesehen. Es steht zwar außer Frage, daß auch diese Texte später als messianische verstanden worden sind, aber es ist nicht eindeutig, ob sie von Anfang an so gemeint waren. Im einzelnen bieten diese Überlieferungsstücke auch erhebliche exegetische Schwierigkeiten; vgl. SIGMUND MOWINCKEL, He That Cometh, 1956, S. 12ff.; v. RAD, Theol. II S. 26f. — Beiseite zu stellen ist im übrigen auch *Jes 7, 10—17*; ich verweise nur auf HANS WALTER WOLFF, Immanuel — das Zeichen, dem widersprochen wird (Bibl. Studien 23), 1959, bes. S. 36ff., 42ff.; v. RAD, Theol. II S. 183f.; JOHANN JAKOB STAMM, Die Immanuel-Weissagung und die Eschatologie des Jesaja, ThZ 16 (1960) S. 440—455

[3] Vereinzelt werden alle messianischen Weissagungen noch der nachexilischen Epoche zugewiesen; so bei EMIL BALLA, Die Botschaft der Propheten, 1958, S. 473ff., einem Vertreter der älteren Forschergeneration; aber auch bei GEORG FOHRER, Messiasfrage und Bibelverständnis (Samml. gemeinverst. Vorträge 213/14), 1957, S. 15f., 17ff.; DERS., Die Struktur der alttestamentlichen Eschatologie, ThLZ 85 (1950) Sp. 401—420. Angesichts der engen Verbindung der Königsvorstellung mit der sonstigen israelitischen Tradition und der vorexilischen Herkunft der Königspsalmen besteht jedoch kein Grund, die Verwendung dieser Elemente in der Verheißung der vorexilischen Propheten zu bestreiten. Schon gar nicht wird man das Nebeneinander von Drohworten und Verheißungen als Ausgangspunkt für eine kritische Scheidung nehmen dürfen; gegen GEORG FOHRER, Das Buch Jesaja I (Züricher Bibelkommentare), 1960, S. 15f. Etwas vorsichtiger MOWINCKEL, a. a. O. S. 15ff.; auch er vertritt die These einer nachexilischen Datierung der messianischen Hoffnung, bestreitet aber nicht die Ursprünglichkeit vorexilischer Weissagungen, sondern stellt nur fest: "They are not Messianic in the strict sense" (S. 17).

der prophetischen Heilsbotschaft[1]. Ebenso wie in 11,1—9(10) wird das dem Gericht folgende Heil und die Einsetzung eines neuen Davididen verkündet[2]; denn mit der alten königlichen Dynastie hat Jahwe, wie dies in gleicher Weise auch in der Botschaft des Propheten Micha 5,1—3 zum Ausdruck gebracht ist[3], um ihrer Sünde willen gebrochen. In einem wunderbaren heiligen Krieg soll ohne Zutun von Menschenhand der Feind überwunden[4] und dem vereinten Volk ein neuer, gottwohlgefälliger Herrscher eingesetzt werden, dessen Herrschaft Bestand haben wird[5]. Mit göttlichem Geist begabt wird er das Recht für die Armen und Elenden ausüben[6]. Unbeschadet der weitreichenden Aussagen über die charismatischen Fähigkeiten des messianischen Königs ist dieser Herrscher kein übernatürliches, göttliches

[1] Vgl. zum Verständnis dieses Textes die grundlegende Untersuchung von ALBRECHT ALT, Jesaja 8,23—9,6. Befreiungsnacht und Krönungstag, in: Kl. Schriften II S. 206—225. Es handelt sich um die Situation von 733, als Tiglatpileser das Nordreich zerschlagen und zum Teil in assyrische Provinzen verwandelt hat. Der Prophet erhofft die Befreiung dieser Gebiete und die gleichzeitige Restitution des alten Davidsreiches unter einem neuen, gottwohlgefälligen König.

[2] Bei Jes 11,1 ist dies eindeutig: aus dem Wurzelstock Isais soll ein neuer David hervorgehen. Aber auch für Jes 9,5f. läßt es sich nicht bestreiten, da der regierende König Ahas als Regent der Heilszeit nach den Begebenheiten von 7,1ff. sicher nicht in Frage kommt. Zu den beiden Jesaja-Weissagungen vgl. zuletzt OTTO KAISER, Der Prophet Jesaja I (ATD 17), 1960, S. 90ff., 116ff.

[3] Dort wird statt auf Isai auf Bethlehem verwiesen. Zu Mi 5,1ff. vgl. WALTER BEYERLIN, Die Kulttraditionen Israels in der Verkündigung des Propheten Micha (FRLANT NF 54), 1959, S. 75ff.

[4] Jes 9,1—4; vgl. v. RAD, Hl. Krieg S. 44f., 62. Aber auch Mi 5,4f., obwohl die Verbindung mit V. 1—3 nicht ganz glatt und eindeutig ist; vgl. dazu ARTUR WEISER, Das Buch der zwölf Kleinen Propheten I (ATD 24) S. 245f.

[5] So vor allem Jes 9,5f., aber auch Mi 5,3. In Jes 9,5 auch die Einsetzung zum ‚Sohn (Gottes)‘ und die Verleihung der königlichen Thronnamen; hierzu vgl. ALT, Kl. Schriften II, S. 216, 218f.; v. RAD, Studien S. 211f.; Theol. II S. 182f.; WILHELM VISCHER, Die Immanuel-Botschaft im Rahmen des königlichen Zionsfestes (ThSt 45), 1955, S. 40ff.; wichtig neuerdings HANS WILDBERGER, Die Thronnamen des Messias, Jes 9,5b, ThZ 16 (1960) S. 314—332: Jes knüpft nicht einfach an die Thronnamen der Davididen an, obwohl die Einzelbegriffe in der Königstradition Jerusalems verankert sind; ihm geht es um eine bewußte Übersteigerung in eschatologischer Sicht (S. 322f.). Er macht sich dabei die auch in Israel als Unterströmung vorhandene Ideologie des göttlichen Königtums zunutze, wodurch sich die ägyptischen Analogien erklären; wirklich zum Tragen kommt somit diese Ideologie nur in eschatologischer Neuinterpretation (S. 330ff.).

[6] Jes 11,2—5. In V. 2 ist mit dem ‚Ruhen‘ des Geistes sicher an eine ständige charismatische Begabung gedacht. Die Verbindung mit der altisraelitischen Charismatikertradition ist hier besonders nachdrücklich unterstrichen. Die Einzelaussagen über den Geist — paarweise als Geist rechter Weisheit, rechter Königstugend und rechter Frömmigkeit gekennzeichnet — zeigen Einfluß der Weisheitstradition; der Weisheit war ja seit der Regierungszeit Salomos erhöhte Bedeutung in Israel zugekommen, zugleich war sie unter den Leitgedanken der Gottesfurcht gestellt worden; vgl. 1Kg 3,9f. 28; 2 Chr 1,10 im Hinblick auf das salomonische Königtum. Zur Exegese vgl. außer den Kommentaren noch ROBERT KOCH, Geist und Messias, 1950, S. 72ff.

Wesen[1]. Er ist ein Geschöpf, das in Jahwes Auftrag das Amt der Herrschaft stellvertretend auf Erden auszuüben hat und dafür die höchsten Gaben verliehen bekommt.

In der Zeit kurz vor und während des Exils wird die in Zusammenhang mit der Nathanweissagung und der davidischen Dynastie stehende Messiaserwartung von den Propheten unterschiedlich beurteilt. In den sekundären Anhängen *Am 9,11—15* ist ganz selbstverständlich mit der Restituierung des davidischen Königtums gerechnet[2]. Aber schon *Jeremia* hat, wie immer es mit der im traditionellen Stil gehaltenen Verheißung 23,5f. stehen mag, in seinem Drohwort gegen den jungen König Jojachin 22,24—30 einen völligen Bruch Jahwes mit dem Haus Davids angekündigt[3]. Bei anderen Propheten der Exilszeit tritt die Hoffnung auf einen neuen Davididen ebenfalls merklich zurück, so etwa bei *Ezechiel*[4]. Und bei *Deuterojesaja* ist sie sogar preisgegeben; er wendet in 45,1 das Messiasprädikat auf den in Jahwes Auftrag handelnden Perserkönig Kyros

---

[1] So in verschiedener Weise OTTO PROCKSCH, Jesaja 1—39 (KommAT), 1930, S. 124f., 153, der die traditionelle Auslegung der messianischen Weissagungen vertritt, und GRESSMANN, Messias S. 245f., 247f., als Vertreter der religionsgeschichtlichen Schule.

[2] In Am 9,11—15 liegen eine Reihe formal disparater, aber sachlich konvergierender Sprüche vor: V. 11f. die Verheißung der Wiederherstellung der ‚Hütte Davids‘, V. 12 ein Heilsspruch über Tage, in denen paradiesische Fruchtbarkeit im Lande herrschen wird, und V. 14f. eine Ankündigung der Rückkehr des deportierten Volkes.

[3] Zu *Jer 22,24—30* vgl. ARTUR WEISER, Das Buch des Propheten Jeremia I (ATD 20), 1952, S. 201f.: „das Wort sagt nichts Geringeres als daß die Epoche des davidischen Königtums zu Ende ist". Wenn die Verheißung des gerechten Davidssprosses in 23,5f. von Jeremia stammt, dann wird man sie vielleicht in die Zeit vor Jojachin ansetzen müssen, eine Ansetzung in die Epoche Zedekias und Polemik gegen diesen König ist weniger wahrscheinlich; gegen WEISER, Jeremia I S. 204f. Eher wäre zu überlegen, ob dieser den Propheten hochschätzende König nicht bei seiner Umbenennung den programmatischen Namen wählte. *Jer 30,8f.*, wo nicht vom Davidssproß, sondern vom wiederkehrenden David gesprochen ist, wird als Glosse anzusehen sein; so WILHELM RUDOLPH, Jeremia (HbAT 12), 1947, S. 161. *Jer 33,14—26* ist eine unter Verwendung von Stilformen und Sprüchen des Jer gestaltete nachexilische Ergänzung; vgl. ARTUR WEISER, Das Buch des Propheten Jeremia II (ATD 21), 1955, S. 314ff.

[4] Die komplizierten traditionsgeschichtlichen Probleme bezüglich der Heilsverheißungen des Ezechiel sollen hier nicht angeschnitten werden. Es sei nur verwiesen auf v. RAD, Theol. II S. 247ff., der allerdings den Verfassungsentwurf Ez 40—48 insgesamt dem Propheten abspricht (S. 309 Anm. 23). Erwähnt sei, daß Ezechiel in 21,32 ebenso wie in der Erklärung des Rätselwortes 17,1—10 in V. 22—24 eine der herkömmlichen Bezeichnungen des Messias überhaupt umgeht und eine Verheißung nur umschreibend ausspricht, während er in 34,23f. und 37,15—17.18—22 (cj. nach LXX) nicht vom König, sondern von einem נָשִׂיא redet; zu diesem Begriff vgl. MARTIN NOTH, Das System der zwölf Stämme Israels (BWANT IV/1), 1930, S. 151ff. (Exk. III). Zu Ez 17,1—10. 22—24; 21,32 vgl. noch WALTHER ZIMMERLI, Ezechiel I (BiblKommAT XIII), 1961, S. 372ff., 388ff. und S. 494ff.

an[1] und kennt einen königlichen Heilsträger überhaupt nicht mehr[2].

In der nachexilischen Zeit wird die Messiashoffnung neu entfacht[3]. In den unruhigen Jahren um 520 und verbunden mit dem von dem Propheten *Haggai* veranlaßten Tempelneubau, der nun seiner Vollendung entgegengeht, wendet sich nach der langen Unglücksperiode die Erwartung auf Jahwes Eingreifen und das Erscheinen seiner Macht und Herrlichkeit[4]. Im besonderen verbindet sich der Ausblick auf das kommende Heil mit dem Davididen Serubbabel, der nach dem Wort Haggais als der Siegelring Jahwes die Herrschermacht auf Erden übernehmen soll[5]. *Sacharja*, der das prophetische Amt des Haggai weiterführt, geht noch einen Schritt über seinen Vorgänger hinaus, sofern er in seiner Heilszeitverheißung dem inzwischen erstarkten und selbständig gewordenen Priestertum ein eigenes Amt an der Seite des Königs zuspricht: neben dem messianischen König Serubbabel steht — mit anderen Funktionen, aber gleichem Rang — der messianische Hohepriester Josua[6].

Trotz der Enttäuschung jener Naherwartung erlischt die messianische Hoffnung in der alten und in dieser spezifisch nachexilischen Form nicht, zeigt vielmehr in der Folgezeit mannigfache Nachwirkungen[7]. Wohl wird sie in den offiziellen Kreisen des Judentums,

[1] Vorbereitet ist dies bereits in Jer 25,9; 27,6, wo es heißt: ‚mein Knecht Nebukadnezar'. Vgl. JOACHIM BEGRICH, Studien zu Deuterojesaja (BWANT IV, 25), 1938, S. 126ff.; ERNST JENNI, Die Rolle des Kyros bei Deuterojesaja, ThZ 10 (1954) S. 241—256; v. RAD, Theol. II S. 258 Anm. 16.

[2] Im Mittelpunkt steht bei ihm die Gestalt des Gottesknechtes, der eine prophetische Aufgabe zu erfüllen hat; vgl. dazu unten S. 356ff. (Anhang).

[3] Über die Frage der Kontinuität der Herrschaft in Israel nach dem Zusammenbruch und im Anschluß an das Exil sowie über das Problem der Legitimation innerhalb der Messiaserwartung vgl. KLAUS BALTZER, Das Ende des Staates Juda und die Messias-Frage, in: Studien zur Theologie der alttestamentlichen Überlieferungen (Festschrift G. von Rad), 1961, S. 33—43, bes. S. 40f.

[4] So vor allem Haggai 1,3ff.; zu der politischen Situation vgl. MARTIN NOTH, Geschichte Israels, S. 259ff.

[5] Haggai 2,20—23. Im einzelnen dazu KARL ELLIGER, Das Buch der zwölf Kleinen Propheten II (ATD 25), 1950, S. 92f.

[6] Auch bei Sacharja spielt die Tempelvollendung eine ausschlaggebende Rolle, vgl. nur Sach 4,7—10; an Serubbabel richtet sich die Forderung, aller irdischen Machtmittel zu entsagen Sach 4,6, und auf ihn bezieht sich zweifellos der ursprüngliche Text von Sach 6,9—14 (vgl. ELLIGER, Kl. Proph. II S. 119ff.), wo in V. 13b auf eine priesterliche Gestalt an seiner Seite verwiesen wird. Umgekehrt fällt es 3,1—7 dem Hohenpriester Josua zu, der Entsühnung für Israel stellvertretend teilhaftig zu werden. Von den beiden messianischen Gestalten ist in Sach 4,1—6a.10b.11.13b (so der ursprüngliche Text des Abschnittes) gesprochen; es handelt sich hier gewissermaßen um eine Zusammenfassung der Heilsaussagen dieses Propheten.

[7] Vgl. KURT SCHUBERT, Der alttestamentliche Hintergrund der Vorstellung von den beiden Messiassen im Schrifttum von Chirbet Qumran, Judaica 12 (1956) S. 24—28. Daß diese Konzeption nicht nur für die messianische Er-

wie die Priesterschrift und das Werk des Chronisten zeigen, weitgehend verdrängt[1]. Aber ein später alttestamentlicher Text wie
*Sach 9,9 f.* läßt eine keineswegs nur konservierende, sondern durchaus
lebendige Tradition erkennen. Zwar ist dieses Überlieferungsstück
formal eine Kompilation älterer Elemente[2]. Aber trotz solcher Anzeichen für beginnendes Schriftgelehrtentum ist nicht zu verkennen,
daß das Messiasbild ein sehr eigenes Gepräge hat: war das Reiten auf
dem Esel ehemals Zeichen herrscherlicher Würde, so ist es hier Zeichen
der Demut, was der Text auch ausdrücklich sagt. Sämtliche Prädikationen in V. 9, die dem Messias verliehen werden (עָנִי ,נוֹשָׁע ,צַדִּיק),
weisen auf ein ganz bestimmtes Frömmigkeitsideal hin: der Demütige
und Arme, der allein auf Jahwes Hilfe vertraut, ist der Gerechte. War
der Messias ehedem derjenige, der sich der Armen annahm und ihnen
Rechtsbeistand gewährte[3], so gehört er jetzt selbst zu diesen Anawim;
ihn erweist Jahwe als ‚gerecht' und ihm wendet er seine wunderbare
Hilfe zu[4]. Die Anschauung vom Armen als dem, dessen sich Gott in
besonderer Weise annimmt, ist alt, aber andererseits kann nicht übersehen werden, daß gerade in späten Psalmen dieses Motiv betonter
hervortritt[5]. Versucht man dieses Überlieferungsstück zu datieren, so
wird man wohl bis ins 3. Jh. herabgehen müssen[6].

---

wartung, sondern auch für die politische Struktur der nachexilischen Gemeinde
Bedeutung gewann, hat KARL GEORG KUHN, Die beiden Messias Aarons und
Israels, NTSt 1 (1954/55) S. 168—179, bes. S. 174ff., gezeigt.

[1] Das ist gut von OTTO PLÖGER, Theokratie und Eschatologie (WMANT 2),
1959, S. 41ff., herausgearbeitet worden. Hinzugefügt werden darf, daß es kaum
zufällig sein wird, wenn dann in P der amtierende Hohepriester als מָשִׁיחַ bezeichnet wird (ähnlich wohl auch Dan 9,25). Hingewiesen sei noch auf den
für das Verständnis der Priesterschrift wichtigen Aufsatz von KLAUS KOCH, Die
Eigenart der priesterschriftlichen Sinaigesetzgebung, ZThK 55 (1958) S. 36—51.

[2] Neben dem Gottes eigene Königsherrschaft ankündigenden Ruf an Zion
Zeph 3,14 (f.) ist der messianisch verstandene Text Gen 49,10f. mit dem Motiv
des Reitens auf dem Esel vorausgesetzt; sodann spielt in V. 10 die Erwartung
der Zerstörung der Kriegsgeräte eine Rolle (Jes 2,4; Mi 4,3; 5,10f.) und in
einem fast wörtlichen Zitat aus Ps 72,8 wird der Gedanke der Weltherrschaft
des Messias ausgesprochen.

[3] Jes 11,3f.; vgl. Ps 72,2ff.12ff.

[4] Es besteht keinerlei Anlaß, נוֹשָׁע auf Grund der LXX in מוֹשִׁיעַ zu ändern,
vielmehr entspricht gerade der MT der Grundhaltung dieses Textes.

[5] Dabei ist die zeitweise vielverhandelte Frage, ob es sich um eine bestimmte
„Partei" der Armen handelt, von untergeordneter Bedeutung. Wesentlich ist
nur, daß es Kreise gab, in denen dieses Frömmigkeitsideal gepflegt wurde,
auf die darum derartige Texte zurückgeführt werden können. Jedenfalls handelt
es sich nicht um die Gruppen, in denen Priesterschrift und chronistisches
Werk entstanden sind. Vgl. zum Problem der Anawim JOHANN JAKOB STAMM,
Ein Vierteljahrhundert Psalmenforschung, ThR NF 23 (1955) S. 1—67, dort
S. 55ff.; KRAUS, Psalmen I S. 82f.; FRIEDRICH HAUCK-ERNST BAMMEL, Art.
πτωχός, ThWb VI S. 866—915, bes. S. 891ff., 895ff.

[6] Der ebenfalls aus dieser Zeit stammende schwierige Text *Sach 12,9—14*
kann hier übergangen werden, da es nicht einmal klar ist, ob mit dem Durch-

Der zuletzt besprochene Text rückt bereits in ziemliche Nähe der *Makkabäerzeit*. Dort tritt uns ein höchst merkwürdiges Bild entgegen[1]. Sehen wir von der weitgehend verweltlichten und für die Hellenisierung anfälligen Priesterschicht ab, so finden sich nebeneinander einerseits die Makkabäergruppe und andererseits die Vertreter der apokalyptischen Erwartung, ohne daß damit schon alle am Werk befindlichen Kräfte bestimmt wären. Geschichte und Ziele der makkabäischen Erhebung sind vor allem aus dem 1. Makkabäerbuch bekannt[2]. Es steht in seiner Grundhaltung der gesamten durch die Makkabäerkämpfe veranlaßten Entwicklung positiv gegenüber und bejaht auch das spätere hasmonäische Regiment. Man darf daher in diesem Buch einen relativ zuverlässigen Bericht über die Beweggründe und religiösen Leitgedanken erwarten[3]. Auffällig ist zweierlei: erstens der Grundsatz des Eiferns für das Gesetz und die Aufrechterhaltung des Bundes[4], um dessentwillen ein heiliger Krieg geführt wird[5], zum andern die offensichtlich völlig uneschatologische und somit auch unmessianische Haltung[6]. Will man dies erklären, so muß man auf das Deuteronomium zurückgreifen. Daß dessen theologische Konzeption in be-

bohrten in V. 10 tatsächlich eine messianische Gestalt gemeint ist; dazu ELLIGER, Kl. Proph. II S. 160ff.; PLÖGER, a.a.O. S. 103ff.; JOHANN JAKOB STAMM, Das Leiden des Unschuldigen in Babylon und Israel (AThANT 10), 1946, S. 74f.

[1] Über die geschichtlichen Vorgänge vgl. EMIL SCHÜRER, Die Geschichte des jüdischen Volkes im Zeitalter Jesu Christi I, 1901[3.4], S. 179ff.; NOTH, Geschichte Israels S. 322ff.; PLÖGER, a.a.O. S. 9ff.

[2] Wie allgemein anerkannt, geht das 1 Makk auf ein ursprünglich hebräisch geschriebenes Original zurück. Das 2 Makk, das, griechisch konzipiert, eine Zusammenfassung des unbekannten Geschichtswerkes des Jason von Kyrene ist (vgl. 2,20—33) und neben wertvollem Überlieferungsgut auch mancherlei sekundäres Material bietet, braucht hier nicht herangezogen zu werden.

[3] Über die Eigenart der Geschichtsschreibung im 1. Makkabäerbuch vgl. ELIAS BICKERMANN, Der Gott der Makkabäer, 1937, S. 27ff.; DIETRICH RÖSSLER, Gesetz und Geschichte. Untersuchungen zur Theologie der jüdischen Apokalyptik und der pharisäischen Orthodoxie (WMANT 3), 1960, S. 34ff. — VON RAD, Der heilige Krieg S. 84, bezweifelt, „ob sich der Geist dieser Geschichtsschreibung mit dem Geist deckt, in dem jene Kriege geführt wurden"; ich halte das Bedenken an dieser Stelle für unbegründet.

[4] 1 Makk 2,27: Πᾶς ὁ ζηλῶν τῷ νόμῳ καὶ ἱστῶν διαθήκην ἐξελθέτω ὀπίσω μου.

[5] Vgl. nur die Kriegsansprache des Judas in 1 Makk 3,18—22.

[6] Die von VOLZ, Eschatologie S. 183, und HANS WINDISCH, Der messianische Krieg und das Urchristentum, 1909, S. 5, für die Makkabäer erwogene bzw. behauptete messianische Erwartung wird durch die Texte nicht bestätigt. Wenn von der durch die Makkabäer erlangten σωτηρία die Rede ist (1 Makk 3,6; 4,25; 5,62), so ist das im gleichen Sinne verstanden wie im Richterbuch, wo das Wort ebenfalls im Zusammenhang mit dem heiligen Krieg gebraucht ist (vgl. Jdc 3,9.15; 15,18). Daß nach 1 Makk 13,41f. eine neue Zeitrechnung unter Simon begonnen wird, ist auf die endlich wiedergewonnene Selbständigkeit und die Befreiung Jerusalems bezogen. Das mehrfach erwähnte Warten auf einen Propheten, der endgültige Entscheidungen im Auftrag Jahwes fällen kann (1 Makk 4,46; 9,27; 14,41), zeigt deutlich, daß man keineswegs mit

stimmten Kreisen, und zwar hauptsächlich der ehedem im Land ver-
bliebenen Bevölkerung, noch lange nachgewirkt hat, darf ohnedies
angenommen werden[1]. Jedenfalls zeigt sich auch dort ein durchweg
uneschatologisches Denken, umgekehrt das lebhafte Interesse an dem
Israel übereigneten Land, dem rechten Gottesdienst und der Ab-
sonderung allen Heidentums sowie an der Institution des heiligen
Krieges[2], alles Motive, die auch die makkabäische Erhebung kennzeichnen. Selbst den Ausblick auf den von Jahwe gesandten und
legitimierten Propheten in 1 Makk 4,46; 9,27; 14,41 wird man mit
Dt 18,15ff. in Verbindung bringen dürfen, wobei in beiden Fällen
gilt, daß nicht an den eschatologischen Propheten, sondern an die je
und je gesandten Gottesboten gedacht ist, um deren Ausbleiben man
allerdings in der Spätzeit nur allzu gut Bescheid wußte[3]. Daß auch
die von den Makkabäern alsbald betriebene Restitution des Königtums
dem deuteronomischen Geist nicht widerspricht, zeigt das Königsgesetz
Dt 17,14ff. Gewisse priesterliche Traditionen mögen sich zwar bei den
Makkabäern ebenfalls ausgewirkt haben, aber dominierend sind sie
keinesfalls. Versucht man die makkabäische Erhebung zusammenfassend zu charakterisieren, so wird man vielleicht sagen können, daß
es ihr um die Wiederherstellung der Ordnung des Gottesvolkes ging.

In derselben Zeit tritt noch eine ganz anders geartete Grundhaltung
in den Vordergrund, die *Apokalyptik*. Während bei den Makkabäern
die Eschatologie keine erkennbare Rolle spielt, ist hier eine aufs
höchste gesteigerte eschatologische Hoffnung erwacht. Wohl darf die
Apokalyptik nicht allein von ihrer Eschatologie her verstanden
werden, es geht ihr um ein Verständnis der Geschichte im ganzen und
um die Verwirklichung des Heils für die Erwählten[4], aber gerade
die Ausrichtung auf das endzeitliche Heil fällt gegenüber der Haltung
der Makkabäer besonders auf. Die apokalyptische Konzeption ist nicht
in der Makkabäerzeit entstanden, auch wenn sie mit dem Buch Daniel

---

eschatologischer Erfüllung rechnete. Am ehesten wäre zu erwägen, ob nicht
in dem Hymnus auf Simon 14,6—15 gewisse messianische Klänge vernehmbar
sind, aber aufs Ganze gesehen ist dieser Text doch ausgesprochen profan gehalten; so ist etwa das Lob des hohenpriesterlichen Wirkens in V. 15 recht
vordergründig; vgl. im einzelnen F.-M. ABEL, Les Livres des Maccabées (Études
Bibliques), 1949[2], S. 248ff. Dem entspricht unsere Kenntnis über Art und Geschichte des hasmonäischen Königtums, nicht zuletzt auch die Tatsache, daß
viele Kreise des Volkes sich bereits vor der Konstituierung der hasmonäischen
Dynastie von diesem Geschlecht abgewandt haben.

[1] Vgl. darüber PLÖGER, a.a.O. S. 45; eingehender ENNO JANSSEN, Juda
in der Exilszeit. Ein Beitrag zur Frage der Entstehung des Judentums (FRLANT
NF 51), 1956, S. 68ff., 80ff.

[2] Dazu v. RAD, Theol. I S. 218ff.; DERS., Hl. Krieg S. 68ff.

[3] Vgl. darüber ausführlich im Anhang S. 351ff.

[4] Vgl. zum Verständnis der theologischen Konzeption der Apokalyptik die
wichtige Arbeit von RÖSSLER, a.a.O. bes. S. 55ff., 100ff.

erstmals klar in Erscheinung tritt[1]. Ihre Vorgeschichte ist kompliziert
und vor allem noch an Texten wie Jes 24—27; Sach 12—14; Joel 3f.
erkennbar[2]. Daß ein nicht unerhebliches Maß von Fremdeinflüssen
verarbeitet wurde, was sich besonders in dem radikalen transzendenten
Dualismus und dem Geheimnismotiv abzeichnet, ist allgemein anerkannt[3]. Weniger Einmütigkeit besteht in der Beurteilung des
traditionsgeschichtlichen Ortes innerhalb der israelitisch-jüdischen
Überlieferung. Neuerdings ist die Weisheitslehre als Mutterboden der
Apokalyptik in Anspruch genommen worden, während prophetischer
Einfluß lediglich auf dem Wege literarischer Beziehungen zugestanden
wird[4]. Aber diese einseitige Herleitung aus der Weisheitstradition will
nicht recht überzeugen, so wenig geleugnet werden soll, daß ein erheblicher Strom weisheitlicher Anschauungen von der Apokalyptik aufgenommen worden ist[5]. Das prophetische Erbe muß stärker in Rechnung gesetzt werden, unbeschadet erheblicher Modifikationen, die
damit vorgenommen worden sind[6].

Es darf nicht übersehen werden, daß schon in vormakkabäischer
Zeit die prophetische Tradition in zwei verschiedenen Kanälen weiter-
geflossen ist, denn neben der allmählich sich vollziehenden Umformung überkommener Anschauungen und der Adaption fremder
Elemente, wie sie die Apokalyptik auszeichnet, steht ein relativ

---

[1] Das Danielbuch ist in seiner jetzigen Gestalt (von wenigen Zusätzen abgesehen) auf Grund von 11,40ff. gut zu datieren, und zwar in die Zeit kurz
vor 163 v. Chr.; vgl. BENTZEN, Daniel S. 83.

[2] Vgl. PLÖGER, a.a.O. S. 69ff.

[3] Vgl. nur BOUSSET-GRESSMANN S. 242ff.; VOLZ, Eschatologie S. 4ff.

[4] v. RAD, Theol. II S. 319ff. In diesem Zusammenhang wird auch versucht,
die Frage nach dem Ursprung der Menschensohnvorstellung zu beantworten.
So hat ANDRÉ FEUILLET in dem bereits erwähnten Aufsatz in RB 60 (1953)
S. 170—202. 321—346 die Menschensohngestalt auf Ezechiel zurückgeführt und
mit einem starken Einfluß seitens der Messianologie der Weisheitstradition
gerechnet, wobei gerade die transzendenten Züge und die himmlische Präexistenz von der Weisheitsgestalt als einer messianischen Hypostase übernommen seien (vgl. bes. S. 339ff.). Dagegen J. COPPENS, Le Messianisme sapien-
tiale et les origines littéraires du Fils de l'Homme daniélique, in: Wisdom in
Israel and in the Ancient Near East (Suppl. to VetTest III), 1955, S. 33—41;
er bestreitet, daß mit dem Rekurs auf die Weisheitstradition die Menschensohngestalt erklärt werden könne, wie er auch herausstellt, daß diese Vorstellung
nicht in die Messiaskonzeption paßt; erst in der spätjüdischen und vor allem
der nt. Epoche seien die Elemente der prophetischen Messianologie, der Menschensohnvorstellung, der Ebed-Jahwe-Gestalt und die weisheitliche Tradition zusammengeflossen. Bis zu einem überzeugenden Beweis des Gegenteils will er daran
festhalten, daß die Anschauung vom Menschen(sohn) durch den Gegensatz zu
den Tieren, sein Kommen vom Himmel durch die Gegenüberstellung zum Aufstieg aus der Tiefe veranlaßt ist.

[5] Man braucht aber nur Jesus Sirach mit der apokalyptischen Literatur zu
vergleichen, um zu erkennen, wie die spezifisch weisheitliche Tradition in der
spätjüdischen Zeit ausgesehen hat.

[6] So mit Recht PLÖGER, a.a.O. S. 56ff.

gleichförmiges Weiterwirken der alten prophetischen Überlieferungen,
besonders der durchaus diesseitig verstandenen Eschatologie. Für die
Geschichte der Messiasvorstellung ist daher auch nicht der Übergang
zur Apokalyptik von primärem Interesse, denn dort wird die Erwartung eines irdischen Messiaskönigs weitgehend preisgegeben[1],
sondern jenes Lebendigbleiben der altisraelitischen Hoffnungen[2]. Dies

---

[1] Vgl. § 1 S. 22. Auf die gelegentliche Verbindung der apokalyptischen Vorstellungen mit der Messiasanschauung komme ich noch zurück.

[2] PLÖGER hat den beachtenswerten Versuch unternommen, in diese komplizierten und selten untersuchten traditionsgeschichtlichen Probleme etwas Licht
zu bringen. Seiner Gegenüberstellung der theokratischen Haltung der Jerusalemer Priesterkreise und der ungebrochenen eschatologischen Erwartung
anderer Gruppen wird man nur zustimmen können (vgl. die Zusammenfassung
S. 129ff.). Er setzt nun aber die Träger der eschatologischen Hoffnung und
gleichzeitig der sich ausbildenden Apokalyptik mit den in 1 Makk erwähnten
Asidäern gleich (חֲסִידִים); vgl. a.a.O. S. 16ff., 66f. Das erscheint mir fraglich.
Da aus dem geschichtlichen Gegensatz der Pharisäer zu den Hasmonäern doch
wohl gefolgert werden darf, daß zu den Nachfahren jener Asidäer die Pharisäer
gehören, diese aber gerade nicht in erster Linie Repräsentanten der apokalyptischen, sondern der traditionellen Eschatologie sind, so liegt es näher, diejenigen
Kreise mit den Asidäern gleichzusetzen, die an der altprophetischen Hoffnung
festhielten; es erscheint nicht ausgeschlossen, daß dort etwa Sach 9,9f. beheimatet war. Nach Dan 2,34; 8,25; 11,33—35 wird man für die apokalyptischen Gruppen sogar vermuten dürfen, daß sie der makkabäischen Bewegung
äußerst distanziert gegenüberstanden und es ist keineswegs naheliegend, daß
gerade sie sich vorübergehend mit den Makkabäern zusammenschlossen (so
1 Makk 2,42 über die Asidäer). Natürlich hängt von der Identifizierung nicht
das Entscheidende ab. Aber Plöger ist leider in seiner Untersuchung dem
Weiterleben der Eschatologie alten Stiles nicht nachgegangen. — Was die
Frage nach dem Ursprung des Pharisäismus angeht, so ist der Zusammenhang
mit den Asidäern weithin anerkannt; aber es ist wenig wahrscheinlich, daß die
Asidäer ein bloßes „Sammelbecken der national-religiösen Kräfte des jüdischen
Volkes" mit vornehmlich priesterlichen Elementen gewesen sind, woraus sich
dann sowohl Sadduzäer wie auch Pharisäer und Essener entwickelt haben,
wie WOLFGANG BEILNER, Der Ursprung des Pharisäismus, BZ NF 3 (1959)
S. 235—251, bes. S. 245ff. annimmt (mit forschungsgeschichtlichem Überblick
S. 237ff., jedoch unvollständig). Vgl. demgegenüber WERNER FOERSTER, Der
Ursprung des Pharisäismus, ZNW 34 (1935) S. 35—51, der den anfänglichen
Gegensatz zu den Sadduzäern herausstellt; allerdings setzt er wieder Asidäer
und apokalyptische Bewegung im wesentlichen gleich. Man wird nicht bestreiten können, daß damals noch eine gewisse Verbindung zu Vorstellungen
der apokalyptischen Kreise bestand und die Anschauungen sich erst später
stärker voneinander entfernten, übrigens apokalyptische Elemente auch im
eigentlichen Pharisäismus keineswegs völlig fehlen. Die früher beliebte Ansetzung der apokalyptischen Tradition bei den „Stillen im Lande" — so z.B.
noch ALBRECHT OEPKE, Art. ἀποκαλύπτω, ThWb III S. 580f. — hat mindestens
den Vorteil, daß mit einer eigenen Gruppe gerechnet wird. Die Betonung des
engen Zusammenhangs der Asidäer und Pharisäer mit der altprophetischen
Überlieferung ist das berechtigte Anliegen von R. TRAVERS HERFORD, Die
Pharisäer, 1928, S. 15ff., 157ff., der jedoch die Verbindungslinien über Esra
und die Sopherim der sog. ‚großen Synagoge' zu geradlinig durchzieht. Daß
es sich um einen Bruch mit der bisherigen nachexilischen Tradition auf
Grund eines verschärften Gesetzesverständnisses handelt (vgl. 1 Makk 2,42:
πᾶς ὁ ἐξουσιαζόμενος τῷ νόμῳ!), ist zutreffend von FOERSTER, a.a.O. S. 36ff.,
44ff., betont. Vgl. im übrigen JOACHIM JEREMIAS, Jerusalem zur Zeit Jesu II B,

läßt sich an den Qumranschriften, den Psalmen Salomos und der rabbinischen Literatur erkennen.

Die *Qumrantexte* nehmen eine gewisse Sonderstellung ein, denn ebensowenig wie bei der Apokalyptik kann von einer geradlinigen Fortführung der prophetischen Eschatologie gesprochen werden. Hier sind wesentliche Elemente einer priesterlichen Tradition aufgenommen, ferner liegt ein Verständnis und eine verschärfende Auslegung der Tora vor, wie dies noch am ehesten mit der pharisäischen Haltung verglichen werden kann[1], sodann zeigen sich eine ganze Reihe von Vorstellungen, die uns aus der apokalyptischen Überlieferung vertraut sind[2], ohne daß die Qumrantexte gattungsmäßig sowie in ihrem Geschichts- und Heilsverständnis als apokalyptisch bezeichnet werden können[3]. Die in diesen Schriften zu Wort kommende Gemeinschaft versteht sich als die von Gott erwählte und zum Heil bestimmte Restgemeinde, die von der gottfeindlichen Welt ausgesondert ist und der der eschatologische Kampf gegen die Finsternis bevorsteht. So schroff dualistisch diese Grundgedanken ausgeprägt sind und so sehr der Dualismus durch das Bewußtsein der Prädestination und durch die eschatologische Erwartung verstärkt wird, so hat dies doch nicht zu dem apokalyptischen Gegensatz der irdischen und der zukünftigen himmlischen Welt geführt, bei der das Heil allein am Ende der Geschichte und dem Anbruch eines völlig neuen Äons gesehen wird[4]. Dies

---

1958[2], S. 115ff.; Leo Baeck, Die Pharisäer (1927), in: Paulus, die Pharisäer und das Neue Testament, 1961, S. 39—98. — Es darf jedenfalls nicht übersehen werden, daß neben den Jerusalemer Priesterkreisen und den Makkabäern damals noch mit mehreren Gruppen gerechnet werden muß: zunächst gab es die Vertreter der radikalisierten Gesetzesauslegung mit ihrer weitgehend traditionellen Eschatologie und Messianologie, sodann jene Kreise, bei denen die apokalyptische Konzeption ausgebaut wurde, weiter ist auch eine selbständige Tradierung des weisheitlichen Gutes anzunehmen; daß es gegenseitige Beeinflussungen gab, soll damit nicht bestritten werden. Das Bild der damaligen Zeit ist vielschichtig. Hinzu kommt dann in der Zeit der späteren Hasmonäerherrschaft auch noch die Qumrangemeinschaft.

[1] Darüber eingehend Braun, Radikalismus I, wo er nebeneinander den Toragehorsam der pharisäischen Pirqe Abot und der Qumrantexte untersucht.

[2] Die Probleme können hier nur angedeutet werden. Es sei hingewiesen auf das Motiv des Geheimnisses und auf das besondere Wissen, auf den Glauben an Engel und Dämonen und die Rolle des Satans, auf die Bedeutung des Erwählungsglaubens und die der göttlichen Vorherbestimmung, auch auf die Art der Schriftauslegung; vgl. Millar Burrows, Die Schriftrollen vom Toten Meer, 1958[2], S. 213ff.; Ders., Mehr Klarheit über die Schriftrollen, 1958, S. 239ff. Fragmente apokalyptischer Schriften sind in den Höhlen von Qumran gefunden worden; vgl. Hans Bardtke, Die Handschriftenfunde vom Toten Meer (I, 1952) II, 1958, S. 169ff.

[3] Daß zur Apokalyptik im eigentlichen Sinne ein in sich geschlossenes Geschichts- und Heilsverständnis gehört, hat Rössler, a.a.O. S. 43ff. u. ö., mit Recht betont.

[4] Vgl. den Aufsatz von Karl Georg Kuhn, Die Sektenschrift und die iranische Religion, ZThK 49 (1952) S. 296—316; Kuhns Kennzeichnung dieses

zeigt sich besonders klar in der Messiaslehre, die ihrer Grundstruktur nach durchaus traditionell ist und die Verwurzelung in der prophetischen Eschatologie sichtbar werden läßt. Die Qumrantexte knüpfen in ihrer Messianologie an die Konzeption der Sacharja an, wo an der Seite des messianischen Königs ein messianischer Hoherpriester steht. Diese auch in der Zwischenzeit nicht vergessene Zwei-Messias-Lehre hat allerdings in Qumran insofern eine eigene Ausprägung erhalten, als der Hohepriester hier eine eindeutige Vorrangstellung erhalten hat, was weder bei Sacharja beabsichtigt war noch irgendwo sonst in spätjüdischer Literatur nachweisbar ist. Jedoch paßt es vorzüglich zu dem Gesamtbild der Qumrangemeinschaft[1]. Es ist dann auch nicht überraschend, daß, wenigstens in den bisher zugänglichen Texten, die zweite Messiasgestalt nicht die Königsbezeichnung trägt, sondern neben (דויד) צמח[2] und שבט[3] den Titel ‚Fürst der ganzen Gemeinde' (נשיא כול העדה)[4]. In seiner Stellung neben dem hohenpriesterlichen Messias, dem משיח אהרון, wird er aber hauptsächlich משיח ישראל genannt[5]; an einer Stelle erhält er auch die Bezeichnung משיח הצדק[6]. Eigentlich ergiebige messianische Texte, neben bloßen Verweisen auf die beiden Messias[7], sind CD VII, 18ff.; XIX, 7ff.; 1 Q Sa II, 12ff.; 1 Q Sb V, 20ff. und verschiedene Fragmente aus Höhle 4 von Qumran[8]. Der eigenartigste

---

Dualismus der Qumranschriften als eines „ethischen Dualismus" ist daher zutreffend (S. 303, 311f.), so sehr dieser durch das Motiv der bei Anbeginn erfolgten Vorherbestimmung kosmische Perspektiven gewinnt. Verwiesen sei auch auf den Versuch, die verschiedenen Spielarten des Dualismus in den Qumranschriften näher zu beschreiben, bei HANS WALTER HUPPENBAUER, Der Mensch zwischen zwei Welten. Der Dualismus der Texte von Qumran (Höhle 1) und die Damaskusfragmente, ein Beitrag zur Vorgeschichte des Evangeliums (AThANT 34), 1959, bes. S. 103ff.

[1] Über die Funktionen des hohenpriesterlichen ‚Messias Aarons' vgl. GERHARD FRIEDRICH, Beobachtungen zur messianischen Hohepriestererwartung in den Synoptikern, ZThK 53 (1956) S. 265—311, bes. S. 265ff.; über das Verhältnis der beiden Messias KURT SCHUBERT, Die Messiaslehre in den Texten von Chirbet Qumran, BZ NF 1 (1957) S. 177—197, bes. S. 181ff., 188ff.

[2] So im AT Jer 23,5; 33,15; Sach 3,8; 6,12; vgl. 4 Q PatrBless 3f.; 4 Q Flor 2; 4 Q pIsᵃ fr. D, 1.

[3] Im Anschluß an Gen 49,10; Num 24,17; vgl. CD VII, 20; 1 Q Sb V, 24.27; 4 Q PatrBless 1.

[4] Vgl. CD VII, 20; 1 Q Sb V, 20; 1 Q M V, 1; 4 Q pIsᵃ fr. A, 2. Hierbei ist die Bezeichnung נשיא, die für den Herrscher erstmals bei dem ebenfalls priesterlich beeinflußten Ezechiel vorkommt, ebenso bezeichnend wie der aus der Priesterschaft geläufige Begriff עדה; zu letzterem vgl. LEONHARD ROST, Die Vorstufen von Kirche und Synagoge im Alten Testament (BWANT IV/24), 1938, S. 32ff., 138ff.

[5] Zusammen mit dem hohenpriesterlichen Messias in CD XII, 23f.; XIV, 19; XIX, 10f.; XX, 1, gesondert in 1 Q Sa II, 14.20 (doch vgl. II, 12) erwähnt.

[6] 4 Q PatrBless 3.

[7] CD VI, 10f.; XII, 23f.; XIV, 19; XX, 1; 1 Q S IX, 11; zu 1 Q M siehe unten.

[8] Texte bei LEONHARD ROST, Die Damaskusschrift (Kleine Texte 167), 1933; D. BARTHÉLEMY-J. T. MILIK, Discoveries in the Judaean Desert I:

und für die Qumrangemeinschaft sicher bezeichnendste Text ist 1 Q Sa II, 12—21. Hier wird das eschatologische Mahl des erlösten Israel geschildert. Der Messias Aarons hat den Vortritt, mit ihm zusammen dürfen die Priester Platz nehmen, dann folgt der Messias Israels mit den Stammeshäuptern, den Familienhäuptern und den Weisen[1]. Die Beschreibung der Heilszeit unter dem Bild der Tischgemeinschaft ist auch sonst im Spätjudentum geläufig[2], charakteristisch ist jedoch an dieser Stelle die Analogie zum essenischen Gemeinschaftsmahl[3] und die so betonte Vorrangstellung der priesterlichen Gruppe, weswegen auch der hohepriesterliche Messias den Segen zu sprechen hat und bei Tisch zuerst zugreifen darf[4]. Die Vorstellung vom ‚Messias Israels' zeigt im übrigen weitgehend traditionelle Züge. Die alttestamentlichen Verheißungen werden auf ihn angewandt[5]; er

Qumran Cave I, 1955, S. 108ff. (1 Q 28a = Sa; 1 Q 28b = Sb); JOHN M. ALLEGRO, Further Messianic References in Qumran Literature, JBL 75 (1956) S. 174—187, wo 4 Q PatrBless, 4 Q Flor, 4 Q pIs^a fr. A, B, C, D und 4 Q Test veröffentlicht sind; das hier 4 Q Flor bezeichnete Fragment ist später vollständig publiziert worden: JOHN M. ALLEGRO, Fragments of a Qumran Scroll of Eschatological Midrašim, JBL 77 (1958) S. 350—354 (ich zitiere 4 Q Flor nach der fortlaufenden Zeilenzählung dieser Ausgabe). Deutsche Übersetzungen der hier besprochenen Texte bei BARDTKE, Handschriftenfunde I S. 86ff; II S. 213ff.; JOHANN MAIER, Die Texte vom Toten Meer I (Übersetzung), II (Anmerkungen), 1960. Vgl. im einzelnen zu den genannten Stellen A. S. VAN DER WOUDE, Die messianischen Vorstellungen der Gemeinde von Qumrân (Studia Semitica Neerlandica 3), 1957, S. 43ff., 61ff., 96ff., 112ff., 169ff. Aus der zahlreichen Literatur über die Messianologie der Qumrantexte sei außer der Untersuchung von KARL GEORG KUHN, NTSt 1 (1954/55) S. 168—180 (revidierte englische Fassung: The Two Messiahs of Aaron and Israel, in: The Scrolls and the NT ed. K. Stendahl, 1957, S. 54—64) wenigstens noch erwähnt: WILLIAM H. BROWNLEE, Messianic Motifs of Qumran and the NT, NTSt 3 (1956/57) S. 12—30. 195—210; MATTHEW BLACK, Messianic Doctrin in the Qumran Scrolls, Studia Patristica I (TU 63 = V/8), 1957, S. 441—459 (starker Ez-Einfluß; משיח nicht term. techn., daher fraglich ob der eschatologische Hohepriester eine wirklich ,,messianische" Gestalt; der davidische Messias ist nicht König, sondern נשיא); R. E. BROWN, The Messianism of Qumran, CBQ 19 (1957) S. 53—82; MORTON SMITH, What is implied by the Variety of Messianic Figures?, JBL 78 (1959) S. 66—72 (Bestreitung einer einheitlichen Messianologie und Eschatologie der Qumransekte); ferner F. M. CROSS, The Ancient Library of Qumran and Modern Biblical Studies, 1958, S. 164ff.; BURROWS, Schriftrollen S. 216ff.; DERS., Mehr Klarheit S. 257ff.; MATTHEW BLACK, The Scrolls and Christian Origins, 1961, S. 145ff.

[1] Vgl. dazu K. G. KUHN, NTSt 1 (1954/55) S. 168ff.; v. D. WOUDE, a.a.O. S. 96ff.; völlig bestritten ist der eschatologische Charakter der Stelle, m. E. zu Unrecht, von MORTON SMITH, 'God's Begetting the Messiah' in 1 Q Sa, NTSt 5 1958/59) S. 218—224; speziell zu dieser Wendung in 1 Q Sa II, 11f. vgl. unten § 5 S. 305(f.) Anm. 5.

[2] Vgl. BILLERBECK IV/2 S. 1154ff.

[3] Vgl. 1 Q S VI, 4ff. Dazu JOACHIM GNILKA, Das Gemeinschaftsmahl der Essener, BZ NF 5 (1961) S. 39—55.

[4] Vgl. 1 Q Sa II, 17ff.

[5] Ausdrücklich zitiert sind Gen 49,10 in 4 Q PatrBless; Num 24,17 in CD VII, 19f.; 4 Q Test 9—13; 1 Q M XI, 6f.; Jes 11,1ff. in 4 Q pIs^a fr. C, 10—13;

wird als Davidide angesehen[1], den Gott als Sohn angenommen hat [2] und dem die endzeitliche Herrschaft übertragen ist[3], der in Vollmacht des Geistes Gericht ausübt[4] und dessen Thron in Ewigkeit Bestand haben soll[5]. Eine besondere Rolle spielt die Unterwerfung der Feinde. Von dem Krieg gegen die ‚Söhne Seths' oder die ‚Kittim' ist immer wieder die Rede, ebenso von dem strengen Gericht über die Völker[6]. Obwohl sich dies in vielen messianischen Texten findet, nimmt dennoch die sogenannte Kriegsrolle (1 QM) eine Sonderstellung ein. Mit aller Vorsicht, die bei dem gegenwärtigen Stand der Forschung geboten ist, kann etwa folgendes gesagt werden: in diesem Schriftstück ist die Vorstellung von der eschatologischen Überwindung der Söhne der Finsternis mit der breit entfalteten Tradition vom heiligen Krieg verbunden und außerdem vorausgesetzt, daß das Volk Israel sich beteiligt und der Tempeldienst rechtmäßig durchgeführt wird[7]. Da es sich um einen sakralen Ritus handelt, fallen entscheidende Funktionen, vor allem Opfer, Gebet und Segen, aber auch das Ordnen der Schlachtreihen und das Mutzusprechen dem messianischen Hohenpriester zu[8], so daß der ‚Fürst der ganzen Gemeinde' merkwürdig zurücktritt, aber gleichwohl als Herrscher und Anführer am Kriege beteiligt ist[9]. Hier zeigt sich, wenn man von der Sonderstellung des Hohenpriesters absieht, eine Haltung, die sehr stark an die Makkabäer erinnert und auch eine gewisse Nähe zu den Zeloten erkennen läßt.

---

Am 9,11 in 4 Q Flor 12f.; 2 Sam 7,11 b in 4 Q Flor 7; 2 Sam 7,13f. in 4 Q Flor 10f.; Ps 2,1f. in 4 Q Flor 18f.

[1] Vgl. o. S. 146 Anm. 2.                          [2] 4 Q Flor 10f.

[3] 1 Q Sb V, 27—29; 4 Q pIsᵃ fr. D, 1—3; 4 Q PatrBless ist nur von dem Bund der Königsherrschaft über sein Volk (Israel) die Rede.

[4] 1 Q Sb V, 21—26; 4 Q pIsᵃ fr. C, 10—13; fr. D, 4—8.

[5] 1 Q Sb V, 20f.; 4 Q PatrBless 4; 4 Q Flor 10f.

[6] Als biblische Belege werden dabei Num 24,17 (CD VII, 18ff.) und Jes 10,28ff. (4 Q pIsᵃ fr. A, 1—C, 9) zitiert. Ich verweise noch auf CD XIX, 10ff.; 1 Q Sb V, 24—29; 4 Q Flor 7—9.

[7] Über die Besonderheit von 1 Q M und ihre Unterschiede zu den übrigen Qumranschriften vgl. LEONHARD ROST, Zum „Buch der Kriege der Söhne des Lichts gegen die Söhne der Finsternis", ThLZ 80 (1955) Sp. 205—208; BARDTKE, Handschriftenfunde II S. 121ff.

[8] Vgl. 1 Q M II, 1—4; XV, 4—8; XVI, 11—14; XVIII, 3—6.

[9] 1 Q M V, 1f.; dazu kommt noch die Zitierung von Num 24,17 in 1 Q M XI, 6f.; vgl. v. D. WOUDE, a. a. O. S. 117f. Gelegentlich ist bezweifelt worden, ob es sich bei dem ‚Hauptpriester' und dem ‚Fürsten der ganzen Gemeinde' von 1 Q M wirklich um die beiden Messias handelt, doch dürften diese Bedenken unbegründet sein; vgl. BURROWS, Mehr Klarheit S. 264ff. Denn wenn auch die Messiasbezeichnung hier fehlt, so kann doch nicht übersehen werden, daß נשיא (כול) העדה in CD VII, 20; 1 Q Sb V, 20(ff.); 4 Q pIsᵃ fr. A, 2 eindeutig Titel des königlichen Messias ist (auch Bar-Kochba trägt später den Nasi-Titel). Die Bezeichnung כוהן הרואש findet sich außer 1 Q M vielleicht noch in 1 Q Sa II, 12, doch sind Lesung und Ergänzung des Textes an dieser Stelle unsicher; vgl. v. D. WOUDE, a. a. O. S. 98ff.

Auf die *Testamente der zwölf Patriarchen* soll nicht ausführlich eingegangen werden. Dieses seltsame Gebilde, worin verschiedenartigste Strömungen des Spätjudentums aufgefangen sind, ist nicht zuletzt durch die Theologie der Qumrangemeinschaft geprägt[1]. Besonders die Messiasanschauung zeigt weitgehende Übereinstimmung mit der Messianologie der Funde vom Toten Meer[2]. Auch in den Testamenten findet sich das Nebeneinander eines hohenpriesterlichen und eines königlichen Messias. Das zeigen besonders die beiden Hymnen Test Levi 18 und TestJud 24; aber noch an vielen anderen Stellen werden diese beiden messianischen Gestalten erwähnt, wobei wiederum der messianische Hohepriester die Vorrangstellung innehat[3].

Nehmen die Qumrantexte durch ihre Zwei-Messias-Lehre und besonders durch ihre theologische Gesamtkonzeption eine eigene Stellung ein, so besitzen wir in *PsSal 17* ein Dokument ersten Ranges für das fast unveränderte Fortleben der altisraelitischen Messiaserwartung[4].

---

[1] Dazu kommen außerdem noch die christlichen Interpolationen, denn weder wird man mit M. DE JONGE, The Testaments of the twelve Patriarchs, 1953, das ganze Werk einfach als christliche Schrift hinstellen können, noch ist es angängig, mit M. PHILONENKO, Les interpolations chrétiennes des Testaments des Douze Patriarches et les Manuscrits de Qoumrân (Cahiers de la RHPhR No. 35), 1960, die Annahme christlicher Zusätze auf Grund der Qumranfunde überhaupt für unnötig anzusehen. Zur gattungsmäßigen und traditionsgeschichtlichen Eigenart der Test XII vgl. zuletzt KLAUS BALTZER, Das Bundesformular (WMANT 4), 1960, S. 146ff.

[2] Vgl. K. G. KUHN, NTSt 1 (1954/55) S. 171ff.; v. D. WOUDE, a.a.O. S. 190ff.

[3] Ich verweise nur noch auf TestRub 6,7—12; TestSim 7,2; TestJud 21,2—5; 25,1f.; TestIss 5,7; TestNapht 5,3—5. Einen Vergleich der Einzelmotive von TestJud 24 mit den Qumranschriften und den Versuch einer Rückübersetzung in deren Sprache bietet KURT SCHUBERT, Testamentum Juda 24 im Lichte der Texte von Chirbet Qumran, WZKM 53 (1957) S. 227—236.

[4] Auch in PsSal 18 liegt noch ein Zeugnis dieser Messiaserwartung vor, das aber nur ein schwacher Nachklang des vorangegangenen Liedes ist und sich an Großartigkeit mit jenem nicht messen kann. Die PsSal werden in der Regel als Ausdruck pharisäischer Frömmigkeit angesehen; so JULIUS WELLHAUSEN, Die Pharisäer und die Sadduzäer. Eine Untersuchung zur inneren jüdischen Geschichte, 1874, S. 112ff., 131ff.; RUDOLF KITTEL bei KAUTZSCH, Apokryphen und Pseudepigraphen II S. 127ff.; HANS LIETZMANN, Geschichte der alten Kirche I, 1953³, S. 12ff.; ebenso HERBERT BRAUN, Vom Erbarmen Gottes über den Gerechten. Zur Theologie der Psalmen Salomos, ZNW 43 (1950/51) S. 1—54, jetzt in: Ges. Studien zum NT und seiner Umwelt, 1962, S. 8—69, der die PsSal als Musterbeispiel für die Dialektik von Gottesglaube und Selbstvertrauen ansieht, wobei allerdings das Wissen um Gottes Souveränität und Barmherzigkeit hier noch so ursprünglich und echt sei, daß Gott nicht einfach zum Ergänzer menschlicher Leistung geworden ist. VOLZ, Eschatologie S. 26f., hat darauf aufmerksam gemacht, daß die einzelnen PsSal nicht alle genau die gleichen Vorstellungen erkennen lassen. Die Messiasanschauung deckt sich jedoch weitgehend mit derjenigen, die die spätere pharisäische Orthodoxie vertritt. — Über die Frage der Verwertung der syrischen Übersetzung zur Bestimmung der ursprünglichen Textform vgl. KARL GEORG KUHN, Die älteste Textgestalt der Psalmen Salomos (BWANT IV/21), 1937, der die syrische Version als unmittelbaren Zeugen des hebräischen Urtextes ansieht; anders JOACHIM BEGRICH, Der Text der Psalmen Salomos, ZNW 38 (1939) S. 131—

Der Psalm beginnt mit einem einleitenden Lobpreis Gottes als des
Erlösers und Erretters (V. 1—3). Der Hauptteil setzt mit der Zusage
an das davidische Königtum ein (V. 4); doch Gott hat das Volk wegen
seines Ungehorsams preisgegeben an ἁμαρτωλοί, die hasmonäischen
Könige, und den Davidsthron verwüstet (V. 5f.). Gegen dieses Herrschergeschlecht wird er nun einen Ausländer (ἄνθρωπος ἀλλότριος
γένους ἡμῶν) auftreten lassen, den Römer Pompejus, der ein ver-
dientes Strafgericht halten soll, weil Kinder des Bundes sich den
Mischvölkern angeschlossen, sogar die Frommen verfolgt und zerstreut
haben (V. 7—10.15—20)[1]. Der zweite Teil des Psalms wird mit der
Bitte um das Kommen des Davidssohns eingeleitet (V. 21), dann ist
von der Machtergreifung des Messias, der Vernichtung der Heiden
und Sünder die Rede (V. 22—25), von der Sammlung des heiligen
Volkes (V. 26—28) und von der Herrschaft über die Heidenwelt
(V. 29—31). Es folgt das große Bild des ‚Gesalbten des Herrn'[2], einer
durch und durch menschlichen Gestalt[3], ausgezeichnet durch Gerechtigkeit und Gottesfurcht, der seine Hoffnung nicht auf irdische
Macht, sondern auf Gott setzt, der von Sünde rein ist und daher Zucht
halten und wahrhaft herrschen kann, der aber auch die Gabe des
göttlichen Geistes besitzt, so daß er die Herde Gottes zu bewahren
und zu richten vermag (V. 32—43). Als Abschluß folgt dann ein
Makarismus über alle, die in jenen Zeiten leben können, und die Bitte,
daß Gott bald diese Gnade über Israel kommen lasse (V. 44—46).
Es lassen sich somit folgende Grundelemente feststellen: Der Messias
ist der König Israels, dessen Auftreten und Wirksamkeit mit der

---

164, der den syrischen Text als Tochterübersetzung betrachtet, ihm aber dennoch
große Bedeutung beimißt, weil er auf eine ältere griechische Vorlage als die
uns erhaltene zurückgehen soll.

[1] K. G. KUHN, a. a. O. S. 64f., hat gezeigt, daß V. 11—14 sekundärer Einschub sein muß. Denn erstens gehören die Versgruppen V. 7—10.15—20, die
beide die Hasmonäerherrschaft voraussetzen, zusammen, sodann ist in V. 7—10
auf das Kommen des Pompejus ausgeblickt, der hier als Werkzeug Jahwes erscheint, während er in V. 11—14 auf Grund seiner Freveltaten als ἄνομος gekennzeichnet ist. Auf diese Weise ist eine sehr genaue Datierung des Psalmes
möglich: er muß kurz vor 63 v. Chr. entstanden sein und hat bald danach jenen
Zusatz erhalten. Man wird also die Futura in V. 7ff. nicht perfektisch verstehen
dürfen; gegen R. KITTEL bei KAUTZSCH II S. 145 Anm. e. Vgl. zu der Haltung
gegenüber Pompejus noch PsSal 2 und 8.

[2] Der griechische und der syrische Text haben χριστὸς κύριος, doch kann dies
nur als eine unter christlichem Einfluß entstandene Fehlübersetzung angesehen
werden (ebenso Thr 4,20 LXX); vgl. K. G. KUHN, a. a. O. S. 73f.

[3] Gegen WILLI STAERK, Soter I S. 51, der behauptet, der Messias erstrahle
hier im Glanze eines „übermenschlichen Wesens". Die aus Jes 11,2ff. übernommenen Züge dürfen so gerade nicht verstanden werden; vgl. MOWINCKEL,
He That Cometh S. 284ff., 308ff. Zur Nachwirkung von Jes 11,2ff. vgl. auch
noch das teilweise problematische Buch von MAX-ALAIN CHEVALLIER, L'Esprit
et le Messie dans le Bas-Judaïsme et le Nouveau Testament (Études d'Histoire
et de Philosophie religieuses No. 49), 1958, S. 10ff.

Überwindung der Feinde und der Errichtung seines Reiches beginnt;
sein Bezwingen der feindlichen Mächte und Sünder wird weniger durch
eine kriegerische Aktion als durch wunderbare Geistesmacht bewirkt[1];
sein königliches Amt verwaltet der Messias in Gottesfurcht und Gerechtigkeit[2]. Restgedanke, Motiv des heiligen Krieges und hohepriesterliche Messiasgestalt fehlen hier.

Die *rabbinische Literatur* zeigt in ihrer ältesten, tannaitischen
Schicht eine mit PsSal 17 weitgehend übereinstimmende Messiasvorstellung[3]. Der wohl älteste Beleg ist die 14. Berakha des Achtzehnbittengebetes: ‚Erbarme dich, Herr unser Gott, über uns, und über
Jerusalem, deine Stadt, und über Zion, die Stätte deiner Herrlichkeit,
und über deinen Tempel und über deine Wohnung und über das
Königtum des Hauses Davids, deines Gesalbten‘. Es handelt sich um
den Abschluß der eschatologischen Bitten[4]. Daß eine sehr alte liturgische Überlieferung vorliegt, die in der Zeit nach der Tempelzerstörung nur ihre endgültige Gestalt bekam, steht außer Frage; sie
rückt altersmäßig in die nächste Nähe der PsSal[5]. In ähnlicher Weise
haben auch noch andere Gebete die Messiaserwartung zum Ausdruck
gebracht[6]. In der Mischna finden sich keine messianischen Über-

---

[1] Dies gilt zumindest für V. 33—36; in V. 22—25 ist es nicht so eindeutig,
denn wohl ist auch dort von einem Vernichten ἐν λόγῳ στόματος αὐτοῦ die Rede,
aber daneben doch auch von einem Zerschlagen mit eisernem Stabe u. ä.; es
handelt sich um Bezugnahme auf Ps 2, 8f. Hier treffen die zwei Traditionen
zusammen, die sich schon in der israelitischen Königsvorstellung nebeneinander
finden. An beiden genannten Stellen von PsSal 17 geht es aber vornehmlich
um eine Abhängigkeit von Jes 11, 1ff. Daß durchweg in spätjüdischer Messiaserwartung der kriegerische Zug stärker hervortrete, wie MOWINCKEL, a.a.O.
S. 311ff., behauptet, wird man nicht ohne weiteres sagen dürfen, in PsSal 17
ist er jedenfalls deutlich zurückgedrängt.

[2] H. BRAUN, a.a.O. S. 7f., 43ff. (S. 15f., 56ff.), verweist darauf, daß der
von Gott gesandte Messias hier ganz auf der Seite der Geschöpfe steht und zugleich in seiner Person die anthropozentrisch ausgerichtete Frömmigkeit der
‚Gerechten‘ widerspiegelt. Das würde bedeuten, daß die (vielleicht ‚asidäische‘)
Linie von Sach 9, 9f. hier ihre pharisäische Fortsetzung erhalten hat.

[3] Vgl. zu der rabbinischen Tradition JOSEPH KLAUSNER, Die messianischen
Vorstellungen des jüdischen Volkes im Zeitalter der Tannaiten, 1904; überarbeitet in DERS., The Messianic Idea in Israel, 1956, Part III, S. 388—517 (ich
gebe im folgenden die Seiten der englischen Ausgabe an; sie stellt eine Übersetzung
der hebräischen Fassung des Buches dar [1927[1]] 1949[3]). BOUSSET-GRESSMANN
S. 222ff.; BILLERBECK IV/2 S. 815ff., 857ff., 880ff.; VOLZ, Eschatologie S. 174ff.
auch MOWINCKEL, a.a.O. S. 280—345. Eine sachlich geordnete Zusammenstellung der Texte der jüdischen Traditionsliteratur in deutscher Übersetzung
bietet MORITZ ZOBEL, Gottes Gesalbter. Der Messias und die messianische Zeit
in Talmud und Midrasch (Schocken-Bücherei 90/91), 1938.

[4] Vgl. KARL GEORG KUHN, Achtzehngebet und Vaterunser und der Reim
(WUNT 1), 1950, S. 10—26, bes. S. 22f., 25f. (dort auch der Urtext).

[5] K. G. KUHN, a.a.O. S. 10f.; auch S. 20f.

[6] Habinenu-, Kaddisch- und Musaphgebet; vgl. VOLZ, Eschatologie S. 175,
die Texte bei WILLI STAERK, Altjüdische liturgische Gebete (Kleine Texte 58),
1930[2], S. 20ff., 29ff.

lieferungsstücke, was jedoch nicht ausschließt, daß die Tannaiten
sich mit dieser Hoffnung beschäftigt haben; denn die älteren Elemente
lassen sich in der nachmischnischen Tradition noch relativ gut von
den spezifisch amoräischen Anschauungen unterscheiden[1]. Zur älteren
Vorstellung gehören: die Errichtung der endzeitlichen Herrschaft auf
Erden, wobei Gott selbst als der גּוֹאֵל die Tage des Messias heraufführt
und den neuen Äon anbrechen läßt, die ewige Erlösung, auf die keine
Knechtschaft mehr folgt[2]; die Völker, die sich gegen Jahwe und sein
Volk auflehnen, werden überwunden[3]; Israel besitzt das Ganze verheißene Land und alle Zerstreuten werden heimgeführt[4]; unter dem
Messias, der über das erwählte Volk und die Heidenvölker herrscht,
leben alle in Frieden und der Furcht Gottes[5]. Aufs Ganze gesehen
entspricht dies dem auch sonst in jener Epoche erkennbaren Messiasbild altprophetischer Provenienz. Auffällig ist vielleicht nur, daß der
Messias selbst gar nicht so sehr im Vordergrund steht und über seine
Person nur selten direkte Aussagen gemacht werden, daß es vielmehr

---

[1] Vgl. dazu vor allem KLAUSNER, a.a.O. S. 391ff. Er rechnet damit, daß
die messianischen Traditionen erst nach der Zerstörung Jerusalems in den
eigentlichen Lehrstoff der Rabbinen aufgenommen worden sind und daher
in der Mischna noch keine Berücksichtigung fanden.

[2] Daß die Messiaszeit der עוֹלָם הַבָּא ist, entspricht wohl der ursprünglichen
Anschauung. Demgegenüber ist die Vorstellung, daß die ‚Tage des Messias'
nur eine vorläufige Heilsperiode darstellen, der der zukünftige Äon erst folgt
(so R. Aqiba und babylonische Amoräer), wohl unter dem Einfluß der Apokalyptik entstanden. Vgl. dazu BILLERBECK IV/2 S. 817ff., 968f.; etwas anders
KLAUSNER, a.a.O. S. 408ff., der eine frühe sachliche Trennung, aber eine erst
späte begriffliche Unterscheidung zwischen messianischer Zeit und zukünftiger
Welt annimmt.

[3] Hier gehen die beiden Vorstellungen nebeneinander her, daß der Messias
als Kriegsheld selbst die Widersacher bekämpfen und besiegen muß bzw.
daß diese auf wunderbare Weise, teilweise durch Gottes eigenes Eingreifen,
niedergeworfen werden; vgl. BILLERBECK IV/2 S. 858ff., 877f. Die Vorstellung
vom Messias ben David als Kriegsheld tritt später zurück, weil diese Funktion
einem im Kampfe fallenden Messias ben Ephraim oder ben Joseph zugeschrieben
wird; diese Anschauung ist kaum vor dem 2. Jh. n.Chr. entstanden und setzt
wohl die Erfahrungen des Bar-Kochba-Krieges voraus; vgl. BILLERBECK IV/2
S. 872ff., auch II S. 273ff., 292ff.; KLAUSNER, a.a.O. S. 402f., 483ff. — Die
Vorstellung von einem forensischen Weltgericht ist vornehmlich in der Apokalyptik beheimatet, während sonst an ein Gericht über Israel gedacht wird
und die Rede vom Gericht über die Völker deren Vernichtung bezeichnet; vgl.
BILLERBECK IV/2 S. 859 Anm. 1.

[4] BILLERBECK IV/2 S. 881f.

[5] In der rabbinischen Tradition tritt besonders der Gedanke der vollkom-
menen Torakenntnis in der messianischen Zeit hervor; vgl. BILLERBECK IV/2
S. 882f. Im 3. Jh. werden ausdrücklich noch 6 bzw. 10 Dinge genannt, die der
Messias wiederbringen wird, was teilweise sicher auf ältere Überlieferung
zurückgeht; hierzu gehören u. a. die paradiesische Fruchtbarkeit der Erde und
die Länge des menschlichen Lebens; vgl. BILLERBECK IV/2 S. 886f.; Mo-
WINCKEL, a.a.O. S. 323ff.

um die von Gott bewirkte Messiaszeit geht[1]. Auf jeden Fall ist aber
der Messias eine Herrschergestalt[2]; Erwägungen über einen niedrigen
oder leidenden Messias fehlen[3], und von einer priesterlichen Messiasgestalt ist nur ganz selten die Rede[4].

Neben der talmudischen Literatur besitzen wir noch die zwar spät
redigierten, aber dennoch alte Anschauungen bewahrenden Targume.
Aufschlußreich für die Messiaserwartung ist vor allem das *Prophetentargum* des Jonathan ben Uzziel. Es steht PsSal 17 f. und den zuletzt
besprochenen rabbinischen Lehrtraditionen ganz nahe und zeigt fast
keinerlei Einfluß apokalyptischer Denkweise. „Le Messie qu'attend

---

[1] Vgl. Volz, Eschatologie S. 176.

[2] Klausner, a.a.O. S. 157: "The Jewish Messianic idea, in its authentic
form, came forth from an essentially political aspiration — the longing of the
nation to recover its lost political power and to see the revival of the Davidic
kingdom, a kingdom of right and might alike. Hence this idea, in spite of its
increasing spiritualization and the great ethical height to which it rose, necessarily remained in essence mundane and political"; vgl. auch S. 519 ff.

[3] Die Unterscheidung eines Kommens des Messias in Herrlichkeit und in
Niedrigkeit je nachdem, ob Israel seines Auftretens würdig ist oder durch
Sünden sich verunreinigt hat, gehört der Amoräerzeit an; vgl. Billerbeck
IV/2 S. 872 ff. Mit dem Messias ben David sind Leidensgedanken zunächst nicht
verbunden worden; Klausner, a.a.O. S. 405: "In the whole Jewish Messianic
literature of the Tannaitic period there is no trace of the ‚suffering Messiah‘ ".
Über die späteren Anschauungen vom leidenden Messias vgl. Billerbeck II
S. 273 ff.; Jean-Joseph Brierre-Narbonne, Le Messie souffrant dans la
littérature rabbinique, 1940.

[4] Die von Sacharja herkommende Anschauung des Nebeneinander von König-
lichem und hohenpriesterlichem Messias taucht im ganzen rabbinischen Schrifttum nur gelegentlich auf, so vor allem Abot de Rabbi Nathan 34 (Billerbeck
IV/1 S. 457). In späterer Literatur ist das Amt des messianischen Hohenpriesters
mit der Gestalt des wiederkehrenden Elia verbunden; vgl. dazu Billerbeck IV/2
S. 789 ff.; Klausner, a.a.O. S. 451 ff. In diesem Sinne kommen dann MidrPs 43
§ 1; TargKL 4,22; TargJ I Dt 30,4 (Billerbeck I S. 87; IV/2 S. 792, 797) Elia
und der Messias ben David nebeneinander vor, an letztgenannter Stelle als die
‚zwei Erlöser‘. In der systematisierenden Aussage bSukka 52b kommt es sogar
zu einer Zusammenstellung von 4 Gesalbten: Messias ben David, Messias ben
Joseph, Elia und כֹּהֵן־צֶדֶק (Billerbeck IV/2 S. 786; dort noch ähnliche Stellen),
wie es auch in PesiqR 8,1 — im Anschluß an Sach 4,3! — zu einer Koordination
des Messias ben David und des Messias ben Joseph gekommen ist (Billerbeck
II S. 292). Die Ansicht von Heinz Wolfgang Kuhn, Die beiden Messias in
den Qumrantexten und die Messiasvorstellung in der rabbinischen Literatur,
ZAW 70 (1958) S. 200 ff., daß die rabbinischen Schriften die Doppelvorstellung
eines königlichen und eines hohenpriesterlichen Messias nicht kennen, daß
vielmehr „neben dem Messias schlechthin" nur gelegentlich „der Hohepriester
der messianischen Zeit" genannt wird (S. 205), halte ich nicht für zutreffend.
Auch wenn der hohenpriesterlichen Gestalt nicht ausdrücklich die Messiasbezeichnung beigelegt wird, so zeigt sich doch in der Struktur der erwähnten
Aussagen die Abhängigkeit von der Zwei-Messias-Lehre. Natürlich dominiert
bei weitem die Erwartung des einen Messias ben David. Und darin ist allerdings zuzustimmen, daß nirgendwo in der rabbinischen Literatur der priesterlichen Messiasgestalt eine höhere Rangordnung zukommt (S. 205 ff.), eher nimmt
der königliche Messias eine Vorrangstellung ein (so bes. Abot RN 34).

Jonathan rentre donc tout entier dans la tendance messianique
nationale et terrestre: c'est un homme, c'est un Juif, c'est un saint
rabbi, c'est un roi puissant du temps de la consolation, c'est le fils de
David promis aux Israelits pieux"[1].

In diesen Rahmen fügt sich, trotz aller Besonderheiten, auch die
Haltung der *Zeloten*. Das Urteil über diese Gruppe ist allerdings sehr
erschwert, weil nur indirekte und zudem nicht gerade unparteiische
Quellen zur Verfügung stehen. Denn wir sind weitgehend auf Josephus
angewiesen[2], der den Zeloten in seiner Darstellung sicher nicht in
hinreichendem Maß gerecht wird[3]. Auf keinen Fall dürfen die Zeloten
als bloße Revolutionäre und nationale Fanatiker angesehen werden,
bei denen einseitig politische Interessen vorherrschen[4]. Ihr Zusammen-

---

[1] So das abschließende Ergebnis der Untersuchung von PAUL HUMBERT,
Le Messie dans le Targum des Prophètes, RThPh 43 (1910) S. 420—447; 44
(1911) S. 5—46; im ersten Teil werden alle messianisch verstandenen Texte
des Targums mit dem MT verglichen; im zweiten Teil wird dann zusammenfassend das Messiasbild beschrieben. Das messianische Zeitalter ist vom kommenden Äon unterschieden, ohne daß klare Aussagen über den Übergang vorliegen (Bd. 44 S. 28ff.); der Messias selbst geht aus dem Volk hervor, ist zunächst
unbekannt, wird dann von dem heiligen Geist und göttlicher Kraft erfaßt und
führt einen siegreichen Kampf gegen alle Feinde, dann kommen die Zerstreuten
zurück, Israel wird gereinigt und des Gottesbundes neu teilhaftig, der Tempel
wird wiedererrichtet; in Weisheit legt der Messias die Tora aus, Fruchtbarkeit
und langes Leben herrschen in seinen Tagen (S. 36ff.). Vermerkt sei noch, daß
hier Messias- und Gottesknechtsvorstellung miteinander verbunden sind (Jes
42,1: הא עבדי משיחא; Bd. 43 S. 441), daß aber in Jes 53 alle Leidenszüge vermieden sind (Bd. 44 S. 5ff.). Ob dies mit antichristlicher Polemik zusammenhängt — so z.B. JEREMIAS, ThWb V S. 693 — ist m. E. sehr fraglich, denn
immerhin handelt es sich um die alte Messiaskonzeption, die sich in diesem
Prophetentargum durchhält und auch auf die Gottesknechtsstellen ausgedehnt
ist. Vgl. noch PAUL SEIDELIN, Der 'Ebed Jahwe und die Messiasgestalt im
Jesajatargum, ZNW 35 (1936) S. 194—231. Die vorchristliche Übernahme der
Leidensaussagen aus Jes 53 in die Messiasvorstellung will auf Grund alter
Texttraditionen HARALD HEGERMANN, Jesaja 53 in Hexapla, Targum und
Peschitta (BFchrTh II/56), 1954, erweisen; doch vgl. die ausgezeichnete kriti-
sche Besprechung von EDUARD LOHSE, ThLZ 80 (1955) Sp. 338—340, ferner
HOOKER, Jesus and the Servant S. 55f. — Auch die LXX-Fassung von Jes 53
läßt keine messianische Deutung erkennen; vgl. dazu KARL FRIEDRICH EULER,
Die Verkündigung vom leidenden Gottesknecht aus Jes 53 in der griechischen
Bibel (BWANT IV/14), 1934, bes. S. 122ff.

[2] Über Anfänge und Ziele der Zelotenpartei JosBell I, 204. 304ff.; II, 56.118;
Ant XVIII, 4f.23—25; vgl. auch noch Hippolyt, Ref IX, 26. Die früher
häufiger geäußerte Meinung, AssMos könne auf die Zeloten zurückgehen, ist
heute aufgegeben; SCHÜRER, der sie in a.a.O. Bd. I, 1901³·⁴, S. 487 Anm. 139
noch in Erwägung zog, hat diese These in Bd. III, 1911⁴, S. 300, selbst fallen
lassen.

[3] Von dieser Tatsache geht die Untersuchung von W. R. FARMER, Maccabees,
Zealotes and Josephus, 1956, aus. Er versucht die Gründe zu bestimmen, die
Josephus veranlaßt haben, ein äußerst einseitiges Bild von den Zeloten zu
entwerfen (S. 11ff., 126f.), und gibt auch einen recht interessanten Überblick
über die Erforschung der Zelotenbewegung im 19. und 20. Jahrhundert (S. 24ff.).

[4] Das Bild, das BOUSSET-GRESSMANN S. 87f. von ihnen entwerfen, ist sicher
falsch.

schluß unter Judas dem Galiläer anläßlich des Zensus im Jahre
6. n. Chr., zunächst in Gemeinschaft mit Pharisäern, und ihr Vorgehen
im Laufe der Jahrzehnte bis hin zum jüdischen Krieg und dem Aufstand unter Hadrian[1], läßt sich nur aus religiösen Motiven begreifen[2].
Wie der Name besagt, ging es ihnen um ein ‚Eifern‘, und zwar um
Jahwes Gesetz und Heiligtum[3] sowie um die Verwirklichung eines
bestimmten Ideals der Existenz des Gottesvolkes. Zweifellos bestehen Verbindungslinien zur Makkabäererhebung[4]. Aber die menschliche Aktivität, die in einem heiligen Krieg entfaltet wird[5], steht zugleich, und das unterscheidet die Zeloten von den Makkabäern, im
Zusammenhang mit eschatologischen Erwartungen[6]. In welchem Maße
hier mit einem messianischen König und mit dem Anbruch der End-

---

[1] Zur Geschichte vgl. SCHÜRER, a. a. O. I S. 486 f., 576, 600 ff., 642 ff.

[2] Dies wird vor allem betont von JOSEPH KLAUSNER, Jesus von Nazareth,
(1930) 1952[3], S. 270 ff.; OSCAR CULLMANN, Der Staat im Neuen Testament,
1956, S. 5 ff.; FARMER, a. a. O. S. 47 ff.; vgl. neuerdings MARTIN HENGEL, Die
Zeloten. Untersuchungen zur jüdischen Freiheitsbewegung in der Zeit von
Herodes I. bis 70 n. Chr. (AGSU 1), 1961, bes. S. 93 ff., 151 ff., 235 ff.

[3] Dahinter steht die Tradition vom Eiferer Pinehas; dazu FARMER, a. a. O.
S. 177 ff.; HENGEL, a. a. O. S. 154 ff.

[4] Dies im einzelnen aufgezeigt zu haben, ist das Verdienst von FARMER,
a. a. O. S. 47 ff., 84 ff. Ihm geht es außerdem auch um den Nachweis, daß die
Erinnerung an die Makkabäerzeit im 1. Jh. n. Chr. noch durchaus lebendig
war (S. 125 ff.). Er beruft sich dabei hauptsächlich auf *Megillat Taʻanit* (S. 151 ff.,
205 ff.): es handelt sich um eine Zusammenstellung von Gedenktagen, an denen
nicht gefastet werden darf, wobei auch gerade Ereignisse der Makkabäerzeit
eine Rolle spielen. Diese Liste muß in ihrem Grundbestand tatsächlich in der
Zeit vor der Tempelzerstörung entstanden sein, ist aber in der Zeit Hadrians
noch ergänzt worden. Der aramäische Text (ohne den nachtalmudischen hebräischen Kommentar) bei GUSTAF DALMAN, Aramäische Dialektproben, 1927[2],
S. 1 ff., dazu Erläuterungen S. 41 ff.; vgl. DERS., Grammatik des jüdisch-
palästinischen Aramäisch, 1905[2], S. 8 f. (beides in einem Band neugedruckt
1960); HERMANN LEBRECHT STRACK, Einleitung in Talmud und Midrasch,
1921[5], S. 12.

[5] Hier ergeben sich viele Analogien zu den Makkabäerkämpfen: auch
dort hatte das Motiv des ‚Eiferns‘ bereits große Bedeutung erlangt (1 Makk
2, 24 ff. 50 ff.; 2 Makk 4, 2). Der Begriff des heiligen Krieges muß in beiden Fällen
in seinem eigentlichen Sinn genommen werden. WINDISCH, Der messianische
Krieg, bietet keine klaren Unterscheidungen. Bei ihm läuft der Glaubenskampf
der Makkabäer, das Vorgehen der Zeloten, die eschatologische Überwindung
der feindlichen Mächte in Messianologie und Apokalyptik alles unter dem
Sammelbegriff „messianischer Krieg" (S. 3 ff., 10 ff.). Es muß sorgfältig getrennt werden: die Vernichtung der Feinde durch Gottes eigenen Eingriff, das
Vernichtungsurteil des Menschensohnes, der wunderbare Sieg des Messias und
der Kampf der mit Hilfe der Frommen errungen wird; vgl. BOUSSET-GRESS
MANN S. 218 ff.; VOLZ, Eschatologie S. 315 ff. Im heiligen Krieg geht es um das
Aufgebot der Menschen für die Sache Gottes; dies liegt dem Makkabäeraufstand
ebenso zugrunde wie dem Vorgehen der Zeloten.

[6] Dies ist das Novum gegenüber der Makkabäerzeit. Es hat seine bereits erwähnte Parallele in 1 Q M. Die eschatologische Motivierung und die messianischen Tendenzen sind bei FARMER nicht deutlich herausgearbeitet (nur S. 120
Anm. 80 flüchtig berührt); vgl. dagegen HENGEL, a. a. O. S. 235 ff.

zeit gerechnet wurde, zeigt ebenso der königliche Einzug des Menachem in Jerusalem im Jahre 66 n. Chr. wie die Bedeutung des zweideutigen Orakels über die Weltherrschaft und das Ausharren in dem von den Feinden bestürmten Tempel[1]. Es wird aber auch noch bestätigt durch die Ereignisse in den Jahren 132—135, wo Simon ben Kosba[2], als messianischer König gefeiert und eingesetzt worden ist[3].

*Zusammenfassend* ergibt sich, daß die Messiaserwartung der alttestamentlichen Prophetie in der spätjüdischen Epoche im wesentlichen erhalten geblieben ist[4]. Variabilität zeigt sich nur an bestimmten Punkten: einmal in der Stellung eines hohenpriesterlichen Messias neben dem messianischen König, sodann in der Anschauung von der Überwindung der Feinde, die bisweilen durch Gottes eigenen Eingriff oder durch ein wunderbares Handeln des Messias, in einigen Fällen auch durch das Aufgebot der Frommen in einem heiligen Krieg bewirkt wird; endlich in der persönlichen Haltung des Messias, worin sich der jeweilige Frömmigkeitstypus zu einem Idealbild verdichtet

---

[1] Vgl. JosBell II, 433; VI, 312; ferner VI, 286, wonach Propheten auftreten, die die Menschen auffordern, in der Tempelhalle ‚die Zeichen des Heiles' abzuwarten.

[2] Nach den Entdeckungen in Wadi Muraba'at ist שמעון בן־כוסבה der eigentliche Name; vgl. HANS BARDTKE, Bemerkungen zu den beiden Texten aus dem Bar-Kochba-Aufstand, ThLZ 79 (1954) Sp. 295—304. Dieser Name wurde im Zusammenhang der messianischen Erwartung nach Num 24,17 in בר־כוכבא (Sternensohn), später aber in בר־כוזיבא (Lügensohn) geändert; vgl. BOUSSET-GRESSMANN S. 224 Anm. 1.

[3] An der Anerkennung als Messias war R. Aqiba maßgeblich beteiligt; vgl. pTa'an 68d (par.) bei BILLERBECK I S. 13; bei Euseb HE IV 6,1 wird Bar-Kochba allerdings wie die Zeloten bei Josephus nur als Aufrührer behandelt. Auf Grund der Münzfunde ist zu ersehen, daß unter Bar-Kochba eine neue Jahreszählung eingeführt wurde, und zwar unter dem Leitgedanken der Freiheit Jerusalems: לחרות ירושלם, womit der Beginn der eschatologischen Bitten des Achtzehngebetes zu vergleichen ist: תְּקַע בְּשׁוֹפָר גָּדוֹל לְחֵרוּתֵנוּ (ber. 10 pal.), dazu K. G. KUHN, Achtzehngebet S. 17. Weiter sei darauf hingewiesen, daß Simon ben Kosba als נָשִׂיא den Hohenpriester Eleazar an seiner Seite hatte, wie ebenfalls aus Münzfunden hervorgeht; vgl. K. G. KUHN, NTSt 1 (1954/55) S. 174f. Hier wirkt sich offensichtlich eine Zwei-Messias-Konzeption aus; Bar-Kochba hat dabei Vorrangstellung. Auffallenderweise fehlen Priestermünzen aus dem 2. Jahr; das Material ist zu gering, um daraus interne Spannungen erschließen zu können. Bei der streng gesetzlichen und durch spezifisch jüdische Erwartungen ausgezeichneten Haltung kam es auch zu Christenverfolgungen; so Euseb HE IV 8,4 im Anschluß an Justin. Zur Geschichte vgl. SCHÜRER a.a.O. I S. 670ff.; ADOLF SCHLATTER, Geschichte Israels von Alexander dem Großen bis Hadrian, 1925³, S. 373ff.; M. NOTH, Geschichte Israels S. 401ff.; HANS BIETENHARD, Der Freiheitskrieg der Juden unter den Kaisern Trajan und Hadrian und der messianische Tempelbau, Judaica 4 (1948) S. 57—77. 81—108 (S. 85ff. zur bisherigen Forschung und bes. S. 161—185).

[4] Diese alte Messiashoffnung hat auch in den Schriften des Diasporajudentums ihre Spuren hinterlassen, wie LXX, Philo und OrSib zeigen; doch ist sie dort mit mancherlei fremdartigen Motiven verwoben. Vgl. dazu VOLZ, Eschatologie S. 181ff.

hat. Durchweg aber, und das ist die eigentliche Konstante, ist der Messias eine menschliche Gestalt, ist Nachfahre Davids[1], übernimmt ein politisches Königtum und verwirklicht seine Aufgabe im irdischen Bereich[2]. Wo vom ‚Messias' die Rede ist, geht es daher — von den jeweils eindeutig bezeichneten Zusammmenhängen abgesehen, in denen der messianische Hohepriester gemeint ist — immer um diese in sich geschlossene und einheitliche Vorstellung. Daß ‚Messias' in vorchristlicher Zeit zum „allgemeinsten" Hoheitstitel für den endzeitlichen Erlöser geworden sei, ist eine oft wiederholte, aber keineswegs zutreffende These[3]. Ebensowenig darf gesagt werden, daß die „irdisch-nationale" Eschatologie mit der „apokalyptisch-universalen" völlig zusammengeflossen sei[4] und demzufolge die Titel ‚Messias' und ‚Menschensohn' gleichbedeutend geworden wären[5]. Die Menschensohnerwartung steht zwar innerhalb der Apokalyptik an der Stelle der Messiashoffnung, aber sie hat völlig andere Wurzeln und umfaßt einen sehr andersartigen Vorstellungskomplex. Es ist daher notwendig, die beiden Anschauungen klar zu unterscheiden und vor allem die Messiasbezeichnung nur der einen Konzeption vorzubehalten. Natürlich darf nicht übersehen werden, daß es in Einzelfällen auch zu Verbindungen zwischen der königlichen Messianologie und der apokalyptischen Eschatologie gekommen ist[6]. Aber dies muß jeweils genau be-

---

[1] Eine Ausnahme stellt Bar-Kochba dar; in diesem Fall war die Geschichte mächtiger als das Dogma.

[2] Wie oben S. 152 Anm. 2 gezeigt, entsteht später auch eine gewisse Variabilität, was die Zugehörigkeit der Messiaszeit zum neuen Äon betrifft.

[3] So etwa BOUSSET, Kyrios Christos S. 3f. Auch die Behauptung CULLMANNS, Christologie S. 111f., daß das Judentum zur Zeit Jesu keinen festen Messiasbegriff mehr gehabt habe, dieser mit den verschiedensten Inhalten gefüllt werden konnte, aber umgekehrt doch die politische Messiasvorstellung wieder zunehmend in den Vordergrund drang, ist nicht zutreffend; die Hauptelemente dieser Messiasvorstellung sind von ihm aber S. 117 gut herausgestellt.

[4] Daß die Gegenüberstellung „irdisch-nationale" und „apokalyptisch-universale" Hoffnung nicht angemessen ist, hat zuletzt wieder RÖSSLER, a.a.O. S. 64 Anm. 6, betont. Wohl handelt es sich um eine diesseitige und eine transzendente Heilserwartung; aber die Apokalyptik ist unbeschadet der Tatsache, daß sie die gesamte Weltgeschichte zu umgreifen sucht, in ihrer Heilserwartung ebenso auf das erwählte Volk ausgerichtet wie die prophetische Eschatologie. Bisweilen hat man sogar den Eindruck, daß für das Herzukommen der Heiden in der Eschatologie alten Stiles mehr Raum sei als in der Apokalyptik, wo die Heiden fast durchweg als widergöttliche Mächte angesehen werden; zutreffend beobachtet von ALBERT SCHWEITZER, Die Mystik des Apostels Paulus, 1930, S. 175f.

[5] So z.B. BULTMANN, Theol. S. 55f.

[6] Einen brauchbaren Überblick über das Nebeneinander der verschiedenartigen Strömungen in der spätjüdischen Eschatologie bietet JEAN HÉRING, Le royaume de Dieu et sa venue, (1937) 1959², S. 51ff. (unbefriedigend ist allerdings seine S. 259ff. nachgetragene Beurteilung der Qumranschriften). Auch SIGMUND MOWINCKEL geht im zweiten Teil seines großen Werkes He That Cometh (1949/50 entstanden und 1951 norwegisch erschienen, daher die Qumrantexte nicht berücksichtigend) von der Unterscheidung der Vorstellungen

stimmt und abgegrenzt werden. Nur in den Bilderreden des aethiopischen Henoch ist die Messiasvorstellung ganz mit der des Menschensohnes verschmolzen[1]. Aber das war nicht die einzige und dürfte kaum
die vorherrschende Auffassung der Apokalyptik gewesen sein. IV Esra
und syrischer Baruch enthalten eine ganz andere Lösung, sofern sie
dem messianischen Reich den Charakter eines Zwischenreiches
zwischen diesem und dem kommenden Äon zuweisen, also einen Ausgleich mit der traditionellen Eschatologie im Sinne einer vorläufigen
und einer endgültigen Heilszeit anstreben[2]. So bietet nicht einmal
die apokalyptische Literatur ein einheitliches Bild, geschweige denn
die spätjüdische im ganzen. Die Apokalyptik hat offensichtlich, soweit wir sehen können, immer gewisse Anleihen bei der traditionellen
Eschatologie gemacht, dagegen muß umgekehrt beachtet werden,
daß die Messianologie alten Stiles sich noch sehr lang  unbeeinflußt
von der apokalyptischen Erwartung erhalten hat und für die neutestamentliche Zeit in ihrer ursprünglichen Struktur mit Sicherheit
vorausgesetzt werden darf.

vom Messias und Menschensohn aus; er zeigt dann, wie die auf die altisraelitische
Königsanschauung zurückgehende, seiner Meinung nach aber erst nachexilische
Messiashoffnung (S. 15ff. 155ff.) und die unabhängig davon ausgebildete,
durch außerisraelitische Einflüsse bedingte Menschensohnerwartung (S. 346ff.,
bes. S. 420ff.) sich gleichwohl in Einzelzügen gegenseitig beeinflußt haben
(S. 280f., 333ff., 360ff.), ohne ihre Selbständigkeit aufzugeben. Er spricht allerdings beim ‚Menschensohn‘ ebenfalls von einer „Messiasvorstellung". Abwegig
August von Gall in seinem materialreichen, aber in der religionsgeschichtlichen
Auswertung problematischen Buch *ΒΑΣΙΛΕΙΑ ΤΟΥ ΘΕΟΥ* (Religionswiss.
Bibliothek 7), 1926, S. 352ff., 409ff., bes. S. 439ff.: die beiden Vorstellungen
sollen überhaupt erst auf judenchristlichem Boden zusammengeflossen sein,
weswegen dann IV Esra und syr. Baruch als Dokumente des Judenchristentums
behandelt werden. Der Arbeit von W. Küppers, Das Messiasbild der spätjüdischen Apokalyptik, Internat. Kirchl. Zeitschr. 23 (1933) S. 193—256; 24 (1934)
S. 47—72, fehlt jede klare Unterscheidung der verschiedenartigen Traditionselemente, was nicht zuletzt damit zusammenhängt, daß der Verfasser unter
allen Umständen die Apokalyptik als eine genuin innerisraelitische Entfaltung
der prophetischen Eschatologie beurteilt wissen will.

[1] Vgl. Erik Sjöberg, Menschensohn im äth. Henochbuch, S. 140ff., der
auch zeigt, wie abgesehen vom Messiastitel (48,10; 52,4) einige Elemente der
messianischen Erwartung aufgenommen sind. (Er spricht allerdings ebenfalls unzutreffend von dem Messiastitel als einer „allgemeinen" Bezeichnung des endzeitlichen Erlösers.) Gegen Vielhauer, Festschrift für Günther Dehn S. 65,
der behauptet, daß die Identifikation von Messias und Menschensohn religions-
geschichtlich im Judentum überhaupt nicht präformiert sei.

[2] Vgl. Volz, Eschatologie S. 71ff. Als Belege kommen vor allem IV Esra
7,28ff.; c. 11f. in Frage, ferner syr. Bar 29f.; 39,7ff.; c. 72—74; besonders in
der Baruchapokalypse ist deutlich, wie alte Traditionen der königlichen Messianologie erst sekundär umgedeutet werden. Das Schicksal des Messias wird unterschiedlich bestimmt: während er nach IV Esra 7,29 nach 400-jähriger Herrschaft
stirbt, wird er nach syr. Bar 30,1 in den Himmel zurückkehren, jedoch geht
nach syr. Bar 74,2 die Zwischenzeit offensichtlich unmittelbar in die endgültige
Heilszeit über. Derartige Elemente der Apokalyptik haben sich auch in der
späteren rabbinischen Literatur niedergeschlagen, obwohl die königliche
Messianologie durchaus vorherrscht.

## 2. Die Bedeutung der Messiasvorstellung in Jesu Leben

Wie ist es dazu gekommen, daß Titel und Vorstellung des königlichen Messias auf Jesus übertragen wurden? Nach dem, was über die für das 1. Jahrhundert n. Chr. maßgebende Messiasvorstellung festgestellt werden konnte, ist es keineswegs selbstverständlich, daß diese Bezeichnung auf Jesus angewandt worden ist. Daß man sich ihrer bedienen mußte, um den Juden die Funktion und Würde Jesu als des von Gott gesandten Heilbringers überhaupt klarmachen zu können[1], ist nicht zutreffend, denn es gab eine ganze Reihe anderer Anschauungen, die man verwenden konnte und tatsächlich auch aufgegriffen hat, weil sie im Zusammenhang mit Jesu Wirken und Verkündigen mindestens näher lagen als die Messiaserwartung[2]; und als allgemeiner Titel kam ‚Messias' eben in jener Zeit nicht vor.

Die ältere Forschung hat mit der „irdisch-nationalen" Messiasvorstellung des damaligen Judentums gerechnet und die Frage zu beantworten gesucht, wie Jesus diese Erwartung aufgenommen und modifiziert habe. Dabei wurde vielfach die These vertreten, daß Jesus diese Hoffnung „vergeistigt" oder „verinnerlicht" habe[3]; oder es wurde behauptet, er selbst habe sie mit der Menschensohn- bzw. Gottesknechtvorstellung verbunden[4]; bisweilen wurde auch gesagt, daß von Messianität nur proleptisch gesprochen werden könne, da diese Vorstellung auf das irdische Leben Jesu nicht eigentlich anwendbar sei[5]. Demgegenüber bemüht man sich heute um den Nachweis, daß die für das Verständnis des neutestamentlichen Messiastitels notwendigen Modifikationen bereits der spätjüdischen Tradition angehören, besonders die Verbindung mit dem Menschensohn- und

---

[1] So zuletzt CULLMANN, Christologie S. 113.

[2] Vor allem die Menschensohnvorstellung und die Anschauung vom eschatologischen Propheten sind hier zu nennen; vgl. § 1 und Anhang. Die Vorstellung vom messianischen Hohenpriester kam noch weniger als die vom messianischen König in Frage, vgl. Exk. IV.

[3] In verschiedenen Variationen bei FERDINAND CHRISTIAN BAUR, Vorlesungen über die neutestamentliche Theologie, 1864, S. 93ff. (im Zusammenhang mit der „geistigen Idee der βασιλεία τοῦ θεοῦ"); PAUL WERNLE, Die Anfänge unserer Religion, 1904², S. 30ff.; HEINRICH WEINEL, Biblische Theologie des Neuen Testamentes, 1928⁴, S. 182ff.; PAUL FEINE, Theologie des Neuen Testaments, 1953⁹, S. 42ff.; J. B. FREY, Le conflit entre le Messianisme de Jésus et le Messianisme des Juifs de son temps, Biblica 14 (1933) S. 133—149. 269—293.

[4] Vgl. HEINRICH JULIUS HOLTZMANN, Lehrbuch der neutestamentlichen Theologie I, 1911², S. 331f.; THEODOR ZAHN, Grundriß der neutestamentlichen Theologie, 1928, S. 17ff.; FRIEDRICH BÜCHSEL, Theologie des Neuen Testaments, 1935, S. 44ff.; aber auch noch WILLIAM MANSON, Bist du, der da kommen soll?, 1952, S. 136ff., bes. S. 142.

[5] So etwa DALMAN, Worte Jesu S. 259; andere Vertreter bei H. J. HOLTZMANN, a. a. O. S. 331 Anm. 2.

dem Leidensgedanken[1]. Aber mit Recht ist wieder die Forderung erhoben worden, die neutestamentlichen Aussagen über Messias und Menschensohn samt ihrer jeweiligen Vorgeschichte getrennt zu untersuchen[2]. WELLHAUSEN dürfte wohl das Richtige beobachtet haben, wenn er die Verbindung der Messiasvorstellung mit der vom Menschensohn und dem Motiv des Leidens als eine nachträgliche Korrektur des Messiasbegriffs seitens der Urgemeinde ansieht, aber andererseits damit rechnet, daß doch auch die jüdische Messiasvorstellung eine gewisse Rolle in Jesu Leben gespielt haben kann[3]. Entscheidend ist somit die Frage der interpretatio Christiana des jüdischen Messiasbegriffs[4]. Es muß beachtet werden, daß es sich dabei um einen ganzen Vorstellungskomplex handelt[5], der Messiastitel also weder beliebig verwandt noch Einzelzüge der Vorstellung beliebig ausgetauscht werden konnten. Es muß nachgeprüft und aufgezeigt werden, welche Modifikationen die Anschauung vom königlichen Messias nach und nach durchgemacht hat, welche Ursachen dafür maßgebend waren und welche neuen Elemente eingeschmolzen wurden. Hier stellt sich eine Vielzahl von schwierigen Aufgaben, die bisher noch kaum oder nur ungenügend in Angriff genommen worden sind[6]. Nachfolgend sollen versuchsweise einige Wegmarken abgesteckt werden.

---

[1] Hauptsächlich JOACHIM JEREMIAS, Erlöser und Erlösung im Spätjudentum und im Urchristentum, in: Deutsche Theologie II: Der Erlösungsgedanke (Bericht über den 2. deutschen Theologentag), 1929, S. 106—119; DERS., Art. παῖς θεοῦ, ThWb V S. 653—713.

[2] ETHELBERT STAUFFER, Messias oder Menschensohn?, Nov Test 1 (1956) S. 81—102.

[3] JULIUS WELLHAUSEN, Einleitung in die drei ersten Evangelien, 1905, S. 89ff.; 1911[2]. S. 79ff. Allerdings weicht er zuletzt auch in eine gewisse Spiritualisierung aus: ,,Als Joch empfand er nicht die Herrschaft der Heiden, sondern die einer ertötenden Tradition . . . Als Regenerator konnte er wol den Namen des jüdischen Restitutor in integrum acceptiren, obgleich er das Politische davon abstreifte" (1. Aufl. S. 93).

[4] Vgl. CASEY, Earliest Christologies, JThSt NS 9 (1958) S. 258ff.; seine Skizze des urchristlichen Gebrauchs von ‚Christos' ist allerdings zu knapp, um wesentliche Linien der Entfaltung deutlich heraustreten zu lassen.

[5] Als methodischer Grundsatz ist dies von ERNST LOHMEYER, Galiläa und Jerusalem (FRLANT NF 34), 1936, S. 93, nachdrücklich betont worden und behält sein Recht, auch wenn man L.s eigene Durchführung nicht für zutreffend hält.

[6] Die Monographie von PHILIPP FRIEDRICH, Der Christus-Name im Lichte der alt- und neutestamentlichen Theologie, 1905, steht jeder historisch-kritischen Fragestellung fern; Gen 3,14f.; 1 Sam 2,1—11 u.a. sind als messianische Weissagungen im eigentlichen Sinn behandelt (S. 45ff.), für das nachbiblische Judentum werden nur nt. Belege herangezogen (S. 67ff.), und der nt. Christustitel wird unter weitgehend dogmatischer Fragestellung mit viel patristischem Material als ,,Amts-" und ,,Wesensname des gottmenschlichen Kompositums" charakterisiert (S. 133ff.). Auch JOSEF FRINGS, Die Einheit der Messiasidee in den Evangelien. Ein Beitrag zur Theologie des NT, in: Der Katholik (Zeitschrift für kath. Wissenschaft und kirchl. Leben) 4. Folge Bd. 19 (1917) S. 15—32. 93—107. 173—189. 233—257; Bd. 20 (1917) S. 35—50. 98—108. 196—210,

Zur Beantwortung der Frage nach der Bedeutung der Vorstellung vom königlichen Messias innerhalb des Lebens Jesu[1] ist zu prüfen, wieweit deren charakteristische Elemente in Jesu Verkündigung und Wirken Spuren hinterlassen haben[2], zum andern, ob die Messiashoffnung an Jesus herangetragen worden ist, und endlich, wie die Anklage Jesu als eines Messiasprätendenten beurteilt werden muß.

Die Erörterung des Verhältnisses Jesu zur herkömmlichen jüdischen Messiaserwartung verdichtet sich zunächst zu der Frage nach seiner *Stellung zu den Zeloten.* Wenn er der diesseitig-politischen Vorstellung irgendwie nahegestanden hat, müßte dies in seiner Haltung gegenüber jener Partei deutlich werden; außerdem müßten sich zelotische Züge auch in seinem eigenen Wirken feststellen lassen. Die Erwägung eines gewaltsamen Vorgehens Jesu zur Verwirklichung seiner Ziele hat in der Leben-Jesu-Forschung schon bei REIMARUS eine wichtige Rolle gespielt[3]. Ende der zwanziger Jahre unseres Jahrhunderts rückte diese Ansicht durch die Arbeiten von ROBERT EISLER und JOSEPH KLAUSNER erneut in den Vordergrund. EISLER wollte auf Grund der

ist wenig ergiebig; die messianische Idee sei zur Zeit Jesu von der Höhe der prophetischen Erwartung herabgesunken gewesen, dagegen enthalte das NT eine von allen Schlacken gereinigte Auffassung: die messianische Erlösung ist eine sittliche, die Bußvorbereitung und Mitarbeit des einzelnen verlangt; schon der Täufer hat die Grundlinien herausgestellt, Jesus hat von Anfang an eine vollkommen ausgebildete Erkenntnis seiner messianischen Aufgabe und betrachtet seine eigene Stellung „sein ganzes Leben hindurch ohne Schwankungen als eine prophetische, priesterliche und königliche". Diese Messiasidee ist im ganzen NT gleichbleibend und einheitlich erhalten, auch wenn sie nach Form und Deutlichkeit verschieden entfaltet ist (vgl. bes. Bd. 20, 1917, S. 209f.).

[1] Von dem mißlungenen Versuch, die Vorstellungen vom sakralen Königtum und der corporate personality her abzuleiten, kann abgesehen werden: so z.B. J. G. H. HOFFMANN, Jésus messie juif, in: Aux sources de la tradition chrétienne (Mélanges M. Goguel), 1950, S. 103—112; zu HARALD RIESENFELD, Jésus transfiguré, 1947, vgl. u. S. 336(f.) Anm. 6.

[2] Auf Jesu „Selbstverständnis" ist hierbei nicht eigens einzugehen. Nach dem Gesagten ist zumindest deutlich, daß es nicht notwendig „messianisch" gewesen zu sein braucht, wenn man Titel und Vorstellung im strengen Sinne nimmt. Das Selbstbewußtsein Jesu wird sich zudem nicht einfach in das Gehäuse einer der überkommenen jüdischen Vorstellungen einordnen lassen.

[3] Vgl. ALBERT SCHWEITZER, Geschichte der Leben-Jesu-Forschung, 1951[6], S. 16ff. Vgl. auch WELLHAUSEN, der in der 2.Aufl. seiner Einleitung in die drei ersten Evangelien die S. 160 Anm. 3 zitierten Sätze folgendermaßen ändert: Jesus will das Volk befreien „von dem Joch der Hierokratie und der Nomokratie. Zu diesem Zweck ist er vielleicht nicht bloß als Lehrer, sondern auch als Agitator aufgetreten und hat nach innen die messianische Herrschbefugnis für sich in Anspruch genommen oder wenigstens den Schein erweckt, daß er es täte. Er schreckte bei der Tempelreinigung vor Gewaltsamkeit nicht zurück; seine Jünger hatten Waffen und versuchten zu kämpfen, als sie überrascht wurden. Diese Spuren sind in der evangelischen Berichterstattung noch erhalten, andere mögen verwischt sein. Bis zu einem gewissen Grade könnte Reimarus recht haben" (S. 83). Er unterscheidet dies allerdings bewußt von einem (zelotischen) Aufstand gegen die Römer und einer Befreiung des Volkes von der politischen Fremdherrschaft.

slavischen Josephus-Überlieferung den Beweis erbringen, daß Jesus
selbst für eine unmittelbar zelotische Bewegung den Anlaß gegeben
habe: er sei zwar zunächst als Prediger einer besseren Gerechtigkeit
und des Nichtwiderstehens aufgetreten und habe auf eine wunderbare
göttliche Befreiung gehofft, sei aber nach der Aussendung seiner Jünger
über den Erfolg dieser Aktion enttäuscht gewesen, habe sich zu Heimat-
und Besitzlosigkeit sowie zu einem neuen Exodus entschlossen, sei
dann bei dem Aufruf an das Volk in Jerusalem in ein ausgesprochen
zelotisches Vorgehen seiner Jünger hineingezogen und deswegen von
den Römern zum Kreuzestod verurteilt worden[1]. Abgesehen von der
methodisch unhaltbaren Konstruktion muß festgestellt werden, daß
auch der slavische Josephustext die ihm hier zugemutete Beweislast
nicht trägt und keineswegs den Wert eines historisch zuverlässigen
und ursprünglichen Zeugnisses besitzt[2]. In anderer Weise rechnet
KLAUSNER mit zelotischen Tendenzen in Jesu Leben[3]: Jesus soll bei
der Taufe sein Messiasbewußtsein erlangt haben; „gewiß dachte auch

---

[1] ROBERT EISLER, $IH\Sigma OY\Sigma$ $BA\Sigma I\Lambda EY\Sigma$ $OY$ $BA\Sigma I\Lambda EY\Sigma A\Sigma$. Die messianische
Unabhängigkeitsbewegung vom Auftreten Johannes des Täufers bis zum Unter-
gang Jakobs des Gerechten nach der neuerschlossenen Eroberung von Jerusalem des Flavius Josephus und den christlichen Quellen dargestellt (Religionswiss.
Bibliothek 9) I/II 1929/30; vgl. bes. I S. 188ff.; II S. 687ff.

[2] Vgl. dazu MAURICE GOGUEL, Das Leben Jesu, 1934, S. 27ff., wonach mit
einer antichristlichen Interpolation der Halosis (= slav. Text des Bell. Jud.)
im hohen Mittelalter zu rechnen ist, auch wenn sich der Einschub aus Furcht
vor der Zensur vor groben Verunglimpfungen hütet. WALTHER BIENERT, Der
älteste nichtchristliche Jesusbericht: Josephus über Jesus. Unter besonderer
Berücksichtigung des altrussischen „Josephus" (Theol. Arbeiten zur Bibel-,
Kirchen- und Geistesgeschichte 9) 1936, S. 47ff., hat die These aufgestellt, daß
der wichtigste Jesusabschnitt der Halosis unter Verwendung des auch Ant
XVIII, 63f. zugrunde liegenden echten Jesuszeugnisses des Josephus von einem
griechisch-altrussischen Theologen des 11. Jh. bearbeitet worden sei (S. 52f. 188).
B. will damit sowohl den stark jüdischen Charakter dieser Aussagen erklären
als auch die Verwandtschaft mit der christlichen Interpolation der erwähnten
Stelle der Antiquitates. Er unternimmt schließlich den Versuch, den ursprünglichen Josephustext der Ant zu rekonstruieren: Jesus war Zauberer und lehrte
neuerungssüchtige Menschen, ferner plante er vom Ölberg aus einen Aufstand
(S. 254ff.); dies könne auf mündliche Tempelüberlieferung zurückgehen, sei
aber ein geschichtliches Zeugnis nur für die jüdische Anklage gegen Jesus, nicht
für die Geschichte Jesu selbst (S. 288). Der Text würde dann in eine gewisse
Nähe zu dem einzigen Zeugnis des rabbinischen Lehrstoffes kommen, welches
als selbständige Tradition für das Leben Jesu gewertet werden kann (alle übrigen
Texte beziehen sich nur auf die christliche Verkündigung), der Baraita aus
bSanh 43a; dazu GOGUEL, a.a.O. S. 20ff. Kritisch zu Bienert, aber ebenfalls
eine Rekonstruktion des ursprünglichen Josephustextes versuchend FELIX
SCHEIDWEILER, Das Testimonium Flavianum, ZNW 45 (1954) S. 230—243,
bes. S. 242f. Vgl. außerdem JOSEPH BLINZLER, Der Prozeß Jesu, 1960[3], S. 29ff.,
bes. S. 34ff. — Texte bei JOHANNES AUFHAUSER, Antike Jesuszeugnisse (Kleine
Texte 126), 1925[2], S. 11ff. (Jos.). 51f. (bSanh 43a).

[3] JOSEPH KLAUSNER, Jesus von Nazareth, (1930) 1952[3] mit Nachträgen,
bes. S. 342ff., 409ff., 424ff., 461ff.; vgl. auch seine Stellungnahme gegen Eisler
S. 431f.

Jesus, der Galiläer, der im Ursprungslande des revolutionären Zelotismus aufgewachsen war, zunächst an diesen Weg wie jeder jüdische Messias" (S. 345); aber dann dringt bei ihm, bildhaft verdeutlicht in der Versuchungsgeschichte, ein stärker religiös bestimmtes Messiasideal durch, das jedoch „nicht nur rein-geistig, sondern auch materiell und politisch-weltlich, also durch und durch jüdisch-messianisch" war (S. 417); ein Aufstand gegen die Römer lag zwar nicht in seinem Plan, aber er beschließt den Tempel zu reinigen und nimmt messianische Würde und Funktion für sich in Anspruch; er wird daher wegen Aufruhrs angeklagt und von Pilatus verurteilt. Hier ist beachtet, daß die Messiasvorstellung ohne eine diesseitig-politische Komponente schlechterdings nicht denkbar ist; aber der Versuch, in solcher Weise das Verhältnis der inneren Haltung Jesu und seines Anspruchs zu dem Zelotismus zu bestimmen und außerdem die Voraussetzung seiner Verurteilung anzugeben, ist dennoch nicht möglich. Und es drängt sich um so mehr die Frage auf, ob denn die königliche Messianologie überhaupt die Eigenart der Person Jesu und seines Wirkens zu erklären vermag. So selbstverständlich wie neuerdings BRANDON das voraussetzt und, wenn auch vorsichtiger als Eisler, mit einem zelotischen Element in Jesu Jerusalemer Vorgehen rechnet, ist das sicher nicht[1]. Wenn umgekehrt VAN DER LOOS zwar den diesseitig-politischen Charakter der Messiasvorstellung im damaligen Judentum ernst nimmt, aber nun andererseits mit dem gänzlich „unpolitischen" Charakter des verkündigten Gottesreiches und des Messianitätsanspruches Jesu rechnet, ja geradezu die Scheidung von Religion und Politik als die große, mit Jesus gekommene Wende ansieht, so leuchtet das nicht ein, denn für eine derartige Umdeutung der festgeprägten Vorstellungen durch Jesus haben wir keinerlei Belege[2]. Daß sich Jesus tatsächlich mit der Messiashoffnung seiner Zeit auseinandersetzen mußte, dürfte außer Zweifel stehen. Das ist von CULLMANN hinreichend betont worden; nur ist es wiederum fraglich, ob die Erwartung eines königlichen Messias und der Zelotismus eine derartige persönliche Anfechtung für Jesus gewesen sind, wie dies gerade von ihm angenommen wird[3]. Um ein einigermaßen brauchbares Ergebnis gewinnen zu

---

[1] S. G. F. BRANDON, The Fall of Jerusalem and the Christian Church, (1951) 1957[2], S. 101 ff.; er nimmt ebenfalls auf den slavischen Josephustext Bezug.

[2] HENDRIK VAN DER LOOS, Jezus Messias-Koning. Een speciaal onderzoek naar de vraag of Jezus van Nazaret politieke bedoelingen heeft nagestreefd, Assen 1942, bes. S. 60 ff. 254 ff.; vgl. die Besprechung des Buches von MARTIN DIBELIUS, ThLZ 72 (1947) Sp. 30.

[3] OSCAR CULLMANN, Der Staat im Neuen Testament, 1956, S. 5 ff.; ähnlich auch sein Schüler HEINRICH BALTENSWEILER, Die Verklärung Jesu (AThANT 33), 1959, eine Arbeit, die an anderer Stelle noch kritisch besprochen werden muß; u. Exk. V S. 334 ff..

können, müssen in Kürze die einschlägigen synoptischen Texte besprochen werden.

Die Erwähnung einiger *Jünger* Jesu, die offensichtlich ehemals Zeloten waren[1], besagt für unsern Zusammenhang nicht allzu viel, weil sich in der Jüngerschar die Angehörigen der verschiedenartigsten Gruppen und Schichten zusammenfanden und Jesus ebenso die glühenden Feinde der Römer wie auch die mit der Fremdherrschaft kollaborierenden Zöllner aufnahm[2]. Auch die Bezugnahme auf ein möglicherweise zelotisches Unternehmen, das von Pilatus niedergeschlagen wurde, *Lk 13,1—3*, ist unergiebig[3]. Dagegen wird in Mk 12,13—17 parr. mit der *Zensusfrage* ein ausgesprochen zelotisches Problem an Jesus herangetragen; die Partei der Zeloten war ja im Zusammenhang mit der Schatzung und ersten Zensuserhebung im Jahre 6 n.Chr. gegründet worden. Die Gegner möchten Jesus zu einer direkten politischen Stellungnahme zwingen. Er geht aber auf die ihm vorgelegte Alternativfrage nicht ein. Er gibt eine Antwort, die gerade kein religiös-politisches Programm enthält, sondern den Menschen zu Verantwortung und rechtem Gehorsam vor Gott und in der vergehenden Ordnung der Welt ermahnt[4]. Eine spezifisch

---

[1] Ganz sicher ist jener zweite Simon in Jesu Jüngerkreis ein Zelot gewesen; die Bezeichnung ὁ *Καναναῖος* Mk 3,18; Mt 10,4 ist von aram. קַנְאָן abgeleitet und Lk 6,15; Act 1,13 sachlich zutreffend mit ὁ *ζηλωτής* wiedergegeben. Ungewiß ist aber die ehemalige Zugehörigkeit zu den Zeloten schon bei (*Ἰούδας*) *Ἰσκαριώθ* bzw. ὁ *Ἰσκαριώτης*, denn dieser Beiname kann ebenso Herkunftsbezeichnung sein als auch an ein aramaisiertes *σικάριος* angelehnt sein; vgl. DALMAN, Jesus-Jeschua S. 26. Vollends problematisch ist die von CULLMANN, Staat S. 11, vertretene Deutung von (*Σίμων*) *Βαριωνά* im Sinne von ‚Terrorist‘; vgl. HENGEL, Zeloten S. 55ff. Noch immer ungeklärt ist *Βοανηργές*, der Beiname der Zebedaiden; vgl. dazu TAYLOR, Mk S. 231f.; BAUER, Wb. s. v.; gegen CULLMANN, a.a.O. S. 11f., ist jedenfalls zu sagen, daß die Texte Mk 10,37 und Lk 9,54 nicht auf „zelotische Tendenzen" bei diesen beiden Jüngern hinzuweisen brauchen, denn im ersten Falle ist nicht an ein irdisches Königtum, sondern an eine apokalyptisch vorgestellte Herrschaft gedacht, im andern Fall ist die Eliaerzählung 2 Kg 1,10ff. Vorbild, so daß eher die Anschauung vom eschatologischen Propheten im Hintergrund stehen dürfte.

[2] Vgl. G. BORNKAMM, Jesus von Nazareth S. 138f.

[3] Die Deutung von Lk 13,1 auf die Zeloten bei EISLER, a.a.O. II S. 516ff.; BRANDON, a.a.O. S. 106; CULLMANN, Staat S. 9; vgl. auch WELLHAUSEN, Lk S. 71. Wahrscheinlicher ist aber ein Vorgehen des Pilatus während einer Opferhandlung im Tempel; so KLOSTERMANN, Lk S. 142, und zuletzt die gründliche Untersuchung von JOSEPH BLINZLER, Die Niedermetzelung von Galiläern durch Pilatus, NovTest 2 (1958) S. 24—49. Eine vermittelnde Lösung findet sich bei SCHLATTER, Lk S. 321f., der an eine Opferhandlung im Tempelvorhof denkt, aber zugleich mit der Möglichkeit rechnet, daß ‚Galiläer‘ gleichbedeutend mit dem Parteinamen Zelot sein könne.

[4] Im einzelnen braucht der vielverhandelte Text hier nicht besprochen zu werden; ich verweise auch nur auf MARTIN DIBELIUS, Rom und die Christen im ersten Jahrhundert, in: Botschaft und Geschichte II, 1956, S. 177ff.; G. BORNKAMM, Jesus von Nazareth S. 110ff.

zelotische Haltung kann Jesus schon von daher gesehen kaum eingenommen haben. Hat er den Zeloten sogar eine radikale Absage erteilt? So ist vielfach der dunkle „*Stürmerspruch*" Mt 11, 12[1] verstanden worden; dabei wurden ἡ βασιλεία τῶν οὐρανῶν βιάζεται und ἁρπάζουσιν αὐτήν im Sinne des gewaltsamen Erstrebens und Herbeiführenwollens der Gottesherrschaft erklärt und βιασταί als eine verurteilende Bezeichnung der Zeloten angesehen[2]. Doch stehen dem Schwierigkeiten entgegen. Die sprachlichen Indizien führen weniger auf den Gedanken einer Erkämpfung als vielmehr auf den einer feindlichen Bekämpfung der Gottesherrschaft[3]; dann ist der Spruch auf die irdischen Gegner Jesu[4], vielleicht sogar auf die dämonischen Widersacher zu beziehen[5]. Scheiden Zensusfrage und Stürmerspruch aus, so liegt eine Stellungnahme Jesu über die Zeloten, wie wir sie etwa über die Pharisäer von ihm besitzen, nicht vor. Immerhin bleibt zu klären, ob nicht dennoch gewisse zelotische Vorstellungen in seinem Reden und Handeln anzutreffen sind. Gerade diesem Stürmerspruch hat OTTO BETZ jüngst, das zuletzt angedeutete Verständnis des Wortes voraussetzend, eine durchaus positive Bezugnahme Jesu auf die Vorstellung vom heiligen Krieg entnehmen wollen: mit Jesu Wirken habe der heilige Krieg begonnen und setze der Sturm gegen das Gottesreich ein; die βιασταί sollen sowohl Geistermächte als auch irdische Machthaber sein und Jesus „führt mit Wort und Tat den heiligen Krieg um die Verteidigung und Herbeiführung der Gottesherrschaft"[6]. Ganz ähnlich deutet er die Aussage über den Angriff auf das Haus des Starken Mt 12, 25—29.

[1] Der Spruch stammt aus der Logienquelle, ist aber bei Lk 16, 16 erheblich umgeformt, so daß sich die Erörterung der ursprünglichen Bedeutung auf die bei Mt erhaltene Fassung beschränken muß. Die Aussage von Mt 11, 12 kann nur auf Jesus selbst zurückgeführt werden. Jedenfalls ist die Erklärung als Gemeindebildung, wie sie GEORG BRAUMANN, „Dem Himmelreich wird Gewalt angetan" (Mt 11, 12 par.), ZNW 52 (1961) S. 104—109, versucht hat, wenig überzeugend: gegen den Vorwurf, Jesus habe das Gottgleichsein und die Himmelsherrschaft an sich reißen wollen, antwortet die Gemeinde, daß umgekehrt diejenigen, welche die Christen verfolgen, diesen Gottesfrevel begehen. Diese Auslegung scheitert schon an der Deutung von βασιλεία τῶν οὐρανῶν auf die Gemeinde. Die Auskunft, daß sich die Urchristenheit eschatologisch verstand, hilft dabei nicht.

[2] So JOH. WEISS, Das Matthäus-Evangelium in SNT I, 1907[2], S. 317; WINDISCH, Mess. Krieg S. 36 f.; CULLMANN, Staat S. 14; vgl. auch BILLERBECK I S. 598 f.

[3] Vgl. GOTTLOB SCHRENK, Art. βιάζομαι, ThWb I S. 608—613; W. G. KÜMMEL, Verh. u. Erf. S. 114 f.; ebenso wie die Bedeutung ‚das Gottesreich wird mit Gewalt erstrebt' muß auch das mediale Verständnis ‚das Gottesreich bricht sich mit Gewalt Bahn' ausscheiden. Vgl. auch SCHLATTER, Mt S. 368 f.

[4] So SCHRENK, ThWb I S. 610.

[5] So MARTIN DIBELIUS, Die urchristliche Überlieferung von Johannes dem Täufer (FRLANT 15), 1911, S. 23 ff.

[6] OTTO BETZ, Jesu heiliger Krieg, NovTest 2 (1958) S. 116—137, bes. S. 125 ff.; dazu Parallelen aus den Qumrantexten S. 116 ff.

das Wort vom Bringen des Schwertes Mt 10,34 und sogar die Mt-fassung des Spruches vom Jonazeichen Mt 12,38—40, wobei er Jona als endzeitlichen Streiter und Besieger der Chaosmacht ansieht und entsprechend den Menschensohn als denjenigen, der drei Tage und Nächte in die Wohnung des Gegners hinabsteigen muß, um diesen dort zu fangen und zu richten, was erst nachträglich mit Tod und Auferstehung Jesu in Verbindung gebracht worden sei[1]. Aber dagegen ist doch einiges einzuwenden. Die als Belege herangezogenen Texte aus den Qumranschriften mögen manche Einzelheit klären helfen, zeigen aber ganz entscheidende Divergenzen: schon für die Zurüstung der Qumrangemeinde auf den heiligen Krieg durch strengste rituelle Reinhaltung[2] gibt es in der Geschichte Jesu nicht die geringste Analogie. Sodann ist der heilige Krieg der Sekte wohl ein Kampf mit irdischen und überirdischen Mächten, in jedem Falle aber doch auch das konkrete Aufgebot eines Heerbannes und eine ebenso konkrete kriegerische Kampfhandlung; die konstruierte Vorstellung eines von Jesus allein geführten heiligen Krieges, der in Predigt, Wundertaten und Sündenvergebung bestehen soll[3], hat keine Parallelen und kann zudem nur als eine völlig abwegige Spiritualisierung dieser Vorstellung angesehen werden. Von einem heiligen Krieg kann man also in Mt 11,12 nicht reden, wenngleich gesehen werden muß, daß tatsächlich von eschatologischen Auseinandersetzungen und Kämpfen gesprochen ist. *Mt 12,25.29* (par. Mk 3,23—25.27) ist ein Bildwort und läßt daher keine Folgerungen für die Vorstellung des heiligen Krieges bei Jesus zu[4]. Dagegen wird man bei *Mt 10,34* fragen müssen, ob Jesus nicht an einen regelrechten Kampf mit dem Schwert gedacht hat, zumal dieses Logion in einer gewissen Nähe zu dem Wort von den beiden

---

[1] BETZ, a.a.O. S. 129ff.; diese Auslegung der Mt-Fassung des Spruches vom Jonaszeichen ist m. E. völlig verfehlt. Zutreffend die Analyse von ANTON VÖGTLE, Der Spruch vom Jonazeichen, in: Synoptische Studien (Festschrift für A. Wikenhauser), 1953, S. 230—277, bes. S. 253ff., wonach eine vom Evangelisten vorgenommene Änderung des ursprünglichen Textes vorliegt und die drei Tage und Nächte durch den prophetischen Text bedingt sind.

[2] Vgl. BETZ, a.a.O. S. 124.　　　　　　　[3] BETZ, a.a.O. S. 126f.

[4] Die ganze Untersuchung von BETZ ist übrigens recht kurzschlüssig und hypothesenfreudig: die Gottesherrschaft kann noch nicht völlig aufgerichtet werden, solange die heidnischen Machthaber die Welt regieren; Jesus kämpft daher auch nicht gegen die Starken, sondern ‚den' Starken (S. 133f.); mit Einzug und Tempelreinigung übernimmt er die Rolle des davidischen und des priesterlichen Messias, verbindet also in seinem Selbstbewußtsein die Aufgabe des heiligen Krieges mit den Funktionen der beiden von der Qumransekte erwarteten Messias(!); außerdem habe er wohl noch Teile der Gottesknecht- und Menschensohntradition auf sich bezogen, denn die Notwendigkeit seines Todes muß ihm bewußt gewesen sein, wenn auch nicht ganz klar sein soll, ob er vielleicht doch hoffte, daß Gott ihn beim Höhepunkt des heiligen Krieges mit dem Eingreifen seiner Engellegionen retten werde, wofür Lk 22,36 und Mk 15,34 herangezogen werden (S. 135f.)!

Schwertern in Lk 22,36—38 steht. Obwohl Mt 10,34 eine Reihe spezifisch matthäischer Eigentümlichkeiten aufweist, ist doch der Schluß mit dem βαλεῖν εἰρήνην ἀλλὰ μάχαιραν hier sicher ursprünglicher als in der Parallelstelle (Lk 12,51)[1]. Die Bedeutung von βάλλειν dürfte durch eine stehende Redewendung bestimmt sein und dem rabbinischen הֵטִיל שָׁלוֹם entsprechen[2]. Mit dem ‚Werfen des Schwertes‘ ist dann jedoch nicht gemeint, daß Jesus den Seinen das Kriegshandwerkzeug in die Hand gibt, vielmehr geht es darum, daß mit Jesu Kommen der endzeitliche Frieden noch nicht angebrochen ist, sondern der letzte Kampf[3]. In welcher Weise dieser Kampf geführt wird, ist nicht gesagt, die Tatsache, daß es nun erst recht zu Auseinandersetzungen kommt, ist ausschlaggebend. μάχαιρα muß im seinem Gegensatz zu εἰρήνη jede Art von Unfrieden bezeichnen[4]. In diesen Kampf werden aber die Jünger hineingezogen und sind nicht selbst zu einem heiligen Krieg gerufen[5], wenn anders der Spruch in seiner durch geprägte Wendungen und Vorstellungen bestimmten Sprache vor Überinterpretation bewahrt bleiben soll.

Nicht ganz so eindeutig ist die Stelle *Lk 22,36—38*, das vielumrätselte Wort von den zwei Schwertern. Denn hier scheint es doch darum zu gehen, daß die Jünger zum Schwerttragen aufgefordert werden und sich tatsächlich Waffen in ihrer Hand befinden, was durch das Vorgehen eines Jüngers bei der Gefangennahme nur unterstrichen wird. Daß für Lukas nicht an ein zelotisches Motiv gedacht ist, kann zunächst mit Sicherheit behauptet und nachgewiesen werden. Es genügt auf folgendes aufmerksam zu machen: nach lukanischer Konzeption ist das Wirken Jesu „Typus der Heilszeit", daher von jeder Anfechtung des Satans, von Kampf und Leiden frei[6]; aus diesem Grund können die Jünger ohne jegliche Ausrüstung ausgesandt

---

[1] Vgl. ADOLF HARNACK, Sprüche und Reden Jesu (Beiträge zur Einleitung in das NT II), 1907, S. 62.

[2] Vgl. BILLERBECK I S. 586; J. JEREMIAS, Gleichnisse S. 142, Anm. 2 (zu πῦρ βαλεῖν). Es wäre aber auch denkbar, daß hier eine Analogie zu der in der Apokalyptik bisweilen auftauchenden Vorstellung vom Werfen einer endzeitlichen Plage vorliegt (vgl. Apk 8,5.7; bes. 14,16: der Menschensohn wirft das δρέπανον auf die Erde), nur daß an Stelle des Werfens vom Himmel auf die Erde Jesu eigenes Kommen getreten wäre, damit er selbst die Plage herabbringe und unter die Menschen werfe; es würde sich dann natürlich um eine Gemeindebildung handeln. Doch ist die oben erwähnte Deutung vorzuziehen.

[3] Vgl. das Wort vom Feueranzünden Lk 12,49f.

[4] Der Kampf auf Leben und Tod ist selbstverständlich mit eingeschlossen. Daß es aber um jede Art von Unfrieden geht, macht Mt 10,35f. par. sehr schön deutlich, auch wenn man nicht von vornherein mit der Zusammengehörigkeit beider Texte rechnet.

[5] Vgl. SCHLATTER, Mt S. 349f.; SCHNIEWIND, Mt S. 135.

[6] Vgl. HANS CONZELMANN, Die Mitte der Zeit. Studien zur Theologie des Lukas, 1960[3], S. 9. 22 u.ö. 172ff. — Lk 4,13 und 22,3 stellen die Klammer dar.

werden, worauf 22,35 ausdrücklich Bezug nimmt[1]. Lk 22,36 weist
darauf hin, daß jetzt mit der Passion Jesu die Zeit der Bedrängnis
für die Jünger beginnt[2]. Für Jesus erfüllt sich das, was die Schrift
über ihn sagt V. 37, aber die Bedrohung richtet sich auch gegen die
Seinen, denn nach V. 31 will der Satan Jesu Anhänger ‚sichten‘. Vom
Kaufen eines Schwertes kann in V. 36 nur bildhaft die Rede sein[3], denn
der tatsächliche Gebrauch der Waffe bei der Gefangennahme V. 49
wird von Jesus in V. 51 abgewiesen; V. 49—51 dient dem Evangelisten
also dazu, ein Mißverständnis des Schwertspruches abzuwehren[4].
Von diesem Zusammenhang her muß auch V. 38 verstanden werden:
ähnlich wie in 19,11 soll ein ausgesprochenes Mißverständnis der
Jünger herausgestellt werden[5]. ἱκανός ἐστιν, das auf drei verschiedene
Arten erklärt werden kann[6], ist also weder im ironischen Sinn gemeint
(satis superque)[7], noch als eine sozusagen pädagogische Anweisung[8],
sondern nur als Formel für den Abbruch des Gesprächs und damit
als Zurückweisung der von den Jüngern gegebenen Antwort zu verstehen, wofür es, wenn nicht ganz wörtliche, so doch sehr nahekom-
mende Parallelen gibt[9]. Die Erwägung, daß Lukas eine Sonderquelle

---

[1] Vgl. Lk 9,1ff.; 10,1ff. Allerdings widerstrebt der Stoff der lk Konzeption,
wie allein der Gedanke der Sendung der ‚Schafe‘ unter die ‚Wölfe‘ 10,3 zeigt.

[2] Vgl. auch Lk 21,12ff. par. Mk 13,9ff.

[3] So auch CONZELMANN, a.a.O. S. 74ff.

[4] Lk 22,49.51 gehen über Mk hinaus und sind als lukanisch anzusehen. Auch
wenn nicht grundsätzlich bestritten werden soll, daß in der luk. Passionsgeschichte einzelnes auf Sondertradition zurückgeht, so ist doch eine Sonder-
vorlage für 22,49—51 wenig wahrscheinlich. Anders FRIEDRICH REHKOPF, Die
lukanische Sonderquelle. Ihr Umfang und Sprachgebrauch (WUNT 5), 1959,
S. 56ff., der im übrigen die Proto-Lukas-Theorie, also die Annahme einer vorlukanischen Verbindung von Q- und S-Stoffen, zu erneuern und durch sprachliche Vergleiche zu stützen versucht (S. 86ff.). Vgl. dagegen die in methodischer
Hinsicht überaus wichtige kritische Besprechung von HEINZ SCHÜRMANN, Proto-
lukanische Spracheigentümlichkeiten?, BZ NF 5 (1961) S. 266—286.

[5] So zutreffend CONZELMANN, a.a.O. S. 75.

[6] Vgl. KARL HEINRICH RENGSTORF, Art. ἱκανός, ThWb III, S. 296f. Eine
vierte Deutung, wie sie sich bei v. D. LOOS, a.a.O. S. 163f., findet, daß die zwei
Schwerter in der Jüngerschar ‚genug‘ sind, damit Jesus unter die ἄνομοι gerechnet werde und das Schriftwort in Erfüllung gehe, ist allzu gesucht.

[7] So THEODOR ZAHN, Das Evangelium des Lukas (KommNT III), 1920[3.4],
S. 687.

[8] So bes. ADOLF SCHLATTER, Die beiden Schwerter. Lk 22,35—38 (BFchrTh
20/6), 1916, S. 71f.: die Unentbehrlichkeit einerseits und der Kontrast der beiden
Schwerter zur gefahrvollen Lage andererseits sollen „die Hoffnung der Jünger
vom Schwert frei" machen; ebenso RENGSTORF a.a.O.

[9] Im AT findet sich die Wendung רַב לְ und das ebenfalls meist suffigierte דַּי,
aber daneben auch רַב עַתָּה (1Kg 19,4; 1Chr 21,15); bloßes רַב im Sinne von
„genug" steht Gen 45,28; Ex 9,28; vgl. CARL BROCKELMANN, Hebräische
Syntax, 1956, § 11a. In LXX sind diese Stellen in der Regel mit ἱκανούσθω σοι
(ὑμῖν) bzw. νῦν wiedergegeben; das bloße רַב wird einmal mit μέγα μοί ἐστιν (!),

verwendet, ist für V. 35—38 ebensowenig wahrscheinlich wie für
V. 49—51; es darf ja nicht übersehen werden, in welch hohem Maße
der Evangelist diese Aussagen in seine eigene Konzeption eingeschmolzen hat. Daß er dabei mit überkommenem Material arbeitet, ist
andererseits unbestreitbar[1]: V. 35 verwendet den Lk 10,4a vorliegenden Spruch; in V. 37a mag Lk ein in der Gemeindetradition seiner
Zeit vielgebrauchtes AT-Zitat aufgegriffen haben, wie vor allem die
Divergenz zur Septuaginta vermuten läßt, der er sonst folgt, aber
die Einführung des Zitates und V. 37b sind sicher redaktionell[2];
V. 38 kann wegen seiner Parallelität zu 19,11 und seines Zusammenhangs mit 22,49—51 allerdings nur als lukanisch bewertet werden[3].
Es bleibt dann noch V. 36, ein Spruch, den man weder aus einer „ganz
bestimmten, so niemals wiederkehrenden Lage und Stimmung Jesu"
erklären[4], noch von vornherein als unecht bezeichnen darf[5]. Zwar
muß auch noch in V. 36a die lukanische Überarbeitung gesehen
werden, da diese Aussage mit V. 35 korrespondiert; außerdem zeigt
V. 36b keinen glatten Anschluß, wie aus der undeutlichen Beziehung
von ὁ μὴ ἔχων hervorgeht[6], so daß in V. 36a nach ἀλλὰ νῦν ὁ ἔχων . . .
ursprünglich wohl etwas anderes stand. Daraus geht dann hervor,
daß dieses Wort wohl nicht in den Zusammenhang der Sendungs-
sprüche und die Anweisung über die Missionsarbeit gehört. Als Jünger-
spruch ist er aber sicher gedacht, nicht nur als eine allgemeine Anweisung für das Verhalten in den apokalyptischen Drangsalen wie

---

das andere Mal mit παυσάσθω wiedergegeben. Sachlich am nächsten kommt
Lk 22,38 die Wendung Dt 3,26: ἱκανούσθω σοι, μὴ προσθῇς ἔτι λαλῆσαι τὸν
λόγον τοῦτον.

[1] Heinz Schürmann, Jesu Abschiedsrede Lk 22,21—38, S. 116ff., rechnet
in folgender Weise mit der lk. Redaktion eines Textes: V. 35 außer Einführungsformel in 35fin., V. 36 außer Einführungsformel am Anfang und
πωλησάτω τὸ ἱμάτιον αὐτοῦ καί sind vorlk.; Zitateinführung V. 37 ist lk., das
Zitat selbst vorlk., V. 37b ist lk. Überarbeitung; V. 38 zeigt stärkere lk. „Re-
daktionsdecke", aber ein vorlk. Äquivalent ist anzunehmen; V. 35—38 ist ein
Traditionsstück mit eigener Erzählungsabsicht und erst sekundär an dieser
Stelle eingefügt (S. 123f.). Bei dieser minutiösen, einseitig sprachliche Indizien
verwertenden Analyse werden leider die größeren redaktionellen Zusammenhänge etwas aus dem Auge verloren. Rehkopf, a.a.O. S. 89f., will den ganzen
Abschnitt Lk 22,14—24,53 im wesentlichen seiner Sonderquelle zuweisen.

[2] Vgl. im einzelnen Schürmann, a.a.O. S. 124ff.

[3] Vgl. auch die sprachlichen Beobachtungen bei Schürmann, a.a.O. S. 129ff.

[4] Joh. Weiss, Das Lukas-Evangelium in SNT I, 1907[2], S. 513; ähnlich
Windisch, Mess. Krieg S. 47ff.

[5] Jack Finegan, Die Überlieferung der Leidens- und Auferstehungsgeschichte Jesu (BZNW 15), 1934, S. 16: „schriftstellerische Einleitung zur
kommenden Schwertepisode" bei der Gefangennahme.

[6] Man erwartet auf den ersten Blick als Obj. βαλλάντιον καὶ πήραν; bei
μάχαιραν als Obj. wäre zudem eher die Wortstellung ὁ μὴ ἔχων μάχαιραν ἀγο-
ρασάτω πωλήσας τὸ ἱμάτιον αὐτοῦ zu erwarten; vgl. Klostermann, Lk S. 214.

etwa Mk 13,16. Was besagt aber die Aufforderung zum Kauf eines
Schwertes? Bedenkt man, daß das Obergewand vielen Menschen zugleich als nächtliche Decke diente und ihnen unter keinen Umständen,
etwa als Pfand, genommen werden durfte[1], so muß diese Aussage
bedeuten, daß es für den Jünger Jesu über die äußerste Armut hinaus
eine noch härtere Situation gibt, in der nämlich sein Leben bedroht
ist. Für den Jünger gilt es daher, auch das preiszugeben, was den
Ärmsten erhalten bleibt[2], und bereit zu sein, das Leben aufs Spiel zu
setzen. Damit erweist sich der Spruch als ein Bildwort und darf unter
keinen Umständen im zelotischen Sinn oder im Sinn einer geradezu
gebotenen Verteidigung mißverstanden werden[3]. Denn wie der
bloße Besitz eines Obergewandes die äußerste Armut kennzeichnet,
so das Schwert die äußerste Bedrohung des Lebens[4].

Entfallen spezifisch zelotische Züge bei Jesus, so ist selbstverständlich noch nicht entschieden, daß die Vorstellung vom königlichen
Messias in seinem Leben keinerlei Bedeutung gehabt habe, denn
schon in jüdischer Überlieferung war die kriegerische Funktion des
Messiaskönigs kein unbedingt notwendiges Element. Jesus könnte
das Bild des friedlichen, demütigen Messias aufgenommen haben,
wie es etwa in Sach 9,9f zum Ausdruck kommt. Die Erzählung von
seinem Einzug in Jerusalem scheint dies nahe zu legen. Doch hier ist
Vorsicht geboten. Es ist angebracht, von dem ganzen Komplex Mk
11,1—33 auszugehen. Relativ leicht lassen sich die Erzählung von
der Verfluchung des Feigenbaumes und das Gespräch über die Macht

---

[1] Vgl. BILLERBECK I S. 343f.

[2] SCHÜRMANN, a.a.O. S. 123, betrachtet πωλησάτω τὸ ἱμάτιον αὐτοῦ als
„möglicherweise luk R"; aber hier darf nicht bloß von der Häufigkeit des
Wortgebrauchs bei Lk her geurteilt werden.

[3] Eine Deutung wie sie bei CULLMANN, Staat S. 22, vorliegt, ist damit aus-
geschlossen; zwar wird die Stelle nicht zum Bekenntnis zum Zelotentum verstanden, aber dennoch behauptet, daß Jesus mit Fällen rechnet, „wo um der
Verkündigung des Evangeliums willen das Schwerttragen zur Verteidigung eine
Notwendigkeit für die Jünger werden kann". Auch die Feststellung SCHLATTERS,
Lk S. 428, geht zu weit: „Ihr Leben ist kostbar; sie sind seine Boten, durch die
sein Werk an der Menschheit geschieht. Daraus entsteht für die Jünger die
Pflicht, daß sie ihr Leben schützen"; zuzustimmen ist dagegen seiner Formu-
lierung S. 429: „Aber eben deshalb, weil er nicht an ihre Waffen dachte, brauchen
die Jünger jenen Mut, der ein Schwert für nötiger hält als ein Obergewand und
wohl die letzte Habe preisgibt, aber den Kampf nicht aufgeben kann", nur
daß Schl. V. 36b im konkreten Sinn und nicht als Bildwort faßt; vgl. auch
DERS., Die beiden Schwerter S. 34ff., 56, 70ff. JosBell II 125, wonach die
Essener auf ihren Wanderungen Waffen tragen, kommt als Parallele nicht in
Frage.

[4] Der Tatsache, daß nach Mk 14,47 parr. ein Jünger eine Waffe bei sich
trägt und zum Schutze Jesu davon Gebrauch macht, darf man keinerlei grundsätzliche Bedeutung zumessen, vielmehr muß dies aus der bedrohlichen Situation
verstanden werden, in der die Jünger ohnedies auf Schritt und Tritt versagen.

des Glaubens V. 12—14. 19—25 ablösen[1]. Damit ist aber nicht gesagt, daß die drei anderen Textabschnitte eine ursprüngliche Einheit darstellen[2]. Eng miteinander verbunden sind nur *Tempelreinigung* und *Vollmachtsfrage*[3]. Im Sinne einer das Strafgericht über das jüdische Heiligtum ankündigenden Symbolhandlung wird Jesu Vorgehen im Tempelbezirk erst durch die Verbindung mit der Verfluchung des Feigenbaumes im jetzigen redaktionellen Zusammenhang verstanden[4]. Handelte es sich ursprünglich wirklich um eine ,,Reinigung" des Tempels? Der Eingriff wäre dann im Sinne einer kultischen Reform zu nehmen, so daß Jesus angesichts der nahenden Gottesherrschaft eine bessere äußere Gestalt des Gottesdienstes durchsetzen wollte. Aber bei der sonstigen Haltung Jesu ist diese Deutung wenig wahrscheinlich. Die Feststellung, daß sich die Handlung Jesu nicht im eigentlichen Heiligtum, sondern im Vorhof der Heiden abspielte — nur dort war der Verkauf von Opfertieren und das Geldwechseln erlaubt — führt wohl am nächsten an die Intention Jesu heran: das Vorgehen im Tempel wäre dann, wie dies auch von V. 17 zum Ausdruck gebracht wird, als eine auf die den Heiden gegebene eschatologische Verheißung bezogene Gleichnishandlung zu verstehen[5]. Ist diese Tat messianisch?

---

[1] Mk 11, (11) 12. 19 sind redaktionell. In V. 13 f. dürfte ein ursprüngliches Gleichnis zugrunde liegen; so DIBELIUS, Formgeschichte S. 103; BULTMANN, Syn. Trad. S. 246; SCHNIEWIND, Mk S. 149 u. a. Die Umformung in eine Erzählung diente dazu, Jesu Macht zu demonstrieren; in den Anhängen V. 20—25 wurde sie dann als Beispiel des bergeversetzenden Wunderglaubens interpretiert. Mk hat diese Verbindung wieder gelöst und die Verfluchung des Feigenbaumes mit der Tempelreinigung in Beziehung gesetzt.

[2] So JEREMIAS, Abendmahlsworte S. 84f., der von der unlöslichen Einheit von Einzug, Tempelreinigung und Vollmachtsfrage spricht, weil im Morgenland Inthronisation und Kultrestauration als Symbole der neuen Ära engstens zusammengehörten; so schon früher DERS., Jesus als Weltvollender (BFchrTh 33/4), 1930, S. 35ff.

[3] Das ,,beziehungslose" ταῦτα in Mk 11,27 hat doch einen anderen Charakter als das häufig damit verglichene ταῦτα von Mt 11,25; denn an dieser zweiten Stelle ist ihm indirekt eine sachliche Bestimmung gegeben — verborgen und offenbar ist das göttliche Heilsgeheimnis —, in Mk 11,27 handelt es sich dagegen um einen konkreten Anlaß. Da Tempelreinigung und Vollmachtsfrage zudem auch Joh 2,13ff. miteinander verbunden sind, dürfte beides ebenso in synoptischer Tradition ursprünglich zusammengehören. Vgl. WELLHAUSEN, Mk S. 92; LOHMEYER, Mk S. 240; SCHNIEWIND, Mk S. 152.

[4] Vgl. KARL LUDWIG SCHMIDT, Der Rahmen der Geschichte Jesu, 1919, S. 300; LYDER BRUN, Segen und Fluch im Urchristentum, 1932, S. 75f.; LOHMEYER, Mk S. 234f.

[5] Vgl. die nach der Veröffentlichung des Kommentars noch erschienenen Arbeiten von ERNST LOHMEYER, Die Reinigung des Tempels, ThBl 20 (1941) Sp. 257—264; DERS., Kultus und Evangelium, 1942, S. 44—51; ähnlich R. H. LIGHTFOOT, The Gospel Message of St. Mark, 1950, S. 60ff., der neben der Ausrichtung auf die Heiden auch den Charakter der Symbolhandlung besonders betont (S. 68f.); vgl. ferner JOACHIM JEREMIAS, Jesu Verheißung für die Völker, 1959[2], S. 55f. — Es kann m.E. zwar nicht bestritten werden, daß V. 17 eine Interpretation des Geschehens durch die tradierende Gemeinde dar-

Es wird vielfach behauptet, weil sowohl Erneuerung des Tempels als auch Anbetung der Heiden in messianischer Zeit erwartet worden sind[1]. Aber das ist zumindest nicht eindeutig, da beides auch unabhängig von der Erwartung eines messianischen Königs seinen Platz in der jüdischen Eschatologie hat[2]. Für Jesus könnte ein messianischer Sinn nur dann erwiesen werden, wenn ein königliches Handeln und Auftreten auch sonst erkennbar wäre. Sein Vorgehen im Tempel braucht als solches nichts anderes als eine prophetische Handlung zu sein[3]. Ist nun aber eine messianische Deutung nicht durch die vorausgehende *Einzugsgeschichte* geboten? Es steht außer Zweifel, daß die Gemeinde gerade diese Begebenheit stark ausgedeutet hat. Das zeigt sich einmal daran, daß V. 10 ein ausgesprochen christliches Interpretament ist; ferner ist die Findungslegende V. 1b—6 überhaupt erst im Bereich der hellenistischen Gemeinde auf Grund von Sach 9, 9 LXX eingefügt worden[4]. Was als Grundbestand erkennbar bleibt, ist eine Begrüßung Jesu durch Festteilnehmer, wobei das εὐλογημένος ὁ ἐρχόμενος ἐν ὀνόματι κυρίου des Wallfahrtspsalms 118, 25f auf Jesus bezogen wird. Ist dies die älteste Schicht und somit das früheste Verständnis des Ereignisses durch die Gemeinde, dann kann der Einzug

---

stellt, aber der Sinn dürfte damit zutreffend erfaßt sein; zur Analyse vgl. BULTMANN, Syn. Trad. S. 36.

[1] Ich verweise nur auf KÜMMEL, Verheißung und Erfüllung S. 111 (dort Anm. 53 weitere Literatur).

[2] CECIL ROTH, The Cleansing of the Temple and Zechariah xiv. 21, NovTest 4 (1960) S. 174—181, versteht den Text sogar als ausdrückliche Absage an zelotische Bestrebungen. In Sach 14, 21 ist von der Austreibung eines jeden כנעני gesprochen, was doppeldeutig war und entweder den ‚Händler, Krämer‘ oder den ‚Kanaanäer‘ bezeichnen konnte. Während die Zeloten für die Entfernung jedes Heiden waren, habe sich Jesus dem andern Verständnis des Textes angeschlossen, wodurch auch noch der Vorwurf σπήλαιον λῃστῶν eine besondere Schärfe gewinne, weil für λῃστής wie in Mk 14, 48; 15, 27 dann nur die Bedeutung ‚Zelot‘ in Frage kommt. Aber damit ist der Text m. E. überinterpretiert. Die aus Jer 7, 11 entnommene Wendung in Mk 11, 17 fin. steht als Bildwort gerade in Beziehung zu dem Treiben der Krämer von V. 15f. Beachtenswert bleibt der Hinweis auf Sach 14, 21b, weil demnach nicht nur hinter den Worten Jesu V. 17 at. Motive stehen, sondern ebenso sein in V. 15f. geschildertes Handeln vom AT her verstanden ist. Bei Joh 2, 16 ist die Beziehung zu Sach 14, 21 deutlicher; vgl. BULTMANN, Joh. S 87 Anm. 2; CHARLES HAROLD DODD, According to the Scriptures, 1952, S. 66f. Hinzuweisen ist noch darauf, daß in dem ganzen Schlußabschnitt des Sacharjabuches 14, 13ff. das endzeitliche Heil für die Völker bzw. einen ‚Rest der Völker‘ im Blick steht, doch ist der Text uneinheitlich und wohl von einer jüngeren Schicht überlagert; vgl. ELLIGER, Kl. Propheten II S. 167ff., bes. S. 174ff. Jedenfalls ist für Mk 11, 15—17 eine ursprüngliche Verbindung von Austreibung der Krämer und Verheißung für die Heiden vorauszusetzen.

[3] Von SCHNIEWIND, Mk S. 150f., der zwar letztlich auf die messianische Deutung abzielt, mit Recht sehr nachdrücklich betont.

[4] Ausführliche Besprechung von Mk 11, 1—10 folgt § 4 S. 264ff.; vgl. auch § 2 S. 87f.

keinen messianischen Charakter getragen haben, wie er auch kaum
Aufsehen erregt haben wird, da sonst die Römer sofort eingegriffen
hätten und Pilatus bei der Verurteilung schwerlich so zögernd gewesen wäre[1]. Was die Frage der Zusammengehörigkeit von Einzug
und Tempelreinigung samt Vollmachtsfrage angeht, so ist festzustellen, daß weder Andeutungen im Text noch die sehr unterschiedliche Traditionsgeschichte beider Erzählungseinheiten[2] dafür sprechen,
daß eine ursprüngliche historische und sachliche Verbindung vorliegt[3]. Eher wäre zu fragen, ob nicht das Nebeneinander von könig-
lichem Einzug und Kultrestauration das Motiv für die Redaktion
gewesen sein könnte, die diese Texte miteinander verbunden hat.
Aber gerade Mk hat die Tempelreinigung mit der Überlieferung vom
verfluchten Feigenbaum verbunden und gegenüber dem Einzug abgegrenzt; eine wenn nicht ursprüngliche, so doch vormarkinische Verbindung von Einzug und Tempelreinigung ist nicht ausgeschlossen,
doch fehlen deutliche Anzeichen dafür[4]. In jedem Falle bleibt es bei
dem Ergebnis, daß in der Einzugsgeschichte einerseits und der Tempelreinigung und Vollmachtsfrage andererseits zwei gesonderte Überlieferungen vorliegen, die beide nichts über ein messianisches Auftreten Jesu erkennen lassen.

[1] Die beliebte Deutung, daß Jesus angesichts der politischen Messiashoffnung
des Volkes und seiner Jünger sich zu diesem Einzug entschließe, um seine
Messianität im Sinne von Sach 9,9 zu demonstrieren, halte ich für völlig abwegig
(vgl. neuerdings etwa TAYLOR, Mk S. 452; ähnlich KÜMMEL, Verh. u. Erf.
S. 109f.). Denn in jedem Falle ist ja der Sach 9,9 erwartete Messias ein wirklicher Herrscher, mit dessen Kommen die Verhältnisse der messianischen Zeit
anbrechen. Es wird häufig übersehen, daß zwischen der jüdischen Vorstellung
von Sach 9,9 und der späteren christlichen Auffassung (etwa in Mt 21,5) ein
grundlegender Unterschied besteht, sofern Jesus nicht nur ein demütiger und
friedfertiger König ist, sondern ein König, der auf alle königliche Würde und
Macht verzichtet, sogar dem Tod überantwortet wird, und bei dessen Erscheinen
sich zudem die eschatologische Vollendung noch nicht ereignet hat. Daß sein
Königtum ‚nicht von dieser Welt‘ ist (Joh 18,36), gilt sachlich für die gesamte
urchristliche Überlieferung von Jesu Messianität. — Ähnlich wird oft auch
begründet, warum Jesus den Messiastitel nicht selbst verwendet und den Petrusbekenntnis nicht uneingeschränkt angenommen habe. Wohl sei ihm die Messianität selbstverständlich gewesen, doch hätte er wegen des politischen Mißver-
ständnisses zurückhaltend sein müssen; vgl. etwa VINCENT TAYLOR, Names of
Jesus S. 18; CULLMANN, Christologie S. 122f.

[2] Eher ist zu vermuten, daß Mk 10,46ff.; 11,1ff. miteinander verbunden
waren und von Mk offensichtlich zusammenhängend aufgegriffen worden sind;
vgl. § 4 S. 262ff.

[3] Auch das Johannesevangelium zeigt hier keinerlei Verbindung an wie
zwischen Tempelreinigung und Vollmachtsfrage.

[4] Daß die Einzugsgeschichte notwendig im Tempel enden müsse — so
JEREMIAS, Abendmahlsworte S. 85 — und daher eine direkte Überleitung zur
Tempelreinigung gehabt haben müsse, ist nicht überzeugend. Der Einzug ist
primär nicht an Jerusalem und dem Tempel orientiert, sondern an dem Ölberg
als der Stätte für das Kommen des eschatologischen Heils, vgl. Sach 14,4; dazu
KLOSTERMANN, Mk S. 113.

Stehen uns noch andere Texte zur Verfügung, die ein Urteil darüber
zulassen, wieweit die Vorstellung vom königlichen Messias im irdischen
Leben Jesu eine Rolle gespielt hat? *Mt 11,2* (ff.) darf nicht herangezogen
werden; die Wendung τὰ ἔργα τοῦ χριστοῦ ist sekundäres Interpretament und setzt den christlichen ‚Messias'-Begriff voraus[1]. Sofern das
Überlieferungsstück *Mk 6,14b.15//8,28* etwas historisch Zuverlässiges
festgehalten hat, was nicht rundweg bezweifelt zu werden braucht, so
hat das Volk in Jesus nicht unbedingt den Erfüller der Messiaserwartung
gesehen[2].

Wie stand es im Kreise der unmittelbaren Anhänger Jesu? Wenn
irgendwo, dann müßte uns darüber die Erzählung Mk 8,27—33 vom
*Messiasbekenntnis des Petrus* vor Cäsarea Philippi Aufschluß geben.
Aber dort liegt ein schwieriger und vielschichtiger Text vor. Ist die
in einem Exkurs durchgeführte Analyse zutreffend[3], dann wäre es
möglich, einige Rückschlüsse zu ziehen. Soviel ist deutlich, daß die
Bezugnahme auf die Menschensohnvorstellung und das Leiden als
Interpretament der Gemeinde angesehen werden muß und die Nähte
der Erzählung in V. 30. 32 ausgesprochen markinischen Charakter
tragen. Wenn man ferner auch noch V. 27b—29 als selbständiges
Traditionsstück betrachten darf, dann ist es nicht ausgeschlossen, daß
in V. 27a . . . 29b.33 in Gestalt eines biographischen Apophthegmas
eine Begebenheit aus Jesu Leben aufbewahrt worden ist. Jesus weist
jegliche Hoffnung auf eine durch ihn erfolgende Verwirklichung des
messianischen Königreiches als ein φρονεῖν τὰ τοῦ ἀνθρώπου zurück,
und Petrus wird wegen des Gebrauchs des Messiastitels sogar ‚Satan'
gescholten. Das situationslos nicht tradierbare Wort V. 33 mit der
darin enthaltenen Zurechtweisung des Petrus kann in nachösterlicher
Zeit nicht entstanden sein[4]. Die Verbindung mit V. 27a . . . 29b ist
daher höchstwahrscheinlich als ursprünglich anzusehen. Dies wird
übrigens dadurch bestätigt, daß noch der jetzige markinische Text
eine deutliche Abweisung des Petrusbekenntnisses enthält, sofern der
Messiastitel unter das Schweigegebot gestellt und überhaupt nur
unter der Vorbedingung des Leidensgedankens akzeptiert wird[5]. Um-

---

[1] Vgl. unten S. 221f.

[2] Anders allerdings Joh 6,14f.; vgl. dazu Anhang S. 369f., 391f.

[3] Zu Mk 8,27—33 vgl. Exkurs III S. 226ff.

[4] BULTMANN, Syn. Trad. S. 277, sieht hier eine Polemik gegen die judenchristliche, durch Petrus repräsentierte Anschauung vom Standpunkt des
hellenistischen Christentums der paulinischen Sphäre aus. Doch ist diese Vermutung abwegig, denn die ganze Erzählung zeigt, von den redaktionellen
Elementen abgesehen, keine hellenistischen Züge.

[5] Mk 8,32! Insofern sind die Exegeten, die auch noch in der Mk-Fassung eine
Verwerfung des Messiastitels sehen, auf der richtigen Spur; vgl. HÉRING, Royaume
de Dieu S. 122ff.; OSCAR CULLMANN, Petrus, Jünger-Apostel-Märtyrer, 1960[2],
S. 199ff.; STAUFFER, NovTest 1 (1956) S. 83; G. BORNKAMM, Enderwartung, in:

gekehrt bedeutet das aber, daß noch in dieser christianisierten Fassung durchaus der jüdische Messiasbegriff im Hintergrund steht[1]. Es wird also der Gang der Verchristlichung an dieser Stelle gut erkennbar. Der jüdische Messiastitel war für Jesus und die Urgemeinde als solcher nicht tragbar, aber in Verbindung mit der Menschensohnvorstellung und dem Leidensgedanken wurde er später aufgenommen und dementsprechend umgeformt.

In nächste Nähe zu der ursprünglichen Fassung des Petrusbekenntnisses ist die *dritte Versuchung Jesu* durch den Satan Mt 4,8—10// Lk 4,5—8 zu stellen. Daß die Versuchungsgeschichte der Logienquelle kein homogenes Traditionsstück ist, ist leicht zu erkennen[2]. Zwar sind alle drei Versuchungen im Stil eines Streitgespräches aufgebaut und der Teufel wird jeweils mit einem Schriftwort abgewiesen, aber während er im ersten und zweiten Fall (in der Reihenfolge des Mt) schon mit einem Schriftwort an Jesus herantritt und seine Rede mit εἰ υἱὸς εἶ τοῦ θεοῦ beginnt, fehlen diese beiden Züge in der dritten Versuchung. Überdies ist festzustellen, daß die ersten beiden Versuchungen einen typisch hellenistischen Gottessohnbegriff voraussetzen und nicht eigentlich messianisch gemeint sind[3], während demgegenüber in der dritten Versuchung der Gedanke der Weltherrschaft des messianischen Königs Thema ist[4]. Man wird diese dritte Versuchung als ein Traditionsstück der frühen palästinischen Gemeinde ansehen dürfen; nicht zufällig taucht wie in Mk 8,33 das ὕπαγε σατανᾶ auf.

BORNKAMM-BARTH-HELD S. 43f.; unter problematischen Voraussetzungen auch v. GALL, a. a. O. S. 439; ferner MOWINCKEL, a. a. O. S. 445: "He wanted to be the Messiah only in so far as the idea of the Messiah had been modified by, and was compatible with, that of the Son of Man", wobei er allerdings voraussetzt, daß die Vorstellung vom leidenden Menschensohn bereits auf Jesus zurückgehe, also eine Verbindung wie die von Mk 8,29. 31 historisch möglich gewesen sein könne.

[1] Das gilt für das isolierte Traditionsstück Mk 8,27b—29 aber nicht mehr. Von daher legt sich die Frage nach einer Überlieferung, die eine radikale Abweisung der jüdischen Messiaserwartung zum Ausdruck brachte, ebenfalls nahe.

[2] Vgl. dazu BULTMANN, Syn. Trad. S. 271ff.; aber auch JEREMIAS, Gleichnisse S. 105f., rechnet damit, daß die drei Versuchungsgänge zunächst selbständig überliefert worden sind. M. E. dürften die beiden ersten Versuchungen von Anfang an zusammengehört haben.

[3] So BULTMANN, a. a. O.; SCHLATTER, Mt S. 95ff.; KARL HEINRICH RENGSTORF, Das Evangelium nach Lukas (NTD 3), 1958[8], S. 65f.; G. BORNKAMM, Enderwartung, a. a. O. S. 34; gegen JEREMIAS a. a. O.; SCHNIEWIND, Mt S. 29f. Auch ERNST LOHMEYER, Die Versuchung Jesu, in: Urchristliche Mystik, 1955, S. 81—122; ERNST LOHMEYER-WERNER SCHMAUCH, Das Evangelium des Matthäus (KrExKommNT Sonderbd.), 1956, S. 53ff. unterscheidet die Versuchungen, geht aber von sehr anderen Gesichtspunkten aus. Vgl. noch den forschungsgeschichtlichen Überblick bei ERICH FASCHER, Jesus und der Satan (Hallische Monographien 11), 1949, S. 7ff.

[4] Von BULTMANN, Syn. Trad. S. 273f., zu Unrecht bestritten; er will in allen drei Versuchungen nur Situationen der Anfechtung sehen, wie sie jeden Gläubigen treffen können. Doch darf die ausgesprochen christologische Ausrichtung dieses Überlieferungsstückes nicht übersehen werden.

Von der Gemeinde wird auch hier, und damit ist gewiß Jesu eigene
Haltung festgehalten, die Vorstellung der messianischen Weltherrschaft im irdisch-politischen Sinne abgelehnt, ja als eine geradezu
widergöttliche Möglichkeit angesehen.

In der Mk-Fassung des Petrusbekenntnisses zeichnet sich die
spätere Umbildung des Messiasbegriffes durch die Gemeinde ab. Wie
konnte es überhaupt dazu kommen, wenn Jesus diesen so grundsätzlich abgelehnt hatte? Der Hinweis darauf, daß dieser Hoheitstitel
wie kein anderer im Alten Testament verankert ist und die Erfüllung
der alttestamentlichen Weissagungen ausspricht[1], ist sicher nicht
falsch, erklärt aber den Vorgang nicht hinreichend. Die Gemeinde hat
einen sehr viel unmittelbareren Anlaß gehabt, sich den Messiastitel
anzueignen. Denn es ist unbestreitbar, daß Jesus als messianischer
Aufrührer verurteilt und gekreuzigt wurde, die Vorstellung vom
königlichen Messias also im *Prozeß Jesu* eine ausschlaggebende Rolle
spielte. Auf Grund des bisherigen Ergebnisses kann mit Sicherheit
gesagt werden, daß die Anklage, Jesus sei als Messiasprätendent aufgetreten, fälschlich erhoben wurde[2]. Soweit wir noch sehen können,
machte sich die jüdische Oberbehörde die Volksbewegung, die durch
Jesu Auftreten entstanden war, vielleicht auch sein Vorgehen im
Tempel[3], zunutze, um ihn als politischen Aufrührer bei den Römern
zu beschuldigen. Die uns überlieferte Passionsgeschichte Mk 14f. ist
trotz ihrer relativen Ausführlichkeit in historischer und juristischer
Hinsicht nicht überaus ergiebig[4]. Die Annahme, daß diesem einzigen

---

[1] Vgl. CULLMANN, Christologie S. 127.

[2] Es handelt sich nicht darum, daß die Messiasvorstellung im revolutionären,
zelotischen Sinne „ausgelegt" worden ist — so CULLMANN, Staat S. 16ff. in
seinem Kapitel über die Verurteilung Jesu durch den römischen Staat —, sondern daß Jesus einen messianischen Anspruch im Sinne der jüdischen Messianologie überhaupt nicht erhoben hat, wie immer man seinen Hoheitsanspruch
sonst definieren mag.

[3] Wieweit das im NT vielzitierte Tempelwort Jesu (Mk 13,2 parr.; 14,58
par.; 15,29 par.; Joh 2,19f.; Act 6,14) dabei eine Rolle gespielt hat, ist nicht
mehr festzustellen; jedenfalls ist es in Mk 14,58 sekundär aufgenommen worden,
vgl. S. 177 Anm. 3.

[4] Darüber kann auch die gründliche Untersuchung von JOSEPH BLINZLER,
Der Prozeß Jesu, 1960[3], nicht hinwegtäuschen. Er geht von dem Text in seiner
jetzigen Gestalt aus und versucht ihn soweit wie irgend möglich als historisch
und juristisch zuverlässig zu behandeln (vgl. die grundsätzlichen Erwägungen
über den Quellenwert der Evangelien S. 44ff.). Die vielfach betonten Abweichungen von der Prozeßordnung der Mischna erklärt er unter Hinweis auf das
damals noch geltende sadduzäische Recht; vgl. S. 154ff.; DERS., Das Synhedrium von Jerusalem und die Strafprozeßordnung der Mischna, ZNW 52
(1961) S. 54—65. So sehr er damit rechtsgeschichtlich zutreffende Tatbestände
herausgestellt hat, so wenig ist auf diesem Wege schon die Geschichtlichkeit des
Berichtes über die Verhandlung vor dem Hohen Rat gesichert. Zu den Problemen der Verhaftung und Verurteilung Jesu vgl. neuerdings das wichtige
Buch von PAUL WINTER, On the Trial of Jesus (Studia Judaica I), 1961.

fortlaufend erzählten Bericht ein kurzes Geschichtssummarium zugrunde liegt, das kein kerygmatisches Interesse gehabt habe, sondern lediglich den Gang der Ereignisse darstellen wollte [1], ist wenig wahrscheinlich. Zwar ist die Passionsüberlieferung erst langsam zu ihrem jetzigen Umfang angewachsen und bestand zu einem Teil wie die meisten Stoffe der Evangelien zunächst aus Einzeltradition. Aber schon die anfänglich zusammenhängend erzählte kurze Passionsgeschichte war durch die Verkündigung der Urgemeinde, speziell durch den Weissagungsbeweis geprägt [2]. Der für die Geschichte der ältesten Christologie so wichtige Text Mk 14,55—64, das Verhör vor dem Hohen Rat, ist in historischer Hinsicht völlig unergiebig. Daß Jesus in den Hohenpriesterpalast und vor das Synhedrium geführt wurde, steht nicht in Zweifel. Aber weder kann die dort gegen ihn geführte Anklage ermittelt werden noch die von Jesus gegebene Antwort [3]. Ferner ist es keineswegs sicher, ob die jüdische Behörde ein derart formelles Todesurteil erlassen hat; denn es ist nicht unwahrscheinlich, daß die Sitzung einen rein informatorischen Charakter besaß und nur die Klage vor dem Prokurator vorbereiten sollte [4]. Die vielverhandelte Frage nach dem Kapitalprozeßrecht zur Zeit Jesu [5] spielt dabei nur eine untergeordnete Rolle, da es möglicherweise den Juden ohnedies daran lag, einen von den Römern durchgeführten politischen Prozeß durchzusetzen, um Jesus dem Fluch des Kreuzestodes auszuliefern. Im wesentlichen sind wir auf den Bericht Mk 15,1—27 über den Prozeß vor Pilatus und die Exekution angewiesen [6]. Auch wenn wir nur relativ wenige Einzelheiten über den ursprünglichen

---

[1] So BULTMANN, Syn. Trad. S. 301f.

[2] Das hat DIBELIUS, Formgeschichte S. 178ff., klar gesehen und herausgestellt. Der Schriftbeweis wird hier allerdings nicht mit Hilfe von Reflexionszitaten geführt, sondern durch Übernahme des at. Wortlauts in die Erzählung (S. 187f.).

[3] Die bisweilen vertretene Ansicht, daß Mk 14, 60ff. ein jüngerer Zusatz sei, der den älteren Bericht überlagert habe, aber wenigstens V. 58 noch einen historischen Anhalt biete — vgl. z.B. DIBELIUS, Formgeschichte S. 182f. oder WELLHAUSEN, Mk S. 123f., der allerdings nur V. 61f. ausscheidet und V. 63f. an das Schweigen Jesu anschließt — ist kaum zutreffend. Das Tempelwort gehört nicht in den ursprünglichen Text, wie V. 57 und die Wiederaufnahme von V. 56 in V. 59 zeigen; vgl. BULTMANN, Syn. Trad. S. 291f. Auf V. 56 muß direkt V. 60 gefolgt sein, also sofort die auf den grundlegenden Gegensatz zwischen Judentum und Christentum abhebende Frage, so daß über den eigentlichen Verlauf des Prozesses eben nichts mehr zu ermitteln ist. Zu Mk 14,61f. vgl. unten S. 181ff.

[4] Von BLINZLER, Prozeß S. 24f., zwar bestritten, aber in seiner Behandlung des Textes S. 95ff. doch nicht überzeugend widerlegt.

[5] Vgl. dazu HANS LIETZMANN, Der Prozeß Jesu, jetzt in: Kleine Schriften II, 1958, S. 251—276; BLINZLER, a.a.O. 163ff.; CULLMANN, Staat S. 28ff.; PAUL WINTER, a.a.O. S. 10ff., 67ff., 75ff., 85ff.

[6] Hier ist eine ältere Überlieferungsschicht von einer jüngeren überlagert; vgl. unten S. 195ff.

Verlauf des Prozesses entnehmen können, so sind doch die entscheidenden Motive eindeutig zu erkennen. Jesus ist von der jüdischen Oberbehörde dem Prokurator vorgeführt worden und wurde wegen politischen Aufruhrs verklagt[1]. Pilatus muß über den Häftling verwundert gewesen sein und hat offensichtlich gezögert, das Urteil zu vollstrecken. Er gab aber nach, da die Römer gezwungen waren, gegen alle messianischen Bestrebungen scharf vorzugehen, und sich der Mithilfe der jüdischen Behörde nicht entschlagen durften[2]. So hat er das in diesem Fall übliche Urteil gefällt. Jesus wurde als Messiasprätendent zu Tode verurteilt und wohl unmittelbar vor dem Passafest gekreuzigt. Nach römischem Brauch wurde der sog. titulus, auf dem die Strafbegründung stand, ausgefertigt und später am Kreuze befestigt. Im Sinne der Heiden bestand der Messiasanspruch in dem Streben nach politischer Selbständigkeit und königlicher Herrschaft über das jüdische Volk. Es ist ebenso charakteristisch, daß dabei der Titel ‚Messias‘ vermieden wurde, wie die Tatsache, daß nicht vom ‚König Israels‘, sondern vom ‚König der Juden‘ die Rede ist; denn Ἰσραήλ ist der Name, mit dem das Volk sich selbst bezeichnete, während Ἰουδαῖοι vornehmlich die Bezeichnung ist, mit der die nichtjüdische Welt es nannte, so daß bei letzterem Begriff jede religiöse Komponente fehlt[3]. Sehr aufschlußreich ist, daß die Wiederaufnahme des titulus Mk 15,32 im Munde der Hohenpriester und Schriftgelehrten ὁ χριστὸς ὁ βασιλεὺς Ἰσραήλ lautet[4]. Es besteht nicht der geringste Anlaß, die Historizität der Kreuzesinschrift zu bezweifeln[5]. Der ganze Abschnitt 15,1—20, der in seiner jetzigen Gestalt geradezu eine breite Ausführung des Leitgedankens ὁ βασιλεὺς τῶν Ἰουδαίων ist, zeigt, wie die

---

[1] Dies ist von Lk in 23,2 in einer redaktionellen, aber durchaus treffenden Notiz deutlich zum Ausdruck gebracht.

[2] Nach WINTER, a.a.O. S. 36ff., 44ff., 51ff. geht die Initiative zum Einschreiten gegen Jesus nicht auf die Juden, sondern auf Pilatus zurück; dementsprechend soll auch das Verhalten des Prokurators, wie es in Mk 15,1ff. geschildert wird, nicht historisch zutreffend sein, wie überhaupt das Bild des Pilatus in der frühchristlichen Tradition apologetisch umgestaltet worden ist. Ich halte die These, daß die Römer bereits die Verhaftung Jesu durchgeführt haben und die jüdische Obrigkeit nur unter Druck, wenn auch nicht ungern, ihre Mithilfe geleistet haben, exegetisch nicht für richtig; auch wird man nicht bestreiten können, daß erst in der Mk 15,1ff. geschilderten Szene, so viele sekundäre Elemente sie enthalten mag, Pilatus mit der Angelegenheit behelligt wird und dann eine Entscheidung treffen muß. Vgl. meine Rezension in MPTh 50 (1961) S. 524f.

[3] Vgl. KARL GEORG KUHN — WALTER GUTBROD, Art. Ἰσραήλ, ThWb III, bes. S. 361, 376f.

[4] Mt 27,17. 22, wo ὁ χριστός im Munde des Pilatus vorkommt, ist demgegenüber sekundär.

[5] So BULTMANN, Syn. Trad. S. 293. Anders aber MARTIN DIBELIUS, Das historische Problem der Leidensgeschichte, in: Botschaft und Geschichte I, 1953, S. 256, und zuletzt P. WINTER, a.a.O. S. 107ff.

Urgemeinde diese Begebenheit aufgenommen und entfaltet hat[1]. Auch der spätere christliche Messiasbegriff läßt erkennen, wie die Urgemeinde gerade mit der Tatsache der Kreuzigung Jesu als eines Messiasprätendenten fertig zu werden versuchte.

*Zusammenfassend* ist zu sagen, daß im Leben Jesu jegliche Anzeichen für ein zelotisches Denken und Handeln fehlen. Auch sonst hat die Vorstellung vom königlichen Messias für Jesu Wirken keine Bedeutung gehabt; der Messiastitel ist höchstwahrscheinlich von Jesus zurückgewiesen worden. Sein Verkündigen und Auftreten war auch wenig geeignet, die spezifisch messianische Erwartung zu wecken. Auf der anderen Seite ist Jesus aber fälschlich als messianischer Aufrührer angeklagt worden. Wie immer die Verhandlungen vor der jüdischen Oberbehörde verlaufen sein mögen, wie immer auch die umstrittene Frage des Kapitalprozeßrechtes gelöst werden muß, deutlich ist, daß das entscheidende Urteil vom römischen Prokurator gefällt und Jesus unter politischem Verdacht als ‚König der Juden‘ hingerichtet wurde. Aus dieser doppelten Voraussetzung muß die weitere Geschichte des Messiastitels in der Urgemeinde verstanden werden.

### 3. Die Messianität Jesu in der ältesten Überlieferung

Vorstellung und Titel des Messias sind in allerältester Zeit auf Jesus nicht angewandt worden. Dies widerspricht zwar der weitverbreiteten Ansicht, daß das Messiasbekenntnis der Urgemeinde sich auf den Auferstandenen bezogen habe und auf Grund des Ostergeschehens in Gebrauch gekommen sei[2]. Dafür lassen sich aber allenfalls einige Texte der Apostelgeschichte heranziehen, die jedoch nicht ohne weiteres als Zeugnisse ältester Gemeindetradition angesehen werden können[3]; ferner das Petrusbekenntnis oder die Verklärungsgeschichte,

---

[1] Eine derartige Entfaltung erklärt sich zudem am überzeugendsten, wenn das ausschlaggebende Motiv bereits vorgegeben ist. Das profane ‚König der Juden‘ ist zudem als spätere christologische Bildung nicht zu erklären. Zu der Eigenart von Mk 15,1—20 vgl. unten S. 195ff.

[2] So z.B. Joh. Weiss, Urchristentum S. 85f.; Bultmann, Theol. S. 50f.; Herbert Braun, Der Sinn der neutestamentlichen Christologie, ZThK 54 (1957) S. 344ff., 347ff. jetzt in: Ges. Studien zum NT und seiner Umwelt, 1962, S. 246ff., 249ff.

[3] Vgl. vor allem Haenchen, Apg S. 139ff., 163ff. u.ö.; Ulrich Wilckens, Missionsreden der Apostelgeschichte S. 100ff. Die Erkenntnis der lukanischen Eigenart der Konzeption der Apostelgeschichte und ihrer Reden hebt selbstverständlich die Frage nach dem verwendeten Traditionsmaterial nicht auf. Es steht aber durchaus nicht ohne weiteres fest, daß das noch erkennbare Überlieferungsgut in die älteste Zeit der Urgemeinde zurückreicht; die Spärlichkeit der Nachrichten und starke Schematisierung in c. 1—5 mahnen jedenfalls zur Vorsicht. Josef Gewiess, Die urapostolische Heilsverkündigung nach der Apostelgeschichte (Breslauer Studien z. hist. Theol. NF V), 1939, schließt viel

welche aber als ursprüngliche Ostergeschichten schwerlich zutreffend erklärt sind[1]. Die gesamte Evangelientradition zeigt vielmehr, daß in der Anfangszeit der Christenheit die Messiasvorstellung auf Jesus nicht übertragen worden ist. Mag das Fehlen des Titels ‚Messias' in der Logienquelle unter Umständen damit erklärt werden können, daß dort einseitiges Interesse an der Menschensohnchristologie vorherrscht, so erweist doch das sonstige synoptische Überlieferungsgut, daß die Verwendung dieser Prädikation sich nur sporadisch und unter dem Einfluß der allmählich ausgebauten Christologie durchgesetzt hat. Der Würdetitel ‚Messias' und ebenso die messianisch verstandenen Hoheitsbezeichnungen ‚Davidssohn' und ‚Gottessohn' können somit für die allerfrüheste Periode nicht vorausgesetzt werden. Sowohl die Haltung Jesu wie die Tatsache der fälschlichen Anklage werden dazu geführt haben, daß die Gemeinde die Messiasvorstellung zunächst mied.

Um so dringlicher stellt sich dann aber die Frage, wie es dennoch dazu kommen konnte, daß die Urchristenheit diese Vorstellung übernahm[2]. Die ältesten Belege geben uns eine einfache Antwort: die Anschauung vom königlichen Messias ist nicht in ihrer ursprünglichen Form, sondern in einer durch apokalyptisches Denken modifizierten Gestalt aufgegriffen worden. Und ferner ist die Messiasvorstellung ausschließlich auf das endzeitliche Wirken Jesu angewandt worden, auf seine Wiederkunft und die damit verbundene Heilshoffnung. Die Messianität Jesu wurde also zunächst gerade nicht im Blick auf seine Auferstehung und Erhöhung bekannt, sondern in bezug auf sein machtvolles Handeln bei der Parusie. Die Aussagen über ein königliches Herrscheramt waren in der Tat hierfür am ehesten geeignet, während sie hinsichtlich Erhöhung und irdischer Funktion Jesu erst noch erheblicher Umformung bedurften. Auf diese Weise kamen die messianischen Prädikationen in nächste Nähe und in Verbindung mit der Vorstellung vom kommenden Menschensohn, wofür es schon in der Apokalyptik eine gewisse Präformation gab[3].

---

zu rasch auf urgemeindliche Tradition zurück; ebenso DODD, Apostolic Preaching S. 17 ff.

[1] Vgl. Exk. III S. 226 ff. und Exk. V S. 334 ff.

[2] Die von LOHMEYER, Galiläa und Jerusalem bes. S. 92 ff., vertretene These eines Nebeneinanders zweier Urgemeinden, die sich durch verschiedenartige Christologien auszeichneten, muß im ganzen, weitgehend aber auch in der Behandlung der Einzeltexte als verfehlt angesehen werden. Hiernach habe die galiläische Urgemeinde eine Menschensohnanschauung vertreten, die Jerusalemer Urgemeinde dagegen einen Messiasglauben.

[3] Den verschiedenen Arten der Verbindung in der Apokalyptik entsprechend (vgl. oben S. 157f.) lassen sich ähnliche Verwendungen auch im Urchristentum feststellen, wie beispielhaft die anschließend zu behandelnden Texte Mk 14, 61 f. einerseits und Apk 20, 4—6 andererseits zeigen.

In der kleinen Apokalypse *Mk 13* ist noch sehr deutlich die Antithese gegen jegliche diesseitige Messiashoffnung zu verspüren. Die irdischen Pseudomessiasse und Pseudopropheten stehen dem vom Himmel kommenden Menschensohn gegenüber, Mk 13,22.26. Zugleich weist 13,21 darauf hin, daß man allen Gerüchten von einem Auftreten des Messias hier oder dort nicht Glauben zu schenken braucht, weil — so muß man den Gedankengang ergänzen — der wahre Messias als himmlischer Menschensohn allen sichtbar erscheinen wird[1].

Expressis verbis wird die Gleichsetzung des Messias mit dem Menschensohn in dem Verhör vor dem Hohen Rat *Mk 14,61f.* vollzogen. Hier sind, wie gezeigt, verschiedene christologische Elemente miteinander verbunden[2], schon dies ein Zeichen dafür, daß der Text so nicht unmittelbar auf Jesus zurückgehen kann. Umgekehrt wird man ihn jedoch traditionsgeschichtlich nicht allzu spät ansetzen dürfen, denn er repräsentiert immerhin die älteste Form der urchristlichen Vorstellung von Jesus als dem (zukünftigen) Messias, welche sich sehr bald in anderer Richtung weiterentwickelt hat. Daß es sich um ein aus der palästinischen Gemeinde stammendes christologisches Zeugnis handelt[3], dürfte außer Frage stehen[4]. An Einzelelementen liegen hier vor: die die königliche Messianologie voraussetzende Hohepriesterfrage[5], dann das $\dot{\varepsilon}\gamma\dot{\omega}$ $\varepsilon\dot{\iota}\mu\iota$ Jesu, ferner die Ankündigung des Kommens des Menschensohnes auf den Wolken des Himmels aus Dan 7,13 und seines Sitzens zur Rechten Gottes aus Ps 110,1a, diese beiden Motive zusammengehalten durch das gemeinsame $\ddot{o}\psi\varepsilon\sigma\vartheta\varepsilon$[6]. Die Frage des Hohenpriesters ist eindeutig. Die Antwort

---

[1] Wieweit in Mk 13,21ff. 24ff. Elemente der jüdischen Apokalyptik verwendet sind, ist dabei von untergeordneter Bedeutung, weil jedenfalls die Identifizierung Jesu mit dem kommenden Menschensohn als selbstverständlich vorausgesetzt werden muß. Zu den traditionsgeschichtlichen Problemen vgl. § 1 S. 38f.

[2] Vgl. Exk. II S. 128 und zur Analyse des Textes § 3 S. 177 Anm. 3.

[3] Für das hohe Alter spricht abgesehen von dem Inhalt des Überlieferungsstückes auch die zweimalige Umschreibung des Gottesnamens in V. 61 und V. 62.

[4] Dies bezieht sich nur auf das alte Traditionsstück Mk 14,55f. 60—64; Herkunft und Bedeutung des Tempelwortes kann hierbei außer Betracht bleiben. Vgl. o. S. 176 Anm. 3.

[5] ‚Sohn des Hochgelobten‘ ist gleichfalls messianisch zu verstehen.

[6] Das hier gemeinte ‚Sehen‘ bei der Parusie darf nicht umgedeutet oder abgemildert werden, wie dies etwa bei TAYLOR, Mk S. 568, geschieht: "The phrase $\ddot{o}\psi\varepsilon\sigma\vartheta\varepsilon$ $\varkappa\tau\lambda.$ does not necessarily describe a visible portent, but more probably indicates that the priests will see facts and circumstances which will show that Psa. cx. 1 and Dan. vii. 13 are fulfilled in the person and work of Jesus." Auch darf nicht behauptet werden, daß nirgendwo sonst Erhöhung und Parusie so eng verbunden seien wie hier — so LOHMEYER, Mk S. 329 —, denn von Erhöhung ist im Mk-Text überhaupt nicht die Rede, erst Lk hat diesen Gedanken in der Parallelstelle 22,69 sekundär eingetragen.

Jesu enthält mancherlei Schwierigkeiten. Das $\dot{\epsilon}\gamma\dot{\omega}$ $\epsilon\dot{\iota}\mu\iota$ am Anfang
darf zunächst keinesfalls auf Grund der Parallelstelle bei Matthäus
abgeschwächt werden; es handelt sich nach dem Markustext um eine
uneingeschränkte Bejahung, ein eindeutiges Selbstbekenntnis[1]. Ande-
rerseits darf nun aber dieses $\dot{\epsilon}\gamma\dot{\omega}$ $\epsilon\dot{\iota}\mu\iota$ auch nicht aus dem Fragezusam-
menhang gelöst und als eine selbständige Formel angesehen werden[2].
Es handelt sich nicht wie in der Epiphanieszene Mk 6,50 und der
Warnung Mk 13,6 um eine Präsentationsformel, sondern um eine ganz
schlichte Identifikationsaussage[3], wobei sich das Prädikatsnomen aus
der vorangegangenen Frage ergibt. Weiterhin ist zu beachten, daß
unter keinen Umständen das Präsens $\epsilon\dot{\iota}\mu\iota$ gepreßt und in einen betonten Gegensatz zu dem nachfolgenden Futur gestellt werden darf,
also in dem Sinn, daß die Antwort besagen würde, daß Jesus jetzt der
Messias ist, in Zukunft aber als Menschensohn auftreten und handeln
wird[4]. Dagegen spricht schon, daß der sicher auf palästinische Tradition
zurückgehende Text an dieser Stelle kein Verbum gehabt haben kann;
aber es spricht weiterhin auch sachlich dagegen, daß ein ganz wesentliches Element der Vorstellung vom Messiaskönig gerade mit der Aussage vom kommenden Menschensohn verkoppelt ist, nämlich das
‚Sitzen zur Rechten der Kraft'. Die Unanschaulichkeit des $\ddot{o}\psi\epsilon\sigma\vartheta\epsilon$
$\varkappa\tau\lambda.$ stammt ja aus dieser absichtlichen Verbindung zweier heterogener,
aber für Messias- und Menschensohnanschauung jeweils bezeichnender
Elemente. Dies alles besagt daher, daß die in V. 61 gestellte Frage
nach Jesu Messianität im Hinblick auf sein zukünftiges Wirken so
beantwortet wird, daß sie mit Hilfe der apokalyptischen Menschensohnvorstellung eine Deutung erfährt. Nicht nur das Kommen auf
den Wolken, sondern auch das $\ddot{o}\psi\epsilon\sigma\vartheta\alpha\iota$ ist ein konstitutives Element
der Menschensohnerwartung, wobei wie in Mk 13,21.26 an eine aller
Welt sichtbare, vom Himmel her sich ereignende Wiederkunft Jesu
gedacht ist[5]. Das bedeutet also, daß das Messiasbekenntnis für die

---

[1] Aber auch das $\sigma\dot{v}$ $\epsilon\dot{\iota}\pi\alpha\varsigma$ des Mt-Textes (26,64) muß in diesem Sinn verstanden werden; gegen CULLMANN, Christologie S. 118ff., der dies im Anschluß
an Adalbert Merx als ausweichende Antwort interpretiert. Zu den Umgestaltun-
gen des Verhörs bei Mt und Lk vgl. § 5 S. 289 Anm. 3.

[2] Gegen STAUFFER, NovTest 1 (1956) S. 88, nach dessen Meinung Jesus die
Messiasfrage hier völlig ignoriert und mit der at. Theophanieformel ANI HU
und einem Menschensohnwort antwortet. Zu solchem Verständnis des $\dot{\epsilon}\gamma\dot{\omega}$ $\epsilon\dot{\iota}\mu\iota$
vgl. noch DERS., Jesus. Gestalt und Geschichte (Dalp-Taschenbücher 332),
1957, S. 130ff. Neuerdings zu diesem Problem HEINRICH ZIMMERMANN, Das
absolute 'E$\gamma\dot{\omega}$ $\epsilon\dot{\iota}\mu\iota$ als die neutestamentliche Offenbarungsformel, BZ NF 4
(1960) S. 54—69. 266—276 (aber ohne Anwendung auf Mk 14,61f.!).

[3] Vgl. zu diesen Definitionen BULTMANN, Joh S. 167 Anm. 2.

[4] Anders Mt 26,63f.!

[5] H. K. MCARTHUR, Mark xiv. 62, NTSt 4 (1957/58) S. 156—158, setzt sich
in Auseinandersetzung mit Glasson u. a. für das eschatologische Verständnis
der Wendung vom Kommen auf den Wolken des Himmels ein und ist damit

frühe Urgemeinde nicht anders möglich und denkbar war, als daß sie
es in den apokalyptischen Rahmen und Verständnishorizont hineingestellt und ausschließlich auf Jesu endzeitliches Wirken bei der
Parusie bezogen hat[1]. Dabei brauchte nun das königliche Amt in keiner
Weise eingeschränkt und seiner ,,politischen" Züge beraubt zu
werden, denn hier ist an eine herrscherliche Funktion in vollem Umfange gedacht. Eine eigentliche Umdeutung des jüdischen Messiasbegriffes hat noch nicht stattgefunden; selbst die Verkoppelung mit
der Menschensohnvorstellung hat eine gewisse Vorgeschichte im
Judentum. So konnte die Urgemeinde auch den Juden die Messianität
Jesu verkündigen, ohne von vornherein einen völlig andersartigen,
womöglich spiritualisierten Begriff zu verwenden und sich damit
jeglicher Verständigungsmöglichkeit zu berauben[2]. Wird diese Anwendung des Messiasbegriffes auf den Wiederkommenden zunächst
einmal gesehen, dann ist es leichter zu verstehen, wie es zu der bald
einsetzenden Neufassung des Titels ,Messias', vor allem auch zu seiner
Beziehung auf den Auferstandenen und Erhöhten kommen konnte[3].

---

zweifellos im Recht. T. F. GLASSON, The Reply to Caiaphas (Mark xiv. 62),
NTSt 7 (1960/61) S. 88—93 versucht seine Auslegung zu verteidigen, daß es
sich nur um eine symbolische Ausdrucksweise handelt und Jesu Sitzen zur Rechten
Gottes wie sein Kommen auf die Wolken, beides at. Motive der Inthronisation,
den bei Kreuzigung und Auferstehung vollzogenen Antritt seiner Königsherrschaft bezeichnen, wobei Ps 110,1 auf die eigene Erhöhung, die korporativ verstandene Aussage von Dan 7,13 auf die Einsetzung der christlichen Gemeinde
abziele. Doch ist diese These schwerlich haltbar. Immerhin hat Gl. auf eine
schwache Stelle der Argumentation McArthurs hingewiesen, der das Sitzen
zur Rechten auf die Erhöhung Jesu, das Kommen mit den Wolken dagegen
auf die Parusie bezieht: "I find this very difficult to accept. Not only does it
insert an interval of time which is not there; but a sitting at the right hand,
visible to the priests, is taken as equivalent to 'a period of Christ's reign' that
is, it is regarded as symbolic language. Good. But then the next clause is taken
literally as a reference to the parousia. It is the mixture of symbolic and literal
that I find impossible" (S. 90). In der Tat kommt man hier nur zu einer befriedigenden Lösung, wenn man weder den ganzen Text noch die Wendung
vom Sitzen zur Rechten Gottes auf die Erhöhung bezieht; die Aussage von
Mk 14,62 insgesamt kann nur auf die Parusie bezogen werden.

[1] Es handelt sich somit um eine ,,proleptische" Messiasaussage — vgl.
dazu DALMAN, Worte Jesu S. 259 —, aber doch in anderem Sinne als man
sie etwa bei der ursprünglichen Fassung der Cäsarea-Philippi-Erzählung voraussetzen müßte, wo es darum ginge, daß Jesus zu seinen Lebzeiten eine konkrete diesseitig-messianische Aufgabe in Angriff nehmen soll.

[2] Wieweit gerade die Judenmission dazu beigetragen hat, daß die ursprünglich gemiedene Messiasvorstellung doch Eingang fand, ist schwer zu sagen. Un-
umgänglich war diese Anschauung, wie schon gesagt, für die urchristliche Verkündigung jedenfalls nicht. Immerhin mag sie sich auch aus diesem Grunde
nahegelegt haben. Aber der entscheidende Anstoß für die Übernahme dürfte
sich wohl aus der Entfaltung der Aussagen über Jesu endzeitliches Wirken
ergeben haben.

[3] J. HÉRING, Royaume de Dieu S. 128ff., lehnt mit vollem Recht jegliche
Verwendung im positiven Sinne innerhalb des Lebens Jesu ab. Umgekehrt
rechnet er aber mit einer sofortigen ,,spiritualisierten" Verwendung durch die

Unabhängig von der Menschensohnvorstellung, aber gleichwohl in
einem apokalyptischen Vorstellungszusammenhang kommt der auf
Jesu eschatologisches Werk bezogene Messiastitel in *Act 3,20.21a*
vor. Daß hier eine sehr alte Tradition vorliegt, kann nicht bestritten
werden[1]. Die Frage der Herkunft ist vor allem durch BAUERNFEINDS
traditionsgeschichtliche Analyse nachdrücklich gestellt. Er sieht in
dem ganzen Abschnitt Act 3,19—25 (sic!) eine alte Eliaüberlieferung,
wobei Elia der von Mose verheißene Prophet und selber eine messianische Gestalt sein soll[2]. Aber dies ist sicher so nicht zutreffend. V. 22ff.
geht unter allen Umständen auf Lukas zurück, ebenso wird man ihm
V. 21b zuschreiben müssen; außerdem dürfte in V. 19 noch der
Vordersatz in der Formulierung lukanisch sein[3]. Aber nicht einmal
der Abschnitt V.(19a)19b—21a, den der Verfasser der Apostelgeschichte in geprägter Gestalt übernommen hat, läßt sich als eine
völlig homogene Einheit fassen. Sofern man auf irgendwelche Elemente
stößt, die ihre Parallele in der Eliatradition haben, so beschränken
sich diese auf V. 21a; es geht dabei um die Aufnahme in den Himmel
und um die ἀποκατάστασις πάντων[4]. Tatsächlich ist die Anschauung
vom eschatologischen Propheten auf Jesus angewandt worden, aber

---

Urgemeinde nach Ostern, bezogen auf den Erhöhten. Die daraus sich ergebenden
Schwierigkeiten sind deutlich. In einem späteren Aufsatz muß sich DERS.,
Messie juif et Messie chrétien, RHPhR 18 (1938) S. 419—431, gegen den Einwand seiner Kritiker verteidigen, warum denn dann nicht auch schon Jesus
eine „Spiritualisierung" hätte vornehmen können (S. 422ff.). Aber es geht eben
nicht um eine schlagartige Neuerung, sondern um eine allmähliche Umformung,
und Ansatzpunkt ist dabei durchaus der jüdische Messiasbegriff.

[1] Gegen HAENCHEN, Apg S. 170f.; mit WILCKENS, Missionsreden der Apostelgeschichte S. 152ff., der im übrigen den Anteil des Lukas in den Actareden sehr
hoch einschätzt.

[2] OTTO BAUERNFEIND, Die Apostelgeschichte (ThHdKomm V) 1939, S. 65ff.;
WILCKENS a. a. O. im wesentlichen zustimmend, aber unter Beschränkung auf
Act 3,20f. Vgl. noch E. SCHWEIZER, Ern. u. Erh.[2] S. 94 Anm. 330.

[3] Der Aufbau der Missionsreden der Act ist weitgehend lukanisch; vgl.
MARTIN DIBELIUS, Aufsätze zur Apostelgeschichte (FRLANT NF 42), 1951,
S. 142; WILCKENS, a. a. O. S. 32ff., 72ff. Der V. 22 einsetzende Abschnitt, der
den Schriftbeweis enthält, zeigt dies auch im einzelnen sehr deutlich, selbst
wenn dort die Anschauung von Jesus als dem neuen Mose übernommen ist.
In dem zum Schema dieser Reden gehörenden Abschnitt „Bußmahnung"
V. 17—21 hat Lk neben der der Passionstradition entnommenen Wendung
V. 18b auch ein eschatologisches Kerygma aufgegriffen. V. 17 ist spezifisch
lukanisch (Motiv der ἄγνοια der Juden); in V. 19a ist die Verbindung von
μετανοεῖν und ἐπιστρέφειν, die sich nur noch Act 26,20 findet, für den Verfasser
bezeichnend (wohl im Sinne eines Hendiadyoin; etwas anders HAENCHEN, Apg
S. 168). Die Bußmahnung selbst, bes. V. 19b, ist vorlukanisch; ebenso die
Verbindung mit der eschatologischen Verkündigung, wie die vorpaulinische
Wendung 1Thess 1,9f. erkennen läßt. In V. 21b nimmt Lk den Gedanken der
Vorausverkündigung des Heiles durch die Propheten auf und leitet damit zu
V. 22ff. über.

[4] Das Motiv der endzeitlichen Sendung, das auch in der Eliatradition seinen
Platz hat, ist hier eng mit dem Erscheinen des χριστός verbunden.

die Eliaerwartung hat dabei keine entscheidende Rolle gespielt[1].
Auch in Act 3,21a handelt es sich lediglich um zwei Einzelmotive.
Daher kann kein festgeprägter „Elia"-Text vorausgesetzt werden,
bei dem sekundär nur eine Namensänderung vorgenommen worden
wäre. Zudem hat V. 20 mit der Erwartung eines eschatologischen
Propheten schlechterdings nichts zu tun. Die ‚Zeiten der Erquickung'
bezeichnen die den apokalyptischen Wehen nachfolgende Heilszeit[2].
Sie kommen ‚vom Angesichte des Herrn her', sind also, gut apokalyptisch gedacht, ein im Himmel bereitgehaltenes Heilsgut. Daß
hier eine ausgesprochen jüdische Ausdrucksweise vorliegt, ist leicht
erkennbar, man wird sogar eine semitische Grundlage des Textes
annehmen dürfen, worauf besonders die eigentümlich gebrochene
Satzkonstruktion in V. 20a/20b verweist[3]. Die zweite Satzhälfte von
V. 20 handelt von der Parusie: ‚er (sc. der Herr = Gott) wird den für
euch vorbestimmten Messias Jesus senden'. Die Funktion des wiederkommenden Jesus ist also die des messianischen Königs; als solcher
ist er von Gott im voraus erwählt[4]. Auch er steht im Himmel, wie die
Heilsgüter der neuen Welt, bereit und Gott wird ihn dereinst ‚senden'[5].
Hiermit verbinden sich dann die Aussagen von V. 21a. Der von Gott
erwählte zukünftige Messias ist der geschichtliche Jesus, den der
Himmel jetzt bis zu den eschatologischen Ereignissen ‚aufnehmen

---

[1] Vgl. Anhang S. 380ff. Nur Einzelzüge der Eliaerwartung konnten auf
Jesus angewandt werden. Sonst fand vor allem die Anschauung vom endzeitlichen Propheten als dem neuen Mose Anwendung (so ja auch Act 3,22—26).
Wohl konnte diese mit der Vorstellung vom wiederkehrenden Elia parallelisiert
werden (vgl. etwa Mk 9,4; Apk 11,3ff.), aber eine Verschmelzung beider, wie
sie von BAUERNFEIND, Apg S. 67, erwogen wird, ist in jüdischer Tradition nicht
eigentlich erkennbar. Act 3,20. 21a zeigt keinen Zusammenhang mit Dt 18,15ff.

[2] Dem korrespondiert das Motiv von V. 19, wo die jüdische Anschauung
zugrunde liegt, daß die Buße Bedingung für das Kommen der Heilszeit ist, dieses
sogar beschleunigen kann; vgl. VOLZ, Eschatologie S. 103f.; BILLERBECK I S.
165ff., 599f. — Zu καιροὶ ἀναψύξεως verweist HANS HINRICH WENDT, Die Apostelgeschichte (KrExKommNT III), 1913[9], S. 106, mit Recht auf 2 Thess 1,7;
Hebr 4,3—11; gegen BAUERNFEIND, Apg S. 68, der die Atempausen in der Not
der messianischen Wehen bezeichnet sehen will; auch wenn letzteres vielleicht
die ursprüngliche Bedeutung des Begriffs gewesen sein mag, so kommt es im
jetzigen Zusammenhang nicht in Frage.

[3] Als bloßer Septuintismus läßt sich diese Stelle nicht verstehen, so häufig
sich Lk dessen sonst in der Act bedient; gegen HAENCHEN, Apg S. 168 Anm. 4.

[4] Der Begriff προχειρίζεσθαι, zumal im betont zeitlichen Sinn, ist möglicherweise lukanisch; er kommt nur noch in den redaktionellen Stellen Act 22,14;
26,16 vor, ähnlich das προχειροτονεῖν Act 10,41. Aber das Motiv der Aus-
erwählung zur endzeitlichen Funktion ist sicher alt, wie die traditionelle Aussagen aufgreifenden Stellen Act 10,42; 17,31 zeigen; es hat zudem seine Parallelen in der Apokalyptik.

[5] Dieses in der späteren Christologie mit dem irdischen Erscheinen des Gottessohnes verbundene Motiv steht hier noch in eschatologischem Bezug. Zur
‚Sendung' des Gottessohnes vgl. § 5 S. 315ff.

muß'[1]. Die χρόνοι ἀποκαταστάσεως πάντων, die nach Mal 3, 23 eine der
Endzeit vorauslaufende Epoche darstellen müßten, sind im Zusammen-
hang mit V. 20 natürlich auf die Erfüllung selbst zu beziehen[2], sind
also mit den καιροὶ ἀναψύξεως identisch[3]. Ebenso wesentlich wie eine
Besprechung der im Text enthaltenen Elemente ist eine Überlegung,
was fehlt: die Aussage von Act 3, 20. 21 a enthält nicht die geringste
Andeutung einer Erhöhungsvorstellung. Hier stoßen wir wieder auf
den bereits beachteten intermediären Charakter des nachösterlichen
Status Christi. Das Aufgenommensein in den Himmel V. 21 a ist in
Analogie zu den Entrückungen des Alten Testamentes verstanden,
wie an dieser Stelle besonders deutlich erkennbar wird, daher als ein
vorläufiger und rasch vorübergehender Zustand angesehen[4]. Insofern
können sich die Aussagen von V. 21 a bruchlos mit denen über die
eschatologische Messianität in V. 20 verbinden.

Ein weiterer Text, der die Messiaswürde mit dem endzeitlichen
Werk Jesu in Verbindung bringt, ist die Schilderung des Weltgerichtes
in *Mt 25,31—46*. Zwar wird dort nicht der Titel ‚Messias‘ gebraucht,
in gleichem Sinn ist aber das absolute ὁ βασιλεύς aufgenommen. Daß
dieses Überlieferungsstück in seiner jetzigen Form nicht unmittelbar
auf Jesus zurückgehen kann, sondern sowohl bezeichnende Elemente
der urgemeindlichen Christologie als auch Züge matthäischer Redaktion aufweist, ist deutlich[5]. Versucht man überkommene und redaktionelle Bestandteile voneinander zu trennen, so ist festzustellen, daß
sich die matthäischen Eigentümlichkeiten im wesentlichen, von einem

---

[1] Das δεῖ zeigt eine gewisse hellenistische Stilisierung, hebt aber den durchaus
altertümlichen Charakter des Traditionsstückes keineswegs auf, da das Wort
ja gerade in apokalyptischen Zusammenhängen nicht selten eine Rolle spielt, wie
allein schon die Übersetzung von Dan 2, 28 in der LXX zeigt, aber auch Mk
13, 7. 10. 14; Apk 1, 1 u. ö. Vgl zu δεῖ noch § 1 S. 50.

[2] Das spricht unter Umständen sogar gegen eine eigentliche Eliaanschauung,
obwohl andererseits gelegentlich Elia auch mit Anbruch der Heilszeit erwartet
wurde (ApkEliae 42f. oder bei seiner Gleichsetzung mit dem messianischen
Hohenpriester), was zu jener Übertragung des Begriffs der ‚Wiederherstellung‘
geführt haben könnte. Auch das Entrückungsmotiv ist im AT nicht ausschließlich mit Elia verbunden.

[3] Mit Heinrich Julius Holtzmann, Die Apostelgeschichte (HdCommNT
I/2), 1901[3], S. 42f.; Wendt, Apg S. 106f.; Bauernfeind, Apg S. 69; gegen
Erwin Preuschen, Die Apostelgeschichte (HbNT IV/1) 1912, S. 21, der die
Auslegung Overbecks übernommen hat, wonach es um den Zeitpunkt der Be-
kehrung der Juden gehe. Auch Haenchens Deutung, Apg S. 168, wonach der
Parusiegedanke in V. 20 durch den eschatologischen Terminus der χρόνοι
ἀποκαταστάσεως πάντων ersetzt wird, um der Parusieverzögerung Rechnung zu
tragen, ist verfehlt; ähnlich auch Grässer, Parusieverzögerung S. 213f.

[4] Haenchen, Apg S. 168, polemisiert hier zu Unrecht gegen Preuschen,
Apg. S. 21.

[5] Ich verweise nur auf Bultmann, Syn. Trad. S. 130f.; Klostermann, Mt
S. 204ff.; aber auch auf Jeremias, Gleichnisse Jesu S. 172ff., der an der Echtheit
festhalten will, doch sekundäre Züge keineswegs leugnet.

Urteil über V. 31 vorläufig noch abgesehen, auf Formulierungen und untergeordnete Motive beziehen, jedoch der eigentliche Überlieferungsbestand der frühen palästinischen Urgemeinde angehören muß; denn wenn diese Weltgerichtsdarstellung sich auch in jeder Hinsicht vorzüglich in die Christologie und Eschatologie des Matthäusevangeliums einfügt[1], so enthält sie gleichwohl viele altertümliche Elemente. Dies erweist einerseits die apokalyptische Grundhaltung, die besonders an der Vorstellung vom forensischen Gericht über alle Völker und dem Motiv der Präexistenz der den Erwählten zum Erbe verheißenen βασιλεία (V. 34) zum Ausdruck kommt, andererseits aber gerade auch die Christologie. Es ist daher völlig unmöglich, als Grundlage einen jüdischen Text anzunehmen, der, ursprünglich auf Gott bezogen, sekundär auf Jesus übertragen worden sei[2]. Wohl kennt bereits die jüdische Theologie den Gedanken, daß Liebeswerke den Frommen so angerechnet werden, als hätten sie diese Gott selbst erwiesen[3], aber in unserem Text handelt es sich gerade nicht um Werke, die der Mensch zu seiner eigenen Rechtfertigung tun und auf die er sich vor Gott berufen kann[4]. Weiter ist die hier zum Ausdruck kommende Solidarität Jesu mit den Armen und Notleidenden spezifisch christlich und läßt sich weder im Spätjudentum noch anderswo nachweisen[5]. Aber auch die in V. 37. 44 vorkommende Anrede κύριε ist Gott gegenüber nicht gebräuchlich gewesen und steht in Zusammenhang mit der urchristlichen Verwendung der Herrenanrede für Jesus als den Wiederkommenden und Richter[6]. Daß absolutes ‚der König' als Messiasbezeichnung nicht üblich sei[7], ist für die jüdische Tradition nicht unbedingt sicher[8] und für die spätere urchristliche Literatur unzutreffend[9]. Aber auch in diesem frühen Traditionsstück Mt 25,31ff. muß es, wie eindeutig aus dem Zusammenhang hervorgeht, Messiasbezeichnung sein[10], und zwar angewandt auf Jesu eschatologisches

[1] Vgl. G. Bornkamm, Enderwartung, in: Bornkamm-Barth-Held S. 21, 34f., 36f.; Tödt, Menschensohn S. 68ff.

[2] So Bultmann a.a.O.; Vielhauer, Festschrift für G. Dehn S. 57f.

[3] Selbst entfernte ägyptische Parallelen aus Totenbüchern lassen sich nachweisen, wie Bultmann a.a.O. zeigt.

[4] Vgl. dazu G. Bornkamm, Jesus S. 101f.

[5] Dies hat vor allem H. Braun, Radikalismus II S. 94 Anm. 2, herausgestellt.

[6] Vgl. oben § 2 S. 95ff.     [7] So Vielhauer, a.a.O. S. 58 Anm. 2.

[8] Vgl. nur das מֶלֶךְ in Sach 9,9 einerseits und das relativ häufige מלכא משיחא in rabbinischen Schriften andererseits.

[9] Vgl. Lk 19,38; Joh 6,15; 18,37 (19,12. 15); ferner ὁ βασιλεύς σου im Anschluß an Sach 9,9 in Mt 21,5; Joh 12,15, aber auch βασιλεῦσαι in Lk 1,33; 19,14. 27.

[10] Das ist von Sherman E. Johnson, King Parables in the Synoptic Gospels, JBL 74 (1955) S. 37—39 richtig gesehen worden: Mt 25,31ff. "is originally a parable of King Messiah"; Menschensohn in V. 31 sieht er als sekundär an.

Werk. Es zeigt sich hier dieselbe Verbindung der Messiasvorstellung mit der apokalyptischen Tradition und im besonderen mit der Menschensohngestalt, wie sie auch in Mk 14,61f. vorliegt. Aus diesem Grund ist es fraglich, ob die Erwähnung des Menschensohnes in V. 31 so heterogen ist, wie vielfach angenommen wird, und notwendig als matthäisches Interpretament angesehen werden muß[1]. Das Nebeneinander der Hoheitsnamen ‚Menschensohn‘ und ‚König‘ (Messias) ist in dieser Weltgerichtsschilderung nicht überraschend, vielmehr sachlich und traditionsgeschichtlich wohl begründet.

Als Zeugnis für die urchristliche Verwendung des Messiastitels im Blick auf die Parusie Jesu ist schließlich noch die Offenbarung des Johannes heranzuziehen. Der Messiastitel kommt in dieser neutestamentlichen Schrift viermal vor[2]. In *Apk 11,15*; *12,10* ist jeweils vom Reich Gottes ‚und seines Messias‘ die Rede; der endzeitliche Sieg wird, der Stilform der hier vorliegenden eschatologischen Hymnen gemäß, im voraus gefeiert[3]. Über das Verhältnis der Herrschaft Gottes und des Messias wird nichts ausgesagt; deutlich ist nur, daß der Messiastitel an diesen Stellen die eschatologische Funktion Jesu bezeichnet. In *Apk 21* kommt das Wort ‚Messias‘ nicht vor. Es läßt sich auch leicht erkennen, daß die hier zugrunde liegende Schilderung der Heilszeit — es handelt sich um V. 1—8. 15—21 — ein betont theokratisches Bild des endzeitlichen Heils entwirft. In V. 22—27 ist dann aber, und zwar in einer speziell für den Verfasser dieser Apokalypse bezeichnenden Weise, neben Gott auch das ἀρνίον erwähnt; ähnlich werden in V. 9—14 die ‚Braut‘ und die ‚Apostel des Lammes‘ genannt. Von einer Messiasvorstellung im herkömmlichen Sinne kann hier nicht gesprochen werden. Jedoch ist in dem vorausgehenden Kapitel *Apk 20* die Anschauung vom königlichen Messias in Form der auch in der jüdischen Apokalyptik bekannten Vorstellung vom messianischen Zwischenreich aufgenommen. Jesus herrscht als der endzeitliche ‚Messias‘ tausend Jahre über die bei der ersten Auferstehung wiedererweckten Glieder seiner Gemeinde (20,4—6)[4]. Dann folgt der Ansturm Gogs und Magogs, das Jüngste Gericht und die Aufrichtung der endzeitlichen Herrschaft Gottes. Bei der Vorgeschichte der Messiasanschauung im Rahmen der spätjüdischen Überlieferung überrascht es nicht, daß eine solche Konzeption auch im Urchristen-

---

[1] So Jeremias, Gleichnisse S. 172; Tödt, Menschensohn S. 71f.

[2] Apk 11,15; 12,10; 20,4. 6. Von der Verwendung von Ἰησοῦς Χριστός in Apk 1,1. 2. 5 kann hier abgesehen werden.

[3] Vgl. Bousset, Apk S. 331: es liegt eine „völlige Prolepsis" vor. Von einer Erhöhungsvorstellung, welche mit zwei unterschiedlichen Perioden rechnet, ist dies klar zu unterscheiden.

[4] Vgl. im einzelnen Bousset, Apk S. 437f.; Lohmeyer, Apk S. 161f.; Hadorn, Apk S. 195ff.

tum Eingang gefunden hat, nachdem erst einmal die eschatologische
Messianität Jesu feststand. Daß diese Zwischenreichlehre nicht die
ursprüngliche und maßgebende Vorstellung von Jesu eschatologischer
Messianität war, wird man behaupten dürfen, auch wenn die Zeugnisse
insgesamt nicht sehr zahlreich sind; nicht einmal Apk 11,15; 12,10
sprechen für diese besondere Auffassung. Es wurde der Versuch
gemacht, die Messiasanschauung in ihrer ursprünglichen rein diesseitigen Gestalt aufzunehmen, was sich so allerdings nicht durchgesetzt hat[1].

*Zusammenfassung:* Es muß beachtet werden, daß die palästinische
Urgemeinde anfänglich die Anschauung vom königlichen Messias
völlig gemieden, dann aber doch im Rahmen einer apokalyptischen
Gesamtkonzeption aufgenommen und auf das endzeitliche Werk Jesu
übertragen hat. Es kam dabei vielfach zur Verschmelzung mit der
Erwartung des kommenden Menschensohnes, mindestens zur Über-
tragung bestimmter charakteristischer Einzelzüge der apokalyptischen
Heilshoffnung auf Jesus als Messias. In einem Sonderfall wurde auch
die Vorstellung vom messianischen Zwischenreich übernommen. Mit
Ostern hat die Messianität Jesu zunächst nichts zu tun.

### 4. *Jesus als Messias im Rahmen der Erhöhungsvorstellung*

In den zuletzt behandelten Texten ist die herkömmliche jüdische
Vorstellung vom messianischen König auf Jesu eschatologisches Werk
angewandt worden und nur auf dieses. Dafür gibt es noch weitere
Belege, die in den Abschnitten über ‚Davidssohn‘ und ‚Gottessohn‘
zu besprechen sind. Es handelt sich dabei ja um Hoheitsbezeichnungen,
die ihrem Ursprung nach dem Vorstellungskomplex vom messianischen König zugehören; sie wurden deshalb von der Urgemeinde
auch in gleicher Bedeutung wie der Messiastitel aufgegriffen und anfänglich nur auf die Wiederkunft Jesu bezogen. Die gesamte Heilshoffnung konzentrierte sich in der allerersten Zeit auf das nahe bevorstehende eschatologische Ereignis; Jesu irdisches Wirken und seine
Auferstehung waren nur Vorspiel dazu, sein Hinweggenommensein
war ein vorübergehender Zustand, der für die in den ‚Wehen der
Endzeit‘ hart bedrängte Gemeinde bald beendet sein sollte.

Es konnte aber nicht ausbleiben, daß das Bewußtsein der Parusieverzögerung und das allmähliche Erlöschen der Naherwartung eine

---

[1] Zu Apk 20 vgl. CULLMANN, Christologie S. 136f. Während er auf diesen
Text kurz eingeht, hat er merkwürdigerweise die wichtige Stelle Apg 3,20f.
völlig übergangen. Die aufs Ganze gesehen problematische Einordnung der
Messiasprädikation Jesu unter die das „zukünftige Werk" bezeichnenden Hoheitstitel (S. 109ff.) ist nur für den ältesten urgemeindlichen Gebrauch berechtigt.

nicht unwesentliche Umformung der Christologie und Eschatologie bewirkte. Daß Glaube und Hoffnung durch das vorläufige Ausbleiben der Parusie nicht zusammenbrachen, zeigt jedoch, in welchem Maße die Christen von dem bereits in Jesu Leben und Auferstehen bewirkten Heil sowie von der Erfahrung seiner lebendigen Gegenwart im Heiligen Geist bestimmt waren. Nur mußten sie dies theologisch erst noch explizieren. Ein entscheidender Schritt auf diesem Wege war die Ausbildung der Erhöhungsvorstellung[1]. Daß die älteste Tradition der palästinischen Gemeinde den Gedanken einer Inthronisation des zum Himmel aufgefahrenen Jesus und einer himmlischen Regentschaft bis zur Parusie nicht kannte, muß beachtet werden.

Es ist schon gezeigt worden, daß der Eingangsvers von Ps 110 zum Leitmotiv der Erhöhungsvorstellung geworden ist; auch wurde herausgestellt, daß dieser Erhöhungsgedanke sich alsbald in besonderer Weise mit dem Kyriosbegriff verbunden hat[2]. Umgekehrt steht aber fest, daß das Sitzen zur Rechten Gottes ein konstitutives Element der königlichen Messianologie ist, so daß von daher deutlich wird, daß die Vorstellung von der endzeitlichen messianischen Würde und Funktion Jesu bei der Ausbildung der Erhöhungsvorstellung auf den Auferstandenen und zum Himmel Entrückten übertragen worden ist. Jesus tritt sein königliches Amt demnach nicht erst am Ende der Zeiten, nach jener Frist des vorübergehenden Aufgenommenseins in den Himmel an, sondern er wird unmittelbar nach seiner Auffahrt vor den himmlischen Mächten inthronisiert und übernimmt damit das königliche Amt[3]. Noch ist er den Menschen nicht sichtbar und mächtig erschienen, aber seine Gemeinde erkennt und anerkennt in ihm bereits jetzt den Herrn und König über alle Welt. Es liegt also nicht eine Ablösung und selbständige Weiterentwicklung nur eines Einzelmotivs der Messianologie, des Sitzens zur Rechten Gottes, vor, vielmehr hat der Umformungsprozeß die ganze Messiasvorstellung erfaßt. Beachtenswert ist dabei, daß die spezifisch jüdische Grundkonzeption der Messianologie an entscheidendem Punkt weiterhin erhalten geblieben ist: mit dem messianischen Amt ist eine wirkliche Herrschaft verbunden; allerdings ist hierbei die Verwirklichung der Königsherrschaft auf Erden erst einer zweiten Periode des königlichen Handelns Jesu zu-

---

[1] Wie die Tatsache der verzögerten Parusie sich in vielen Einzelzügen der frühen urgemeindlichen Tradition niedergeschlagen hat, ist von GRÄSSER, Parusieverzögerung S. 76ff., herausgestellt worden; aber daß, von dem Gedanken eines bloß zeitweiligen Aufschubes abgesehen, bereits vor dem ,,besonderen Entwurf des Lucas" in der Erhöhungsvorstellung eine theologisch eigenständige Konzeption gewonnen worden ist, welche die Parusieverzögerung zu bewältigen versucht, ist bei ihm nicht klar gesehen; vgl. a.a.O. S. 172ff.

[2] Vgl. Exk. II S. 126ff. und § 2 S. 112ff.

[3] Vgl. nur den am Kyriostitel orientierten zweiten Teil des Hymnus Phil 2,9—11.

geordnet[1]. Erhalten blieb bei dieser Vorstellung auch, daß das messianische Amt von einem Menschen und einem Nachfahren Davids übernommen wird[2]. Jedoch verbinden sich mit der Vorstellung der himmlischen Herrschaft nun auch sehr neuartige Elemente. Wie die Anschauung vom messianischen Wirken Jesu bei der Parusie in Beziehung zu der Menschensohnkonzeption treten konnte, so verbindet sich die auf den Erhöhten übertragene messianische Aussage besonders mit dem Kyriostitel[3]. Das ist gerade in den beiden Texten der Fall, die ‚Messias' im Zusammenhang der Erhöhungsvorstellung verwenden, nämlich Mk 12,35—37a und Act 2,36. Die Übertragung der Messiasanschauung auf den Erhöhten reicht aber über diese beiden Texte hinaus und begegnet vor allem wiederum dort, wo der alte, noch messianologisch verstandene Titel ‚Gottessohn' dem Erhöhten zugesprochen wird[4]. Erst durch diese Umgestaltung und die neugewonnenen Zusammenhänge ist eine eigentliche Christianisierung der königlichen Messianologie vollzogen, denn in der Verbindung mit der Parusieerwartung wurde die jüdische Vorstellung in apokalyptisch modifizierter Form im wesentlichen unverändert übernommen.

Für die beiden Stellen, die den Messiastitel als Bezeichnung des Erhöhten enthalten, ist das Ergebnis der bisherigen Untersuchungen aufzunehmen: in *Mk 12,35—37a* darf ὁ χριστός nicht als Allgemeinbegriff verstanden werden; es geht um die Gleichsetzung dieses Titels mit der Kyriosprädikation. Die messianische Aussage von Ps 110,1 ist auf den Erhöhten bezogen[5]. Umgekehrt ist ‚Davidssohn' aus seiner herkömmlichen Gleichsetzung mit dem Messiastitel gelöst und von den Hoheitsnamen des Erhöhten als Würdebezeichnung des irdischen Jesus unterschieden[6]. — In *Act 2,34—36* werden in einer auf das Zitat Ps 110,1 folgenden abschließenden Aussage der Kyriosund der Christostitel eindeutig auf den Erhöhten angewandt (V. 36). Das kann nicht als Spezifikum der lukanischen Theologie angesehen werden, da es der sonstigen Verwendung des Christostitels bei Lukas sogar widerspricht[7].

---

[1] Diese Modifikation war auf Grund des apokalyptischen Hintergrundes der mit Jesu Parusie verbundenen Messianitätsaussagen relativ gut zu vollziehen.

[2] Vgl. dazu Mk 12,35—37a und vor allem Röm 1,3f. Hierzu bes. § 4 S. 251 ff.

[3] Dabei wirkt natürlich der von der LXX her neu geprägte Kyriostitel ein; vgl. § 2 S. 112 ff.

[4] So in Röm 1,4; Act 13,33; 1 Kor 15,25; Kol 1,13; Hebr 1,5; 5,5; vgl. dazu § 5 S. 290 ff.

[5] Vgl. § 2 S. 113 ff.

[6] Die Davidssohnschaft Jesu spielt zwar im Zusammenhang der Parusieerwartung eine gewisse Rolle, nicht aber innerhalb der Erhöhungsvorstellung, vielmehr wird sie gerade dabei konsequent auf das irdische Wirken Jesu beschränkt; vgl. § 4 S. 251 ff.

[7] Vgl. § 2 S. 115 ff.

Die Vorstellung von der durch die himmlische Inthronisation zugesprochenen Messiaswürde darf, wie schon früher betont, nicht an den Anfang der Entwicklung gestellt und mit der Ostererfahrung verbunden werden. Wo ist sie traditionsgeschichtlich einzuordnen? Einerseits kann nicht übersehen werden, daß sie ausgesprochen jüdische Voraussetzungen hat, andererseits zeigt die Verbindung mit der Kyriosvorstellung eine deutliche hellenistische Komponente, denn die Übertragung der Eingangswendung von Ps 110,1 auf Jesus war ja überhaupt erst auf Grund des Septuagintatextes möglich. So wird man mindestens sagen können, daß die Erhöhungsvorstellung im Bereich des frühen hellenistischen Judenchristentums eine besondere Wirksamkeit entfaltet und eine Heimstatt gewonnen hat. Da das Sitzen zur Rechten Gottes schon in ältester palästinischer Tradition Anwendung fand auf die endzeitliche Funktion Jesu, wäre es nicht völlig unmöglich, daß diese Umformung sich bereits in der ältesten Gemeinde vollzog. Bei dem semitisierenden Text Kol 1,12f. könnte am ehesten erwogen werden, ob eine alte palästinische Aussage zugrunde liegt; aber offensichtlich liegt an dieser Stelle nur eine bewußt altertümliche liturgische Stilisierung vor [1]. Bei Röm 1,3f. ist wegen der besonderen Konzeption der Davidssohnschaft und deren Verbindung mit der Erhöhungsvorstellung ohnedies nicht an urgemeindlich-palästinische Tradition zu denken [2]. Besonders spricht die Verbindung mit der Anschauung von Jesu himmlischer $\varkappa\nu\rho\iota\acute{o}\tau\eta\varsigma$ gegen eine Ansetzung innerhalb der palästinischen Christenheit [3]. Außerdem ist zu beachten, daß die Christologie der ältesten Gemeinde maßgebend durch die Menschensohnanschauung bestimmt ist; diese hat eine erhebliche Ausweitung hinsichtlich des irdischen Wirkens Jesu und sogar seines Leidens erfahren, jedoch das Motiv der Erhöhung gerade nicht mehr in sich aufgenommen, was schwer verständlich wäre, wenn die Vorstellung der Erhöhung Jesu schon auf palästinischem Boden geläufig gewesen wäre. So wird man zu dem Schluß geführt, daß die Anwendung der Messiasvorstellung auf den Erhöhten ein spezifisches Theologumenon der frühen hellenistisch-judenchristlichen Gemeinde sein muß. Vorausgehende Ansätze brauchen dabei nicht grundsätzlich bestritten zu werden, können aber doch nur die Bedeutung einer Vorbereitung gehabt haben [4].

[1] Vgl. Martin Dibelius — Heinrich Greeven, An die Kolosser, Epheser, an Philemon (HbNT 12), 1953[3], S. 9; Ernst Käsemann, Eine urchristliche Tauftliturgie, in: Exegetische Versuche und Besinnungen I, 1960, S. 43f.

[2] Gegen Michel, Röm S. 30f.; vgl. im übrigen zu diesem Text und seiner Einordnung § 4 S. 251ff.

[3] Mk 12,35—37a und Act 2,36 müssen ganz sicher der frühen hellenistischen Gemeindetradition zugesprochen werden.

[4] Zu denken ist dabei vor allem an die Erfahrung der gegenwärtigen Wirksamkeit Jesu, die sich zunehmend besonders im Kyriostitel niedergeschlagen

Ist die Messianologie zuerst auf das zukünftige Werk Jesu angewandt und erst sekundär auf sein gegenwärtiges Wirken im Himmel ausgedehnt worden, so wäre es nicht ausgeschlossen, daß eine ähnliche „Rückdatierung" der Messiaswürde in einem noch etwas späteren Stadium auch das irdische Wirken Jesu erfaßt hätte[1]. Aber die Einbeziehung des Lebens Jesu in das Bekenntnis seiner Messianität läßt sich auf diese Weise nicht zureichend erklären. Es ist dann besonders schwierig, wenn man die Erhöhungsvorstellung als Spezifikum der hellenistischen Gemeinde ansieht; denn dort hat auch die Übertragung des Messiastitels auf den irdischen Jesus schon sehr früh eine Rolle gespielt, zumal für die noch in vorpaulinischer Zeit sich anbahnende Erstarrung zum Cognomen ebenfalls ein gewisser Zeitraum erforderlich ist. Die Anwendung des Messiastitels auf den irdischen Jesus kann sich demnach nicht auf dem Wege einer progressiven „Vorverlegung" der Messiaswürde vollzogen haben, vielmehr müssen noch andere Motive wirksam gewesen sein. Man wird mit einer mehrschichtigen Verwendung des Messiasbegriffs in der Urgemeinde zu rechnen haben.

*Zusammenfassend* kann festgehalten werden, daß die erkennbar werdende Umformung der Messiasvorstellung mit der Ausbildung des Erhöhungsgedankens zusammenhängt, gleichzeitig aber auch durch den Kyriostitel mitbestimmt ist. Die Verwendung des Messiastitels im Hinblick auf eine himmlische Machtstellung Jesu, der die Verwirklichung der Herrschaft auf Erden am Ende der Zeiten erst noch folgen wird, ist daher dem hellenistischen Judenchristentum zuzuschreiben.

## 5. *Die Verbindung der Passionstradition mit dem Christos-Titel*

Zum ältesten Bestand der Evangelienüberlieferung gehört die *Passionsgeschichte*. Sie ist uns bei Markus noch in einem relativ frühen Zustand erhalten, darüber hinaus kann älteres und jüngeres Gut dort noch recht gut voneinander geschieden werden. Das braucht im einzelnen hier nicht durchgeführt zu werden. Bezeichnend für den ältesten Passionsbericht ist, wie schon angedeutet, der durchgängige Gebrauch

---

hat, vielleicht auch das Motiv des Vorherbestimmtwerdens Jesu zum eschatologischen Messiasamt, wie es in Act 3,20 vorliegt (dort aber unbestreitbar ohne den Erhöhungsgedanken).

[1] So wurde früher bisweilen angenommen, daß die ursprünglich nur mit Ostern verbundene Messiasvorstellung schrittweise mit der antizipierten Offenbarung in der Verklärung, dann mit der irdischen Wirksamkeit seit der Taufe und zuletzt mit dem gesamten irdischen Leben seit der Geburt Jesu in Beziehung gesetzt worden sei; vgl. etwa BOUSSET, Kyrios Christos S. 268 Anm. 2; BULTMANN, Syn. Trad. S. 279.

des Schriftbeweises[1]. Es ging darum, das Leiden und Sterben Jesu, das für die Jünger zunächst völlig unfaßbar war, vom Alten Testament her verstehen zu lernen und auf Grund des biblischen Zeugnisses als ein gottgewolltes, notwendiges Geschehen zu deuten. Man hat den Weissagungsbeweis als das „Formalprinzip der ersten christlichen Theologie" bezeichnet[2], doch muß hinzugefügt werden, daß zu diesem Formalprinzip unablöslich das Materialprinzip der Schrifterfüllung gehört. In christologischer Hinsicht wird im ältesten Passionsbericht keine der jüdischen Vorstellungen von einem Heilsträger aufgenommen, auch nicht die Anschauung vom leidenden Gottesknecht[3]. Am stärksten erinnern Zitate und Darstellung an die Gestalt des leidenden Gerechten[4]; doch dabei handelt es sich um ein Frömmigkeitsideal, nicht um eine Heilsvorstellung. Dies ist für die Haltung der frühen Gemeinde sehr bezeichnend: das Schwergewicht der Christologie lag auf der Erwartung der Parusie, auch Jesu Auferweckung gehörte als eine Vorwegnahme der Endereignisse weniger mit der Geschichte der Passion als mit dem eschatologischen Geschehen zusammen; sein Leiden und Sterben stand nicht im Zentrum des Bekenntnisses, auch wenn die Gemeinde damit fertig werden mußte und mit Hilfe des Weissagungsbeweises tatsächlich den Anstoß überwunden hat. Von hier aus gesehen ist auch die formgeschichtliche Beobachtung, daß die Passionsgeschichte von Anfang an ihre Gestalt nicht der missionarischen Predigt verdankt, sondern ihren Sitz im Leben offensichtlich in der gottesdienstlichen Lesung hatte, von Belang[5]. Damit soll die Rolle der Passionsüberlieferung für die älteste Gemeinde nicht ein-

[1] Vgl. oben S. 177.

[2] FRIEDRICH KARL FEIGEL, Der Einfluß des Weissagungsbeweises und anderer Motive auf die Leidensgeschichte, 1910, S. 121, vgl. S. 116ff. Allerdings ist es nicht erlaubt, so willkürlich mit der geschichtszeugenden Kraft des Weissagungsbeweises zu rechnen, wie es in diesem Buch geschieht; vgl. dagegen das vorsichtige Vorgehen bei DIBELIUS, Formgeschichte S. 184ff.

[3] So vor allem LEONHARD GOPPELT, Typos. Die typologische Deutung des Alten Testamentes im Neuen (BFchrThII/43), 1939, S. 120ff.; CHRISTIAN MAURER, Knecht Gottes und Sohn Gottes im Passionsbericht des Markusevangeliums, ZThK 50 (1953) S. 1—53. Daß in Mk 14,61a; 15,4f. eine Anspielung auf Jes 53,7 vorliegt, soll nicht bestritten werden, aber die Sühnevorstellung ist in der Passionserzählung, von dem jüngeren Abendmahlsbericht abgesehen, gerade nicht nachweisbar.

[4] Vgl. E. SCHWEIZER, Erniedrigung und Erhöhung S. 47ff., auch S. 81ff. Nach PAUL SEIDELIN, Der 'Ebed Jahwe und die Messiasgestalt im Jesajatargum, ZNW 35 (1936) S. 219ff., wird gerade auch Jes 53 in der rabbinischen Literatur auf den leidenden Gerechten gedeutet; allerdings sind diese Stellen nach E. LOHSE, Märtyrer und Gottesknecht S. 106 Anm. 3, erst in späteren Schichten der rabbinischen Tradition nachzuweisen.

[5] Vgl. DIBELIUS, Formgeschichte S. 25, 102; GEORG BERTRAM, Die Leidensgeschichte Jesu und der Christuskult (FRLANT NF 15), 1922; GERHARD IBER, Zur Formgeschichte der Evangelien, ThR NF 24 (1956/57) S. 315ff.; auch SCHELKLE, Passion Jesu, S. 206ff.

geschränkt werden — ihre breite Entfaltung und frühzeitige Festigkeit sowie ihr weitreichender Einfluß wären sonst gar nicht zu erklären —, aber sie besitzt innerhalb der Christologie zunächst eine Stellung, die von dem vorgeordneten Bekenntnis zu Jesu eschatologischem Werk abhängig ist.

Für die älteste Schicht der Passionstradition[1] ist es bezeichnend, daß ein christologischer Titel völlig fehlt. Erst das nachträglich eingefügte, ursprünglich wohl selbständige Überlieferungsstück Mk 14,55—64 hat die eschatologische Erwartung und Hoffnung auf die Wiederkehr Jesu als Menschensohn und Messias deutlich ausgesprochen und beim Ausbau von Mk 14 sind später auch noch zwei Aussagen über das Leiden des Menschensohnes hinzugekommen[2]. Nun gehört zum Grundbestand von Mk 15 die Kreuzesinschrift ὁ βασιλεὺς τῶν Ἰουδαίων[3] und es ist aufschlußreich zu sehen, wie diese in *Mk 15,1—20. 32* eine betonte Entfaltung erfahren hat. Der Abschnitt stellt eine Erweiterung des in V. 1. 3—5 . . . 15b noch greifbaren älteren Berichtes dar[4]. Die jüngeren Bestandteile sind somit das Bekenntnis Jesu V. 2, die Barabbasszene V. 6—15a und die Verhöhnung Jesu in V. 16—20. Über die Vorgeschichte dieser Abschnitte und die Frage nach ihrer Geschichtlichkeit braucht hier nicht diskutiert zu werden[5]. Leitmotiv ist das viermalige, der Kreuzesinschrift vorausgehende ‚König der Juden' in V. 2.9.12.18. Rein formal beurteilt könnte man sagen, daß dieses Thema in verschiedenen Variationen durchgeführt wird. Vom Synhedrium verklagt steht Jesus als König der Juden dem Prokurator gegenüber, dann dem Verbrecher Barabbas, hierauf dem Volk und schließlich der römischen Soldateska, und jeweils wird die Anklage wiederholt. Hinzu kommt vor allem, daß Jesus in V. 2 sich selbst zu dieser Würde bekennt[6]. Um so deutlicher ist daher, daß es die Absicht dieses ganzen Abschnittes ist, durch mehrere ,,Kontrastszenen"[7] das tatsächliche Königtum Jesu herauszustellen. Obwohl

---

[1] Dazu wird man in etwa rechnen dürfen: Mk 14,1f. 10f. 18. . . . 26f. 43—52; 15,1. 3—5. . . . 15b. 20b—24. 26f. 29a. 32b. 34(35f.) 37. Dies nur als Hinweis, die Ablösung müßte durch eine umfassende Analyse begründet werden, was einer späteren Arbeit über das Markusevangelium vorbehalten bleiben soll.

[2] Mk 14,21.41.                    [3] Vgl. dazu oben S. 178f.

[4] Daß Mk 14,55—64 mit 15,1 und Mk 15,2 mit 15,3—5 konkurrieren, ist von BULTMANN, Syn. Trad. S. 290, 293; KLOSTERMANN, Mk S. 158, mit Recht festgestellt.

[5] Ich verweise auf BULTMANN, Syn. Trad. S. 293f.; KLOSTERMANN, Mk S. 159f., 161; BLINZLER, Prozeß Jesu S. 232ff., 246ff.; TAYLOR, Mk S. 580ff., 584ff., 646ff.; P. WINTER, On the Trial S. 91ff., 100ff.

[6] An dieser Stelle darf nicht herumgedeutet werden, so daß σὺ λέγεις im Sinne einer ausweichenden Antwort interpretiert wird, wie dies J. HÉRING, Royaume de Dieu S. 121f., und CULLMANN, Christologie S. 122 (vgl. S. 118f.), neuerdings wieder tun.

[7] Vgl. BERTRAM, a.a.O. S. 67.

als Aufrührer angeklagt, einem Verbrecher gleichgestellt, von dem
Volke verworfen und von den Soldaten verspottet, müssen doch alle
seine wahre Würde, wenn auch in Unwissenheit und Verblendung,
bekennen. Ergänzt wird dies noch durch V. 32, wo die Hohenpriester
und Schriftgelehrten gleichfalls ihren Spott mit dem Gekreuzigten
treiben, jedoch an Stelle der profanen Ausdrucksweise ‚König der Juden‘
die Termini der jüdischen Messiashoffnung: ὁ χριστὸς ὁ βασιλεὺς Ἰσραήλ
aufgenommen sind. Daß dieser ganze Abschnitt in seiner jetzigen
Gestalt einer jüngeren Schicht angehört, ist bei derartiger Durchführung des Motivs unschwer zu erkennen; es wird auch dadurch bestätigt, daß in Mk 15, 1—20 auf Anspielungen auf das Alte Testament
völlig verzichtet wird. Ging es bei dem vom Schriftbeweis geprägten
Leidensbericht um die Überwindung des Anstoßes, so hat hier die
Tatsache der Kreuzigung Jesu als des ‚Königs der Juden‘ bereits eine
eminent theologische Bedeutung gewonnen.

An Mk 15, 1—20 kann man den Wendepunkt in der Beurteilung
der Messianität des irdischen Jesus erkennen. War in der ältesten
Gemeinde der Messiastitel wegen seiner diesseitig-politischen Komponente im Blick auf Jesu irdisches Leben noch strikt gemieden und
Jesus nur in apokalyptischem Rahmen hinsichtlich seines Amtes bei
der Parusie beigelegt worden, so beginnt jetzt die Tatsache, daß
er als ‚König der Juden‘ gekreuzigt worden ist, ihre Wirkung zu entfalten[1]. So erklärt es sich, daß neben der eschatologischen Verwendung
des Messiastitels und der damit zusammenhängenden Umformung
durch die Erhöhungsvorstellung sehr bald auch die Passionstradition
und der Christostitel verbunden werden. Noch ist allerdings in bestimmten Fällen eine eindeutige „Interpretation" nötig, wie sie sich
selbst in der späten redaktionellen Neuformung des Petrusbekenntnisses *Mk 8, 27—33* durch die Aufnahme von V. 31 über Leiden und
Auferstehen des Menschensohnes findet[2]. Bezeichnenderweise hat die
Passionstradition nicht nur den Messiastitel neu geprägt, sondern in
gewissem Maße ebenso auf die Menschensohnsprüche eingewirkt, so
daß dort als eigene Gruppe die Worte vom leidenden (und auferstehenden) Menschensohn entstanden sind[3]. Aber abgesehen von deren Aufnahme und breiten Entfaltung im Markusevangelium haben diese
keine allzu starke Nachwirkung erzielt, während sich die mit dem

---

[1] Parallel läuft damit eine Tendenz, bei dieser Betonung der Messianität
Jesu gleichwohl seine politische Unschuld herauszustellen und gerade Pilatus
als Zeuge für Jesus in Anspruch zu nehmen; so vor allem Mt und Lk. Vgl.
dazu ELLIS E. JENSEN, The First Century Controversy over Jesus as a Revo-
lutionary Figure, JBL 60 (1941) S. 261—272; auch P. WINTER, a. a. O. S. 51 ff.

[2] Ähnlich ist ja auch in Mk 14, 61 f. der Messiastitel durch die Menschensohnvorstellung interpretiert.

[3] Vgl. § 1 S. 46 ff.

Christostitel verbundenen Passionsaussagen fast durch das ganze Neue Testament hindurch verfolgen lassen.

Die Nahtstelle für die Verbindung von Passionstradition und Christostitel ist in *1Kor 15,3 ff.* noch gut feststellbar[1]. Daß hier nicht nur eine inhaltlich altertümliche christologische Aussage vorliegt, sondern „eine altgeformte, zur Formel geprägte und dadurch konservierte Überlieferung"[2], läßt sich schon aus der Wendung τίνι λόγῳ εὐηγγελισάμην ὑμῖν der paulinischen Einführung V. 1 f. entnehmen[3] und wird in der neueren Forschung allgemein anerkannt[4]. Umstritten ist die Abgrenzung. Paulus hat zwar den Anfang eindeutig markiert, nicht aber das Ende des überkommenen Überlieferungsstückes. In einer für sein Verhältnis zur Bekenntnistradition der Gemeinde wie für seinen Apostolat höchst bezeichnenden Weise hat er die Aussagereihe weitergeführt und sich selbst unter die Auferstehungszeugen eingereiht. V. 8 gehört sicher nicht mehr zur vorpaulinischen Tradition. Aber auch V. 6 b, die Bemerkung, daß von den 500 Brüdern noch viele am Leben sind, wird man als paulinisches Interpretament anzusehen haben. Gleichwohl stellt der verbleibende Text noch keine völlige Einheit dar, denn die parallelen ὅτι-Sätze hören in V. 5 auf[5]. Wie immer es mit den Erscheinungen in V. 6 a. 7 stehen mag, ob sie von Anfang an dazugehörten oder nachträglich ergänzt wurden, ob es sich um eine wirklich chronologische Reihe handelt oder um „rivalisierende" Aufzählungen der ersten Auferstehungszeugen, ob die Verbindung mit der alten Formel schon vor Paulus vollzogen wurde oder erst durch ihn[6], mit Sicherheit kann gesagt werden, daß V. 5 noch

---

[1] Dieser Text muß wegen seiner Wichtigkeit in sachlicher und traditionsgeschichtlicher Hinsicht etwas eingehender behandelt werden.

[2] HANS FRHR. VON CAMPENHAUSEN, Der Ablauf der Osterereignisse und das leere Grab, SAH (phil.-hist. Kl.), 1958[2], S. 9.

[3] τίνι λόγῳ heißt nicht ‚mit welcher Begründung' — so JOH. WEISS, 1 Kor S. 346; LIETZMANN, 1 Kor S. 76 —, sondern bezeichnet den Wortlaut, also den formelhaften Charakter der anschließenden Überlieferung; vgl. DIBELIUS, Formgeschichte S. 17; LIETZMANN-KÜMMEL, 1 Kor S. 191.

[4] Die erste gründliche Untersuchung der Stelle im Sinne einer geprägten vorpaulinischen Überlieferung bei ALFRED SEEBERG, Der Katechismus der Urchristenheit, 1903, S. 45 ff.

[5] Darauf hat schon EDUARD NORDEN, Agnostos Theos, 1913 (1956[4]) S. 270 Anm. 1, großes Gewicht gelegt; vgl. aber auch A. SEEBERG, a.a.O. S. 50 f., und ADOLF VON HARNACK, Die Verklärungsgeschichte Jesu, der Bericht des Paulus (I Kor. 15,3 ff.) und die beiden Christusvisionen des Petrus, SAB (phil.-hist. Kl.) 1922, S. 62—80, bes. S. 62 ff.

[6] Einige wichtige Untersuchungen zu 1 Kor 15,3 ff. beschäftigen sich vorwiegend mit diesen Fragen, so vor allem KARL HOLL, Der Kirchenbegriff des Paulus in seinem Verhältnis zu dem der Urgemeinde, in: Ges. Aufsätze zur Kirchengeschichte II, 1928, S. 44—67, bes. S. 46 ff.; FERDINAND KATTENBUSCH, Die Vorzugsstellung des Petrus und der Charakter der Urgemeinde zu Jerusalem, in: Festgabe Karl Müller, 1922, S. 322—351, bes. S. 325 ff.; GERHARD SASS,

zur alten Bekenntnisformel hinzugehört[1]. Bisweilen ist neuerdings die
Ansicht vertreten worden, zur Formel dürfe in V. 5 nur καὶ ὅτι ὤφθη
gerechnet werden[2]. Es entsteht auf diese Weise zwar ein formal überaus regelmäßiger Text[3], aber formale Gründe können und dürfen hierbei nicht allein den Ausschlag geben. ὤφθη hat als Passiv mit intran-
sitiver Bedeutung[4] im Zusammenhang der neutestamentlichen Auferstehungsaussagen durchweg einen Dativ zur Bezeichnung der be-
teiligten Person bei sich und muß ihn haben, weil die Auferstehungserscheinungen Jesu unlöslich mit den Zeugen dieses Geschehens verkoppelt sind[5]. Auch wäre der Formel, deren Schwergewicht für Paulus
gerade auf V. 5—7(8) beruht, bei der rein sekundären Nennung von

---

Apostelamt und Kirche, 1939, S. 97ff., 132ff.; WERNER GEORG KÜMMEL, Kirchen-
begriff und Geschichtsbewußtsein in der Urgemeinde und bei Jesus (Symbolae
Biblicae Upsalienses 1), 1943, S. 2ff.; WILHELM MICHAELIS, Die Erscheinungen
des Auferstandenen, 1944, S. 11ff., 23ff.; C. H. DODD, The Appearences of the
Risen Christ, in: Studies in the Gospels (In Memory of R. H. Lightfoot) ed.
J. E. Nineham, 1955, S. 9—36, bes. S. 27ff.; v. CAMPENHAUSEN, a.a.O. S. 13ff.;
HANS GRASS, Ostergeschehen und Osterberichte, 1956, S. 94ff.; E. L. ALLEN,
The Lost Kerygma, NTSt 3 (1956/57) S. 349—353; PAUL WINTER, I Corinthians
XV. 3b—7, NovTest 2 (1958) S. 142—150. — Daß schon in 1Kor 15,3b—5
„alle Bestandteile auf die Auferstehung abzielen", so OSCAR CULLMANN, Die
ersten christlichen Glaubensbekenntnisse, (Theol. Studien 15), 1949², S. 52, ist
nur bedingt richtig, denn die Aussagen über Tod und Begräbnis haben ihr eigenes
Gewicht; A. SEEBERG, a.a.O. S. 51ff., hat mit Recht festgestellt, daß für Paulus
in diesem Zusammenhang vornehmlich Interesse an den Auferstehungsaussagen
besteht, weswegen die „unveranlaßten Züge" gerade der sicherste Hinweis auf
eine Formel sind.

[1] Abwegig JEAN HÉRING, La première épitre de Saint Paul aux Corinthiens
(Commentaire du Nouv. Test. VII), 1949, S. 134, der nur V. 3b. 4 als festen
Überlieferungsbestand ansehen will: "car à partir de ces mots la proclamation
perd son allure rhythmée et semble être ajoutée par Paul pour donner la preuve
des affirmations qui précèdent. Nous croyons donc pouvoir identifier v. 3—4
avec l' εὐαγγέλιον (la Mischna en quelque sorte) et les versets 5—8 avec le λόγος
paulinien (la Gémara)".

[2] So MICHAELIS, a.a.O. S. 12, und vor allem ERNST BAMMEL, Herkunft und
Funktion der Traditionselemente in 1Kor 15,1—11, ThZ 11 (1955), S. 401—419,
bes. S. 402f.

[3] BAMMEL, a.a.O. S. 402, nennt Entsprechungen „in gleicher Wortzahl,
Homoioteleuton und einem zugleich synthetischen und antithetischen Parallelismus membrorum". Daß den ersten christologischen Formeln jeder Bezug auf
Zeit, Ort und Gegenüber fehlt (S. 403 Anm. 8), gilt gerade für 1Kor 15,3b—5
nicht, denn hier liegt eine sehr gewichtige Zeitangabe vor (V. 4b).

[4] Vgl. BLASS-DEBRUNNER § 313, auch § 191,1; anders KARL HEINRICH
RENGSTORF, Die Auferstehung Jesu, 1960⁴, S. 57; seine sachliche Deutung im
Sinn einer „verhüllenden Aussage über Gott", von ihrer Richtigkeit zunächst
abgesehen, hebt den rein philologischen Tatbestand nicht auf.

[5] Gegen die Begrenzung der Formel bei ὤφθη schon v. HARNACK, a.a.O.
S. 64 Anm. 4; ferner v. CAMPENHAUSEN, a.a.O. S. 9 Anm. 4; GRASS, a.a.O. S. 94
Anm. 2. — Es soll nicht bestritten werden, daß ὤφθη im Zusammenhang von
Visionsschilderungen gelegentlich auch ohne Dativ gebraucht werden kann, so
Lk 9,31 (vgl. V. 30!); Apk 11,19; 12,1. 3; aber dieser Gebrauch fehlt wohl nicht
zufällig bei den Auferstehungsberichten.

Zeugen nachträglich eine völlig neue Tendenz verliehen worden, was
kaum glaubhaft erscheint, während sich die Anfügung weiterer Namen
an eine schon erwähnte Zeugengruppe gut erklärt. Endlich muß beachtet werden, daß es bei aller formalen Entsprechung in V. 3b und
4a, V. 4b und 5 doch in erster Linie auf die inhaltliche Korrespondenz
ankommt. Es sind vier Zeilen, wovon I und III durch das gemeinsame Motiv der Schrifterfüllung, aber auch durch die je eigenen
parallelstehenden Interpretamente hervorgehoben sind[1], während II
und IV eine untergeordnete, folgernde Stellung einnehmen[2]. Daß
Jesus Kephas und den Zwölfen erschienen ist V. 5, ist eine ebenso
einheitliche Aussage wie V. 4a, daß er begraben wurde. Während
aber die knappe Aussage in Zeile II erkennen läßt, daß es über die
Grablegung hinaus zunächst nichts weiter geben konnte, gibt V. 5
mit der Nennung der Zeugen einen Hinweis auf die durch das Wunder
der Auferweckung eröffnete neue Geschichte. Die höchstwahrscheinlich jüngere Fortsetzung in V. 6a. 7 ist prinzipiell schon durch die
ursprüngliche Konzeption der Formel ermöglicht. — Die Frage des
Alters dieser von Paulus übernommenen Tradition darf als geklärt
angesehen werden. Die früher bisweilen vertretene Ansicht einer Entstehung im Bereich der ersten hellenistischen Gemeinden von Damaskus oder Antiochien steht auf schwachen Füßen. Denn wenn gesagt
worden ist: „Die Beschränkung auf das dürftige Schema Tod, Begräbnis, Auferstehung als Hauptinhalt des Evangeliums ist nicht
verständlich für die Gemeinde, der wir die Spruchquelle und den
Grundstock des Markusevangeliums verdanken. Sie ist nur erklärlich
in einem Kreise, der von der geschichtlichen Wirklichkeit des Lebens
Jesu mit ihrem Reichtum weiter entfernt war als die jerusalemische
Gemeinde"[3] — so ist hier der bekenntnisartige Charakter des Überlieferungsstückes verkannt. Ebensowenig kann auf Grund der Vorstellung vom Sühnetod Jesu die palästinische Herkunft von 1 Kor
15, 3b—5 bestritten werden, denn daß der Gedanke des Sühneleidens
eher für als gegen alte palästinische Überlieferung spricht, ist deut-

---

[1] Wobei ὑπὲρ τῶν ἁμαρτιῶν ἡμῶν und τῇ ἡμέρᾳ τῇ τρίτῃ weder sachlich
(es handelt sich um eine soteriologische und eine heilsgeschichtliche Aussage)
noch syntaktisch (trotz zufällig gleicher Wortzahl) völlig analog sind.

[2] Eingehende Überlegungen zur Struktur der Formel bei ERNST LICHTEN-
STEIN, Die älteste christliche Glaubensformel, ZKG 63 (1950/51) S. 1—74, bes.
S. 3ff. Aber die Bestimmung „katechetisch-lehrhafte Autoritätsformel", welche
durch „synthetische Koordination" in „beweisender Rede" objektive, erweisliche
Heilstatsachen herausstelle und „die erste greifbare Geschichtstheologie des
Christentums" sei, führt ab. Richtig ist, wenn betont wird, daß die Formel zwei-
teilig angelegt ist; sie steht auf Christi Tod und Auferweckung; „Grablegung
und Erscheinung sind ihnen zugeordnet. Sie scheinen kein eigenes Licht zu
haben, sondern es von Tod und Auferstehung her zu erhalten" (S. 7).

[3] So WILHELM HEITMÜLLER, Zum Problem Paulus und Jesus, ZNW 13
(1912) S. 331.

lich[1]. Gegen den Einwand schließlich, daß die Formulierung der Mission in griechischer Sprache galt und es daher nicht recht glaublich erscheinen wolle, „daß solche Menschen bei solchem Anlaß eine aramäische Formel in Übersetzung übernommen hätten"[2], sprechen sowohl das Traditionsdenken der Urgemeinde[3] als auch die an dieser Stelle deutlichen Indizien für einen semitischen Urtext[4]. 1 Kor 15, 11 ist ebenfalls ein Hinweis darauf, daß die Formel in der palästinischen Gemeinde entstanden sein muß, weil Paulus sich hier mit den anderen Auferstehungszeugen zusammenschließt und auf die Gleichartigkeit der Verkündigung hinweist. Und vor allem muß festgehalten werden, daß, wie immer die Evidenz sprachlicher Argumente beurteilt werden mag, der Inhalt selbst für die frühe Entstehung im Bereich der palästinischen Urgemeinde spricht[5].

Die Formel 1 Kor 15, 3b—5 ist durch eine Fülle gewichtiger Einzelmotive bestimmt, welche zuerst behandelt werden müssen, bevor ihre Verbindung mit dem vorgeordneten $X\varrho\iota\sigma\tau\acuteo\varsigma$ bestimmt werden kann. Jede Zeile enthält ein eigenes Verbum. Das erste, $\dot\alpha\pi\acute\epsilon\vartheta\alpha\nu\epsilon\nu$, ist dadurch ausgezeichnet, daß hier von der „Weise, wie getötet wurde", nicht die Rede ist[6]. $\sigma\tau\alpha\nu\varrho o\tilde\nu$ ist erst viel später zum „Verkündigungswort"[7] geworden. In der Passionsgeschichte ist wohl vom ‚Kreuzigen' mehrfach gesprochen, es bezieht sich dort aber im ganz konkreten Sinne auf die Exekutionsart. Sonst ist es in außerpaulinischer Tradition ganz selten[8]. Bei Paulus umschließt es in bewußtem Gegensatz zu dem Fluchwort Dt 21, 23 (Gal 3, 13) und gerade wegen seines Charakters als $\sigma\varkappa\acute\alpha\nu\delta\alpha\lambda o\nu$ (1 Kor 1, 23) unmittelbar die Heilsaussage. Für die älteste Gemeinde ist ein Denken in solchen Paradoxen nicht nachweisbar; vielleicht hat sie sogar gerade wegen jener alttestamentlichen Voraussetzung das Wort ‚kreuzigen' in Bekenntnis und Verkündigung gemieden.

---

[1] Dies hat bereits BOUSSET, Kyrios Christos S. 73, zugestanden, obwohl er S. 76 daran festhält, daß es sich in 1 Kor 15, 3b—5 um heidenchristliche Tradition handeln müsse; immerhin fügt er hinzu: „erst indirekt die der jerusalemischen Gemeinde". Vgl. Exk. I S. 55ff.

[2] So DIBELIUS, Formgeschichte S. 18.

[3] Vgl. dazu CULLMANN, Die Tradition S. 12ff.

[4] Vgl. im einzelnen JEREMIAS, Abendmahlsworte S. 95ff.

[5] Mit aramäischer Vorlage rechnen außer Jeremias ausdrücklich KÜMMEL, a.a.O. S. 3; LIETZMANN-KÜMMEL, 1 Kor S. 191; LICHTENSTEIN, a.a.O. S. 2, 5; JOSEPH RUPERT GEISELMANN, Jesus der Christus, 1951, S. 74f.; RENGSTORF, a.a.O. S. 47f.; LUCIEN CERFAUX, Le Christ dans la théologie de St. Paul, 1954², S. 24f.; BAMMEL, a.a.O. S. 418; GRASS, a.a.O. S. 95; v. CAMPENHAUSEN, a.a.O. S. 9f. („wahrscheinlich"); P. WINTER, NovTest 2 (1958) S. 143.

[6] SCHLATTER, 1 Kor S. 394.

[7] Vgl. dazu SCHELKLE, Passion Jesu S. 240ff.

[8] Nur Mk 16, 6 parr. kommt für einen volleren Wortsinn in Frage, allenfalls noch Apk 11, 8.

Umgekehrt läßt sich das einfache ἀποθνῄσκειν in vielen christologischen Aussagen sowohl älterer wie jüngerer, auch paulinischer und nachpaulinischer Tradition feststellen[1]; aber dieses ist als solches kein ,,Verkündigungswort"[2]. — Die soteriologische Funktion des Todes Jesu ist in verschiedener Weise expliziert worden[3]. Das ὑπὲρ τῶν ἁμαρτιῶν ἡμῶν wird man, wie bereits an anderer Stelle gezeigt[4], nicht im Sinne einer Bezugnahme auf Jes 53 verstehen dürfen[5]. Der ältesten Passionsüberlieferung kam es nur auf die Notwendigkeit des Leidens Jesu an und sie bediente sich zur Entfaltung dieses Gedankens des Schriftbeweises; auch das Motiv der Verfolgung und Tötung der Gottesboten durch die Juden spielte frühzeitig eine Rolle[6], aber der Sühnegedanke fehlte in beiden Fällen. Wohl erst nachdem die Gemeinde die Notwendigkeit des Todes Jesu begreifen gelernt hatte, vollzog sie den weiteren Schritt, nach der soteriologischen Bedeutung dieses Leidens zu fragen. Dabei hat sie das im palästinischen Spätjudentum weitverbreitete Motiv vom stellvertretenden Sühneleiden auf Jesu Sterben angewandt[7]. Schriftbeweis und Sühneaussagen müssen aber im Blick auf Jesu Tod zunächst relativ unabhängig voneinander ausgebildet und tradiert worden sein. Jes 53 spielte in diesem frühen Stadium noch gar keine Rolle. Eine Bezugnahme auf dieses prophetische Kapitel des Alten Testamentes dürfte dann dadurch vorbereitet und schließlich bewirkt worden sein, daß nach und nach das Motiv des Sühnetodes gleichfalls mit dem Schriftbeweis verbunden wurde. Nur so wird es übrigens verständlich, daß bereits vorher Einzelzüge aus Jes 53 im Zusammenhang mit dem Schriftbeweis für das Leiden Jesu aufgegriffen werden konnten, ohne daß die Sühneaussage V. 10f. be-

---

[1] Vgl. Konkordanz. Daneben ist häufig von einem ‚Töten' Jesu gesprochen; vgl. dazu § 1 S. 48f.

[2] Allenfalls kann einmal in der Verbindung mit der Auferstehung Jesu das bloße ἀπέθανεν gebraucht werden; so 1 Thess 4, 14: Ἰησοῦς ἀπέθανεν καὶ ἀνέστη, ähnlich Röm 14, 9: Χριστὸς ἀπέθανεν καὶ ἔζησεν.

[3] Vgl. SCHELKLE, a. a. O. S. 127ff.; BULTMANN, Theol. S. 47ff.

[4] Vgl. Exk. I S. 55ff.

[5] So als die wahrscheinlichere Lösung JOH. WEISS, 1 Kor S. 348; LIETZMANN, 1 Kor S. 77; mit Bestimmtheit vor allem JEREMIAS, Abendmahlsworte S. 97; DERS., ThWb V S. 704f., 707: Jes 53 sei als so bekannt vorausgesetzt, daß ein allgemeiner Hinweis auf die Schrift genüge; ähnlich GUSTAV WIENCKE, Paulus über Jesu Tod (BFchrTh II/42), 1939, S. 80; CULLMANN, Christologie S. 75f. und andere.

[6] Vgl. § 1 S. 49.

[7] Wieweit das Bild vom leidenden Gerechten dazu Anlaß gegeben hat, ist schwer zu sagen. Die stellvertretende Sühne wurde im Spätjudentum gerade auch dem Gerechten zuerkannt, vgl. LOHSE, Märtyrer und Gottesknecht S. 78ff., obwohl umgekehrt der Märtyrertod im palästinischen Bereich nicht sehr hoch eingeschätzt war (vgl. S. 72ff.); anders das Diasporajudentum (vgl. S. 66ff.).

rücksichtigt worden ist[1]. Mit der Verbindung von Sühneaussage und
Schriftbeweis war dann aber das Tor geöffnet für die Übernahme
des Motivs vom Sühneleiden des Gottesknechtes, welches im Judentum, soweit wir sehen können, völlig gemieden und in keiner Weise
mit Aussagen über die stellvertretende Sühne verbunden worden
war[2]. Natürlich muß nun gefragt werden, ob nicht die gegebene Bestimmung, daß bei dem Zusammentreffen von Sühnetradition und
Schriftbeweis mit einem Einfluß von Jes 53 gerechnet werden könne,
gerade für 1 Kor 15,3 b von Belang ist, denn das κατὰ τὰς γραφάς ist
hier doch ausdrücklich hinzugefügt[3]. Dennoch kann dieser Schluß
nicht gezogen werden, da hier eine ältere Stufe vorliegt. Schon der
Plural γραφαί wäre in diesem Fall nicht gerechtfertigt und die Stellung
derselben Wendung in Zeile III spricht auch dagegen[4]. Noch wichtiger
ist eine traditionsgeschichtliche Beobachtung. Überblickt man die
relativ fest geprägten Kurzformeln, deren Inhalt Jesu Tod ist, so
zeigt sich eine fast regelmäßige Verbindung mit dem Sühnemotiv
und eine immerhin sehr häufige Verbindung mit dem Christostitel;
es fehlt dagegen eine ausdrückliche Bezugnahme auf die Schrift oder
wenigstens den Gedanken der Notwendigkeit des Todes Jesu[5]. Es
darf hieraus gefolgert werden, daß die Aussage über den Sühnetod
älter ist, erst nachträglich mit dem Motiv der Schriftgemäßheit verbunden wurde und darum als selbständige Tradition so fest geworden
war, daß sie in dieser Gestalt weitergewirkt hat. Wie kam es dann
aber zu der Verbindung mit κατὰ τὰς γραφάς? Soviel ist deutlich, daß
damit zunächst nicht ein Hinweis auf die Schriftgemäßheit des
Sühnegedankens gegeben und dieser auf solchem Wege gestützt werden
soll. Die Sühneaussage hat ihr eigenes Gewicht und bedarf keiner
weiteren Legitimation. Wie einerseits das Sterben Jesu durch den
Gedanken der Schriftnotwendigkeit gedeutet wurde, so andererseits
durch diese soteriologische Explikation. Die zweite Präpositionalwendung in Zeile I kann daher nur auf das ἀπέθανεν bezogen sein und

---

[1] So Mk 14,61a; 15,5; aber auch Lk 22,37; Act 8,32—35, ferner Mt 8,17.
Bei der atomistischen Exegese der damaligen Zeit ist dies durchaus nicht überraschend.

[2] Auch dieser Gesichtspunkt verdient Beachtung. Vgl. zur Meidung der Sühneaussagen von Jes 53 LOHSE, a.a.O. S. 108 ff.

[3] Aus diesem Grund hat selbst LOHSE, a.a.O. S. 113 ff., die Sühneaussage
von 1 Kor 15,3 b mit Jes 53 in Zusammenhang gebracht.

[4] Vgl. unten S. 205 f.

[5] Vgl. Röm 5,6. 7; 14,15 b (15,3. 7 b); 1 Kor 8,11 b; 2 Kor 5,14 b. 15 a. 15 b
(21); Gal 1,4 a; Eph 5,2. 25 b; 1 Thess 5,10 a; 1 Tim 2,6; Tit 2,14 a; 1 Petr 2,21 a;
3,18 a u. ö. In Verbindung mit ‚Gottessohn‘ z.B. Röm 8,32; Gal 2,20 b; die
Tatsache des fehlenden Schriftbeweises ist von hierher gesehen gar nicht so
auffällig wie WIENCKE, a.a.O. S. 78 f., feststellt.

ist als eine weitere Näherbestimmung für Jesu Sterben zu verstehen[1]. ‚Gemäß den Schriften' ist sehr viel grundsätzlicher gemeint als dies bei einer Beziehung auf Jes 53 der Fall wäre. Wenn allerdings gesagt wird, die Wendung sei ein bloßes „Postulat", ohne daß bereits an bestimmte alttestamentliche Stellen gedacht ist[2], so trifft dies den Sachverhalt nicht recht. Bei solchen Bekenntnistraditionen wird man weniger an eine unentfaltete als vielmehr an eine aufs äußerste komprimierte Aussage zu denken haben. Dabei wird der Gedanke aber auch nicht so allgemein gefaßt werden dürfen, daß das Geschehen „dem göttlichen Heilsplan eingeordnet" werden soll[3]. Es ist zu berücksichtigen, in welcher Traditionsschicht das Motiv der Schriftgemäßheit vornehmlich eine Rolle gespielt hat. Dies war von Anfang an die Passionsüberlieferung, und das κατὰ τὰς γραφάς will ohne Zweifel eben darauf Bezug nehmen[4]. Aber nun in dem Sinn, daß der Grundgedanke des alten Passionsberichtes mit der soteriologischen Aussage über Jesu Sterben vereinigt wird: Jesu Leiden und Sterben ist nach Gottes Willen und Verheißung geschehen, die äußerste Not und Verlassenheit Jesu, ja sein schändlicher Tod beruhen in Gottes Ratschluß und sind daher vom prophetischen Zeugnis des Alten Testamentes her zu begreifen. Zwei verschiedenartige Traditionen über Jesu Tod sind demnach an dieser Stelle verbunden. Wie stark der Gedanke der Schrifterfüllung das Bekenntnis prägt, ergibt sich zudem daraus, daß allein dieses Element in der aufs äußerste gedrängten Formel zweimal vorkommt.

Vor das Auferstehungszeugnis ist in Zeile II die Tatsache des Begräbnisses Jesu gestellt. Abgesehen von dem wiederaufgenommenen ὅτι beschränkt sich die Formulierung auf das passivische ἐτάφη. Es wird wohl weder im Gegensatz zum Unbestattetbleiben eines Hingerichteten gemeint sein[5] noch im Sinne eines Hinweises, daß es um

---

[1] Auch aus stilistischen Gründen legt sich dies nahe, denn es wäre merkwürdig, wenn eine Präpositionalwendung durch eine zweite erläutert wird. Natürlich korrespondieren in der jetzigen Formel die einzelnen Glieder von I auch untereinander, aber das hat sich erst sekundär ergeben und darf nicht zum Ausgangspunkt der Analyse genommen werden.

[2] So z. B. J. HÉRING, 1 Kor S. 134f., der im übrigen zutreffend die Bezugnahme auf Jes 53 bestreitet.

[3] So RENGSTORF, a. a. O. S. 50. Ebensowenig ist LICHTENSTEIN, a. a. O. S. 9ff., bes. S. 14f., zuzustimmen, der sagt, es handle sich um „den Erweis der Konformität des Geschehenen mit dem als ‚heilige Schrift' gesicherten Offenbarungszeugnis, also um Geschichtstheologie"; er sieht daher Auseinandersetzung mit dem Judentum am Werke, sofern die richtige Deutung der Tatsachen mit der Aneignung des AT als autoritärer Urkunde verbunden ist.

[4] Selbstverständlich kommt eine Beziehung auf schriftliche Darstellungen der Leidensgeschichte nicht in Frage, γραφαί bezeichnet zweifellos das AT; vgl. dazu LIETZMANN-KÜMMEL, 1 Kor S. 191.

[5] So SCHLATTER, 1 Kor S. 395f.; dazu: „Jesus wurde aber das Begräbnis zuteil, weil er auferweckt werden sollte".

die Grabstätte eines mit Namen genannten hervorragenden Toten geht[1]. Bei dieser so überaus knappen, rein feststellenden Wendung und bei der Unterordnung der Zeile II unter I liegt es sehr viel näher, das ‚er wurde begraben' als Bestätigung des Todes Jesu zu verstehen: das Begräbnis „stellt den wirklich erfolgten Tod und die Visio stellt die wirklich erfolgte Auferstehung sicher"[2].

Das ἐγήγερται der Zeile III ist im Gegensatz zu den drei übrigen Verben Perfekt. Dies ist in der sonstigen Ostertradition keineswegs selbstverständlich, auch von der Auferstehung Jesu wird in der Regel im Aorist gesprochen[3] und nur selten im Perfekt[4]. Ob dabei auf jede sachliche Differenzierung verzichtet und beides nur als Übersetzungsvariante angesehen werden muß[5], erscheint fraglich. Zumindest in dem überlieferten griechischen Text von 1 Kor 15,3b—5 hat das Perfekt doch eine klare Funktion: im Unterschied zu der Bezeugung des Auferstehungsgeschehens allein ist hier zugleich auf die Nachwirkung des Osterwunders hingewiesen und schon damit Zeile III und IV aufs engste verkoppelt[6]. Das Passiv ist, wie häufig in jüdischer Tradition, in diesem Fall eine verhüllende Umschreibung für das Handeln Gottes. Dies läßt sich für das Osterzeugnis noch besonders gut erweisen, weil ‚er wurde auferweckt (ist auferweckt worden)' ziemlich regelmäßig mit ‚Gott hat ihn auferweckt' wechselt[7]. Gerade in dieser Hinsicht zeichnet sich der Gebrauch von ἐγείρειν vor

---

[1] So RENGSTORF, a.a.O. S. 51f.: ‚gestorben und begraben' sei eine schon im AT benutzte Wendung, die aber nur bei großen Personen der Geschichte Israels auftaucht; vgl. dort auch noch Anm. 31. — Völlig abwegig LICHTENSTEIN, a.a.O. S. 16, der mit der Möglichkeit rechnet, daß sich hinter Grablegung und Christophanien Lehrgut verberge, das in der Gemeinde umgelaufen ist, aber zu einer Formulierung entweder als umstritten nicht geeignet oder theologisch als noch nicht aufnahmefähig angesehen wurde, wie etwa Vorformen des Gedankens der Hadesfahrt oder der Himmelfahrts- und Parusievorstellung.

[2] Vgl. v. HARNACK, a.a.O. S. 64.

[3] Vgl. Mk 16,6 parr.; Lk 24,34; Joh 2,22; 21,14; Act 3,15; 4,10; 5,30; 10,40; 13,30. 37; Röm 4,24. 25; 6,4. 9; 7,4; 8,11 (bis). 34; 10,9; 1 Kor 6,14; 15,15 (bis); 2 Kor 4,14; 5,15; Gal 1,1; Eph 1,20; Kol 2,12; 1 Thess 1,10; 1 Petr 1,21.

[4] 1 Kor 15,4. 12. 13. 14. 16. 17. 20; 2 Tim 2,8; innerhalb von 1 Kor 15 ist es Einfluß der überkommenen Formel und in 2 Tim 2,8 dürfte ebenfalls eine geprägte Wendung vorliegen.

[5] So RENGSTORF, a.a.O. S. 54f.

[6] Ganz ähnlich im sekundären Mk-Schluß 16,14: οἱ θεασάμενοι αὐτὸν ἐγηγερμένον.

[7] ὁ θεὸς αὐτὸν ἤγειρεν u.ä. lauten von den oben in Anm. 3 genannten Stellen alle Belege aus Act, ferner Röm 4,24; 8,11(bis); 10,9 (als Bekenntnisformel gekennzeichnet!); 1 Kor 6,14; 2 Kor 4,14; Gal 1,1; Eph 1,20; Kol 2,12; 1 Thess 1,10; 1 Petr 1,21. Die auf Gott bezogene transitive Verwendung von ἀνιστάναι in Act 2,24. 32; 13,33f.; 17,31 dürfte eine lukanische Spracheigentümlichkeit sein.

dem des intransitiven ἀναστῆναι aus und hat sich vielleicht aus diesem Grund zunehmend durchgesetzt[1]. Daß der Formel, unbeschadet der perfektisch formulierten Auferstehungsaussage, an der Betonung des einmaligen Ereignischarakters liegt, zeigt der Zusatz τῇ ἡμέρᾳ τῇ τρίτῃ. Wie in Zeile I darf auch hier die Aussage über die Schriftgemäßheit nicht speziell mit diesem Interpretament verbunden werden. Wiederum erweist die Traditionsgeschichte, daß das Motiv des dritten Tages mit dem Auferstehungszeugnis verbunden war, ehe der Schriftbeweis in solchem Zusammenhang aufgegriffen wurde, was sich besonders klar aus der Überlieferung vom leidenden und auferstehenden Menschensohn ergibt[2]. Außerdem läßt sich noch erkennen, daß der Schriftbeweis ursprünglich nur im Blick auf das Leiden Jesu angewandt wurde[3]. Dann wird aber eine Ableitung des Motivs vom dritten Tag aus dem Schriftbeweis von vornherein nicht in Frage kommen[4]. Erklärungen aus dem urchristlichen Festkalender oder allgemeine religionsgeschichtliche Erwägungen sind erst recht nicht angemessen[5]. Es bleibt in der Tat nur die eine, in jüngster Zeit wieder zunehmend anerkannte Möglichkeit, daß die Erwähnung des dritten Tages auf einer geschichtlichen Begebenheit beruht[6], und zwar wird man es

---

[1] Daß in sehr alter Tradition auch ἀναστῆναι verwendet wird, ist offensichtlich und zeigt sich besonders in den Worten vom leidenden und auferstehenden Menschensohn. Die drei Leidensweissagungen der Synoptiker lassen erkennen, wie es verdrängt wird; vgl. Mk 8,31; 9,31; 10,33f. und Parallelen. Daß es in Menschensohnworten seinen guten Sinn hat, wurde schon gesagt; dazu § 1 S. 48f. und Tödt, Menschensohn S. 171f. Abgesehen von den Menschensohnworten (außer den erwähnten Stellen auch noch Mk 9,9f.; Lk 24,7) findet sich ἀναστῆναι für Jesu Auferstehung nur noch 1Thess 4,14; Lk 24,46; Act 10,41; 17,3 und im sekundären Mk-Schluß 16,9. Daß man ἀναστῆναι nicht einer „Erhöhungschristologie" zuordnen darf, was gerade bei der Menschensohnkonzeption nicht in Frage kommt, und demgegenüber ἐγείρειν nicht als Spezifikum einer „Auferstehungschristologie" ansehen kann, hat mit Recht Tödt, a.a.O. S. 168ff., gegen Lichtenstein, a.a.O. S. 26ff., geltend gemacht.

[2] Die ältere Fassung der Worte vom leidenden und auferstehenden Menschensohn Mk 9,31 (hiernach Mk 10,33f. formuliert) ist unabhängig vom Schriftbeweis, enthält aber das μετὰ τρεῖς ἡμέρας. Daß sachlich gegenüber τῇ τρίτῃ ἡμέρᾳ kein Unterschied besteht, braucht nicht eigens begründet zu werden; letzteres hat sich zusammen mit ἐγείρειν mehr und mehr durchgesetzt, wie die Mt- und Lk-Fassungen der Leidensweissagungen zeigen. Das Motiv des 3. Tages findet sich im übrigen noch Mk 16,1f. parr.; Joh 20,1; Mt 12,40; 27,63(f.); Lk 24,7. 46; Act 10,40.

[3] Das zeigt die alte Passionsüberlieferung im Gegensatz zur Ostertradition; vgl. nur Mk 16,1ff. parr. Ferner zeigen das die Kurzformeln vom leidenden Menschensohn Mk 14,21. 41; wohl ist dann in Mk 8,31 das ἀναστῆναι auch von dem übergeordneten δεῖ abhängig, aber sachlich doch nur lose verbunden. Erst 1Kor 15,4 wiederholt den Gedanken der Schriftgemäßheit ausdrücklich bei der Auferstehungsaussage.

[4] Gegen Grass, a.a.O. S. 134ff., der diese Deutung neuerdings wieder nachdrücklich vertreten hat.

[5] Vgl. dazu Grass, a.a.O. S. 127ff.

[6] So zuletzt bes. v. Campenhausen, a.a.O. S. 11f.; J. Héring, 1Kor S. 135.

auf das Ereignis der ersten Auferstehungserscheinung(en) beziehen müssen[1]. Welche Funktion hat dann die präpositionale Wendung κατὰ τὰς γραφάς?[2] Das Wunder der Auferweckung Jesu am dritten Tag ist als solches eine Gottestat, die in sich selbst ihre Bedeutung und Heilskraft trägt. Das Auferstehungszeugnis ist daher weitgehend ohne jegliche Bezugnahme auf das Alte Testament tradiert worden. Aber nachträglich wird hier nun ebenfalls noch auf Gottes Ratschluß und Verheißung verwiesen. Derjenige, der in die tiefste Not und Schande hineingeführt worden ist, war nach Gottes Willen und Vorherbestimmung zum neuen Leben aus dem Tode ersehen[3]. Nur wenn man den Zusammenhang so versteht und dabei sowohl die Parallelität zu Zeile I als auch den besprochenen grundsätzlichen Charakter dieses Gedankens berücksichtigt, entgeht man der fatalen Verkürzung der Bekenntnisaussage, die immer dann eintritt, wenn mit einer Beziehung von κατὰ τὰς γραφάς auf die Sühneaussage und den dritten Tag gerechnet wird.

Da von den erwähnten Auferstehungszeugen in unserm Zusammenhang abgesehen werden kann, bleibt nur noch übrig, das ὤφϑη zu klären. Der im Griechischen gegenüber ἐφάνη seltene und ungewöhnliche Wortgebrauch hat seine Vorgeschichte in der Septuaginta und steht für das Niphal von ראה. In den neutestamentlichen Auferstehungsaussagen hat sich dieses ὤφϑη weitgehend durchgesetzt[4]. Ist ein besonderer Sinngehalt damit verbunden? Ganz sicher abwegig ist die Behauptung, daß auf diese Weise angedeutet sei, es könne sich um ein bloß visionäres Erlebnis handeln[5], denn gerade vom Alten Testament her ist die objektive Realität des Geschauten selbstverständlich. Umgekehrt kann aber auch nicht gesagt werden, daß ὤφϑη die Offenbarungsgegenwart und die Begegnung mit dem sich offenbarenden (bzw. offenbarten) Auferstandenen bezeichne, ohne daß das Sehen als sinnliche Wahrnehmung eine Rolle spiele[6]. Denn die

---

[1] Vgl. JOH. WEISS, 1 Kor S. 348 f. v. CAMPENHAUSEN möchte es mit der Auffindung des leeren Grabes in Zusammenhang bringen, doch ist dies fraglich; für 1 Kor 15,4 f. ist jedenfalls die enge Verbindung von Auferstehung und Erscheinungen unbestreitbar.

[2] Daß dies mit ἐγήγερται verbunden werden muß und nicht auf den 3. Tag abzielt, hat schon JOH.WEISS, 1 Kor S. 348, nachdrücklich betont.

[3] Dabei werden nicht in erster Linie Texte wie Hos 6,2 oder Jona 2,1 eine Rolle gespielt haben, sondern Aussagen wie Ps 16,10; 49,16; 73,24, Stellen also, die schon im Urtext am deutlichsten ein Leben nach dem Tode verheißen; vgl. dazu STAMM, Psalmenforschung, ThR NF 23 (1955) S. 65 ff.

[4] Hier handelt es sich nun aber, anders als bei ἐγήγερται, keinesfalls um ein Passiv als „verhüllende Aussage über Gott", denn als Subjekt wird jeweils der Erscheinende (auch Jahwe) genannt; gegen RENGSTORF, a.a.O. S. 57.

[5] So v. HARNACK, a.a.O. S. 70.

[6] So WILHELM MICHAELIS, Erscheinungen S. 103 ff.; DERS., Art. ὁράω, ThWb V S. 355 ff., bes. S. 359. Er kommt schließlich zu der antithetischen Formu-

Osterberichte „legen übereinstimmend dem Sehen des Auferstandenen durch die Seinen die entscheidende Bedeutung" bei[1]. Im besonderen handelt es sich bei diesem Wort jedoch um ein Sichtbarwerden im Sinne eines nichtselbstverständlichen Hervortretens aus der Unsichtbarkeit, besonders aus der Welt Gottes, um ein Sichtbarwerden, das nicht vom Sehenden abhängt[2]. Unbeschadet des gelegentlichen Vorkommens auch noch einiger anderer Vokabeln zur Beschreibung der Auferstehungserscheinungen wird man daher auf Grund des vorherrschenden Gebrauchs von ὤφθη das Handeln des sich Offenbarenden, das reale Sichtbarwerden, aber auch die Wahrnehmungsmöglichkeit herausstellen dürfen[3]. Daß bei dieser christologischen Aussage ein gewisser eschatologischer Aspekt mit eingeschlossen ist, ist bei dem Auferstehungsverständnis der ersten Gemeinde naheliegend[4], dennoch muß beachtet werden, daß bei der Konzentration dieses Bekenntnisses auf Tod und Auferstehung Jesu die eschatologische Komponente insgesamt schon etwas zurücktritt[5].

Die Formel 1 Kor 15,3b—5 ist verbunden mit dem artikellosen Χριστός[6]. Auf den ersten Blick sieht es so aus, als wäre dies nur dort möglich, wo sich der Gebrauch als Eigenname bereits durchgesetzt

lierung: die Erscheinungen „sind nicht als Sichtbarmachung, sondern als Offenbarwerden zu bestimmen" (S. 360), und betont überdies, daß sie durchgängig mit Wortoffenbarung verbunden sind (S. 357). Aber weder der Offenbarungscharakter der Erscheinungen noch die Verbindung mit Wortoffenbarung heben den grundlegenden Tatbestand des Sichtbarwerdens auf.

[1] RENGSTORF, a.a.O. S. 117; dazu S. 119ff. Belege aus LXX und rabbinischen Texten. Wahrnehmung und Begegnung im irdischen Bereich sind auch von LICHTENSTEIN, a.a.O. S. 50ff., herausgestellt.

[2] RENGSTORF, a.a.O. S. 56f.; dazu Hinweis auf die gegebenenfalls klare Unterscheidung von ראה und מצא im AT und Judentum S. 122.

[3] GRASS, a.a.O. S. 186ff., hat auf Grund der nicht ganz einheitlichen Terminologie zu rasch gefolgert, daß dem ὤφθη über die Art der Erscheinungen überhaupt nichts zu entnehmen sei.

[4] LICHTENSTEIN, a.a.O. S. 52: in der Christophanie, „dem monumentalen ὤφθη (ist) der Anbruch der Endzeit, die zum erstenmal wirklich gewordene Möglichkeit des Sehens des Wunderbaren mitgedacht". MICHAELIS, ThWb V S. 361f., hat hier zu scharf geschieden. Ob ὁρᾶν auf die Erscheinungen des Auferstandenen oder die Parusie bezogen ist, muß dem jeweiligen Kontext entnommen werden und ist nicht auf Grund des Wortgebrauchs schon zu entscheiden.

[5] Hier liegt, anders als bei der Erhöhungsvorstellung, noch keine bewußte Enteschatologisierung vor, aber die Heilsaussagen sind jetzt nicht mehr ausschließlich mit der Zukunft verbunden, sondern werden im Blick auf Jesu Tod und Auferstehen selbständig entfaltet.

[6] Die bisher in § 3 behandelten Texte haben alle ὁ χριστός; auch Act 2,36 stellt keine Ausnahme dar, weil κύριος und χριστός dort Prädikatsnomen sind. — Die Klein- bzw. Großschreibung wird im folgenden so gehandhabt, daß ὁ χριστός, aber grundsätzlich Χριστός geschrieben wird; eine Entscheidung über den Gebrauch als Titel oder als Eigenname ist bei der Großschreibung nicht getroffen.

hat[1]. Kann in solcher Weise, ohne Artikel und ohne ausdrückliche Gleichsetzung mit Jesus im Bereich des palästinischen Judentums überhaupt gesprochen werden? Die Dinge liegen jedoch etwas anders und sind komplizierter. Es sind zwei Fragen zu unterscheiden: einerseits die Gleichsetzung des Titels ‚Messias‘ mit Jesus, andererseits der artikellose Gebrauch des Begriffs[2]. Zum ersten ist zu beachten, daß sich im palästinischen Bereich auch die Gleichsetzung von ‚der Menschensohn‘ mit Jesus zunehmend verbreitet hat und in den beiden jüngeren Spruchgruppen vom Erdenwirken und vom Leiden und Auferstehen ganz selbstverständlich vorausgesetzt wird. Diese Identifizierung des erwarteten Heilsträgers mit Jesus hebt daher den titularen Gebrauch des entsprechenden Würdenamens nicht auf und ist somit in ältester Tradition möglich. Wie steht es aber mit dem artikellosen Χριστός[3], ist dieses nicht Anzeichen dafür, daß der titulare Sinn verlorengegangen ist? Doch hier ist Vorsicht am Platze. Denn es ist erwiesen, daß in spätjüdischer Literatur artikelloses משיח ebenfalls Anwendung gefunden hat[4]. Man geht fehl, wenn man in diesem Falle von einer Verwendung „als Eigenname" spricht[5]. Es handelt sich unter allen Umständen um den herkömmlichen Hoheitstitel und nicht zufällig wechselt das Wort mit und ohne Artikel oft im gleichen Kontext[6].

---

[1] Es wird daher weitgehend angenommen, daß das Subjekt dieser Formel tatsächlich bloß Eigenname sei; vgl. nur A. SEEBERG, a.a.O. S. 57; JOH. WEISS, 1 Kor S. 347. Vielfach gehen darum die Exegeten bei der Besprechung der Formel auf dieses Χριστός gar nicht ein. Der Gebrauch als Eigenname scheint sich nahezulegen, weil gelegentlich in Kurzformeln auch der einfache Name Ἰησοῦς stehen kann; so Röm 8,11a; 1 Thess 4,14; aber dieser Sachverhalt ist, wie noch gezeigt werden soll, anders zu erklären.

[2] Vgl. die sehr brauchbare Gruppierung der verschiedenartigen Verwendung des Christostitels im NT bei ERNEST DE WITT BURTON, The Epistle to the Galatiens (ICC), 1921, Appendix III. 3: ΧΡΙΣΤΟΣ, S. 395ff.

[3] Es ist in den synoptischen Evangelien sehr selten: Mk 9,41; Lk 2,11, ferner der Vokativ Χριστέ Mt 26,28; hinzu kommt noch Ἰησοῦς Χριστός in Mk 1,1; Mt 1,1. 18; 16,21, außerdem Ἰησοῦς ὁ λεγόμενος Χριστός in Mt 1,16; 27,17. 22 (selbstverständlich ist diese Wendung an allen Stellen gleich zu verstehen, vgl. BLASS-DEBRUNNER § 412,2, also ‚der genannt wird‘, nicht ‚der sogenannte‘ im abwertenden Sinn).

[4] RENGSTORF, a.a.O. 1954[2], S. 102, stellt thetisch fest: „Das entspricht jüdischer Sitte. Man sprach im Judentum stets von ‚Messias‘ . . . und daran hat sich sogar nicht einmal bis heute etwas geändert"; vgl. 1960[4] S. 129ff., wo Belege für den Gebrauch in älterer palästinisch-jüdischer Tradition geboten werden. Anders noch DALMAN, Worte Jesu S. 239f., der es nur für eine babylonische Sitte hielt, weswegen der christliche Sprachgebrauch nicht unbedingt davon abhängig sein müsse. S. 238f. weist D. zudem darauf hin, daß an Stelle des ursprünglichen משיח יהוה (משיחא דיי) oder entsprechender suffigierter Formen der absolute Wortgebrauch wohl durch die Meidung des Gottesnamens entstanden sein wird. Ähnlich ISRAEL ABRAHAMS, Studies in Pharisaism and the Gospels I, 1917, S. 136ff.

[5] So DALMAN, a.a.O. S. 239f.; aber auch RENGSTORF a.a.O. 1960[4] S. 129f.

[6] Vgl. CHARLES C. TORREY, Χριστός, in: Quantulacumque (Studies presented to Kirsopp Lake), 1937, S. 317—324, ein Aufsatz, der sich fast ausschließlich

Das bedeutet also, daß bei dem artikellosen Χριστός sowohl die Identifizierung mit Jesus als auch die titulare Bedeutung in bestimmten Fällen durchaus vorausgesetzt werden muß und das Wort in dieser Verwendung unter Umständen der palästinischen Gemeindeüberlieferung zuzugehören vermag, sich aber in der Tradition der hellenistischen Gemeinde in derselben Weise erhalten hat. Jedenfalls darf nicht so rasch und selbstverständlich mit Χριστός als Eigenname gerechnet werden, wie dies häufig geschieht. Für die genaue Bestimmung der Funktion von Χριστός in 1 Kor 15, 3 b—5 muß noch berücksichtigt werden, daß diese Bekenntnisformel einen ausgesprochen zusammenfassenden Charakter trägt. Auffällig ist ja das mehrfache aufreihende ὅτι . . . καὶ ὅτι . . . καὶ ὅτι . . . καὶ ὅτι. . . .[1] Es bringt einen gewissen prosaischen Zug in die Formel hinein; die ursprüngliche Zugehörigkeit dieses ὅτι ist daher schon mehrfach bestritten worden[2]. Nun muß zwischen einer hymnischen Periode und einem Bekenntnis sicher unterschieden werden, auch wenn die Grenzen fließend sind[3]. In einem Hymnus wäre ein derartiges ὅτι unter allen Umständen störend, während es in einer Bekenntnisaussage auf den feststehenden, verbindlichen und gemeinsamen Glaubenssatz hinweist. Gerade in Verbindung mit πιστεύομεν, οἴδαμεν u. ä. sind geprägte, durch ὅτι eingeleitete Wendungen besonders häufig[4], und dasselbe gilt auch für den Zusammenhang mit den traditionstechnischen Termini παραλαμβάνειν und παραδιδόναι[5]. So besteht durchaus die Möglichkeit, das ὅτι als

mit philologischen Fragen befaßt. "In the native Semitic speech of the Bible times 'Messiah' was not used by the Jews as a proper name"; dazu der Nachweis, daß gerade im babylonischen Talmud die Formen mit und ohne Artikel in denselben Zusammenhängen erscheinen (S. 319). Neben den Stellen des babylonischen Talmuds läßt sich artikelloses משיח aber auch in palästinischen Schriftwerken, und zwar der Midraschliteratur nachweisen, vereinzelt schon in der tannaitischen Periode; vgl. Belege auch bei BILLERBECK I S. 6. TORREY, a.a.O. S. 320ff., möchte die frühzeitige Verwendung im palästinischen Bereich vor allem auf Grund der nt. Stellen erweisen. Auch wenn man nicht in solchem Umfange wie er mit schriftlich fixierten aramäischen Vorlagen der Evangelien und der Apostelgeschichte rechnet, wird man doch ernsthaft in Erwägung ziehen müssen, daß bereits in palästinischer Gemeinde ein artikelloses משיח auf Jesus Anwendung finden konnte. Aufschlußreich ist in dieser Hinsicht Joh 1, 41 εὑρήκαμεν τὸν Μεσσίαν ὅ ἐστιν μεθερμηνευόμενον Χριστός und Joh 4, 25 οἶδα ὅτι Μεσσίας ἔρχεται ὁ λεγόμενος Χριστός, wo Μεσσίας einmal mit und einmal ohne Artikel gebraucht wird.

[1] Es besteht kein Anlaß, das ὅτι am Anfang von Zeile III adversativ zu verstehen; gegen JEREMIAS, Abendmahlsworte S. 97.

[2] Vgl. A. SEEBERG, a.a.O. S. 57 (in seiner Rekonstruktion der mutmaßlichen Urform des Credo der apostolischen Zeit ersetzt er S. 85 das ὅτι durch ὅς!); neuerdings BAMMEL, a.a.O. S. 402, 414f.

[3] Vgl. dazu E. SCHWEIZER, Erniedrigung und Erhöhung S. 52 Anm. 221.

[4] Vgl. nur Röm 6, 9; 10, 9; 1 Thess 4, 14; auch Jak 2, 19; 1 Joh 5, 1. 5; ferner Röm 6, 3 (ἢ ἀγνοεῖτε ὅτι); Phil 2, 11 (ἐξομολογεῖσθαι ὅτι).

[5] Vgl. 1 Kor 11, 23. Man braucht also für 1 Kor 15, 3 b—5 nicht zu sagen, daß die ὅτι-Sätze „ideell" von ἐπιστεύσατε abhängen, wie NORDEN, a.a.O. S. 271, es

stilgemäß anzusehen und seine regelmäßige Wiederholung in den einzelnen Zeilen des Bekenntnisses von 1 Kor 15, 3 b—5 als nachdrückliche Betonung der verschiedenen Aussagen zu beurteilen. Dennoch muß gefragt werden, warum bei einer einheitlich überlieferten Formel nicht die Voranstellung eines einzigen ὅτι genügt. Die allein vergleichbare Parallelstelle 1 Thess 4, 14 ff. zeigt[1], daß dort die Aussagereihe keine ursprüngliche Einheit bildet, sondern erst von Paulus in dieser Weise koordiniert wurde. Dies wird man bei 1 Kor 15, 3 b—5 angesichts der überaus geschlossenen sachlichen und formalen Struktur sowie der unpaulinischen Züge nicht sagen können. Dennoch ist zu erwägen, ob das mehrfache ὅτι nicht ein Anzeichen dafür ist, daß in vorpaulinischer Zeit verschiedene, ursprünglich selbständige Bekenntnisformeln verschmolzen worden sind[2]. Man wird diese These noch präzisieren müssen: „formelhaft" im strengen Sinne können, bei Selbständigkeit der Einzelelemente, nur die Aussagen über Tod und Auferweckung gewesen sein. Das bestätigt sich daran, daß diese in Kurzformeln innerhalb der apostolischen Briefe relativ häufig vorkommen und nicht notwendig miteinander verbunden sind. Unter den hierfür besonders aufschlußreichen paulinischen Beispielen[3] zeigt sich, daß die Aussage über Jesu Sterben und die Sühnewirkung seines Todes ihren festen Platz hat, daß umgekehrt aber meist nur ganz einfach von seiner Auferweckung bzw. dem Auferwecktwerden ‚von den Toten' gesprochen wird; daß gleichwohl auch die Angabe der drei Tage einen festen Sitz in der Tradition hat, wurde bereits besprochen. Was durchweg fehlt, ist die ausdrückliche Erwähnung der Schriftgemäßheit. Nun hat Χριστός in solchen Kurzformeln wohl einen relativ festen, aber keinen unaufgebbaren Platz[4]. Lassen sich daraus Folgerungen ziehen? Mit aller Vorsicht, die bei solchen Rückschlüssen geboten ist, können einige Feststellungen getroffen und deren Konvergenz beachtet werden. Wie zunächst deutlich geworden ist, wurde die Messiasvorstellung im herkömmlichen Sinne auf Jesu Parusie bzw. Erhöhung, nicht aber auf sein irdisches Leben angewandt. Die Verbindung des Christostitels mit seinem Leiden und Sterben erklärt sich

---

tut, der im übrigen die Eigenart dieser ὅτι-Sätze vorzüglich bestimmt; vgl. auch Lichtenstein, a. a. O. S. 6.

[1] Auf diese Stelle beruft sich Norden; dort heißt es: πιστεύομεν ὅτι . . . λέγομεν . . . ὅτι . . . ὅτι . . . καὶ . . . ἔπειτα . . .

[2] So zuletzt Wilckens, Missionsreden der Apg S. 73 ff.

[3] Ich verweise einerseits auf Röm 5, 6. 8; 8, 32; 14, 15; 1 Kor 8, 11; 2 Kor 5, 14. 15 a. 21; Gal 1, 4 a; 2, 20 b; 1 Th 5, 10 a; andererseits auf Röm 6, 4. 9; 7, 4; 8, 11 (bis); 10, 9 (!); 1 Kor 15, 12 (ff.). 20; 2 Kor 4, 14; Gal 1, 1; 1 Th 1, 10 a.

[4] So steht Ἰησοῦς Röm 8, 11 a; 1 Th 1, 10; 4, 14; ‚Gottessohn' Röm 8, 32; Gal 2, 20; κύριος 1 Kor 6, 14; κύριος Ἰησοῦς (Χριστός) 2 Kor 4, 14; Gal 1, 4; 1 Th 5, 9 in den bereits genannten Kurzformeln.

umgekehrt aus der Tendenz, die Tatsache der Kreuzigung Jesu als eines Messiasprätendenten im positiven Sinne aufzunehmen; dies erfolgte, wie gezeigt, in Ansätzen innerhalb der alten Passionsüberlieferung. Wenn Χριστός nun in Verbindung mit bekenntnisartigen Formulierungen über Jesu Sterben und (bzw.) Auferstehen vorkommt, wird man also folgende Komponenten zu berücksichtigen haben. Ausgangspunkt ist die Kreuzigung Jesu als ‚König der Juden', die inzwischen aber zu einer klaren interpretatio Christiana des Messiastitels geführt hat. Hinzu kommt die besondere Deutung des Todes Jesu als eines ‚Sterbens für . . .'; diese Sühneaussage hat in urchristlicher Tradition ihre eigene Vorgeschichte und hat nicht von Anfang an zu der uns erhaltenen Überlieferungsschicht des alten Passionsberichtes gehört. Verbunden wurde ferner innerhalb der Bekenntnistradition die Aussage über Jesu Auferweckung ‚von den Toten' (‚am dritten Tage') mit dem Christostitel, denn der als ‚Christos' von Gott in den Tod Hineingeführte ist als solcher auch wieder ins Leben zurückgerufen worden [1]. In Einzelfällen tritt schließlich auch der Gedanke der Schriftgemäßheit auf, was als ein Einwirken der alten Passionstradition anzusehen ist [2]. Denn obwohl die positive Entfaltung der Kreuzesinschrift in Mk 15, 1—20 nicht direkt vom Schriftbeweis geprägt ist, so ist dieses Überlieferungsstück doch in den Rahmen des vom Gedanken der Schriftnotwendigkeit geprägten alten Leidensberichtes hineingestellt. 1 Kor 15, 3b—5 stellt von daher gesehen eine zusammenfassende Formel dar, die unbeschadet ihres hohen Alters nicht ganz am Anfang der Entwicklung stehen kann. Ein Zeichen dafür ist das mehrfache ὅτι; ein Zeichen dafür ist aber auch, daß das κατὰ τὰς γραφάς so betont an zwei Stellen eingefügt ist, und nicht zuletzt die Tatsache, daß dem Bekenntnis zu Jesu Tod und Auferstehung auch noch Aussagen über seine Grablegung und seine Erscheinungen beigefügt wurden.

Die Formel 1 Kor 15, 3b—5 ist ein repräsentatives Zeugnis für eine bestimmte christologische Konzeption. Die Passionsüberlieferung, die zunächst nur den Anstoß an Jesu Leidensweg zu überwinden suchte, hat hier eigenständige soteriologische Aussagen sowie die Auferstehungsbotschaft einbezogen und den Christostitel adaptiert [3]. Damit war noch auf palästinischem Boden neben der Menschensohnvor-

---

[1] Die Unabhängigkeit der alten Passionstradition und der Osterberichte muß hier vorausgesetzt werden. Die erst sekundäre Verkoppelung ist Mk 14—16 noch gut zu erkennen.

[2] Außer 1 Kor 15, 3b—5 vgl. vor allem die noch zu besprechenden lukanischen Texte (vgl. u. S. 215 ff.).

[3] Das ist um so bedeutsamer, weil sich zunächst auch eine gewisse Verbindung mit dem Menschensohntitel angebahnt hatte, wie die Leidensweissagungen zeigen; dazu § 1 S. 46 ff., bes. S. 49 ff.

stellung und neben der Anschauung von Jesus als dem ‚Herrn‘ eine
weitere bedeutsame Tradition ausgebildet worden. Sicher hat die
Menschensohnchristologie in der Frühzeit die entscheidende Rolle
gespielt, wie umgekehrt auch festgestellt werden kann, daß sie in der
hellenistischen Gemeinde wohl weitergegeben wurde, auch noch eine
gewisse Nachgeschichte hatte, aber doch keine eigentliche Lebendig-
keit mehr erwiesen hat. Die Kyriosvorstellung hat demgegenüber
gerade im hellenistischen Bereich eine höchst selbständige und bedeutsame Weiterentwicklung durchgemacht und überdies manche
Elemente der Menschensohnvorstellung, vor allem im Zusammenhang der Parusieerwartung, in sich aufgenommen. Ohne daß man es
im Sinn eines harten und letztlich übergangslosen Nebeneinanders verstehen darf, ist Boussets These von der Menschensohnanschauung
als dem Charakteristikum der palästinischen und der Kyriosvorstellung
als dem Charakteristikum der hellenistischen Gemeinde in gewissem
Sinne durchaus berechtigt[1]. Aber es ist dabei völlig übersehen, welche
Funktion der Passionsüberlieferung schon in der ältesten Gemeinde
zukam und welche Bedeutung diese in der hellenistischen Gemeinde
gewonnen hat. Immerhin sind Paulus und der 1. Petrusbrief in ihrer
Christologie weitgehend hiervon geprägt. Es ist zu beachten, daß
diese christologische Konzeption am stärksten die Kontinuität zwischen
der palästinischen und der hellenistischen Gemeindeüberlieferung erkennen läßt. Vielleicht erklärt sich von daher auch, daß der Titel
‚Christos‘ geradezu „Kristallisationspunkt für alle neutestamentlichen
christologischen Anschauungen" werden konnte — aber eben der
mit der Passionstradition verbundene und inzwischen christianisierte
Titel[2]. Es muß klar gesehen werden, daß der jüdische Vorstellungsgehalt des Messiasbegriffs hier total umgeformt worden ist[3]. Aller-

---

[1] Vgl. vor allem Bousset, Kyrios Christos, S. 75 ff.

[2] Das Zitat: Cullmann, Christologie S. 111; bei ihm ist aber die Umwand-
lung des Titels nicht gesehen. Er kann die Tatsache, daß der Christostitel
Kristallisationspunkt wird, eigentlich nur verwundert konstatieren und formuliert: bei Jesu Zurückhaltung gegenüber diesem Titel könnte es „geradezu wie
eine Ironie anmuten, daß ausgerechnet der Titel Messias, griech. χριστός, für
immer mit dem Namen Jesu verbunden worden ist" (S. 113). Die Folgerung,
daß eben das national bedingte Messiasbild in der ältesten Christenheit nicht
von allen abgelehnt worden ist, dürfte den Sachverhalt kaum zutreffend beschreiben.

[3] Nils Alstrup Dahl, Der gekreuzigte Messias, in: Der historische Jesus
und der kerygmatische Christus, 1960, S. 149—169, ist, wie ich nachträglich
sehe, der Frage nach den Anfängen des christlichen, von dem Leiden Jesu geprägten Messiastitels ebenfalls nachgegangen. Auch er sieht den Ansatzpunkt
in der (historischen) Inschrift am Kreuz: „Daß der Messiastitel unlösbar mit dem
Namen Jesu verbunden wurde, läßt sich nur unter der Voraussetzung erklären,
daß Jesus wirklich als Messias gekreuzigt worden ist" (S. 159f.). Zutreffend
wird herausgestellt, daß es nicht nur eine einzige Heilsgestalt im damaligen

dings muß anschließend noch gezeigt werden, daß der Christostitel bei seinem Übergang in den hellenistischen Bereich offensichtlich auch von einer anderen Komponente mitbestimmt wurde. Zuvor ist kurz auf einige wichtige Zusammenhänge hinzuweisen, welche die Nachwirkung des mit der Passionstradition verbundenen Christostitels zeigen[1].

Eine entscheidende Rolle spielt Χριστός bei *Paulus*. Die herkömmliche Meinung, daß es in seinen Briefen nur noch als Eigenname vorliege[2], ist sicher unzutreffend. GÜNTHER BORNKAMM hat mit Recht die These aufgestellt: „Χριστός gebraucht er (sc. Paulus) — offensichtlich im Anschluß an die Tradition — fast immer in kerygmatischen Wendungen, wo es um Tod und Auferstehung Christi in ihrer Heils-

Judentum gab, es sich daher beim Messiastitel nicht um „die zeitgeschichtlich notwendige Einkleidung der Überzeugung, daß Jesus der eschatologische Heilsbringer sei", handeln kann, wie es andererseits höchst merkwürdig ist, daß diese Hoffnung überhaupt auf Jesus übertragen wurde (S. 161f.). Der Messiastitel wird für die aramäisch sprechende Gemeinde vorausgesetzt und ist dort, anders als ‚Menschensohn' und ‚Gottesknecht', besonders in Kerygma und Bekenntnis verwurzelt. Dabei spielt ein im voraus feststehender (jüdischer) Messiasbegriff keine Rolle, sondern Kreuzigung und Auferstehung Jesu bestimmen den Inhalt des Messiasprädikates (S. 160f.): „Das Bekenntnis zu Jesus als dem Messias ist nicht als ‚Rejudaisierung' der Verkündigung und Person Jesu, vielmehr als eine durchgreifende, radikale Christianisierung des jüdischen Messiastitels zu verstehen" (S. 163). — Kann ich soweit den Ausführungen nur zustimmen, so entstehen in anderer Hinsicht eine Reihe von Fragen. Erstens: kann man sagen, daß überall dort, wo der Messiastitel in einer mehr allgemeinen, at. bestimmten Weise vorkommt, eine spätere Theologisierung vorliegt? Müssen nicht doch die Aussagen über Jesu Parusie und Erhöhung, wie gezeigt, sehr anders erklärt werden, so daß man nicht einfach behaupten kann, durch den Glauben an die Auferstehung des gekreuzigten Messias sei „die Eigenart des christlichen Messiasbegriffes gegenüber dem jüdischen von Anfang an gegeben, einerlei (sic!) ob die Verkündigung lautete, Gott werde den zuvorbestimmten Messias, Jesus, senden (Apg 3,20f.), oder daß Jesus als Messias inthronisiert (Apg 2,36) oder auch daß Christus für unsere Sünden gestorben sei (1 Kor 15,3)" (S. 160f.). Zweitens: ist der Christustitel wirklich „nicht als Ausdruck einer besonderen christologischen Konzeption" anzusehen, sondern „der gemeinsame Nenner der verschiedenen Konzeptionen, die wir im Neuen Testament finden" (S. 160f.)? Drittens: darf in diesem Zusammenhang tatsächlich erwogen werden, ob Jesus selbst, wenn auch wahrscheinlich in einer durch die apokalyptische Menschensohnerwartung modifizierten Weise, der Messias hat sein wollen? Zwar wird das Davidssohngespräch ausgeklammert, aber im Zusammenhang mit den Passionsereignissen doch gesagt, daß Jesus sich den Anspruch, der Messias zu sein, hat abzwingen lassen, weil er sich „der Anklage, er wolle der Messias sein, nicht entziehen konnte, ohne dadurch zugleich die letzte, eschatologische Gültigkeit seiner ganzen Verkündigung und seines gesamten Wirkens in Frage zu stellen" (S. 164ff.).

[1] Auf eingehende Erörterungen muß hierbei verzichtet werden, da jeweils selbständige Weiterentwicklungen und komplizierte Verbindungen mit anderen Anschauungen vorliegen.

[2] Bezeichnend für diese ältere Ansicht ist z. B. die Behandlung des Christostitels in dem Exkurs über „Paulinische Formeln für Gott und Christus" bei v. DOBSCHÜTZ, Thess S. 61.

bedeutung geht"[1]. Im einzelnen sind die Probleme, die mit der schwierigen Frage des Zusammenströmens verschiedenster Traditionen und ihrer Verschmelzung in der Christologie des Apostels eng verklammert sind, erst in Ansätzen untersucht[2]. So viel ist deutlich, daß Paulus, abgesehen von den zu seiner Zeit bereits geläufigen Verbindungen Ἰησοῦς Χριστός (Χριστός Ἰησοῦς), Ἰησοῦς Χριστὸς ὁ κύριος ἡμῶν u. ä., vor allem das artikellose Χριστός gebraucht, während der Artikel meist aus bloß formalen Gründen, gelegentlich aber auch um einer Anaphora willen Verwendung findet[3]. Weiter kann festgestellt werden, daß Paulus eine durchgreifende interpretatio Christiana bereits voraussetzt; seinen Inhalt hat der Begriff von dem, was Jesus ist und wirkt, weswegen ‚Christos‘ kein von Person und Amt Jesu ablösbarer Titel ist[4]. Dabei muß im besonderen berücksichtigt werden, daß ‚Christos‘ für Paulus mit der Passionstradition verbunden ist, welche seine Anschauung vom ganzen irdischen Wirken Jesu vornehmlich bestimmt[5]. Aufschlußreich ist dann aber auch, daß ‚Christos‘ bei Paulus noch mit einer Reihe von Begriffen und Motiven verbunden ist: mit ἀπόστολος, mit εὐαγγέλιον, mit Glaube, Rechtfertigung und Leben[6]. Schließlich hat Χριστός noch seinen festen Platz in der ekklesiologischen Vorstellung vom σῶμα Χριστοῦ und ist hier wesentlich von sakramentalen Aussagen mitbestimmt[7]. So zeigt sich bei Paulus ein maßgebender Einfluß und eine breite Entfaltung dieser Tradition[8].

---

[1] GÜNTHER BORNKAMM, Taufe und neues Leben, in: Das Ende des Gesetzes (Ges. Aufs. I), 1958[2], S. 40: Christos ist gelegentlich zwar nomen proprium, hat aber „allermeist titularen Sinn".

[2] Bisher liegt nur vor: NILS ALSTRUP DAHL, Die Messianität Jesu bei Paulus, in: Studia Paulina (in honorem Johannis de Zwaan), 1953, S. 83—95; CERFAUX, Le Christ, S. 361ff.

[3] Vgl. dazu DAHL, a.a.O. S. 85.

[4] Vgl. DAHL, a.a.O. S. 86f., 89; einen Versuch, dies in größere Zusammenhänge des paulinischen Denkens einzuordnen, unternimmt er S. 91ff.

[5] Die Verbindung von ‚Christos‘ mit dieser bestimmten Traditionsschicht ist von DAHL in den beiden genannten Arbeiten nicht klar gesehen.

[6] Dies ist besonders von CERFAUX, a.a.O. S. 361ff., 366ff., herausgestellt, der gleichfalls Einspruch gegen die Auffassung erhebt, daß ‚Christos‘ nur Eigenname sei. Wenn er allerdings, im Unterschied zu dem auf das Leben bezogenen Ἰησοῦς und dem von der Erhöhung und Gegenwart in der Gemeinde bezeichnenden κύριος, über Χριστός sagt, daß damit die in Ewigkeit beginnende Wirksamkeit, die Sendung, der Heilstod, die Auferstehung, das Weiterwirken im Geist und die Parusie zusammengefaßt sei, so verkennt er die Vorrangstellung der Passionsaussagen. Im Zusammenhang mit der Sendung taucht gerade bei Paulus regelmäßig die Bezeichnung ‚Gottessohn‘ und im Zusammenhang mit den eschatologischen Geschehnissen fast durchweg der Kyriostitel auf.

[7] Vgl. 1 Kor 10,16ff., wo das Leib-Sein der Gemeinde mit der Teilhabe am Leib Christi im Herrenmahl begründet wird.

[8] Auch die bei Paulus besonders häufigen präpositionalen Wendungen ἐν Χριστῷ, σὺν Χριστῷ sowie διὰ Χριστοῦ bedürfen von diesen Zusammenhängen her einer neuen Einordnung und Klärung.

Der erst relativ spät entstandene *1. Petrusbrief* enthält ebenfalls eine konsequent an der Passionsüberlieferung orientierte Christologie. Das ist nicht nur an dem deutlichen Vorherrschen von *Χριστός* gegenüber allen anderen Hoheitstiteln zu sehen, sondern auch an so zentralen Aussagen wie 1,18—21 oder an 2,21—25, wo expressis verbis Jes 53 aufgenommen und verarbeitet wird[1], und 3,18—22, wo noch das Erhöhungsmotiv sowie das Theologumenon von der Predigt unter den Geistern im Gefängnis hinzugefügt ist[2]. Selbst im *Hebräerbrief* findet sich ein Abschnitt, der im Zusammenhang mit Aussagen über die Heilsbedeutung von Jesu Sterben und Auferstehen betont den Christostitel verwendet (9,11—15. 24—28), also eine Nachwirkung dieser Tradition innerhalb einer sonst sehr anders gearteten Christologie zu erkennen gibt[3].

Sehen wir von der indirekten Bezeugung in Mk 8,29. 31 parr. ab, so fehlen bei Markus und Matthäus Belege für diese Anschauung[4]; nur Lukas hat sie in sein Evangelium aufgenommen[5]. Es empfiehlt sich, von Beobachtungen an der *Apostelgeschichte* auszugehen. Die vier großen, gleichmäßig aufgebauten Missionsreden vor Juden enthalten in ihren kerygmatischen Abschnitten als konstitutive christologische Elemente die Aussagen über Tod und Auferstehung[6]. Auch die Zusammenfassungen der Predigten in Act 17,3 und 26,22f. be-

---

[1] Ohne daß hier noch das für die Sühneaussage von Jes 53 so bezeichnende inklusive ‚für viele (alle)‘ zum Ausdruck käme; es geht um die Rettung und Sühne für diejenigen, die sich zum Hirten und Episkopos ihrer Seelen bekehrt haben (V. 25)!

[2] Daß im 1. Petrusbrief mit geprägter Tradition zu rechnen ist, hat Rudolf Bultmann, Bekenntnis- und Liedfragmente im ersten Petrusbrief, in: Coniectanea Neotestamentica XI (Festschrift Anton Fridrichsen), 1947, S. 1—14, gezeigt.

[3] Daß auch in dem genannten Abschnitt sich typische Züge der Christologie des Hebr finden, soll damit nicht bestritten sein, dennoch hat die dahinterstehende ältere Konzeption einen deutlichen Niederschlag gefunden. Diese bedürfte noch einer weitergehenden Untersuchung, weil sie in Hebr 9,14 wie in 1 Petr 1,19 mit dem Motiv vom ‚Blut Christi‘ verbunden ist.

[4] Abgesehen natürlich auch von Mk 15,1ff. parr.

[5] Es ist allerdings zu beachten, daß alle Formulierungen dieser Traditionsschicht vornehmlich den Charakter von Bekenntnisaussagen haben und sich daher wenig eigneten, in die synoptische Überlieferung aufgenommen zu werden, ganz im Gegensatz zu den durchweg als Selbstaussagen stilisierten Menschensohnlogien. Lk hat die beiden einzigen Christosworte in das Auferstehungskapitel eingebaut und die Wendungen Jesus selbst zum Zwecke der Jüngerbelehrung in den Mund gelegt.

[6] Vgl. Act 2,22—24; 3,13—15; 10,37—42; 13,27—31; nur in der ersten und dritten dieser Reden kommt eine Aussage über Jesu irdische Wirksamkeit vor (2,22; 10,37f.), nur in der ersten findet sich das Motiv der Erhöhung und Geistverleihung (2,32f.), nur in der zweiten und dritten ein eschatologisches Kerygma (3,20f.; 10,42), nur in der dritten und vierten die Erwähnung der Erscheinungen (10,40f.; 13,31), nur in der letzten Rede auch noch die Grablegung (13,29b).

ziehen sich ausschließlich auf Jesu Sterben und das Osterereignis[1].
Der Christostitel wird in den kerygmatischen Abschnitten der genannten
vier Missionsreden nur gelegentlich und an untergeordneten Stellen
gebraucht[2], aber er beherrscht die Formulierungen in 17,3 und
26,23. Durchweg findet sich in diesen Texten der Gedanke der Schriftgemäßheit[3]. Dagegen fehlt völlig das Sühnemotiv, welches auch sonst
im lukanischen Doppelwerk nur noch in der Abendmahlsparadosis
(Langtext Lk 22,20) und in einer Wendung innerhalb der Abschiedsrede des Paulus in Milet vorkommt (Act 20,28). Man wird sowohl
berücksichtigen müssen, daß die gesamte Sühnevorstellung gegen
Ende des 1. Jahrhunderts zurücktritt[4], als auch den Tatbestand, daß
gerade die das Sterben und Auferstehen Jesu betreffenden Aussagen
stark lukanische Eigenart tragen[5]. Immerhin muß gefragt werden,
ob es nicht neben der Tradition, in die das Sühnemotiv aufgenommen
ist, noch eine weiterwirkende alte Überlieferung ohne dasselbe gab.
Dafür dürften auch einige der von Paulus übernommenen Kurzformeln sprechen[6]. Um so deutlicher ist aber in der von Lukas aufgegriffenen Tradition die Verbindung des Schriftmotives mit dem
Christostitel, denn letzterer fehlt nur dort, wo deutlich lukanische
Formulierungen vorliegen, nicht aber in formelhaften Aussagen wie
Act 3,18b; 17,3; 26,23 und ebensowenig in den beiden wichtigen
Texten von Lukas 24. — *Lk 24,46* fügt sich dem bisher Gesagten
vollkommen ein: nach der in V. 44f. schon vorbereiteten und zu
Beginn von V. 46 nochmals wiederholten Feststellung der Schrift-
gemäßheit (οὕτως γέγραπται) folgt die Wendung παθεῖν τὸν χριστόν[7],
dann die Aussage von der Auferstehung von den Toten am dritten

---

[1] Zu der auffälligen Formulierung in Act 26,23 vgl. HAENCHEN, Apg S. 613.

[2] Act 2,31 ἀνάστασις τοῦ χριστοῦ; 3,18 im Zusammenhang der Feststellung erfüllter Weissagung παθεῖν τὸν χριστὸν αὐτοῦ (sc. τοῦ θεοῦ). In beiden Fällen aber nicht in den eigentlich kerygmatischen Abschnitten, sondern in 2,31 innerhalb des Schriftbeweises, in 3,18 im Rahmen der Bußmahnung.

[3] In den großen Missionsreden vor Juden ist je ein eigener ausführlicher Schriftbeweis aufgenommen (eine Sonderstellung hat nur 10,43a); in 3,18 und 26,22 ist unmittelbar auf die prophetische Weissagung Bezug genommen, in 17,3 kommt dieses Motiv in ἔδει zum Ausdruck; vgl. für die Verbindung von δεῖ mit dem Schriftbeweis § 1 S. 50.

[4] So erklärt LOHSE, Märtyrer und Gottesknecht S. 187ff., bes. S. 190f. den Sachverhalt.

[5] Dies gilt vor allem für das im übrigen NT nicht nachweisbare und für die lukanische Konzeption bezeichnende ‚ihr habt getötet...' (gegenüber den Juden); aber auch die Wendung ‚Gott hat ihn auferweckt' mit dem aktivischen ἀνέστησεν ist hier zu nennen, vgl. dazu S. 204 Anm. 7.

[6] Vgl. die schon erwähnten Stellen Röm 14,9; 1 Th 4,14.

[7] Hier nicht das bisweilen von Lk bevorzugte und für ihn typische ὁ χριστὸς τοῦ θεοῦ! Vgl. dazu WILCKENS, Missionsreden der Apg S. 156ff.

Tag. *πάσχειν*[1] ist bei Lukas an die Stelle von *ἀποθνῄσκειν* getreten, es entstammt hellenistischer Gemeindetradition und ist, wie schon besprochen, auch noch in einige spätere Formen der Worte vom leidenden Menschensohn eingedrungen[2]. Lk 24,46 ist vor allem deswegen interessant, weil hier das in 1 Kor 15,4 ebenfalls vorhandene, aber bei Paulus sonst nirgends übernommene Motiv vom dritten Tag vorkommt. Eine etwas andere Gestalt hat der Text *Lk 24,26*. Wieder findet sich, in einem *ἔδει* verdichtet, der Gedanke der Schriftgemäßheit[3], dann das *παθεῖν* des *Χριστός*. Aber im zweiten Glied steht an Stelle einer Erwähnung der Auferstehung die Wendung *εἰσελθεῖν εἰς τὴν δόξαν αὐτοῦ*. Man darf wegen der bei Lukas stark betonten Erhöhungsvorstellung dies aber nicht als eine lukanische Eigentümlichkeit ansehen, denn ähnliches findet sich immerhin auch im 1. Petrusbrief; vgl. 1 Pt 1,11 b: *τὰ εἰς Χριστὸν παθήματα καὶ τὰς μετὰ ταῦτα δόξας*, und 1,18 f. 21, wo in V. 21 a Auferweckung von den Toten und Verleihung der *δόξα* sogar miteinander verkoppelt sind. An diesen Stellen wirkt ein christologisches Schema ein, bei dem das irdische Heilswirken Jesu seiner Erhöhung gegenübergestellt ist[4]. So gehört Lk 24,26 in die mit dem Christostitel verbundene Passionstradition zwar hinein, aber es stellt eine jüngere Mischform der hellenistischen Gemeinde dar[5]. — Angesichts dieses Befundes, wonach in relativ später Zeit die titulare Bedeutung noch erhalten geblieben ist und die Verbindung mit einer ganz bestimmten Traditionsschicht wahrgenommen werden kann, ist die verallgemeinerte Anwendung von *Χριστός* auf das gesamte irdische Leben Jesu nicht zu erklären. Dafür, daß ein im umfassenden Sinne gebrauchtes *Χριστός* sich schon in der frühen hellenistischen Überlieferung durchgesetzt hat, müssen somit andere Antriebe vorhanden gewesen sein.

*Zusammenfassend* ist nochmals festzustellen, daß es sich bei der Verbindung des Christostitels mit der Passionstradition um einen völligen Neuansatz handelt. Auf Grund der Tatsache der Kreuzigung Jesu als ‚König der Juden‘ kam es zu einer ausgesprochen christiani-

---

[1] Außer Lk 24,26. 46; Act 3,18; 17,3; 26,23 (*παθητός*) auch noch in 1 Pt 2,21 (23); 3,18 (v. 1.); 4,1 in Passionsformeln, also kein Lukanismus; vgl. auch noch Act 1,3; Hb 2,18; 5,8; 9,26; 13,12.

[2] Vgl. § 1 S. 50 f; dort auch die Begründung, daß *πάσχειν*, für das es kein eigentliches semitisches Äquivalent gibt, als Terminus der hellenistischen Gemeinde angesehen werden muß.

[3] Vgl. zudem V. 25 b. 27.

[4] Es handelt sich um ein Schema, wie wir es aus Phil 2,6—11; 1 Tim 3,16 kennen, auch wenn dort im ersten Glied jeweils der Gedanke der Menschwerdung im Vordergrund steht; in Phil 2,8 wird allerdings auch Jesu Tod genannt, doch in Verbindung mit dem anders gearteten Weg-Motiv.

[5] Deswegen sollte Lk 24,26 nicht als Musterbeispiel für die Passionstradition zitiert werden, wie es bisweilen geschieht!

sierten Deutung der königlichen Messianität. Von nun an gehört zur Vorstellung, daß der Messias leiden muß; der Gedanke der Schriftnotwendigkeit steht im Hintergrund, ist aber teilweise direkt ausgesprochen. In die Verbindung des Christostitels mit der Bekenntnistradition über Jesu Leiden und Auferstehung hat auch die im alten Leidensbericht und in einem Teil der späteren Passionsüberlieferung fehlende Sühneaussage Aufnahme gefunden (1. Kor 15, 3b—5). Die in den Einzelheiten wie in der Zusammenfassung eindeutig palästinische Anschauung stellt für die Christologie das eigentliche Kontinuum zur hellenistischen Gemeindeüberlieferung dar. Die starke Nachwirkung zeigt sich bis in die spätere neutestamentliche Tradition hinein. Dabei hat ‚Christos‘ seinen festen Platz innerhalb dieser Überlieferungsschicht behalten und seinen titularen Sinn nicht aufgegeben, weswegen auch von hier aus der Übergang zur Verwendung als Eigenname nicht erklärbar ist.

### 6. *Die Verallgemeinerung des Christos-Titels und die Verwendung als Eigenname*

Es ist notwendig, noch einmal darauf hinzuweisen, daß die jüdische Messianologie keine Möglichkeit bot, das irdische Wirken Jesu in eine Hoheitsaussage einzubeziehen. Wenn diese Vorstellung überhaupt angewandt werden konnte, so ausschließlich im Blick auf Jesu endzeitliches Werk. Die Beziehung auf Jesu Sterben und Auferstehen setzte bereits einen erheblichen Umformungsprozeß voraus. Auch die Vorstellung von Jesus als dem Menschensohn war anfangs rein eschatologisch ausgerichtet und wurde erst nach und nach so erweitert, daß das vollmächtige Handeln des irdischen Jesus und sein Leidensgang mit eingeschlossen werden konnten. Aber hierbei blieb die Darstellung des Erdenwirkens weitgehend auf Jesu einzigartigen Anspruch in seinem Wort, auf seinen Ruf zur Nachfolge und seinen Gegensatz zu ‚diesem Geschlecht‘ beschränkt, nur in Ausnahmefällen wurde auch auf Jesu Wunderwirken Bezug genommen[1]. Daß Jesu Handeln in der ältesten Tradition keine entscheidende Rolle gespielt habe, wird man gleichwohl nicht sagen dürfen, wenn anders die doch recht umfangreiche Erhaltung der Erzählungen über seine Taten ihre Erklärung finden soll. Und daß die Begebenheiten nicht nur irgendwie weitergegeben wurden, vielmehr einen christologischen Orientierungspunkt gehabt haben müssen, darf unter allen Umständen erwartet werden.

---

[1] In Mk 2,1—12 geht es primär nicht um Wundertun, sondern um Sündenvergebung; so bleibt eigentlich nur Mt 8,5—13//Lk 7,1—10.

Innerhalb der aus jüdischen Voraussetzungen erwachsenen Anschauung vom königlichen Messias ist kein Raum für Wundertaten; denn der Messias wurde im Judentum gerade nicht als Wundertäter angesehen, auch wenn mit Wundern in seiner Zeit gerechnet worden ist[1]. Dasselbe muß auch für die älteste christliche Verwendung der Messiasvorstellung vorausgesetzt werden. Nun läßt sich aber noch zeigen, daß die alte palästinische Gemeinde Jesu irdisches Wirken offensichtlich im Zusammenhang mit der Anschauung vom eschatologischen Propheten gedeutet hat, und zwar nicht jener Ausprägung, die mit einer Wiederkehr des Bußpredigers Elia rechnete, sondern der anderen, wonach am Ende der Zeiten ein Prophet wie Mose erstehen wird, der sich durch Wundertaten und Toralehre auszeichnet und Israel ‚erlösen' wird. Zeichenforderung, wunderbare Speisung, die Heilungen Jesu, aber auch die ältesten Formen der Tauferzählung und Verklärungsgeschichte dürften dieser Traditionsschicht zugehören[2]. Beim Übergang von der palästinischen zur hellenistischen Gemeinde ist dies aber als eigenständige Überlieferung verlorengegangen, so daß die Elemente des Vorstellungskomplexes in verschiedener Weise aufgenommen und weitergeführt wurden. Die Mosetypologie wurde fortan in Verbindung mit anderen christologischen Konzeptionen angewandt[3]. Das Erzählungsgut hat sich vornehmlich mit der Anschauung von Jesus als ‚Gottessohn' verbunden. Hierbei sind in starkem Maße hellenistische und vor allem jüdisch-hellenistische Einflüsse wirksam geworden, wie noch zu zeigen sein wird[4]. Die von der alttestamentlichen Messianologie her geläufige Verbindung und Gleichsetzung der Hoheitsbezeichnungen ‚Messias' und ‚Sohn Gottes' mag dazu beigetragen haben, daß der Christostitel in diesem Zusammenhang gleichfalls Verwendung fand[5].

Durch die Übernahme wichtiger Elemente der Anschauung vom eschatologischen Propheten hat die urchristliche Messiasvorstellung eine weitere entscheidende Wandlung durchgemacht[6]. Damit war —

---

[1] Vgl. dazu BILLERBECK I S. 593f.; BULTMANN, Syn. Trad. S. 275; vor allem KLAUSNER, Messianic Idea S. 502ff.

[2] Eine ausführliche Besprechung dieser Anschauung und ihrer Anwendung auf Jesus folgt im Anhang S. 380ff.

[3] Die wichtigsten Zeugnisse sind das Mt-Evangelium und die von Lk gestaltete Rede Act 3,12—26, ferner die Stephanusrede in Act 7. Vgl. zu diesen Texten Anhang S. 382ff., 385ff., 400ff.

[4] Vgl. § 5 S. 292ff.

[5] Zur Gleichsetzung von ‚Christos' und ‚Gottessohn' vgl. Mt 16,16; Lk 4,41; Act 9,20. 22; Joh 11,27; 20,31 (1Joh 2,22f. u.ö.); in diesem Sinne auch die Mt- und Lk-Fassung des Verhörs vor dem Hohen Rat.

[6] Anders als bei der ältesten Form des Erhöhungsmotivs und bei der Davidssohn- bzw. Gottessohnkonzeption ergeben sich für den verallgemeinerten Ge-

aber in der Tat erst und nur unter dieser Voraussetzung — die
Möglichkeit gegeben, das Christosprädikat auf das irdische Wirken
Jesu im ganzen zu übertragen und nicht zuletzt auch sein Handeln,
sein Wundertun mit einzubeziehen. Über diese grundsätzliche Bestimmung der Umschichtung hinaus kann ein sehr bezeichnendes
Einzelmotiv genannt werden, an dem sich die Berührung der älteren
Vorstellung von Jesus als dem eschatologischen Propheten und der
jüngeren (christianisierten) Anschauung seiner irdischen Messianität
ergab. Wird gesehen, daß die Tauferzählung ursprünglich aus der
Anschauung vom eschatologischen Propheten und neuen Mose erwachsen ist [1], dann liegt in der *Geistverleihung* ein Motiv vor, das ebenso der Messiasvorstellung zugehört [2]. Da die Anwendung von Jes 61,1
höchstwahrscheinlich auf alte palästinische Tradition zurückgeht, wo
die Verleihung des Geistes mit dem eschatologischen Amt einer prophetischen Gestalt verbunden war und mit משח bezeichnet wurde [3], ist
um so verständlicher, daß derartige Aussagen über einen ‚Gesalbten'
später in die Konzeption von Jesus als dem ‚Christos' [4] übernommen
werden konnten [5].

brauch von ‚Christos' keine Kriterien für eine Zuordnung zur hellenistisch-
judenchristlichen oder heidenchristlichen Gemeinde. Die Umschichtung muß
schon relativ früh im hellenistisch-judenchristlichen Bereich eingesetzt haben,
hat sich aber in gleicher Weise im heidenchristlichen Bereich eingebürgert, nur
daß es dann dort wohl sehr schnell zu einer Abschleifung der titularen Bedeutung kam.

[1] Vgl. Exk. V S. 334ff. und Anhang S. 396.

[2] Die Geistverleihung findet sich schon Jes 11,2ff. und dann im Spätjudentum ziemlich regelmäßig in der Messianologie; dazu ERIK SJÖBERG, Art.
πνεῦμα (paläst. Judentum), ThWb VI S. 382; vgl. o. S. 172 Anm. 3.

[3] Vgl. dazu Anhang S. 394f.

[4] Die Tauferzählung selbst enthält das im gleichen Sinn gebrauchte ‚Gottessohn'. In der Regel wird dies von Ps 2,7 her und das Motiv der Geistverleihung
aus der Messianologie erklärt; vgl. außer den Kommentaren die Untersuchung
von CHEVALLIER, L'esprit et le Messie S. 51ff.; Jes 42,1 hat nach seiner Meinung
erst sekundär auf die Tauferzählung eingewirkt (S. 71ff.).

[5] W. C. VAN UNNIK, Jesus the Christ, NTSt 8 (1961/62) S. 101—116, geht
davon aus, daß ‚Messias' ein festgeprägter Titel im Judentum war und nicht
beliebig auf Jesus übertragen werden konnte; die These, daß er auf Grund der
Auferstehung Jesu von der Urgemeinde aufgegriffen wurde (Bultmann u.a.)
lehnt er ebenso ab wie die These, daß es auf Grund von Jesu Kreuzigung als
‚König der Juden' zu einer Adaption des Messiastitels kam (Dahl und C. T. Craig
in einer mir unzugänglichen Arbeit The Problem of Messiahship of Jesus, in:
New Testament Studies ed. E. P. Booth, New York 1942, S. 95ff.). Selbstverständlich läßt Jesu Wirken keine königlichen Züge erkennen, dennoch muß
sein Wirken messianische Hoffnungen erweckt haben (Lk 24,21; Act 1,6). Hinweise geben Act 4,26f.; 10,38: wesentliches Element der Messianität Jesu war
für die ersten Christen "not the outward activity of a king, but the person
possessed by the Spirit. Therefore they could confess him as Messiah in spite
of his cross. So they could also speak of him as the 'Son of God'" (S. 115).
Ganz alte Zeugnisse für Jesu geistesmächtiges Handeln liegen in Mt 11,5; Lk
11,20; Mk 3,21 vor. Auf Grund der Geistesgabe hatte sein Wirken und Ver-

An zwei synoptischen Stellen dürfte sich der Übergang von Aussagen über Jesus als eschatologischen Propheten in den mit dem Christostitel verbundenen Vorstellungskomplex noch abzeichnen. Wichtig ist vor allem *Mt 11, 2—6*. Bei Matthäus ist im Unterschied zur Lukasparallele in V. 2 von den ἔργα τοῦ χριστοῦ die Rede. Daß diese Formulierung einen ausgesprochen christlichen Standpunkt voraussetzt, ist unverkennbar, denn die in V. 5 genannten Taten Jesu konnten für jüdisches Denken kein Erweis seiner Messianität sein[1]. Um so deutlicher kommt mit Jesu Antwort an den Täufer in diesem Traditionsstück eine Auffassung des Wirkens Jesu zum Ausdruck, die ihn als den wundertätigen Helfer der Armen und Notleidenden und den Verkünder der Frohbotschaft ansah, also jene Vorstellung vom irdischen Wirken Jesu als neuen Mose[2]. Wird die Anschauung mit dem Christostitel verbunden, so bedeutet das einerseits, daß dieser Titel jetzt auf die ganze irdische Wirksamkeit Jesu ausgedehnt werden kann[3], zum andern, daß jene alte Deutung seines Handelns und Verkündigens in die Messiaskonzeption aufgenommen wird, und diese auf solchem Wege eine weitere tiefgreifende Umprägung erfährt. Berücksichtigt man, daß die frühe hellenistische Gemeinde auch die Vorstellung von Jesu eschatologischer Messianität über-

---

kündigen einen in so hohem Maße autoritativen Charakter. Insofern konnte er auch als Prophet angesehen werden. Seine Verkündigung der Gottesherrschaft und seine Zugehörigkeit zur Familie Davids begründeten aber den Glauben, daß in Jesus der ‚Gesalbte' gekommen ist. Zwischen Salbung und Ausübung der königlichen Macht lag schon bei David ein längerer Zeitabstand. "After the Resurrection Jesus exercised his kingly power; his ascension was his enthronement. Jesus did not teach another conception of the Messiah, he embodied it. Because the Spirit was on him, he could be and was the Anointed, ὁ Χριστός" (S. 116). Sieht man von der Bedeutung der Kreuzigung Jesu als Messiasprätendent für den Gebrauch des Christostitels ab, deren frühe und eigenständige traditionsbildende Kraft van Unnik völlig verkannt hat, so ist mit dieser Untersuchung auf die Vorstellung von Jesu Geistesmächtigkeit in der frühen Christologie mit Recht hingewiesen und das prophetische Verständnis gesehen, aber viel zu rasch eine Verbindung zur Messiasvorstellung gezogen. Es muß beachtet werden, daß eine sekundäre Übernahme der Vorstellung von Jesus als Endzeitpropheten wie Mose in die Konzeption von Jesu Messianität vorliegt. Zu Act 4, 27; 10, 38 vgl. Anhang S. 395.

[1] Vgl. nur Klostermann, Mt S. 94; interessanterweise zitiert Schlatter, Mt S. 358, hinsichtlich der Wunderwerke (aber ohne Christostitel!) eine auf Mose bezogene Josephusstelle.

[2] Daß dies nicht die einzige Aussage über Jesus war, braucht nicht betont zu werden, denn die Erwartung seiner Wiederkehr bestimmte ja das Leben und Denken der ältesten Gemeinde in entscheidender Weise. Aber die Urgemeinde versuchte auch das Erdenwirken Jesu mit gewissen Deutungskategorien zu erfassen. Zusammenfassend kann man sagen, daß sie den endzeitlich als Menschensohn, Herrn und Messias erwarteten Jesus gleichzeitig als den der Endzeit unmittelbar vorausgehenden Propheten verstanden hat.

[3] Der titulare Charakter ist in Mt 11, 2 durch den Gebrauch des Artikels deutlich hervorgehoben, was nicht durch Großschreibung von χριστός verwischt werden darf; gegen Nestle u. a.

nommen und die Erhöhungsanschauung ausgebaut hat, daß sie ferner die mit dem Christostitel verbundene Passionstradition weitergeführt hat, so wird deutlich, in welchem Maße nun tatsächlich der Christostitel bestimmend und umfassend geworden ist. Das soll allerdings nicht heißen, daß diese verschiedenen Aspekte zu einer einheitlichen Konzeption zusammengeschmolzen sind, dafür fehlen alle Anzeichen und dagegen spricht das relativ selbständige Weiterwirken der Einzelanschauungen. Aber der Christostitel muß in einem bestimmten Stadium der frühen hellenistischen Gemeinde eine dominierende Stellung gewonnen haben, so daß die Gläubigen eben deshalb auch den Namen Χριστιανοί erhielten[1].

Daß die Anschauung von dem irdischem Wirken Jesu als zweiten Mose in die Vorstellung von seiner Messianität aufgenommen wurde, darf auch noch aus einer anderen Stelle gefolgert werden. In dem als selbständige Überlieferung anzusehenden Abschnitt *Mk 8,27b—29*[2] ist das Bekenntnis zu Jesus als dem ‚Christos‘ allen Meinungen, die ihm nur ein prophetisches Amt zuerkennen, entgegengestellt[3]. In

---

[1] Vgl. Act 11,26 (auch Tacitus, Ann. XV, 44). Nach der wahrscheinlicheren Deutung ist anzunehmen, daß diese Bezeichnung von Nichtchristen geprägt, nicht daß der Name von der Gemeinde selbst beansprucht worden ist, auch wenn χρηματίζω im Sinne von ‚einen Namen führen‘ gebraucht werden kann. Das bedeutet allerdings nicht, wie vielfach schon vermutet, daß es sich um einen Scheltnamen handeln müsse. Es liegt eine einfache Zugehörigkeitsbezeichnung vor, wie sie in Anlehnung an lateinischen Brauch auch sonst in der hellenistischen Sprache gebildet wurde. Dabei braucht das zugrunde liegende Χριστός keineswegs schon Eigenname gewesen zu sein; denn wenn Ἡρωδιανοί dafür spricht, dann jedenfalls die analoge Bildung Καισαριανοί (Καισάρειοι) dagegen. Es liegt sehr viel näher, daß der Name nach dem grundlegenden Bekenntnis der Gemeinde gebildet worden ist. Es zeigt sich also auch hieran, daß gerade für die frühe hellenistische Gemeinde das Bekenntnis zu Jesus als dem ‚Christos‘ als kennzeichnend angesehen wurde. Zu Χριστιανός vgl. BAUER, Wb. s. v. (dort ältere Literatur); ELIAS BICKERMANN, The Name of Christians, HarvTheolRev 42 (1949) S. 109—124; ERIK PETERSON, Christianus, in: Frühkirche, Judentum und Gnosis, 1959, S. 64—87; HAENCHEN, Apg S. 311(f.) Anm. 3.

[2] Vgl. o. S. 174f. und Exk. III S. 226ff.

[3] Dies erfolgt in der Form eines ausgesprochenen Schulgesprächs. Das Abhängigkeitsverhältnis von Mk 6,14—16 und 8,27b—29 ist ein wechselseitiges. Denn sicher ist 6,14a und 16 redaktionelle markinische Bildung, die an 6,6—13 anschließt (auf Grund der Jüngeraussendung wird Jesu ‚Name‘ überall bekannt) und zu der Erzählung vom Tod des Täufers V. 17—29 überleitet. Mk hat das Motiv dieser Volksmeinung über Jesus wohl dem geprägten Traditionsstück Mk 8,27—29 entnommen; umgekehrt setzt er in 8,28a bei der Aussage, Jesus sei Johannes der Täufer, die nähere Erläuterung von 6,14b voraus. Es ist nicht ganz ausgeschlossen, daß der Schluß von 6,14b über die Wunderkräfte eine redaktionelle Zutat ist, doch ist der Hinweis auf den (wiedererstandenen) Täufer übernommen, so daß Mk dadurch Anlaß fand, die Überlieferung für den Zusammenhang von c. 6 auszuwerten. Im einzelnen sind die Gleichsetzungen mit den prophetischen Gestalten, abgesehen von der Wiederkehr des Elia, schwer zu erklären. Man wird hier mit ziemlich abgeschliffener Tradition rechnen müssen. εἷς τῶν προφητῶν ist nicht ganz eindeutig, doch ist die Verwendung wohl nicht im Sinn von ‚irgendein Prophet‘ gemeint, sondern, wie Lk richtig

solch uneingeschränkter Anwendung auf den irdischen Jesus ist die Messiasvorstellung in ältester Tradition schlechterdings undenkbar. Aber an dieser Stelle zeigt sich eben der nun erreichte umfassende Gebrauch dieser auf Jesus angewandten Prädikation, wie er sich auch in der *Bekenntnisformel* Ἰησοῦς ὁ χριστός bzw. Ἰησοῦς Χριστός niedergeschlagen hat. M. E. ist es ausgeschlossen, eine derartige Bekenntnisformel schon an den Anfang der urchristlichen Überlieferung zu stellen. Dagegen dürfte hier das Grundbekenntnis der frühen hellenistischen Gemeinde vorliegen[1].

Auf Grund der allgemeinen und umfassenden Aussage über Jesus als Messias hat sich dann die relativ bald einsetzende Erstarrung des titularen Gebrauchs und die Verwendung von Χριστός *als Eigenname* nahegelegt. Man wird nicht übersehen dürfen, daß speziell die in den Christostitel mit aufgenommene Tradition von Jesu wunderbarem Erdenwirken auf hellenistischem Boden, vor allem nach der Lockerung der Bindung an den jüdischen Ursprung, sich einseitig auf den Gottessohntitel verlagert hat[2]. Wohl behält die Christosprädikation ihre zentrale Stellung, blaßt aber bald ab und erstarrt; nur im Zusammenhang mit der Passionstradition hat sie ihre Eigenständigkeit bewahrt. Am nachhaltigsten ist der titulare Sinn in der unmittelbaren Verbindung mit dem Jesusnamen Ἰησοῦς Χριστός verschwunden, was mit der Zeit geradezu als Doppelname empfunden und dann häufig mit anderen Würdetiteln zusammengefügt worden ist[3]. Daß das einfache Χριστός ebenfalls als Eigenname gebraucht wurde, ist unverkennbar. Es sei nur auf die Stelle *Mk 9,41* hingewiesen, wo ein ehemaliges ἐν τῷ ὀνόματί μου in ἐν ὀνόματι, ὅτι Χριστοῦ ἐστε sekundär

---

erläutert, im Sinne der Wiederkehr eines der alten Propheten; es darf immerhin erwogen werden, ob nicht wenigstens im Hintergrund die Vorstellung von dem Dt 18,15ff. verheißenen Propheten wie Mose steht, zumal auch der von Mt zusätzlich erwähnte Jeremia offensichtlich in diesen Zusammenhang gehört; vgl. HOWARD M. TEEPLE, The Mosaic Eschatological Prophet (JBL Monogr. Ser. X), 1957, S. 51. Daß Jesus mit dem Täufer gleichgesetzt worden ist, hängt wohl mit beider eschatologischer Botschaft zusammen und der Erwartung, daß das prophetische Amt des Johannes bis zum Anbruch des Eschaton nicht verwaist sein wird. Aber mit diesen Erklärungsversuchen tappen wir ziemlich im dunkeln. Das einzig Greifbare ist die klare Konfrontation aller dieser prophetischen Prädikate mit dem Messiastitel in Mk 8,29. Vgl. noch RUDOLF SCHNACKENBURG, Die Erwartung des „Propheten" nach dem Neuen Testament und den Qumrantexten, in: Studia Evangelica (TU 73 = V/18), 1959, S. 622—639, bes. S. 625ff.

[1] Dort erklärt sich auch die Loslösung von der festgeprägten diesseitigpolitischen königlichen Messianologie der palästinischen Tradition weitaus am besten.

[2] Doch muß beachtet werden, daß sich ein starkes Erbe des hellenistischen Judenchristentums im Gottessohnbegriff erhalten hat; auch die enge Verknüpfung von ‚Christos' und ‚Gottessohn' bei Aussagen über den irdischen Jesus dürfte zunächst dort beheimatet gewesen sein.

[3] Vor allem mit ὁ κύριος ἡμῶν, aber auch anderen Hoheitsbezeichnungen.

geändert worden ist[1]. Auf der anderen Seite muß aber beachtet werden, daß diese Verwendung zumindest in den Evangelien und der Apostelgeschichte eine Ausnahme darstellt und der titulare Wortgebrauch dort noch vorherrscht[2].

*Zusammenfassung:* Es zeigt sich, daß diese letzte Ausweitung des verchristlichten Messiasbegriffes, die eine Anwendung auf das gesamte Wirken Jesu möglich machte, erst im Bereich der frühen hellenistischen Gemeinde erfolgte, die die Traditionsschicht vom irdischen Wirken Jesu als des neuen Mose und endzeitlichen Propheten in die Messiasvorstellung übernahm. Damit konnte ‚Christos' im besonderen auch mit Jesu Wunderwirken in Beziehung gesetzt werden. Dies führte zu einer gleichartigen Verwendung von ‚Christos' und ‚Gottessohn',

---

[1] Das legt sich durch den Vergleich mit V. 39 nahe und bis zu einem gewissen Grade auch durch die varia lectio; vgl. KLOSTERMANN, Mk S. 95. Die Annahme, daß V. 41 ein nachmarkinischer Einschub sei — so STAUFFER, NovTest 1 (1956) S. 83f. — ist nicht nötig, da ‚Christos' sich als Eigenname zur Zeit des Markus schon längst durchgesetzt hatte und in die Tradition eingedrungen sein konnte; die fehlenden Parallelen bei Mt und Lk lassen sich auch anders erklären. Keinesfalls kann hier mit einem titularen Gebrauch und mit der semitischen Vorlage eines artikellosen משיח gerechnet werden, wie dies TORREY, a.a.O. S. 321f., tut. TAYLOR, Mk S. 408, vermutet im Anschluß an T. W. Manson als ursprünglichen Text: ἐν ὀνόματι ὅτι ἐμοί ἐστε; ich halte dies für unwahrscheinlich; eher wäre noch an ἐν ὀνόματι μαθητοῦ, wie in der Stelle Mt 10,42, zu denken. Mk dürfte den Wortlaut mit Χριστός als Eigenname bereits übernommen haben, da dieser Gebrauch für ihn singulär und in keiner Weise bezeichnend ist.

[2] Der Judenchrist *Matthäus*, der sicher aus der Diaspora herkommt, hat den titularen Wortgebrauch in seinem Evangelium noch ganz betont festgehalten; vgl. Mt 1,17; 2,4; 11,2; 16,16. 20; (22,42) 23,10; 24,5(23); 26,63. Auch der mancherlei Traditionsgut des hellenistischen Judenchristentums verarbeitende *Lukas* setzt ihn voraus; er schließt sich im Evangelium weitgehend an Mk an; er unterstreicht den titularen Charakter dadurch, daß er Lk 3,15; 23,2; Act 17,7 den Gegensatz zum jüdischen Messiasbegriff betont; außerdem verbindet er, in Spannung zu Lk 2,11. 26, die Christuswürde mit der Taufe, wie Lk 4,14. 18; Act 4,26f.; 10,38 zeigt; vielleicht steht auch die für ihn charakteristische Wendung ὁ χριστὸς τοῦ θεοῦ Lk 9,20; 23, 35 mit diesem betont funktionalen Verständnis in Zusammenhang; vgl. noch Act 9,(20)22; 17,3fin.; 18,5. 28. Auf den Gebrauch in den *johanneischen Schriften* sei ebenfalls hingewiesen. In Joh 1,35—51 ist ‚Messias' (V. 41) einer von den vielen herkömmlichen Hoheitstiteln, die alle auf Jesus übertragen werden. Die christliche Würdebezeichnung wird sodann gegen die jüdische Messiasdogmatik verteidigt, vgl. Joh 7,27. 31. 41f.; 12,34. Im übrigen ist die Verbindung von ‚Christos' und ‚Gottessohn' deutlich, wie Joh 11,27; 20,31, auch 1,49 ausdrücklich, aber noch andere Textzusammenhänge indirekt erkennen lassen. Eine sehr interessante Zuspitzung erfährt der Christostitel in Joh 20,31; 1Joh 2,22; 5,1, weil er regelrecht wieder in bekenntnisartigen Aussagen auftaucht, und zwar gegenüber einer doketischen Gnosis, deren Gefahr gebannt werden soll (vgl. 1/2Joh). Wird bei den Häretikern der Mensch Jesus von einem Geist-Christus unterschieden — wozu vielleicht die Verwendung als Eigenname eine gewisse Unterstützung geboten hat —, so liegt den joh. Schriften daran, gerade die Identität zu erweisen, wodurch der titulare Sinn von ‚Christos' wieder aktualisiert wird. Daß Jesus ‚der Christus' ist, ist identisch mit der Aussage, daß ‚Jesus Christus ins Fleisch gekommen ist' (1Joh 4,2; 2Joh 7; abgesehen von 1Joh 2,22; 5,1 verwendet 1/2Joh sonst nur Ἰησοῦς Χριστός).

wobei jedoch das Gottessohnprädikat bald den Vorrang bekam, so daß ‚Christos‘ zunehmend abgeblaßt und schließlich zum Eigennamen erstarrt ist. — Wenn auf diese Weise die Verwendung des Christostitels von den ersten Anfängen in der Urgemeinde bis in die frühe hellenistische Gemeinde hinein verfolgt und eine einigermaßen geschlossene Begriffsgeschichte gegeben worden ist, so muß doch abschließend gesagt werden, daß es sich um einen Versuch handelt, die verschiedenen Überlieferungsstränge und zugleich die Zusammenhänge, Abhängigkeiten und Modifikationen in den Griff zu bekommen. Daß mancherlei Verbindungslinien verdeckt sind und viele Lücken in der Kenntnis gerade der ältesten Tradition vorhanden sind, sei keineswegs bestritten. Aber dieser ganze Problemkreis mußte erst einmal angeschnitten werden und einige feste Punkte dürften sich vielleicht ergeben haben: so das anfängliche Fehlen der Messiasbezeichnung, dann die Verwendung nur im Blick auf das eschatologische Wirken Jesu, die Umprägung zur Erhöhungsvorstellung, ferner die feste Verbindung des Christostitels mit der Passionstradition und endlich die unter Einfluß einer anderen Anschauung vollzogene Ausweitung auf das Wirken Jesu insgesamt, der aber bald die Erstarrung von ‚Christos‘ und die Verwendung als eines bloßen Cognomens folgte.

# EXKURS III: *Analyse von Mk 8,27—33*

Die Erzählung vom Petrusbekenntnis vor Cäsarea Philippi ist ein kompliziertes Gebilde und traditionsgeschichtlich nicht ganz leicht zu analysieren. Nun sollte allerdings heute nicht mehr bestritten werden, daß der Mk-Text gegenüber dem des Mt ursprünglich ist und keinesfalls als eine Verkürzung aufgefaßt werden kann[1]. Man erkennt ja gerade bei einem Vergleich mit Mt, daß der bis zum äußersten gefüllte Text Mk 8,27—33 eine weitere Ausgestaltung nicht mehr ertragen hat und daher auseinanderbricht; denn bei Mt beginnt mit 16,21 (par. Mk 8,31) ein neuer Abschnitt, während für Mk die Zusammengehörigkeit von Petrusbekenntnis und Leidensweissagung das eigentlich Charakteristische ist[2]. Umgekehrt steht außer Frage, daß Mk 8,27—33 in seiner jetzigen Gestalt eine Komposition darstellt und aus mehreren Teilstücken zusammengesetzt ist. Ist dies grundsätzlich zwar häufig anerkannt, so wird doch eine Analyse, die nach der Vorgeschichte der einzelnen Bestandteile fragt, meist nicht durchgeführt. Bei diesem Textabschnitt ist aber ein solcher Verzicht m. E. nicht gerechtfertigt. Wenn auch keine absolut sicheren Ergebnisse erzielt werden können, so läßt sich vielleicht doch die Besonderheit des Textes noch etwas schärfer erfassen.

Formgeschichtlich erweist sich zunächst die Leidensweissagung V. 31 als ein Traditionsstück eigener Art[3]. Die Parallelen in Mk 9,31;

---

[1] Mit einer Verkürzung durch Mk rechnen nicht nur Exegeten, die die Priorität des Mt voraussetzen, sondern auch BULTMANN, Syn. Trad. S. 277; die Vertreter dieser Ansicht sind im Ergänzungsheft S. 36 genannt. Für das höhere Alter des Mk-Textes treten neuerdings mit Recht ein: OSCAR CULLMANN, Petrus S. 196ff. DERS., Christologie S. 122ff.; DERS., Art. Πέτρος, ThWb VI S. 104f.; DERS., L'apôtre Pierre instrument du diable et instrument de Dieu: la place de Matt. 16,16—19 dans la tradition primitive, in: New Testament Essays (Studies in Memory of T. W. Manson), 1959, S. 94—105; ANTON VÖGTLE, Messiasbekenntnis und Petrusverheißung. Zur Komposition von Mt 16,13—23 Par., BZ NF 1 (1957) S. 252—272; 2 (1958) S. 85—103. Die neueren Untersuchungen speziell zu Mt 16,17—19 gehen auf das Verhältnis zwischen Mt- und Mk-Text in der Regel nicht ein.

[2] Vgl. das ἀπὸ τότε Mt 16,21. Der Mk-Text darf unter keinen Umständen in V. 27—30 und V. 31—33 auseinandergerissen werden, wie dies etwa bei K. L. SCHMIDT, Rahmen S. 215ff.; LOHMEYER, Mk S. 161ff.; HANS JÜRGEN EBELING, Das Messiasgeheimnis und die Botschaft des Marcus-Evangelisten (BZNW 19), 1939, S. 207f., u. ö. geschieht.

[3] So auch DIBELIUS, Formgeschichte S. 41, 112, der im übrigen wegen des kompositionellen Charakters von Mk 8,27—33 auf eine Gattungsbestimmung verzichtet, andererseits jedoch eine Analyse dieses Textabschnittes unterläßt.

10, 33 f. zeigen, daß es sich dabei um ganz eigenständige Überlieferungen handelt[1]. Eng mit der Leidensweissagung verbunden ist 8, 32 a; zusammen mit dem Schweigegebot V. 30 und der Überleitung V. 32 b ist es zunächst zurückzustellen. Der nach einer Ausscheidung von V. 30—32 zurückbleibende Text V. 27—29. 33 stellt keine Einheit dar und kann unmöglich als selbständiges Überlieferungsstück angesehen werden[2]. V. 33 enthält eindeutig einen Rückbezug und läßt sich nicht einfach abtrennen, andererseits bedarf aber V. 27—29 nicht unbedingt einer Fortsetzung. In der Gegenüberstellung dessen, was die Menschen sagen, und der Antwort, die die Jünger geben, hat das Bekenntnis ‚Du bist der Christos‘ seine Stellung als Höhepunkt und Abschluß. Durch eine gewissermaßen sokratische Frage will Jesus die rechte Antwort der Jünger veranlassen. Was hier vorliegt, ist formgeschichtlich beurteilt, ein Schulgespräch. Schon daß Jesus die Initiative ergreift, läßt die Vermutung aufkommen, daß es sich um eine jüngere Bildung handelt[3], und diese wird bestärkt durch den ausgesprochen christologischen Inhalt des Abschnittes. Die Parallelstelle in 6, 14—16 (14 b. 15) zeigt, daß es sich um ein ehemals selbständiges Überlieferungsstück handelt[4]. Beachtet man noch, daß in V. 27 eine doppelte Einleitung vorliegt, so wird man in V. 27 b den eigentlichen Anfang des Schulgespräches sehen dürfen, wobei allerdings das im weiteren Verlauf von Mk 8—10 noch mehrmals vorkommende ἐν τῇ ὁδῷ als redaktioneller Zusatz beurteilt werden muß[5].

Schalten wir V. 30. 31. 32 a. b sowie V. 27 b—29 aus, so fragt es sich natürlich, ob nicht völlig zusammenhanglose Trümmer zurückbleiben. In der Tat wird man über den restlichen Text nur noch hypothetisch ein Urteil wagen dürfen. Eine Möglichkeit legt sich immerhin sehr nahe und sollte erwogen werden. V. 33 gehört sicher einem älteren Überlieferungsstück an und ist nicht erst nachträglich für den vorliegenden Zusammenhang konzipiert worden[6]. Die Pointe ruht auf V. 33 b, aber auch V. 33 a erweckt nicht den Eindruck einer sekundären Bildung, zumal V. 33 b als isoliertes Logion schwerlich denkbar ist. Was könnte dem vorangegangen sein? Wie schon er-

---

[1] Zu den Leidensweissagungen vgl. § 1 S. 46 ff.

[2] Diese Ansicht ist in älterer Zeit häufig vertreten worden; so noch ARNOLD MEYER, Die Entstehung des Markusevangeliums, in: Festgabe für Adolf Jülicher, 1927, S. 44; SUNDWALL, Zusammensetzung des Mk S. 54 f.

[3] Vgl. dazu BULTMANN, Syn. Trad. S. 69 f. Dies darf zwar keinesfalls als petitio principii verstanden werden, aber merkwürdigerweise zeigen fast alle Traditionsstücke, in denen Jesus die Initiative ergreift, ausgesprochen sekundäre Züge.

[4] Mk 6, 14 a. 16 ist redaktionell. Vgl. oben § 3 S. 222 f.

[5] Vgl. Mk 9, 33. 34; 10, 32. 52 fin.

[6] Gegen BULTMANN, Syn. Trad. S. 276 f.

wähnt, enthält V. 27 eine doppelte Einleitung. V. 27b gehört zu
V. 28f., V. 27a kann unmöglich zur vorhergehenden Erzählung gezogen werden[1], könnte also der alte Eingang eines Überlieferungsstückes sein, das mit V. 33 seinen Höhepunkt und Abschluß fand.
Dann muß dazwischen eine Lücke angenommen werden. Will man
hierüber noch etwas ermitteln, so hilft vielleicht die Erwägung, was
gerade die Einschiebung von V. 27b—29 ermöglicht hat, weiter[2]. Es
scheint nicht ausgeschlossen zu sein, daß in irgendeiner Weise von
der Hoffnung auf die irdische Erfüllung messianischer Erwartungen
durch Jesus die Rede gewesen sein mag, also eine Aussage in Gestalt
von V. 29b hier durchaus ihren ursprünglichen Platz gehabt haben
könnte. Die schroffe Abweisung in V. 33 prangert dann jegliche diesseitig-politische Messianologie als menschliches Trachten an[3]. Formgeschichtlich würde in V. 27a . . . 29b. 33 ein biographisches Apophthegma vorliegen[4]. Wie immer es dann noch um die Historizität

---

[1] Gegen BULTMANN, Syn. Trad. S. 275f. Selbst K. L. SCHMIDT, Rahmen
S. 216, rechnet mit einem Neuanfang, obwohl er sonst häufig mit sog. „Aus-
leitungen" liebäugelt. Auch die Ortsangabe wird man hier als ursprünglich anzusehen haben, da für die Nennung eines so konkreten Platzes keine Überlie-
ferungstendenz maßgebend gewesen sein kann.

[2] Dieser Fragestellung sollte in der formgeschichtlichen Arbeit auch sonst
mehr Beachtung geschenkt werden. Als Beispiel sei Mk 2,1—12 erwähnt, wo
sich die Zwischenschaltung von V. 6—10 sehr viel besser erklärt, wenn man
V. 5b beim Text der Wundererzählung beläßt; gegen WREDE, ZNW 5 (1904)
S. 354—358, der V. 5b mit zum Einschub rechnet; vgl. § 1 S. 43 Anm. 1.

[3] Nur für das zugrunde liegende Traditionsstück wird man sagen dürfen,
daß V. (32) 33 die eigentliche Pointe der Erzählung ist, nicht aber für die jetzige
Fassung, wie dies bei CULLMANN, Petrus S. 200f., geschieht; für den Mk-Text
muß die Tatsache, daß das Messiasbekenntnis im Sinne der Notwendigkeit des
Leidens interpretiert wird, als die entscheidende Aussage angesehen werden,
was durch das Unverständnis des Jüngers nur unterstrichen wird. Gleichwohl
wird man sagen dürfen, daß Mk 8,27ff. im Sinne einer „Abweisung des Petrusbekenntnisses" verstanden ist, sofern eben das Bekenntniswort des Petrus unter
das Schweigegebot gestellt und die Leidensweissagung in den Vordergrund
gerückt wird; so G. BORNKAMM, Enderwartung, in BORNKAMM-BARTH-HELD
S. 43f.

[4] Interessanterweise wird diese Herausschälung eines alten Apophthegmas
bis zu einem gewissen Grad von der Fassung des Petrusbekenntnisses, wie sie
in *Joh 6,66—71* überliefert ist, bestätigt. Wohl liegt dort eine tiefgreifende
Umformung und eine Verbindung mit spezifisch johanneischen Zügen vor, aber
die Grundstruktur der Erzählung zeigt überraschende Parallelen zu Mk 8,27a . . .
29b. 33. Der Eingang Joh 6,66 spricht davon, daß die Jünger ‚hinter Jesus her-
gehen', was bei Mk in 8,33 vorausgesetzt wird; das Mittelstück V. 67—69 enthält das eigentliche Bekenntnis des Petrus, wo sicher schon in vorjohanneischer
Tradition das ursprüngliche σὺ εἶ ὁ χριστός durch σὺ εἶ ὁ ἅγιος τοῦ θεοῦ ersetzt
worden ist, um die Aussage des Jüngers annehmbar zu machen; war bei Mk
abschließend Petrus als ‚Satan' angefahren worden, so ist hier von dem einen, der
zum Verräter werden wird, als dem ‚Diabolos' die Rede. Eindeutig setzt die johanneische Fassung das bei Mk zugrunde liegende biographische Apophthegma
voraus. Andererseits ist ähnlich wie in dem Schulgespräch Mk 8,27b—29 eine
positive Umformung des Bekenntnisses gegeben, nur daß Joh 6,66—70 noch
in ein früheres Stadium gehört. Hier ist das für Jesu irdisches Wirken zunächst

stehen mag — V. 33 b erweckt nicht den Eindruck einer nachträglichen Bildung —, ein derartiges Überlieferungsstück könnte ausgezeichnet erklären, wieso in der allerältesten Zeit der Christostitel überraschenderweise gar keine Rolle gespielt hat.

Von dem erschlossenen Apophthegma Mk 8,27a . . . 29b. 33 her läßt sich überdies die Entstehung der jetzigen Fassung von Mk 8, 27—33 gut verstehen. War ursprünglich der Messiastitel als solcher verworfen, so war er nach und nach adaptiert und von der Gemeinde derart umgeformt worden, daß er auch auf den irdischen Jesus angewandt werden konnte. Das hatte seinen Ausdruck unter anderem in dem Schulgespräch V. 27 b—29 gefunden. Aber gleichwohl bestand immer noch Zurückhaltung, und die Notwendigkeit einer genauen Definition des Messiastitels lag auf der Hand. So konnte zwar die positive Beurteilung des Christostitels gegenüber all den anderen in V. 28 genannten Bezeichnungen übernommen werden, gleichzeitig wurde aber durch die Leidensweissagung V. 31 eine sachgemäße „Interpretation" des Messiasbekenntnisses hinzugefügt[1]. Nun wurde die Abweisung des Petrus nur auf sein Unverständnis, das er gegenüber der Notwendigkeit des Leidens zeigt, bezogen, nicht auf sein Bekenntnis selbst.

Betrachten wir die Klammern, welche den Text in seiner Endredaktion zusammenhalten, so muß die Verbindung dem Evangelisten zugeschrieben werden. Denn V. 30 enthält eines der für Markus typischen Schweigegebote[2]: der Messiastitel wird nicht abgelehnt,

---

untragbare Messiasprädikat durch die für den eschatologischen Propheten gebrauchte Bezeichnung ὁ ἅγιος τοῦ θεοῦ ersetzt; dazu vgl. S. 235 ff., 392. Nach dem oben in § 3 S. 218 ff. Festgestellten hat nun aber gerade diese alte Konzeption von Jesus als dem eschatologischen Propheten sekundär die Neufassung des Christostitels und seine Anwendung auf den irdischen Jesus ermöglicht, also letztlich das Bekenntnis zu Jesus als dem Christos unter Ablehnung aller bloß prophetischen Prädikationen Mk 8, 27 b—29. Wir haben somit in Joh 6,66—70 das Zwischenglied zwischen Mk 8,27a . . . 29b. 33 und Mk 8,27b—29 vor uns. Mk hat die ältere Fassung der Erzählung und dieses Schulgespräch verbunden und außerdem noch die Passionstradition einbezogen. — Eine formgeschichtlich interessante Weiterbildung von Mk 8,27b—29 findet sich in *Thomasevangelium Spr. 13,* wo die Gegenüberstellung der Meinung der Menschen und des Bekenntnisses der Jünger (bzw. ihres Repräsentanten) ersetzt ist durch die Gegenüberstellung der Anschauungen verschiedener Jünger (Petrus und Matthäus) und des wahren Offenbarungsempfängers (Thomas), der allerdings kein Bekenntnis formuliert, sondern die Unaussprechbarkeit des Geheimnisses Jesu betont. Natürlich ist ThomEv 13 nicht unmittelbar von dem alten bei Mk aufgegriffenen Traditionsstück abhängig, sondern, wie die Fortsetzung zeigt, von Mt 16,13—20 (sic! vgl. o. S. 226); an die Stelle der Petrusverheißung ist eine ebenfalls unaussprechliche Offenbarung Jesu („drei Worte') an Thomas getreten.

[1] Dabei wirkte dann die Passionstradition ein, die sich ohnehin zunehmend mit dem Christostitel verbunden hatte.

[2] WREDE, Messiasgeheimnis S. 33 ff.

wohl aber unter die Forderung der Geheimhaltung gestellt. Auch die
Einleitung zur Leidensweissagung in V. 31 läßt sich, sowohl durch
den Gebrauch von ἤρξατο c. inf. wie durch das Stichwort διδάσκειν
als redaktionell erweisen [1]. V. 32a steht im Zusammenhang mit der
markinischen Vorstellung, daß dem Volk alles nur in Gleichnissen
widerfährt, die Jünger aber eine ἐπίλυσις durch esoterische Unterweisung erhalten [2]. In V. 32b endlich hat Mk eine Überleitung geschaffen, die, wiederum mit ἤρξατο verbunden, das ἐπιτιμᾶν aufnimmt,
welches schon in V. 30 Verwendung fand und dann wieder in V. 33a
folgt, wodurch eine schöne Wortresponsion erreicht wird [3]. Eine
gattungsmäßige Einordnung dieser so vielschichtigen und kunstvoll
komponierten Erzählung ist nicht möglich. Mk hat hier aus sehr verschiedenen Bausteinen eine Szene geschaffen, die er als eine gewichtige
christologische Aussage in das Zentrum seines Evangeliums stellen
konnte [4].

---

[1] Zu ἤρξατο c. inf. vgl. TAYLOR, Mk S. 48; zu διδάσκειν vgl. Mk 1,21. 22b; 2,13;
4,1f.; 6,2. 6b. 30. 34; 9,31; 10,1; 11,17; 12,35; 14,49.

[2] Vgl. Mk 4,10ff. 33f.; 7,17ff. u.ö. Dazu WREDE, a.a.O. S. 51ff.

[3] Ein Zeichen dafür, daß die Wortresponsionen durchaus nicht nur als
Symptom für mündlich geformte und dem Evangelisten bereits überkommene
Überlieferungsstücke kennzeichnend sind, wie dies in der genannten Arbeit
von SUNDWALL behauptet wird (passim). Eine eindeutig redaktionelle Wortresponsion liegt z.B. noch in Mk 1,45; 2,1f. vor. Eine gewisse Responsion besteht auch zwischen οἱ ἄνθρωποι 8,27b und τὰ τῶν ἀνθρώπων 8,33.

[4] Von dieser Analyse her gesehen ist es überaus unwahrscheinlich, daß es
sich um eine ursprüngliche Auferstehungsgeschichte handeln müsse; so bes.
BULTMANN, Die Frage nach dem messianischen Bewußtsein Jesu und das
Petrusbekenntnis, ZNW 19 (1919/20) S. 165—174; DERS., Syn. Trad. S. 277f.
Ebensowenig kommt man natürlich durch, wenn man für den gesamten Mk-
Text auf eine „Petruserinnerung" zurückgehen will, wie es neuerdings wieder
TAYLOR, Mk S. 374f., tut.

# EXKURS IV:

## Die Vorstellung vom hohepriesterlichen Messias und die urchristliche Tradition

Im Anschluß an die Untersuchung der königlichen Messianologie, ihrer Anwendung auf Jesus und ihrer christlichen Umformung, muß kurz geprüft werden, ob nicht auch die Anschauung vom messianischen Hohenpriester in der frühen urchristlichen Tradition Spuren hinterlassen hat. Es wurde gezeigt, daß die Gestalt eines hohepriesterlichen Messias in nachexilischer Zeit bei Sacharja erstmals auftauchte und im Judentum der Zeit Jesu eine nicht unmaßgebliche Rolle spielte. Die in den Höhlen von Qumran gefundenen Dokumente zeigen ebenso wie die Damaskusschrift und die Testamente der zwölf Patriarchen eine Überordnung des hohepriesterlichen Messias über den königlichen. Doch dies ist als eine Eigentümlichkeit der Messiaserwartung der Qumrangemeinschaft anzusehen, worin sie sich von der gelegentlich auch im rabbinischen Schrifttum auftauchenden Zwei-Messias-Lehre deutlich unterscheidet[1]. Innerhalb des Neuen Testamentes ist von einem hohepriesterlichen Amt Jesu ausdrücklich nur im Hebräerbrief gesprochen; hinzu kommen einige geprägte Wendungen im 1. Clemensbrief[2]. Daß in beiden Fällen ältere Traditionen aufgegriffen sind, ist mehrfach behauptet worden[3]. Entsprechend

---

[1] Für die Anschauung vom messianischen Hohenpriester ist vor allem zu verweisen auf KARL GEORG KUHN, Die beiden Messias Aarons und Israels, NTSt 1 (1954/55) S. 168—179; GERHARD FRIEDRICH, Beobachtungen zur messianischen Hohepriestererwartung in den Synoptikern, ZThK 53 (1956) S. 265—311; KURT SCHUBERT, Die Messiaslehre in den Texten von Chirbet Qumran, BZ NF 1 (1957) S. 177—197, bes. S. 181 ff., 188 ff.; A. S. VAN DER WOUDE, Die Mess. Vorstellungen s. Reg.; CULLMANN, Christologie S. 82 ff.; BURROWS, Mehr Klarheit S. 257 ff.; JOACHIM GNILKA, Die Erwartung des messianischen Hohenpriesters in den Schriften von Qumran und im Neuen Testament, RQ 2 (1960) S. 395—426, bes. S. 396 ff., 405 ff. Vgl. im übrigen § 3 S. 145 ff., 153 Anm. 4.

[2] Vgl. Hebr 2,17; 4,14f.; 5,5—10; 6,19f.; c. 7—10; 1Clem 36,1; 61,1; 64,1.

[3] Vgl. ALFRED SEEBERG, Der Brief an die Hebräer, 1912, S. 28, 156; RUDOLF KNOPF, Die zwei Clemensbriefe (HbNT Erg.-Bd. I), 1920, S. 106; ERNST KÄSEMANN, Das wandernde Gottesvolk (FRLANT NF 37), 1957², S. 107f., 124 ff.; A. J. B. HIGGINS, Priest and Messiah, VetTest 3 (1953) S. 321—336; GOTTFRIED SCHILLE, Erwägungen zur Hohepriesterlehre des Hebräerbriefs, ZNW 46 (1955) S. 81—109 (sehr problematisch!); vgl. auch FRANZ JOSEPH SCHIERSE, Verheißung und Heilsvollendung. Zur theologischen Grundfrage des Hebräerbriefs (Münchener Theol. Studien I/9), 1955, S. 158 ff.

wurde gefragt, ob sich Elemente dieser Anschauung nicht auch sonst in frühchristlicher Überlieferung niedergeschlagen haben[1]. Auf Grund der Bedeutung der Qumranfunde für die Erhellung des Denkens im palästinischen Bereich ist GERHARD FRIEDRICH im besonderen der Einwirkung der hohepriesterlichen Messianologie auf die älteste Jesusüberlieferung, wie sie in den Synoptikern erhalten geblieben ist, nachgegangen[2].

Es empfiehlt sich, die Untersuchung der Synoptiker nicht von den hohepriesterlichen Aussagen über Jesus im Neuen Testament sonst abzulösen, denn dort ist die Herkunft keineswegs eindeutig und mit dem Hinweis auf die Qumrantexte nicht schon erledigt. Dies ergibt sich aus einer näheren Betrachtung des *Hebräerbriefs*. Der messianische Hohepriester ist in allen Schichten des palästinischen Spätjudentums und besonders in den Qumrantexten eine Gestalt, die nur mit dem messianischen König zusammen auftritt[3]. Setzt man ihre Einwirkung auf die Christologie des Hebr voraus, so nötigt das zu der zwar nicht unmöglichen, aber doch nicht ohne weiteres naheliegenden Annahme, daß die verschiedenen ,,messianischen Aspekte der Messiaslehre der Qumranleute" auf eine einzige Person übertragen sind[4]. Darüber hinaus ist jedoch zu berücksichtigen, daß der Hebräerbrief die für die Qumrantexte konstitutive Herkunft des messianischen Hohenpriesters von Aaron, also aus dem Geschlecht Levi, nicht kennt[5]. Das hängt sicher nicht allein damit zusammen, daß Jesus kein Angehöriger des Geschlechtes Levi war[6], vielmehr stand das für ihn in Anspruch genommene Priesteramt nach der Ordnung Melchisedeks offensichtlich von vornherein in Antithese zu dem aaronitischen Priestertum[7]. Die ganze Vorstellung vom Hohenpriesteramt nach der

---

[1] So vor allem OLAF MOE, Das Priestertum Christi im NT außerhalb des Hebräerbriefs, ThLZ 72 (1947) Sp. 335—338; C. SPICQ, L'origine johannique de la conception du Christ-Prêtre dans l'Épître aux Hébreux, in: Aux sources de la tradition chrétienne (Mélanges M. Goguel) 1950, S. 258—269.

[2] FRIEDRICH, a.a.O. S. 275ff.

[3] Wohl tritt der königliche Messias allein auf, aber nirgends der hohepriesterliche Messias; vgl. BILLERBECK IV/2 S. 789, was auch nach der Entdeckung der Schriften von Qumran noch gilt.

[4] So z.B. KURT SCHUBERT, Die Gemeinde vom Toten Meer. Ihre Entstehung und ihre Lehren, 1958, S. 136f. (im Anschluß an Y. Yadin); der Hebr soll an Judenchristen gerichtet sein, ,,die aus den Kreisen der Qumran-Essener oder solcher Juden, deren Messiaslehre der qumranessenischen glich, kamen". Beziehungen des Hebr zu Qumran werden ebenfalls angenommen von HANS KOSMALA, Hebräer — Essener — Christen (Studia Post-Biblica 1), 1959, bes. S. 76ff.

[5] Auch für den als hohepriesterlicher Messias erwarteten Elia wird im Rabbinat die Herkunft aus Levi postuliert, vgl. BILLERBECK IV/2 S. 789ff.

[6] Hebr 7,13f.!

[7] Dies läßt sich nicht in der Weise erklären, daß die nt. Verknüpfung der Hohenpriesteranschauung mit der Vorstellung vom leidenden Gottesknecht, der durch sein Selbstopfer in Wahrheit die Menschen erlösen konnte, was der

Ordnung Melchisedeks dürfte sehr andere Wurzeln haben als die Zwei-Messias-Lehre des palästinischen Spätjudentums. Denn hierbei ist der Gegensatz von Himmlisch und Irdisch ausschlaggebend, was einerseits zur Spiritualisierung der Kultvorstellungen[1] und andererseits zur Antithese gegen das irdische Priestertum geführt hat. Ein deutlicher Hinweis darauf ist auch die Tatsache, daß der Hohepriester der Melchisedektradition ausgesprochen übermenschliche Züge trägt und eine geradezu himmlische Gestalt ist[2]. Suchen wir nach der Vorgeschichte dieser Anschauung, so werden wir auf das hellenistische Judentum verwiesen, wie ja auch eine Verwandtschaft mit gewissen, von Philo verarbeiteten Traditionen unverkennbar ist[3]. Dem Hebräerbrief ist zu entnehmen, daß die Anschauung von Jesu hohepriesterlichem Amt ein Ausbau der Erhöhungsvorstellung darstellt. Wohl wird auch Jesu Sühneleiden und seine Auffahrt zum Himmel mit in das Hohepriestertum einbezogen, aber es ergeben sich einige Spannungen und Unausgeglichenheiten[4], so daß angenommen werden darf, daß der Verfasser des Hebräerbriefs die Passionsaussagen selbst in die Hohepriesterlehre eingebaut hat[5]; dabei hat er sich allerdings nicht von einem Nebeneinander von Tod und Auferstehung Jesu, sondern von dem durch ein Wegschema bestimmten Nebeneinander von Tod und Erhöhung leiten lassen[6]. Das Schwergewicht liegt jedoch zweifellos auf dem himmlischen Priesteramt Jesu, im besonderen auf dem Eintreten für die Seinen vor Gott (7,25; 9,24)[7]. — Hierfür, aber auch nur hierfür gibt es einige Belege außerhalb des Hebräerbriefes. Das ἐντυγχάνειν ὑπὲρ ἡμῶν *Röm 8,34* ist bis in die Formulierung hinein mit Hebr 7,25 verwandt. Das Motiv der himmlischen Fürbitte findet sich

---

Priesterdienst der Aaroniten nicht vermochte, Anlaß zu solcher Antithese gegeben habe; gegen GNILKA, a.a.O. S. 420f.

[1] Diese ist auch sonst im Hebr auf Schritt und Tritt zu erkennen; vgl. dazu HANS WENSCHKEWITZ, Die Spiritualisierung der Kultusbegriffe Tempel, Priester und Opfer im Neuen Testament, Angelos-Beih. 4, 1932, bes. S. 131ff.

[2] Vgl. nur Hebr 7,1ff., wo die Anlehnung an überkommene Tradition sehr deutlich ist. Der messianische Hohepriester der Qumrantexte ist unbeschadet seiner endzeitlichen Funktion eine menschliche Gestalt.

[3] Vgl. dazu vor allem HANS WINDISCH, Der Hebräerbrief (HbNT 14) 1931², S. 61f.; KÄSEMANN, a.a.O. S. 125ff., auch wenn man nicht so weitreichende gnostische Einflüsse auf die vom Hebr übernommene Tradition voraussetzt; ferner das Material bei GOTTLOB SCHRENK, Art. ἀρχιερεύς ThWb III S. 265—284, bes. S. 272ff.; OTTO MICHEL, Der Brief an die Hebräer (KrExKommNT XIII), 1949⁸, S. 159f.; DERS., Art. Μελχισεδέκ, ThWb IV S. 573—575.

[4] Vgl. den berühmten Streit, ob erst der Erhöhte als Hoherpriester angesehen sei oder schon der Irdische; dazu KÄSEMANN, a.a.O. S. 140ff.

[5] Vgl. § 3 S. 215.        [6] Vgl. Phil 2,6—11, auch 1Tim 3,16.

[7] Mit Recht hat FRIEDRICH BÜCHSEL, Die Christologie des Hebräerbriefs (BFchrTh 27/2), 1922, S. 66 betont, daß „das Entscheidende am priesterlichen Handeln Jesu ist, daß er vor Gottes Angesicht tritt".

ebenfalls *1 Joh 2,1*[1]. Auch die drei Stellen des *1. Clemensbriefes* beziehen sich jeweils auf die Funktion des himmlischen Fürsprechers und Helfers[2]. In Röm 8,34 ist das ἐντυγχάνειν ausdrücklich mit der Erhöhungsaussage von Ps 110,1 ὅς ἐστιν ἐν δεξιᾷ τοῦ θεοῦ verbunden. Wie es zu dieser Verbindung gekommen ist, wird man nicht mehr sicher sagen können[3]; zum mindesten erklärt sich gut, wie die spätere Tradition die Melchisedekvorstellung einbeziehen konnte, nachdem bereits priesterliche Züge auf den Erhöhten übertragen waren. Offensichtlich wurde aber erst mit Hilfe dieser Melchisedektradition die Anschauung von Jesu Hohepriesteramt selbständig ausgebaut, während es vorher nur um die Verwendung eines Einzelmotivs ging. Eine Abhängigkeit von den Qumrantexten und ihrer hohepriesterlichen Messianologie läßt sich weder für den Hebräerbrief noch für das Motiv der himmlischen Fürbitte wahrscheinlich machen. Im übrigen muß man sich im klaren sein, daß die Übertragung eines kultischen Zuges auf Jesu Heilswerk nicht notwendig zur Folge haben mußte, daß Jesus zugleich als Hoherpriester angesehen worden ist[4].

Der mehrfach im Neuen Testament erwähnte Zug, daß Jesus durch seinen Tod die προσαγωγή πρὸς τὸν θεόν verschafft habe[5], ist bisweilen im Sinne einer hohepriesterlichen Funktion verstanden worden[6]. Dies würde bedeuten, daß nicht nur das Wirken des Erhöhten, sondern auch das Sterben Jesu schon vor der Abfassung des Hebräerbriefes als hohepriesterliches Handeln angesehen worden wäre. Aber diese Wendung hat keine ausschließlich kultische Bedeutung, sondern ebenso ihren Platz in der Rechtssprache und im Hofzeremoniell[7].

Wieweit in die Christologie des *Johannesevangeliums* priesterliche Züge aufgenommen sind, ist eine umstrittene Frage. Zum mindesten muß gesehen werden, daß sie stark umgeprägt und in die Gesamtkonzeption des Verfassers eingebaut sind[8]; daß eine selbständige, vor-

---

[1] Dort verbunden mit der Bezeichnung Jesu als παράκλητος, aber dieses Wort nicht im spezifisch johanneischen Sinne gebraucht.

[2] ἀρχιερεύς ist hier überall mit προστάτης zusammengestellt. Trotz der Abhängigkeit des 1Clem von Hebr (besonders deutlich in 36,2ff.) wird man diese Wendungen der geprägten liturgischen Sprache zuschreiben müssen, wie dies KNOPF a.a.O. mit Recht getan hat.

[3] Ob hier das at. Motiv der freien Bitte des Königs eingewirkt hat, kann gefragt werden. In Ps 110,4ff. ist nicht von der priesterlichen Fürbitte die Rede, weswegen man die Anschauung nicht einfach von Ps 110 ableiten kann.

[4] Das gilt z.B. für Röm 3,25.

[5] Vgl. Röm 5,2; Eph 2,18; 1Pt 3,18.

[6] MOE, a.a.O. Sp. 337f.; FRIEDRICH, a,a.O. S. 267f.

[7] KARL LUDWIG SCHMIDT, Art. προσάγω, ThWb I S. 131—134.

[8] Zur Auseinandersetzung mit der genannten Arbeit von SPICQ vgl. GNILKA, a.a.O. S. 421ff.

johanneische Konzeption von Jesus als Hohenpriester aufgenommen
sei, ist m. E. wenig wahrscheinlich[1].

Wenden wir uns den *Synoptikern* zu, so muß eine Stelle ernsthaft
in Betracht gezogen und genauer untersucht werden, die Anrede
Jesu mit ὁ ἅγιος τοῦ θεοῦ Mk 1,24 im Rahmen einer Dämonenaustrei-
bung. Die einzige Parallele dazu findet sich im Neuen Testament in
der johanneischen Fassung des Petrusbekenntnisses Joh 6,69, wo bei
den Synoptikern der Christustitel verwendet ist[2]. Daß Johannes ein
Überlieferungsstück verwendet, steht außer Frage[3]; andererseits ist
unschwer zu erkennen, daß diese Bekenntnisaussage in den theologischen Zusammenhang des Evangeliums eingebaut ist und jetzt von
dort her verstanden werden muß: ‚Der Heilige Gottes' ist mit ‚Sohn
Gottes' gleichgesetzt (10,36), er ist vom Vater geheiligt und in die
Welt gesandt (10,36) und hat selbst die Funktion, andere zu heiligen
(17,19b)[4]. Aber zweifellos ist ὁ ἅγιος τοῦ θεοῦ eine ältere Prädikation,
nach deren Ursprung und Bedeutung genauer gefragt werden muß;
denn schon in Mk 1,24 ist die Wendung in einem geprägten Sinn vorausgesetzt. Ein aktivisches Verständnis[5] ist hier nicht anzunehmen,

---

[1] Zunächst ist festzustellen, daß der Hohepriestertitel in Joh 1,35—51 fehlt,
wo die verschiedensten Hoheitsprädikationen auf Jesus übertragen sind. Die
beiden wichtigsten Stellen, die zugunsten einer Übernahme der Hohepriester-
anschauung durch Joh angeführt werden, sind 17,19 und 19,23. Die zweite
Stelle vom ungenähten Rock steht in Zusammenhang mit Ps 21,19 LXX und
bietet eine andere Auflösung des Parallelismus membrorum als Mk 15,24.
Doch ist damit das Rockmotiv noch nicht hinreichend geklärt. Das ungenähte
Gewand spielte zwar bei der Hohenpriestertracht eine Rolle (JosAnt III, 161!),
ist aber offensichtlich auch auf Mose und Adam übertragen worden, muß also
wohl mit einer Erlösertypologie zusammenhängen; vgl. BULTMANN, Joh S. 519 (f.)
Anm. 10. Die andere Stelle Joh 17,19 ‚ich heilige mich selbst für sie' wird vielfach im Sinne des Hebr als hohepriesterliches Selbstopfer verstanden. Der Gedanke des Sich-Heiligens konnte im AT und Judentum in verschiedenster Weise
gebraucht werden, hatte vielfach einen kultischen Bezug, war aber nicht notwendig ein priesterliches Handeln; vgl. den Gebrauch des pi und hitp von קדשׁ,
auch die Beispiele bei BILLERBECK II S. 567; SCHLATTER, Joh S. 324 (im Zusammenhang ethischer Forderungen), ferner das Passiv ἡγιασμένοι bzw. ἁγιασ-
θέντες im Blick auf die Märtyrer IV Makk 17,19f. Das Motiv stellvertretender
Sühne besagt jedenfalls nichts zugunsten eines priesterlichen Verständnisses.
Überdies steht ἁγιάζειν 10,36; 17,17f. in Verbindung mit dem Sendungsmotiv
(möglicherweise schon in der Tradition). Vgl. noch BULTMANN, Joh S. 391
Anm. 3.

[2] Sonst ist nur noch zu vergleichen: ὁ ἅγιος in 1 Joh 2,20; Apk 3,7; ὁ ἅγιος
παῖς Act (3,14) 4,27. 30; außerdem τὸ γεννώμενον ἅγιον in Lk 1,35 (dazu § 5
S. 307).

[3] Daß zwischen der synoptischen und johanneischen Fassung des Petrusbekenntnisses aufschlußreiche Beziehungen bestehen, ist in Exk. III S. 228
Anm. 4 bereits erwähnt worden.

[4] Dahinter steht der Gedanke der durch die Offenbarung ermöglichten Einheit
mit Gott; vgl. RAGNAR ASTING, Die Heiligkeit im Urchristentum (FRLANT
NF 29), 1930, S. 311f.; BULTMANN, Joh S. 344f.

[5] Also im Sinne von ὁ ἁγιάζων Hebr 2,11, wie es auch Joh 17,19a vorausgesetzt ist.

es kann nur um den von Gott Geheiligten gehen. Daß die Bezeichnung
ein „Messiasprädikat" sein muß, weil der magische Zweck eine möglichst zutreffende Anrede erfordert[1], mag für den jetzigen Zusammenhang gelten, besagt aber nichts über die der Wendung zugrunde
liegende Anschauung; gleiches gilt für die Deutung, Jesus begegne
hier als Träger des heiligen Geistes den unreinen Geistern, stehe ihnen
also als „pneumatisches Wesen" gegenüber, dessen „Göttlichkeit"
sie anerkennen müssen[2]. Hierbei ist ein hellenistisches Verständnis
zum Maßstab genommen, wie es für den Evangelisten maßgebend
ist, aber weder der alten palästinischen Tradition dieser Austreibungs-
geschichte[3] noch der ursprünglichen Bedeutung der Prädikation ‚Der
Heilige Gottes' entsprechen kann. FRIEDRICH betont, daß einerseits
der Heiligkeitsbegriff in die kultische Sphäre verweist und besonders
in der Bezeichnung Aarons eine Parallele hat, daß zum andern die
Überwindung der Dämonen in den Testamenten der zwölf Patriarchen
als Aufgabe des messianischen Hohenpriesters angesehen werde. Was
die Vernichtung der Dämonen angeht, so sind die angeführten Belege
aus TestLev 18,12; TestDan 5,10f. jedoch nicht überzeugend und
stellen keine wirklichen Parallelen dar. Denn dort liegt ein ganz anderes
Verständnis der bösen Geister vor: in den Austreibungsgeschichten
der Evangelien sind es die Urheber der Krankheit (Besessenheit), in
den Testamenten sind die πονηρὰ πνεύματα dagegen die Anhänger
Beliars, die vom messianischen Hohenpriester in einem heiligen Krieg
überwunden werden müssen (TestDan 5,10); es steckt somit die besondere dualistische Konzeption der Qumrantexte hinter diesen Aussagen[4], während es sich in den Austreibungserzählungen um den
allgemeinen Dämonenglauben des Spätjudentums handelt[5]. Diese
Beziehungen scheiden demnach aus. Wie steht es dann mit der Bezeichnung ὁ ἅγιος τοῦ θεοῦ? In alttestamentlich-jüdischer Tradition ist
‚heilig' vornehmlich ein kultischer Begriff, doch er darf hierauf nicht
eingeengt werden. Es geht allgemein um das von der Welt Abgeson-
derte und zu Gott Gehörende[6]. So kann Jeremia zum Propheten

---

[1] So OTTO BAUERNFEIND, Die Worte der Dämonen im Markusevangelium
(BWANT III/8), 1927, S. 16f.

[2] So OTTO PROCKSCH, Art. ἅγιος, ThWb I S. 102f.; ihm schließt sich GNILKA,
a. a. O. S. 410 an. Ähnlich TAYLOR, Mk S. 174; BARRETT, Joh S. 253.

[3] Diese wäre von Lk 11,20 par. her zu verstehen, also im funktionalen Sinne,
ohne Reflexion über Wesenheiten. Vgl. § 5 S. 297ff.

[4] Vgl. dazu KARL GEORG KUHN, Die Sektenschrift und die iranische Religion,
ZThK 49 (1952) S. 296—316, bes. S. 301(f.) Anm. 4.

[5] Vgl. BOUSSET-GRESSMANN S. 339f.; BILLERBECK IV/1 S. 501—535, bes.
S. 521ff.

[6] Im Griechischen ist das ohnedies seltene Wort ἅγιος niemals auf Menschen
angewandt; vgl. PROCKSCH, ThWb I S. 88.

‚geheiligt' werden (Jer 1,5). Zunächst ist also deutlich, daß es sich um eine Bezeichnung handelt, die auf eine bestimmte Aussonderung, auf eine besondere Aufgabe im Auftrag Gottes hinweist. Da der Heiligkeitsbegriff schon im Spätjudentum häufiger in eschatologischen Aussagen vorkommt[1], darf man bei ‚Der Heilige Gottes' wohl speziell an eine endzeitliche Funktion denken. Aber handelt es sich tatsächlich um eine priesterliche Kennzeichnung? Es kann darauf hingewiesen werden, daß Aaron Sir 45,6 ἅγιος und Ps 105,16 LXX sogar ὁ ἅγιος κυρίου genannt wird, was in nächste Nähe von Mk 1,24 führt. Auf der anderen Seite muß aber beachtet werden, daß von Elisa in 4 Reg 4,9 gesagt wird: ἄνθρωπος τοῦ θεοῦ ἅγιος οὗτος; ferner ist in SapSal 11,1 von Mose als προφήτης ἅγιος die Rede[2]; und dazu kommt vor allem die Aussage Simsons nach Jdc 16,17 B: ἅγιος θεοῦ ἐγώ εἰμι ἀπὸ κοιλίας μητρός. Es zeigt sich also, daß von heiligen Personen nicht nur im Zusammenhang des Priestertums, sondern auch des Prophetenamtes gesprochen werden konnte[3] und das titulare ὁ ἅγιος τοῦ θεοῦ diesbezüglich in Jdc 16,17 B eine ganz nahe Parallele hat[4]. Nimmt man

---

[1] Vgl. BULTMANN, Joh S. 344 (f.) Anm. 6, auch Anm. 5.

[2] Mit Vaticanus ist hier gegen Alexandrinus ἐν χειρὶ προφήτου ἁγίου singularisch zu lesen, wie es dem Zusammenhang allein entspricht; so auch JOHANNES FICHTNER, Die Weisheit Salomos (HbAT II/6), 1938, S. 40, 41f.

[3] Auch an die ‚heiligen Gesalbten' = Propheten von CD II, 12; VI, 1f. darf erinnert werden; vgl. v. D. WOUDE, a.a.O. S. 8ff., 20ff.

[4] Auf Jdc 16,17 B hat jüngst EDUARD SCHWEIZER, „Er wird Nazoräer heißen" (zu Mc 1,24; Mt 2,23), in: Judentum-Urchristentum-Kirche (Festschrift für Joachim Jeremias, BZNW 26), 1960, S. 90—93, hingewiesen und ebenfalls für Mk 1,24 den Zusammenhang mit der Erwartung des endzeitlichen Propheten herausgestellt. Im cod. Alexandrinus steht dem hebräischen Text entsprechend ναζιραῖος. Die beiden Begriffe müssen nach spätjüdischem Verständnis also austauschbar gewesen sein; und es dürfte sich um eine Vorstellung handeln, die nicht erst im hellenistischen Judentum aufgekommen ist. Schw. geht noch einen Schritt weiter und will auch die Bezeichnung Ναζωραῖος aus diesem Zusammenhang erklären. Nun steht rein philologisch einer Ableitung dieses Wortes von dem Namen der Stadt Nazareth nichts im Wege; vgl. HANS HINRICH SCHAEDER, Art. Ναζαρηνός, Ναζωραῖος, ThWb IV S. 879—884, aber es ist doch zu fragen, ob mit dieser sprachlichen Möglichkeit die Sache schon entschieden ist. Das Problem wurde vielfach vermischt mit Erwägungen über Jesu Verbindung zu spätjüdischen Sekten, deren Ausläufer bei den späteren Mandäern gefunden werden sollten; so zuletzt wieder BERTIL GÄRTNER, Die rätselhaften Termini Nazoräer und Iskariot (Horae Soederblomianae IV), 1957, bes. S. 24ff. (vgl. die Rezension von CARSTEN COLPE, ThLZ 86, 1961, Sp. 31—35). Dagegen erheben sich in jedem Fall Bedenken. Doch wenn man die Frage beschränkt auf die Anwendung der Nasiräervorstellung auf Jesus, so ist dies traditionsgeschichtlich berechtigt. Es muß dann nur beachtet werden, daß die Nasiräerbezeichnung, sofern sie nicht durch die Wendung ὁ ἅγιος τοῦ θεοῦ ersetzt wurde, einerseits durch die Heimatsangabe Ναζαρηνός verdrängt werden konnte und in anderen Fällen durch die alte aramäische und syrische Christenbezeichnung nāṣrājā/nāṣerājā beeinflußt wurde (vgl. dazu נָצְרִי im bab. Talmud und Ναζωραῖοι in Act 24,5), welche ihrerseits mit dem aramäischen Stadtnamen nāṣrat zusammenhängen wird. Vgl. noch GUSTAF DALMAN, Orte und Wege Jesu, 1924[3], S. 61ff.; weitere

noch hinzu, daß das τί ἡμῖν καὶ σοί Mk 1, 24 ebenfalls in Beziehung zu
der Tradition der alttestamentlichen Charismatiker und Gottesmänner
steht[1] und gerade die Erzählung der Wundertaten Jesu bisweilen
Züge trägt, die an jene Gestalten erinnern, so darf ὁ ἅγιος τοῦ θεοῦ
doch sehr viel eher als Entsprechung zu der Charismatikerbezeich-
nung angesehen werden denn als Parallele zu den genannten Prädi-
katen Aarons. Dafür spricht auch noch, daß die Vorstellung vom eschatologischen Propheten offensichtlich früh auf Jesus übertragen
worden ist[2] und sich die Übernahme von Elementen jener Charismatikertradition gerade auch von hier aus nahelegte[3]. Die Beziehung von Mk 1, 24 auf die Anschauung vom messianischen Hohenpriester wäre nur gerechtfertigt, wenn sich auch sonst in ältester Überlieferung die Einwirkung der hohepriesterlichen Messianologie feststellen ließe.

FRIEDRICH hat, abgesehen von Mk 1, 24, noch auf 15 andere synoptische Stellen hingewiesen[4]. Die Anrede Jesu mit ‚Sohn Gottes‘ in
Dämonenaustreibungen darf sicher ebensowenig wie ‚Der Heilige
Gottes‘ dem Zusammenhang der Hohenpriestervorstellung zugewiesen
werden[5]. Daß die Taufe Jesu ein Akt priesterlicher Weihe sei, ist

---

Literatur bei BAUER, Wb. s. v., ferner bei SCHAEDER und SCHWEIZER. — FRANZ
MUSSNER, Ein Wortspiel in Mk 1, 24?, BZ NF 4 (1960) S. 285f., vermutet hinter
ὁ ἅγιος τοῦ θεοῦ ein ursprüngliches נְזִיר [הָ]אֱלֹהִים, was dann Wortspiel mit
Ἰησοῦ Ναζαρηνέ = הַנָּצְרִי יֵשׁוּעַ gewesen sei; auf diese Weise soll schon der
Herkunftsname geheimnisvoll das Wesen Jesu andeuten und in Beziehung zum
„Messiasgeheimnis“ stehen. Aber wie immer der ursprüngliche aramäische (sic)
Text gelautet haben mag, es genügt, daß auf Grund von ὁ ἅγιος τοῦ θεοῦ der Zu-
sammenhang von Mk 1, 24 mit dieser Vorstellung überhaupt erkennbar ist. Das
„Messiasgeheimnis“ ist eine redaktionelle Konzeption des Mk und trägt zur Er-
klärung des alten Traditionsstückes nichts bei.

[1] Es entstammt der Elia-Erzählung, vgl. 3 Reg 17, 18: τί ἐμοὶ καὶ σοί, ἄνθρωπε
τοῦ θεοῦ.

[2] Vgl. Anhang S. 380 ff. Daß ‚Der Heilige Gottes‘ überhaupt keine Beziehung
zu den geläufigen Messias-, Heilands- und Erlösertiteln der jüdischen und hellenistischen Tradition gehabt habe, so BULTMANN, Joh S. 344, wird man daher
nicht sagen dürfen.

[3] Wenn sonst Dämonenaustreibungen nicht zum Bilde des eschatologischen
Heilbringers gehören, vgl. FRIEDRICH a. a. O. S. 278, so wird man beachten
müssen, in welchem Maße sie für Jesu irdisches Wirken charakteristisch gewesen sind, wie allein Lk 11, 20 par. zeigt. Jedenfalls fügen sie sich dem Bilde
des eschatologischen Propheten ausgezeichnet ein und sind in solchem traditionsgeschichtlichen Zusammenhang Act 10, 38 ausdrücklich erwähnt. Andererseits
dürften auch manche Besonderheiten des Auftretens Jesu an jene biblischen
Charismatiker erinnert haben.

[4] FRIEDRICH, a. a. O. S. 279 ff. Für die Behandlung der Einzelstellen gebe ich
im folgenden nicht jeweils die Seiten an, führe aber die Texte in der von Fr.
gewählten Reihenfolge auf.

[5] Vgl. zu Herkunft und Eigenart der Gottessohnbezeichnung Jesu in Wundererzählungen § 5 S. 292 ff.

weder durch die Parallele in TestLev 18 erwiesen[1] noch durch Hebr
5,5—7, denn dieser letztgenannte Text zeigt bei der Verwendung
von Ps 2,7 eine jüngere Überlagerung der Erhöhungsanschauung (sic)
durch die Hohepriesterlehre[2]. Eine Beziehung der Versuchungsgeschichte Mk 1,12f. zu TestLev 18,10 ist völlig unwahrscheinlich. Bei
der Antrittspredigt Jesu in Nazareth Lk 4,16ff. gibt FRIEDRICH
selbst zu, daß in Jes 61,1 eigentlich an den Propheten gedacht sei.
Das Davidssohngespräch soll die volkstümliche Erwartung des Messiaskönigs abwehren und statt dessen auf den messianischen Hohenpriester
verweisen, was aber nur durch Einbeziehung des nicht zitierten V. 4
von Ps 110 erklärt werden kann. ‚Hier ist mehr als der Tempel' Mt
12,6 dürfte kaum auf die Hohepriesterlehre abzielen. Bei dem Verhör
vor dem Hohen Rat wird das Menschensohnwort als sekundär angesehen, weil in den Zusammenhang mit dem Tempelwort Mk 14,58 und
der Frage V. 61 nur die Vorstellung vom hohepriesterlichen Messias
passe[3], doch ist diese Analyse nicht haltbar[4]. Auch die Verspottung
Jesu Mt 26,28 kann nicht als eine typisch hohepriesterlicheVerspottung
angesehen werden[5]. In Mk 15,35 wird man nicht an Elia als endzeitlichen Hohenpriester, sondern als den Nothelfer in der Gegenwart
denken müssen. Daß in Mk 2,5ff. ‚Menschensohn' wiederum sekundär
eingetragen sei, weil die Sündenvergebung eine hohepriesterliche Aufgabe wäre, ist ganz abwegig[6]. Gleiches gilt für die Erwägung über den
Zusammenhang von Hoherpriester-Tempel-Gemeinde in Mt 16,18ff.
Daß Mk 1,40ff. als Handeln des eschatologischen Hohenpriesters verstanden werden müsse, den die irdischen Priester nicht erkennen,
überzeugt nicht. Die Segnung der Kinder Mk 10,13ff. wird man
gleichfalls nicht als ein spezifisch hohepriesterliches Tun ansehen
können. Endlich ist das Auftreten Jesu im Tempel sicher nicht als
Akt des messianischen Hohenpriesters dargestellt[7], wie auch die Ver-

---

[1] Vgl. Exk. V S. 346 Anm. 1.

[2] FRIEDRICH, a.a.O. S. 283f., will hier eine Bestätigung dafür sehen, daß
Ps 2 im Urchristentum ursprünglich im Zusammenhang der Weihe des irdischen
Jesus zum Hohenpriester gestanden habe, was traditionsgeschichtlich aber
schlechterdings unmöglich ist.

[3] FRIEDRICH, a.a.O. S. 289ff.

[4] Am lockersten sitzt gerade das Tempelwort im Gefüge dieser Erzählung;
vgl. § 3 S. 177 Anm. 3.

[5] FRIEDRICH, a.a.O. S. 291. Daß die Vorstellungen vom Hohenpriester und
Propheten vielfach zusammengeflossen sind, soll nicht bestritten werden, aber
dann liegt trotzdem bei der Aufforderung zum Weissagen noch keine eigentlich
hohepriesterliche Anschauung vor (was sich für Fr. natürlich auch nur aus dem
Gesamtbild ergibt).

[6] Es geht hier doch um ein Vorrecht Gottes, in das Jesus eingreift! So zutreffend auch GNILKA, a.a.O. S. 409.

[7] Dann müßte Jesus schon ins Heiligtum selbst eintreten. Vgl. zu diesem
Text § 3 S. 171f.

suchung Mt 4, 5—7 par. Lk 4, 9—12 nicht aus solchem Zusammenhang
gedeutet werden kann[1]. Alle Stellen, die FRIEDRICH herangezogen
hat, sind somit nicht beweiskräftig[2]. Erst recht besagt das bloße
ὁ χριστός nichts über den messianischen Hohenpriester[3]. Die Annahme,
daß die Anschauung von Jesus als dem hohepriesterlichen Messias
von der Menschensohnkonzeption aufgesogen und überdeckt worden
sei[4], läßt sich nicht erhärten, denn die Menschensohnvorstellung ist
zweifellos eine der ältesten ausgeprägten christologischen Traditionen
und weitgehend in sich selbständig; priesterliche Elemente fehlen
jedenfalls völlig[5]. Daß es zudem die frühe Gemeinde vermieden habe,
gegenüber Juden von Jesus, der nicht von Levi abstammte, als dem
messianischen Hohenpriester zu sprechen, und daher auch nur wenig
Belege erhalten geblieben seien, ist ein wenig überzeugendes Argument.

Überblickt man das neutestamentliche Material, so muß festgestellt
werden, daß abgesehen von der aus anderen Wurzeln stammenden
Hohepriesterlehre des Hebräerbriefs keine Anzeichen vorhanden sind
für eine Deutung des Wirkens Jesu im Sinne der hohepriesterlichen
Messianologie[6]. Nur die Funktion des Erhöhten, das Eintreten für
die Gemeinde vor Gott, ist wahrscheinlich als priesterlicher Dienst
verstanden worden, aber wie die Erhöhungsvorstellung selbst dürfte
dies erst auf hellenistischem Boden erfolgt sein und steht in keinem
erkennbaren Zusammenhang mit jener Anschauung des palästinischen
Judentums. Das irdische Wirken Jesu und sein Sterben haben von
daher ebensowenig eine Deutung erhalten[7]. Es überrascht auch nicht,

---

[1] Vgl. § 5 S. 303.

[2] Zu demselben Ergebnis kommt auch GNILKA, a.a.O. S. 409ff., obwohl er
die Texte bisweilen anders beurteilt.

[3] Gegen FRIEDRICH, a.a.O. S. 302f.

[4] FRIEDRICH, a.a.O. S. 305ff.; er nimmt ferner auch noch eine Verbindung
mit der Gottesknechtvorstellung an (Tauf- und Verklärungsgeschichte!). Eine
Zusammengehörigkeit von Gottessohn-, Hohepriester- und Gottesknechtanschauung behauptet WALTER GRUNDMANN, Sohn Gottes. Ein Diskussionsbeitrag, ZNW 47 (1956) S. 113—133; eine Einzelbehandlung der einschlägigen
Texte fehlt.

[5] Bei den Menschensohnworten sind nur in den jüngeren Spruchgruppen
Elemente der Passionsüberlieferung, vereinzelt in Mk 10,45 b die Anschauung
vom stellvertretend leidenden Gottesknecht und in Lk 19,10 die Vorstellung
von Jesus als σωτήρ aufgenommen worden.

[6] Noch stärkere Bedenken erheben sich gegen die Erwägung, daß schon
Jesus den Gedanken eines idealen Priestertums nach der Ordnung Melchisedeks
auf sich bezogen habe; so CULLMANN, Christologie S. 87ff., auf Grund von Mk
12,35ff.; 14,62, wobei wiederum zu Ps 110,1 stillschweigend V. 4 hinzugenommen
wird. Sonst sieht er in der synoptischen Überlieferung keine Beziehungen zur
hohepriesterlichen Messianologie; vgl. seine Äußerung S. 104 Anm. 1 über
Friedrichs Untersuchung.

[7] Man muß sich zudem klarmachen, daß der Gedanke des Selbstopfers des
Hohenpriesters ungewöhnlich ist und die Ausweitung einer bereits übernommenen Anschauung auf Grund der Geschichte Jesu sein dürfte.

daß Jesu Wirken auf Erden mit Hilfe dieser Vorstellung keine Ausdeutung erfahren hat. Denn einmal gilt dasselbe, was bei der königlichen Messianologie gesagt werden mußte, daß nämlich das Auftreten des messianischen Hohenpriesters den endgültigen Anbruch der Heilszeit voraussetzt. Zum andern war Jesus seinem ganzen Auftreten nach alles andere als eine priesterliche Gestalt, so daß die hohepriesterliche Messianologie sich in keiner Weise nahelegte. Die Einwirkung der Vorstellung vom messianischen Hohenpriester, wie sie uns besonders in den Qumrantexten entgegentritt, läßt sich für das Neue Testament nicht wahrscheinlich machen.

## § 4. DAVIDSSOHN

Eine umfassende neuere Untersuchung der Davidssohntradition fehlt[1]. Um die Bedeutung dieses Würdetitels und der damit verbundenen christologischen Aussagen verstehen zu können, muß ein kurzer Überblick über die gesamte, ohnedies nicht sehr häufige Verwendung im Urchristentum gegeben werden.

### 1. *Die Davidssohnschaft Jesu in ältester Tradition*

Die Aussagen über Jesu Davidssohnschaft reichen in die frühe palästinische Gemeinde zurück. Eine wichtige Rolle müssen dort zunächst die *Stammbäume* und der Nachweis der Abstammung Jesu aus davidischem Geschlecht gespielt haben. Geschlechtsregister sind ,,in der Sache und der Form heimisches jüdisches Erbe"[2]. Die bei Matthäus und Lukas erhaltenen Genealogien sind allerdings mehrfach überarbeitet und können in ihrer jetzigen Gestalt nicht ohne weiteres als Dokumente der palästinisch-judenchristlichen Gemeinde angesehen werden. Immerhin tritt ihre ursprüngliche Intention bei aller Überlagerung noch so deutlich heraus, daß eine Analyse vorgenommen werden kann. Bei *Mt* ist der Stammbaum (1, 1—17) in V. 16 durch die Aufnahme des Theologumenons von der Jungfrauengeburt an entscheidender Stelle durchbrochen[3]; ferner ist die Davidssohnschaft da-

---

[1] Auch die Abhandlung von WILHELM MICHAELIS, Die Davidssohnschaft Jesu als historisches und kerygmatisches Problem, in: Der historische Jesus und der kerygmatische Christus, 1960, S. 317—330, hebt diese Feststellung nicht auf. Grundlegend ist immer noch WILLIAM WREDE, Jesus als Davidssohn, in: Vorträge und Studien, 1907, S. 147—177. Daneben sind zu erwähnen: ERNST LOHMEYER, Gottesknecht und Davidssohn (FRLANT NF 43), 1953[2], bes. S. 64 ff.; TAYLOR, Names of Jesus S. 24; CULLMANN, Christologie S. 128—144; nachträglich verweise ich noch auf EVALD LÖVESTAM, Son and Savior (Coniect. Neotest. XVIII), 1961.

[2] SCHLATTER, Mt S. 2.

[3] Die Anschauung von der Jungfrauengeburt ist der alten palästinischen Gemeindetradition mit Sicherheit nicht zuzurechnen. Dafür sprechen ebenso deutlich die traditionsgeschichtlichen Erwägungen zu den in Frage kommenden Textabschnitten als auch die Tatsache, daß das spätere Judenchristentum dieses Theologumenon strikt abgelehnt hat; vgl. HANS-JOACHIM SCHOEPS, Theologie und Geschichte des Judenchristentums, 1949, S. 71 ff; DERS., Urgemeinde-Judentum-Gnosis, 1956, S. 22 ff.; ferner die Rezension des erst-

durch relativiert, daß die Reihe der Väter bis auf Abraham fortgesetzt ist, wodurch der Gedanke der göttlichen Erwählung in den
Vordergrund gerückt wird[1]; endlich ist dem Ganzen noch ein apokalyptisches Schema aufgeprägt[2]. Grundbestand dürfte eine Ge-
schlechterreihe von David über Joseph zu Jesus gewesen sein[3]. Auch
bei *Lk* (3, 23—38) ist ein ursprünglich kürzerer Stammbaum vorauszusetzen, der wahrscheinlich nur bis zu dem Davididen Serubbabel
reichte[4]. Die rückwärtige Verlängerung erfolgte hier über David bis
zu Adam, wodurch eine typologische Zuordnung von Adam und
Christus gewonnen werden sollte[5]; außerdem ist auch hier ein Heb-
domadensystem durchgeführt[6]; 3, 23 ist in seiner jetzigen Fassung
lukanisch, und ferner hat der Evangelist in V. 38 τοῦ ϑεοῦ ergänzt, um

genannten Buches von GÜNTHER BORNKAMM, ZKG 64 (1952/53) S. 196—204,
wo S. 198 ausdrücklich anerkannt wird, daß hier „eine alte, auf die Urgemeinde
zurückgehende Christologie" nachwirkt.

[1] Der Gedanke der Erwählung liegt auch der Erwähnung der 4 Frauen in
Mt 1, 3. 4. 6. 7 zugrunde. Daß ihre Nennung mit der Erwähnung der Maria in
V. 16 korrespondiert, ist offensichtlich. V. 1—6 wurde wohl überhaupt erst
konzipiert, als die Jungfrauengeburt in V. 16 schon berücksichtigt worden war;
in V. 7 wurde dann die Frau des Uria nachgetragen. Selbstverständlich ist bei
diesen Frauen die außergewöhnliche Berufung maßgebend und nicht ihre Sünd-
haftigkeit, zumal dies auf Maria in keiner Weise passen würde; so mit KLOSTER-
MANN, Mt S. 2; SCHLATTER, Mt S. 2f., gegen BILLERBECK I S. 15; SCHNIEWIND,
Mt S. 10. — Einen beachtenswerten Hinweis verdanke ich noch Herrn Prof.
G. BORNKAMM: Die Abrahamskindschaft bezeichnet im besonderen auch die
Zugehörigkeit zum Volke Gottes und wird nach Mt 3, 9 par. von den Juden
im irdisch-natürlichen Sinne beansprucht. Die christliche Gemeinde sieht die
Abrahamskindschaft in Christus erfüllt und durch ihn vermittelt, versteht sich
als ‚sein Volk' (1, 21). Damit ist der Übergang zur Völkerwelt (vgl. Mt 28, 18ff.)
und der paulinische Gedanke der Abrahamskindschaft im Glauben (Gal 3, 6ff.;
Röm 4) bereits vorbereitet.

[2] Dieses in Mt 1, 17 ausdrücklich betonte Schema von 3 Perioden mit je
2 mal 7 Gliedern hat bekanntl. z. Auslassung mehrerer Generationen gegenüber
den at. Berichten und Genealogien geführt; vgl. KLOSTERMANN, Mt S. 5f. In
dieser Gliederung ist eine ganze Geschichtskonzeption enthalten, wonach der
Gang der Geschehnisse in Gottes ewigem Ratschluß festgelegt ist und zu seinem
vorbestimmten Ziele kommt, der messianischen Erfüllung, die hier das irdische
Wirken Jesu mit einschließt.

[3] Daß in irgendeinem alten Text des Mt-Ev in 1, 16 die natürliche Vaterschaft Josephs ausgesagt wäre, darf man natürlich nicht erwarten. Das gilt
auch im Blick auf den vielerörterten Text des sinaitischen Syrers, in dem der
genealogische Zusammenhang wohl lediglich im Sinne einer rechtsmäßigen
Vaterschaft gedeutet werden soll. Zu den verschiedenen Textformen vgl. KLOSTER-
MANN, Mt S. 6f.

[4] So mit guten Gründen GOTTFRIED KUHN, Die Geschlechtsregister Jesu bei
Lucas und Matthäus, nach ihrer Herkunft untersucht, ZNW 22 (1923) S. 206—
228, bes. S. 208f. Dafür sprechen vor allem sprachliche Argumente, nämlich die
Unabhängigkeit bzw. Abhängigkeit der Namen von LXX.

[5] Vgl. JOACHIM JEREMIAS, Art. Ἀδάμ, ThWb I S. 141.

[6] Vgl. RENGSTORF, Lk S. 61: Die 77 Glieder von Adam bis Christus dürften
kaum zufällig sein; außerdem wird nach IV Esra 14, 11f. der Messias am Ende
der 11. Weltwoche erwartet. Vgl. auch KLOSTERMANN, Lk S. 57.

ein indirektes Zeugnis für die Gottessohnschaft Jesu und damit eine
Verbindung zur Taufgeschichte zu erzielen. Von allen diesen Um- und
Ausdeutungen ist hier abzusehen[1]. In ihrer ursprünglichen Gestalt
setzen beide Stammbäume die Vaterschaft Josephs voraus, nur so
sind sie überhaupt sinnvoll, und damit den unmittelbaren natürlichen
Zusammenhang Jesu mit dem davidischen Geschlecht. Man wird zwar
nicht annehmen können, daß es sich im einzelnen um echte Familien-
tradition handelt, denn dagegen spricht schon die Verschiedenheit
der beiden Genealogien[2]. Wohl aber wird daraus gefolgert werden
dürfen, daß sich die Familie Jesu ihrer Zugehörigkeit zur Sippe Davids
bewußt war, Jesus also tatsächlich dem Geschlecht Davids entstammt[3]. Daß die Familienzugehörigkeit zur Zeit Jesu auch im
Volke noch eine Rolle spielte, läßt sich nicht bestreiten[4] und ist für
die Familie Jesu zudem noch durch die spätere Nachricht des Hegesipp
über die dem Kaiser Domitian vorgeführten Verwandten Jesu bestätigt[5]. Damit ist jedoch noch nicht die Bedeutung erklärt, die diesem

---

[1] Eine apologetische Rechtfertigung der Historizität beider Stammbäume in
ihrer jetzigen Gestalt, wie sie etwa KARL BORNHÄUSER, Die Geburts- und
Kindheitsgeschichte Jesu, 1930, S. 6ff., 22ff., versucht hat, ist unhaltbar. Umgekehrt braucht man aber auch nicht wie MAXIMILIAN LAMBERTZ, Die Toledoth
in Mt 1,1—17 und Lc 3,23 bff., Festschrift Franz Dornseiff, 1953, S. 201—225,
einfach damit zu rechnen, daß mit den jetzigen Genealogien „ein etwaiger alter
schlichter Stammbaum des Tischlermeisters Joseph aus Nazareth durch einen
erfundenen ruhmvollen, auf David zurückgehenden des Messias Jesus ersetzt
wurde" (S. 217). Die Probleme sind differenzierter.

[2] Es ist ein vergebliches Unterfangen, wenn versucht wird, den heraus-
gearbeiteten Grundbestand der beiden Stammbäume nach alter kirchlicher
Tradition dann wieder den Familien Josephs und der Maria zuzuschreiben; so
G. KUHN, a.a.O. S. 209, 218f.

[3] Dies nachzuweisen ist das Hauptanliegen von MICHAELIS a,a.O. Doch halte
ich methodisch den von ihm eingeschlagenen Weg nicht für ergiebig. CULLMANN,
Christologie S. 129f., ist in der Auswertung der Genealogien sehr zurückhaltend,
stützt sich aber auf Röm 1,3.

[4] Vgl. die in dieser Hinsicht aufschlußreichen Texte über die nach Familien-
verbänden eingeteilten Holzlieferungen für den Tempel bei WREDE, Vorträge
S. 149ff.; über Legitimität der Abstammung und über Laienstammbäume vgl.
noch JOACHIM JEREMIAS, Jerusalem zur Zeit Jesu IIB, 1958², S. 145ff., über
die Stammbäume Jesu ebd. S. 161ff.

[5] Diese bei Euseb, HE III 19f., erhaltene Notiz wird man durchaus positiv
behandeln dürfen; vgl. CULLMANN, Christologie S. 130f. Denn eine rein fiktive
messianologische Übertragung der Davidssohnschaft auf Jesus hätte kaum
zur Folge gehabt, solches dann auch von anderen Familiengliedern zu behaupten, zumal auf palästinischem Boden sicher nicht jede beliebige Behauptung
einer Geschlechtszugehörigkeit möglich gewesen ist. Daß daher die auf
Jesus übertragene Messiasvorstellung überhaupt erst dazu geführt hätte, die
davidische Herkunft zu postulieren, wie erstmals WREDE, Vorträge S. 155ff., behauptet hat, ist äußerst unwahrscheinlich. — Welche Bedeutung die Tatsache der
verwandtschaftlichen Zusammengehörigkeit besaß, ist auch aus der Stellung des
Jakobus und seiner Nachfolger in der judenchristlichen Urgemeinde zu erkennen;
vgl. ETHELBERT STAUFFER, Zum Kalifat des Jakobus, ZRGG 4 (1952) S. 193—214;
etwas anders HANS FRHR. VON CAMPENHAUSEN, Die Nachfolge des Jakobus, ZKG

Faktum in der alten palästinischen Gemeinde beigemessen wurde und die zur Ausbildung fortlaufender, bis auf David bzw. Serubbabel zurückgeführter Genealogien den Anlaß gegeben hat. Verständlich ist solches nur, wenn die Abstammung von David in Beziehung gesetzt wurde zu der Anschauung, daß Jesus die Würde und Funktion eines königlichen Messias erhält.

Es hat sich bereits in anderem Zusammenhang ergeben, daß die alte, in ihren Wurzeln durchaus diesseitige Messiaserwartung mit Jesu zukünftigem Wirken verbunden werden konnte. Zwar ist dies nicht in den allerersten Anfängen der christologischen Traditionsbildung erfolgt, jedoch relativ früh und jedenfalls auf palästinischem Boden. Wie die Untersuchung der Messiasbezeichnung ergab, waren die Aussagen in der Regel in einen apokalyptischen Rahmen hineingestellt, teilweise auch mit der Menschensohnvorstellung verbunden[1]. Bei der sachlichen Zusammengehörigkeit der messianischen Hoffnung mit den Verheißungen, die speziell dem Nachkommen Davids gegeben waren und der Wiedererrichtung des davidischen Königtums galten, ist es daher nicht überraschend, wenn derartige Elemente auf Jesus Anwendung fanden. Daß die *Herkunft des Messias aus dem Hause Davids* in der alttestamentlichen und spätjüdischen Zeit eine maßgebende Rolle gespielt und zu den eigentlich konstanten Elementen der königlichen Messianologie gehört hat, wurde gleichfalls festgestellt[2]. Es darf allerdings nicht übersehen werden, daß die Bezeichnung ‚Sohn Davids' ausgesprochen selten ist und in eindeutig vorchristlichem Zusammenhang nur PsSal 17,21 auftaucht; erst in nachchristlicher Zeit wird sie in jüdischen Überlieferungen häufiger[3]. Selbst die urchristliche Tradition bietet nicht den durchgängigen Gebrauch des titularen υἱὸς Δαυίδ[4], sondern benutzt vielfach Umschreibungen[5]. Gleichwohl braucht nicht angenommen zu werden, daß ‚Davidssohn' überhaupt erst im Urchristentum beheimatet ist[6];

---

63 (1950/51) S. 133—144; Ders., Kirchliches Amt und geistliche Vollmacht in den ersten drei Jahrhunderten (BHTh 14), 1953, S. 21 f., der zwar die Rolle der Brüder und sonstigen Familienmitglieder der leiblichen Verwandtschaft zuschreibt, aber für die Sonderstellung des Jakobus zu Recht die Erscheinung des Auferstandenen als maßgebend ansieht.

[1] Vgl. § 3 S. 179 ff.                    [2] Vgl. § 3 S. 156f.

[3] Dazu vor allem Dalman, Worte Jesu S. 260 ff.; Billerbeck I S. (12f.) 525; auch Bousset-Gressmann S. 226f.; Volz, Eschatologie S. 174.

[4] So Mk 10,47f. (par. Mt 20,30f.; Lk 18,38f.); Mk 12,35 (par. Lk 20,41 vgl. Mt 22,42); Mt 1,1 (1,20); 9,27; 12,23; 15,22; 21,9. 15; Barn 12,10.

[5] ἐκ (τοῦ) σπέρματος Δαυίδ Joh 7,41; Röm 1,3; 2 Tim 2,8; IgnEph 18,2; IgnRöm 7,3; ἐκ γένους Δαυίδ IgnEph 20,2; IgnTrall 9,1; IgnSmyrn 1,1; τὸ γένος Δαυίδ Apk 22,16; ἡ ῥίζα Δαυίδ Apk 5,5; 22,16.

[6] Man müßte dann υἱὸς Δαυίδ PsSal 17,21. ähnlich wie χριστὸς κύριος V.32 als spätere Korrektur der christlichen Abschreiber ansehen und vielleicht ein ur-

es ist sicher übernommen, greift aber offensichtlich auf einen noch nicht sehr alten Sprachgebrauch zurück. Auf der andern Seite muß noch beachtet werden, daß, abgesehen von der Herkunft aus Davids Geschlecht als messianischem Epitheton, die Verheißung der Wiedererrichtung der davidischen Königsherrschaft über Israel deutliche diesseitig-politische Züge trägt. Wenn solche Aussagen von der Urgemeinde nicht völlig gemieden worden sind, so zeigt sich daran, daß mit einer sehr konkreten endzeitlichen Neugestaltung gerechnet wurde. Zwar bot allein die Verbindung mit dem Gedanken der Wiederkunft Jesu einen spezifisch apokalyptischen Hintergrund und stellte jene Erwartung unter ein bestimmtes Vorzeichen, aber in der erwarteten kosmischen Umwälzung sollten die alten messianischen Verheißungen nicht aufgehoben werden, vielmehr in Erfüllung gehen. So konnten ausgesprochen innerweltliche Elemente der messianischen Erwartung im Rahmen der apokalyptischen Grundkonzeption aufgenommen werden, wozu es überdies im Judentum schon Vorstufen gab. Muß zudem Jesu davidische Abstammung in Rechnung gesetzt werden, dann ist es durchaus verständlich, warum sich die frühe Gemeinde trotz der ursprünglichen Ablehnung der Messiasvorstellung und des Vorherrschens der Menschensohnkonzeption zur Übernahme der königlichen Messianologie innerhalb ihrer Enderwartung genötigt sah und die alte jüdische Verheißung eines neuen Davidsreiches aufgriff.

Einer der ergiebigsten Stoffe für die Davidssohntradition ist die lukanische Vorgeschichte. In der uns vorliegenden Fassung stammt sie, von einigen redaktionellen Elementen abgesehen, aus dem frühen hellenistischen Judenchristentum, doch ist mancherlei älteres Gut in ihr verarbeitet, das zunächst Aufmerksamkeit verdient. Der erste Teil des Benedictus *Lk 1,68—75* ist, wie GUNKEL erkannt und im einzelnen begründet hat, ein eschatologischer Hymnus[1]. Die Hoffnung richtet sich auf einen Nachfahren Davids als den verheißenen Heilsträger. Es liegt, entsprechend alter israelitischer Tradition, eine ausgesprochen innerweltliche Heilsvorstellung zugrunde, wie sie gerade für die königliche Messianologie bezeichnend ist. Gott wird sein Volk Israel heimsuchen und ihm Erlösung schaffen, er wird ‚im Hause Davids, seines Knechtes' ein ‚Horn des Heils' aufrichten, einen irdi-

---

sprüngliches צמח דויד (so die Qumrantexte vgl. o. S. 146 Anm. 2) o.ä. voraussetzen. Aber die spätere rabbinische Verwendung ist kaum dem Christentum entlehnt.

[1] HERMANN GUNKEL, Die Lieder in der Kindheitsgeschichte Jesu bei Lukas, in: Festgabe für Harnack, 1921, S. 43—60, bes. S. 53ff. Der Aufsatz von PHILIPP VIELHAUER, Das Benedictus des Zacharias, ZThK 49 (1952) S. 255—272, behandelt vornehmlich V. 76—79 und bringt für den ersten Teil nichts Neues.

schen Herrscher senden, der das Volk von den Feinden und allen Widersachern befreit[1], und er wird den heiligen Bund wiederaufrichten, so daß ein Gottesdienst in Heiligkeit und Gerechtigkeit stattfinden kann[2]. Es ist durchaus möglich und sogar wahrscheinlich, daß dieser Text vorchristlich ist[3]. Die urchristliche Gemeinde konnte diesen Hymnus sich gleichwohl aneignen und hat ihn zweifellos auf Jesu endzeitliches Amt bezogen.

Daß es sich beim Benedictus nicht um einen Einzelfall handelt, zeigt ein kleines altes Traditionsstück, das später in die Erzählung von der Ankündigung der Geburt Jesu aufgenommen worden ist, *Lk 1,32f.* Auch dabei ist an eine irdische Königsherrschaft über Israel gedacht, die für alle Zeiten bestehen wird; der endzeitliche König wird den ,Thron Davids, seines Vaters' einnehmen, er wird ,groß' sein[4] und ,Sohn des Höchsten'[5] genannt werden. Besonders dieses letzte Prädikat ist aufschlußreich, weil es sich um ein typisches Element der Messiasvorstellung handelt; denn selbstverständlich ist an die durch Adoption im Sinne von Ps 2,7 erlangte Gottessohnschaft im Zusammenhang der Inthronisation gedacht[6]. Im Gegensatz zu der präteritalen Ausdrucksweise von Lk 1,68—75, die dem Stil des eschatologischen Hymnus entspricht[7], liegen hier direkt futurische Wendungen vor. Es kann aber auch an dieser Stelle kein Zweifel bestehen, daß die Verheißung wegen ihres sorgfältigen formalen Aufbaus und ihrer gehobenen Sprache als ein geprägtes Überlieferungsstück anzusehen ist, das vielleicht ebenfalls jüdischer Tradition entnommen wurde. Jedenfalls

---

[1] Der Anschluß von V. 71 ist nicht ganz glatt; vgl. KLOSTERMANN, Lk S. 27. Sofern man V. 70 als Parenthese faßt, gehört V. 71 als Apposition zu κέρας σωτηρίας; aber auch dann ist nicht eindeutig, ob die Befreiung von den Feinden die Aufgabe des Messias ist oder von Gott selbst bewirkt wird. Beachtet man die fast wörtliche Parallele zu V. 70 in Act 3,21 mit ihrer spezifisch lukanischen Intention, so wird Lk. 1,70 als redaktioneller Zusatz angesehen werden dürfen; vgl JOACHIM GNILKA, Der Hymnus des Zacharias, BZ NF 6 (1962) S. 215—238, dort S. 220f.

[2] Vgl. zu Lk 1,68—75 noch SCHLATTER, Lk S. 173ff.

[3] GUNKEL, a.a.O. S. 57. Mit makkabäischer Tradition ist hier sicher nicht zu rechnen; vgl. PAUL WINTER, Magnificat and Benedictus—Maccabaean Psalms?, Bulletin of the J. Rylands Library 37 (1954) S. 328—347. Vielmehr zeigt sich wiederum das Weiterwirken der altprophetischen Hoffnung, wie dies auch in Sach 9,9f.; Ps Sal 17f., der tannaitischen Tradition und dem Prophetentargum festzustellen war, aber gerade nicht für spezifisch makkabäische Anschauung bezeichnend ist; vgl. § 3 S. 141f.

[4] Zu μέγας vgl. MARTIN DIBELIUS, Jungfrauensohn und Krippenkind, in: Botschaft und Geschichte (Ges. Aufs.) I, 1953, S. 4f., 15f.

[5] ὕψιστος ist schon im AT Gottesbezeichnung und für das Spätjudentum ebenfalls nachzuweisen (עֶלְיוֹן); vgl. BILLERBECK II S. 99f. Im synkretistischen Hellenismus ist es vielfach ein Zeichen für jüdischen Einfluß; dazu BAUER, Wb. s. v.

[6] Vgl. dazu § 5 S. 287ff.       [7] Dazu GUNKEL, a.a.O. S. 53ff.

ist es nicht erst für den jetzigen Zusammenhang konzipiert worden, wie sich an den nicht übersehbaren Spannungen zum Kontext zeigt[1]. Daß diese Tradition, welche in der späteren Fassung der lukanischen Vorgeschichte auf Jesu irdisches Wirken bezogen wird, ursprünglich tatsächlich in den Zusammenhang eschatologischer Aussagen der Urgemeinde gehörte, läßt nicht nur die entsprechende Verwendung von Christos und Gottessohn vermuten, sondern ergibt sich auch daraus, daß die Davidssohnvorstellung an drei Stellen der Apokalypse Johannis eindeutig auf das endzeitliche Wirken Jesu bezogen ist[2]. In *Apk 5,5* wird die Wendung ὁ λέων ὁ ἐκ τῆς φυλῆς Ἰούδα, ἡ ῥίζα Δαυίδ gebraucht. Es ist die Prädikation des vor Gottes Thron stehenden Lammes, welches für würdig befunden wird, die sieben Siegel zu öffnen. Daß es sich um eine Charakterisierung der Würde und Vollmacht des Messias handelt, ist unverkennbar. Die erste Aussage ist im Anschluß an die messianisch verstandene Stelle Gen 49,9(f.) formuliert. Die zweite Bezeichnung ἡ ῥίζα Δαυίδ ist ihrer Herkunft nach schwieriger zu bestimmen. Sicher ist zwar, daß ῥίζα hier, dem hebräischen Äquivalent entsprechend, nicht die Wurzel selbst, sondern den ‚Wurzeltrieb, Wurzelschößling‘ bezeichnet; David ist der Ursprung, aus dem das Reis hervorgeht. Wo stammt dieses Motiv her? Für ein ursprüngliches צֶמַח דָּוִד fehlen eindeutige sprachliche Belege[3]. ῥίζα ist in der Septuaginta Wiedergabe von שֹׁרֶשׁ[4]. Es wäre dann an Jes 11,(1a)1b. 10 zu denken, wobei allerdings berücksichtigt werden müßte, daß an Stelle des von Isai abstammenden Wurzelsprosses der von David selbst herkommende Schößling getreten ist, und dies wird wohl doch nicht ganz ohne Einfluß von צֶמַח דָּוִד erfolgt sein[5]. Der Kontext bringt

---

[1] So ist die Gottessohnschaft Lk 1,32f. adoptianisch verstanden, V. 35 dagegen durch die wunderbare Zeugung begründet. Außerdem bezieht sich das κληθήσεται in V. 32f. auf die endzeitliche Inthronisation, in V. 35 aber auf die Geburt.

[2] In der Apk ist bekanntlich alte palästinische Gemeindetradition verschiedentlich erhalten geblieben.

[3] צמח (דוד) wird in der LXX durchgängig mit ἀνατολή wiedergegeben; vgl. HEINRICH SCHLIER, Art. ἀνατολή, ThWb I S. 354f. In anderen Zusammenhängen taucht ἄνθος, ἰσχύς u. ä. für צמח auf, aber nirgends ῥίζα; vgl. CHRISTIAN MAURER, Art. ῥίζα, ThWb VI S. 985—991.

[4] Vgl. HATCH-REDPATH, LXX-Konkordanz II S. 1251f. Ebenso Sir 40,15; und wahrscheinlich auch 47,22, wo in LXX von der aus David hervorgehenden ῥίζα die Rede ist, aber der hebräische Text am Schluß leider kaum noch lesbar ist.

[5] Jes 11,1 ist in synonymem Parallelismus membrorum von dem Aufsprossen aus dem Wurzelstock Isai (V. 1a גֵּזַע, V. 1b שֹׁרֶשׁ, beides in LXX mit ῥίζα wiedergegeben) die Rede. In 11,10 wird dann sekundär שֹׁרֶשׁ יִשַׁי auf den von Isai abstammenden Wurzelsprößling bezogen. Damit ist der verheißene Messias gemeint. Dieser erhält allerdings in spätjüdischer Zeit mehr und mehr die Bezeichnung צֶמַח דָּוִד; vgl. BILLERBECK II S. 113; jetzt auch noch an 3

für die Apokalypse eigentümliche Gedanken: das Motiv des Lammes, den Begriff des Siegens und das Öffnen des Buches. Sieht man von der Verbindung mit Jesu Tod ab, welche durch ἀρνίον ἐσφαγμένον und den terminus technicus νικᾶν gewonnen ist[1], so weisen die Titulaturen entscheidend auf das dem Lamm in der Vision nun übertragene eschatologische Werk hin. Ebenso liegen die Dinge in *Apk 22,16b*: ἐγώ εἰμι ἡ ῥίζα καὶ τὸ γένος Δαυίδ, ὁ ἀστὴρ ὁ λαμπρὸς ὁ πρωϊνός. Die Prädikation ἡ ῥίζα (Δαυίδ) ist durch die Bestimmung τὸ γένος Δαυίδ ergänzt, was nicht abgeschwächt werden darf in ‚aus dem Geschlecht Davids‘[2], sondern von Büchsel mit Recht als Parallele zu υἱὸς Δαυίδ verstanden worden ist[3], also vielleicht noch unmittelbarer auf צֶמַח דָּוִד zurückgehen könnte. Wie in Apk 5,5 sind weitere Motive der königlichen Messianologie aufgenommen. Der Wendung ὁ ἀστὴρ ὁ λαμπρὸς ὁ πρωϊνός liegt sachlich der Bileamspruch Num 24,17 zugrunde, auch wenn in der Formulierung ein Einfluß von Jes 14,12 zu konstatieren ist. Der ganze Legitimationsspruch Apk 22,16 samt dem Responsorium V. 17 zeigt eindeutig, daß mit der Prädikation Jesu in V. 16b wieder auf dessen eschatologische Funktion ausgeblickt ist. Die Stelle *Apk 3,7* fügt sich dem bisher Gesagten ein. Schon die Tatsache, daß Jesus in den Visionen der Apokalypse, aber auch in c. 1—3 immer als der Zukünftige erscheint, spricht dafür, daß in 3,7 mit ὁ ἔχων τὴν κλεῖν Δαυίδ, ὁ ἀνοίγων καὶ οὐδεὶς κλείσει, καὶ κλείων καὶ οὐδεὶς ἀνοίγει auf ein eschatologisches Amt hingewiesen wird. Der ‚Schlüssel Davids‘ ist von den in 1,18 erwähnten ‚Schlüsseln des Todes und des Hades‘ und natürlich erst recht von dem ‚Schlüssel des

---

Stellen der Qumrantexte nachgewiesen (4 Q PatrBless 3f.; 4 Q Flor 11; 4 Q pIs ᵃ fr. D,1). Den schönsten Ausdruck hat dies in der zusätzlichen (15.) Berakha der babylonischen Rezension des Achtzehnbittengebetes gefunden: אֶת־צֶמַח דָּוִד [עַבְדְּךָ] מְהֵרָה תַצְמִיח; vgl. Willi Staerk, Altjüdische liturgische Gebete (Kl.Texte 58), 1930², S. 18. — Da in Apk 5,5 keine Abhängigkeit von LXX vorauszusetzen ist, wird ῥίζα Δαυίδ wenigstens indirekt mit צֶמַח דָּוִד zusammenhängen. Dagegen steht ῥίζα τοῦ Ἰεσσαί in Röm 15,12 innerhalb eines eindeutigen LXX-Zitates.

[1] Es ist m.E. unzutreffend, wenn Bousset, Apk S. 256, ἐνίκησεν auf den Tod und die Auferstehung Jesu bezieht. Denn ebenso wie bei den Überwindersprüchen ist νικᾶν nur auf die Bewährung im Tod bezogen, welche dort ebenfalls eine eschatologische Verheißung impliziert; vgl. Apk 2,7. 11. 17. 26; 3,5. 12. 21; 21,7. Wo nebeneinander von Jesu Tod und seinem eschatologischen Werk gesprochen ist, kann die Auferstehung unter Umständen übergangen werden, da sie dabei nur als ein vorweggenommenes Endereignis eine Rolle spielt. Die Stellung der Auferstehung Jesu in ältester Tradition bedarf allerdings noch eingehender Untersuchung.

[2] Mit Recht betont von Lohmeyer, Apk S. 181; aber seine Deutung von Christus als Repräsentant des ganzen Geschlechtes Davids ist nicht überzeugend. Ähnlich deutet Hadorn, Apk S. 218.

[3] Friedrich Büchsel, Art. γίνομαι etc., ThWb I S. 684.

Abyssos' 9,1; 20,1 zu unterscheiden[1]. Wie Unterwelt und Totenreich durch Schlüssel verschlossen gedacht waren, so in gleicher Weise die zukünftige Welt[2]. Was in Mt 16,19 als ‚Schlüssel des Himmelreiches‘ bezeichnet ist, wird hier in einer deutlich messianologischen Zuspitzung ‚Schlüssel Davids‘ genannt, weswegen in diesem Zusammenhang auch Jes 22,22 mitzitiert ist. Es ist daher kaum wahrscheinlich, daß es sich um den „Schlüssel zum endzeitlichen Palaste Gottes" handelt[3]; eher wird man schon sagen können, daß es der Schlüssel der Davidsstadt, des neuen Jerusalem sein müsse[4]; am nächsten liegt es, ganz allgemein von dem Schlüssel zu dem noch zukünftigen und daher verschlossenen Messiasreich zu sprechen[5]. Es geht also ebenfalls um Jesu zukünftiges Amt, auch wenn die Zusage der geöffneten Tür der Gemeinde schon jetzt gegeben werden kann (3,8).

*Zusammenfassend* ist festzuhalten, daß die davidische Herkunft Jesu nicht bestritten werden kann und daß ebenso wie der Christostitel und andere Züge der königlichen Messiaserwartung auch die Verheißung der Wiedererrichtung der davidischen Herrschaft auf Jesu endzeitliches Werk übertragen worden ist. Die Tatsache der Abstammung Jesu aus Davids Geschlecht konnte dabei im Sinne der legitimen Voraussetzung verstanden werden, denn der von Gott Erwählte mußte ja ein Davidide sein; aber die Herkunft Jesu wird doch wohl geradezu die Bedeutung eines Unterpfandes gewonnen und nicht zuletzt dazu beigetragen haben, daß die spezifisch diesseitigen Elemente der Davidsverheißung und überhaupt die königliche Messianologie nach einigem Zögern dennoch aufgenommen worden sind. Der dem Geschlecht Davids entstammende Jesus ist daher nicht nur der erwartete Menschensohn und Kyrios, sondern er ist ebenso der vom Alten Testament verheißene König, dem die endzeitliche Macht übertragen wird. Dabei sind Züge der Messiasvorstellung, die eine rein diesseitige Verwirklichung des Heiles zum Ausdruck brachten, mit aufgenommen worden; in den meisten Fällen waren diese aber in einen apokalyptischen Rahmen eingespannt, so

[1] Vgl. LOHMEYER, Apk S. 35; HADORN, Apk S. 60; JOACHIM JEREMIAS, Art. κλείς, ThWb III S. 743—753.

[2] JEREMIAS, a.a.O. S. 745, 747f.: Jesus ist in der Apk als Besitzer der Schlüssel zu beiden Reichen gekennzeichnet.

[3] So JEREMIAS, ThWb III S. 748. Er weist im übrigen darauf hin, daß Jes 22,22 in spätjüdischen Texten keinerlei messianische Verwendung gefunden hat, wie immer wieder behauptet wird.

[4] So LOHMEYER, Apk S. 35. Aber die Vorstellung vom neuen Jerusalem in Apk 21 ist ausgesprochen unmessianisch gehalten! Vgl. § 3 S. 188.

[5] Hierbei muß berücksichtigt werden, daß es, wie auch sonst in der Apk, bei den messianischen Aussagen um Elemente geht, die übernommen, aber in der eigenen Konzeption des Verfassers nicht verarbeitet sind; abgesehen von 20,1—6, dazu o. S. 188f.

wie es die Apokalypse Johannis deutlich zeigt. Aus dem Nebeneinander der irdischen Herkunft Jesu aus Davids Geschlecht und der
von ihm erhofften eschatologischen Verwirklichung der davidischen
Königsherrschaft ergab sich nun von Anfang an eine deutliche Spannung: die Bezeichnung ‚Davidssohn' konnte bereits dem irdischen
Jesus auf Grund seiner Abstammung gegeben werden, die Erfüllung
der dem Davidssproß gegebenen Verheißungen wurde dagegen erst
von der Zukunft erwartet. Diese Spannung kennzeichnet die gesamte
urchristliche Überlieferung von Jesus als Davidssohn und wird auch
die weitere Traditionsgeschichte zu einem wesentlichen Teil erklären.

## 2. Jesus als Davidssohn im hellenistischen Judenchristentum

Die Anschauung von Jesu Davidssohnschaft hat ihre charakte-
ristischste Ausprägung im Bereich des hellenistischen Judenchristentums erfahren[1]. Sie zeigt durchweg eine enge Anlehnung an das
jüdische Erbe, vornehmlich die alttestamentliche Verheißung, läßt
jedoch gegenüber der ältesten palästinischen Überlieferung auch einige
nicht unwesentliche Abwandlungen erkennen. Einmal gewinnt die
Davidssohnschaft des irdischen Jesus ein selbständiges sachliches
Gewicht; zum andern wird die Erwartung der endzeitlichen Inthronisation durch das Motiv der mit der Auferstehung verbundenen Erhöhung abgelöst. Gerade dies zweite hat sich in anderem Zusammenhang bereits als ein Hinweis auf die Beheimatung in der frühen hellenistischen Gemeinde ergeben[2].

Eine Schlüsselstellung innerhalb der Vorstellung von Jesus als
Davidssohn nimmt *Röm 1,3f.* ein. Kann Eigenart und Bedeutung
dieser christologischen Formel geklärt werden, dann lassen sich auch
die weiteren Davidssohnaussagen sachgemäß interpretieren. Das von
Paulus übernommene Traditionsstück ist in jüngerer Zeit verschiedentlich behandelt worden[3]. Bei der Untersuchung ist von einigen all-

---

[1] Innerhalb des hellenistischen Heidenchristentums lassen sich nur vereinzelte Nachwirkungen erkennen (2 Tim 2,8; Ignatius).

[2] Vgl. Exk. II S. 126 ff. sowie § 3 S. 189 ff.

[3] Ein erster Hinweis auf den vorpaulinischen Charakter schon bei Joh. Weiss,
Urchristentum S. 89 (gerade er hatte die Herausschälung des Traditionsgutes
aus den Briefen der Apostel ausdrücklich gefordert, vgl. Ders., Die Aufgaben
der neutestamentlichen Wissenschaft in der Gegenwart, 1908, S. 29); Norden,
Agnostos Theos S. 385; Hans Windisch, Zur Christologie der Pastoralbriefe,
ZNW 34 (1935) S. 213—238, dort S. 214 ff.; Dodd, Apostolic Preaching S. 14;
Rudolf Bultmann, ThR NF 8 (1936) S. 11; Ders., Theol. S. 52; Günther
Bornkamm, Das Bekenntnis im Hebräerbrief, ThBl 21 (1941), jetzt in: Studien
zu Antike und Urchristentum (Ges. Aufs. II), 1959, S. 199 Anm. 25; Werner
Georg Kümmel, Kirchenbegriff und Geschichtsbewußtsein in der Urgemeinde

gemeinen Überlegungen auszugehen. Die Struktur dieser bekenntnisartigen Aussage ist zutreffend als eine „Zweistufenchristologie" bezeichnet worden[1]. Paulus hat dies durch die Eingangswendung περὶ τοῦ υἱοῦ αὐτοῦ, die im Sinne einer übergeordneten Würdebezeichnung verstanden werden will, bereits etwas verwischt; hiervon muß daher abgesehen werden. Weiter sind die abschließenden Prädikationen Ἰησοῦς Χριστὸς ὁ κύριος ἡμῶν, die sich in paulinischen Präskripten oder Prooemien häufiger finden[2], abzutrennen. Beides ist weitgehend zugestanden. Verschieden wird aber die Frage beantwortet, ob innerhalb des Traditionsstückes noch sekundäre Interpretamente enthalten sind. Daß κατὰ σάρκα und κατὰ πνεῦμα ἁγιωσύνης nicht als paulinische Zusätze angesehen werden dürfen[3], hat EDUARD SCHWEIZER überzeugend nachgewiesen[4]. Nun betrachtet er allerdings ἐν δυνάμει als einen nachträglichen Einschub, weil dadurch die Vorstellung einer Sohnschaft höheren Grades entstehe und die Formel so in ein angemessenes Verhältnis zu dem übergeordneten Gottessohnbegriff gebracht werde[5]. Doch ist dies im Rahmen der paulinischen Christologie schwer denkbar. Man wird also auch ἐν δυνάμει als Bestandteil der ursprünglichen Formel ansehen müssen und folglich mit Einschüben überhaupt nicht zu rechnen brauchen. Die erste Zeile bietet im einzelnen keine besonderen Probleme. γίνεσθαι ἐκ ist in genealogischen Aussagen geläufig[6] und kommt auch in christologischen Zusammenhängen vor[7], wobei gerade die partizipiale Formulierung

---

und bei Jesus (Symbolae Biblicae Upsalienses vol. 1), 1943, S. 48 Anm. 38; NILS ALSTRUP DAHL, Die Messianität Jesu bei Paulus, in: Studia Paulina (in honorem Johannis de Zwaan) 1953, S. 90; M.-E. BOISMARD, Constitué Fils de Dieu (Rom. I,4), RB 60 (1953) S. 1—17; MICHEL, Röm S. 30ff.; EDUARD SCHWEIZER, Erniedrigung und Erhöhung S. 55f., 62f., 86f., 101, 131f., 137f.; DERS., Röm 1,3f. und der Gegensatz von Fleisch und Geist vor und bei Paulus, EvTh 15 (1955) S. 563—571; DERS., Art. πνεῦμα, ThWb VI S. 415; DERS., Art. σάρξ, ThWb VII S. 125f.; CULLMANN, Christologie S. 243f., 299; FRANZ-J. LEENHARDT, L'épître de Saint Paul aux Romains (Commentaire du Nouveau Testament VI), 1957, S. 22f.; KUSS, Röm S. 4ff.; JAMES M. ROBINSON, Kerygma und historischer Jesus, 1960, S. 68f., 139, 175, 177; unergiebig W. MICHAELIS, a.a.O. S. 321ff.

[1] So EDUARD SCHWEIZER, Der Glaube an Jesus den „Herrn" in seiner Entwicklung von den ersten Nachfolgern bis zur hellenistischen Gemeinde, EvTh 17 (1957) S. 7—21, dort S. 11.

[2] 1 Kor 1,9; 2 Kor 1,3; 1 Thess 1,3.

[3] Diese Meinung vertreten BULTMANN, Theol. S. 50; DAHL, a.a.O. S. 90; MICHEL, Röm S. 30f.

[4] E. SCHWEIZER, EvTh 15, (1955) S. 563ff.

[5] A.a.O. S. 563f. Im Sinne einer „Gottessohnschaft in Kraft" interpretiert auch CULLMANN, Christologie S. 242f., 299, die Formel; ferner ANDERS NYGREN, Der Römerbrief, 1954[2], S. 41f. (der aber nicht mit einem vorpaulinischen Traditionsstück rechnet).

[6] Vgl. BAUER, Wb. s. v. γίνομαι I, 1.

[7] Vgl. bes. Gal 4,4; Phil 2,7.

charakteristisch und stilgemäß ist [1]. σπέρμα für die Nachkommenschaft ist im alttestamentlich-jüdischen wie im griechischen Sprachgebrauch häufig; der Singular ist kollektiv gefaßt. ἐκ σπέρματος Δαυίδ taucht im Neuen Testament noch Joh 7,42; 2 Tim 2,5 und, in etwas anderer Formulierung, auch Act 13,23 auf. Soweit enthält die Formel keine Besonderheiten und schließt sich an die alte Tradition an, die im Grundbestand der Stammbäume erkennbar geworden ist. Erst das κατὰ σάρκα gibt der Aussage des ersten Gliedes einen neuen Akzent, da die genealogische Wendung hierdurch eine sehr wesentliche Näherbestimmung erhält. σάρξ und πνεῦμα sind in dieser Formel als Bezeichungen der irdischen und himmlischen Sphäre verwendet [2]. Das hat in 1 Tim 3,16 und 1 Pt 3,18 b seine Analogie [3], auch wenn beachtet werden muß, daß diese Unterscheidung des sarkischen und des pneumatischen Bereichs dort mit jeweils ganz anderen christologischen Vorstellungen verbunden ist [4]. In Röm 1,3 besagt der präpositionale Zusatz, daß die Herkunft aus dem Geschlecht Davids gerade die Zeit des irdischen Lebens Jesu qualifiziert. Dies wird nun aber nicht allein in dem Sinne verstanden, daß die leibliche Nachkommenschaft Davids Voraussetzung und Unterpfand für die zukünftige messianische Funktion ist [5]. Die Tatsache, daß Davidssohnschaft und Gottessohnschaft zwei ganz verschiedenen Wirkungsbereichen zugeschrieben und in der Weise eines Zuerst-Dann nebeneinandergestellt sind, hat zur Folge, daß die Aussagen über eine davidische Königsherrschaft als Beschreibung des eigentlich messianischen Amtes Jesu verdrängt werden, umgekehrt aber die Davidssohnprädikation zur Kennzeichnung speziell seines irdischen Wirkens Verwendung findet. Es ist daher nicht auffällig, daß der Titel ‚Davidssohn' alsbald „den Messias im Stande seiner Menschlichkeit und Niedrigkeit" bezeichnet [6] und somit

---

[1] Darüber hat NORDEN, a. a. O. S. 166 ff., 201 ff., 380 ff., Wichtiges erarbeitet. Röm 1,3 f. wird bei ihm allerdings nur als Beispiel zitiert, nicht näher besprochen; ohne Begründung hat er V. 4 wohl um der bloßen formalen Parallelität willen unsachgemäß gekürzt (S. 385).

[2] Ich verweise dazu vor allem auf E. SCHWEIZER, a. a. O. EvTh 15 (1955) S. 564, 568 ff.; DERS., Erniedrigung und Erhöhung S. 130 ff; DERS., ThWb VI S. 414 f. Ähnlich auch KUSS, Röm S. 5. 7 f.; MICHEL, Röm S. 31.

[3] Vgl. dazu DIBELIUS-CONZELMANN, Past S. 50 („es handelt sich um Seinssphären"); RUDOLF BULTMANN, Bekenntnis- und Liedfragmente im ersten Petrusbrief, in: Coniectanea Neotestamentica XI (In honorem A. Fridrichsen), 1947, S. 4. — Röm 9,5 bietet keine Parallele, weil dort das ἐξ ὧν (sc. Ἰσραηλιτῶν) ὁ Χριστὸς τὸ κατὰ σάρκα wohl nur einen Modus der Betrachtung bezeichnen soll (ähnlich wie 2 Kor 5,16).

[4] In 1 Tim 3,16 handelt es sich um eine Epiphanievorstellung, in 1 Pt 3,18 b um die Passionstradition (Nebeneinander von Tod und Auferstehung).

[5] So DODD, a. a. O. S. 14 zu Röm 1,3.

[6] G. BORNKAMM, Jesus von Nazareth S. 206.

dem jüdischen Hoheitsprädikat ein spezifisch christlicher Sinn aufgeprägt ist.

Die zweite Zeile des Traditionsstückes, Röm 1,4, bereitet mancherlei Schwierigkeiten. Das ὁρισθῆναι am Anfang ist allerdings klar; es heißt ,bestimmt, eingesetzt werden'[1] und steht sachlich in Parallele zu dem κληθῆναι von Lk 1,32. υἱὸς θεοῦ muß dementsprechend im Sinne der Übertragung einer Würde und Funktion verstanden werden; es handelt sich wieder um eine ausgesprochen alttestamentlich-jüdische Denkweise. Auf keinen Fall darf die Vorstellung einer Gottessohnschaft im physischen Sinne eingetragen werden. Die königliche Prädikation aus Ps 2,7 ist hier aufgenommen. Der entscheidende Umbruch gegenüber der alten, zu Eingang nachgewiesenen palästinischen Anschauung liegt, wie bereits angedeutet, in der Übertragung der zuerst auf das endzeitliche Wirken bezogenen Prädikation auf Jesu gegenwärtige Wirksamkeit, genauer: auf seine Erhöhung. Es besteht keinerlei Grund, das Vorhandensein einer adoptianischen Vorstellung zu bestreiten, wenn dabei einerseits beachtet wird, daß dieser Terminus aus dem alttestamentlich-jüdischen Denken und nicht aus den späteren christologischen Streitigkeiten verstanden werden muß, und andererseits, daß dieser ,,Adoption" zum Gottessohn eine in besonderer Weise ausgezeichnete Davidssohnschaft, also eine erste christologische Stufe vorausgeht[2]. Von hier aus sind die Wege zur Erklärung der anderen Begriffe in V. 4 gebahnt. ἐν δυνάμει kann rein formal zum Verbum oder zum Gottessohntitel gezogen werden. Auf grammatikalischem Wege ist eine Entscheidung nicht zu treffen, es muß daher nach inhaltlichen Kriterien gesucht werden. Es ist auszugehen von der Beobachtung, daß ἐν δυνάμει in dem Logion vom Kommen des Gottesreiches Mk 9,1 auftaucht[3]; ganz ähnlich heißt es, bei geringfügiger Formulierungsvariante, in der Weissagung Mk 13,26, daß der Menschensohn kommen werde μετὰ δυνάμεως πολλῆς καὶ δόξης[4]. In diesen Fällen kennzeichnet die Wendung also das endzeitliche Ge-

---

[1] Vgl. zu diesem Sprachgebrauch Act 10,42; 17,31.

[2] Man kann mit E. SCHWEIZER, ThWb VII S. 126 Anm. 225 von einer ,,vorläufigen Hoheitsstufe" sprechen. Jedoch ist es m. E. nicht möglich, Röm 1,3 als Beleg dafür heranzuziehen, daß die in solchen ,,Kontrastpaaren" ursprünglich dem zweiten Glied vorbehaltenen Hoheitsaussagen auf das erste Glied übertragen werden, wie dies ROBINSON, a.a.O. S. 68f., 177, tut. Denn hier wird nicht ohne weiteres die messianische Aussage auf das erste Glied übertragen, diese bleibt gerade dem zweiten Glied vorbehalten; aber dessen unbeschadet wird der Versuch unternommen, auch über den irdischen Jesus eine gewisse selbständige Würdeaussage zu gewinnen.

[3] MICHEL, Röm S. 32, weist auf diese Stelle hin und formuliert, dieser attributive Zusatz bezeichne die ,,eschatologische Erscheinungsform"; es ist allerdings verwirrend und unsachgemäß, wenn er daneben S. 31 sagt, δύναμις werde als ,,Erscheinungsform Gottes" gebraucht.

[4] Vgl. auch noch 2 Thess 1,7.

schehen, mit dem das Heilswerk zur letzten Vollendung kommt. Auch in 1 Kor 6, 14 wird von der göttlichen δύναμις im Blick auf die zukünftige allgemeine Totenauferstehung gesprochen, an derselben Stelle und in 2 Kor 13, 4 die Aussage aber zugleich auf die Auferstehung Christi bezogen. Diese paulinischen Stellen werfen insofern Licht auf unseren Zusammenhang, als eschatologische Aussagen im Rahmen der Christologie proleptisch gebraucht werden, was bei der Auferstehung Jesu, die als Vorwegnahme der allgemeinen Totenauferweckung angesehen worden ist, natürlich naheliegt. In Röm 1, 4 geht es jedoch nicht um die Auferstehung, sondern um die Erhöhung, um die bereits erfolgte Übertragung der messianischen Würde, was wiederum nur als ein erster Schritt der Enteschatologisierung angesehen werden kann. Denn nicht allein das Gottessohnprädikat, auch das eschatologische Epitheton von der machtvollen Erscheinung und Wirksamkeit wird ja auf den Auferstandenen und in den Himmel Entrückten angewandt. So besteht durchaus die Möglichkeit, das ἐν δυνάμει mit dem Gottessohntitel zu verbinden, zwar nicht in dem Sinne, daß der ‚Gottessohnschaft in Macht' eine vorläufige und verborgene Gottessohnschaft korrespondieren müsse, wohl aber derart, daß der Erhöhte seine messianische Funktion im vollen Umfange schon jetzt übernimmt[1]. ‚Eingesetzt zum Sohn Gottes in Macht' heißt also, daß auf jeden Fall die Adoption und die Inthronisation zur messianischen Machtstellung zusammenfallen. Es besteht dann aber kein wesentlicher Unterschied, wenn ἐν δυνάμει mit τοῦ ὁρισθέντος υἱοῦ θεοῦ im ganzen verbunden, also adverbiell verstanden wird, was vielleicht doch den Vorzug verdient[2]. Auf Grund der Parallele zu V. 3 wird κατὰ πνεῦμα ἁγιωσύνης ἐξ ἀναστάσεως νεκρῶν als einheitliche Wendung betrachtet werden müssen. Zu πνεῦμα ist schon im Zusammenhang des σάρξ-Begriffes das Nötige gesagt worden. Die semitisierende Wendung πνεῦμα ἁγιωσύνης ersetzt das sonst im Neuen Testament und auch schon in der Septuaginta übliche (τὸ) πνεῦμα (τὸ) ἅγιον[3], wie entsprechend die abgekürzte Formulierung ἐξ ἀναστάσεως νεκρῶν statt ἐκ (τῆς) ἀναστάσεως αὐτοῦ (τῆς) ἐκ νεκρῶν ge-

---

[1] Ähnlich wie in Phil 2, 9—11 wird an das Untertansein der Mächte gedacht sein.

[2] Die Befürchtung, daß auf diese Weise „so etwas wie ein abwegiger Adoptianismus herauskommen" könne — so KARL LUDWIG SCHMIDT, Art. ὁρίζειν, ThWb V S. 454 Anm. 7 — braucht dabei nicht zu schrecken.

[3] πνεῦμα ἁγιωσύνης kommt noch TestLevi 18, 11 vor und entspricht dem hebräischen רוּחַ הַקֹּדֶשׁ (Jes 63, 10 f.; Ps 51, 13; LXX hat aber in beiden Fällen τὸ πνεῦμα τὸ ἅγιον), ohne daß ein sachlicher Unterschied gegenüber πνεῦμα ἅγιον angenommen werden darf; vgl. dazu OTTO PROCKSCH, Art. ἅγιος, ThWb I S. 116; RAGNAR ASTING, Die Heiligkeit im Urchristentum (FRLANT NF 29), 1930, S. 197 f.; KUSS, Röm S. 6 ff. (mit einer interessanten Übersicht über die Deutungsversuche).

braucht wird[1]. Daß πνεῦμα nicht individuell und κατά nicht instrumental verstanden werden darf, bedarf bei der Parallelität zu κατά σάρκα in V. 3 keines weiteren Beweises. Sind σάρξ und πνεῦμα Bezeichnungen des menschlichen und des göttlichen Bereiches, damit also auch Bezeichnungen der irdischen und himmlischen Welt, dann muß κατά πνεῦμα ἁγιωσύνης als eine Bestimmung der himmlischen Existenzweise angesehen werden. Zwar ist sofort zu präzisieren, daß diese Aussage keinesfalls im Sinne himmlischer, göttlicher „Natur" ausgedeutet werden darf, denn eine derartige Vorstellung ist der Formel und der ihr zugrunde liegenden jüdischen Denkweise fremd. Man darf auch nicht die Antithese von Körperlichkeit und Unkörperlichkeit hineinbringen; es geht allein um die Gegenüberstellung des Bereiches der Schwachheit, Vergänglichkeit, Sündigkeit und des Bereiches der göttlichen Kraft, des Lebens und Heils[2]. κατά πνεῦμα ἁγιωσύνης besagt somit, daß die machtvolle Einsetzung zum Gottessohn nicht unter irdischen Bedingungen, sondern unter der ausschließlichen Wirkung und im uneingeschränkten Herrschaftsbereich des Geistes der göttlichen Heiligkeit erfolgt ist. In seiner himmlischen Existenzweise hat der aus dem Samen Davids Geborene und von den Toten Auferweckte die machtvolle Funktion des Gottessohnes übernommen und das messianische Amt angetreten. Bei der abschließenden verkürzten Wendung ἐξ ἀναστάσεως νεκρῶν ist es eine alte Streitfrage, ob das ἐκ temporal oder kausal verstanden werden muß[3]; bisweilen ist auch schon ein Mittelweg, eine Verbindung temporaler und kausaler Bedeutung, gesucht worden[4]. Nun darf allerdings nicht gesagt werden, die Auferstehung

[1] Lietzmann, Röm S. 25.

[2] E. Schweizer, EvTh 15 (1955) S. 568, weist darauf hin, daß erst unter hellenistischem Einfluß die Vorstellung der Körperlichkeit und Unkörperlichkeit sich mit den biblischen Begriffen ‚Fleisch' und ‚Geist' verbindet. Aber die wenigen von ihm angeführten Belege für das Spätjudentum sind m. E. keineswegs beweiskräftig. Wie gerade unter jüdischen Denkvoraussetzungen derartige Vorstellungen abgewehrt werden, zeigt beispielhaft 1 Kor 15. Aber nicht einmal diese im Zusammenhang der Auferstehung akut gewordene Frage spielt für Röm 1,3f. eine Rolle. Wie wenig das Motiv im Bereich des Judentums Aufnahme gefunden hat, zeigt ein Blick in das Material bei Billerbeck III S. 480f. 1 Thess 4,16f. kennt nur körperliche Auferstehung, Entrückung und allzeitiges Sein bei dem Herrn; in gleicher Weise dürfte auch in Röm 1,4 von der Auferstehung Jesu die Rede sein. Aber selbst wenn an eine Verwandlung gedacht ist, darf Nicht-Fleischlichkeit an all diesen Stellen keineswegs mit Unkörperlichkeit gleichgesetzt werden.

[3] Ersteres vor allem von Lietzmann, Röm S. 25, letzteres nachdrücklich zuletzt von E. Schweizer, Erniedrigung und Erhöhung S. 62, vertreten (Anm. 267: „für eine bloße Zeitangabe wäre das Ereignis der Auferstehung doch wohl zu gewichtig").

[4] So M.-J. Lagrange: „Weniger als Kausalität und mehr als bloßes zeitliches Nachher"; nach Kuss, Röm S. 6, der diese Deutung erwägt, aber doch mehr zu der rein temporalen neigt. — Man könnte dabei noch auf πρωτότοκος verweisen, wo ja ebenfalls eine zeitliche und sachliche Bedeutung ineinandergreift, aber das ist hierbei vor allem durch den Bedeutungsreichtum von πρῶτος bedingt.

könne nicht „der Grund der Erhöhung, sondern nur ihre erste Manifestation sein"[1], denn für die Erhöhung im eigentlichen Sinne, also für die Inthronisation zur Rechten Gottes, ist das Geschehnis der Auferstehung Voraussetzung. Aber von einer Erhöhung ‚kraft' der Auferstehung, als wäre die Auferstehung nicht nur Voraussetzung, sondern geradezu causa efficiens, wird man nicht reden dürfen, denn die ältere Tradition zeigt, daß gerade eine solche Zusammengehörigkeit von Auferstehung und messianischer Funktion keineswegs selbstverständlich war[2]. Man müßte dann schon eine sehr blasse Kausalbedeutung annehmen im Sinne der Priorität und Zuordnung und käme der erwähnten Zwischenlösung nahe. Aber dies überzeugt nicht und die zeitliche Fassung des ἐκ läßt sich durch exegetische Erwägungen stützen. Einerseits muß nochmals daran erinnert werden, daß die Auferstehungsaussage zwar nicht den Erhöhungsgedanken, wohl aber der Erhöhungsgedanke die Auferstehungsaussage mit einschließen kann[3]; es bestände daher keine Notwendigkeit, die Auferstehung hier aus sachlichen Gründen zu erwähnen. Zum andern erweist die Struktur dieses Zweizeilers, daß hinsichtlich der beiden christologischen „Stufen" ein jeweils charakteristisches Ereignis genannt wird, in V. 3 die Geburt Jesu, in V. 4 seine himmlische Inthronisation. Genügte in der ersten Zeile die präpositionale Bestimmung κατὰ σάρκα, so war in der zweiten Zeile neben dem κατὰ πνεῦμα ἁγιωσύνης noch eine eindeutige zeitliche Fixierung notwendig, sofern die Einsetzung zum Gottessohn unmißverständlich im Sinne der Erhöhung und nicht der Parusie verstanden werden sollte, wenn dies auch schon durch das Part. Aor. angedeutet ist. Es geht also um den jeweiligen „Initiationsakt" dieser Zweistufenchristologie, um die Geburt als den Beginn der irdischen Wirksamkeit als Davidssohn, um die Erhöhung als Anfang der Existenzweise κατὰ πνεῦμα ἁγιωσύνης als Gottessohn und messianischer König, und dabei markiert die Auferstehung geradezu den zeitlichen Wendepunkt zwischen Niedrigkeit und Hoheit Jesu[4].

Die Eigenart des Traditionsstückes Röm 1, 3f. liegt in einem Doppelten: einmal in der Übernahme des Erhöhungsgedankens und der damit verbundenen Enteschatologisierung der Vorstellung vom messianischen Amt Jesu, zum andern in der selbständigen Ausbildung einer

---

[1] So Lietzmann, Röm S. 25.

[2] Allenfalls könnte gesagt werden, daß Auferstehung und Entrückung zusammengehören; aber auch dabei wird mittels der Himmelfahrtsvorstellung bald eine Zäsur markiert.

[3] Vgl. Exk. II S. 130.

[4] Das zeitliche Nacheinander ist für diese christologische Aussage schlechthin konstitutiv und darf nicht als „dialektische Gegenüberstellung" verstanden werden, wie dies bei Robinson, a.a.O. S. 175. 177, geschieht.

der Erhöhung vorangehenden christologischen Stufe, für die die
Davidssohnschaft als das eigentlich Charakteristische angesehen wird[1].
Davidssohn wie Gottessohn sind auf diese Weise in hohem Maße verchristlicht und nicht mehr unmittelbar aus jüdischer Tradition heraus
zu verstenen[2]. Spuren einer solchen Zweistufenchristologie sind auch
2 Tim 2,8 zu erkennen[3], aber an dieser Stelle liegt kein festgeprägtes
einheitliches Traditionsstück vor, sondern es handelt sich um zwei
einzelne Wendungen[4], wobei zudem die Auferstehung vor der Herkunft aus dem Geschlecht Davids erwähnt wird. Während die Aussage über die davidische Abstammung mit der in Röm 1,3 f. erhaltenen
Überlieferung zusammenhängen wird, kommt das Auferstehungs-
motiv, neben dem der Erhöhungsgedanke hier keinen Raum erhält,
aus einer ganz anderen Tradition, worauf auch schon das vorangestellte (Ἰησοῦς) Χριστός verweist. Altes Überlieferungsgut ist aufgegriffen und verwertet, aber die verschiedenen christologischen
Konzeptionen, aus denen diese Formulierungen hervorgewachsen sind,

---

[1] Außer den Deutungen im Sinne der Zweinaturenlehre und einer Unterscheidung zwischen Gottessohn aus dem Samen Davids und Gottessohn in
Kraft scheidet natürlich auch eine Auslegung aus, die den Text von Phil 2,6 ff.
her verstehen will — so LIETZMANN, Röm S. 26 —, denn mag auch das Erhöhungsmotiv in beiden Texten vorliegen, so ist doch das Motiv der Präexistenz
und der Entäußerung, ferner das Schema vom Abstieg und Aufstieg dem Text
Röm 1,3 f. völlig fremd. Das Zwei-Äonen-Schema, wonach NYGREN, Röm
S. 41 ff., interpretieren will, paßt ebenfalls nicht; zwar mag im Zusammenhang
mit Auferstehung und Erhöhung V. 4 vom Beginn des neuen Äons in gewissem
Sinn gesprochen werden können, aber doch nicht in Art der jüdischen und der
ältesten palästinisch-christlichen Erwartung; für V. 3 ist die Kennzeichnung
„alter Äon" und die Parallelisierung mit Adam völlig unzutreffend, sofern hier
das irdische Wirken Jesu als Anbruch der Heilszeit verstanden werden soll und
nicht nur die zur Erlösung notwendige Entäußerung. MICHEL, Röm S. 31 f.,
stellt leider nur die verschiedenen Deutungen nebeneinander, ohne selbst eine
Entscheidung zu treffen.

[2] Hingewiesen sei noch auf die o. a. Untersuchung des Katholiken BOISMARD,
der es ausdrücklich ablehnt, das Nebeneinander von ‚Gottessohn' V. 3 a und
‚Gottessohn in Kraft' unsachgemäß auszubeuten; gegen Lagrange will er auch
daran festhalten, daß in der paulinischen Wendung V. 3 a nicht von der ewigen
Gottessohnschaft vor der Inkarnation die Rede sei. Er trägt der Tatsache
Rechnung, daß in V. 4 der alttest. Gottessohnbegriff vorliegt, der nur aus der
königlichen Messianologie erklärt werden kann, sich also auf eine Inthronisation
und die damit verliehene Funktion bezieht. Allerdings versucht er zuletzt doch
eine Überbrückung zu schaffen und versteht V. 3 von der Gottessohnschaft des
irdischen Jesus; daher: „la filiation messianique est fondée sur la filiation
naturelle" (S. 17). Auch die Auslegung von KUSS ist beachtenswert; er wehrt
alle aus der späteren Christologie herkommenden Fragestellungen ab: „in
diesem frühen Stadium theologischer Erkenntnis harrt noch sehr vieles der Entfaltung und man wird gut tun, bei der Erklärung zurückhaltend zu sein"
(Röm S. 8).

[3] Vgl. dazu WINDISCH, ZNW 34 (1935) S. 214 ff.; DIBELIUS-CONZELMANN,
Past S. 81; E. SCHWEIZER, Erniedrigung und Erhöhung S. 104.

[4] ἐκ σπέρματος Δαυίδ ist hier so formelhaft, daß nicht einmal mehr ein Verbum
dabeisteht.

haben ihre bindende Kraft verloren. Die geläufigen, jedoch zu bloßen Formeln gewordenen Aussagen werden beliebig zusammengesetzt[1]. Von den an Röm 1,3f. gewonnenen Ergebnissen her sind die Texte der synoptischen Überlieferung, zunächst abgesehen von den Geburtsgeschichten, die eine Gruppe für sich darstellen, zu untersuchen und traditionsgeschichtlich einzuordnen. *Mk 12,35—37a* ist bereits im Zusammenhang des Kyriostitels behandelt und bei der Besprechung des Christostitels kurz gestreift worden[2]. Jetzt muß im besonderen noch auf die Bedeutung der Davidssohnschaft an dieser Stelle eingegangen werden. Gerade darauf zielt der ganze Textabschnitt, was nicht übersehen werden darf, mit seiner Eingangs- wie mit seiner Schlußfrage ab, so betont auch die Aussage über die κυριότης Jesu im Zentrum stehen mag. Seit langem ist es allerdings umstritten, in welchem Sinn ‚Davidssohn' hier neben den beiden anderen Hoheitsprädikaten steht. Die These, daß bei solcher Argumentation der Davidssohntitel überhaupt abgelehnt werde, ist besonders von WREDE vertreten worden. Er beruft sich dabei auf eine Reihe späterer Zeugnisse, als deren wichtigstes er Barn 12,10f. ansieht[3]. Tatsächlich wird dort der Davidssohntitel als unangemessen verworfen und Ps 110,1 als Weissagung Davids, der selbst den Irrtum der Sünder befürchtet, dem entgegengestellt. Aber es fehlt jeder eindeutige Hinweis, daß eine derartige Bestreitung in die urchristliche Zeit zurückreicht, wie ja auch im Markusevangelium und bei Matthäus und Lukas neben der Davidssohnfrage Aussagen über Jesu Davidssohnschaft unbefangen aufgenommen sind, was nicht einfach mit dem Hinweis auf die sehr verschiedenartige Herkunft des Traditionsmaterials abgetan

---

[1] Auf die Nachgeschichte des Motivs bei *Ignatius* von Antiochien sei anmerkungsweise noch verwiesen. Die Wendung ἐκ σπέρματος bzw. ἐκ γένους Δαυίδ kommt mehrfach vor: IgnEph 18,2; Trall 9,1; Röm 7,3; in Eph 20,3; Smyrn 1,1b sogar mit κατὰ σάρκα verbunden. Besonders die letztgenannte Stelle IgnSmyrn 1,1b erinnert deutlich an das paulinische Traditionsstück Röm 1,3f., weil dort neben ἀληθῶς ὄντα ἐκ γένους Δαυίδ κατὰ σάρκα auch noch die Wendung υἱὸν θεοῦ κατὰ θέλημα καὶ δύναμιν θεοῦ tritt. Aber eine Zweistufenchristologie liegt nicht mehr vor, denn gerade diese Doppelaussage wird auf den Irdischen bezogen und der Text fährt fort: γεγεννημένον ἀληθῶς ἐκ παρθένου, βεβαπτισμένον ὑπὸ Ἰωάννου κτλ. Ebenso wird IgnEph 20,2 das ἐν Χριστῷ Ἰησοῦ τῷ κατὰ σάρκα ἐκ γένους Δαυίδ mit τῷ υἱῷ ἀνθρώπου καὶ υἱῷ θεοῦ interpretiert. In IgnEph 18,2: Ἰησοῦς ὁ χριστὸς ἐκυοφορήθη ὑπὸ Μαρίας ... ἐκ σπέρματος μὲν Δαυίδ, πνεύματος δὲ ἁγίου hat die Aussage über den heiligen Geist überhaupt nichts mehr mit der Tradition von Röm 1,3f. zu tun, vielmehr ist hier an die Geburtserzählung Lk 1,26ff., bes. V. 35, zu denken.

[2] Vgl. § 2 S. 113ff. und § 3 S. 191.

[3] W. WREDE, Vorträge S. 166ff., bes. S. 171ff.: dieses aus der Schrift erschlossene Postulat sei von einer bestimmten Gruppe der Urgemeinde schon frühzeitig wieder über Bord geworfen worden. Ebenso wie Wrede beurteilt HELMUT KÖSTER, Die synoptische Überlieferung bei den apostolischen Vätern (TU 65 = V/10), 1957, S. 145f., den Text Mk 12,35—37a.

17*

werden kann[1]; außerdem ist die Anschauung des Barnabasbriefes aus der Situation des 2.Jahrhunderts sehr viel besser zu erklären[2]. Es geht jedoch ebensowenig an, in Mk 12,35—37a eine Ablehnung, zwar nicht des Titels, wohl aber der damit verbundenen politisch-nationalen Messiasidee zu sehen, wie dies zuletzt wieder von CULLMANN behauptet worden ist[3], denn der Davidssohntitel muß wie der Kyrios- und Christostitel in einem spezifisch christlichen Verständnis vorausgesetzt werden[4]. Will man nicht die für das damalige Denken sehr unwahrscheinliche Anschauung von einer „paradoxen Einheit" zwischen Davidssohn und transzendentem Kyrios akzeptieren[5], dann muß auch hier erwogen werden, ob der Text nicht im Sinne der Zweistufenchristologie erklärt werden kann[6]. Daß das Zitat aus Ps 110,1

---

[1] WREDE, Vorträge S. 176.

[2] Schon in der hellenistischen Gemeinde des 1.Jh.s wurde die Gottessohnschaft (im physischen Sinne) vom irdischen Jesus ausgesagt. Ignatius spricht von der Davidssohnschaft fast regelmäßig nur so, daß er das Motiv der Gottessohnschaft damit verbindet. Bald wird aber die Gottessohnschaft einseitig in den Vordergrund gerückt. Aus dem ἐν Χριστῷ Ἰησοῦ τῷ κατὰ σάρκα ἐκ γένους Δαυίδ, τῷ υἱῷ ἀνθρώπου καὶ υἱῷ θεοῦ IgnEph 20,2 wird in Barn 12,10a Ἰησοῦς, οὐχὶ υἱὸς ἀνθρώπου, ἀλλὰ υἱὸς τοῦ θεοῦ (daß in beiden Fällen nicht mehr der alte Menschensohntitel vorliegt, sondern eine in Anlehnung daran formulierte Aussage über die Menschlichkeit Jesu, ist eindeutig). Der Barnabasbrief hält zwar an der Realität der Offenbarung des Gottessohnes im Fleisch fest (vgl. 5,10; 14,5), aber er kommt doch, wie häufig beobachtet, einer doketischen Deutung der Fleischwerdung bedenklich nahe, wie nicht zuletzt das τύπῳ δὲ ἐν σαρκὶ φανερωθείς zeigt, womit jene oben zitierte Wendung in 12,10a fortgesetzt wird. Beides zusammen stellt dann die Einleitung zu der ausdrücklichen Bestreitung der Davidssohnschaft und der Zitierung von Ps 110,1 in V. 10b dar. Daß uns hier nicht unbedingt auf dem Boden der Rechtgläubigkeit befinden, hat WALTER BAUER, Rechtgläubigkeit und Ketzerei im ältesten Christentum (BHTh 10), 1934, S. 52, mit gutem Grund behauptet. Ebenso muß aber auch festgestellt werden, daß eine derart begründete Ablehnung der Davidssohnschaft für die synoptische Tradition nicht vorausgesetzt werden kann und zur Erklärung von Mk 12,35ff. nicht in Frage kommt. Zu Barn 12,10f. vgl. im einzelnen HANS WINDISCH, Der Barnabasbrief (HbNT Erg.-Bd. III), 1920, S. 373, 374f.

[3] CULLMANN, Christologie S. 132ff. Gegen diese schon früher häufig vertretene These vgl. WREDE, Vorträge S. 169f.

[4] Die von ROBERT PAUL GAGG, Jesus und die Davidssohnfrage. Zur Exegese von Markus 12,35—37, ThZ 7 (1951) S. 18—30, vertretene Ansicht, daß Davidssohn und Kyrios keine theologisch gefüllten Begriffe seien, daß vielmehr „verblüffend einfach" argumentiert und auf Grund einer Alltagsgewohnheit gesagt werde, ‚habt ihr schon gehört, daß der Vater den Sohn Herr nennt?', was dann erst sekundär von der Gemeinde christologisch ausgedeutet worden wäre, ist unhaltbar. Jesus habe auf diese Weise die Fragesteller abgewiesen und die eigene Meinung über seine Person nicht preisgegeben (hinzu kommt die Hypothese, daß es sich ursprünglich um ein Streitgespräch gehandelt haben müsse).

[5] So LOHMEYER, Gottesknecht und Davidssohn S. 74f.

[6] Von allen Deutungen ist abzusehen, welche die Davidssohnschaft in irgendeiner Weise mit der Vorstellung vom Gottes- oder Menschensohn oder gar vom messianischen Hohenpriester in Beziehung setzen, weil hierfür keine Anhaltspunkte im Text zu finden sind; gegen BULTMANN, Syn. Trad. S. 144;

in V. 36 und somit der Kyriostitel auf den Erhöhten zu beziehen ist,
hat sich ohnedies bereits früher ergeben. Die beiden Fragesätze in V. 35 b
und V. 37 aβ, vor allem auch die beiden Fragepartikeln πῶς und πόθεν
müssen sorgfältig differenziert werden[1]. πῶς ist sicher im allgemeinen
Sinn zu verstehen. Das heißt: Ausgangspunkt dieses Textabschnittes
ist die herkömmliche These, daß der Messias aus davidischem Geschlecht stammen muß: ‚Wie sagen die Schriftgelehrten, daß der
Christos Sohn Davids ist?‘. Die Antwort wird im Anschluß an das
alttestamentliche Zitat in V. 37 a α gegeben: ‚David selbst nennt ihn
(sc. den Christos) Kyrios‘. Daraus ergibt sich die bereits erörterte
Gleichsetzung von Christos = Kyrios; beide Titel stehen im Zusammenhang mit der messianischen Inthronisation im Himmel, also
dem Erhöhungsakt. Hieran schließt sich aber nun noch eine spezielle
Frage: πόθεν αὐτοῦ (sc. Δαυίδ) ἐστιν υἱός; πόθεν ‚woher, von wo aus‘
wird man an dieser Stelle am besten wiedergeben mit ‚in welchem
Sinn, unter welchem Gesichtspunkt‘. Die Schlußfrage bedeutet dann:
in welchem Sinn kann neben dieser Aussage Davids über Jesus als
‚seinen Herrn‘, als ‚den Christos‘, auch noch von Jesus als dem ‚Sohn
Davids‘ gesprochen werden? Hierauf wird keine Antwort mehr gegeben. Gerade dies gab Anlaß zu der Vermutung, daß die Davidssohnschaft überhaupt abgelehnt werden solle. Aber da sonst in der
urchristlichen Tradition davon nicht die Rede ist und auf der anderen
Seite Röm 1, 3 f. sich als ausgezeichnete Parallele erweist, wird man
die in V. 37 aβ implizierte Antwort im Sinne jener Zweistufenchristologie zu geben haben[2]. Messianität und κυριότης gelten für den Auferstandenen und Erhöhten; diese über alle Menschen und Welt er-
habene Würde und Herrschaftsfunktion schließt aber nicht aus, daß
Jesus zu seinen Lebzeiten ‚Sohn Davids‘ war und als solcher eine
ganz besondere Würdestellung einnahm. Die Davidssohnschaft ist

---

DERS., Theol. S. 29 f.; und gegen FRIEDRICH, ZThK 53 (1956) S. 286 ff. (von
Ps 110 wird der 4. Vers ja gerade nicht zitiert!).

[1] Gegen GAGG, a. a. O. S. 19 f., der die beiden Fragepartikel einfach gleich-
setzt und als Ausdruck des Erstaunens und Befremdens erklärt.

[2] Vgl. G. BORNKAMM, Jesus S. 206; DERS., Enderwartung, in: BORNKAMM-
BARTH-HELD S. 30. Ähnlich auch JOACHIM JEREMIAS, Jesu Verheißung für die
Völker, 1959[2], S. 45, der hier von einer Haggadafrage spricht, wobei ein Wider-
spruch zwischen Schriftaussagen dadurch gelöst wird, daß beider Recht betont,
aber auf deren verschiedenartige Beziehung hingewiesen wird; vgl. dazu
DAVID DAUBE, The New Testament and Rabbinic Judaism, 1956, S. 158 ff.
Daß hinsichtlich der Davidssohnschaft nicht ausdrücklich eine Schriftstelle genannt wird, braucht diese Feststellung nicht einzuschränken. Schon WREDE,
Vorträge S. 170 f., hat auf den ausgesprochen rabbinischen Stil dieser Argumentation hingewiesen. Das hat natürlich ebenso Gültigkeit, wenn für den Text
eine hellenistische Herkunft angenommen wird, zeigt nur wiederum, daß wir
uns hierbei im Bereich einer Gemeinde befinden, die aus dem Judentum, und
zwar dem der Diaspora, herkommt.

somit als Charakteristikum der irdischen Wirksamkeit Jesu im Sinne einer vorläufigen Hoheitsstufe neben das Bekenntnis zur messianischen Macht des Erhöhten gerückt.

Eine Beschreibung der irdischen Funktion Jesu ist im Zusammenhang der Davidssohnfrage nicht gegeben. Wir besitzen aber zwei andere Traditionsstücke, welche Jesu Erdenwirken im Sinne der Davidssohnschaft entfalten und näher bestimmen, nämlich Mk 10, 46—52 und 11,1—10. Die Bartimäusgeschichte, *Mk 10,46—52*, ist, wie leicht zu erkennen, in ihrer jetzigen Gestalt nicht homogen und läßt eine jüngere Überarbeitung sichtbar werden; doch gerade diese sekundären Bestandteile sind wichtig und zeigen, daß diese Erzählung nachträglich in die Davidssohntradition hineingezogen wurde[1]. Bezeichnend ist die Verbindung der Anrede *υἱὲ Δαυίδ* (*Ἰησοῦ*) mit *ἐλέησόν με*. Es ist der Schrei der Kranken und Leidenden, die von Jesus Hilfe erwarten und tatsächlich erfahren. Wenn sich mit dieser fast formelhaften Wendung der Davidssohntitel verbindet, dann zeigt sich, daß Jesu irdisches Wirken von seinem Erbarmen mit den Menschen und seinem hilfreichen Tun her verstanden wird. Jesus ist als Davidssohn der Helfer der Notleidenden, an ihn dürfen sie sich mit ihrem Bitten wenden und sollen in seinem Wirken das göttliche Erbarmen wunderbar erfahren. In welchem Maße hier eine spezifisch christliche Ausprägung der Davidssohnvorstellung zum Ausdruck kommt, ergibt sich daraus, daß der messianische König im Judentum eben nicht als Wundertäter erwartet wurde[2]. Die christliche Gemeinde aber hat die Anschauung vom Davidssohn, indem sie sie auf das Erdenleben Jesu anwandte, gerade von der besonderen Art seines Wirkens her zu füllen und zu deuten versucht. Es ist nicht nur die Menschlichkeit,

---

[1] Mk 10,46—52 zeigt nebeneinander ältere und jüngere Bestandteile, aber die ursprüngliche Fassung der Erzählung läßt sich nicht mehr rekonstruieren, weil die Überarbeitung anderes verdeckt hat. Den altertümlichsten Eindruck macht V. 51. 52a; die Anrede ‚Rabbuni' steht ja in deutlicher Spannung zu der des Davidssohnes. Die Pointe des Mittelstückes dürfte ehedem weniger im Bittwort als in der Beharrlichkeit des Rufens gelegen haben. Auch die Exposition V. 46 ist in ihrer jetzigen Form überladen, was teilweise jedoch der Redaktion zuzuschreiben ist. Zur Analyse vgl. BULTMANN, Syn. Trad. S. 228; DIBELIUS, Formgeschichte S. 49; LOHMEYER, Mk S. 224ff.

[2] Vgl. dazu § 3 S. 218f. ALBERT DESCAMPS, Le messianisme royal dans le Nouveau Testament, in: L'attente du Messie (Recherches Bibliques), 1954, S. 57—84, bes. S. 58ff., will die populäre Messiaserwartung verbunden mit der in der Antike und im Mittelalter nachweisbaren Vorstellung vom wundertätigen König finden. Aber weder läßt sich 2 Kg 5,7 heranziehen, noch kommt diese ganze Anschauung hier in Frage. Daß Jesus die Erwartung vertiefen und vergeistigen wollte, ist ebensowenig überzeugend, zumal die Anrede in dem hier gebrauchten Sinn nicht historisch sein kann. — Daß nur eine genealogische, keine messianologische Aussage gemacht sei und Jesus sie sich darum habe gefallen lassen, wird man auch nicht sagen dürfen; gegen STAUFFER, NovTest 1 (1956) S. 84.

die leibliche Verwandtschaft mit dem großen König der Vergangenheit, was diese Prädikation zum Ausdruck bringt, sondern die Einzigartigkeit seines wunderbaren Auftretens. Die Überlieferung, welche die eigentlich messianische Funktion Jesu mit seiner Erhöhung verbindet, ist weit davon entfernt, die Hoheitsaussagen des königlichen Messias einfach auf den irdischen Jesus zu übertragen. Und dennoch geht es ihr darum, von Jesu irdischem Wirken so zu sprechen, daß bereits der Glanz der bevorstehenden messianischen Herrlichkeit darauffällt und diese sich zeichenhaft ankündigt[1]. Wie ist es dazu gekommen? Es liegt ganz sicher noch nicht das vor, was bei dem Messiastitel beobachtet werden konnte, daß unter Einbeziehung der Vorstellung von Jesu wunderbarem Wirken als eschatologischem Propheten und neuem Mose die Messiasvorstellung auch auf den irdischen Jesus übertragen worden ist[2]. Andererseits wird man sehen müssen, daß eine erste Einwirkung und selbständige Verarbeitung jener Tradition einsetzt. Bei der Ausbildung der Erhöhungsvorstellung konnte nicht mehr so unbefangen wie in der ältesten Tradition von der Wiedererrichtung des davidischen Königtums gesprochen werden, vielmehr ist die Messianität, besonders im Anschluß an Ps 110, 1, eindeutig im Sinn himmlischer Würde und Macht interpretiert worden. Daß die Elemente der Davidsverheißung nun mit Jesu Erdenwirken verknüpft wurden, ist wohl vornehmlich mit seiner Abstammung aus Davids Geschlecht zu erklären. Dennoch hat es die aus dem Judentum herkommende Gemeinde zunächst nicht unternommen, eigentlich messianische Züge auf den irdischen Jesus zu übertragen. Vielmehr hat sie das schon in palästinischer Tradition ausgeprägte Bild von seinem Wirken als Wundertäter mit dem Motiv der Davidssohnschaft verknüpft. Und ähnlich wie in ältester Überlieferung das Erdenwirken Jesu in Bezug gesetzt war mit seinem zukünftigen messianischen Amt, so nun hier die Davidssohnschaft mit der himmlischen Inthronisation Jesu nach seiner Auferstehung. Daß es sich um eine relativ eigenständige Konzeption handelt, zeigt sich in den zugehörigen Wundererzählungen nicht zuletzt an dem schon festgeprägten Ruf υἱὲ Δαυὶδ ἐλέησόν με, der in urchristlicher Überlieferung eigentlich nur hier einen einigermaßen festen Platz gefunden hat[3]. Der Bittruf

---

[1] Die Texte, die zur Zweistufenchristologie gehören, wird man daher nicht ohne weiteres als Belege für die Anschauung von einem „unmessianisch" verstandenen Leben Jesu heranziehen dürfen, wie dies etwa WREDE, Messiasgeheimnis S. 214ff.; BULTMANN, Theol. S. 28f., tun. Denn obwohl hier keine Übertragung der Vorstellung vom königlichen Messias auf das Erdenleben Jesu erfolgt ist, geht es doch, wie die Traditionsschicht im ganzen zeigt, um eine ausgesprochene Vorstufe zu seiner messianischen Herrlichkeit.

[2] Vgl. § 3 S. 218ff.

[3] So Mk 10,47. 48//Mt 20,30f.//Lk 18,38f., sowie Mt 9,27; 15,22. Sonst nur noch Lk 17,13 mit dem für Lk typischen ἐπιστάτα verbunden und Mt 17,15 in

ἐλέησόν με, der im Psalter häufig vorkommt[1], darf nicht in dem Sinne
verstanden werden, als solle damit göttliche Würde auf Jesus übertragen werden[2]. Er kommt in Lk 16,24 auch gegenüber dem ‚Vater
Abraham' vor und läßt sich im damaligen Sprachgebrauch überdies
als Bittformel gegenüber irdischen Herrn nachweisen[3]. Wohl hat der
Ruf einen gebetsähnlichen Sinn gewonnen[4], doch darf das nicht für
die Anfänge dieser Tradition vorausgesetzt werden. Daß in Mk 10,47f.
nicht eine vereinzelte Formulierung vorliegt, sondern daß mit einer
breiteren Wirksamkeit dieser Vorstellung zu rechnen ist, ergeben die
relativ selbständigen Parallelen bei *Mt* in 9,27(f.); 15,22 (17,15). Da
der Evangelist selbst in solchen Bittrufen gern die κύριε-Anrede einsetzt[5], darf bei der Davidssohnanrede mit dem Einwirken einer bestimmten Tradition gerechnet werden[6].

Auch die Einzugsgeschichte *Mk 11,1—10*, von der nur V. 9f. eingehend zu untersuchen ist, gehört in den vorliegenden Zusammenhang.
Das Verständnis der Akklamation des Volkes hängt wesentlich an
der Wendung ‚Gelobt sei die kommende Herrschaft unseres Vaters
David'. Die Deutungen, die dieser Formulierung gegeben werden,
sind großenteils recht tastend und unbefriedigend. Soviel steht fest,
daß eine derartige Aussage ausgesprochen unjüdisch ist[7]. Das gilt vor
allem für die Vaterbezeichnung Davids[8]; doch ist auch die Redeweise
von der ‚kommenden' davidischen Königsherrschaft nicht geläufig[9].

---

Verbindung mit dem von Mt bevorzugten κύριε (an dieser Stelle auch das ‚erbarme dich' redaktionell, wie Mk 9,17 zeigt).

[1] Vgl. die LXX-Konkordanz.

[2] Gegen LOHMEYER, Gottesknecht und Davidssohn S. 69.

[3] Als Parallele ist vor allem JosAnt IX 64 wichtig; vgl. BULTMANN, Art.
ἐλεέω, ThWb II S. 481 Anm. 102.

[4] Vgl. dazu etwa PETERSON, *ΕΙΣ ΘΕΟΣ* S. 164ff.

[5] Vgl. G. BORNKAMM, Enderwartung, in: BORNKAMM-BARTH-HELD S. 38f.

[6] LOHMEYER ist der einzige, der auf dieses ‚Sohn Davids, erbarme dich mein'
etwas genauer eingeht; vgl. Gottesknecht und Davidssohn S. 69ff., 75ff. Er betont
mit Recht, daß Jesus hier als „der mächtige und gütige Helfer für die Kranken und
Leidenden" angesehen werde, und dabei alle politischen, also spezifisch jüdischen
Züge aus dem Bild des Davidssohnes getilgt seien (S. 72). Andererseits will er
diese Anschauung nicht als eigene Konzeption ansehen (S. 80, 83). Er unterscheidet sie zwar völlig von der Messiasvorstellung, wo nicht der Davidssohntitel, sondern lediglich die Davidssohnerwartung eine Rolle spiele (S. 77, 83),
und sieht die christliche Davidssohnanschauung mit derjenigen vom Gottesknecht und Menschensohn verbunden, weswegen er auch das Motiv der Verborgenheit wiederfindet (S. 80ff.); doch diese Einordnung in die „galiläische"
Christologie überzeugt in keiner Weise.

[7] Die ergiebigste Analyse dieser Akklamation bietet LOHMEYER, Mk S. 231;
vgl. außerdem KÜMMEL, Verheißung und Erfüllung S. 108f.

[8] Vgl. BILLERBECK II S. 26.

[9] Nach LOHMEYER, Mk S. 231, ‚kommt' das Davidsreich höchstens ‚wieder'
bzw. es wird, wie meist formuliert ist, ‚wieder aufgerichtet'.

Letzteres könnte natürlich eine Analogiebildung zu der Vorstellung der kommenden Gottesherrschaft sein[1], aber sehr viel wahrscheinlicher ist, daß es sich bei dieser Wendung V. 10a um eine Parallele zu ὁ ἐρχόμενος ἐν ὀνόματι κυρίου (Ps 118, 26) in V. 9b handelt, wie sich ja auch das ἐρχόμενος/ἐρχομένη in beiden Zeilen entspricht. ἡ βασιλεία τοῦ πατρὸς ἡμῶν Δαυίδ setzt ohne Zweifel eine ganz bestimmte christologische Anschauung voraus. Denn vom ‚Vater‘ David ist offensichtlich nur auf Grund der geläufigen Bezeichnung Jesu als Davids ‚Sohn‘ die Rede. Der erhoffte Heilsbringer stammt aus Davids Geschlecht und kommt nach der an David ergangenen Verheißung. Daher sind nicht wie im Judentum die Erzväter die maßgebenden Gestalten der Geschichte Gottes, sondern David ist der eine Vater, auf den sich die Christenheit beruft[2]. Die Bindung an den alten Bund bleibt unverbrüchlich, wird aber in besonderer Weise von dort aus verstanden, wo die Brücke zur Erfüllung in Christus geschlagen ist. Doch was besagt diese Akklamation? Die Parallelität zu V. 9b muß beachtet werden. Ganz gleich, ob Ps 118, 26 im zeitgenössischen Judentum schon messianisch verstanden worden ist[3] oder nicht, an unserer Stelle ist die Preisgabe der ursprünglich kollektiven Bedeutung und die Beziehung auf Jesus eindeutig. V. 10a kann nur als zugehöriges Interpretament verstanden werden, mit anderen Worten: die Aussage über die kommende davidische Königsherrschaft ist gleichfalls auf Jesus zu beziehen[4]. Es ist also eine indirekte Erwähnung seiner Davidssohnschaft gegeben und diese Würde und Funktion wird zugleich genauer umschrieben. Das bisherige Ergebnis der Untersuchung kann aufgenommen werden: Davidssohn ist Bezeichnung speziell des irdischen Jesus geworden; damit ist eine klare Unterscheidung zum eigentlich messianischen Amt beabsichtigt, dennoch soll dieser Titel, wenn auch in anderer Weise, gleichfalls Hoheitsbezeichnung sein. Dies zeigt sich bei der Einzugsgeschichte noch sehr viel deutlicher als bei allen bisher behandelten Stellen. Hier scheint ja die Davidssohnschaft mit einer irdischen Königswürde geradezu gleichgesetzt zu sein. Es kann daher gefragt werden, ob sich dies überhaupt noch in den Rahmen der Zweistufenchristologie einfügt, oder ob hier nicht das Nebeneinander einer vorläufigen Würde in Niedrigkeit und der erst im Himmel übernommenen messianischen Funktion

---

[1] Die Anwendung der Bezeichnung ‚kommend‘ auf eine eschatologische Größe, und das ist nach jüdischem Verständnis auch das neue Davidsreich, ist nicht völlig ausgeschlossen.

[2] Im NT noch Act 4, 25 nach hesychianischem Text.

[3] So BILLERBECK I S. 850.

[4] Dem ὡσαννά bzw. ὡσαννὰ ἐν τοῖς ὑψίστοις ist für das Verständnis nichts zu entnehmen, weil hier nur noch formelhaft gebrauchte Wendungen vorliegen; vgl. dazu BILLERBECK I S. 845ff; KÜMMEL, Verh. u. Erf. S. 108.

preisgegeben wird und der Text schon ein Zeugnis für die uneingeschränkte Übertragung der Messiaswürde auf den irdischen Jesus ist[1]. Die Dinge liegen an dieser Stelle jedoch höchstwahrscheinlich etwas anders und lassen den Zusammenhang mit der Zweistufenchristologie noch erkennen. Die früher gemachte Feststellung, daß die Beschreibung des endzeitlichen messianischen Amtes Jesu im Sinne eines davidischen Königtums bei der Erhöhungsvorstellung zurückgedrängt wurde, ist nochmals aufzunehmen. Da die Messiaswürde Jesu rein himmlischer Art, auf der andern Seite Jesus aber der verheißene, tatsächlich dem Königsgeschlecht entstammende Davidssohn ist, konnte seine irdische Funktion, in der sich die künftige Hoheit schon abschattet, geradezu als davidisches „Königtum" beschrieben werden. Ohne Zweifel liegen tiefgreifende Umwandlungen der alten jüdischen Anschauung vor. Daß Sach 9,9 bei Markus zwar nicht ausdrücklich zitiert wird, aber doch im Hintergrund steht, ist der Erzählung leicht zu entnehmen. In der Septuagintafassung spielt das Motiv des ‚Helfers, Retters' ($\sigma\acute{\omega}\zeta\omega\nu$) eine Rolle, was sich in dem zuletzt dargestellten Verständnis von Jesu Erbarmen und wunderbaren Heilen ebenfalls niedergeschlagen hat. Die allerdings für die Verheißung Sach 9,9 noch selbstverständliche Voraussetzung einer tatsächlichen politischen Königsherrschaft ist hier preisgegeben[2]. Ist Jesus Repräsentant des verheißenen davidischen Königtums, so erhält seine irdische Königswürde doch ihre Legitimität einzig von der himmlischen Machtstellung her, der Jesus erst noch entgegengeht[3]. Nicht zufällig wird daher die Aussage in Mk 11,9f. so merkwürdig indirekt formuliert sein[4]. Die irdische Königswürde sollte ja nicht an die Stelle der himmlischen treten, sondern ein vorläufiges Amt sollte der endgültigen messianischen Herrschaft vorausgehen[5]. Ausdrücklich muß noch einmal betont werden, daß diese Anschauung

---

[1] Daß es dazu auch im Zusammenhang der Davidssohntradition gekommen ist, zeigen die noch zu besprechenden Geburtsgeschichten.

[2] Über den ursprünglichen Sinn von Sach 9,9 (f.) vgl. § 3 S. 140. Daß Mk 11,1—10 den LXX-Text voraussetzt, zeigt sich vor allem an V. 2b, wo davon gesprochen ist, daß auf dem Tier bisher noch niemand gesessen ist, was dem $\pi\tilde{\omega}\lambda o\varsigma$ $\nu\acute{e}o\varsigma$ der LXX entspricht (ohne Äquivalent im MT); außerdem bringt $\sigma\acute{\omega}\zeta\omega\nu$ einen neuen Akzent in den Zusammenhang. Vgl. auch § 2 S. 87f.

[3] Selbstverständlich hat das $\acute{e}\varrho\chi o\mu\acute{e}\nu\eta$ keinen futurischen Sinn; das ergibt sich aus der Parallelformulierung in V. 9b.

[4] Dies ist bei Mt und Lk aufgegeben. Mt zitiert ausdrücklich Sach 9,9 in 21,5 und bringt in Zusammenhang damit den Titel ‚Davidssohn' V. 9. 15. Lk hat die Bezeichnung $\beta a\sigma\iota\lambda\epsilon\acute{v}\varsigma$ in 19,38 aufgenommen und damit sogar die Verbindung zur Davidssohntradition aufgegeben.

[5] Zumindest die Einzugsgeschichte, vielleicht aber auch andere Erzählungen der Davidssohntradition (Mk 10,46ff. wohl schon in vormarkinischer Tradition mit 11,1ff. zusammengefaßt!), ist mit Jesu Wirken in Jerusalem verbunden; vgl dazu LOHMEYER, Gottesknecht und Davidssohn S. 82f.

von Jesu irdischem Königtum ganz und gar nichts zu tun hat mit dem Gedanken der Verborgenheit und des Geheimnisses[1]; im Gegenteil, es handelt sich um ein Königtum, das begeistert gefeiert wird, und in Mk 11,9f. ist die Akklamation wohl kaum zufällig dem Volk in den Mund gelegt[2]. Nicht an der Verborgenheit, sondern gerade an dem Offenbarsein der Funktion Jesu liegt dieser Tradition[3]. Es geht nicht um eine geheimnisvolle Königsherrschaft, sondern um eine vorläufige[4], in der sich die zukünftige gleichwohl sichtbar und offenkundig spiegelt[5].

*Zusammenfassung:* Es muß noch einmal auf die im ersten Abschnitt erwähnte Spannung zwischen der Herkunft Jesu aus Davids Geschlecht und seiner eschatologischen Messianität hingewiesen werden, denn diese hat ihre theologische Bewältigung in der Zweistufenchristologie des hellenistischen Judenchristentums erfahren. Die Zweistufenchristologie hat ihre charakteristische Form einerseits dadurch gewonnen, daß an die Stelle der eschatologischen Messianität Jesu die Erhöhung getreten ist, und andererseits, daß die Davidssohnschaft Jesu im Sinne einer eigenen, vorläufigen Hoheitsstufe ausgebaut worden ist. Die Grundstruktur dieser christologischen Kon-

---

[1] So in verschiedener Weise bes. SCHNIEWIND, Mk S. 149f.; LOHMEYER, Mk S. 232f; DERS., Gottesknecht und Davidssohn S. 80ff.; zuletzt CRANFIELD, Mk S. 353f.

[2] Auch in den Wundererzählungen wird ‚Davidssohn' von Leuten aus dem Volk gebraucht.

[3] Das hat schon WREDE, Messiasgeheimnis S. 237, für die Einzugsgeschichte klar herausgestellt.

[4] Auch hier darf die zeitliche Komponente nicht beseitigt werden. Wohl wird man sagen dürfen, daß für die Gemeinde die Anerkennung des Königtums Jesu auf Erden seiner himmlischen Herrschaftsstellung entspricht und letztere in dem irdischen Lobpreis ihren Widerhall findet. Aber wie Jesus von dem irdischen davidischen Königtum zum himmlischen hindurchgeschritten ist und jenes nur die Vorstufe zur endgültigen Hoheitsstellung war, so ist auch die irdische Anerkennung Jesu nur die Vorstufe zum endgültigen Eintritt in sein jenseitiges messianisches Reich. In dieser zeitlichen Struktur zeigt sich genuin jüdisches Denken, auch wenn es mit dem für den Hellenismus bezeichnenden Denken in Räumen verbunden ist. Ganz ähnlich ist die Vorstellungsweise des gleichfalls aus dem hellenistischen Judenchristentum hervorgewachsenen Hebräerbriefes. Vgl. zu der ganzen Frage des Übergangs von jüdischem Traditions- und Gedankengut, welches das Urchristentum aufgenommen hatte, in die hellenistische Denkweise das Buch von E. SCHWEIZER, Erniedrigung und Erhöhung.

[5] Zu beachten ist noch das interessante Zusammentreffen der Kyriosbezeichnung für den irdischen Jesus und des Davidssohnmotivs in Mk 11,3. 9f. Beiden Traditionen liegt daran, das irdische Leben Jesu mit in die christologische Aussage einzubeziehen; während im einen Falle der gleiche Titel mit etwas andersartiger Nuancierung auf die verschiedenen Stadien des Wirkens angewandt wird, ist auf dem Wege der Zweistufenchristologie eine auch terminologisch erkennbare Differenzierung vorgenommen worden.

zeption zeigt sich in Röm 1,3f. wie in der Davidssohnfrage Mk
12,35—37a. Die Erhöhungsvorstellung ist in beiden Fällen deutlich
ausgeprägt, sei es durch die Verbindung der messianischen Inthronisation mit dem Zeitpunkt der Auferstehung oder durch die Zitierung
von Ps 110,1. Die besondere Ausgestaltung des Motivs der Davidssohnschaft zeigt sich zunächst in Erzählungen, die Jesus als den Helfer
der Notleidenden und Kranken darstellen und den festgeprägten
Bittruf ‚Davidssohn, erbarme dich mein' enthalten. Dazu kommt
dann die Einzugsgeschichte, wo Jesu irdische Würde geradezu im
Sinne eines vorläufigen davidischen Königtums beschrieben wird,
welches dem himmlischen Königsamt vorangeht; zweifellos ist hier,
wo sich der Glanz der himmlischen Messianität schon über das Erdenwirken Jesu ausbreitet, der Rahmen der Zweistufenchristologie bis
zum äußersten angespannt[1], und es konnte nicht ausbleiben, daß bald
auch innerhalb der Davidssohntradition die messianische Würde uneingeschränkt dem irdischen Jesus zugesprochen wurde, wie dies im
Zusammenhang mit dem Christos- und dem Gottessohntitel sich
ebenfalls vollzog. Die behandelten Texte zeigen insgesamt, in welchem
Maße die Vorstellung verchristlicht ist, so daß allein auf Grund der
jüdischen Voraussetzungen eine sachgemäße Erklärung gar nicht mehr
möglich ist; sie zeigen aber auch, wie stark eine ehedem zur gleichen
Vorstellung des königlichen Messias gehörende Prädikation sich im
Bereich der urchristlichen Tradition selbständig entfaltet hat.

### 3. Die Davidssohnschaft Jesu
### in den Vorgeschichten des Matthäus- und Lukasevangeliums

Innerhalb der Vorgeschichten des Matthäus- und Lukasevangeliums
finden sich eine Reihe von Überlieferungsstücken, die das Motiv der
Davidssohnschaft Jesu enthalten. Neben den Stammbäumen kommen
die Geburtserzählung Lk 2,1—20, die beiden Ankündigungen der
Geburt Jesu in Mt 1,18—25 und Lk 1,26—38 in Betracht, ferner die
Magiergeschichte Mt 2,1—12. Die traditionsgeschichtliche Entwicklung läßt sich noch relativ gut erkennen. Das Motiv der Davidssohnschaft Jesu verbindet sich mit Jesu Geburt in der Stadt Bethlehem,
wobei die alte Struktur der Vorstellung, wie wir sie an der Heilungs-
erzählung Mk 10,46—52 erkannt haben, zunächst erhalten bleibt.
Dann aber kommt es zu einer Verbindung mit der Anschauung von

---

[1] Es muß beachtet werden, daß es etwas völlig anderes ist, ob Hoheitsaussagen, die dem Wiederkommenden oder Erhöhten gelten, auf das irdische Leben
Jesu übertragen werden, oder ob über die Würde des Irdischen eine Aussage
gemacht wird, die zu jenen in einem Korrespondenzverhältnis steht und im
Sinne einer vorläufigen Hoheitsstufe verstanden sein will.

der Jungfräulichkeit der Maria, was zu wesentlichen Änderungen führt.

Von Jesu Geburt in Bethlehem ist nur in den beiden Erzählungen Lk 2, 1—20 und Mt 2, 1—12 ausdrücklich die Rede[1]. Da in Mt 2, 1 ff. dieses Motiv mit mancherlei jüngeren Elementen verbunden ist, müssen wir uns zur Untersuchung der ursprünglichen Form dieser Anschauung auf *Lk 2, 1—20* beschränken. Es fehlt eine ausdrückliche Zitierung alttestamentlicher Weissagung, aber die Bezugnahme auf die Schrift ist sowohl bei dem Bethlehemmotiv als auch beim Hirtenmotiv unverkennbar[2]. Die Jungfrauengeburt ist in dieser Geschichte nicht vorausgesetzt; es besteht daher auch kein Zusammenhang mit Lk 1, 26ff.[3]. Joseph zieht mit seiner Ehefrau zur ἀπογραφή nach Bethlehem, dort erfolgt Jesu Geburt, welche durch eine himmlische Botschaft an Hirten ausgezeichnet wird. Die Analyse des Textes ist nicht ganz einfach; es finden sich mancherlei sekundäre Zutaten und die ursprüngliche Erzählung ist nicht mehr in allen Teilen zu rekonstruieren[4]. V. 1—5 ist sehr stark von der redaktionellen Arbeit des Lukas überlagert; der frühere Eingang ist hier weggebrochen. Der umfassende weltgeschichtliche Horizont dieser Einleitung ist ausgesprochen lukanisch, doch besteht kein Grund, den Census als Anlaß der Reise für die alte Erzählung zu bestreiten[5]. Der kurze Bericht über die Geburt Jesu V. 6f. ist ganz auf die folgende Hirtenszene angelegt und in dieser Form sicher ursprünglich. V. 8—14 bringt mit der himmlischen Kunde den eigentlichen Höhepunkt der Erzählung, was wiederum eng mit dem Schluß V. 15—20 verbunden ist, wo die Bestätigung des Erkennungszeichens, das Ausbreiten der Botschaft und das Gottes-

---

[1] Außer Mt 2, 1. 5. 6. 8. 16 und Lk 2, 4. 15 wird Bethlehem nur noch Joh 7, 42 erwähnt, dort im Sinne der jüdischen Messiasdogmatik.

[2] Daß das Hirtenmotiv keine hellenistischen Voraussetzungen hat, wurde von MARTIN DIBELIUS, Jungfrauensohn, in: Botschaft und Geschichte I, bes. S. 64ff., endgültig erwiesen; vielmehr wird man an eine Anspielung auf David denken müssen, der auf den Feldern Bethlehems seine Herden weidete und dort von Jahwe berufen wurde. JOACHIM JEREMIAS, Art. ποιμήν, ThWb VI S. 489f., will die Hirten als Besitzer des Stalles (der Geburtshöhle) ansehen, doch ist diese Verbindung im Text nirgends zum Ausdruck gebracht und darf nicht aus der in ihrem Alter ohnehin fragwürdigen „Lokaltradition" Bethlehems ergänzt werden.

[3] Auf die Besonderheit der Schwangerschaft ist nirgends hingewiesen, Joseph und Maria treten in V. 4 als Eheleute auf gemeinsamer Wanderung auf, V. 6f. ist von dem ‚erstgeborenen' Kind die Rede, ebenso werden V. 16 Maria und Joseph als Eltern genannt (anders Mt 2, 11).

[4] Außer der genannten Arbeit von DIBELIUS und den kritischen Kommentaren ist für die Analysen der Vorgeschichten vor allem noch auf DIBELIUS, Formgeschichte S. 119ff.; BULTMANN, Syn. Trad. S. 316ff. (Ergänzungsheft S. 44ff.); GOTTFRIED ERDMANN, Die Vorgeschichten des Lukas- und Matthäus-Evangeliums und Vergils vierte Ekloge (FRLANT NF 30), 1932, zu verweisen.

[5] Gegen DIBELIUS, Jungfrauensohn S. 55ff. Der Census wurde für die Exposition, im Sinne einer besonderen Führung nach Bethlehem, benötigt; eine Wiederaufnahme ist bei dem Stil der Erzählung gar nicht zu erwarten.

lob berichtet werden. In diesem Schlußteil ist V. 19 sicher redaktionell, wie 2, 51 b zeigt, sonst erweist sich der schlicht dargestellte Abschnitt als ursprünglich. Schwieriger liegen die Dinge im Mittelteil. V. 8 f. bietet keinen Anstoß. Auch gegenüber V. 10 bestehen keine Bedenken, denn εὐαγγελίζεσθαι ist in der Septuaginta häufig und braucht nicht den späteren missionstechnischen Sinn zu haben[1]. V. 12 gehört durch seinen deutlichen Bezug auf V. 7 und V. 16 f. — das in Windeln gewickelte Kind und die Krippe — zum alten Bestand. Gleiches gilt für den Lobpreis der himmlischen Heerscharen in V. 13 f., wo im Wortlaut von V. 14 ein deutlich semitisierendes Traditionsstück Verwendung gefunden hat[2]. Die eigentlich problematische Stelle ist V. 11. σωτήρ ist zur Zeit des Paulus nur vom kommenden Heilsvollender gebraucht und erst in nachpaulinischer Zeit durch Einfluß hellenistischer Epiphanievorstellungen auf den irdischen Jesus übertragen worden[3]. So spät läßt sich die Weihnachtserzählung keinesfalls einordnen. Darum ist zu fragen, ob hier σωτήρ nicht in sehr anderer Verwendungsart vorliegt und im Sinne des Alten Testamentes den von Gott gesandten Helfer und Beistand bezeichnet[4]. Dies würde sich vorzüglich mit den bei Mk 10, 46 ff. (11, 9 f.) gemachten Beobachtungen verbinden; ferner bietet für dieses Motiv der ‚Hilfe' und des ‚Heute' auch die Grundform der Zacchäusgeschichte Lk 19, 1—7. 9 eine Parallele[5]. Es läge dann bei σωτήρ in Lk 2, 11 kein spezifisch christologischer

---

[1] Vgl. nur Lk 1, 19. Dazu GERHARD FRIEDRICH, Art. εὐαγγελίζεσθαι, ThWb II S. 710 f.

[2] So früher schon BILLERBECK II S. 118; JOACHIM JEREMIAS, Ἄνθρωποι εὐδοκίας (Lc 2, 14), ZNW 28 (1929) S. 13—20. Hierfür gibt es jetzt interessante Parallelen in den Qumrantexten, vgl. CLAUS-HUNNO HUNZINGER, Neues Licht auf Lc 2, 14 ἄνθρωποι εὐδοκίας, ZNW 44 (1952/53) S. 85—90; DERS., Ein weiterer Beleg zu Lc 2, 14 ἄνθρωποι εὐδοκίας, ZNW 49 (1958) S. 129 f.; REINHARD DEICHGRÄBER, Ἄνθρωποι εὐδοκίας, ZNW 51 (1960) S. 132. Es geht natürlich um die Menschen, denen das göttliche Wohlgefallen zuteil wird. Dies wird inzwischen auch von katholischer Exegese anerkannt, obwohl es sich mit der Übersetzung der Vulgata ‚pax hominibus bonae voluntatis' nur schwer vereinigen läßt; vgl. ERNST VOGT, ‚Peace among Men of God's Pleasure' Lk. 2, 14, in: The Scrolls and the New Testament, ed. K. Stendahl, 1957, S. 114—117.

[3] Vgl. Phil 3, 20 bzw. 2 Tim 1, 10; Tit 3, 6. In all diesen Fällen ist mit σωτήρ der Bringer endgültiger Erlösung gemeint, bei Paulus ist wie mit σωτηρία auf die Heilsvollendung ausgeblickt.

[4] Im AT erhalten beispielsweise Richter diese Bezeichnung; vgl. bes. Jdc 3, 9. 15; 12, 3.

[5] Daß Lk 19, 10 ein relativ selbständiger, jedenfalls später zugewachsener Spruch ist, ist leicht zu erkennen; die eigentliche Pointe hatte die Erzählung ursprünglich in V. 9. Auch gegen V. 8 ergeben sich Bedenken: einmal ist neben dreimaligem ὁ Ἰησοῦς in V. 3. 5. 9 hier auffälligerweise das absolute ὁ κύριος gebraucht (die Anrede κύριε ist weniger anstößig), zum andern schließt sich V. 9 nicht glatt an das vorangegangene Zacchäuswort an, paßt jedoch ausgezeichnet als Antwort auf den Einwand in V. 7, wobei man nur an Stelle des jetzigen πρὸς αὐτόν ein ehemaliges πρὸς αὐτούς vorauszusetzen braucht. Vgl. zur Analyse BULTMANN, Syn. Trad. S. 33 f.

Hoheitstitel vor. Aber wie verhält sich die Bezeichnung des neugeborenen Kindes als ‚Helfer' zu den Prädikationen ‚Christos' und ‚Kyrios'? [1] Vielfach wird erwogen, das χριστὸς κύριος nach Lk 2,26 in χριστὸς κυρίου zu konjizieren [2]. Aber für eine Übertragung des Messiastitels auf den Neugeborenen bietet der Text keinen Anhalt [3]; dies hat sich erst mit der Anschauung von der Jungfrauengeburt durchgesetzt, die hier noch nicht wirksam ist [4]. κύριος ist in der Erzählung sonst Gottesbezeichnung; auch in der übrigen lukanischen Vorgeschichte hält sich dieser Gebrauch von κύριος durch [5]. Die einzige Ausnahme in Lk 1,43 innerhalb der Erzählung von der Begegnung der Maria mit Elisabeth erweist sich als lukanisch [6]. Daher ist es

[1] Die große Untersuchung von RENÉ LAURENTIN, Structure et Théologie de Luc I—II (Études Bibliques), 1957, geht in der Einzelinterpretation vom jetzigen Text aus und behandelt daher die christologischen Aussagen von V. 11 als Ausdruck der Messianität und Göttlichkeit Jesu (S. 120ff.). Immerhin rechnet L. mit Vorformen und schreibt beispielsweise Lk 2,1ff. einer anderen Quelle zu (S. 112 Anm. 6); er führt aber im einzelnen keinerlei traditionsgeschichtliche Analysen durch.

[2] So etwa JOH. WEISS, Lk in SNT[2] I S. 426; BOUSSET, Kyrios Christos S. 79; VIELHAUER, ZThK 49 (1952) S. 266 („möglicherweise").

[3] Auf die sehr andersartigen Probleme des Textabschnittes Lk 2,25ff. gehe ich hier nicht ein.

[4] Man darf hierbei nicht argumentieren, daß die Bethlehemgeburt notwendig auch schon die Aussage über die volle Messianität des Kindes impliziere.

[5] Lk 2,9. 15 ist κύριος Gottesbezeichnung. In der ganzen lukanischen Vorgeschichte kommt es 24 mal in diesem Sinne vor; vgl. o. S. 73 Anm. 4. Lk 1 f. hat einen im wesentlichen gleichartigen Hintergrund; auch wenn die Johanneserzählungen aus Täuferkreisen übernommen sind, so zeigt sich doch hier wie dort das starke jüdische Erbe.

[6] *Lk 1,39—45* (und das selbständige Magnificat V. 46ff.) dient der Verknüpfung der Täufer- und Jesusgeschichte. Die Szene geht m. E. als ganze sicher nicht auf Lk zurück; gegen DIBELIUS, Jungfrauensohn S. 13f., der allerdings klar nachweist, daß im einzelnen sekundäre Redaktionsarbeit vorliegt; aber die grundsätzlich zugestandene Möglichkeit einer älteren Vorlage wird von ihm nicht wirklich ernst genommen. BULTMANN, Syn. Trad. S. 322, hält Lk 1,39ff. für vorlukanisch, rechnet aber wiederum nicht mit redaktionellen Eingriffen. Diese Erzählung erweist jedenfalls, daß die beiden Kindheitsgeschichten schon vor Lk verbunden waren. Doch der Anteil des Lk muß klar abgegrenzt werden. Redaktionell ist zunächst V. 41c καὶ ἐπλήσθη πνεύματος ἁγίου ἡ Ἐλισάβετ, wodurch sich eine spürbare Doppelung zur Einleitung der Rede in V. 42a καὶ ἀνεφώνησεν κραυγῇ μεγάλῃ ergibt; zudem liegt in V. 41c ein echt lukanisches Motiv vor, vgl. HEINRICH VON BAER, Der Heilige Geist in den Lukasschriften (BWANT III/3), 1926, S. 54. Der zweite Einschub findet sich in V. 43 καὶ πόθεν μοι τοῦτο ἵνα ἔλθῃ ἡ μήτηρ τοῦ κυρίου μου πρὸς ἐμέ, wodurch die Überordnung Jesu über den Täufer noch eindeutiger, und zwar im Sinne der späteren Christologie, zum Ausdruck gebracht werden soll. Diese geradezu prophetische Äußerung der Elisabeth machte den ersten Einschub in V. 41c notwendig. Der restliche Text ergibt einen nahtlosen Zusammenhang: V. 41 und 44 beziehen sich auf Gen 25,22 LXX (Hüpfen des Kindes im Mutterleibe); V. 42b (Segnung der Mutter) hat viele Parallelen im Judentum, vgl. dazu BULTMANN, Syn. Trad. S. 29f.; V. 45 greift auf die Marienszene zurück, so daß auch das auf Gott bezogene ‚Kyrios' durchaus sinnvoll ist (1,38!), um so schroffer aber das auf Jesus bezogene ‚Kyrios' herausfällt.

sehr wahrscheinlich, daß der Relativsatz ὅς ἐστιν χριστὸς κύριος Lk 2, 11
in seiner jetzigen Form textlich unverdorben ist, aber als redaktionell
angesehen werden muß[1]. Der Evangelist hat wohl deutlich empfunden, daß die ursprüngliche Aussage der Weihnachtsgeschichte keinen
christologischen Vollsinn gehabt hat, weswegen er zwei gewichtige
Titel zur Interpretation hinzufügte und dabei wie in Lk 1, 39ff. die
Spannung zu der Gottesbezeichnung κύριος in Kauf nahm[2]. Bei solcher
Analyse besteht die Möglichkeit, die Erzählung als ein relativ altes
Überlieferungsstück anzusehen, was sich aus ihrem Inhalt, Erzählungsstil[3] und auch dem Verhältnis zu der bisher untersuchten
Davidssohntradition nahelegt. Für palästinische Herkunft kann aller-
dings nur der kleine Hymnus Lk 2, 14 in Anspruch genommen werden,
sonst zeigt die Erzählung in ihrem Sprachcharakter keinerlei semitische
Anklänge[4]. Lk 2, 1—20 gehört mit zu der Davidssohntradition der

---

[1] Auch DIBELIUS, Jungfrauensohn S. 62f., hält das ὅς ἐστιν χριστὸς κύριος für
einen lukanischen Zusatz. Rein formal wird man aber an der Wendung keinen
Anstoß nehmen können, denn gerade der Relativstil ist für die Einführung von
Prädikationen durchaus geläufig und keineswegs „prosaisch"; vgl. dazu NORDEN,
Agnostos Theos S. 168ff., 201ff., 383ff.

[2] Es ist allerdings nicht ganz ausgeschlossen, daß die beiden Prädikationen
schon in vorlukanischer Tradition hinzugefügt worden sind, doch sprechen die
sehr ähnlichen redaktionellen Elemente in 1, 39ff. eher für Lk selbst. Es bleibt
zu fragen, wie sich dies mit der im übrigen Evangelium durchgeführten Auffassung des mit der Taufe übertragenen Messiasamtes verträgt (vgl. dazu § 5
S. 318f.). Einerseits wird man sagen müssen, daß in der Vorgeschichte eine eindeutige Überordnung Jesu über den Täufer angestrebt wird, was die vollen
messianischen Prädikate verlangt. Andererseits ist Lk 1 und 2 im ganzen als
proleptische Aussage über Wirken und Stellung des irdischen Jesus aufgefaßt, was
diesem Komplex seine Sonderart verleiht; ein gewisser Unterschied ist gleichwohl
markiert, so wird z.B. die Geistbegabung von Jesus hier noch nicht ausgesagt.

[3] Vor allem werden die at. Erzählungen über die Vorgeschichte der Geburt
des Simson und des Samuel Vorbild gewesen sein.

[4] DIBELIUS, Jungfrauensohn S. 73. Die Frage nach ursprünglicher Sprache
und Vorlage von Lk 1 und 2 ist neuerdings mehrfach behandelt worden und
kann im einzelnen hier nicht diskutiert werden. Für einen hebräischen Urtext
setzte sich in mehreren Untersuchungen vor allem PAUL WINTER ein, vgl. bes.:
Some Observations on the Language in the Birth and Infancy Stories of the
Third Gospel, NTSt 1 (1954/55) S. 111—121; The Proto-Source of Luke I,
NovTest 1 (1956) S. 184—199; On Luke and Lukan Sources, ZNW 47 (1956)
S. 217—242; auch R. LAURENTIN, a.a.O. S. 12f., 19f., rechnet mit letztlich
hebräischen Vorstufen, obwohl er im einzelnen keine philologischen Untersuchungen vornimmt. Anders z.B. NIGEL TURNER, The Relation of Luke I and
II to Hebraic Sources and to the Rest of Luke-Acts, NTSt 2 (1955/56) S. 100—
109, der den griechischen Sprachstil der Lk-Vorgeschichte erweisen will. Aber
die Frage wird eben nicht für Lk 1 und 2 im ganzen entschieden werden können;
mit Recht hat R. McL. WILSON, Some Recent Studies in the Lucan Infancy
Narratives, in: Studia Evangelica (TU 73 = V/18) S. 235—253, festgestellt,
daß Täufererzählung und lyrische Stücke noch am ehesten einen Rückschluß
auf semitische Vorlagen zulassen (S. 252f.). Auf das traditionsgeschichtlich
unergiebige Buch von HARALD SAHLIN, Der Messias und das Gottesvolk. Studien zur protolukanischen Theologie (Acta Seminarii Neotest. Upsaliensis XII).
1945, in dem für Lk 1,5—3,7a ein einheitlicher hebräischer Text vorausgesetzt
wird, braucht hier nicht eingegangen zu werden.

frühen hellenistisch-judenchristlichen Gemeinde, die in den zuvor behandelten Texten sich niedergeschlagen hat. Die Erzählung dient einerseits der Entfaltung des Bethlehemmotives, andererseits der Beschreibung der durch eine himmlische Botschaft und besondere Erkennungszeichen ausgewiesenen Geburt des gottgesandten σωτήρ. Wie in Röm 1, 3 steht hier die Geburt für das ganze irdische Wirken und wie in Mk 11, 9 f. ist es das ‚ganze Volk‘, dem als den ‚Menschen des (göttlichen) Wohlgefallens‘ Freude und Heil widerfahren soll. Die Erzählung befindet sich so durchaus noch im Spannungsverhältnis der Zweistufenchristologie, wie ja auch das Nebeneinander von himmlischem Glanz und Lobpreis der Engel in auffälligem Kontrast steht zu der unscheinbaren Geburt und der irdischen Niedrigkeit der dabei betroffenen Personen.

Mit der Aufnahme des Motivs der Bethlehemgeburt hatte die Vorstellung von Jesu Davidssohnschaft eine homogene Entfaltung erfahren. Anders wurde es bei der Einbeziehung des Theologumenons von der Jungfrauengeburt[1]. Die frühesten Belege zeigen allerdings eine Verbindung, welche die Voraussetzung der Zweistufenchristologie noch wahrt. Wohl sprengt die Jungfräulichkeit der Maria die natürliche Abstammung Jesu aus Davids Geschlecht, um so betonter wird aber die Rechtmäßigkeit der Verlobung bzw. Ehe des Davididen Joseph mit Maria herausgestellt. Der Stammbaum *Mt 1, 1—16* bringt dies dadurch sehr schön zum Ausdruck, daß er, abgesehen von dem apokalyptischen Schema, das auf den Gedanken der in Christus sich erfüllenden Geschichte abzielt, zwei Grundlinien aufweist, die gleich eingangs durch die Erwähnung der Davidssohnschaft und Abrahamssohnschaft markiert sind: das eine ist die in Abraham, den verschiedenen Frauen des Alten Bundes und der Mutter Jesu Wirklichkeit gewordene besondere Erwählung Gottes, das andere ist der über Joseph laufende Zusammenhang mit dem Geschlecht Davids[2]. Den in späterer kirchlicher Tradition immer wieder aufgegriffenen Gedanken einer Herkunft der Maria aus Davids Stamm kennt das Neue Testament nicht. Vielmehr geht es dort in gut jüdischem Sinn um die rechtliche, damit aber letztlich ausschlaggebende Zugehörigkeit Jesu zur Sippe Davids[3].

---

[1] Vgl. neuerdings HANS FRHR. VON CAMPENHAUSEN, Die Jungfrauengeburt in der Theologie der alten Kirche (SAH phil.-hist. Kl. 1962/3), 1962, bes. S. 7 ff., 19 ff.

[2] Im Stammbaum Lk 3, 23 ff. sind die Motive nicht so klar erkennbar, obwohl auch dort Davidssohnschaft und Jungfrauengeburt nebeneinander stehen, aber durch die Adam-Christus-Typologie bzw. die Rückführung der Genealogie auf Gott stärker überdeckt sind. Vgl. oben S. 242 ff.

[3] Vgl. den von BILLERBECK I S. 35 angeführten Grundsatz der Mischna, daß ein Kind auf die Erklärung des Mannes hin als sein Kind gilt (BB 8, 6). Außerdem sei darauf hingewiesen, daß auch in der Leviratsehe nicht die natürliche Ab-

Aus diesem Grunde wird in *Mt 1,18—25* sowohl die Tatsache der Verlobung, welche nach jüdischem Recht bindende Kraft besaß und als Anfang der Ehe galt[1], wie auch die Aufforderung an Joseph betont, die schwangere Maria zu sich zu holen und die Vaterschaft dieses Kindes zu übernehmen. Nun zeigt dieses Überlieferungsstück in gewisser Hinsicht ein gegenüber Lk 1,26ff. jüngeres Gepräge, sofern die Jungfrauengeburt hier vorausgesetzt ist, während sie dort berichtet und expliziert wird[2]; fast kann man in Mt 1,18ff. sogar den Eindruck gewinnen, daß sie apologetisch verteidigt werden soll[3]. Aber gerade die vermeintlich apologetischen Züge sind es, die im besonderen die gottgewollte Verknüpfung des vom heiligen Geist gezeugten Kindes mit dem Geschlechte Davids herausstellen. Der Akzent liegt weniger auf dem Motiv der Jungfrauengeburt als auf der gleichwohl bestehenden Davidssohnschaft[4]. Die jungfräuliche Schwangerschaft wird als feste Gegebenheit hingestellt, die Davidssohnschaft dagegen soll durch den Befehl des Engels und den Gehorsam Josephs in Kraft gesetzt werden. Im jetzigen Matthäustext ist allerdings Marias Jungfräulichkeit durch den Gedanken der Erfüllung der Weissagung Jes 7,14 unterstrichen, doch dieses Reflexionszitat unterbricht den Zusammenhang der Erzählung und erweist sich als redaktionell[5]. Immerhin kann gesagt werden, daß der alttestamentliche Text mit gutem Grund hier aufgenommen ist, denn er steht, gerade in der Septuaginta-Form[6], zweifellos hinter dem von der hellenistisch-judenchristlichen Gemeinde aufgenommenen Theologumenon von der Jungfrauengeburt. Auch das καὶ καλέσουσιν τὸ ὄνομα αὐτοῦ ᾽Εμμανουήλ, ὅ ἐστιν μεθερμηνευόμενον

---

stammung, sondern die rechtliche Zugehörigkeit für das Kind maßgebend ist. — Ursprünglich ging es den Stammbäumen, wie oben gezeigt, natürlich um die direkte Herkunft aus davidischem Geschlecht.

[1] Vgl. BILLERBECK II S. 393ff., auch I S. 45f. Beachte außer Mt 1,18 auch V. 20b. 24.

[2] In Lk 1,26ff. tritt der Engel unmittelbar vor Maria auf, dagegen erfolgt die Erscheinung in Mt 1,18ff. im Traum, was ebenfalls auf eine etwas jüngere, stärker reflektierende Schicht hinweist. Traumerscheinungen sind für die ganze Mt-Vorgeschichte bezeichnend, vgl. Mt 1,20; 2,13. 19. 22.

[3] Dies ist vor allem von DIBELIUS, Jungfrauensohn S. 23f., betont worden, der sogar erwägt, ob nicht der Evangelist für diese ganze apologetische Darstellung verantwortlich ist. Das wird man jedoch nicht sagen dürfen, denn der Charakter einer selbständigen Erzählung ist sehr wohl gewahrt, auch wenn die Jungfrauengeburt als bekannt vorausgesetzt ist.

[4] Dies gilt, obwohl Jesus nicht direkt als Davidssohn gekennzeichnet wird; aber kaum zufällig erhält der fromme Joseph Mt 1,20 die Ehrenbezeichnung ‚Sohn Davids‘.

[5] Von hier aus ergab sich in der alten Kirche der Streit, ob V. 22f. zur Rede des Engels hinzugehöre oder nicht. Da auch Mt 21,4f. einen solchen Zitateinschub enthält (vgl. Mk 11,1ff.!), ist 1,22f. ebenfalls als redaktionell anzusehen; vgl. KLOSTERMANN, Mt S. 7, 10.

[6] παρθένος steht an Stelle von עַלְמָה!

$\mu\varepsilon\vartheta'\ \dot{\eta}\mu\tilde{\omega}\nu\ \dot{o}\ \vartheta\varepsilon\acute{o}\varsigma$ nimmt die Weisung zur Namengebung und die in V. 21 gegebene Deutung des Jesusnamens sachgemäß und ohne Akzentverschiebung auf. Das Schwergewicht der ursprünglichen Erzählung fällt nämlich neben dem Motiv der Davidssohnschaft gerade auf diese Namengebung. Es geht hier nicht wie in Lk 1, 31 allein um die Tatsache, daß der Name Jesus von dem Engel im voraus bestimmt wird, sondern darum, daß dieser Name einen ganz bestimmten Sinngehalt beschließt. Interessanterweise taucht dabei wieder, wenn auch indirekt, die $\sigma\omega\tau\acute{\eta}\varrho$-Prädikation auf, es ist erneut von dem $\lambda a\acute{o}\varsigma$ die Rede[1] und als Heilswirkung ist in diesem Falle die Befreiung von der Sünde genannt. Bei diesem letzten Gedanken wird man nicht an das Sühneleiden Jesu denken dürfen. Vielmehr ist auf die schon einmal herangezogene Zacchäusgeschichte Lk 19, 1ff. zu verweisen, wo $\sigma\omega\tau\eta\varrho\acute{\iota}a$ im Sinne der Begnadigung des Sünders verstanden ist, welche Jesus durch die Aufnahme des Verstoßenen in seine Gemeinschaft gewährt[2]. Wir bewegen uns also, unbeschadet der Übernahme der Anschauung von der jungfräulichen Geburt Jesu noch ganz im Rahmen der bisher besprochenen Davidssohntradition[3]. Es ist nachdrücklich die Zugehörigkeit zu Davids Geschlecht festgehalten und es ist vermieden, dem irdischen Jesus ein messianisches Würdeprädikat zuzuschreiben. Die Aussagen, die über Jesu irdisches Wirken gemacht werden, sind aus einer Explikation des Jesusnamens gewonnen, treffen aber sachlich mit den sonstigen Aussagen dieser Traditionsschicht zusammen.

In dem Motiv der Jungfrauengeburt lagen jedoch sehr andere Tendenzen beschlossen, die alsbald zum Durchbruch kamen. Dies läßt sich an Lk 1, 26ff. und Mt 2, 1ff. erkennen. Die Ankündigung der Geburt Jesu an Maria *Lk 1, 26—38* kann, abgesehen von der Verklammerung mit der Täufererzählung in V. 36f., als einheitlich betrachtet werden. Der Akzent liegt in diesem Traditionsstück darauf, daß die besondere Art der Empfängnis zugleich die Gottessohnschaft des Kindes begründet. Das führt dazu, daß die ursprünglich eschatologisch gemeinten messianischen Aussagen V. 32f. jetzt auf den irdischen Jesus übertragen werden[4], also die in den bisher besprochenen

---

[1] Wie $a\dot{v}\tau o\tilde{v}$ zeigt, ist an das Gottesvolk Israel gedacht; wiederum ein Zeichen dafür, daß es sich um alte judenchristliche Tradition handelt. Vgl. auch Mt 15, 22b. 24. Später hat die Gemeinde $\dot{o}\ \lambda a\acute{o}\varsigma\ a\dot{v}\tau o\tilde{v}$ auf sich bezogen; so versteht es auch der Evangelist Mt.

[2] Vgl. bes. Lk 19, 6f. 9, aber auch das $\sigma\tilde{\omega}\sigma a\iota\ \tau\dot{o}\ \dot{a}\pi o\lambda\omega\lambda\acute{o}\varsigma$ in dem interpretierenden Wort V. 10.

[3] Die Davidssohnschaft und das $\sigma\omega\tau\acute{\eta}\varrho$-Motiv finden sich nur in Lk 2, 1ff. und Mt 1, 18ff. nebeneinander, sonst können sich die beiden Motive gegenseitig vertreten.

[4] Zu Lk 1, 32f. vgl. oben S. 247f.

Traditionsstücken festgehaltene Spannung zwischen Davidssohn-schaft und Gottessohnschaft bzw. Messianität Jesu hier aufgegeben ist. Wohl geht es noch nicht um eine Gottessohnschaft im physischen Sinne[1], aber das κληϑήσεται υἱὸς ϑεοῦ gilt ebenso wie die Verheißung des Eingesetztwerdens auf Davids Thron bereits dem von Maria zur Welt gebrachten Kind[2]. Wie steht es nun mit der Davidssohnschaft Jesu? In V. 27 ist von der Jungfrau Maria ausdrücklich gesagt, daß sie mit einem Manne namens Joseph aus dem Haus Davids verlobt war. Aber die Zugehörigkeit dieser Wendung zur alten Erzählung ist bestritten worden: die Erwähnung des Namens der Maria erscheine reichlich nachgebracht, sodann wisse man nicht recht, ob dem Joseph oder der Maria davidische Herkunft nachgerühmt wird, weiterhin werde Joseph sonst in der Erzählung nicht mehr erwähnt, endlich soll die Frage in V. 34 nur begreiflich sein, wenn Maria überhaupt nichts von einem Manne weiß[3]. Doch diese Argumente schlagen nicht durch: die Nennung der Maria am Ende der Exposition entspricht dem Erzählungsstil[4], die Beziehung von ἐξ οἴκου Δαυίδ auf Joseph, und zwar ihn allein, ist völlig eindeutig, und die Frage der Maria πῶς ἔσται τοῦτο, ἐπεὶ ἄνδρα οὐ γινώσκω; ist bei dem sexuellen Sinn von γινώσκειν und der Tatsache des bloßen Verlobtseins sehr wohl sinn-voll[5]. Es bleibt dann nur die Frage, ob die Erwähnung des sonst in der Erzählung nicht mehr genannten Joseph begründet ist oder sich als eine redaktionelle Klammer erweist. Aber Joseph muß hier der Davidssohnschaft wegen berücksichtigt werden. Nur weil im Hinter-grund das rechtsgültige Verlöbnis mit dem Davididen Joseph steht, kann die Verheißung von der Übergabe des Thrones Davids an dieses Kind ausgesprochen werden. Wie die jüngfräuliche Empfängnis einer-

---

[1] Vgl. dazu im einzelnen § 5 S. 304 ff.; es handelt sich also keinesfalls um eine mythologische Vorstellung des Hellenismus.

[2] Hier wird also die Linie von Mk 11,1—10 weitergeführt. Nur daß jetzt der irdische Jesus mit dem davidischen Königtum zugleich und in vollem Maße die messianische Würde erhält. Die Futura der Verheißung Lk 1,32f. beziehen sich, wie V. 35 zeigt, auf die Geburt und gelten für das irdische Leben Jesu ins-gesamt.

[3] So DIBELIUS, Jungfrauensohn S. 11 f.

[4] So wird zuerst von der Entsendung des Gabriel berichtet, dann von der Stadt Galiläas mit Namen Nazareth, dann von der mit dem Davididen Joseph verlobten Jungfrau und erst zuletzt wird der Name dieser Jungfrau genannt, woran V. 28 unmittelbar anschließt.

[5] Das ἰδού in V. 31 ist hierbei auch zu beachten, da es andeutet, daß es sich nicht um eine zeitlich unbestimmte, sondern um eine jetzt wirksam werdende Ankündigung handelt. Zu V. 34 vgl. den wichtigen Beitrag von JOSEF GEWIESS, Die Marienfrage Lk 1,34, BZ NF 5 (1961) S. 221—254. Hingewiesen sei auf den gattungsgeschichtlich lehrreichen Aufsatz von JEAN-PAUL AUDET, L'annonce à Marie, RB 63 (1956) S. 346—374, der die Parallelen im AT, vor allem die Ankündigung der Geburt des Gideon, vergleicht.

seits, so begründet die Zugehörigkeit zum Haus Davids andererseits das messianische Amt Jesu. Nicht die Davidssohnschaft als solche wird von der Vorstellung der Jungfrauengeburt verdrängt, nur die Anschauung einer vorläufigen Hoheitsstufe des Irdischen, dem die volle messianische Würde noch nicht zukommt, wird aufgelöst[1].

*Mt 2,1—12* setzt die Übertragung der Messiaswürde auf den irdischen Jesus bereits voraus. Sehr verschiedenartige Elemente sind in dieser Erzählung miteinander verwoben: zu der Geschichte von den Magiern und ihrem Stern kommt der Gegensatz zwischen König Herodes und dem neugeborenen ‚König der Juden'; weiter sind das Motiv der Bethlehemgeburt und die Jungfräulichkeit der Maria aufgenommen. Daß dem Ganzen eine ehedem selbständige Magiererzählung zugrunde liegt, ist recht wahrscheinlich[2], denn immerhin liegt eine doppelte Anweisung des Geburtsortes Jesu vor, einmal durch Herodes und dann durch den Stern[3]. Mit der Herodeserzählung, die wohl nicht als ehemals selbständige Überlieferung, sondern als Erweiterung der Magiergeschichte anzusehen ist, ist unmittelbar das Motiv der Bethlehemgeburt verknüpft[4]. Auf die scheinbar ganz im Sinne jüdischer Messiasdogmatik gestellte Frage ποῦ ὁ χριστὸς γεννᾶται wird von Schriftgelehrten mit dem Zitat Mi 5,1.3 geantwortet[5]. Doch wie die Formulierung ὁ τεχθεὶς βασιλεὺς τῶν Ἰουδαίων zeigt, sind die messianischen Prädikationen auf das eben geborene Kind angewandt[6], wie dies weder in jüdischer noch in ältester christlicher Tradition möglich gewesen wäre. Der Umformungsprozeß, der an Lk 1,26ff. deutlich geworden ist, ist hier im wesentlichen abgeschlossen, so daß die Messiasbezeichnungen Jesu ganz unbefangen sogar den Magiern und dem Herodes in den Mund gelegt werden können. Die Jungfrauengeburt ist nicht ausdrücklich erwähnt, aber mit der Wendung τὸ παιδίον μετὰ τῆς μητρὸς αὐτοῦ immerhin angedeutet. Joseph wird in der ganzen Erzählung überhaupt nicht berücksichtigt; das Motiv der Davidssohnschaft ist wohl ganz auf das der Bethlehemgeburt über-

---

[1] Zu Lk 1,26ff. vgl. weiter § 5 S. 304ff.

[2] Vor allem Mt 2,9b—11 samt der nicht mehr ganz deutlich ausgrenzbaren Exposition in V. 1b. 2b darf dafür in Anspruch genommen werden; vgl. zur Analyse DIBELIUS, Formgeschichte S. 125f.

[3] V. 8 und V. 9b: daß es sich einmal um den Ort, dann um das Haus handelt, kann für die jetzige Erzählung gesagt werden; aber die Magier hätten bei der Führung durch den Stern die Auskunft des Herodes gar nicht nötig gehabt.

[4] Hierzu gehören vornehmlich V. 1a. 2a. 3—9a. 12.

[5] Auch hier muß gefragt werden, ob V. 5b. 6 nicht sekundäres Reflexionszitat ist. Dies ist nicht ausgeschlossen, denn die Frage des Königs hat in V. 5a mit ἐν Βηθλέεμ τῆς Ἰουδαίας bereits eine Antwort erhalten. Umgekehrt kann gesagt werden, daß die Zitierung des AT bei Schriftgelehrten ausgezeichnet paßt und den Zusammenhang in keiner Weise stört.

[6] Vgl. V. 1a.

gegangen[1]. Aber die Konturen der einzelnen Traditionselemente werden eben schon recht unscharf. Hinzu kommt schließlich, daß die Proskynese, die zur Magiergeschichte gehört, in Verbindung mit den Messiasprädikationen des Kindes tritt, also möglicherweise schon an eine Göttlichkeit Jesu im hellenistischen Sinn gedacht ist. Von der selbständig ausgeformten Vorstellung von dem irdischen Wirken Jesu als des Davidssohnes ist hier nichts mehr zu erkennen[2].

In der abschließenden *Zusammenfassung* ist noch einmal an die Bedeutung der tatsächlichen Herkunft Jesu aus Davids Geschlecht für die palästinische Urgemeinde und die damit verbundene eschatologische Erwartung zu erinnern. Es ist gezeigt worden, daß der entscheidende Schritt zu einer selbständigen Ausbildung der Davidssohnanschauung im Bereich der hellenistisch-judenchristlichen Gemeinde durch die sog. Zweistufenchristologie vollzogen wurde. Auch dort, wo nicht ausdrücklich die Zuordnung der irdischen Davidssohnschaft und der himmlischen Messianität Jesu zum Ausdruck gebracht ist, wird die Davidssohnschaft zumeist als eine vorläufige Hoheitsstufe angesehen, womit Jesu irdisches Amt beschrieben werden soll. Eine besondere Rolle spielt dabei das Motiv des gottgesandten ‚Retters‘ (σωτήρ), der dem Volk Israel wie einst die Richter und Charismatiker des alten Bundes gesandt ist. Er bringt Hilfe in Krankheit und Not, gewährt aber auch dem Sünder Gemeinschaft und läßt ihn die göttliche Gnade erfahren. Die Davidssohnerzählungen in den Vorgeschichten sind durch zwei weitere Motive bestimmt, die Geburt Jesu in Bethlehem und die Jungfräulichkeit der Maria. Die Bethlehemgeburt unterstreicht Jesu Stellung als Davidssohn und die in Erfüllung gehende Weissagung Gottes. Auch das Theologumenon von der Jungfrauengeburt ist durch den Gedanken der Schrifterfüllung bestimmt.

---

[1] Im jetzigen Mt-Zusammenhang ist natürlich die Davidssohnschaft über die Rechtsstellung des Joseph vorausgesetzt. Aber 1,18ff.; 2,1ff. und der die Mosetypologie voraussetzende Abschnitt 2,13—23 stellen keine ursprüngliche Einheit dar. 2,1ff. ist ganz sicher als selbständige Erzählung gedacht. Eher könnte bei 2,13ff. gefragt werden, ob es sich um Anschlußstoff handelt.

[2] Schließlich sei darauf hingewiesen, daß außer an den besprochenen Stellen die Davidssohnschaft Jesu nur noch in den *Acta-Reden* aufgetaucht ist. Act 13,22f. geht es um die an David ergangene Weissagung, die in der Sendung des σωτήρ Ἰησοῦς ihre Erfüllung gefunden hat. An zwei Stellen, Act 2,25—31 und 13,32—36, nimmt Lk im Zusammenhang der Erhöhungsvorstellung das von David prophetisch gesprochene οὐδὲ δώσεις τὸν ὅσιόν σου ἰδεῖν διαφθοράν (Ps 16,10) als eine Weissagung der Auferstehung Jesu auf. Ferner wird innerhalb der Rede des Jakobus auf dem Apostelkonzil Act 15,14—18 zu der Feststellung ὁ θεὸς ἐπεσκέψατο λαβεῖν ἐξ ἐθνῶν λαὸν τῷ ὀνόματι αὐτοῦ das Zitat Am 9,11f. über die Wiedererrichtung der Hütte Davids gebracht. Für diese beiden letztgenannten Verwendungsarten lassen sich sonst im NT keine Belege erbringen, wahrscheinlich gehen sie auf Lk selbst zurück. Dagegen paßt die zuerst erwähnte Stelle Act 13,22f. ausgezeichnet in das oben gewonnene Bild von Jesu irdischem Wirken als ‚Davidssohn‘ und σωτήρ hinein. Hierzu bes. LÖVESTAM, a. a. O.

Es wurde zunächst mit Jesu Davidssohnschaft in der Weise ausgeglichen, daß die rechtliche Vaterschaft Josephs herausgestellt worden ist. Aber die Anschauung von der jungfräulichen Geburt Jesu führte bald darüber hinaus. Wenn auch die Davidssohnschaft Jesu nicht einfach preisgegeben wurde, so ist doch auf Grund der besonderen Art der Empfängnis der Maria die Gottessohnschaft und Messianität dem neugeborenen Kind und damit dem irdischen Jesus zugesprochen worden. Die eigenständige Konzeption der Davidssohnschaft Jesu im Sinne einer vorläufigen Hoheitsstufe wurde damit aufgelöst.

# § 5. GOTTESSOHN

Die Bezeichnung Jesu als Gottessohn stellt ein in der historisch-kritischen Forschung seit langem umkämpftes Problem dar. Schon die Frage, ob mit palästinischem oder hellenistischem Ursprung dieser Prädikation gerechnet werden muß, ist viel erörtert worden[1]. Eine Vorgeschichte auf palästinischem Boden wird man sicher nicht bezweifeln dürfen, aber unbestreitbar ist, daß ‚Gottessohn' ebenso wie ‚Kyrios' auf hellenistischem Boden eine wesentlich andere Bedeutung erhalten hat[2]. Ist die Gottessohnprädikation der hellenistischen Gemeinde in erster Linie auf Jesu einzigartiges Wesen ausgerichtet, so darf dies für die Anschauung der palästinischen Gemeinde nicht vorausgesetzt werden. Nun gehen hinsichtlich der ältesten Verwendung der Titulatur die Meinungen weit auseinander: entstammt ‚Gottessohn' der königlichen Messianologie[3], der messianischen Hohepriester-erwartung[4] oder der Menschensohnvorstellung[5]? Steht hinter ‚Sohn Gottes' ein ursprüngliches ‚Knecht Gottes'[6] oder handelt es sich um eine Würdebezeichnung, die aus dem besonderen Vaterglauben Jesu hervorgewachsen ist[7]? Eine überzeugende Erklärung

[1] Die Verwendung des Gottessohntitels wird für die palästinische Gemeinde z.B. von GILLIS P. WETTER, „Der Sohn Gottes'. Eine Untersuchung über den Charakter und die Tendenz des Johannesevangeliums (FRLANT NF 9), 1916, S. 138f., gänzlich bestritten; vgl. auch BOUSSET, Kyrios Christos S. 54f.

[2] Vgl. dazu vor allem BULTMANN, Theol. S. 130ff.; HERBERT BRAUN, Sinn der neutestamentlichen Christologie, ZThK 54 (1957) bes. S. 353ff. bzw. Studien S. 255ff.

[3] So JOH. WEISS, Urchristentum S. 85f.; STAERK, Soter I S. 47, 89f.; FEINE, Theologie S. 45ff.; ETHELBERT STAUFFER, Die Theologie des Neuen Testaments, 1948[4], S. 93f.; BULTMANN, Theol. S. 52f.; WERNER GEORG KÜMMEL, Das Gleichnis von den bösen Weingärtnern (Mark 12,1—9), in: Aux sources de la tradition chrétienne (Mélanges M. Goguel), 1950, S. 120—131, bes. S. 131.

[4] FRIEDRICH, Beob. z. mess. Hohepriestererwartung, ZThK 53 (1956) bes. S. 279ff.; WALTER GRUNDMANN, Sohn Gottes. Ein Diskussionsbeitrag, ZNW 47 (1956) S. 113—133.

[5] So MOWINCKEL, He That Cometh S. 293f., 366ff.; vgl. auch LOHMEYER, Mk S. 4f.

[6] Vor allem im Zusammenhang mit Tauf- und Verklärungsgeschichte erwogen; vgl. DALMAN, Worte Jesu S. 226ff.; BOUSSET, Kyrios Christos S. 56f. (bes. S. 57 Anm. 2); CULLMANN, Tauflehre S. 11ff.; DERS., Christologie S. 65; JEREMIAS, ThWb V S. 699.

[7] BÜCHSEL, Theologie S. 51ff.; WALTER GRUNDMANN, Die Gotteskindschaft in der Geschichte Jesu und ihre religionsgeschichtlichen Voraussetzungen, 1938,

der Weiterentwicklung des Hoheitstitels innerhalb der hellenistischen Gemeinde kann nur gegeben werden, wenn der Gebrauch in den Anfängen der urchristlichen Tradition klar bestimmt ist.

## 1. *Die Voraussetzungen der urchristlichen Gottessohnprädikation*

Zwischen dem Titel ‚Sohn Gottes' und dem absoluten ‚der Sohn' muß bei der Erörterung grundsätzlich unterschieden werden. Die beiden Bezeichnungen haben, wie sich noch zeigen wird, verschiedene Wurzeln und lassen sich nicht ohne weiteres identifizieren. Nur bei ‚der Sohn' findet sich im Neuen Testament als Korrelat die ‚Vater'-Bezeichnung Gottes; hier ist es daher angebracht, nach der Bedeutung der Vorstellung von der Vaterschaft Gottes in der Verkündigung Jesu und der Urgemeinde zu fragen. Dagegen fehlt jede deutliche Beziehung zur Vaterbezeichnung Gottes dort, wo der Titel ‚Sohn Gottes' gebraucht wird[1]. Wie immer es mit der Beziehung von ‚der Sohn' zu ‚Sohn Gottes' in der späteren Traditionsgeschichte stehen mag, voneinander ableiten lassen sie sich jedenfalls nicht[2]. Der Würdetitel ‚Gottessohn', der zuerst behandelt werden soll, hat andere Voraussetzungen als die Bezeichnung ‚der Sohn' und muß auf seine eigenen Wurzeln hin untersucht werden.

Die Vorstellung vom *Gottesknecht*, die für die ursprüngliche Form der Tauf- und Verklärungserzählung tatsächlich eine Rolle gespielt

---

bes. S. 134ff.; mit Modifikationen auch noch festgehalten in dem genannten Aufsatz ZNW 47 (1956) S. 113ff. und DERS., Die Geschichte Jesu Christi, 1957, S. 270ff.; WILLIAM MANSON, Bist du, der da kommen soll? S. 125ff.; JOACHIM BIENECK, Sohn Gottes als Christusbezeichnung der Synoptiker (AThANT 21), 1951, bes. S. 42ff., 72ff.; auch CULLMANN, Christologie S. 288ff. Manson, Bieneck und Cullmann rechnen mit einer Verbindung des Vaterglaubens Jesu mit dem Bewußtsein, daß er das Amt des leidenden Gottesknechtes übernehmen müsse. Anders E. SCHWEIZER, Erniedrigung und Erhöhung S. 87f., der annimmt, „daß von dem besonderen Verhältnis Jesu zum Vater einerseits, von Ps 2,7 her andererseits es schon früh zur Bildung dieses Titels gekommen ist". Ähnlich B. M. F. VAN IERSEL, ‚Der Sohn' in den synoptischen Jesusworten. Christusbezeichnung der Gemeinde oder Selbstbezeichnung Jesu? (Suppl. to NovTest III), 1961, wonach das authentische ‚der Sohn' Wurzel für den unter Besinnung auf das AT entstandenen Titel ‚Gottessohn' ist.

[1] Zu ‚Sohn Gottes' sind auch die Stellen zu rechnen, an denen ‚mein Sohn' vorkommt (Mk 1,11; 9,7; 12,6b); außerdem das an die Tauf- und Verklärungsgeschichte angeglichene υἱὸς ἀγαπητός in Mk 12,6a. Natürlich gehören auch die Prädikationen hinzu, bei denen der Gottesname umschrieben ist, wie in Mk 14,61; Lk 1,32. Das Fehlen der Vaterbezeichnung Gottes ist um so überraschender, als sich die Korrelation von Sohn und Vater vom AT her nahezulegen scheint (Ps 2,7; 2Sam 7,14).

[2] Völlig unbekümmert sind in dieser Hinsicht BIENECK und GRUNDMANN. Für letzteren ist das Sohnesbewußtsein Jesu auch Bestandteil der esoterischen Lehre und möglicherweise sogar Inhalt des Judasverrates; vgl. ZNW 47 (1956) S. 128, auch Gotteskindschaft S. 161.

haben dürfte, reicht zur Erklärung der ältesten Geschichte des urchristlichen Gottessohntitels nicht aus. Taufe und Verklärung können
nicht zum Ausgangspunkt genommen werden, denn in ihrer jetzigen
Gestalt repräsentieren diese Erzählungen eine spätere Traditionsstufe,
in ihrer früheren sind sie aber kein so eindeutiger Beleg für die Zusammengehörigkeit von Gottessohn- und Gottesknechtanschauung,
wie dies in neuerer Zeit bisweilen behauptet worden ist[1].

Erwogen wurde, ob die Gottessohnvorstellung nicht in den Rahmen·
der spätjüdischen *Menschensohn*vorstellung hineingehört und dann
von ihrem Ursprung her schon im Sinne einer seit Ewigkeit bestehenden metaphysischen Sohnschaft zu verstehen wäre. Orthodoxes Judentum habe ohnedies das Motiv der Gottessohnschaft, obwohl es sich
dabei um ein altes Element der Königsvorstellung handelt, weitgehend gemieden, weil dies dem betonten Gegensatz von Gott und
Mensch widersprach und doch gerade auch der Messias uneingeschränkt
als Mensch angesehen wurde[2]. Statt dessen müsse die Gottessohnanschauung in weniger orthodoxen, vielleicht sogar halbheidnischen
Kreisen heimisch gewesen sein und dort zu der Konzeption des himmlischen Urmenschen gehört haben. Doch gegen diese These muß
gesagt werden, daß es hierfür keinen wirklich eindeutigen Beleg
gibt[3]; man wird also auch auf diese Ableitung verzichten müssen.

Die Anschauung vom *messianischen Hohenpriester* kommt als Ansatz
ebenfalls nicht in Frage. Die Sohnesbezeichnung findet sich, auf den
Priester angewandt, neben ‚Knecht' schon in Mal 1, 6, dort aber in
bildlicher Rede[4]. In TestLev 4, 2: ‚... daß du ihm (sc. dem Herrn)

---

[1] So bes. W. MANSON, a.a.O. S. 133f.; CULLMANN, Christologie S. 282f. 290,
und BIENECK, a.a.O. S. 58ff. GRUNDMANN, ZNW 47 (1956) S. 125f. kombiniert
überdies noch den messianischen Hohenpriester damit. — Zu Taufe und Verklärung vgl. u. S. 301f., S. 310ff. und Exk. V S. 334ff.

[2] Nach MOWINCKEL, a.a.O. S. 293f., sollen im Rahmen der königlichen
Messianologie sich nur vereinzelte Spuren des Motivs der Gottessohnschaft er-
halten haben und zudem ausdrücklich im Sinne einer besonderen Erwählung und
Adoption betont sein.

[3] Als Texte zieht MOWINCKEL, a.a.O. S. 368ff., Mk 5, 7 und 14, 61ff. heran.
Bei der Anrede durch Dämonen mit ‚Sohn des höchsten Gottes' lasse die Anschauung vom ‚höchsten Gott', trotz Verwendung im AT, noch deutlich
kanaanäische Verwurzelung erkennen, daher habe die Beheimatung im halbheidnischen Gergesenergebiet viel für sich, müsse dort aber auch mit einer
natürlichen Gottessohnschaft und insofern mit der Menschensohnvorstellung
zusammengehören. Ebenso soll die Verhandlung vor dem Hohen Rat zeigen,
daß ‚(Messias) der Sohn des Hochgelobten' im Sinne des Menschensohnes
gemeint ist, weil nur so die Verurteilung wegen Blasphemie sich erkläre, nicht
aber bei einem Messiasanspruch im traditionell jüdischen Sinn. Beide Texte
wird man aber traditionsgeschichtlich sehr anders einordnen müssen; vgl. § 3
S. 181ff. und § 5 S. 296f. Vor allem ist zu beachten, daß keinerlei jüdische
Belege für die hier vorgetragene These angeführt werden können.

[4] Vgl. ELLIGER, Kl. Propheten II S. 182, 184.

werdest ein Sohn und Knecht und Diener seiner Gegenwart'[1], zeigt bereits das Nebeneinander mit Knecht und Diener, daß hier nicht an eine besondere Sohneswürde oder gar an eine Stellung und Funktion wie in Ps 2,7 gedacht sein kann[2]. In MidrPs 2 § 3 (13a) geht es nur um die Anwendung von Ps 2,2 (משיח יהוה) auf den Hohenpriester, wobei im Blick auf die damalige Exegese nicht stillschweigend Ps 2,7 mit einbezogen werden darf. Daß endlich die ,väterliche Stimme' von TestLev 18,6f., trotz ihrer auffälligen Parallele zur Taufgeschichte, nicht ohne weiteres etwas über die Gottessohnschaft des Hohenpriesters aussagt, darf nicht verkannt werden, denn dafür ist die Vaterbezeichnung Gottes in at.-jüdischer Tradition viel zu stark verbreitet[3]. Daß Ps 2,7 hier einbezogen werden müsse, weil der Hohepriester auch ,,durchaus königliche Züge'' besitzt[4], ist unzutreffend. Denn einerseits schließt die Sohneswürde von Ps 2,7, wie V. 8ff. zeigt, das Motiv der Herrschaft ein und hat gerade in dieser Verbindung ihre eigentliche Ausprägung in der königlichen Messianologie gefunden, weswegen kaum zufällig ein Beleg für die Übertragung von Ps 2,7 auf den messianischen Hohenpriester fehlen wird. Andererseits darf die Übertragung vereinzelter Motive der königlichen Messianologie auf den hohepriesterlichen Messias nicht dazu verleiten, solche Elemente als Charakteristikum anzusehen, vielmehr sind gerade nur allgemeine messianische Züge übernommen worden und dies geschah sicher deshalb, daß der Hohepriester eindeutig als endzeitliche und messianische Gestalt gekennzeichnet werden konnte[5], nicht um ihm selbst königliche Funktionen zuzusprechen[6]. Aber wie immer es

---

[1] τοῦ . . . γενέσθαι αὐτῷ υἱὸν καὶ θεράποντα καὶ λειτουργὸν τοῦ προσώπου αὐτοῦ. Textkritisch ist υἱός übrigens nicht einmal ganz gesichert; es fehlt in der ersten Rezension des armenischen Textes, vgl. CHARLES, Testaments S. 36.

[2] Gegen FRIEDRICH, ZThK 53 (1956) S. 280.

[3] Die Vaterschaft Gottes ist in der Regel auf Israel bezogen, kann aber auch im Blick auf den königlichen Messias ausgesagt werden. Das Vatermotiv spielt jedoch in der späteren Messianologie überraschenderweise keine Rolle mehr. In TestJud 24,3, im Rahmen einer Aussage über den königlichen Messias, kommt sogar das Motiv der Sohnschaft im Bezug auf das Volk vor (in beiden Versionen). Offensichtlich hat in den Test XII die Sohnschaft des Messias keinerlei Bedeutung und die Vaterschaft Gottes ist in traditioneller Weise verstanden.

[4] FRIEDRICH. a.a.O. S. 282.

[5] Das Motiv der Himmelsöffnung und der Geistverleihung findet sich ebenso wie in TestLev 18,6f. in TestJud 24,2, also auf den königlichen Messias bezogen; aber beides ist wahrscheinlich mit keiner der messianischen Konzeptionen fest verknüpft gewesen. Der Zusammenhang der nt. Taufgeschichte mit der messianischen Hohenpriestererwartung ist also keineswegs durch TestLev 18,6f. zu belegen; dies ist vor allem gegen GRUNDMANN, ZNW 47 (1956) S. 115, zu sagen, während FRIEDRICH, ZThK 53 (1956) S. 282, immerhin beide Stellen berücksichtigt. Bei letzterem ist auch MidrPs 2 § 3 (13a) herangezogen.

[6] Die Konzeption eines endzeitlichen Priesterkönigs ist dem Judentum fremd. Jub 31,14ff. wird dafür nicht herangezogen werden können, denn in

mit der Abhängigkeit der Vorstellung vom messianischen Hohenpriester von der königlichen Messianologie stehen mag, schon in
anderem Zusammenhang hat sich ergeben, daß eine Übertragung der
Anschauung vom messianischen Hohenpriester in die neutestamentliche Christologie an keiner einzigen Stelle sicher erweisbar ist[1] und
die hier besprochenen Belege vermögen dieses Urteil nicht zu ent-
kräften, denn Mal 1,6; TestLev 18,6f. und MidrPs 2 § 3 scheiden
völlig aus und TestLev 4,2 vermag die Beweislast keinesfalls zu
tragen.

Läßt sich die Gottessohnschaft als eigenständiges Motiv aus allen
bisher angedeuteten Zusammenhängen nicht zureichend herleiten, so
bleibt nur noch die *königliche Messianologie*[2], und von hier aus wird
man in der Tat die Verwendung des Gottessohntitels in der urchristlichen Tradition erklären müssen. Vor der Behandlung der neutestamentlichen Texte muß allerdings die Frage, ob denn die Gottessohnbezeichnung für den königlichen Messias im Spätjudentum überhaupt gebräuchlich war, eine Antwort finden; denn dies ist mit gewichtigen Gründen bestritten worden[3]. Es muß zwar zugegeben

---

V. 18ff. folgt der parallele Verheißungsspruch über Juda; und in Jub 30,18 ist
die rein priesterliche Funktion erst recht deutlich. TestLev 18,3 ist nur in einem
Vergleich von einem König gesprochen; in TestRub 6,7a ist die Aussage über
die Herrschaft Levis, abgesehen von dem problematischen V. 7b, jedenfalls durch
den Ausblick auf den eschatologischen ‚gesalbten Hohenpriester' V. 8 näher
bestimmt; daß TestSim 5,5 von der Funktion Levis in den Kriegen Jahwes die
Rede ist, hat seine Parallele in 1 Q M. Gegen FRIEDRICH, a.a.O. S. 283.

[1] Vgl. Exk. IV S. 231ff.

[2] Die Gottessohnvorstellung im AT ist Bestandteil der Jerusalemer Königs-
tradition der Davididen und geht in ihrer Vorgeschichte über den kanaanäischen
Hofstil auf altorientalische, stark mythologisch geprägte Königsideologie
zurück. Man wird sich allerdings davor hüten müssen, ein einheitliches „ritual
pattern" vorauszusetzen, wie dies besonders in der neueren schwedischen
Forschung geschieht; vgl. z.B. GEO WIDENGREN, Sakrales Königtum im Alten
Testament und im Judentum, 1955; zur Kritik NOTH, Ges. Studien S. 188ff.
Schon im alten Orient ist die Gottessohnvorstellung sehr verschiedenartig ausgeprägt; nur in Ägypten ist an eine unmittelbar physische Sohnschaft gedacht,
während es im mesopotamischen Raum um die göttliche Ehre und Legitimität
des Königs geht; vgl. HENRY FRANKFORT, Kingship and the God, 1948; KRAUS,
Psalmen I S. 18f.; übrigens früher schon DALMAN, Worte Jesu S. 223f.; HANS
LIETZMANN, Der Weltheiland, 1909, S. 19ff. 48f., jetzt in: Kleine Schriften I,
1958, S. 37f. 55f. In der israelitischen Königstradition sind sehr verschiedenartige Elemente zusammengeflossen; daß auch ägyptische Einflüsse nachwirken,
ist indirekt an den Titulaturen Jes 9,5 zu erkennen. Aber andererseits ist
deutlich, daß jede mythologische Komponente abgestreift worden ist. Die
Menschlichkeit des Amtsträgers ist unaufgebbarer Bestandteil der israelitischen
Königsvorstellung, und die Sohnschaft wird allein an die Einsetzung und Beauftragung, die Adoption durch Jahwe, gebunden; vgl. dazu § 3 S. 133ff., bes.
S. 137 mit Anm. 5.

[3] Vgl. bes. KÜMMEL, a.a.O. S. 129ff. (mit Literaturangaben); Bedenken
wurden auch früher schon erhoben, so DALMAN, Worte Jesu S. 219. 223;
BOUSSET, Kyrios Christos S. 53f.; vgl. VAN IERSEL, Der Sohn S. 4f. Anm. 7.

werden, daß die früher häufig herangezogenen Belege aus AethHen
105,2 und IV Esra 7,28; 13,32.37.52; 14,9 ausscheiden; denn die
Henochstelle fehlt in dem Fragment der auf das semitische Original
wohl direkt zurückgehenden griechischen Übersetzung, und die verschiedenen Stellen aus IV Esra, die ‚filius meus' als Bezeichnung des
Messias haben, müssen, wie die anderen alten Versionen dieser Schrift
zeigen, auf ein ursprüngliches עבדי zurückgeführt werden[1]. Nun gibt
es aber für die Verwendung der Anredeform von Ps 2,7 in der rabbinischen Literatur immerhin einige Belege, und es ist nicht statthaft,
diese pauschal als spät zu kennzeichnen[2]. Eine Baraita aus bSukka
52a ist erhalten, die mindestens ins 2. Jh. n. Chr. zurückreichen dürfte[3];
dort ist Ps 2,7 ausdrücklich auf den Messias ben David bezogen. Vor
allem aber zeigt die antichristliche Polemik, daß neben der radikalen
Bestreitung der Gottessohnschaft im physischen Sinne die Beziehung
von Ps 2,7 auf den Messias ziemlich fest verwurzelt gewesen sein muß;
vielleicht ist auch gerade aus polemischen Gründen an dieser so betont
adoptianischen Aussage allein festgehalten worden, um jegliche Beziehung zu der späteren christlichen Gottessohnvorstellung zu vermei-
den[4]. Daß mit der Anwendung von alttestamentlichen Schriftstellen,
die die Gottessohnprädikation enthalten, auf den königlichen Messias
bereits in vorchristlicher Zeit gerechnet werden darf[5], dafür gibt es
jetzt einen eindeutigen Beleg, nämlich das Florilegium aus Höhle 4
von Qumran. Dort ist die Verheißung an David, 2 Sam 7,11f. 14a
zitiert und auf das Kommen des צמח דויד gedeutet, welcher mit dem
‚Erforscher der Tora'[6] zusammen auftreten wird; abschließend ist
an dieser Stelle auch die Verheißung von der Wiederaufrichtung der
Hütte Davids Am 9,11 aufgenommen[7]. Dieser wichtige Beleg aus

---

[1] Vgl. BRUNO VIOLET, Die Apokalypsen des Esra und des Baruch in deutscher
Gestalt (GCS 32), 1924, S. 74f.; JEREMIAS, ThWb V S. 680 Anm. 196. Man wird
allerdings zu beachten haben, daß dieses ‚mein Knecht' in IV Esra nichts mit
DtJes zu tun hat, sondern wie Ez 34,23f.; 37,24f. (עבדי דוד); Sach 3,8 (עבדי
צמח) als Bezeichnung des königlichen Messias angesehen werden muß; insofern
ist auch die Übersetzung ‚filius meus' nicht ganz unsachgemäß.

[2] Gegen KÜMMEL, a.a.O. S. 130.

[3] Vgl. die Stelle bei BILLERBECK III S. 19.

[4] Zur antichristlichen Polemik vgl. BILLERBECK III S. 20ff.

[5] Vgl. noch ERMINIE HUNTRESS, "Son of God" in Jewish Writings prior to
the Christian Era, JBL 54 (1935) S. 117—123.

[6] ‚Erforscher der Tora' ist hier Bezeichnung des hohepriesterlichen Messias.

[7] 4 Q Flor 10—14; daraus V. 11.12a: אני [א]ה[יה] לוא לאב והוא יהיה לי לבן
הואה צמח דויד העומד עם דורש התורה אשר [...] בצי[ון בא]חרית הימים 'Ich [werde]
Vater sein und er wird mir Sohn sein. Dies ist der Sproß Davids, der mit
dem Gesetzeslehrer auftreten wird, welcher [...] in Zion am Ende der Tage' (wie
geschrieben steht: folgt Am 9,11). Urtext bei JOHN M. ALLEGRO, Further
Messianic References in Qumran Literature, JBL 75 (1956) S. 176f., bzw.
DERS., Fragments of a Qumran Scroll of Eschatological Midrašim, JBL 77

den Qumrantexten ist übrigens ein Zeichen dafür, daß bei der Anschauung von der Einsetzung des königlichen Messias zum Gottessohn nicht einmal ausschließlich mit der Verwendung von Ps 2, 7 gerechnet werden darf, wie sich dies von den rabbinischen Schriften nahelegt; umgekehrt darf aber gefolgert werden, daß auf Grund der besprochenen Indizien die Verwendung von Ps 2, 7 in vorchristlicher Epoche vorausgesetzt werden kann, da 2 Sam 7, 14a gleichfalls Verwendung gefunden hat. Bedauerlicherweise ist die am Ende von Kolumne I beginnende Auslegung von Ps 2 in 4 Q Flor nicht erhalten. Nur soviel ist deutlich, daß dieser Psalm ebenso wie 2 Sam 7, 11—14 eschatologisch verstanden worden ist. Aber noch ein weiterer Text aus den Qumranschriften kann uns einen Hinweis auf die Verwendung des Motivs der Gottessohnschaft geben, das ist 1 Q Sa II, 11: ‚Dies ist die Sitzordnung der Männer des Namens, der zur Versammlung Berufenen, für den Gemeinschaftsrat, wenn geboren wird [. . .] der Messias . . .‘; zwar ist יוליד nicht unumstritten, aber es ist doch überaus wahrscheinlich, daß an dieser Stelle, ähnlich wie in Jes 9, 5, der Gedanke der Adoption des messianischen Königs vorliegt, also die Vorstellung der Gottessohnschaft im Hintergrund steht[1]. Damit ist allerdings noch nicht bewiesen, daß ‚Gottessohn‘ auch als selbständiger Titel gebraucht worden ist, denn sowohl 2 Sam 7, 14a als auch Ps 2, 7 enthalten das Motiv der Gottessohnschaft im Rahmen einer Adoptionsaussage. Gleichwohl erwecken die frühesten neutestamentlichen Belege nicht den Eindruck, daß nur der Gedanke der Gottessohnschaft des Messias aus dem Judentum übernommen, die titulare Verwendung von ‚Sohn Gottes‘ dagegen erst in der Urgemeinde in Gebrauch gekommen ist. Zwei späte rabbinische Stellen sind zudem erhalten, an denen die Gottessohnbezeichnung unabhängig von Ps 2, 7 vorkommt. Die eine steht in MekhEx 15, 9 (48 b) — in etwas ausführlicherer Gestalt wiederholt in dem mittelalterlichen Sammelwerk Jalqut Schim'oni Ps 2, 2 (2 § 620) —, wo gleichnishaft vom ‚Sohn des Königs‘ die Rede ist[2]; die andere findet sich in TargPs 80, 16, wo das וְעַל בֵּן durch מַלְכָּא מְשִׁיחָא erklärt wird[3]. Hier dürften zum mindesten Anzeichen dafür vorliegen, daß auch eine von Ps 2, 7 (2 Sam 7, 14a) unabhängige Verwendung der Gottessohnbezeichnung für den königlichen Messias

---

(1958) S. 353; vgl. Bardtke, Handschriftenfunde II S. 298f.; Maier, Texte I S. 185. Dazu van der Woude, Mess. Vorstellungen S. 173f.

[1] Text nach der Übersetzung von Maier, Texte I S. 175; vgl. zu den sachlichen Problemen Ders., Texte II S. 158f.; Otto Michel-Otto Betz, Von Gott gezeugt, in: Judentum — Urchristentum — Kirche (Festschrift für Joachim Jeremias, BZNW 26), 1960, S. 3—23, bes. S. 8ff. 10f.; anders K. G. Kuhn, Two Messiahs, in: The Scrolls and the NT S. 256(f.) Anm. 13. Zu 1 Q Sa II, 11 vgl. noch u. S. 305(f). Anm. 5.

[2] Vgl. Billerbeck III S. 676f. 19.          [3] Vgl. Billerbeck III S. 19(f.).

in neutestamentlicher Zeit nicht völlig auszuschließen ist. Die Möglichkeit, daß es sich um alte Tradition handelt, ist nicht grundsätzlich zu bestreiten, obwohl keine ganz sicheren Beweise vorliegen. Man wird eine analoge Entwicklung wie bei der Davidssohnschaft des messianischen Königs annehmen dürfen. Hatte sich das Motiv, daß der verheißene Messias ein Davidide ist, zunächst in dem geradezu formelhaften ‚Sproß Davids‘ niedergeschlagen, so kam es doch noch in vorchristlicher Zeit, wie PsSal 17, 21 zeigt, zu einer Anwendung von ‚Sohn Davids‘ im titularen Sinn. Bei der Gottessohnschaft hat im Spätjudentum offensichtlich in der Hauptsache die Adoptionsaussage im Rahmen der königlichen Messianologie eine Rolle gespielt. Aber auch hier dürfte schließlich der titulare Gebrauch eine gewisse Bedeutung gewonnen haben. Dem stand zwar in gewissem Maße der ziemlich fest eingebürgerte Brauch einer Vermeidung des Gottesnamens entgegen[1], doch war dies durch eine Umschreibung, wie sie uns beispielsweise Mk 14, 61 begegnet, zu umgehen[2].

*Zusammenfassend* ergibt sich, daß das Motiv der Gottessohnschaft in seiner ausgeprägten Form, also im Sinne der Amtseinsetzung und Herrschaftsübertragung, im Bereich des palästinischen Spätjudentums sachlich zur königlichen Messianologie gehört. Höchstwahrscheinlich war dort auch der titulare Gebrauch von ‚Sohn des Hochgelobten‘ u. ä. schon in vorchristlicher Tradition üblich geworden.

## 2. *Gottessohn als Bezeichnung des wiederkommenden Jesus und des Erhöhten*

Auf Grund der Erwägungen über den spätjüdischen Gebrauch der Gottessohnvorstellung können Beobachtungen aufgenommen werden, die in früheren Zusammenhängen gemacht worden sind. Die Anschauung vom königlichen Messias ist in der palästinischen Urgemeinde zunächst auf das zukünftige Werk Jesu angewandt worden. Dies hat sich sowohl bei der Untersuchung des Messias- wie des Davidssohntitels ergeben. Es ist zudem durch die Verbindung mit der Aussage vom kommenden Menschensohn gestützt; in diesem Zusammenhang taucht auch das Zitat Ps 110, 1, auf den Wiederkommenden bezogen, zuerst auf[3]. Da die Menschensohn- und Kyriosvorstellung ebenfalls primär eschatologische Intention haben, ist dieses Ergebnis keineswegs überraschend.

---

[1] Vgl. dazu Karl Georg Kuhn, Art. ϑεός, ThWb III S. 93ff.

[2] Außer Mk 14, 61 vgl. noch Lk 1, 32; dazu Dalman, Worte Jesu S. 223, ferner S. 159ff.

[3] Vgl. hierzu § 3 S. 181ff., und den Exkurs II S. 126ff.

Die Bezeichnung ‚Gottessohn' ist ursprünglich ebenfalls auf *Jesu endzeitliche Funktion* angewandt worden. Die Gottessohnschaft war ja nicht eine eigentlich selbständige Anschauung, sondern einer der konstitutiven Bestandteile der königlichen Messianologie, hat daher in der Urgemeinde die gleiche Verwendung gefunden. Diese Feststellung ist, soweit ich sehen kann, bisher nirgends getroffen, vielmehr wird in der Regel damit gerechnet, daß die Einsetzung in die Gottessohnschaft von Anfang an mit dem Osterereignis verbunden gewesen sei[1]. Auf diese Weise lassen sich allerdings diejenigen neutestamentlichen Stellen, die vom eschatologischen Werk des Gottessohnes handeln, nicht befriedigend erklären, vielfach werden sie sogar nicht einmal genügend beachtet[2]. Zur Messianologie bedarf es keiner weiteren Untersuchungen mehr. Die neutestamentlichen Überlieferungsstücke, welche ‚Gottessohn' im endzeitlich-messianischen Sinne enthalten, müssen jedoch zusammengestellt werden.

Der älteste Text, der noch am stärksten die Eigentümlichkeiten jüdischen Denkens erhalten hat, vielleicht sogar auf jüdische Überlieferung zurückgeht, ist der kleine messianische Hymnus *Lk 1,32f.* Der ‚Thron Davids, seines Vaters' und die ewige Regentschaft über das Haus Jakob zeigen, wie eindeutig sich hier die königliche Messianologie niedergeschlagen hat, zumal in ihrer alten diesseitig-politischen Ausformung. Die Ernennung zum ‚Sohn des Höchsten', zu dem in die Herrschaft eingesetzten König, erweist in Formulierung und Sache die Abhängigkeit von alttestamentlich-jüdischer Denkweise[3].

Die zweite Stelle, Jesu Bekenntnis vor dem Hohen Rat *Mk 14,61f.*, zeigt jene aufschlußreiche Verschmelzung von Messias- und Menschensohnvorstellung, welche nicht nur aus dem Verhältnis von V. 61 und V. 62, sondern vor allem aus der Verbindung von Ps 110,1 und Dan 7,13 in V. 62 selbst hervorgeht[4]. Es unterliegt keinem Zweifel, daß die Hohepriesterfrage σὺ εἶ ὁ χριστὸς ὁ υἱὸς τοῦ εὐλογητοῦ im Sinne eines

---

[1] So JOH. WEISS, Urchristentum S. 85f.; BULTMANN, Theol. S. 52f.; KÜMMEL, a.a.O. S. 131; E. SCHWEIZER, Erniedrigung und Erhöhung S. 88; BRAUN, ZThK 54 (1957) S. 345. 348f. (Studien S. 246f. 250f.) und andere.

[2] Einen Versuch, den verschiedenartigen Verwendungen des Gottessohnbegriffes bei Paulus, also seiner Beziehung auf den Irdischen, den Erhöhten und den Wiederkommenden gerecht zu werden, unternimmt CERFAUX, Le Christ S. 329ff. Aber das einheitliche Bild wird nur dadurch erreicht, daß die Vorstellung von der überirdischen Natur des Gottessohnes ganz selbstverständlich vorausgesetzt und keinerlei traditionsgeschichtlichen Überlegungen Rechnung getragen ist.

[3] Im einzelnen vgl. § 4 S. 247f.

[4] Dies spricht gegen MOWINCKELS Ableitung der Gottessohnprädikation aus der Menschensohnvorstellung, a.a.O. S. 369f., da in Mk 14,61f. das Motiv des Eingesetztwerdens zur Rechten Gottes, also gerade das adoptianische Element der königlichen Messianologie aufgenommen ist. Zu Mk 14,61f. vgl. die Untersuchung in § 3 S. 181ff.

Hendiadyoin zu verstehen ist[1]. Dabei ist aber nun nicht wie etwa in Mt 16,16 der Christostitel durch den späteren Gottessohntitel des hellenistischen Christentums erklärt, sondern der Gottessohn- wie der Christostitel sind hier in ihrer ursprünglichen messianologischen Bedeutung vorausgesetzt. Daß gerade auch die umschreibende Wendung ‚Sohn des Hochgelobten' auf alte palästinische Überlieferung hinweist, ist unschwer zu erkennen[2]. Die Messiasprädikation wird in V. 62 von dem Befragten angenommen. Man kann aber diese Antwort nicht anders verstehen denn als „Interpretation" der Messiasfrage durch die eschatologische Menschensohnerwartung, somit als eine ausschließlich auf das endzeitliche Wirken Jesu bezogene Akzeptierung der Messiaswürde, wobei der diesseitige Rahmen durch die transzendente Vorstellung der Apokalyptik ersetzt wird. Zur Messianität und Gottessohnschaft bekennt sich Jesus also in der Weise, daß er von seinem eschatologischen Amt, seiner Einsetzung in Würde und Macht des in Herrlichkeit erscheinenden Heilbringers spricht[3].

Die alte messianische Tradition, die in Lk 1,32f. und Mk 14,61f. greifbar wird, ist auch in der frühen Überlieferung der hellenistischen Gemeinde noch nicht ganz ausgestorben. Das ergibt ein Text, der meist in seiner diesbezüglichen Bedeutung nicht hinreichend gewürdigt wird, nämlich *1 Thess 1,9 f.* Wohl wird anerkannt, daß es sich hier um ein Stück der für Paulus selbst nicht eigentlich bezeichnenden urchristlichen Missionspredigt handelt[4]; doch wird dies merkwürdiger-

---

[1] Mit Recht von FRIEDRICH HAUCK, Das Evangelium des Markus (ThHd Komm II), 1931, S. 178, betont; außerdem hat er an dieser Stelle zutreffend von dem „Messias futurus" gesprochen. Völlig abwegig ist, wenn CRANFIELD, Mk S. 443, die messianische Bedeutung des Gottessohntitels bestreitet und ihn folgendermaßen erklärt: "It is more likely that the words were added because the authorities were aware of some such utterance of Jesus as Mt. xi. 27 = Lk. x. 22 or had drawn conclusions from the parable of the Wicked Husbandmen (xii. 1—12)."

[2] Gleiches gilt für das (ἐκ δεξιῶν . . .) τῆς δυνάμεως in V. 62.

[3] Sehr aufschlußreich sind die bei Mt und Lk vorgenommenen Änderungen. *Mt* will natürlich Christos- und Gottessohnwürde ebenso wie in 16,16 auf den irdischen Jesus übertragen wissen; er trennt daher die Antwort Jesu in 26,64 in die Bejahung der Frage und die Parusieverheißung, wobei das πλὴν λέγω ὑμῖν eine deutliche Zäsur markiert. *Lk* geht noch weiter, indem er die Frage nach Messianität und Gottessohnschaft trennt, wobei erstere mit dem Hinweis auf die Erhöhung beantwortet wird und letztere eine direkte Bejahung erfährt, somit gerade auch für den irdischen Jesus gilt. Es sollte unter keinen Umständen der Versuch gemacht werden, von Mt oder Lk her die ursprüngliche Form des Verhörs zu rekonstruieren, wie dies gelegentlich geschieht; vgl. nur CULLMANN, Christologie S. 118ff.; WALTER GRUNDMANN, Das Evangelium nach Markus (ThHdKomm II), 1959², S. 301ff.

[4] Vgl. ALFRED SEEBERG, Katechismus der Urchristenheit S. 82f.; v. DOB-SCHÜTZ, Thess S. 76ff., 81f.; ALBRECHT OEPKE, Die Missionspredigt des Apostels Paulus, 1920, S. 64. 158. 210; DIBELIUS, Thess S. 6f.; BULTMANN, Theol. S. 77. 81; BÉDA RIGAUX, Les épîtres aux Thessaloniciens (Études Bibliques), 1959, S. 392ff.; mit gewissen Einschränkungen auch CHARLES MASSON, Les

weise immer nur im Hinblick auf die Bußpredigt und die eschatologische Verkündigung ausgewertet, nicht aber für die Christologie. Wegen des Nebeneinanders von Auferstehung Jesu und eschatologischer Richtertätigkeit wird auf die Parallele in Act 17,31, aber nicht auf die Vorgeschichte dieses Motivs in der palästinischen Urgemeinde verwiesen. Immerhin handelt es sich um einen der wenigen Texte, an denen eindeutig die Korrelation von Auferstehung Jesu und eschatologischen Ereignissen zum Ausdruck kommt. Ferner wird hier wie in Mk 14,62 die nach apokalyptischer Denkweise vorgestellte endzeitliche Funktion Jesu ausdrücklich mit dem messianischen Gottessohntitel verbunden. Auf Jesu irdisches Wirken und sein Sterben ist nicht Bezug genommen und die Auferstehung ist nicht im Sinne des allen Menschen erbrachten Beweises für die Erwählung Jesu verstanden, wie es in Act 17,31 der Fall ist[1], sondern in dieser ausschließlich eschatologisch orientierten Aussage von 1 Thess 1,10 als ein vorweggenommenes Endereignis, das um so gewisser auf den Anbruch der eschatologischen Geschehnisse verweist. Das Kommen ‚vom Himmel' zeigt die Verschmelzung mit der Menschensohntradition, ebenso die Funktion Jesu als ‚Erlöser' (ὁυόμενος) vor dem ‚kommenden Zorn', was hier im Sinne des apokalyptischen Weltrichteramtes verstanden werden muß[2]. Aber entscheidend bleibt der Gottessohntitel; hieran ist zu sehen, wie die Messiasvorstellung, weit davon entfernt, eine allgemeine Bezeichnung zu sein, speziell zur Beschreibung des endzeitlichen Amtes Jesu verwendet worden ist.

Auf Grund von 1 Thess 1,9f. ergibt sich, daß die endzeitlich ausgerichtete Verwendung des Gottessohntitels noch in der Missionspredigt der hellenistischen Gemeinde wirksam geblieben ist. Dennoch darf nicht übersehen werden, daß dort schon relativ früh der bereits besprochene Umschmelzungsprozeß einsetzte und die Erwartung der Parusie zurücktrat zugunsten der Anschauung von der *Erhöhung Jesu*[3]. Die der königlichen Messianologie entstammenden Aussagen wurden dabei von dem endzeitlichen Wirken Jesu abgelöst und auf seine gegenwärtige Würde und Funktion im Himmel übertragen.

---

deux épîtres de Saint Paul aux Thessaloniciens (Commentaire du Nouveau Testament XI a), 1957, S. 23f; WILCKENS, Missionsreden S. 80ff.

[1] Vgl. HAENCHEN, Apg S. 463f.

[2] Gerade 1 Thess 1,9f. zeigt übrigens, wie wenig bei der Gottessohnprädikation die Vorstellung des messianischen Hohenpriesters vorausgesetzt werden kann. Dies läßt sich auch dadurch nicht erweisen, daß man mit FRIEDRICH, ZThK 53 (1956) S. 289ff., in Mk 14,56ff. vom Tempelwort ausgeht und die Menschensohnaussage einfach streicht; denn wie immer es mit dem Verhältnis von 14,58 zu V. 61f. stehen mag (vgl. o. § 3 S. 177 Anm. 3), innerhalb von V. 61f. lassen sich keine kritischen Operationen durchführen; völlig unhaltbar ist auch die diesbezügliche Analyse von GRUNDMANN, Mk S. 299ff.

[3] Vgl. bes. § 2 S. 112ff.; Exk. II S. 126ff.

Aber gerade dadurch traten bislang verbundene Elemente auseinander: die Menschensohnvorstellung nimmt das Erhöhungsmotiv nicht auf[1] und beschränkt sich auf Aussagen über die Parusie und das Erdenwirken bzw. das Leiden Jesu; die Davidssohnprädikation, die ursprünglich auch mit Wendungen über das zukünftige messianische Reich verknüpft war, wird im Rahmen der Zweistufenchristologie im besonderen auf das irdische Leben Jesu angewandt. Ps 110,1 dagegen und die eigentlich messianischen Hoheits- und Herrschaftsaussagen werden auf den Erhöhten übertragen; Ps 110,1 bleibt fortan fest mit dem Theologumenon von der Erhöhung Jesu verbunden. Die Würdetitel ‚Christos‘ und ‚Gottessohn‘ werden nun ebenfalls auf den Erhöhten angewandt, machen jedoch bald eine weitere Umformung durch, so daß es nicht überrascht, wenn sie als Prädikationen des Erhöhten verhältnismäßig selten vorkommen. Für ‚Christos‘ liegen in Mk 12,35ff.; Act 2,36 die Belege vor[2]. Für ‚Gottessohn‘ kommt vor allem die wichtige, schon ausführlich behandelte Stelle *Röm 1,3f.* in Frage[3]; ferner die Anwendung von Ps 2,7 auf den Auferstandenen in *Act 13,33* (vgl. V. 32—37) innerhalb der sicher von Lukas formulierten, aber gleichwohl älteres Gut verarbeitenden Rede des Paulus im pisidischen Antiochien[4]. Im *Hebräerbrief* klingt eine derartige Verwendung des Gottessohntitels ebenfalls nach, vor allem in 1,5 und 5,5, wo Ps 2,7 (auch 2 Sam 7,14) im Hinblick auf Jesu himmlische Stellung zitiert wird, auch wenn der Autor selbst die Sohnschaft dem Präexistenten und ebenso dem irdischen Jesus zuspricht[5]. Schließlich ist noch die Wendung vom Versetztsein εἰς τὴν βασιλείαν τοῦ υἱοῦ τῆς ἀγάπης αὐτοῦ *Kol 1,13* anzuführen, wo an die Zeit zwischen Jesu Auferstehung und Parusie gedacht und ähnlich wie in 1 Kor 15,25—28 von einer Königsherrschaft Christi die Rede ist[6]. In *1 Kor 15,28* taucht gleichfalls die Sohnesbezeichnung auf und ist, obwohl es sich dort um einen eschatologischen Akt, die Rückgabe der Herrschaft an Gott, handelt, eindeutig auf das βασιλεύειν von V. 25ff. zurückbezogen; durch das ausdrückliche Zitat von Ps 110,1 tritt hier wiederum die ursprüngliche Verbindung dieser Würdebezeichnung mit der Erhöhungsvorstellung deutlich hervor[7]. Damit sind die neutestament-

---

[1] Von einigen Lukanismen abgesehen; vgl. Lk 22,69; Act 7,56.

[2] Vgl. § 3 S. 189ff.  [3] Vgl. § 4 S. 251ff.

[4] Vgl. S. 278 Anm. 2.  [5] Vgl. bes. Hebr 1,2f.; 5,8.

[6] Vgl. DIBELIUS-GREEVEN, Kol. S. 9. Daß noch ein gewisser eschatologischer Aspekt erhalten geblieben ist, zeigt Kol 3,4.

[7] Zwar steht in 1 Kor 15,28 nicht der Gottessohntitel, sondern ὁ υἱός, doch zeigen sowohl das Fehlen eines korrespondierenden ὁ πατήρ (es mag allerdings V. 24 nachwirken) wie der Sachzusammenhang mit Ps 110,1 und Erhöhung, daß an dieser Stelle nicht die selbständige Tradition des absoluten ὁ υἱός vorausgesetzt werden darf. ὁ υἱός fehlt in einer Reihe von Handschriften, kann aber ohne

lichen Texte, die die Gottessohnschaft speziell vom Erhöhten aussagen, erschöpft, denn wenn sonst in paulinischen Zusammenhängen von einem Wirken des himmlischen Christus in Verbindung mit dem Titel ‚Gottessohn' gesprochen wird, ist nicht ausschließlich an den status exaltationis gedacht, vielmehr ist ‚Gottessohn' als umfassender Würdetitel für das gesamte Wirken Christi verstanden.

*Zusammenfassung:* Es ist bisher nicht beachtet worden, daß die Verwendung des Titels ‚Gottessohn' im Urchristentum anfänglich mit der echatologischen Messiasvorstellung zusammenhängt und zunächst nur im Blick auf Jesu endzeitliches Werk gebraucht worden ist, was sich bis in die Missionspredigt des hellenistischen Judenchristentums erhalten hat (1 Thess 1,9 f.). Der Umformungsprozeß, der beim Messiasbegriff zu erkennen war, hat sich aber auch hier ausgewirkt, so daß ‚Gottessohn' ein bezeichnendes Prädikat des Erhöhten wurde, der von Gott adoptiert und in sein himmliches Amt eingesetzt ist. Dies hat im Rahmen der Zweistufenchristologie eine große Rolle gespielt (Röm 1,3 f.), jedoch auch sonst stark nachgewirkt.

### 3. *Die Gottessohnvorstellung des hellenistischen Judenchristentums*

Die Ausbildung des Theologumenons von der Erhöhung Jesu vollzog sich im Bereich der frühen hellenistischen Gemeinde. Es konnte auf die Dauer nicht ausbleiben, daß sich dort auch Einflüsse geltend machten, die durch die Auseinandersetzung mit der Vorstellungswelt des Heidentums bedingt waren. Religionsphänomenologisch ausgedrückt handelt es sich um Übernahme von Elementen der $\vartheta\varepsilon\tilde{\iota}o\varsigma$ $\dot{\alpha}\nu\dot{\eta}\varrho$-Vorstellung in den überkommenen Gottessohnbegriff. In welchem Maße das Bild des göttlichen Menschen in der griechischen Antike und auch im hellenistischen Synkretismus lebendig war, haben WINDISCH und BIELER anschaulich beschrieben [1]. Daß sich diese Vorstellung längst mit dem Motiv der Gottessohnschaft verbunden hatte, ist nicht verwunderlich [2]. Von hier aus ergaben sich darum auch er-

---

Bedenken als ursprünglich angesehen werden; vgl. LIETZMANN-KÜMMEL, 1 Kor S. 194. Zur Anschauung von der Königsherrschaft Christi vgl. Exk. II S. 131.

[1] HANS WINDISCH, Paulus und Christus. Ein biblisch-religionsgeschichtlicher Vergleich (Unters. z. NT 24), 1934, S. 24—89; LUDWIG BIELER, $\Theta EIO\Sigma$ $ANHP$. Das Bild des „göttlichen Menschen" in Spätantike und Frühchristentum I, 1935; II, 1936. BIELER versucht in Bd. I ein möglichst geschlossenes Gesamtbild zu geben und erarbeitet die gemeinsamen Züge. Die Untersuchung von WINDISCH hat, obwohl lange nicht so materialreich, zwei wesentliche Vorzüge: einerseits skizziert sie die Entwicklung von der ältesten Antike an, andererseits stellt sie die verschiedenen Haupttypen nebeneinander, in denen die Vorstellung ihre konkrete Ausprägung fand (Sänger, Heroen, Philosophen, Wundermänner, göttliche Herrscher). Vgl. auch noch DIETER GEORGI, Die Gegner des Paulus in 2 Kor 2,14—7,4 und 10—13, Diss. Heidelberg 1957 (Maschinenschr.), S. 57 ff.

[2] Vgl. dazu bes. BIELER, a.a.O. I S. 134 ff.

hebliche Einwirkungen auf die urchristliche Verkündigung von Jesus
als Gottessohn[1]. Will man allerdings eine Geschichte der Gottessohnvorstellung im hellenistischen Christentum skizzieren, so ist es unzulässig, sofort auf die ausgesprochen heidnischen Formen des ϑεῖος
ἀνήρ-Bildes Bezug zu nehmen[2]. Das hellenistische Judentum stellt
ein nicht unwesentliches vermittelndes Zwischenglied dar, sofern dort
mancherlei hellenistisches Gedankengut bereits aufgenommen und
transformiert worden war, um eine Verbindung mit biblischer Tradition möglich zu machen. Da der Gottessohntitel der Urchristenheit
auf hellenistischem Boden auf den irdischen Jesus angewandt wurde,
muß gefragt werden, in welcher Weise dies gerade durch das Diasporajudentum vorbereitet und ermöglicht worden ist.

Die alttestamentlichen ‚Gottesmänner' waren im *hellenistischen
Judentum* schon frühzeitig mit ϑεῖοι ἄνϑρωποι gleichgesetzt worden.
Windisch hat diesen Gottesmännern und ihrem hellenistisch-jüdischen
Verständnis einen eigenen Abschnitt seiner Untersuchung gewidmet[3].
Er hat dabei sicher einen Fehler gemacht, wenn er die ‚Gottesmänner'
nach alttestamentlicher Darstellung schon als ϑεῖοι ἄνϑρωποι im
eigentlichen Sinne behandelt[4]. Dem widersprechen zwei Eigentümlichkeiten, welche den altisraelitischen Nebiismus grundsätzlich von allem
griechisch-hellenistischen Denken über Erscheinungen ähnlicher Art
unterscheiden: einmal gibt es hier keinerlei Teilhabe des Menschen
am Göttlichen, sondern nur völlige Unterordnung unter Gott; zum
anderen werden die besonderen Fähigkeiten der ‚Gottesmänner' auf
das Einwirken des göttlichen Geistes zurückgeführt[5], diese Fähigkeiten also nicht als Zeichen eines ἐνϑουσιασμός, sondern als χαρίσματα
verstanden[6]. Gerade das konstitutive Element der ϑεῖος ἀνήρ-Vor-

---

[1] Das Problem der Hellenisierung des Gottessohnbegriffes läßt sich nicht in
der Weise abtun, wie dies z.B. Stephan Lösch, Deitas Jesu und Antike Apotheose, 1933, versucht, der behauptet, die urchristliche Gemeinde sei von Anfang
an aller Apotheose entgegengetreten, außerdem sei im 1. Jh. aus dem Heidentum
selbst ein Gegenstoß gegen die Vergötterung von Menschen erfolgt, so daß die
Entfaltung des nt. Gottessohnbegriffs in der Selbstoffenbarung Jesu beruhen
müsse und „das treu gehütete Geheimnis der Urgemeinde zu Jerusalem" darstelle (S. 129f.).

[2] So vor allem G. P. Wetter, Sohn Gottes, bes. S. 137ff.; H. Braun, ZThK
54 (1957) S. 353ff. (Studien S. 255ff.).

[3] Windisch, a.a.O. S. 89—114. Bieler hat, wohl durch Windisch veranlaßt,
im 2. Band seiner Arbeit eine Besprechung des hellenistisch-jüdischen Materials
nachgetragen (S. 3—36).

[4] Ekstase, Prophetie und Wundertun sind zwar in beiden Fällen bezeichnende
Äußerungsformen. Vgl. im AT bes. die Gestalten des Elia und Elisa; aber auch
Mose und in späterer Zeit David werden den Gottesmännern zugerechnet.
Stellen bei Köhler-Baumgartner, Lexicon S. 41 s.v. אִישׁ הָאֱלֹהִים.

[5] Vgl. das parallele אִישׁ הָרוּחַ Hos 9,7 (LXX: ἄνϑρωπος ὁ πνευματοφόρος).

[6] Ich verweise nur auf Walther Eichrodt, Theologie des Alten Testamentes,
I, 1957⁵, S. 204ff.

stellung, die Göttlichkeit des Menschen oder die Möglichkeit zu seinem Partizipieren an Göttlichem, ja zu seiner Vergottung, ist im Alten Testament undenkbar, weswegen dieser Begriff zur Beschreibung alttestamentlicher Sachverhalte überhaupt ungeeignet ist[1]. Es ist nun aber aufschlußreich, mit dem Alten Testament die Interpretation zu vergleichen, welche die israelitischen Gottesmänner im hellenistischen Judentum erfahren haben. Sie ist nur in Ausschnitten vorhanden, aber diese sind aufschlußreich genug[2]. In *EpistArist 140* wird von ägyptischen Priestern (!) festgestellt, daß allein den Israeliten als Verehrern des wahren Gottes die Bezeichnung ἄνθρωποι θεοῦ zukommen darf; voraus geht eine Polemik gegen Vielgötterei, Götzenbilder und wahrscheinlich auch gegen die Vergöttlichung des Menschen[3]. Der weitere Zusammenhang zeigt in seiner moralisierenden Tendenz ebenso wie in der Anwendung jenes Ehrentitels eine Auflösung der Anschauung vom Gottesmann. Jedoch ist gerade die Einschränkung auf die Israeliten sehr bezeichnend. Hier spiegelt sich der Kampf gegen die heidnischen Ansichten von Göttern und Göttlichkeit. Zwiespältig ist das Zeugnis des *Josephus*; auf der einen Seite betont er: κοινωνία θείῳ πρὸς θνητὸν ἀπρεπής ἐστιν[4], auf der anderen Seite aber verwendet er θεῖος als Attribut für Mose und die Propheten[5]. Indem hier also im Grundsätzlichen an der jüdischen Struktur des Denkens festgehalten wird, sind dennoch bestimmte Erscheinungen des religiösen Lebens in Israel mit hellenistischer Begrifflichkeit umschrieben, de facto ist also eine weitgehende Hellenisierung eingetreten[6]. Diese ist bei *Philo* ganz bewußt vollzogen. Abraham und Mose, aber auch die Propheten sind keine Erdenmenschen mehr. Umgekehrt scheint er den Begriff θεῖος ἀνήρ bewußt zu meiden[7] und spricht statt dessen von

---

[1] Auch BIELER, a.a.O. II S. 3 ff., hat keine ganz klare Unterscheidung zwischen Altem Testament und hellenistisch-jüdischer Tradition durchgeführt. So redet er im ersten Abschnitt vom Alten Testament, zitiert aber durchweg die Septuaginta und bietet dazu noch einige Parallelen aus Josephus. Andererseits stellt er S. 24 f. Unterschiede zwischen der θεῖος ἀνήρ-Vorstellung und dem Alten Testament heraus, so die starke Bindung an Gott und die Tatsache, daß der jüdische Gottesmann wirklich Mensch bleibt.

[2] Ich verwende das von WINDISCH und BIELER gesammelte Material. Im übrigen vgl. noch die Hinweise bei JOACHIM JEREMIAS, Art. ἄνθρωπος, ThWb I S. 365 f.

[3] Der für diesen letzten Gedanken in Frage kommende Text EpistArist 136 ist leider verderbt, vgl. Epistula Aristeae ed. PAUL WENDLAND, 1900, z. St.

[4] JosBell VII, 344.

[5] Ähnlich wird einmal Saul ἔνθεος genannt (JosAnt VI, 76) oder von der θεία διάνοια Salomos gesprochen (Ant VIII, 34).

[6] BIELER, a.a.O. II S. 25 ff., zeigt, wie in den Antiquitates einerseits zusätzlicher haggadischer Stoff verwendet ist, andererseits ein Umbiegen im Sinn der hellenistischen θεῖος ἀνήρ-Vorstellung vorgenommen wird.

[7] Das bloße θεῖος ist dagegen von Philo gebraucht, steht aber auch nicht in allen Zusammenhängen, wo man es der Sache nach erwartet; im Anschluß an

dem θεσπέσιος ἀνήρ. Dies dürfte keinen grundlegenden Unterschied markieren, aber immerhin noch eher den Gedanken göttlicher Eingebung und Inspiration zulassen[1]. In gewisser Weise will er ja auch der göttlichen Führung im Leben der Gottesmänner, der Bekehrung des Abraham, dem Aufstieg des Mose auf den Sinai u. ä., Rechnung tragen; aber er bedient sich dabei wiederum einer hellenistischen Anschauung, indem er an solchen Stellen im Sinne der Mysterieneinweihungen geradezu von Vergottung, Verwandlung der menschlichen Natur in göttliche, sprechen kann. Es bleibt in jedem Falle bei dem Eingreifen Gottes und der damit bewirkten Ausrüstung zum Gottesmann, an eine naturhaft gegebene Göttlichkeit dieser besonders erwählten Männer ist nicht gedacht. Philo ist zweifellos in der Hellenisierung sehr weit gegangen und darf für unseren Zusammenhang nicht sofort maßgebend sein. Wichtig ist, daß in allen behandelten Beispielen eine mehr oder weniger starke Auseinandersetzung mit dem hellenistischen Geist erfolgt ist und Philo jedenfalls nicht am Anfang, sondern am Ende eines solchen Assimilationsprozesses steht.

Zu einer ersten Übernahme von Zügen der θεῖος ἀνήρ-Vorstellung in die Christologie ist es im *hellenistischen Judenchristentum* gekommen. Zugleich ist ganz konsequent an alttestamentlich-jüdischer Denkweise festgehalten worden, wonach Wundertaten und vollmächtige Lehre nur auf Grund des erwählenden und inspirierenden heiligen Geistes und im Namen des einen Gottes legitim sind. Das Erbe des Diasporajudentums, das der θεῖος ἀνήρ-Vorstellung die spezifisch heidnische Spitze bereits abgebrochen hatte, konnte dabei übernommen werden[2]. Die Adaption war andererseits dadurch vorbereitet, daß schon die frühe palästinische Gemeinde neben der Menschensohnchristologie der Logienquelle, die sich im wesentlichen auf Jesu Verkündigung beschränkte, eine christologische Konzeption entfaltet hatte bei der das Wunderwirken im Vordergrund stand, Jesus als der neue Mose angesehen wurde und im einzelnen nach dem Bilde der charismatischen Gottesmänner des alten Bundes gekennzeichnet war[3]. Am deutlichsten ist dieses Verständnis in der Dämonenaustreibungsgeschichte *Mk 1,23 ff.* erhalten geblieben[4], wo das Dämonenwort V. 24 sowohl mit

---

Ex 7,1 wird für Mose auch das θεός-Prädikat von Philo verwendet; vgl. im einzelnen WINDISCH, a.a.O. S. 103f., 108f.

[1] Vgl. auch WINDISCH, a.a.O. S. 110.

[2] Vgl. dazu BULTMANN, Theol. S. 133. In dem hellenistischen Judentum fehlt, soweit uns literarische Dokumente erhalten sind, in solchem Zusammenhang die Gottessohnprädikation, die sachlichen Voraussetzungen waren jedoch gegeben.

[3] Darauf ist bereits im Schlußabschnitt von § 3 hingewiesen worden und dies soll im Anhang noch eingehend untersucht werden; vgl. S. 218ff., 380ff.

[4] Als traditionell wird man mit Sicherheit Mk 1,23—26 ansehen dürfen, wo sich abgesehen von εὐθύς am Anfang keinerlei Zusätze finden. Dagegen ist die

dem τί ἡμῖν καὶ σοί wie mit der Anrede ὁ ἅγιος τοῦ θεοῦ die Verbindungslinien zu jenen alttestamentlichen Gestalten klar erkennen läßt[1]. Was
im frühen palästinischen Christentum schlechterdings unmöglich gewesen wäre, ist die Verkoppelung solcher Anschauung mit dem Gottessohnprädikat. Andererseits muß berücksichtigt werden, daß im Bereich
der Diaspora gerade die alttestamentlichen Gottesmänner am stärksten
die Eigenschaften der θεῖοι ἄνθρωποι übernommen hatten. Hinzu
kam, daß dort Jesus bereits als der Erhöhte und der himmlische
Gottessohn angesehen wurde. Vor allem drängte wohl die Darstellung
seiner Wunder im Sinne eines besonders begnadeten Charismatiker-
tums zunehmend in diese Richtung. Die Austreibungserzählung Mk
5,1ff. zeigt mit der Aufnahme des Gottessohntitels in das Dämonenwort, daß dieser Schritt alsbald vollzogen wurde. Diese Geschichte
vom Dämon Legion ist in ihrem Lokalkolorit wie in der Beurteilung
der Schweine wohl noch aus den Voraussetzungen des palästinischen
Judentums erwachsen. Sie ist ja auch mit Mk 1,23ff. aufs engste verwandt und zeigt Jesus wiederum als den geistesmächtigen Überwinder der Dämonen[2]. Die Anrede 5,7 enthält dieselben Grundelemente wie 1,24, was sicher auf eine gemeinsame Tradition zurückgeht. Aber an Stelle der Anrede ὁ ἅγιος τοῦ θεοῦ ist Ἰησοῦ, υἱὲ τοῦ θεοῦ
τοῦ ὑψίστου getreten. Diese Formulierung ist für die Traditionsgeschichte
außerordentlich aufschlußreich. Denn das Gottesprädikat ὕψιστος ist

---

Einleitung V. 21f. dem Evangelisten zuzuschreiben, ebenso der abschließende
V. 28. Schwieriger ist die Entscheidung bei V. 27: mindestens διδαχὴ καινὴ κτλ.
muß redaktionell sein, wahrscheinlich aber auch schon der ὥστε-Satz.

[1] Beachtenswert vor allem III Reg 17,18: Τί ἐμοὶ καὶ σοί, ἄνθρωπε τοῦ θεοῦ,
nur daß ἄνθρωπος τοῦ θεοῦ bereits durch ἅγιος τοῦ θεοῦ ersetzt ist, was in den
Zusammenhang der Nasiräervorstellung gehört; vgl. dazu Exk. IV S. 235ff.
Als weiterer Beleg zu ἅγιος θεοῦ kommt zu Jdc 16,17 B auch noch Jdc 13,7 B
(vgl. wiederum A!).

[2] Mk 5,1ff. zeigt in V. 1a. 2a. 18 Verklammerungen, die entweder auf die
markinische Redaktion oder auf eine bereits vormarkinische Verbindung der
Wundererzählungen 4,35—5,43 zurückgehen. Die Erzählung gliedert sich in 4
Abschnitte: V. 1—5 Einleitung und Krankheitsschilderung, V. 6—13 Jesus und
der Dämon, V. 14—17 Reaktion auf die Menschen, V. 18—20 Verhalten des
Geheilten. Der letzte Abschnitt gehört nicht zum ursprünglichen Bestand, ist
aber schon vor Mk zugewachsen und dann von ihm nochmals erweitert worden;
dies kann hier auf sich beruhen. Im übrigen ist V. 8 als sekundär anzusehen: der
Bearbeiter begnügte sich nicht mit dem Gespräch Jesu mit dem Dämon und
der gegebenen Erlaubnis, sondern fügte einen ausdrücklichen Exorzismus hinzu.
Die Exposition und V. 14—17 bereiten keine Schwierigkeit. Der Mittelabschnitt
V. 6ff. wird sicher falsch verstanden, wenn man von dem Motiv des betrogenen
Teufels ausgeht (so WELLHAUSEN, Mk S. 29; HERMANN GUNKEL, Das Märchen
im Alten Testament, 1921, S. 87f.; BULTMANN, Syn. Trad. S. 224; dagegen mit
Recht DIBELIUS, Formgeschichte S. 84ff.). Daß eine ganze Herde von Schweinen
auf einmal vernichtet wird, ist Hinweis auf die unheimliche Macht des Dämons,
der sich eines Menschen bemächtigt hatte. Damit die noch größere Macht Jesu
sichtbar werden kann, erlaubt er dem Dämon in die ohnedies unreinen Tiere zu
fahren. Daß er Legion heißt und ist, muß er seinem Überwinder eingestehen.

zwar schon im Alten Testament bekannt, aber im Diasporajudentum
zu besonderer Bedeutung gelangt und vielfach gerade Zeichen für
jüdischen Einfluß geworden[1]. An unserer Stelle bedeutet dies, daß
wir uns im Bereich des frühen hellenistischen Judenchristentums befinden, in dem die Anschauung von Jesus als Gottesmann und ‚Heili-
gem Gottes' nun durch die Vorstellung von Jesus als ‚Gottessohn'
abgelöst wird[2]. Die in Mk 1,23ff. gewahrte Zurückhaltung in der
christologischen Ausdeutung eines Exorzismus ist hier preisgegeben.
Gleichwohl stoßen wir auf eine Traditionsstufe, in der die jüdischen
Voraussetzungen noch ausgesprochen stark hervortreten und die
hellenistischen Elemente in höchst eigenwilliger Art einbezogen sind[3].
Denn ausschlaggebend ist nach wie vor der Gedanke der Ausrüstung
durch den von Gott verliehenen Geist, womit Jesus die Macht über
die ‚unreinen Geister' erhalten hat[4].

An dieser Stelle bedarf es einiger Überlegungen über das *älteste
Verständnis der Dämonenaustreibungen*. Daß Jesus tatsächlich als
Exorzist gewirkt hat, wird man nicht bestreiten können[5]. Abgesehen
von den Austreibungserzählungen ist dies durch das Traditionsstück
Mk 3,22—30, welches bei Matthäus und Lukas mit einer Parallel-
überlieferung aus der Logienquelle verbunden ist, in der sich auch

---

[1] Es ist für Mk 5,7 sicher unzutreffend, wenn man wie MOWINCKEL, He That
Cometh S. 368f., ‚Sohn des höchsten Gottes' als ein synkretistisches Prädikat
ansieht. Denn daß im AT kanaanäische Tradition dahinter steht, dürfte
kaum noch bewußt gewesen sein; daß es im hellenistischen Bereich gelegentlich zu synkretistischen Erscheinungen kommen konnte, wie etwa bei den
σεβόμενοι θεὸν ὕψιστον im nördlichen Kleinasien, soll nicht bestritten werden,
doch geht dem wohl zuallererst voraus, daß die Bezeichnung θεὸς ὕψιστος eine
maßgebende Rolle in der jüdischen Propaganda gespielt hat, wofür es im
übrigen Belege bei den hellenistisch-jüdischen Schriftstellern gibt; vgl. BAUER,
Wb. s.v.; BOUSSET-GRESSMANN S. 310f. Nicht zufällig handelt es sich ja in
Mk 5,1ff. um eine im Heidenland spielende Erzählung, wobei die vom Judentum
gemachte Voraussetzung, daß der eine Gott als der allen anderen Göttern über-
legene Anerkennung finden muß, aufgenommen ist.

[2] Auch das προσκυνεῖν in Mk 5,6 dürfte damit in Zusammenhang stehen;
ansonsten hat die Erzählung ihren älteren Charakter voll gewahrt.

[3] Die materialreiche Untersuchung von OTTO BAUERNFEIND, Die Worte der
Dämonen im Markusevangelium (BWANT III/8), 1927, geht in der Beurteilung
der Abwehrsprüche wie der Hoheitsnamen viel zu stark von der Analogie der
hellenistischen Zaubertexte aus und betont einseitig den magischen Charakter
dieser Motive.

[4] πνεῦμα ἀκάθαρτον ist entscheidendes Stichwort in Mk 1,23.26; 5,2.8.13,
andere Bezeichnungen fehlen in diesen Erzählungen. In den beiden andern Austreibungsgeschichten Mk 7,24ff.; 9,14ff. wechseln dagegen die Bezeichnungen
für die Dämonen. In redaktionellen Stellen verwendet Mk δαιμόνιον; vgl. 1,34;
3,15; 6,13. Die Erzählungen Mk 7,24ff.; 9,14ff. enthalten keine Dämonenworte
und somit keine christologische Hoheitsaussage, die Dämonenanrede Mk 3,11
ist redaktionell.

[5] Vgl. G. BORNKAMM, Jesus S. 120.

noch der alte Spruch Lk 11,(19)20par. findet, zu belegen[1]. Die ursprünglichste Fassung dieser Auseinandersetzung über die Dämonenbannung ist in der bei Lukas am besten erhaltenen Q-Tradition zu finden; Markus bietet bereits ein sehr andersartiges und sicher jüngeres Verständnis. Gemeinsam sind, trotz Formulierungsvarianten, die Bildworte; sie sollen die Unmöglichkeit der gegen Jesus gerichteten Vorwürfe erweisen[2]. Die Anschuldigung lautet: ἐν Βεεζεβοὺλ τῷ ἄρχοντι τῶν δαιμονίων ἐκβάλλει τὰ δαιμόνια Lk 11,15 par[3]. In dem zweifellos authentischen, aber ursprünglich kaum aus einer Streitsituation stammenden Logion *Lk 11,20* geht es um das Austreiben der Dämonen ‚mit dem Finger Gottes' als Zeichen für den Anbruch der Gottesherrschaft[4]. Sowohl in der Formulierung der Anklage wie in diesem ἐν δακτύλῳ θεοῦ ἐγὼ ἐκβάλλω τὰ δαιμόνια kommt die gleiche Grundanschauung zum Ausdruck: das ἐν entspricht einem hebräischen בְּ

---

[1] Die literarkritischen und traditionsgeschichtlichen Verhältnisse sind in *Mk 3.22—30* und den mit Q-Überlieferung verbundenen Parallelstellen *Mt 12, 22—32//Lk 11,14—23 (12,10)* etwas unübersichtlich, sollen daher in kurzer Übersicht dargestellt werden. Mk 3,22—30 hat die Gestalt eines Streitgesprächs, ist aber nicht in strenger Form durchgeführt, sondern bringt nach dem Vorwurf der Gegner, wozu kein konkreter Anlaß berichtet wird (anders Mt 12,22 par.), eine Reihe von Bildworten und Sprüchen. Redaktionell überarbeitet ist V.22a. 23a, sonst dürfte der Textzusammenhang vormarkinisch sein. Dem Vorwurf V.22b antwortet Jesus mit dem zwiefachen Bildwort V.24f., zu dem in V.23b. 26 bereits Interpretamente hinzugewachsen sind; es folgt in V.27 ein weiteres Bildwort, dann in V.28f. der Spruch von der Lästerung des heiligen Geistes und die abschließende Formulierung in V.30. Die Parallelüberlieferung der Logienquelle steht der Mk-Tradition sehr nahe (von Mt 12,23 und Lk 11,16.18 fin, die keine unmittelbaren Entsprechungen haben, sei hier abgesehen). Sie zeichnet sich aus durch eine eigene Einleitung Mt 12,22 par., den andersartigen Übergang Mt 12,25a par., die etwas abweichende Fassung des Bildwortes Mt 12,25b par. und die selbständigen Sprüche Mt 12,27f. par. und 12,30 par.; dagegen ist Mt 12, 26 par. wohl auf Grund von Mk 3,26(23b) eingefügt, ebenso Mt 12,29 auf Grund von Mk 3,27; der relativ selbständige Parallelspruch Lk 11,21f. dürfte dagegen auf eigener Überlieferung beruhen (Q?). Mt hat endlich in 12,31f. in Entsprechung zu Mk 3,28f. die Q-Fassung des Spruches von der Lästerung angehängt, während Lk an dieser Stelle wohl den ursprünglichen Zusammenhang der Logienquelle gewahrt hat und in 11,24—26 den Spruch vom Rückfall bringt. Aus dem Nebeneinander der Mk- und Q-Überlieferung wird deutlich, daß die Bildworte Mk 3,24f. (Mt 12,25 par.) mit ihrer Einleitung Mk 3,22b (Mt 12,22. 24 par.), das Bildwort Mk 3,27 par. (Lk 11,21f.) sowie der Spruch Mt 12,(27)28 par. und das Wort Mk 3,28f. (Mt 12,31f//Lk 12,10) ursprünglich selbständig waren. Zur Analyse vgl. noch BULTMANN, Syn. Trad. S. 10ff., zur Sache R. H. FULLER, Mission and Achievement S. 37ff.

[2] Die Kennzeichnung der Gegner als Pharisäer (Mt 12,24) bzw. als von Jerusalem kommende Schriftgelehrte (Mk 4,22a) ist sekundär; ursprünglich fehlte wohl eine nähere Bezeichnung, wie dies bei Lk 11,15a noch erhalten ist.

[3] Es ist nicht ausgeschlossen, daß τῷ ἄρχοντι τῶν δαιμονίων ein erklärender Zusatz ist; vgl. Lk.11,19 par. (auch V. 18 fin).

[4] Die schwierigen mit der Auslegung von Lk 11,20b verbundenen Probleme brauchen hier nicht behandelt zu werden; ich verweise nur auf W. G. KÜMMEL, Verheißung und Erfüllung S. 98ff.; FULLER, a.a.O. S. 25ff.

und bezeichnet den Urheber, der die Macht zu einem solchen Akt verleiht und den Menschen zu seinem Werkzeug macht[1]. Gott oder Satan stehen sich gegenüber. Das zeigt die Interpretation des Namens $Bεεζεβούλ$ ebenso wie die typisch semitische Redeweise vom $δάκτυλος$ $θεοῦ$, womit Gottes eigenes Handeln umschrieben wird[2]. An dieser Stelle bietet Matthäus bzw. seine Tradition bereits eine gewisse Verschiebung, wenn in *Mt 12,28* statt dessen von der Gotteskraft des $πνεῦμα$ gesprochen wird und so eine nähere Erklärung dafür geboten werden soll, wie Jesus zu seinem Handeln befähigt worden ist[3]. Wohl ist die funktionale Anschauung noch gewahrt, der Gottesgeist ist die den Menschen überfallende und durch ihn wirkende Macht und das $ἐν$ bezeichnet den Urheber — die Aussage kann allerdings auch in einem instrumentalen Sinne verstanden werden, wodurch dann zum Ausdruck kommt, daß Jesus kraft des ihm zur Verfügung stehenden Gottesgeistes die Dämonen überwindet. Daß sich diese Modifikation tatsächlich durchsetzte, zeigt *Mk 3,22—30*. Dort ist eingangs die in Lk 11,15par. in ursprünglicher Wendung erhaltene Anklage in eine Parallelformulierung umgewandelt; in V. 22fin ist mit $ἐν τῷ ἄρχοντι$ $τῶν δαιμονίων ἐκβάλλει τὰ δαιμόνια$ die alte Formulierung aufgenommen, aber dem ist nun die Wendung $Bεεζεβούλ ἔχει$ vorangestellt[4]. Dem entspricht auch der weitere, über Q hinausgehende Zusammenhang bei Markus: der abschließende V. 30 nimmt diese Aussage mit $πνεῦμα$ $ἀκάθαρτον ἔχει$ nochmals ausdrücklich auf; vor allem muß auch der ehemals selbständige Spruch von der Lästerung des heiligen Geistes V. 28f., ganz gleich wie es mit seiner ältesten Form und seinem ursprünglichen Sinn steht[5], jetzt aus diesen Voraussetzungen verstanden

---

[1] Die Vorstellung vom Vollbringen der Wundertaten ,im Namen von . . .' ist wieder etwas anderes und sollte hier nicht eingetragen werden; gegen BULTMANN, Syn. Trad. S. 11.

[2] Vgl. dazu HEINRICH SCHLIER, Art. $δάκτυλος$, ThWb II S. 21.

[3] Daß Lk 11,20 ursprünglicher ist, ergibt sich auch aus dem Begriff der Gottesherrschaft; wie in V. 20b so geht es auch V. 20a um das eigene Handeln Gottes. Für die Ursprünglichkeit der Lk-Fassung zuletzt EDUARD SCHWEIZER, ThWb VI S. 395; anders SCHLATTER, Lk S. 511, der mit einer Änderung auf Grund des AT rechnet, doch ist die Wendung vom ,Finger Gottes' gar kein sehr häufiges at. Motiv, außerdem ist bei Schl. die literarkritische Entscheidung zugunsten der Priorität des Mt im Spiele.

[4] Ähnlich wird auch bei den Dämonischen einerseits von $ἄνθρωποι ἐν πνεύματι$ $ἀκαθάρτῳ$ gesprochen (Mk 1,23; 5,2), während es andererseits heißen kann, daß ein Mensch einen Dämon ,hat' (z.B. Mk 9,17). Das logische Subjekt ist im ersten Fall der Dämon, im andern Fall der Mensch.

[5] Der Spruch *Mk 3,28f.* zeigt mit seinem einleitenden $ἀμήν$ ein sehr altertümliches Motiv, vgl. JOACHIM JEREMIAS, Kennzeichen der ipsissima vox Jesu, in: Synoptische Studien (Festschrift für A. Wikenhauser), 1953, S. 86—93; selbst wenn die Logienquelle tatsächlich die Tendenz gehabt haben sollte, die Wendung zu beseitigen, so läßt sich doch umgekehrt nicht bestreiten, daß diese Stilform

werden: es geht um den Gottesgeist, den Jesus ‚hat' und durch den
er seine Exorzismen bewirkt, weswegen jeder, der gegen diese Gotteskraft lästert, ewig verloren ist[1]. Hier ist nicht mehr an ein nur vorübergehendes Erfaßtwerden, sondern an einen ständigen Geistbesitz
gedacht[2].

---

auch von der Gemeinde übernommen worden ist und nicht von vornherein bei
einleitendem ἀμήν die Echtheit eines Wortes feststeht. Das Verhältnis von
Mk 3,28f. zur Fassung der Logienquelle Mt 12,31f//Lk 12,10 ist umstritten;
während WELLHAUSEN, Einleitung[2] S. 66f.; BULTMANN, Syn. Trad. S. 138;
PERCY, Botschaft Jesu S. 253ff.; G. BORNKAMM, Jesus S. 194, und andere für die
Ursprünglichkeit der Mk-Fassung eintreten, haben ANTON FRIDRICHSEN, Le
péché contre le Saint-Esprit, RHPhR 3 (1923) S. 367—372, und TÖDT, Menschensohn S. 109ff., 282ff., die Q-Fassung als primär ansehen wollen. Nun ist die
Frage mit einem einfachen Entweder-Oder nicht entschieden. Es ist unbestreitbar, daß Mk 3,28f. sprachlich jüngere Züge aufweist (vgl. TÖDT S. 285ff.),
andererseits kann nicht aus einem ἀφεθήσεται τοῖς ἀνθρώποις (Mt 12,31) nachträglich ein ἀφεθήσεται τοῖς υἱοῖς τῶν ἀνθρώπων (Mk 3,28) werden, zumal diese
Wendung in irgendeinem Zusammenhang mit dem Menschensohntitel Mt 12,32
par. stehen muß. In sachlicher Hinsicht wird man ebenfalls dem Mk-Text eine
relative Priorität zuerkennen müssen, denn die heilsgeschichtliche Periodisierung in Mt 12,32 par. ist sehr viel eher als Umgestaltung einer Aussage wie
Mk 3,28f. zu erklären, als daß man für Mk annimmt, er habe das ursprüngliche
Verständnis des Spruches „verwischt" (so TÖDT S. 111). Offensichtlich ist
Mt 12,31 zwar von Mk 3,28f. abhängig, umgekehrt aber Mk 3,28a (ohne καί
αἱ βλασφημίαι κτλ.) Vorstufe zu Mt 12,32a // Lk 12,10a, während im Mt 12,32b
die ältere Fassung des Nachsatzes gegenüber Mk 3,29 erhalten ist; Lk 12,10b
verbindet Elemente von Mt 12,31b (Q) und Mk 3,29. Nun wird allerdings
Mk 3,29 erst sekundär auf das irdische Wirken Jesu angewandt worden sein
(darin hat TÖDT recht, auch wenn dieses Verständnis kaum erst den Evangelisten
zugeschrieben werden darf), während es ursprünglich wie Mt 12,32b par. auf die
nachösterliche Situation bezogen gewesen sein dürfte und als Satz heiligen Rechtes wahrscheinlich in der Gemeindeprophetie beheimatet war; zur Bedeutung der
Gemeindeprophetie und des heiligen Rechtes in ältester urchristlicher Tradition
vgl. die früher schon erwähnten Untersuchungen von E. KÄSEMANN, NTSt 1
(1954/55) S. 248ff.; ZThK 57 (1960) S. 162ff. — Hingewiesen sei noch auf die Umformung des Spruches in Thomas-Ev. 44: ‚Wer den Vater lästert, dem wird vergeben werden; und wer den Sohn lästert, dem wird vergeben werden. Wer aber
den Heiligen Geist lästert, dem wird nicht vergeben werden, weder auf Erden
noch im Himmel' (Übersetzung nach der Textausgabe von A. GUILLAUMONT-H.C.
PUECH-G. QUISPEL-W. TILL-Y.'ABD AL MASIH, Das Evangelium nach Thomas, 1959). Abgesehen von der Einwirkung trinitarischen Denkens wird die in
dieser Weise nur unter Gnostikern denkbare Vorrangstellung des Heiligen
Geistes zu beachten sein.

[1] Mt, der in 12,31f. diesen Spruch in Doppelfassung angehängt hat, hat
keine wirklich organische Einheit geschaffen, denn die Aussage über den Geist in
V.28 bezieht sich auf das irdische Wirken Jesu, in V.32 aber auf die nachösterliche Zeit.

[2] Dieses Verständnis hat sich vielleicht schon in den Austreibungsgeschichten
niedergeschlagen, wo zwar nicht von Jesu Geistbesitz, wohl aber betont von sei-
ner Macht über die ‚unreinen Geister' gesprochen ist. Auch das Motiv, daß die
Dämonen in Jesus den ihnen überlegenen Gottesgeist wittern, dürfte in diese
Richtung weisen; Geist steht gegen Geist und der Geist begreift den Geist, wie
WREDE, Messiasgeheimnis S. 24, zutreffend interpretiert hat, nur daß dies nicht
erst für Mk gilt, sondern bereits traditionell ist. Vgl. hierzu auch noch ROBINSON,
Geschichtsverständnis des Markusevangeliums S. 27f. 42ff.

Die zuletzt festgestellte Anschauung von einem ständigen Geistbesitz weist nicht notwendig auf hellenistische Tradition hin[1], sondern ist noch unter den Voraussetzungen des alttestamentlichen Denkens möglich[2]. Aber von diesem Verständnis aus vollzieht sich in
*hellenistisch-judenchristlicher Tradition* der entscheidende nächste
Schritt: Jesus, der nicht nur als ‚Heiliger Gottes' vom Geist zu un-
gewöhnlichen Taten hingerissen wird, sondern als Träger des Geistes
Macht über die Dämonen hat, wird ‚Gottessohn' genannt. Was in
Mk 5,7 im Rahmen eines Einzelereignisses zum Ausdruck kommt,
ist in der *Tauferzählung* für Jesu irdisches Leben grundsätzlich ausgesagt. Mk 1,9—11 ist nicht erst auf hellenistischem Boden entstanden, sondern hat eine lange und komplizierte Vorgeschichte[3].
Aber dort hat der Text unter den eben bezeichneten Voraussetzungen
seine endgültige Gestalt und Bedeutung gewonnen. Entscheidendes
Gewicht liegt auf der Herabkunft des Geistes und auf dem Inhalt der
Himmelsstimme. Der Gottesgeist steigt durch das geöffnete Firmament in Gestalt einer Taube leibhaftig hernieder[4] und verbindet sich
mit der menschlichen Person Jesu[5]. Durch diese ständige Begabung
wird Jesus in sein eschatologisches Amt eingesetzt. Auf Grund solcher
Einwohnung und einzigartigen Ausrüstung erhält er die messianische
Würde des Gottessohnes. An ihm hat Gott Wohlgefallen und hat
ihm daher auf diese Weise die Stellung und Funktion des geistesmächtigen Sohnes übertragen. Es ist sehr bezeichnend, daß die
Gottessohnschaft einerseits durch die Vorstellung einer ganz besonderen übernatürlichen Kraft und Fähigkeit bestimmt wird, einer
Kraft, die fortan unlösbar mit der Person Jesu verbunden bleibt, und
daß sie andererseits auf dem Akt einer Einsetzung beruht. Hier laufen
verschiedenartige Linien zusammen: zunächst die alte Vorstellung
von Jesu Wirken als eines von Gott ergriffenen Charismatikers, weiter

---

[1] BULTMANN, Syn. Trad. S. 11, hat auch auf die Verschiedenartigkeit der
Formulierung der Anklage in Mk 3,22 hingewiesen, aber für $Βεεζεβούλ\ ἔχει$ einseitig auf die hellenistische Magiervorstellung verwiesen.

[2] Es kann für die Vorstellung eines dauernden Geistbesitzes sowohl auf
Jes 11,2ff. wie auf Jes 42,1; 61,1 verwiesen werden; im einen Fall geht es um
den Messias als Geistträger, im andern Fall um den prophetischen Gottesknecht.

[3] In der Analyse Exk. V S. 340ff. ist der Versuch unternommen, die Elemente
der Erzählung im einzelnen traditionsgeschichtlich zu bestimmen und im Anhang S. 396 soll die erkennbare frühere Überlieferungsstufe der Tauferzählung
in einen größeren Zusammenhang eingeordnet werden.

[4] Lk hat mit $σωματικῷ\ εἴδει$ diese Intention des Mk-Textes zutreffend interpretiert. Die Taubengestalt ist in palästinisch-jüdischer Tradition in diesem Sinn
nicht zu belegen und vielleicht erst in hellenistischer Überlieferung hinzugewachsen; vgl. Exk. V S. 342(f.) Anm. 3.

[5] Das $εἰς\ αὐτόν$ ist ganz konkret zu verstehen und darf nicht abgeschwächt
werden, wie dies bereits Mt und Lk (in Anlehnung an Jes 42,1 LXX?) getan
haben; anders noch das Ebionitenevangelium fr. 3.

die hellenistisch-jüdische Interpretation der geistesmächtigen Gottesmänner im Sinne von ϑεῖοι ἄνϑρωποι, wobei aber die Unterordnung
unter Gott gewahrt und jeder Gedanke an Vergöttlichung abgewehrt
bleibt, endlich die Vorstellung vom Messias als Gottessohn, wie der
Anklang an Ps 2,7 neben Jes 42,1 erweist[1]. Aber es zeigt sich eben
an dieser Stelle, wie stark nun die messianische Konzeption der alttestamentlich-jüdischen Tradition, der es um eine königliche Herrschaft in der Heilszeit ging, umgeformt worden ist. Erhalten geblieben
ist nur die im Sinne der Amtseinsetzung verstandene Adoption zum
Gottessohn und die Geistverleihung[2]. Doch auch dies steht unter
anderen Vorzeichen; denn alles verlagert sich auf die Geistverleihung,
hierin beruht die Gottessohnschaft und hierdurch erweist sich die
Gottessohnschaft. So durchdringen sich ganz merkwürdig alte und
jüngere Elemente.

Eine beachtenswerte Parallele zu der Verbindung von Amtseinsetzung und ausgesprochen hellenistisch-judenchristlich bestimmtem
Pneumatikerverständnis findet sich bei der Verwendung von ἄνϑρωπος
ϑεοῦ in den *Pastoralbriefen* (1 Tim 6,11; 2 Tim 3,17). Die Bezeichnung
steht ohne Zweifel ebenfalls in Beziehung zur ϑεῖος ἀνήρ-Vorstellung,
aber wiederum ist dies auf einen Akt der Einsetzung, die Ordination
des Timotheus, bezogen[3]. Mit Recht stellt KÄSEMANN fest, daß
‚Gottesmann‘ Variante zu πνευματικός ist, aber das darf keinesfalls
von den Wiedergeburtsmysterien her, also im rein hellenistischen
Sinn, verstanden werden, sondern ist aus den besprochenen Voraussetzungen des Diasporajudentums zu interpretieren: der ‚Gottesmann‘
ist Inhaber des Amtes nicht durch einen Prozeß der Verwandlung,
vielmehr durch die Ausrüstung mit dem durch ihn wirkenden Gottesgeist, dessen Träger er in besonderem Maße ist[4]. Der hellenistisch-

---

[1] In Lk 3,22 D ist dieses Element sekundär verstärkt worden; nicht nur Be-
mühung um Präzision in der Übereinstimmung der at. Zitate mit dem Text der
Vorlage ist hier maßgebend; gegen MANFRED KARNETZKI, Textgeschichte als
Überlieferungsgeschichte, ZNW 47 (1956) S. 170—180, dort S. 178. Zur Himmel-
melsstimme vgl. im einzelnen Exk. V S. 343 f.

[2] Neben Ps 2,7 spielt also vor allem noch Jes 11,2 ff. eine Rolle, auch PsSal
17,37 u. ä. Vgl. SCHNIEWIND, Mk S. 47; die Verbindung von Messiasvorstellung
und Geistbegabung besagt aber nicht notwendig, daß zur Vorstellung einer
Geistbegabung auch von Anfang an die Aussage über die Messianität gehört;
gerade die ebenfalls vorhandene Einwirkung von Jes 42,1 weist auf den Gottesknecht, der in seiner prophetischen Funktion auch Geistträger war (die Bezugnahme auf Jes 42,1 sagt selbstverständlich nichts über eine Verbindung mit
Jes 53 aus).

[3] Natürlich ist die Amtseinsetzung durch das in den Past vorausgesetzte
institutionelle Denken anders verstanden. Gleichwohl bleibt die überraschende
Gemeinsamkeit in der Grundstruktur.

[4] ERNST KÄSEMANN, Das Formular einer neutestamentlichen Ordinations-
paränese, in: Neutestamentliche Studien für Rudolf Bultmann (BZNW 21),
1957², S. 261—268, bes. S. 267 f., jetzt in: Exegetische Versuche und Besin-

jüdische Hintergrund ist ja gerade in dem Traditionsstück 1 Tim 6,11—16 unverkennbar, wie besonders die Gottesprädikationen in V. 15 f. zeigen.

Die Aussagen über die Gottessohnschaft Jesu sind nicht aus dem heidnischen Hellenismus erwachsen und sollten dagegen auch geschützt bleiben. Die Abwehr eines falsch verstandenen Gottessohnbegriffs läßt sich besonders an den beiden ersten Versuchungen Jesu *Mt 4,1—7 par.* erkennen[1]. Sie sind einheitlich konzipiert und haben in der formalen Eigenart der Abwehr des Satans durch ein Schriftwort die ältere dritte Versuchung zum Vorbild genommen; neu ist, daß es jetzt geradezu zu einem Streit um Schriftstellen und ihr rechtes Verständnis kommt und daß in der Anrede Jesu durch den Satan das Gottessohnprädikat aufgenommen ist. Ob zur Q-Überlieferung am Anfang die Erwähnung der Geistbegabung gehört, ist, da sich bei Matthäus und Lukas Überschneidungen mit der Markusfassung der Versuchungsgeschichte ergeben haben, nicht ganz sicher, aber überwiegend wahrscheinlich[2]. Aber auch ohne dieses Motiv wäre die Verbindung zu der zuletzt behandelten Gottessohnvorstellung eindeutig. Denn es geht um die unabdingbare Bindung an Gott. Der Gottessohn darf seine Macht weder zur Selbsthilfe noch für ein Schauwunder mißbrauchen, sondern allein für den Auftrag, den er erhalten hat. So ist die Gottessohnschaft gerade im Zusammenhang mit der Ausrüstung durch die wunderbare Macht des Geistes von dem Gedanken des Gehorsams geprägt[3]. Allerdings sind diese Versuchungen, bei denen sich wiederum altes jüdisches und hellenistisches Denken eigenartig durchdringen, nur aus der Auseinandersetzung mit der heidnischen ϑεῖος ἀνήρ-Konzeption wirklich sinnvoll, wobei Auftrag und Werk Jesu in ein klares Licht gestellt und vor jeglicher Überfremdung bewahrt werden[4].

---

nungen I, 1960, S. 101—108, bes. S. 107 f.; die aus Corp. Herm., aber auch aus Philo herangezogenen Belege, die von DIBELIUS-CONZELMANN, Past S. 66 f., ebenfalls angeführt werden, kommen somit nicht in Frage.

[1] Zur Analyse vgl. § 3 S. 175 f., auch Anhang S. 401 (f.) Anm. 5.

[2] Lk 4,1 a ist redaktionell, V. 1 b.2 an Mk angelehnt. Auch Mt zeigt Einflüsse von Mk 1,13 her, besonders in der Übernahme der 40 Tage (die 40 Nächte sind wohl auf Grund der vom Evangelisten durchgeführten Mosetypologie noch hinzugefügt worden); andererseits könnte Mt 4,1 durchaus traditionell sein.

[3] Das Motiv des Gehorsams ist von BIENECK, Sohn Gottes S. 63, richtig herausgestellt, aber der Text ist traditionsgeschichtlich völlig falsch beurteilt.

[4] Daß die Versuchungsgeschichte Mt 4,1 ff.//Lk 4,1 ff. innerhalb der Logienquelle eine Sonderstellung einnimmt, ist schon lange gesehen; vgl. nur HARNACK, Sprüche und Reden Jesu S. 169 f. Auch bei den beiden ersten Versuchungen zeigt sich wieder, daß man nicht den spezifisch christologischen Sinn bestreiten darf, wie dies BULTMANN, Syn. Trad. S. 271 ff., tut. Zur traditionsgeschichtlichen Einordnung vgl. BORNKAMM, Enderwartung, in: G. BORNKAMM-G. BARTH-H. J. HELD S. 34.

Nirgends ist an den behandelten Stellen von einer Gottessohnschaft im physischen Sinne gesprochen. Hier ist wohl doch eine konsequent eingehaltene Grenze festzustellen, die durch überkommene jüdische Voraussetzungen bedingt war. Im Bereich des Heidenchristentums hat sich eine derartige Vorstellung alsbald mehr und mehr aufgedrängt und durchgesetzt, wie im anschließenden Abschnitt noch zu zeigen ist. Eine nicht unwesentliche Vorstufe dazu hat das hellenistische Judenchristentum allerdings mit dem Theologumenon der *Jungfrauengeburt* geschaffen[1]. Nun muß jedoch festgehalten werden, daß nicht ein mythologisches Verständnis, wie wir es aus dem hellenistischen Synkretismus kennen, vorliegt[2], darum auch nicht einfach an eine durch Vereinigung des Geistes mit der Jungfrau begründete wesenhafte Gottessohnschaft gedacht werden darf[3]. Das ist im einzelnen an dem wichtigen Text *Lk 1,26 ff.* aufzuzeigen. Das Grundmotiv des ganzen Überlieferungsstückes ist die Jungfräulichkeit der Maria[4]. Dies wird schon im Eingang V. 26f. ausdrücklich erwähnt, in V. 31 durch die Anspielung auf Jes 7,14 unterstrichen und durch die

---

[1] Wie bereits in § 4 S. 273 ff. dargelegt, stand das Motiv der Jungfrauengeburt zunächst in Verbindung mit der Davidssohnschaft Jesu, hat aber diese selbständige vorläufige Hoheitsstufe gesprengt. Denn ursprünglich stand die Davidssohnschaft in Korrelation zur Gottessohnschaft des Erhöhten, auf Grund der Jungfrauengeburt wurde die Gottessohnschaft dann aber dem Irdischen zuerkannt.

[2] Das religionsgeschichtliche Material ist besonders bei EDUARD NORDEN, Die Geburt des Kindes, 1924 (= 1958[3]) zusammengestellt; seiner Auswertung wird man nicht zustimmen können.

[3] Dies aufgezeigt zu haben, ist vor allem das Verdienst von DIBELIUS, Jungfrauensohn, in: Botschaft und Geschichte I S. 1—78; er weist daher die Erzählung auch mit überzeugenden Gründen dem hellenistischen Judenchristentum zu. Besonderheiten der Anschauung von der Jungfrauengeburt in Lk 1,26 ff. gegenüber heidnischer Mythologie sind auch herausgestellt von VON BAER, Heilige Geist in den Lukasschriften S. 124 ff. JOHN MARTIN CREED, The Gospel according to St. Luke, 1930 (repr. 1953), S. 19 f.; GERHARD DELLING, Art. παρθένος, ThWb V S. 833 f.; RENGSTORF, Lk S. 24 ff.; ERDMANN, Vorgeschichten S. 12 f., bei letzterem allerdings auf Grund der unhaltbaren These einer literarischen Abhängigkeit von Lk 1,5 ff., wobei mit Lk 1,26 ff. eine Steigerung beabsichtigt sei (sog. Synkrisis); vgl. S. 8 ff. Von rein konservativen Abhandlungen wie BORNHÄUSER, Geburts- und Kindheitsgeschichte Jesu S. 81 ff., u. ä. sehe ich hier ab.

[4] Daß das Theologumenon von der Jungfrauengeburt nicht in die alte palästinische Tradition hineingehört, kann mit Sicherheit behauptet werden, denn erstens steht dieses Motiv in enger Verbindung zu Jes 7,14, aber ausschließlich der LXX-Fassung, die das עַלְמָה durch παρθένος ersetzt hat; zweitens ist die Vorstellung einer Zeugung unter Ausschaltung des Mannes der palästinisch-jüdischen Denkweise völlig fremd, wohl aber im hellenistischen Judentum nachweisbar (vgl. DIBELIUS a.a.O. S. 25 ff.); dem entspricht drittens, daß das spätere Judenchristentum die Anschauung von der Jungfrauengeburt Jesu mit Leidenschaft abgelehnt und bekämpft hat (vgl. § 4 S. 242 Anm. 3). Vgl. auch VON CAMPENHAUSEN, Jungfrauengeburt S. 7 ff.; ob man Joh 1,13 als Beleg gegen dieses Theologumenon auswerten darf, ist mir allerdings nicht so sicher.

Antwort des Engels in V. 35 näher bestimmt. Die Ankündigung der Geburt eines Sohnes verbindet sich mit der Anweisung zur Namengebung V. 31b und mit der Verheißung V. 32f., welche in V. 35fin nochmals aufgenommen wird. Das auf V. 35 bezogene demütige Wort der Maria V. 38 beschließt die Erzählung[1]. DIBELIUS hat überzeugend nachgewiesen, daß die Termini und Motive, gerade auch in dem für das Gesamtverständnis maßgebenden V. 35, Gedanken der Septuaginta aufnehmen. Das gilt für das ἐπέρχεσθαι wie für das ἐπισκιάζειν des πνεῦμα ἅγιον bzw. der δύναμις ὑψίστου, die beide nicht eine geschlechtliche Beziehung bezeichnen, sondern das Nahekommen, die Epiphanie ausdrücken wollen[2]. „Die Tatsache der göttlichen Zeugung steht im Vordergrund; der Vollzug selbst bleibt Geheimnis und soll Geheimnis bleiben"; alles wird nur „andeutend umschrieben"[3]. Wohl greift der göttliche Geist unmittelbar ein und es wird eine Empfängnis unter Ausschaltung des Mannes bewirkt, aber nicht so, daß die heidnische Vorstellung eines ἱερὸς γάμος aufgenommen wäre und der übernatürliche Same an die Stelle des natürlichen träte, sondern daß durch die schöpferische Macht Gottes eine Zeugung ohne jeden Samen ermöglicht wird[4]. Hier ist von dem Eintritt einer Schwangerschaft gesprochen, wie dies ähnlich im hellenistischen Judentum auch von der wunderbaren Mutterschaft bestimmter Frauen des Alten Testamentes ausgesagt wurde, wobei dann die volle Menschlichkeit dieser auf außergewöhnliche Weise gezeugten Kinder nicht im geringsten bestritten war[5]. Der heilige Geist ist dabei nicht als inspiratorische Kraft,

---

[1] Es wurde bereits gezeigt, daß V. 36f. als Zusatz anzusehen ist. Die Annahme BULTMANNS, Syn. Trad. S. 321f., daß das Motiv der Jungfräulichkeit erst sekundär eingefügt worden sei, man also eine Zufügung von V. 34—37 (sic) annehmen müsse, ist höchst unwahrscheinlich. Denn wie DIBELIUS, Formgeschichte S. 121, zutreffend festgestellt hat, ist ja schon V. 31 von Jes 7,14 her geprägt.

[2] DIBELIUS, Jungfrauensohn S. 18ff.     [3] A.a.O. S. 20.39f.

[4] EMMA BRUNNER-TRAUT, Die Geburtsgeschichte der Evangelien im Lichte ägyptologischer Forschungen, ZRGG 12 (1960) S. 97—111, weist auf die Grundstruktur aller mythischen Aussageweise hin, in der die „biologische" Vorstellung weder isoliert noch ausgeschlossen werden dürfe, vielmehr im Rahmen einer umfassenden Denkweise stehe, was gerade auch für die Vorstellung pneumatischer Zeugung und jungfräulicher Empfängnis gelte (S. 107f.). Wenn auf diese Weise, zwar nicht im Aussagegehalt, wohl aber in der Aussageform ägyptische Texte und Lk 1,26ff. gleichgestellt werden, so ist dabei verkannt, in welchem Maße in diesem urchristlichen Überlieferungsstück durch theologische Reflexion die mythische Struktur zerbrochen ist.

[5] Hierzu sind im einzelnen die ausführlichen Untersuchungen von DIBELIUS, Jungfrauensohn S. 25ff., zu vergleichen. Die Zuordnung dieser Vorstellung zum hellenistischen Judentum ist neuerdings bestritten worden von OTTO MICHEL-OTTO BETZ, Von Gott gezeugt, in: Judentum-Urchristentum-Kirche (Festschrift für J. Jeremias, BZNW 26), 1960, S. 3—23, bes. S. 11ff., 15ff.: die Zeugung des Messias als „wunderbares übernatürliches Geschehen" kenne auch die Qumrangemeinschaft, und ἐπισκιάζειν sei, wie DAVID DAUBE, Evangelisten und

sondern als „schöpferische Lebensmacht" verstanden[1]. Von Jesus wird nun auf Grund dieser Zeugung durch den Geist die Gottessohnschaft ausgesagt. Anders als bei der Taufgeschichte ist also die Gottessohnschaft hier nicht begründet durch den einwohnenden Geist, kraft dessen Jesus in sein irdisches Messiasamt eingesetzt worden ist, sondern durch einen besonderen Akt, der seinem ganzen irdischen Wirken vorausgeht. Nun hat DIBELIUS behauptet, daß gleichwohl kein eigentlich neuer Begriff der Gottessohnschaft vorliege. Dies dürfte tatsächlich zutreffen. Doch gegen seine Begründung erheben sich Bedenken; er will die wunderbare Zeugung nur als ein Zeichen verstehen, woran Maria erkennen soll, daß ihr Kind ein Gotteskind ist: es wird „als Bürgschaft für das eine erst später erkennbare Wunder, die Messianität, ein besonderes, früher feststellbares Wunder, die Erzeugung aus dem Geist, genannt"[2]. Aber hier geht es doch nicht um ein „Zeichen", sondern um den die Gottessohnschaft begründenden Akt. Läßt sich das Verhältnis von Zeugung und Gottessohnschaft nicht besser bestimmen? Man wird auf jeden Fall zu beachten haben, daß von der Gottessohnschaft in einer ausgesprochen adoptianischen Formulierung die Rede ist: $\varkappa\lambda\eta\vartheta\acute{\eta}\sigma\epsilon\tau\alpha\iota$ $\upsilon\acute{\iota}\grave{o}\varsigma$ $\vartheta\epsilon o\tilde{\upsilon}$. Das kann zwar als eine bloß formale Anlehnung an V. 32 angesehen werden, dürfte aber doch eine tiefere sachliche Bedeutung haben. Zwar ist mit dem Futur $\varkappa\lambda\eta\vartheta\acute{\eta}\sigma\epsilon\tau\alpha\iota$ nicht mehr unmittelbar auf eine Amtseinsetzung Bezug genommen, sondern die Tatsache der Gottessohnschaft Jesu vom Tage seiner Geburt an zum Ausdruck gebracht. Aber eben diese Stellung und Würde beruht gleichwohl in einem besonderen schöpferischen Akt der Erwählung und Aussonderung, der schon im Mutterleibe stattgefunden hat. Nicht zufällig dürfte die Wendung $\tau\grave{o}$ $\gamma\epsilon\nu\nu\acute{\omega}\mu\epsilon\nu o\nu$ $\H{\alpha}\gamma\iota o\nu$ gebraucht sein, denn das Motiv der Heiligkeit hat es immer mit einem aussondernden und für den Dienst Gottes beanspruchenden Handeln

---

Rabbinen, ZNW 48 (1957) S. 119f., gezeigt habe, im Sinne des Mantelausbreitens der Ruthgeschichte zu verstehen. Wohl findet sich 1 Q Sa II,11 die Aussage, daß Gott den Messias ‚bei ihnen (sc. der Gemeinschaft von Qumran) zeugen wird', aber das יוליד ist hier doch nicht anders zu verstehen als in der adoptianischen Aussage von Ps 2,7. MICHEL-BETZ stellen selbst fest, daß wie bei der geistlichen Kindschaft des Gläubigen mit einem Nebeneinander von natürlicher und geistlicher Zeugung gerechnet werden müsse (S. 12ff. 20); und die Argumente zugunsten einer wunderbaren übernatürlichen Zeugung des Messias (S. 16) sind m. E. nicht durchschlagend. Vor allem aber: alle Parallelen zu Lk 1,35 heben den Tatbestand nicht auf, daß es sich nach V. 27.31 und V. 34 um eine jungfräuliche Geburt handelt, daß also Jes 7,14 LXX und jene von DIBELIUS aufgezeigten Anschauungen von einer Ausschaltung des Mannes bei der Empfängnis im Hintergrund stehen, was eindeutig in den Bereich des hellenistischen Judentums bzw. Judenchristentums weist.

[1] DIBELIUS, Jungfrauensohn S. 30.
[2] DIBELIUS, Jungfrauensohn S. 16f.

zu tun[1], und der Gedanke der Erwählung im Mutterleibe ist genuin jüdisch[2]. Wie in Mk 1,11 ist also die Gottessohnschaft in einem Akt der Einsetzung begründet und daher durchaus messianisch verstanden[3]. Die Frage nach der „Natur" des wunderbar gezeugten Kindes wird gemäß jüdischem Denken überhaupt nicht gestellt[4]. Wie ist dann aber das Verhältnis von V. 35 zu V. 32f. zu bestimmen? Es handelt sich, wie an anderer Stelle gezeigt, um eine alte messianische Weissagung, die ursprünglich im eschatologischen Sinne verstanden wurde und vielleicht sogar aus jüdischer Tradition stammt[5]. Dabei ging es um die endzeitliche Inthronisation und Herrscherfunktion; Jesu Herkunft aus Davids Geschlecht war lediglich Unterpfand dieser eschatologischen Messiaswürde. Später wurde die Davidssohnschaft im Sinne einer speziell für das irdische Leben Jesu geltenden Stellung angesehen, in der sich seine bevorstehende Erhöhung und himmlische Königswürde abschattet. Nun aber wird mit dem Gottessohntitel auch die volle messianische Würde auf den irdischen Jesus übertragen[6]. Wie in Röm 1,3 ist die irdische Wirksamkeit zusammenfassend von seiner Geburt her betrachtet. Natürlich kann dabei V. 32f. seine ursprüngliche Bedeutung nicht mehr unverändert erhalten haben. Schon in Mk 11,1—10 war erkennbar, daß die Verheißung der irdischen Davidsherrschaft auf Jesu Erdenwirken bezogen worden ist, dort aber offensichtlich unter der Voraussetzung der Zweistufen-

---

[1] Selbstverständlich ist τὸ γεννώμενον ἅγιον Subjekt und ἅγιον darf nicht mit ‚Gottessohn' verbunden werden; mit DIBELIUS, a.a.O. S. 16, gegen KLOSTERMANN, Lk S. 15, u.a. Auch liegt hier keine at. Reminiszenz vor, wie sie NESTLE in seiner Textausgabe durch Fettdruck und Randverweis angibt; wenn hier etwas „zitiert" wird, dann ist es V. 32a.

[2] Vgl. Jdc 13,5; Jes 49,1b; Jer 1,5 (יְדַעְתִּיךָ, הִקְדַּשְׁתִּיךָ); Gal 1,15 (ὁ ἀφορίσας με ἐκ κοιλίας μητρός); vgl. dazu auch SCHLIER, Gal S. 25 Anm. 4.

[3] Es sei darauf hingewiesen, daß hier allerdings nicht wie in Lk 1,15 bei Johannes dem Täufer die Geistbegabung im Mutterleibe ausgesagt wird. Die Erzählung von der jungfräulichen Geburt ist insofern keine geradlinige Weiterführung der Aussagen über Jesus als Geistträger. Vielmehr ist der Geist hier nicht als Gabe, sondern als Schöpfermacht verstanden, und anders als in der Tauferzählung gründet eben darin die Gottessohnschaft Jesu. Interessanterweise werden, worauf noch zurückzukommen ist, in der Kindheitsgeschichte Jesu Lk 1 und 2 Aussagen über seinen Geistbesitz vermieden, vgl. S. 318.

[4] H. BRAUN, ZThK 54 (1957) S. 354 Anm. 3 (Studien S. 256 Anm. 42), vertritt die Ansicht, daß Dibelius den jüdisch-hellenistischen Ursprung nicht erwiesen habe, weil es auch im Hellenismus neben grob-sinnlichen Vorstellungen einer Erzeugung durch Götter sehr viel sublimere Anschauungen gegeben habe (Plutarch, Jamblichus u.a.). Aber der jüdisch-hellenistische Charakter hängt ja nicht an diesem Einzelmotiv, sondern ergibt sich auch aus dem Gesamtcharakter der Erzählung. Vgl. im übrigen DIBELIUS, Jungfrauensohn S. 33ff.

[5] Vgl. § 4 S. 247f.

[6] Daß trotz Preisgabe der vorläufigen Hoheitsstufe das Motiv der Davidssohnschaft weiterhin festgehalten ist, wurde § 4 S. 275f. aufgezeigt.

christologie[1]. Hier werden nun die vollen messianischen Prädikationen von Lk 1,32f. auf den irdischen Jesus angewandt, was notwendig eine Spiritualisierung zur Folge hat. Gerade diese spiritualisierende Umdeutung traditionell jüdischer Motive verweist ebenfalls wieder in den Bereich des hellenistischen Judenchristentums[2]. Vor allem aber ergibt sich von dorther auch die sachliche Einheitlichkeit dieser Erzählung, die unter der Voraussetzung von Motiven der Septuaginta und Anschauungen des hellenistisch-jüdischen Midrasch den Gedanken der Jungfrauengeburt entfaltet hat, ohne ausgesprochen hellenistischer Denkweise Raum zu geben.

*Zusammenfassung*: Die Übertragung der Gottessohnvorstellung auf den irdischen Jesus erfolgte erstmals im Bereich des hellenistischen Judenchristentums. Schon im Diasporajudentum war die ϑεῖος ἀνήρ-Vorstellung aufgenommen worden und hatte in der Anwendung auf die alttestamentlichen ‚Gottesmänner' eine sehr bezeichnende Umprägung erfahren, denn ihre Auszeichnung und Machttaten galt allein als durch den von Gott verliehenen Geist bewirkt. Da schon im palästinischen Urchristentum Jesu Wundertun nach dem Bilde der alttestamentlichen Charismatiker verstanden wurde, ergab sich leicht eine Beziehung. Die Übernahme des Gottessohntitels zeigt sich daher auch deutlich an den Überlieferungsstücken, die von Dämonenaustreibungen handeln. Waren diese zunächst als gottgewirkte Machttaten verstanden und dann auf den ständigen Geistbesitz Jesu zurückgeführt worden, so wurde nun die Gottessohnprädikation damit verbunden. Die Tauferzählung ist für diese Überlieferungsschicht repräsentativ, denn dort geht es um die mit der Geistverleihung verbundene Amtseinsetzung und Adoption zum Gottessohn, was den jüdischen Hintergrund und den Zusammenhang mit alten messianischen Vorstellungen noch gut erkennen läßt. Eine andere Begründung erfuhr die Gottessohnschaft bei dem Theologumenon von der Jungfrauengeburt in der Erzählung der Ankündigung an Maria. Da geht es um die Lebensmacht des Geistes, der ohne jede männliche Beteiligung die Empfängnis bewirkt. Die Gottessohnschaft beruht auf dem schöpferischen Akt der Erwählung und Aussonderung im Mutterleibe. Auch hierbei ist das messianische Grundverständnis noch bis zu einem gewissen Grade bewahrt, auch wenn die Würdeaussagen nur in stark übertragenem Sinne aufgenommen sind. Eine Gottessohnschaft im physischen Sinne liegt jedenfalls noch nicht vor.

---

[1] Vgl. § 4 S. 264 ff.
[2] Daß sich die Spiritualisierung im besonderen auf hellenistischem Boden im Judentum und Christentum durchsetzt, zeigt HANS WENSCHKEWITZ, Die Spiritualisierung der Kultusbegriffe Tempel, Priester und Opfer im Neuen Testament (Angelos-Beiheft 4), 1932.

## 4. Jesus als Gottessohn im hellenistischen Heidenchristentum

Übergänge sind in der Regel fließend. Das gilt sicher an dieser Stelle, wo die im hellenistischen Judenchristentum ausgebildeten Anschauungen über Jesu Gottessohnschaft und die für das Heidenchristentum bezeichnende Weiterbildung voneinander unterschieden werden sollen. Es darf natürlich nicht verkannt werden, daß erhebliche Hellenisierungen gerade im Bereich des Judentums selbst möglich waren, wie Philo zeigt, oder daß in judenchristlichen Gemeinden die Gefahr synkretistischer Überfremdung keineswegs gering war, wie aus dem Galater- und Kolosserbrief zu ersehen ist. Es kann auch nicht bestritten werden, daß in der Frühzeit des hellenistischen Christentums der Anteil der aus der jüdischen Diaspora gewonnenen Gemeindeglieder in den meisten Gemeinden sicher außergewöhnlich groß war. Aber es geht bei der vorgenommenen Unterscheidung um etwas anderes: es soll gefragt werden, wo einerseits das jüdische Erbe noch so stark ist, daß die Hellenisierung in ganz bestimmten Grenzen gehalten wird, und wo andererseits die jüdischen Voraussetzungen in den Hintergrund treten und eine typisch hellenistische Denkweise sich unter den Christen durchsetzt, die dann bald beherrschend in den Vordergrund rückt und in der alten Kirche auf breiter Basis dogmatisch durchdacht wird. Im Zusammenhang des Gottessohnbegriffs ist die Hellenisierung vor allem in zwiefacher Hinsicht zu erkennen: zuerst wird die durch die Geistverleihung begründete Gottessohnschaft im Sinne wesensmäßiger Durchdringung verstanden, was dann weiterführt zu der Anschauung einer ursprünglichen naturmäßigen Veranlagung.

Der Übergang zu einer typisch hellenistisch verstandenen Gottessohnschaft vollzog sich zunächst, ohne Einfluß des Motivs von der Jungfrauengeburt, im Anschluß an eine Christologie, die an der Taufgeschichte und der Vorstellung einer Verleihung der Geistesgabe festhielt. Aber das Erfaßtwerden vom Geist wurde nicht mehr im Sinne einer Ausrüstung und Begabung verstanden, sondern — hellenistisch gesprochen — als eine Vergottung[1]. Man begnügte sich nicht mit der Anschauung einer ständigen Einwohnung des Geistes, vielmehr verstand man die Geistverleihung im Sinne einer wesensmäßigen Durchdringung[2]. Es kann durchaus gesagt werden, daß der einmal beschrittene Weg hier seine konsequente Weiterführung erfahren hat, denn Jesus mußte von dem gegebenen und ihn zu seinem Amt befähigenden Geist in einer einzigartigen, seine ganze Person erfassenden Weise

---

[1] Auf Parallelen bei Philo ist oben S. 294 f. hingewiesen. Das ausgesprochen hellenistische Vergleichsmaterial bei RICHARD REITZENSTEIN, Die hellenistischen Mysterienreligionen, 1927³ (Neudruck 1956), S. 38 ff., 220 ff., 262 ff. u. ö.

[2] Die schwierigen Fragen nach dem Verhältnis zur menschlichen Person Jesu stellen sich in diesem Stadium noch nicht.

von Gott ausgezeichnet sein[1]. Damit ist der Schritt von einem messianisch, also funktional bestimmten Gottessohnbegriff zu einem wesensmäßig verstandenen vollzogen, auch wenn zunächst noch an einem Akt der Einsetzung festgehalten wird. Das älteste Zeugnis für einen wesensmäßig verstandenen Gottessohnbegriff bietet wohl die bei Markus erhaltene Fassung der Verklärungsgeschichte *Mk 9,2—8*. Die Analyse dieser Erzählung zeigt, daß eine alte Traditionsschicht erst sekundär mit solchen Gedanken verbunden worden ist[2]. In der jetzigen Fassung der Erzählung stehen, von den redaktionellen Zusätzen κατ᾽ ἰδίαν μόνους in V. 2 und dem ganzen V. 6 abgesehen, zwei Motive im Vordergrund: die Aussage über die Verwandlung in V. 2 fin und die Gottessohnprädikation in V. 7 b. Durch die Wolkenstimme wird in Form einer Präsentation mit οὗτός ἐστιν der Verklärte als Gottessohn ausgewiesen. Wie in der vom Himmel her ergehenden Stimme bei der Taufe Jesu liegt ein ursprünglicher Bezug auf Jes 42,1 vor, der vor allem noch an ὁ ἀγαπητός zu erkennen ist; an Stelle der Aussage über das göttliche Wohlgefallen findet sich das ἀκούετε αὐτοῦ aus Dt 18,15. Aber auf diesen beiden Elementen liegt kaum noch eigenes Gewicht. Denn es geht vornehmlich um den Gottessohntitel, der hier wahrscheinlich nur indirekt aus Ps 2,7 herstammt und aus der jüngeren Fassung der Taufgeschichte übernommen sein wird. Was dieser Gottessohn in Wahrheit ist, kommt durch das Verwandlungsmotiv zum Ausdruck. Das μεταμορφοῦσθαι ist zweifellos als terminus technicus gebraucht[3]. Da es sich so nur in ausgesprochen hellenistischen Zusammenhängen findet, muß das Motiv der Metamorphose, wie wir es aus Mysterienkulten und Zaubertexten kennen, auch bei Mk 9,2 fin im Hintergrund stehen[4]. Nun liegt zwar dem alten Traditionsstück in V. 3 ein gewisser Verwandlungsgedanke bereits zugrunde; aber für V. 2 fin kommt man mit dem Verweis auf alttestamentlich-jüdische, besonders apokalyptische Tradition nicht aus. Vor allem muß der Gedanke eines bloßen Leuchtens, in dem sich himmlischer Glanz abschattet, was aber wiederum vergeht[5], hier ferngehalten werden. Eher kommt die Vorstellung von der eschatologischen Verwandlung in

---

[1] Eine bloße Einwohnung konnte auch von den unreinen Geistern der Besessenen ausgesagt werden.

[2] Für die Analyse und alle Fragen der Einzelexegese vgl. Exk. V S. 334 ff.

[3] Dazu vgl. ERNST LOHMEYER, Die Verklärung Jesu nach dem Markus-Evangelium, ZNW 21 (1922) S. 185—215, bes. S. 206 ff.; JOHANNES BEHM, Art. μορφή, ThWb IV S. 764 f.; ERNST KÄSEMANN, Kritische Analyse von Phil. 2,5—11, ZThK 47 (1950) S. 328 ff., jetzt in: Exegetische Versuche I S. 65 ff.; E. SCHWEIZER, Erniedrigung und Erhöhung S. 53 f. bes. Anm. 233.

[4] Das hier Gesagte gilt nur für V. 2 fin, nicht für V. 3, denn dort liegen offenkundig ältere Motive vor.

[5] So Ex 34,29; dazu zuletzt NOTH, Exodus S. 220. Vgl. auch 2 Kor 3,7 ff.

Frage, doch ist auch dabei sorgfältig zu unterscheiden: denn, wie die Anschauungen von der Totenauferstehung zeigen, ist im Judentum primär an eine Wiederbelebung gedacht, auch wenn der alte Leib durch Vollkommenheit, himmlischen Glanz und neue Existenzbedingungen ausgezeichnet sein wird[1]. Der Gedanke an eine eigentliche Verwandlung, so daß dem auferweckten Menschen ein neuer Leib zukommen muß, damit er der himmlischen Welt teilhaftig werden kann, ruht demgegenüber auf anderen Voraussetzungen[2]. Eine Begründung und Entfaltung wie sie in 1 Kor 15,(35ff.)44ff. vorliegt, ist nur unter hellenistischen Voraussetzungen verständlich, da ja dort auch die Begriffe εἰκών sowie σῶμα ψυχικόν bzw. πνευματικόν Aussagen über das Wesen implizieren[3]. Entsprechend ist Röm 8,29 und Phil 3,21 von einer Wesensverwandlung bei der eschatologischen Vollendung gesprochen (vgl. auch 1 Joh 3,2f.). Noch einen Schritt weiter, und das ist schlechterdings überhaupt nur auf Grund hellenistischer Denkweise erklärbar, geht Paulus dort, wo er von einer in der irdischen Existenz des Glaubenden beginnenden oder sich vollziehenden Wesensverwandlung spricht, wie dies in 2 Kor 3,18 und Röm 12,2 der Fall ist[4]. Im einzelnen sind diese Stellen nicht zu untersuchen, sie bezeichnen jedoch sehr genau den religionsgeschichtlichen Umkreis, von wo aus auch das μεταμορφοῦσθαι von Mk 9,2fin zu verstehen ist[5]. Daß es sich hier nicht nur um einen Gestaltwandel wie in griechischer Mythologie der klassischen Zeit, vielmehr um eine das Wesen betreffende Verwandlung handelt, kann nicht bestritten werden. Aber im Blick auf den Textzusammenhang wird man noch präzisieren

---

[1] Hierher gehört die „Verwandlung" von Mk 9,3, wo Jesus mit himmlischen Gewändern angetan erscheint, eine Aussage über eine Verwandlung des Angesichts und Leibes aber fehlt; vgl. dazu Exk. V. Daß die Gewandvorstellung auch leicht anders interpretiert werden konnte, soll nicht bestritten werden, vgl. BOUSSET-GRESSMANN S. 277f., aber in Mk 9,3 fehlen dafür alle Anzeichen.

[2] Vgl. dazu BOUSSET-GRESSMANN S. 274ff.; VOLZ, Eschatologie S. 250ff. 396ff.; Material auch noch bei BILLERBECK I S. 891; III S. 480f.; ferner IV/2 S. 887ff.

[3] Vgl. FRIEDRICH-WILHELM ELTESTER, Eikon im Neuen Testament (BZNW 23), 1958, bes. S. 130ff.; KÄSEMANN, Leib und Leib Christi S. 133ff.; EDUARD SCHWEIZER, Art. πνεῦμα, ThWb VI S. 417ff., obwohl das Problem nicht so einfach in der Formel aufgeht, daß Paulus „sachlich jüdisch, terminologisch hellenistisch" redet (S. 419), da doch gerade in der Sachaussage wegen der Berücksichtigung der Fragen nach Substanz und Wesen eine Hellenisierung vorliegt.

[4] Vgl. dazu etwa MARTIN DIBELIUS, Paulus und die Mystik, in: Botschaft und Geschichte II, 1956, S. 134—159, bes. S. 140ff., 156; LIETZMANN-KÜMMEL, 2 Kor S. 200f.

[5] Religionsgeschichtliches Vergleichsmaterial bei BEHM, ThWb IV S. 764f.; REITZENSTEIN, Mysterienreligionen S. 357ff. Es ist immerhin beachtenswert, daß die ganze Begrifflichkeit dieser nt. Stellen mit μεταμορφ-, μετασχημ-, συμμορφ-, συσχημ- außer einer einzigen Stelle in der LXX fehlt; die Ausnahme ist, wiederum bezeichnend, IV Makk 9,22 (μετασχηματιζόμενοι εἰς ἀφθαρσίαν).

müssen: denn zweifellos ist Mk 9,2 fin nicht in Analogie zu dem Akt
der Einweihung verstanden, wodurch göttliches Wesen gewonnen
wird[1], sondern Jesus besitzt dieses bereits und läßt es nur vor seinen
vertrauten Jüngern sichtbar werden. Indem er durch solche Metamorphose enthüllt, was sein wahres Wesen ist, wird offenbar, daß sich
in der menschlichen Person Jesu die Epiphanie göttlichen Wesens auf
dieser Erde vollzieht, daß hier der geliebte Sohn Gottes erschienen ist,
in dem allein Heil gewonnen werden kann. Insofern hat das hellenistische Motiv nun doch auch eine sehr bezeichnende Abwandlung
erfahren und ist der an der Frage nach dem Wesen des Gottessohnes
ausgerichteten Christologie dienstbar gemacht worden[2].

Daß auf diesem Wege ausgesprochen hellenistische Vorstellungen
in die urchristliche Tradition eingedrungen sind, zeigt eine Erzählung
wie *Mk 5,25—34*. Zwar fehlt hier ein Hoheitstitel und jegliche theologische Reflexion, aber eine traditionsgeschichtliche Einordnung in
die frühe Christologie ist nur an dieser Stelle möglich. Jesus erscheint
in dieser Geschichte von der blutflüssigen Frau in einem solchen Maße
von göttlichem Wesen durchdrungen, daß eine bloße Berührung der
Gewänder genügt, um seiner übernatürlichen Kraft teilhaftig zu
werden und zu genesen. Wohl kennt das gesamte antike und altorientalische Denken die Kraftübertragung durch Berührung, worin
vor allem die Handauflegung, auch das Ergreifen der Hand und bestimmte Manipulationen bei Heilungen ihren Ursprung haben, und
dies ist auch für palästinische Tradition nicht rundweg zu bestreiten[3].
Aber Mk 5,25 ff. steht doch nochmals auf anderer Stufe: denn hier
wird nicht willentlich eine Gabe gespendet und Kraft übertragen, vielmehr ist die göttliche δύναμις derart angesammelt und in sich selbst
so mächtig, daß sie fast unabhängig von ihrem Träger erscheint und
jederzeit abströmen kann. Die Person ist ein erwähltes Gefäß, in dem
die Kraftsubstanz schlechthin alles erfüllt und daher das Wesen bestimmt. Es ist nachgewiesen worden, daß vor allem alte ägyptische
Motive vom göttlichen Fluidum, das in seinem Träger geradezu

---

[1] Vgl. dazu WINDISCH, a.a.O. S. 57f., 104ff.; MARTIN DIBELIUS, Die Isis-
weihe bei Apuleius und verwandte Initiationsriten, in: Botschaft und Geschichte
II S. 30—79, bes. S. 52ff.; LOHMEYER, ZNW 21 (1922) S. 203ff.

[2] Am ehesten könnte noch an den pseudohomerischen Demeterhymnus
V. 275ff. oder an Euripides, Bacchen V. 1329, gedacht werden, wo die auf Erden
weilenden Götter sich zu erkennen geben. Aber der tiefgreifende Unterschied
darf nicht übersehen werden, da hier die menschliche Gestalt eine zufällig gewählte äußere Hülle ist, während es im anderen Falle doch darum geht, daß
gerade das menschliche Sein ganz vom göttlichen Wesen durchdrungen ist und
die Menschlichkeit konstitutiv ist. In der späteren Christologie wird umgekehrt
gedacht: das göttliche Wesen geht ganz in die Menschlichkeit ein, was vor allem
der Inkarnationsgedanke zum Ausdruck bringt.

[3] Man vgl. nur die Erzählungen über die Wunder des Elia und Elisa. Vgl.
sonst zum religionsgeschichtlichen Material BULTMANN, Syn. Trad. S. 237f.

stofflich angesammelt ist, eingewirkt haben[1]. Derartige Anschauungen hatten sich in hellenistischer Zeit mit der θεῖος ἀνήρ-Vorstellung verbunden, wodurch diese Gestalten vor den gewöhnlichen Menschen ausgezeichnet waren. Im Neuen Testament braucht man nur noch an Mk 6,56par.; Act 5,15; 19,12 zu erinnern, um anzudeuten, welchen Einfluß solche volkstümlichen Ansichten auch im frühen Christentum gewonnen haben, wie sie dann später im Märtyrer- und Reliquienkult weiterlebten[2]. Es kann nicht übersehen werden, daß hier jedenfalls eine äußerst massive Vorstellung aufgenommen ist, die der christologischen Aussage nur sehr mangelhaft Ausdruck verleihen konnte. Wenn sie gleichwohl neben der sublimeren und unmittelbar christologischen Vorstellung der Verklärungsgeschichte in die Evangelientradition übernommen wurde, so zeigt sich daran, wie sehr der damaligen Christenheit an Aussagen über das göttliche Wesen lag, so unzureichend sie im einzelnen auch sein mochten[3].

Die gleichen Voraussetzungen lassen sich bei den *Epiphanieerzählungen* erkennen. Es steht außer Frage, daß es die Vorstellung der göttlichen Epiphanie im alttestamentlich-jüdischen Bereich gegeben hat, aber auf Jesus übertragen ist dabei die Anschauung seiner Göttlichkeit vorausgesetzt, was erst auf hellenistischem Boden möglich wurde. Zwar mag ein Naturwunder wie die Sturmstillung Mk 4,35—41 durchaus in alter palästinischer Tradition beheimatet gewesen sein, wobei ursprünglich wohl an einen Akt der Beschwörung, also eine charismatische Wirkung, gedacht gewesen sein wird[4]. Aber wenn, wie in der Geschichte vom Seewandel Mk 6,47—52, vielleicht einer jüngeren Nachbildung jener Erzählung, die grundsätzliche Überlegenheit Jesu über die irdischen Bedingungen aufgewiesen wird und sich damit noch das absolute ἐγώ εἰμι verbindet, so ist der Charakter einer eigentlichen

---

[1] FRIEDRICH PREISIGKE, Die Gotteskraft in frühchristlicher Zeit (Papyrusinstitut Heidelberg Schrift 6), 1922; DERS., Vom göttlichen Fluidum nach ägyptischer Anschauung (ebd. Schr. 1), 1920; vgl. auch WETTER, a.a.O. S. 44ff.; BIELER, a.a.O. I S. 80ff.; dahinter steht zweifellos eine weitverbreitete religionsphänomenologische Gegebenheit, die vor allem in den sog. Mana-Vorstellungen ihren Ausdruck gefunden hat, dazu G. VAN DER LEEUW, Phänomenologie der Religion, 1956², S. 3ff. 27ff.

[2] Vgl. PREISIGKE, Gotteskraft S. 12ff.

[3] WALTER GRUNDMANN, Der Begriff der Kraft in der neutestamentlichen Gedankenwelt (BWANT IV/8), 1932, S. 26ff., 61ff., 65ff., vertritt die These, daß das unpersönliche manistische Verständnis durch das personale überwunden sei; vgl. DERS., Art. δύναμις, ThWb II S. 301ff. Aber so generell kann dies für das NT nicht behauptet werden; auch wenn sich der Grundsatz an vielen Stellen bewähren mag, für Mk 5,25ff. und ähnliche Texte wird man ihn nicht ohne weiteres vertreten dürfen.

[4] Zur Sturmstillung gibt es in rabbinischer Überlieferung Parallelen, vgl. BULTMANN, Syn. Trad. S. 249f.; dort handelt es sich um Beispiele für die Macht des Gebetes.

Epiphanieerzählung deutlich[1]. Matthäus hat darum in 14,33 ganz folgerichtig sowohl die Proskynese der Jünger als auch deren Bekenntnis zu Jesus als ‚Gottessohn' hinzugefügt[2].

Die zuletzt behandelten Texte setzen eine wesenhafte Gottessohnschaft voraus, ohne dies im einzelnen näher zu begründen. Auf Grund der Verklärungsgeschichte darf jedoch angenommen werden, daß sie in einer sachlichen Beziehung zur Tauferzählung stehen, also die wesensmäßige Durchdringung von der Verleihung des göttlichen Geistes her verstanden wird. Aber mit dieser Antwort begnügte sich die hellenistische Christenheit mit der Zeit nicht mehr. Sie interpretierte die *Gottessohnschaft im Sinne naturmäßiger Veranlagung*, und dazu standen nochmals zwei Möglichkeiten offen: die eine ging von dem Geschehen der jungfräulichen Zeugung aus, die andere von dem Gedanken der Präexistenz, wobei zu beachten ist, daß beides anfänglich unverbunden war und selbständig nebeneinander entfaltet wurde.

Über die Jungfrauengeburt sind, mindestens in einer bestimmten Überlieferungsschicht des hellenistischen Judenchristentums, sehr subtile Aussagen gemacht worden, wie an Lk 1, 26 ff. gezeigt werden konnte[3]. Die Erzählung *Mt 1, 18—25*, die im Hinblick auf die Davidssohnschaft Jesu eine ältere Traditionsstufe repräsentiert[4], hat das Motiv der jungfräulichen Geburt sehr viel unbekümmerter formuliert und von einem ἐν γαστρὶ ἔχειν ἐκ πνεύματος ἁγίου bzw. einem γεννηθῆναι ἐκ πνεύματος ἁγίου (V. 18. 20) gesprochen. Bei derartigem Sprachgebrauch lag es nun allerdings sehr nahe, die Aussage als Bezeichnung eines Zeugungsvorganges zu verstehen, bei dem sich ein übernatürlicher Same substanzhaft mit der Jungfrau verbindet[5]. Es ist dann auch nicht überraschend, wenn *Ignatius* in Eph 18,2: ἐκυοφορήθη ὑπὸ Μαρίας . . . ἐκ σπέρματος μὲν Δαυίδ, πνεύματος δὲ ἁγίου, oder 7,2: σαρκικός τε καὶ πνευματικός . . . ἐκ Μαρίας καὶ ἐκ θεοῦ, das zwiefache ἐκ in betonte Parallele stellt[6] und noch im *Symbolum Romanum* Jesus als

---

[1] Vgl. Dibelius, Formgeschichte S. 91 f.; Lohmeyer, Mk S. 133 f.

[2] Über die Eigenart der Mt-Erzählung, wo auch noch das Motiv vom sinkenden Petrus eingefügt ist, vgl. zuletzt Heinz-Joachim Held, Matthäus als Interpret der Wundergeschichten, in: G. Bornkamm - G. Barth - H. J. Held S. 193 ff.

[3] Vgl. § 4 S. 275 ff. und bes. § 5 S. 304 ff.                 [4] Vgl. § 4 S. 274 f.

[5] Vgl. Bauer, Wb. s. v. ἐκ 3 a, wonach mit ἐκ in solchen Wendungen der männliche Teil eingeführt wird, durch den die Zeugung verursacht ist. Natürlich konnte dies ähnlich wie in Lk 1, 26 ff. auch im Sinne der Veranlassung der jungfräulichen Empfängnis ohne männliche Beteiligung verstanden werden, aber die Formulierungen waren jedenfalls ungeschützt und mußten im hellenistischen Bereich auf das Mißverständnis einer unmittelbaren Zeugungsfunktion des Geistes stoßen; vgl. Norden, Geburt S. 76 ff.

[6] Gottheit wie Menschheit Jesu sind ja für *Ignatius* selbstverständliche Voraussetzung seiner Christologie, wobei das göttliche Wesen deutlich im Vorder-

γεννηθεὶς ἐκ πνεύματος ἁγίου καὶ Μαρίας τῆς παρθένου bezeichnet wird, was erst im Zusammenhang der späteren christologischen Streitigkeiten eine Präzisierung erfahren hat[1].

Wichtiger wurde für die hellenistische Gemeinde die Anschauung, welche die Gottessohnschaft in der *Präexistenz* begründet sah. Hiermit ist eine entscheidend neue Stufe erreicht, die viele Probleme in sich birgt und einer breiten Entfaltung bedürfte, an dieser Stelle aber nur kurz gestreift werden soll. Mit der Präexistenzvorstellung hat die Christologie die Konturen erhalten, die fortan für die theologische Explikation maßgebend waren und in deren Rahmen die weitere Entwicklung erfolgte. Daß diese Konzeption auf dem Boden der hellenistischen Gemeinde erwachsen ist, kann nicht bestritten werden[2]. Interessanterweise ist noch zu erkennen, auf welchem Wege es zu dieser Vorstellung kam, denn der Übergang ist markiert durch das Motiv der ‚Sendung' des Gottessohnes. Schon ALFRED SEEBERG hat gesehen, daß die beiden betonten Aussagen bei Paulus, daß Gott seinen Sohn sandte (Gal 4,4; Röm 8,3), eine festgeprägte Wendung darstellen müssen[3]. Nun enthält der Begriff der Sendung als solcher zunächst nur den Gedanken der Beauftragung, und in diesem Sinne konnte von Jesu irdischem Werk als einer ‚Sendung' gesprochen werden, ohne daß dabei der Gedanke himmlischer Präexistenz eine Rolle spielt[4]. So wird beispielsweise in Mk 12,1—9 davon gesprochen, daß Gott seine Knechte zu den bösen Weingärtnern gesandt habe und

---

grund steht: ἐν σαρκὶ γενόμενος θεός (Eph 7,2); θεὸς ἀνθρωπίνως φανερούμενος (Eph 19,3), ὁμολογῶν αὐτὸν σαρκοφόρον (Smyrn 5,3; ähnlich auch Clemens Alexandrinus); vgl. WALTER BAUER, Die Briefe des Ignatius von Antiochia (HbNT Erg.-Bd. II), 1920, S. 193f.

[1] Interessanterweise wehrt sich noch *Justin* mit aller Entschiedenheit gegen die Vorstellung einer Empfängnis durch Gott oder den göttlichen Geist: τὸ πνεῦμα ... ἐλθὸν ἐπὶ τὴν παρθένον καὶ ἐπισκιάσαν οὐ διὰ συνουσίας ἀλλὰ διὰ δυνάμεως ἐγκύμονα κατέστησε Apol I 33,6b (vgl. V. 3f.: εἰ γὰρ ἐσυννουσιάσθη ὑπὸ ὁτουοῦν, οὐκ ἔτι ἦν παρθένος); andererseits liegt ihm aber wegen der Abwehr einer adoptianischen Christologie daran festzustellen, daß Jesus seine besondere Geisteskraft bereits mit der Geburt besaß, so bes. Dial 87f. (dort das Zugeständnis, daß eine schwierige Frage vorliege). Die Aussagen über die Inkarnation sind bei ihm allerdings nicht wirklich klar und eindeutig; vgl. FRIEDRICH LOOFS, Leitfaden zum Studium der Dogmengeschichte I, 1951[5], S. 95ff. Später versuchte man bekanntlich, sich mit der Vorstellung einer conceptio per aurem zu helfen.

[2] Das schließt nicht aus, das dabei jüdische Traditionen, vor allem aus der hellenistisch-jüdischen Weisheitsspekulation aufgegriffen sind; vgl. nur EDUARD SCHWEIZER, Zur Herkunft der Präexistenzvorstellung bei Paulus, EvTh 19 (1959) S. 65—70.

[3] ALFRED SEEBERG, Katechismus der Urchristenheit S. 59ff.; DERS., Christi Person und Werk nach der Lehre seiner Jünger, 1910, S. 73ff.; wenn er in dem letztgenannten Werk die Sendung des Präexistenten als die alte Vorstellung und die Geistbegabung bei der Taufe als die jüngere ansieht, so ist dies allerdings abwegig.

[4] Vgl. KARL HEINRICH RENGSTORF, Art. ἀποστέλλω (πέμπω), ThWb I S. 397ff.

dann seinen eigenen Sohn. Die enge Anlehnung an die Tauf- und Verklärungsgeschichte ist unverkennbar und der Gottessohnbegriff will demnach ebenso wie dort verstanden sein[1]. Das Motiv der Sendung des Gottessohnes erhält aber in dem Augenblick einen ganz neuen Akzent, wo es mit dem Gedanken der Inkarnation verbunden wird, denn dadurch gewinnt es seinen Bezug zur Vorstellung der Präexistenz. Was in Gal 4,4 mit dem Nebeneinander von ἐξαπέστειλεν ὁ θεὸς τὸν υἱὸν αὐτοῦ und γενόμενος ἐκ γυναικός andeutend umschrieben wird, ist in Röm 8,3 mit ὁ θεὸς τὸν ἑαυτοῦ υἱὸν πέμψας ἐν ὁμοιώματι σαρκός in der Weise verdeutlicht, daß göttliches und menschliches Wesen in eine angemessene Beziehung zueinander gesetzt werden. Auch Phil 2, 6 ff. hat, bei starker Entfaltung der Aussagen über göttliches Wesen und Präexistenz der vollen Menschheit Jesu von den Inkarnation her Ausdruck gegeben[2]. Schließlich hat Joh 1,14 den Inkarnationsgedanken voll ausgeprägt[3], wie sich ja auch im Johannesevangelium eine vielfältige Durchführung des Motivs der ‚Sendung'

---

[1] Daß in *Mk 12,1—9* kein echtes Gleichnis, sondern eine von der Gemeinde gestaltete Allegorie vorliegt, ist nochmals gründlich nachgewiesen worden von Kümmel, Gleichnis von den bösen Weingärtnern, a.a.O. S. 120—131, gegen Dodd, Parables of the Kingdom S. 124 ff.; Jeremias, Gleichnisse S. 59 ff., die beide ein Gleichnis Jesu mit einzelnen nachträglich zugefügten allegorischen Zügen annehmen; die revolutionäre Stimmung galiläischer Pächter gegen ausländische Großgrundbesitzer sei der Hintergrund. Aber schon in den Einzelelementen erweist sich der Text deutlich als spätere Kompilation: das ὁ υἱός μου sowie das υἱὸς ἀγαπητός sind unverkennbar an die Tauf- und Verklärungsgeschichte angelehnt, dazu kommt das Sendungsmotiv, ferner ist hier wie in manchen anderen Gottessohnaussagen von der Hingabe und Tötung des Gottessohnes gesprochen (vgl. Gal 2,20b; Röm 8,32; gegen Jeremias S. 61, der von einer in der Urgemeinde entstandenen Allegorie notwendig eine Aussage über die Auferstehung erwartet); weiter ist ein Zusammenhang von Sohnschaft und κληρονομία vorausgesetzt, wie dies in Hebr 1,2 vorliegt und Gal 4,1ff. im Hintergrund steht; nimmt man noch die Nachahmung von Jes 5,1ff. und die heilsgeschichtliche Schematisierung mit dem Nacheinander der Propheten und des Gottessohnes hinzu, so liegt die Künstlichkeit dieser Bildung offen zutage. Die Authentizität läßt sich auch nicht dadurch retten, daß man eine wesentlich kürzere Urfassung rekonstruiert, wie dies van Iersel, Der Sohn S. 124ff., 140ff. versucht; der Sohn stehe dort nur am Rande, gleichwohl sei es eine indirekte Selbstbezeichnung und mit dem κληρονομία-Motiv verbunden, was auf Mt 11,27 par. hinweisen soll.

[2] Auch wenn in Phil 2,6ff. der Gottessohntitel fehlt, darf die Stelle hier einbezogen werden, denn es geht ebenso wie bei dem Gottessohnbegriff um die Frage nach dem göttlichen Wesen und dem Verhältnis zu Jesu Menschheit.

[3] Daß hier ein genuin christlicher Gedanke vorliegt, für den sich keine vergleichbaren Aussagen in heidnischer Mythologie finden, ist schlechterdings nicht zu bestreiten; ich verweise nur auf Ernst Käsemann, Aufbau und Anliegen des Johanneischen Prologs, in: Libertas Christiana (Festschrift für Friedrich Delekat, BEvTh 26), 1957, S. 75—99, bes. S. 82ff., und auf Rudolf Schnackenburg, Logos-Hymnus und johanneischer Prolog, BZ NF 1 (1957) S. 69—109, bes. S. 88f., 96ff. Eine deutliche Beziehung zur Vorstellung der Gottessohnschaft ergibt sich aus V. 18, da einerseits V. 14—18 eine Einheit bilden und andererseits die Lesart υἱός auf jeden Fall vorzuziehen ist; vgl. zu letzterem Bultmann, Joh S. 55 (f.) Anm. 4.

des Gottessohnes findet, was charakteristischerweise mit einem καταβαίνειν ἐκ τοῦ οὐρανοῦ gleichgesetzt ist[1]. Hier zeigt sich wohl am deutlichsten, wie sich das alte Sendungsmotiv mit der Anschauung von einer Herabkunft des Erlösers aus dem Himmel und seinem Erscheinen auf Erden verbunden hat, wie die Präexistenz- und Offenbarungsvorstellung nun aber in urchristlicher Tradition im Gegensatz zu allem doketischen Denken des Hellenismus konsequent am Inkarnationsgedanken ausgerichtet worden ist. Bei aller Anlehnung an die Denkformen der Umwelt und Zeit hat die Christenheit ihrer Verkündigung und Theologie im Entscheidenden eine ganz eigene Gestalt gegeben und auf diese Weise gerade auch im hellenistischen Bereich versucht, der Wirklichkeit der Offenbarung Gottes in Jesus Christus gerecht zu werden[2].

Ein Blick ist noch auf die Auffassungen der einzelnen Evangelien zu werfen, bei denen der Gottessohnschaft Jesu durchweg eine dominierende Rolle zukommt[3]. Die älteste Anschauung repräsentiert

---

[1] Religionsgeschichtliches Material bei WETTER, a.a.O. S. 82ff. Vgl. ferner BULTMANN, Theol. S. 385ff.

[2] Gegen das methodische Vorgehen von BIENECK, Sohn Gottes als Christusbezeichnung der Synoptiker, ist grundsätzlich Einspruch zu erheben. Abgesehen davon, daß zwischen dem Titel ‚Gottessohn' und dem absolut gebrauchten ‚der Sohn' nicht unterschieden wird, ist jegliche religionsgeschichtliche Abhängigkeit rundweg bestritten und eine traditionsgeschichtliche Beurteilung nicht einmal in Ansätzen durchgeführt; alle synoptischen Stellen werden unter die Leitgedanken der Hoheit und des Gehorsams des Sohnes gepreßt, welche in der Willenseinheit Jesu mit seinem Vater beruhen sollen. Nicht einmal at.-jüdische Voraussetzungen werden wirklich anerkannt: die Gottessohnschaft sei von dem messianischen Amte grundsätzlich zu unterscheiden (S. 45.47f. u.ö.), die Verbindung mit dem AT nur im Ablauf der Heilsgeschichte gegeben (S. 73f.). Doch dies ist keine exegetische Auskunft, sondern ein theologisches Postulat. Unhaltbar ist die Polemik gegen eine religionsgeschichtliche Auswertung bestimmter hellenistischer Analogien. Die Antithese: entweder Kerygma oder Ausdruck einer wundersüchtigen, dekadenten Zeit (S. 10f.), ist allzu primitiv und erfaßt überhaupt nicht das höchst komplizierte Problem, wieweit und in welcher Art die Gemeinde des hellenistischen Bereiches sich bei der Ausrichtung des Kerygmas gewisser dort üblicher Vorstellungselemente bediente, wie sie diese sich aneignete und umformte. Das „gänzlich ungriechische Bild" (S. 70) dürfte doch im wesentlichen gerade dadurch entstanden sein, daß eine spezifisch christliche Tradition vorliegt, die nicht ohne weiteres in hellenistischen Vorstellungen aufgeht. Schließlich muß gesagt werden, daß mit den Motiven der Hoheit und des Gehorsams (S. 45ff., 58ff.) keineswegs alle maßgebenden Züge der urchristlichen Gottessohnanschauung bestimmt sind. — Von dieser Kritik mitbetroffen ist auch CULLMANN, Christologie S. 281ff., der die Gottessohnvorstellung grundsätzlich von der Messiaswürde unterschieden und Beziehungen zu hellenistischer Denkweise bestritten hat; er geht von dem Erlebnis der Sohnschaft bei Jesus aus und betont die Willenseinheit mit dem Vater. Eine besondere Stellung nimmt die Taufe ein, weil sich dort Jesus seiner Sohnschaft bewußt geworden sein soll und zugleich erkannt habe, daß er die Funktion des leidenden Gottesknechtes übernehmen müsse (vgl. a·a.O. S. 65f.).

[3] Fragt man nach dem Alter des eigentlichen Bekenntnisses zu Jesus als dem ‚Gottessohn', so ist festzustellen, daß es bei Paulus, bei dem die Vorstellung selbst schon stark eingewirkt hat, noch fehlt. In Verbindung mit der *Bekenntnis-*

*Markus.* Er hat die Taufe Jesu im Sinne der Amtseinsetzung und Geistverleihung an den Anfang der Wirksamkeit Jesu gestellt. Der Evangelist hat aber gleichzeitig die Vorstellung von der wesensmäßigen Durchdringung durch den Gottesgeist gekannt, wie besonders die Wundererzählung Mk 5, 25 ff. und die Verklärungsgeschichte erkennen lassen. — *Lukas* hat eine sehr eigenartige Konzeption, deren Besonderheit vielfach nicht klar genug gesehen wird. Einerseits hat er die Vorgeschichte aufgenommen und scheut sich nicht, messianische Prädikate auf das Kind Jesus anzuwenden; aber dies ist doch offensichtlich im proleptischen Sinn gemeint, wie er ja auch an der alten Bedeutung von Lk 1, 26 ff. festgehalten hat, wonach Jesus Gottessohn ist auf Grund der die Empfängnis bewirkenden Lebensmacht des Geistes, und nicht an eine Gottessohnschaft im physischen Sinne denkt[1]. Denn andererseits hat ja gerade er die Vorstellung der Amtseinsetzung bei der Taufe und der besonderen Ausrüstung durch den Geist betont aufgenommen[2], wie ihm auch daran liegt, das damit beginnende öffentliche Wirken Jesu in besonderer Weise auszugrenzen. Das κληθήσεται υἱὸς θεοῦ 1, 35 bekommt damit einen im Gesamtrahmen sehr präzisen Sinn, indem es auf das Taufgeschehen verweist. Vor allem hat Lukas den Gedanken der besonderen Geistausrüstung absichtsvoll weitergeführt[3]: ‚voll des heiligen Geistes‘ wird Jesus in die Wüste geführt und vom Teufel versucht (4, 1), ‚in der Kraft des heiligen Geistes‘ kehrt Jesus nach Galiläa zurück (4, 14),

---

Tradition des hellenistischen Judenchristentums steht es dort, wo ‚Christos‘ und ‚Gottessohn‘ nebeneinander gebraucht sind, wobei aber die Gottessohnprädikation den Christostitel interpretiert und nicht umgekehrt; vgl. § 3 S. 219. Bei Mk 15, 39 zeigt es einen deutlich hellenistischen Hintergrund, sofern hierbei an das Sterben eines göttlich besonders ausgezeichneten Menschen gedacht ist (vgl. die Analogien bei Bieler, a. a. O. I S. 44 ff.; daß es ein uneigentliches, dem Verständnis des heidnischen Hauptmanns entsprechendes Bekenntnis sein müsse, so etwa Hauck, Mk S. 188. 190, wird man nicht sagen dürfen). Wohl von der zweiten Hälfte des 1. Jahrhunderts an tritt dann das Gottessohnbekenntnis eindeutig in den Vordergrund und erhält seinen festen Platz in der Taufliturgie, wie vor allem die westliche Überlieferung von Act 8, 37 und der Hebräerbrief zeigen (Hb 1, 2 ff.; 4, 14; 6, 6; 10, 29); dazu Günther Bornkamm, Das Bekenntnis im Hebräerbrief, in: Studien zu Antike und Urchristentum, 1959, S. 188—203. In 1 Joh 4, 15; 5, 5; auch 1, 3 b; 3, 23, spielt dieses Bekenntnis eine Rolle im antihäretischen Kampf. Vgl. noch Paul Feine, Die Gestalt des apostolischen Glaubensbekenntnisses in der Zeit des Neuen Testamentes, 1925, S. 96 f.

[1] Vgl. die kurze Bemerkung bei Conzelmann, Mitte der Zeit S. 160; ferner oben § 4 S. 275 f.

[2] Insofern ist die westliche Überlieferung von Lk 3, 22 durchaus sinnvoll; auch wenn sie eine sekundäre Umgestaltung ist, hat sie die ursprüngliche Intention zweifellos festgehalten.

[3] Kaum zufällig dürfte Lk umgekehrt in der Vorgeschichte Aussagen über den Geistbesitz Jesu vermieden haben — sehr im Gegensatz zu der unverändert aufgenommenen Täuferüberlieferung; vgl. Lk 1, 15. 80 mit Lk 2, 40. 52. Außerdem ist zu beachten, daß die nachfolgend zitierten Stellen Lk 4, 1 a. 14 eindeutig redaktionell sind, ebenso die Anordnung der Sonderüberlieferung 4, 16 ff.

und bei der Nazarethpredigt wird Jes 61,1 zitiert: ‚Der Geist des Herrn ruht auf mir, dieweil er mich gesalbt hat‘ (4,18)[1]. — *Matthäus* hat die alte Anschauung preisgegeben und die Gottessohnschaft von der jungfräulichen Zeugung her verstanden. Das zeigt die Tauferzählung 3,16f., die er zu einer durch den Geist und die Himmelsstimme vollzogenen öffentlichen Proklamation umgeformt hat. Für ihn besitzt somit die Jungfrauengeburt ein viel stärkeres Gewicht und begründet unmittelbar die Gottessohnschaft. In der Vorgeschichte sind deswegen auch ganz unbefangen die messianischen Titel und die Gottessohnbezeichnung gegenüber dem Kind gebraucht[2]. — Daß *Johannes* den Gedanken der Sendung des Gottessohnes und der Inkarnation aufgenommen hat, braucht nur noch einmal erwähnt zu werden. Bei ihm ist die Christologie von der Präexistenz her entworfen und Auferstehung und Erhöhung als Rückkehr in die Himmelswelt verstanden.

*Zusammenfassung*: Sobald die jüdischen Voraussetzungen in den Hintergrund getreten sind, setzte sich eine stärker hellenistische Denkweise durch. Das zeigt sich zunächst daran, daß die Geistbegabung nicht nur im Sinne einer Ausrüstung, sondern einer wesensmäßigen Durchdringung verstanden wurde. Damit ist der Schritt von einer primär funktional gedachten Gottessohnschaft zu einer wesensmäßigen vollzogen, auch wenn zuerst noch an dem Einsetzungsakt festgehalten wird. Bei der Verklärung läßt Jesus seinen Jüngern in geheimer Offenbarung sein göttliches Wesen sichtbar werden und in einer ganzen Reihe von Wundererzählungen tritt er in seiner göttlichen Macht und Hoheit auf. Noch weiter geht die spätere Tradition, welche eine physische Gottessohnschaft bereits auf die besondere Art der Empfängnis zurückführt oder vom Präexistenz- und Inkarnationsgedanken her versteht. Alle vier Evangelien kennen die Vorstellung einer das Wesen betreffenden Gottessohnschaft, während aber für Markus und Lukas die Einsetzung und Ausrüstung bei der Taufe maßgebend sind, haben Matthäus und Johannes die Gottessohnschaft in der Geburt bzw. Präexistenz begründet gesehen.

## 5. Jesus als ‚der Sohn‘

Das absolute ὁ υἱός muß gesondert untersucht werden. Es findet sich in den Synoptikern nur dreimal, bei Paulus lediglich an einer Stelle, im Hebräerbrief steht es fünfmal, dagegen kommt es häufig

---

[1] Vgl. noch Lk 4,36 (καὶ δυνάμει ist redaktionell); 5,17: καὶ δύναμις κυρίου ἦν εἰς τὸ ἰᾶσθαι αὐτόν; auch Lk 10,21: ‚zu eben der Stunde frohlockte er im heiligen Geist ...‘ (vgl. Mt 11,25).

[2] Vgl. Mt 2,15, ferner 1,1.16.18; 2,2.4; dazu § 4 S. 273ff., 277f.

im Johannesevangelium und den Johannesbriefen vor[1]. Die synoptischen Stellen und die Mehrzahl der johanneischen erweisen darin eine
nähere Verwandtschaft, daß jeweils die Korrelation von Vater und
Sohn vorliegt.

In der Einzeluntersuchung ist von der Vaterbezeichnung Gottes
auszugehen. Diese ist im Neuen Testament relativ häufig und es brauchen nicht alle Verwendungsarten besprochen zu werden[2]. Heranzuziehen sind jetzt nur das aramäische אַבָּא, sodann ‚unser Vater‘,
‚euer (dein) Vater‘ und ‚mein Vater‘. Die aramäische Anredeform
$\dot{\alpha}\beta\beta\dot{\alpha}$ kann mit Sicherheit als ein Kennzeichen der Redeweise Jesu
angesehen werden, denn diese der Kindersprache entstammende Dimi-
nutivform ist innerhalb der Gebetssprache des zeitgenössischen Judentums schlechterdings undenkbar[3]. Nicht zufällig wird sich daher dieses
aramäische Wort in der Sprache der christlichen Gemeinde erhalten
haben; noch bei den hellenistischen Gemeinden des paulinischen
Missionsbereichs hat es Verwendung gefunden (Röm 8, 15; Gal 4, 6).
Daß es allerdings auch frühzeitig ins Griechische übersetzt wurde,
zeigt besonders das Vaterunser. Das bloße $\pi\acute{\alpha}\tau\varepsilon\varrho$ der Lukasfassung
geht auf ein ursprüngliches אַבָּא zurück, während $\pi\acute{\alpha}\tau\varepsilon\varrho\ \dot{\eta}\mu\tilde{\omega}\nu$ mit dem
Zusatz $\dot{o}\ \dot{\varepsilon}\nu\ \tauo\tilde{\iota}\varsigma\ o\dot{v}\varrho\alpha\nuo\tilde{\iota}\varsigma$ eine sekundäre, der liturgischen Tradition
des Judentums folgende Umbildung darstellt[4]. Sonst fehlt ein ‚unser
Vater‘ in der gesamten alten Überlieferung. Selbst in Mt 6, 9 stellt es
die gemeinsame Anrede der Jüngerschar dar, ein Zusammenschluß
Jesu mit seinen Jüngern läßt sich bei ‚unser Vater‘ überhaupt nicht
nachweisen[5]. Dies dürfte ein deutliches Anzeichen dafür sein, daß die
alte, auf Jesus selbst zurückgehende Redeweise ‚euer Vater‘ (bzw.
‚dein Vater‘)[6] bewußt und unverändert festgehalten worden ist. Das
braucht hier nicht weiter untersucht zu werden.

Wichtiger ist für den vorliegenden Zusammenhang die Wendung
‚mein Vater‘, die ebenfalls häufiger vorkommt. Kann sie auch auf Jesus

---

[1] Mt 11, 27//Lk 10, 22; Mk 13, 32//Mt 24, 36; Mt 28, 19; 1 Kor 15, 28; Hebr 1,
2. 8; 3, 6; 5, 8; 7, 28 (teilweise ohne Artikel); die joh. Stellen vgl. u. S. 329 f.

[2] Vgl. GOTTFRIED QUELL-GOTTLOB SCHRENK, Art. $\pi\alpha\tau\acute{\eta}\varrho$, ThWb V S. 946—
1024, bes. S. 983 ff.; VAN IERSEL, Der Sohn S. 93 ff.

[3] JOACHIM JEREMIAS, Abba, ThLZ 79 (1954) Sp. 213 f.: nicht nur Abba,
sondern die Gebetsanrede ‚mein Vater‘ überhaupt ist dem Judentum bis ins
Mittelalter hinein fremd. Als Kennzeichen der esoterischen Botschaft Jesu sollte
man das Abba jedoch m. E. nicht bezeichnen, schon wegen des Vaterunsers ist
dies unmöglich.

[4] Vgl. KARL GEORG KUHN, Achtzehngebet und Vaterunser S. 32. 34 f.; auch
KLOSTERMANN, Mt S. 56.

[5] Vgl. dazu G. BORNKAMM, Jesus S. 114 ff., bes. S. 118.

[6] Vgl. die Konkordanz und SCHRENK, ThWb V S. 987 f. Die Verwurzelung in
einer ganz alten, auf Jesus selbst zurückgehenden Traditionsschicht ist hier
nicht zu bestreiten. Zu der abwegigen These, Jesus habe ‚euer Vater‘ nur gegenüber den Jüngern gebraucht vgl. VAN IERSEL, Der Sohn S. 110 ff.

selbst zurückgeführt werden? Daß אַבָּא die Anredeform ‚mein Vater‘ vertreten konnte, besagt nicht viel, denn hierbei handelt es sich um die Sprache des Gebetes und ein solches ‚mein Vater‘ würde in Parallele zu dem ‚unser Vater‘ der Jünger stehen; außerdem steht an der einzigen Stelle, die dafür in Frage kommt, Mk 14, 36: ἀββὰ ὁ πατήρ, was erst Matthäus sekundär in ein πάτερ μου geändert hat, während Lukas wie beim Vaterunser das bloße πάτερ bietet. ‚Mein Vater‘ kommt aber ebenso wie ‚euer (dein) Vater‘ mehrfach in Texten vor, in denen Jesus nicht Gott anspricht, sondern Aussagen über Gott macht. Führt man einen synoptischen Vergleich durch, so entfallen jedoch von 19 Stellen allein 10 auf Matthäus-Texte, in denen ‚mein Vater‘ nachträglich eingefügt ist, wie die Parallelstellen bei Markus und Lukas zeigen[1]. Als Beleg aus der Logienquelle steht nur Mt 11, 27//Lk 10, 22 zur Verfügung; bei Lukas allein findet sich ‚mein Vater‘ noch zweimal in deutlich sekundärem Überlieferungsstoff, an einer weiteren Stelle in redaktioneller Aussage[2]. Die 4 Stellen zeigen, daß bei Lukas keine absichtliche Vermeidung dieser Wendung vorliegt, woraus der Schluß gezogen werden darf, daß in der Logienquelle ‚mein Vater‘ tatsächlich kaum vorkam, sondern in deren Stoffe erst nachträglich von Matthäus eingetragen worden ist. Ebenso steht es auch mit den 5 Stellen des Matthäus-Sondergutes, von denen keine einzige den Anspruch erheben kann, in der uns erhaltenen Form auf Jesus selbst zurückzugehen[3]. Als letzte Stelle ist noch Mk 8, 38 parr. zu berücksichtigen, wo vom Kommen des Menschensohnes in der Herrlichkeit ‚seines Vaters‘ die Rede ist; die in der Logienquelle erhaltene Parallelstelle Lk 12, 8 f. zeigt klar, daß es sich um einen sekundären Zusatz handeln muß, wofür die Übertragung in die dritte Person und die Verbindung mit einer ganz anderen christologischen Tradition sprechen[4].

Für die Echtheitsfrage von ‚mein Vater‘ sind wir somit auf *Mt 11, 27//Lk 10, 22* angewiesen. In diesem höchst umstrittenen Überlieferungsstück liegt gleichzeitig auch der absolute Gebrauch von ‚der Vater‘ und ‚der Sohn‘ vor. Die Frage der Komposition des Abschnittes Mt 11, 25—30 par., die durch Nordens Untersuchung[5] in den

---

[1] Mt 12, 50; 15, 13; 20, 23; 26, 29. 39. 42. 53; zu Mt 7, 21 vgl. Lk 6, 46 und Mk 3, 35; Mt 10, 32 f. ist sekundäre Umformung des Menschensohnspruches Mk 8, 38 par. bzw. Lk 12, 8 f.

[2] Lk 2, 49; 22, 29 in Sondergut; redaktionell in Lk 24, 49. Die Stellen mit der Anrede πάτερ sind etwas anders zu beurteilen.

[3] Mt 16, 17; 18, 10. 19. 35; 25, 34. Am ehesten könnte für Mt 16, 17 ein relativ hohes Alter verteidigt werden; aber gerade die neueste Untersuchung der Petrusverheißung hat gezeigt, daß für V. 17 dies nicht in gleicher Weise wie für V. 18 f.; vgl. Anton Vögtle, Messiasbekenntnis und Petrusverheißung, BZ NF 1 (1957) S. 252—272; 2 (1958) S. 85—103, bes. S. 90 ff.

[4] Vgl. dazu Tödt, Menschensohn S. 39. Ebenso dann auch Mt 12, 32 f.

[5] Norden, Agnostos Theos S. 277 ff.

Vordergrund der Diskussion gerückt war, darf hier kurz behandelt werden[1]. Es handelt sich in der Matthäusfassung um einen dreiteiligen Textabschnitt, der mit einer Exhomologese beginnt, wobei Gott als ‚Vater' angesprochen wird (πάτερ V. 25 bzw. ὁ πατήρ V. 26)[2]; dem folgt in V. 27 im Stil eines Herrenwortes eine Aussage über die vom Vater verliehene Vollmacht, was in eine mehr lehrhaft gehaltene Explikation über Erkenntnis und Offenbarung einmündet[3]; abgeschlossen wird der Komplex mit einer Anrede der Hörer, dem sog. Heilandsruf V. 28—30. Dieser Schluß fehlt bei Lukas und ist wohl erst nachträglich mit den beiden andern Logien, die durch das Motiv der Offenbarung eng zusammengehalten sind, verbunden worden. Das schließt allerdings nicht aus, daß auch diese beiden ersten Abschnitte ursprüngliche Einzeltradition darstellen. Die Herkunftsfrage ist bei Mt 11, 28—30 am leichtesten zu beantworten, denn dort ist, wie deutliche Parallelen zeigen, ein Überlieferungsstück der spätjüdischen Weisheitslehre aufgenommen und auf Jesus übertragen worden[4]. V. 25f. und V. 27 sind dagegen nur aus christlicher Tradition zu verstehen. Allerdings ist bei dem Motiv von Verborgenheit und Offenbarung in V. 25f. die Abhängigkeit von apokalyptischer Anschauung sehr stark; auch die Gegenüberstellung der ‚Weisen und Verständigen' und der der Offenbarung teilhaftig werdenden ‚Unmündigen' hat, wie besonders Parallelen aus den Qumrantexten zeigen, ihr Vorbild in spätjüdischer Tradition[5]. Man wird diesen Spruch der palästinischen Urgemeinde zusprechen dürfen und mit einer ursprünglich aramäischen Fassung zu rechnen haben[6]. Umstritten ist die Herkunftsfrage bei V. 27: hier wird sowohl die Echtheit verteidigt[7] als die Ent-

---

[1] Gegen Nordens These einer ursprünglichen Einheit schon BOUSSET, Kyrios Christos S. 44f.; vgl. ferner DIBELIUS, Formgeschichte S. 279f.

[2] Diese Anrede kommt in den Synoptikern außer in dem schon erwähnten Vaterunsereingang Lk 11, 2 auch noch im Gethsemanegebet Mk 14, 36 par., ferner in den Kreuzesworten Lk 23, 34. 46 vor.

[3] Vgl. zu diesem Übergang in den lehrhaften Stil bes. JOH. WEISS - W. BOUSSET, Das Matthäus-Evangelium in SNT[3] I S. 310; KLOSTERMANN, Mt S. 102.

[4] Vgl. dazu BULTMANN, Syn. Trad. S. 171f.; KLOSTERMANN, Mt S. 101f.; DINKLER, Neutest. Studien für R. Bultmann, 1957[2] S. 115ff.

[5] Vgl. bes. SJÖBERG, Der verborgene Menschensohn S. 185ff.

[6] So auch BULTMANN, Syn. Trad. S. 172. Daß dies aus einer jüdischen Schrift stamme, was für V. 28—30 mit einer gewissen Berechtigung gesagt werden kann, ist sehr unwahrscheinlich. Auch das ταῦτα berechtigt nicht zu diesem Schluß, denn es muß sich aus dem Zusammenhang heraus auf das Offenbarungsgeheimnis beziehen.

[7] So ZAHN, Mt S. 441f.; SCHLATTER, Mt S. 383ff.; SCHNIEWIND, Mt S. 151ff.; BIENECK, a. a. O. S. 75ff.; PERCY, Botschaft Jesu S. 259ff.; CULLMANN, Christologie S. 292ff.; VAN IERSEL, Der Sohn S. 151ff., in Zusammenhang mit dem problematischen Versuch einer Verbindung mit Mt 13, 54—56 zu einem Paradigma, in welchem Jesus die Frage nach seiner Autorität beantwortet; seine Einzelanalyse von Mt 11, 27 par. S. 157ff. ist völlig unergiebig.

stehung im Bereich der palästinischen Urgemeinde erwogen[1] und vielfach auch eine Herkunft aus der hellenistischen Christenheit behauptet[2]. In V. 27 drängen sich eine Fülle von inhaltsreichen und schwierigen Begriffen. Schon die alte Textgeschichte zeigt, daß dieses Logion als merkwürdig überladen empfunden wurde; es haben sich daher erleichternde Varianten durchgesetzt[3]. Auch in neuerer Zeit sind mancherlei Textänderungen vorgeschlagen worden[4]. Aber von allen gewaltsamen Eingriffen ist abzusehen. Wir müssen uns an die bei Matthäus und Lukas erhaltenen Fassungen, die weitgehend übereinstimmen, halten[5].

Mt 11,27a besitzt gegenüber V. 27b und 27c eine gewisse Sonderstellung. Das zeigt sich einmal daran, daß dort eine wirkliche Selbstaussage vorliegt, während anschließend Aussagen in der 3. Person gemacht werden, zum andern ergibt sich daraus dann auch das Nebeneinander von ‚mein Vater' in V. 27a, während in V. 27b.c zweimal das absolute ‚der Vater' und dreimal das absolute ‚der Sohn' steht[6]. Das παραδοθῆναι in V. 27a kann sicher nicht im Sinne der ‚Übergabe' von Lehren verstanden werden, auch nicht von irgendwelchen zu offenbarenden Geheimnissen[7]. Dagegen spricht schon das πάντα. Übergeben ist Jesus, wie in dem sachlich ganz nahestehenden Text

---

[1] Sjöberg, a.a.O. S. 187ff., 230ff.

[2] Norden, a.a.O. S. 290ff.; Bousset, Kyrios Christos S. 45ff.; Bultmann, a.a.O.; Dibelius, Formgeschichte S. 279ff. (er weist jedoch auf die aus dem Orient stammende Grundauffassung hin); Klostermann, Mt S. 102f.; Kümmel, Verheißung und Erfüllung S. 34f.; Ulrich Wilckens, Weisheit und Torheit (BHTh 26), 1959, S. 198ff; etwas anders Ders. Art. σοφία, ThWb VII S. 517f.

[3] Vgl. dazu Harnack, Sprüche und Reden Jesu S. 189ff.; Klostermann, Mt S. 103; Paul Winter, Matthew xi. 27 and Luke x. 22 from the First to the Fifth Century. Reflections on the Development of the Text, NovTest 1 (1956) S. 112—148.

[4] So etwa Julius Wellhausen, Das Evangelium Matthaei, 1914², S. 57f.; Joh. Weiss, Mt in SNT² I S. 321ff. (von Bousset in SNT³ I S. 309ff. rückgängig gemacht); Harnack, a.a.O.; Bultmann, Syn. Trad. S. 171; Walter Grundmann, Jesus der Galiläer und das Judentum, 1940, S. 209ff.; Winter, NovTest 1 (1956) S. 129ff., 146ff.

[5] Lk hat γινώσκειν, doch wird auch das ἐπιγινώσκειν bei Mt nur im Sinne des Simplex zu verstehen sein, wie häufig in der Koine. Bedeutsamer ist das τίς ἐστιν bei Lk; hierauf ist noch zurückzukommen.

[6] Das Pronomen μου nach ὑπὸ τοῦ πατρός in Mt 11,27a//Lk 10,22a ist textkritisch nicht ganz gesichert; vgl. Winter, NovTest 1 (1956) S. 128, der selbst für die nachträgliche Zufügung des Pronomens eintritt, weil dadurch die einzigartige Beziehung zwischen Jesus und Gott unterstrichen werden konnte; doch ist die spätere Auslassung sehr viel leichter erklärbar, weil auf diese Weise eine Angleichung an das zweimalige absolute ὁ πατήρ in Mt 11,27b.c par. erreicht werden konnte. So besteht m. E. kein Grund, an der Ursprünglichkeit des Pronomens in V. 27a par. zu zweifeln.

[7] So Wellhausen, Mt S.57; Joh. Weiss, Mt in SNT² I S. 321; Norden, a.a.O. S. 288; Klostermann, Mt S. 103. — Von dem Zusammenhang mit Mt 11,25f. par. ist bei dieser Einzelanalyse abgesehen.

Mt 28, 18 (f.), wo ebenfalls das absolute ,der Vater' und ,der Sohn' vorkommt, πᾶσα ἐξουσία[1]. Von Autorität und Macht ist hier die Rede. Die ἐξουσία wird nicht einfach in Anspruch genommen, wie wir dies aus der Jesusüberlieferung sonst kennen[2], sie wird von Jesus expressis verbis festgestellt und als Voraussetzung seines Handelns namhaft gemacht. Schon dies spricht gegen die Echtheit der Aussage, so daß damit wohl auch der letzte Beleg für ,mein Vater' als nicht authentisch angesehen werden muß. Dies wird seine Bestätigung von V. 27 b. c her erhalten, wie auch Bedeutung und Ursprung von ,mein Vater' noch näher bestimmt werden können.

Die Motive sind in Mt 11, 27 b und 27 c merkwürdig verschlungen. Bevor die Prädikationen ,der Vater' und ,der Sohn' besprochen werden, sind die Vorstellungen von der Erkenntnis und Offenbarung zu klären. Der Begriff der Erkenntnis ist als solcher der alttestamentlich-jüdischen Tradition natürlich nicht fremd[3]. Von hierher gesehen ist es nicht notwendig, auf hellenistischen Ursprung des Logions zu schließen. Nun geht es aber in dem zur Debatte stehenden Text um gegenseitige Erkenntnis. Dafür gibt es im hellenistischen Bereich eine größere Zahl von Analogien, und bei Paulus liegen ähnliche Aussagen vor, die vielfach aus hellenistischen Voraussetzungen erklärt werden[4]. Andererseits ist wohl mit Recht festgestellt worden, daß der Gedanke solcher gegenseitigen Erkenntnis auch im Judentum nicht ausgeschlossen ist, obwohl es keine wörtlichen Belege gibt[5]. Für eine sachgemäße Beurteilung muß vor allem beachtet werden, wie dies an unserer Stelle mit dem Offenbarungsgedanken verbunden ist. Das Motiv der gegenseitigen Erkenntnis des Vaters und des Sohnes steht ja überhaupt nur im Hintergrund; es ist auch nicht im Sinne der Teilhabe an der Offenbarung, sondern der Vollmacht zur Offenbarung verstanden, nimmt also den Gedanken von V. 27a nochmals auf. Und die eigentliche Intention ist darauf gerichtet, daß die Gotteserkenntnis an den Offenbarungswillen des Sohnes gebunden ist, also ausschließlich durch

---

[1] Im Sinne von Mt 28,18 verstehen die Stelle auch BOUSSET, Kyrios S. 47 Anm. 2; SCHNIEWIND, Mt S. 151; PERCY, a.a.O. S. 263f.

[2] G. BORNKAMM, Jesus S. 52ff. u.ö.

[3] Vgl. JULIUS SCHNIEWIND, Zur Synoptikerexegese, ThR NF 2 (1930) S. 169f.; DERS., Mt S.152f.; ferner RUDOLF BULTMANN, Art. γινώσκω, ThWb I S. 688—715, bes. S. 696ff.

[4] Gal 4,8; 1 Kor 8,3; 13,12; vgl. dazu NORDEN, a.a.O. S. 287f.; bes. BOUSSET, Kyrios Christos S. 48ff.; aber bei diesen Stellen wird man fragen müssen, wieweit nicht at. Erbe zum Tragen kommt; vgl. schon JOH. WEISS, 1 Kor S.218; LIETZMANN-KÜMMEL, 1 Kor S. 37; aber auch BULTMANN, ThWb I S. 709f.; vor allem JACQUES DUPONT, Gnosis. La connaissance religieuse dans les épîtres de Saint Paul (Universitas Catholica Lovaniensis, Dissertationes II/40), 1949 (= 1960[2]), S. 51ff., bes. S. 87f.

[5] Vgl. DALMAN, Worte Jesu S. 232f.; SCHNIEWIND, Mt S. 152.

den Sohn vermittelt werden kann. All dies dürfte nur dann verständlich werden, wenn man von dem spezifisch hellenistischen Erkenntnisbegriff absieht. Denn in Mt 11, 27 geht es nicht um Erleuchtung und innere Schau. Das ‚Erkennen' des Sohnes durch den Vater kann nur heißen, daß Gott ihn auserwählt und legitimiert hat, und umgekehrt besagt das ‚Erkennen' des Vaters durch den Sohn, daß der Sohn allein den Vater wahrhaft anerkennt und aus der Gemeinschaft mit dem Vater lebt. Hier muß man also von der Bedeutung des alttestamentlichen ידע ausgehen, um zu einer sachgemäßen Interpretation zu gelangen[1]. Nur so wird dann auch der Nachsatz ‚und wem es der Sohn will offenbaren' klar. Die Offenbarung beruht in der einzigartigen Legitimation des Sohnes, weswegen es ‚Erkenntnis' Gottes für die Menschen nur durch die Offenbarung des Sohnes geben kann. — Auch der Offenbarungsgedanke muß aus alttestamentlich-jüdischen bzw. spezifisch christlichen Voraussetzungen erklärt werden: in dem Sohn wendet sich Gott den Menschen zu, erhebt seinen Anspruch und gewährt ihnen Vergebung und Heil[2]. Geht man von solchen Prämissen aus, dann ist V. 27b, daß niemand den Sohn erkennt denn der Vater, unmißverständlich: hier handelt es sich um ein Auserwählen und Bevollmächtigen, das von Menschen schlechthin unabhängig ist und bleibt, wie auch nach V. 27c das Offenbarungshandeln des Sohnes einzig und allein auf Gott bezogen bleibt und das ‚Erkennen' des Vaters, das Erfahren seines Heilshandelns und die Anerkennung seiner Ehre, vermittelt. Nimmt man statt dessen den griechischen Erkenntnisbegriff, dann kommt man bei V. 27b, sofern man den Satzteil nicht

---

[1] Es ist allerdings unzureichend, unter Berufung auf das at. ידע einseitig nur von einer „letzten innigen Verbindung zwischen Jesus und Gott" zu sprechen; so BIENECK, a.a.O. S. 84. Vgl. dagegen die Interpretation des Erkenntnisbegriffs bei R. H. FULLER, Mission and Achievement of Jesus S. 92f., der einerseits die Autorisation, andererseits den Gehorsam betont, im übrigen auf Jer 31,34 verweist und von "eschatological knowledge" spricht; die von ihm gezogenen Verbindungslinien zur Gottesknechtvorstellung sind allerdings abwegig.

[2] Der Offenbarungsgedanke ist griechischer Religion fremd und gewinnt erst in hellenistischer Zeit unter orientalischem, nicht zuletzt jüdischem Einfluß eine gewisse Bedeutung; vgl. ALBRECHT OEPKE. Art. ἀποκαλύπτω, ThWb III S. 571ff. In Mysterien bezieht sich die Offenbarung auf das esoterische Wissen, das mit der Weihe verbunden ist, weswegen dann auch ein ‚Offenbaren' durch die Menschen aufs strengste untersagt ist. Die Gnosis kommt einem wirklichen Offenbarungsgedanken schon näher, sofern der Mensch zum Heil gerufen wird; aber Offenbarung deckt doch nur auf, was dem Menschen bereits innewohnt, macht sich daher überflüssig und wird durch γνῶσις ersetzt. Der biblische Offenbarungsgedanke ist darin singulär, daß Offenbarung zum Wesen Gottes hinzugehört und gerade das betrifft, worüber der Mensch nicht selbst verfügt. Wenn ‚Erkenntnis' Gottes ‚geoffenbart' wird, so besagt dies, daß es das Kennen und Anerkennen Gottes nur dort gibt, wo Gott sich den Menschen zuwendet, diese Zuwendung aber nicht durch eine einmal erlangte Erkenntnis ersetzt werden kann.

überhaupt streicht oder ändert, zu höchst problematischen Erwägungen über die Verborgenheit des Offenbarers[1]. Es geht aber um den Gedanken der Willenseinheit zwischen Vater und Sohn, die dadurch gekennzeichnet ist, daß der Sohn dem Vater völlig untergeordnet ist[2], in seiner Vollmacht jedoch ganz und gar den Vater repräsentiert[3]. V. 27b. c sollen also den Grundgedanken von V. 27a explizieren und definieren[4].

---

[1] Dies findet sich schon bei JOH. WEISS, Mt in SNT[2] I S. 322f.; aber auch bei SCHLATTER, Mt S. 382f.: „Da die Galiläer unwillig sind, Kapernaum unbußfertig bleibt und die Weisen sich ihm widersetzen, ist er der Unerkannte, der allen Unverständliche. Gott kennt ihn, Gott allein . . . Sein Ziel ist nicht die eigene Verherrlichung, sondern die Offenbarung des Vaters." SCHNIEWIND, Mt S. 151, hat dann von der „Vollmacht im Verborgenen" gesprochen und dies in den Zusammenhang des Messiasgeheimnisses gestellt; ähnlich PERCY, a.a.O. S. 264ff., obwohl er auf die Schwierigkeit hinweist (S. 269); auch BIENECK, a.a.O. S. 82f., hilft sich mit diesem Gedanken. Bei allen diesen Exegeten wird zugleich die Echtheit verteidigt. Etwas anders SJÖBERG, a.a.O. S. 188f., der bei der Verborgenheit des Sohnes darauf hinweist, daß auch der Menschensohn zu den himmlischen Geheimnissen gehört, und die Verborgenheit des Vaters mit den theosophischen Geheimnisvorstellungen der Apokalyptik erklärt. In all diesen Fällen wird jedoch mehr oder weniger stark die Komponente des Verstehens und Wissens beim Erkenntnisbegriff zum Ausgangspunkt genommen. HANNELIS SCHULTE, Der Begriff der Offenbarung im Neuen Testament (BEvTh 13), 1949, S. 15ff., versucht noch am ehesten, trotz Annahme hellenistischer Einflüsse, diese Voraussetzungen zu überwinden und von einem Erkennen im at. Sinn auszugehen, das im Überwinden der Sünde und einem Stehen unter der Vergebung beruht; allerdings trägt auch sie das Motiv des Messiasgeheimnisses an dieser Stelle ein.

[2] Das Motiv der Subordination ist völlig verkannt bei HERMAN MERTENS, L'Hymne de Jubilation chez les Synoptiques, Gembloux 1957, S. 58ff.: der Sohn partizipiert auf Grund der gegenseitigen Erkenntnis am göttlichen Geheimnis, weswegen seine eigene Aktivität dieselben Dimensionen wie die des Vaters hat; "Ils sont mis sur un pied d'égalité" (S. 78). Der größere Teil der Arbeit wird dem Versuch einer Verteidigung der Echtheit des Traditionsstückes gewidmet (S. 19ff.).

[3] Von hier aus wird man auch das textkritische Problem der Varianten (ἐπι-)γινώσκει und ἔγνω lösen müssen. Sicher darf hier nicht argumentiert werden, die Unterschiede zwischen Aorist und (perfektischem) Präsens seien in der späteren Gräcität verwischt gewesen; gegen PERCY, a.a.O. S. 260f. Aber man wird auch nicht sagen dürfen, das ἔγνω sei häretisch, so schon Irenäus, auch BOUSSET, Kyrios Christos S. 47 Anm. 1; dagegen HARNACK, a.a.O. S. 196ff. Es handelt sich um eine Angleichung an V. 27a. Dies für ursprünglich zu halten, wie es außer Harnack noch NORDEN, a.a.O. S. 301f. (Präs. sei Angleichung an Joh 10,15); KÜMMEL, a.a.O. S. 35 Anm. 1, vertreten, ist kaum zutreffend. Denn das Präsens bringt die bleibende Abhängigkeit des Sohnes vom Vater, also gerade das in der Vater-Sohn-Relation enthaltene Motiv zum Ausdruck. Jedoch darf die Ursprünglichkeit des Präsens nicht damit begründet werden, daß die Vorstellung einer „Aufnahme" in das Sohnesverhältnis überhaupt erst in der altkirchlichen Häresie entstanden sei; gegen BIENECK, a.a.O. S. 84.

[4] Es kann nicht übersehen werden, daß schon Lk 10,22 mit seinem γινώσκειν τίς ἐστιν ὁ υἱός bzw. ὁ πατήρ einen fremden Akzent in das Logion bringt und vom griechischen Erkenntnisbegriff ausgeht. Die Verschiebung ist angedeutet bei SCHLATTER, Lk S. 503; DUPONT, Gnosis S. 61, sagt mit Recht, ,erkennen' habe hier die "signification de pur savoir"; vgl. auch FULLER, a.a.O. S. 91f.

Der Gedanke der Unterordnung unter den Vater findet sich auch in *Mk 13,32*, der zweiten Stelle innerhalb der Synoptiker, die das absolute „der Vater" und „der Sohn" enthält[1]. Die Subordination ist hier so betont herausgestellt, daß die Aussage geradezu in einem gewissen Widerspruch zu dem πάντα μοι παρεδόθη ὑπὸ τοῦ πατρός μου von Mt 11,27a steht, aber die christologische Grundkonzeption ist gleichwohl dieselbe. Mk 13,32 drückt die Abhängigkeit des Sohnes vom Vater durch eine massive Einschränkung der Vollmacht Jesu aus; Mt 11,27 versucht dagegen, das Ineinander von uneingeschränkter Vollmacht und totaler Abhängigkeit zur Sprache zu bringen. Man wird den sehr viel differenzierteren Text der Logienquelle als traditionsgeschichtlich jünger ansehen, zumal auch der sicher erst etwas später entstandene Spruch Mt 28,18, auf den noch zurückzukommen ist, den Gedanken uneingeschränkter Vollmacht enthält und insofern mit Mt 11,27 zusammengehört.

Von diesen exegetischen Überlegungen aus können nun die Bezeichnungen „der Vater", „der Sohn" und „mein Vater" ihre Erklärung finden. Die Wendung „*mein Vater*" steht, wie Mt 11,27 zeigt, mit dem absoluten „der Vater" und „der Sohn" in engster Verbindung. Sie bringt gewissermaßen die Relation zum Ausdruck, die durch das Nebeneinander von „der Vater" und „der Sohn" bezeichnet ist, und setzt diesen absoluten Wortgebrauch sicher schon voraus. Wie die Texte zeigen, ist „*der Vater*" und „*der Sohn*" in der Regel nebeneinander angewandt worden. Von dem Sohn wird dort gesprochen, wo auch die Vaterschaft Gottes ausdrücklich genannt ist. Es geht um das Aufeinanderbezogensein von Vater und Sohn. „Der Sohn" ist Jesus vom Vater her und „der Vater" ist Gott wegen und durch den Sohn. Man wird noch präzisieren können: die Sohnschaft Jesu ist von der einzigartigen Stellung und ihm verliehenen Vollmacht her zu verstehen. Weil er ganz an Gott gebunden und ihm zugleich „alles übergeben" ist, kann er allein Gott offenbaren und „Erkenntnis" des Vaters vermitteln. Es kann nicht übersehen werden, daß dies in einem gewissen Gegensatz zu Jesu unbefangener Rede von „euerm (deinem) Vater" steht[2]. Hier ist doch offensichtlich eine christologische Verengung erfolgt. Ursprünglich durfte jeder „Vater" sagen, jetzt ist der Zugang zu dem Vater an Jesus

---

[1] Daß eine im Wortlaut nicht unversehrte, aber im Inhalt für Jesu eigene Anschauung bezeichnende Aussage vorliege, wie Kümmel, Verheißung und Erfüllung S. 35f., behauptet, ist nicht überzeugend. Mk 13,32 ist ebenso wie Mt 11,27 par. als Gemeindebildung anzusehen. Iersel, Der Sohn S. 117ff., weist auf den isolierten Charakter des Logions hin; da die Unwissenheit Jesu ein Fremdkörper in urchristlicher Überlieferung sei, zudem nur ganz beiläufig die Sohnesbezeichnung gebraucht werde, vertritt er die Echtheit des Wortes.

[2] Die umgekehrte Entwicklung, daß „euer (dein) Vater" erst sekundär Jesus in den Mund gelegt worden wäre, ist schlechterdings unmöglich.

gebunden. Umgekehrt wird man aber auch sagen müssen, daß die Gemeinde Jesu Botschaft vor dem Mißverständnis einer allgemeinen Vaterschaft Gottes und einer natürlichen Gotteskindschaft der Menschen schützen wollte. Die Vaterschaft Gottes, seine Liebe, Vergebung und Zuwendung, wie sie die Menschen von Uranfang her umfängt, offenbart sich eben in der Vollmacht des Sohnes. Darum ist die ‚Erkenntnis' des Vaters an das Offenbarungshandeln des Sohnes unlöslich gebunden.

Die Frage nach der *Herkunft* dieser Vorstellung ist sehr schwierig zu beantworten. Aufschlußreich dürfte zunächst einmal die Tatsache sein, daß die beiden entscheidenden Belege der synoptischen Überlieferung Mt 11, 27 par. und Mk 13, 32 sich in Zusammenhängen finden, die das Erbe der alten palästinischen Gemeinde erhalten haben, nämlich in der Logienquelle und der sog. synoptischen Apokalypse. Es ist auch kaum zufällig, daß das maßgebende Motiv der Vollmacht Jesu sich der in der Logienquelle leitenden Menschensohnchristologie vorzüglich einfügt[1]. Auch in Mk 13 dominiert die Menschensohnvorstellung und in Mk 8, 38 liegt, wie bereits gezeigt wurde[2], eine eigentümliche Verbindung eines Menschensohnspruches mit der Aussage über die Herrlichkeit ‚seines Vaters' vor. Ist die Konzeption daher aus der Menschensohnvorstellung abzuleiten? Der Vorschlag ist neuerdings mehrfach gemacht worden[3]. Aber es kann doch nicht übersehen werden, daß dort das Motiv der Vaterschaft Gottes schlechterdings keine Wurzeln hat. Dieses ließe sich dann schon sehr viel eher aus der Messianologie erklären. Das ‚mein Sohn' der Tauf- und Verklärungsgeschichte impliziert den Gedanken der Vaterschaft und sonst ist in messianischer Tradition des Alten Testaments die Vater-Sohn-Relation ebenfalls nachzuweisen[4]; auch der Gedanke der Vollmacht ließe sich unter Umständen von hier aus erklären[5]. Doch andererseits muß beachtet

---

[1] Vgl. TÖDT, Menschensohn S. 236.                    [2] Vgl. oben S. 321.

[3] So PERCY, Botschaft Jesu S. 270f.; SJÖBERG, Verborgener Menschensohn S. 187f.; SCHULZ, Untersuchungen zur Menschensohn-Christologie S. 124ff., 141f.; LUCIEN CERFAUX, Les sources scripturaires de Mt. XI, 25—30 (Analecta Lovaniensia Biblica et Orientalia II/48), 1954, S. 333f., verweist auf Dan 2 und 7, rechnet aber auch mit Nähe zur Gottesknechtvorstellung; MERTENS, a.a.O. S. 54ff., 70ff., urteilt ähnlich, aber ohne klare Unterscheidung von der Messiasvorstellung.

[4] Es sei nur auf 2 Sam 7, 14 verwiesen.

[5] Auf die königliche Messianologie verweist vor allem SCHNIEWIND, Mt S. 151ff.; außerdem TOMAS ARVEDSON, Das Mysterium Christi. Eine Studie zu Mt 11, 25—30 (Acta Seminarii Neotestamentici Upsaliensis 7), 1937, dessen Gesamtdeutung als verfehlt angesehen werden muß, denn weder kann einfach gesagt werden, der Erkenntnisbegriff von V. 27 sei der gnostische (S. 154f.), noch darf ein messianischer Inthronisationsakt angenommen werden (S. 123ff.), und von einem Kultmysterium, wodurch die Mysten in die Einheit des Vaters und Sohnes hineingezogen, in die himmlische Welt versetzt und zu Söhnen Gottes gemacht werden (S. 230), ist nicht die geringste Spur zu erkennen.

werden, daß in der gesamten Überlieferung von Jesus als ‚Gottessohn'
die Vaterschaft Gottes und die Bindung an den Vater keine erkennbare Rolle spielt; zwischen ‚Sohn Gottes' und ‚Sohn — Vater' ist
daher zu unterscheiden[1]. Auch das Motiv der Vollmacht ist in Mt
11,27par. und Mk 13,32 sehr anders gefaßt und mit dem Offenbarungsgedanken verkoppelt, der in der messianischen Tradition nicht beheimatet ist. So wird man den Schluß ziehen müssen, daß die Bezeichnung ‚der Sohn' vornehmlich aus dem für Jesus charakteristischen
אַבָּא gewonnen worden ist[2]. Es dürfte somit eine ganz eigenständige
Konzeption der Urgemeinde vorliegen, die ihre nächsten Parallelen
in ὁ διδάσκαλος und ὁ κύριος hat, wofür ebenfalls keine Vorformen vorhanden sind. Ob der absolute Wortgebrauch von ‚der Vater' und ‚der
Sohn' noch auf palästinischem Boden entstanden ist, wage ich nicht
zu entscheiden; dagegen wird man die Voraussetzungen der alten
palästinischen Gemeindetradition voll in Rechnung stellen müssen.

Der vielfach betonte ‚‚johanneische" Charakter des Spruches Mt
11,27par. hat dann nichts Überraschendes mehr, wenn man beachtet,
daß gerade diese in der synoptischen Tradition nur sporadisch erkennbare Vorstellung von Jesus als dem Sohn und seiner Bindung
an den Vater in den *johanneischen Schriften* aufgenommen ist. Dies
soll in Kürze an einigen Beispielen verdeutlicht werden. Zunächst
ist auch hier die Zuordnung zu ‚der Vater' für fast alle Texte bezeichnend, in denen das absolute ‚der Sohn' vorkommt[3]. Im 1. und
2.Johannesbrief kann das Bekenntnis bzw. das Verleugnen, daß Jesus
der Christus sei, gleichgesetzt werden mit dem Bekennen oder Verleugnen des Vaters und des Sohnes; wer in rechter Weise bekennt,
‚hat' den Vater und den Sohn[4]. Im Johannesevangelium fehlt ein
solch formelhafter Gebrauch, aber die Tradition selbst ist breit ent-

---

[1] Die Ableitung des Gottessohntitels von der für authentisch gehaltenen Bezeichnung ‚der Sohn', wie sie neuerdings wieder von VAN IERSEL vertreten wird,
ist grundsätzlich zu bestreiten. Völlig abwegig ist seine Antithese, entweder
müsse ‚der Sohn' von ‚Gottessohn' oder eben ‚Gottessohn' von ‚der Sohn' abgeleitet werden (vgl. z.B. S. 180ff.). Es geht hier um zwei nebeneinander ent-
faltete Traditionsschichten, die erst später miteinander in Berührung gekommen
sind. Deshalb können auch die Unterschiede zur Gottessohnvorstellung der
frühen Gemeinde nicht zum Erweis der Echtheit der die Sohnesbezeichnung ent-
haltenden Worte herangezogen werden (so S. 173ff.). Überdies ist die traditionsgeschichtliche Analyse und Einordnung der Gottessohnaussagen in die urchristliche Verkündigung nicht überzeugend durchgeführt (S. 31ff.).

[2] Hier liegt das relative Recht des Ansatzes von BIENECK, Sohn Gottes, bes.
S. 52ff., 58ff., und von CULLMANN, Christologie S. 281ff. Aber weder ist vom
‚‚Sohnesbewußtsein" Jesu auszugehen noch darf dies in gleicher Weise auch für
‚Sohn Gottes' vorausgesetzt werden.

[3] Vgl. Joh 3,35; 5,19—23 (7mal). 26; 6,40; 14,13; 17,1; ferner 1,18 (nach
der zu bevorzugenden Variante). ‚Der Sohn' steht allein nur 8,35f., neben ‚Gott'
3,16f.; 3,36.

[4] Vgl. 1Joh 2,22—24; 5,12; 2Joh 9.

faltet: der Vater liebt den Sohn, er hat ihm das Gericht, das Lebendigmachen übergeben, ja, der Sohn hat das Leben in sich selbst, auch
wenn er nichts tun kann außer dem, was Gott selbst tut[1]. Darum
ist der Sohn zu fürchten, es muß an ihn geglaubt werden, denn der
Vater hat den Sohn verherrlicht, wie umgekehrt auch der Sohn den Vater
verherrlicht[2]. Die Aussagen gehen zweifellos einen Schritt über Mt
11,27par. hinaus. Dies gilt zunächst für die Stellung, die der Sohn
neben dem Vater, unbeschadet der völligen Einheit beider, für die
Glaubenden einnimmt; doch auch das Erkenntnismotiv hat dadurch
eine etwas andere Ausrichtung erfahren. Wie Mt 11,27 setzt auch
Joh 10,15a die gegenseitige Erkenntnis des Vaters und des Sohnes
voraus, und wiederum ist die Vermittlung der Gotteserkenntnis ausschließlich an den Sohn gebunden. Aber anders als in jenem Text
der Logienquelle wird nun von einem ‚Erkennen' des Sohnes durch
die Glaubenden gesprochen, auch wenn diese Erkenntnis Jesu die
Gotteserkenntnis unmittelbar mit einschließt[3]. Am deutlichsten unterscheidet sich die johanneische Vorstellung darin, daß sich dieser
Überlieferungsstrang mit der Anschauung von Jesus als ‚Gottessohn'
verschmolzen hat[4]. Daher sind so bezeichnende Motive wie die Sendung oder die Lebenshingabe jetzt auf den ‚Sohn' übertragen[5]. Zur
gleichen Traditionsschicht gehören im Johannesevangelium natürlich
auch diejenigen Stellen, wo vom ‚Sohn' nicht ausdrücklich, wohl aber
vom ‚Vater' gesprochen ist, besonders dann, wenn Jesus von sich
selbst in der 1. Person redet; sehr häufig kommt auch die Wendung
‚mein Vater' vor[6]. Das Johannesevangelium ist in dieser Hinsicht ein
interessantes Beispiel für das Weiterleben von Überlieferungen, die
uns in den Synoptikern in einem früheren Stadium greifbar sind.

[1] Vgl. Joh 5,35; (5,20) 5,21.22; 5,26; 5,19.

[2] Vgl. Joh 5,23; 3,36 und 6,40; 14,13 und 17,1.

[3] Es darf jedoch nicht übersehen werden, daß der Erkenntnisbegriff hier seine
alte semitische Struktur noch erhalten hat, wie ja auch, anders als bei Lk,
γινώσκειν τινά gebraucht ist. Man wird überdies beachten müssen, daß der Wechsel von γινώσκειν mit ὁρᾶν und πιστεύειν (14,9; 17,8) dazu dient, einer Hellenisierung des Erkenntnisbegriffes zu wehren, denn es ist damit ein sehr anderes
ὁρᾶν bezeichnet als in hellenistischer Mystik und Gnosis und πιστεύειν will das
Erkennen in seinem spezifisch biblischen Sinn bestimmen, wie allerdings umgekehrt auch der πίστις-Begriff durch γινώσκειν interpretiert und vor Mißverständnis geschützt wird; vgl. BULTMANN, ThWb I S. 711ff., der jedoch die
hellenistische Komponente stärker betont; ferner DERS., Art. πιστεύω, ThWb VI
S. 228ff. Wenn bei Joh von einem ‚Erkennen' des Sohnes gesprochen wird (z.B.
14,7.9; 16,3), so hängt das primär mit der wesenhaft verstandenen Gottessohnschaft zusammen; denn daß der Vater ihn gesandt hat und ‚in ihm' ist (10,38;
17,8.23 u.ö.), steht im Zusammenhang mit der Präexistenzaussage.

[4] ‚Gottessohn' steht in Joh 1,34.49; 3,18; 5,25; 10,36; 11,4.27; 19,7; 20,31.

[5] Dies zeigt sich bis in die Formulierung hinein in Joh 3,16—18 (auch 1Joh
4,14), es gilt aber auch für das johanneische Verständnis im ganzen.

[6] Vgl. SCHMOLLER, Handkonkordanz S. 392 bzw. S. 391.

Auch in anderen Teilen des Neuen Testamentes ist das Nachwirken der Tradition von Jesu Sohnschaft zu erkennen. Im *Hebräerbrief* ist die Eigenständigkeit vornehmlich noch im Sprachgebrauch bewahrt, die Relation zum Vater ist nur an einer einzigen Stelle und dies innerhalb eines alttestamentlichen Zitats erhalten geblieben[1]. Sonst erfolgte durchweg eine Gleichsetzung mit ‚Sohn Gottes', was der Wechsel in der Terminologie ebenso wie die Anwendung der messianischen Zitate auf den ‚Sohn' zeigt[2]. Zu dieser Gleichsetzung kommt weiter die Verschmelzung mit der Hohenpriesterlehre[3]. Hingewiesen sei dann auch noch auf das Thema: der Sohn und die Söhne, das eine breite Entfaltung erfahren hat[4]. Im Blick auf Jesu Sohnschaft ist vor allem wichtig, daß hier einerseits die himmlische Inthronisation und das Erhöhungsmotiv eine Rolle spielen, aber auf der andern Seite doch auch Jesu irdisches Leben unter dem Gedanken der Sohnschaft steht, nicht zuletzt sein Leiden[5]. In Mt 11,27 par. und Mk 13,32 ist ja ebenfalls an eine Vollmacht und Sohnschaft gedacht, die das Wirken des irdischen Jesus betrifft, auch wenn sie sicher nicht einseitig darauf beschränkt wird.

Eine weitere Verschiebung liegt dort vor, wo die Sohnschaft mit dem himmlischen Regnum Christi verbunden wird, wie dies in 1 Kor 15, 23—28 und Mt 28,18—20 der Fall ist. In *1 Kor 15,28* ist eindeutig an die Herrschaft des Erhöhten gedacht[6]. Die Korrelation zu ‚der Vater' ist zwar in V. 24 noch erhalten, aber steht nicht mehr im Vordergrund; im unmittelbaren Zusammenhang der Prädikation ὁ υἱός steht jedenfalls ὁ θεός. Die Einzelmotive sind der Messiasvorstellung entnommen, so daß wiederum die Verschmelzung mit ‚Sohn Gottes' zu erkennen ist.

Die traditionsgeschichtlich späteste Stelle ist *Mt 28,18—20*. Wie immer es mit der Vorgeschichte und den verschiedenen Elementen dieses Komplexes stehen mag[7], so viel ist deutlich, daß in V. 18 wieder der Gedanke der ἐξουσία vorliegt und in V. 19 die Vater-Sohn-Relation noch erkennbar ist. Der ἐξουσία-Gedanke ist aber ähnlich der Paulus-

---

[1] Vgl. Hebr 1,2.8; 3,6; 5,8; 7,28 und das Zitat aus 2 Sam 7,14 in Hebr 1,5b.

[2] Vgl. Hebr 4,14; 6,6; 10,29 und die AT-Zitate in 1,5a.b; 5,5.

[3] Vgl. vor allem Hebr 4,14; 7,3.28.

[4] Ich verweise auf ERNST KÄSEMANN, Das wandernde Gottesvolk. Eine Untersuchung zum Hebräerbrief (FRLANT NF 37) 1957², S. 58ff.; GÜNTHER BORNKAMM, Sohnschaft und Leiden, in: Judentum-Urchristentum-Kirche (Festschrift für J. Jeremias, BZNW 26), 1960, S. 188—198. Auf das auch im sonstigen NT vorkommende Motiv der Vermittlung der Sohnschaft durch Christus ist hier nicht einzugehen.

[5] Vgl. Hebr 3,(1ff.)6, vor allem 5,7f.     [6] Vgl. Exk. II S. 131.

[7] Außer den Kommentaren vgl. OTTO MICHEL, Der Abschluß des Matthäusevangeliums, EvTh 10 (1950/51) S. 16—26.

stelle im Sinne der Macht des Erhöhten verstanden, weswegen ἐν οὐρανῷ καὶ ἐπὶ τῆς γῆς hinzugefügt ist[1]. Vor allem zeigt nun V. 19 an Stelle des Nebeneinanders von Vater und Sohn die triadische Formel ‚im Namen des Vaters und des Sohnes und des heiligen Geistes‘[2]. In der zuerst mit der Taufliturgie verbundenen Gestalt hat die Aussage über Jesus als ‚der Sohn‘ einen traditionsgeschichtlich ganz neuen Ort erhalten und ist in diesem Zusammenhang dann in der Trinitätslehre der alten Kirche zu entscheidender Bedeutung gelangt[3].

*Zusammenfassung*: Es hat sich ergeben, daß die Bezeichnung ‚der Sohn‘ einer relativ eigenständigen Traditionsschicht zugehört und erst sekundär mit der Gottessohnvorstellung verbunden wurde. Die Selbständigkeit zeigt sich in einer Reihe von charakteristisch verwobenen Motiven: vor allem in dem Nebeneinander von ‚der Vater‘ und ‚der Sohn‘, sodann in den Begriffen der Vollmacht, Erkenntnis und Offenbarung. Vollmachts-, Erkenntnis- und Offenbarungsgedanken sind aus alttestamentlich-jüdischer Tradition zu verstehen und kaum zufällig begegnen die ältesten Belege in der Logienquelle und der synoptischen Apokalypse. Dieselbe Anschauung hat sich aber auch in den johanneischen Schriften niedergeschlagen. Es geht um die

---

[1] Es könnte natürlich erwogen werden, ob nicht die Beziehung auf den Erhöhten am Anfang stand und erst nachträglich eine Übertragung auf den Irdischen stattgefunden hat. Aber dann würde sich, bei der festen Verbindung der Erhöhungsvorstellung mit der königlichen Messianologie, die Selbständigkeit der Anschauung nur schwer erklären lassen, zumal dort, wie schon erwähnt, die Vaterschaft Gottes keinerlei erkennbare Rolle gespielt hat. So wird man diese Verbindung mit Jesu Erhöhung doch als eine sekundäre Angleichung an die Vorstellung von dem im Himmel inthronisierten ‚Sohn Gottes‘ ansehen müssen, da ja das Motiv der Exousia eine Brücke darstellte. Zudem ist für Mk 13,32 und Mt 11,27 par. höheres Alter anzunehmen.

[2] Es ist bekanntlich umstritten, ob die triadische Formel den ursprünglichen Mt-Text darstellt. Aber die eine rein christologische Kurzform enthaltende Variante des Euseb ist allzu schwach bezeugt; zum andern bietet 2 Kor 13,13 eine Analogie und zeigt, daß derartige Aussagen sich schon in der Mitte des 1. Jh.s angebahnt haben.

[3] Die Bezeichnung Jesu mit ‚der Sohn‘ wird in der Regel nicht eigens untersucht. Entweder wird sie der Gottessohnvorstellung eingeordnet oder die gesamte Gottessohnvorstellung wird von einem „Sohnesbewußtsein" Jesu her interpretiert. Eine Unterscheidung der Bezeichnung ‚der Sohn‘ von dem messianisch verstandenen Gottessohntitel sowie von der Deutung der Gottessohnschaft Jesu im physischen Sinne hat FEINE, Theol. S. 45ff., durchgeführt; er hat auch auf den Zusammenhang zwischen den synoptischen und johanneischen Stellen hingewiesen, aber andererseits keine sachgemäße traditionsgeschichtliche Einordnung des Materials vorgenommen. So ist nach seiner Meinung die Sohnesbezeichnung Ausdruck der Gottessohnschaft Jesu in dem nur ihm eignenden Sinn; lediglich der Jünger, der an Jesu Brust lag, hat tiefer in das eigentliche Wesen der Person Jesu geschaut und darum dies in seinem Evangelium breiter aufnehmen können. In der Taufe erfährt Jesus sich als geliebten Sohn, wobei sich die Offenbarung in at. Weissagung kleidet, aber das messianische Verständnis von Ps 2 ins Religiöse umgebogen ist (so S. 46f.). Die Gottessohnschaft im physischen Sinne wird als eine spätere Anschauung anerkannt.

Bindung des Sohnes an den Vater und gleichzeitig um die einzigartige Vollmacht, die der Vater dem Sohn verliehen hat. Der Sohn hat seine Legitimation vom Vater her und die Vaterschaft Gottes beruht in der sich durch den Sohn vollziehenden Offenbarung. Für die Ableitung der Vorstellung kommt weder die Menschensohnkonzeption noch die Messianologie unmittelbar in Frage. Es dürfte sich ähnlich wie bei ‚der Meister‘ und ‚der Herr‘ um eine weitgehend selbständige Tradition der Urgemeinde handeln, wobei im besonderen die Betonung der Vaterschaft Gottes und die Anrede ‚Abba‘ bei Jesus eine Rolle gespielt haben werden. Allerdings kam es dabei zu einer christologischen Verengung, wie auch die durchweg sekundäre Ausdrucksweise ‚mein Vater‘ erweist. Im Johannesevangelium ist die alte Anschauung mit ihren verschiedenen Motiven noch deutlich erhalten, allerdings mit der Vorstellung von Jesus als ‚Gottessohn‘ verschmolzen. Die Nachwirkung zeigt sich vereinzelt auch sonst im Neuen Testament und mündet schließlich in die triadische Formel von Mt 28,18f., wo der Gedanke der Sohnschaft Jesu in einen ganz neuen Zusammenhang hineingestellt ist. — Blickt man noch einmal auf den ganzen Abschnitt über die Gottessohnprädikation zurück, so zeigt sich, wie verschiedenartige Elemente hier zusammengeflossen sind und wie vielschichtig das Material ist. Eine Nivellierung ist hier noch verhängnisvoller als bei den anderen Würdetiteln. Die Einzelelemente bedürfen einer genauen Untersuchung und Unterscheidung. Nur so kann der traditionsgeschichtliche Ort der jeweiligen Texte zutreffend bestimmt werden.

EXKURS V: *Analyse der Verklärungs- und Taufgeschichte*

a) *Mk 9,2—8*. Wie bei einem christologisch so bedeutsamen Text nicht anders zu erwarten, stoßen wir auf eine in Motiven und Aussagen sehr komprimierte Erzählung. Es dürfte außer Zweifel stehen, daß der Grundbestand alt ist, daß sich aber auch mancherlei Umformungen daran vollzogen haben; da die Verklärungsgeschichte bei Markus zudem eine so zentrale Stellung in der Nähe des Petrusbekenntnisses hat, wird man auch mit redaktionellen Zutaten rechnen müssen. Doch im einzelnen ist es gar nicht so einfach, ältere und jüngere Bestandteile, frühere und spätere Bedeutung der Aussagen zu unterscheiden. Nicht zufällig weichen die Vorschläge einer traditionsgeschichtlichen Analyse weit voneinander ab und sind bisweilen von ihren Autoren auch wieder zurückgenommen worden. Während LOHMEYER V. 2 fin. 3 und V. 6 aussonderte[1], hat BULTMANN V. 5f. abgetrennt[2], und neuerdings wurde von BALTENSWEILER V. 6 und V. 7 b ausgeschieden[3], um nur die wichtigsten Thesen zu erwähnen[4]. Nun kann V. 6, über den eine gewisse Übereinstimmung in der Beurteilung besteht, nicht zum Ausgangspunkt einer Untersuchung genommen werden und ist vorläufig ganz zurückzustellen. Die übrigen Elemente der Erzählung sind eng miteinander verbunden und dürfen nicht einfach auseinandergerissen werden[5]. Andererseits bestehen Unebenheiten, die nach einer Erklärung verlangen.

---

[1] ERNST LOHMEYER, Die Verklärung Jesu nach dem Markus-Evangelium, ZNW 21 (1922) S. 185—215. Diese These wurde später von ihm aufgegeben, vgl. DERS., Mk S. 174 f., bes. Anm. 7. Die im Kommentar vertretene Interpretation der Verklärungsgeschichte als einer „Menschensohngeschichte" ist gänzlich unbefriedigend.

[2] BULTMANN, Syn. Trad. S. 280; zurückgenommen im Ergänzungsheft S. 37.

[3] HEINRICH BALTENSWEILER, Die Verklärung Jesu (AThANT 33), 1959, S. 31. 35.

[4] Weitere Teilungsvorschläge, vor allem aus älterer Zeit, sind besprochen bei JOSEPH BLINZLER, Die neutestamentlichen Berichte über die Verklärung Jesu (Nt. Abh. XVII/4), 1937, S. 52 ff.

[5] Die Prophetenerscheinung in V. 4 läßt sich nicht von der Aussage in V. 3 lösen, umgekehrt ist die Wolkenstimme in V. 7 Antwort auf das Jüngerwort V. 5. Daß V. 3 f. einerseits und V. 5. 7 andererseits zusammengehören, sollte ebenfalls nicht bestritten werden. Der von BALTENSWEILER, a.a.O. S. 34 f. (98 ff.), konstatierte „Subjektswechsel", wonach es sich zunächst um ein Geschehen an Jesus, erst nachher um ein Geschehen an den Jüngern handle, beruht

Es empfiehlt sich, von dem Gesamtverständnis der Erzählung, wie sie jetzt bei Markus vorliegt, auszugehen. Der Berg ist die Stätte der Offenbarung und die Erwähnung seiner Höhe weist auf das außergewöhnliche bevorstehende Ereignis hin. Durch die Zeitangabe ist eine unverkennbare Relation zum Petrusbekenntnis markiert, auch wenn diese Nennung der sechs Tage ursprünglich einen anderen Sinn gehabt haben wird[1]. Jesus nimmt nur die drei vertrauten Jünger mit sich, es handelt sich um eine ausgesprochen esoterische Offenbarung. Das entscheidende Geschehen ist die Verwandlung; die weißen Kleider sind das Zeichen dafür. Hinzu kommt die Erscheinung des Elia und Mose. Petrus als Repräsentant der Jünger stammelt nur unsinnige Worte, er kann das Wunder nicht begreifen. Die Wolkenerscheinung endlich bezeichnet den Verwandelten als Gottessohn, eine ausdrückliche göttliche Bestätigung dieser Christophanie; zusätzlich erfolgt dabei noch die Anweisung ,höret ihn'. Eine kurze Schlußbemerkung deutet das Ende des Offenbarungsgeschehens an. Das ganze Gewicht liegt auf der Verwandlung und der göttlichen Proklamation; die Vorstellung der Gottessohnschaft ist die hellenistische, denn Jesus ist hier seinem Wesen nach Sohn Gottes und wird als solcher vor seinen Jüngern offenbar[2].

Es muß beachtet werden, daß bei dieser Fassung der Erzählung einige vorhandene Motive völlig in den Hintergrund getreten sind. Vor allem gilt dies von V. 5, der durch V. 6 geradezu aufgehoben wird. Auch die Erscheinung des Elia und Mose V. 4 wird neben der Verwandlung zu einem sekundären Element[3]. Es muß daher gefragt werden, ob auf V. 4f. ehedem nicht sehr viel mehr Gewicht lag und

---

auf einem tiefgreifenden Mißverständnis; dagegen spricht schon das αὐτοῖς in V. 4, aber auch die Tatsache, daß man die Erzählung nicht ohne weiteres als ein ganz persönliches Erlebnis verstehen kann, welches Jesus in seinem inneren Kampfe gegen die Versuchung zum politischen Messiasideal bestärkte, also für die Jünger ursprünglich kar keine Bedeutung hatte.

[1] Daß kein wirklicher Zusammenhang mit Mk 8,27ff. besteht, dieser vielmehr erst redaktionell geschaffen wurde, betont schon K. L. SCHMIDT, Rahmen S. 222. Woher die Zeitangabe stammt, ist allerdings nicht sicher; über die verschiedenen Ansichten vgl. BALTENSWEILER, a.a.O. S. 46ff.

[2] Daß der Mk-Text an den „metaphysischen Qualitäten der Gestalt Jesu" nicht interessiert sei, sondern „die funktionelle Eigenschaft des Messias als des Königs betont", so BALTENSWEILER S. 117, wird man gerade nicht sagen dürfen. In dieser Hinsicht hat JOSEPH HÖLLER, Die Verklärung Jesu. Eine Auslegung der neutestamentlichen Berichte, 1937, S. 45ff., die Mk-Fassung der Erzählung sicher zutreffend beurteilt, nur daß er dies nicht als Deutung einer späteren Gemeinde, sondern als unmittelbar geschichtlich ansieht (vgl. S. 226).

[3] LOHMEYER, ZNW 21 (1922) S. 206, betont auch noch den Gegensatz von Christophanie V. 3 und Theophanie V. 7. Das ist nicht einleuchtend, denn um eine eigentliche Theophanie geht es dort ja gar nicht. Aber während V. 7 ursprünglich wohl die entscheidende Deutung brachte, ist dieser Vers jetzt im wesentlichen nur noch eine Ergänzung und Bestätigung zu dem in der Metamorphose vollzogenen Offenbarungsgeschehen.

vielleicht von da aus sogar ein früheres Verständnis der Erzählung zurückgewonnen werden kann. Von jeher ist es überdies aufgefallen, daß in dem an die kurze Erwähnung der Metamorphose V. 2 fin anschließenden V. 3 nur die leuchtenden weißen Kleider erwähnt werden, aber nichts von einem Strahlen des Angesichtes gesagt wird[1]. Sieht man von V. 2 fin einmal ab, so schließen sich V. 3 und V. 4 sehr viel enger zusammen: Jesus ist mit himmlischen Kleidern angetan[2] und bei ihm sind Elia und Mose, deren leibliche Entrückung in den Himmel hier vorausgesetzt sein muß[3]. Indem Jesus mit dem weißen Gewande ausgezeichnet wird, ist er in eine Reihe mit diesen beiden alttestamentlichen Gottesmännern gestellt; dies wird auch dadurch zum Ausdruck gebracht, daß Elia und Mose mit Jesus zusammen reden; es handelt sich dabei um ein Zeichen der Gemeinschaft und Gleichstellung[4]. An eine Verwandlung, überhaupt an eine Reflexion über himmlische und irdische Natur ist gar nicht gedacht[5]. Ausschlaggebend ist für das Verständnis dieser ganzen Begebenheit die dem Elia und Mose zugeschriebene endzeitliche Aufgabe. Nun ist zwar die Nebeneinanderstellung gerade dieser beiden alttestamentlichen Gottesmänner in spätjüdischen Texten nicht ganz einfach zu belegen, kann aber doch erschlossen werden[6]. In dem Zusammenhang des urchristlichen Traditionsstückes kann das Erscheinen des Elia und Mose nur bedeuten, daß hiermit Jesu eschatologische Funktion bezeichnet werden soll. Das Petruswort V. 5 schließt sich unmittelbar an, denn dieser Jünger hat verstanden, daß es sich um ein Ereignis der Endzeit handelt. Sein Vorschlag, die Hütten der Vollendung zu errichten[7], wird durch

---

[1] Dies wird erst in der Mt- und Lk-Parallele nachgetragen. Daß das Motiv in der Mk-Fassung fehlt, wird meist nicht genügend berücksichtigt oder bewußt umgangen, indem man hier mit einem verderbten Text gerechnet wird; vgl. die berühmte Konjektur von B. H. STREETER, The Four Gospels, 1924, S. 315 f., welche von LOHMEYER, Mk S. 175 (bes. Anm. 1), im wesentlichen gebilligt wird; auch von TAYLOR, Mk S. 389, wird sie erwogen.

[2] Vgl. dazu BILLERBECK I S. 752 f.

[3] Vgl. bes. JOACHIM JEREMIAS, Art. Ἠλ(ε)ίας, ThWb II S. 930—943, dort S. 932; DERS., Art. Μωυσῆς, ThWb IV S. 852—878, dort S. 859 f.

[4] Vgl. das συνομιλεῖν in Act 10,27 f. Keinesfalls darf nach Lk 9,31 interpretiert, also eine Leidensankündigung durch die himmlischen Gestalten vorausgesetzt werden, wie dies immer wieder geschieht.

[5] Man beachte nur, wie unbefangen in V. 4 und V. 8 ὁ Ἰησοῦς gesagt wird.

[6] Vgl. JEREMIAS, ThWb II S. 940 f.; ThWb IV S. 860 f.

[7] Die Annahme, daß eschatologische Vorstellungen, die mit dem Laubhüttenfest in Verbindung standen, hierbei wirksam sind, hat manches für sich. Erstmals hat LOHMEYER, ZNW 21 (1922) S. 191 ff., ausführlich darauf Bezug genommen. Bis ins einzelne wurde die Verklärungsgeschichte aus derartigen Zusammenhängen von HARALD RIESENFELD, Jésus transfiguré (Acta Seminarii Neotest. Upsaliensis XVII), 1947, gedeutet; er zieht jedoch Verbindungslinien bis zum alten messianischen Inthronisationsschema und stellt die Motive vor den Hintergrund der altorientalischen Königsideologie, was so nicht ohne

die Wolkenstimme beantwortet und korrigiert: noch gilt es, den hier Geoffenbarten ‚zu hören'. Jesu irdisches Wirken trägt zwar schon eschatologische Züge, geht aber dem Anbruch der Heilszeit noch unmittelbar voraus. Elia und Mose legitimieren ihn als den endzeitlichen Propheten[1]. Im Hintergrund dürfte wahrscheinlich, durch die himmlischen Kleider angedeutet, der weitere Gedanke stehen, daß Jesus wie diese beiden alttestamentlichen Gestalten zu denen gehört, die in den Himmel entrückt werden und dann bei dem beginnenden neuen Äon wiedererscheinen[2]. Das Schwergewicht ruht aber zweifellos auf der Bestimmung des irdischen Auftrags Jesu und dieser ist durch die Wolkenstimme in den Zusammenhang mit Dt 18,15 gestellt. Zugleich wird Jesus ein Würdeprädikat zugesprochen, welches ursprünglich

---

weiteres möglich ist und zudem die Besonderheit der Einzelzüge der Verklärungsgeschichte nicht einmal klar erkennen läßt; zur Kritik vgl. Noth, Gott, König Volk im AT, in: Ges. Studien S. 227ff. Auch Baltensweiler, a.a.O. S. 37ff. 46ff., 59ff., rechnet mit eschatologischen Erwartungen, die im Zusammenhang mit dem Laubhüttenfest standen, macht aber einen höchst bedenklichen Gebrauch davon, sofern er die 6 Tage (V. 2) vom Beginn des Festes an rechnet und vom 7., größten Tag behauptet, daß da die Versuchung, sich als politischer Messias zu verstehen, auf Jesus mit besonderer Wucht einstürzen mußte.

[1] Wenn es um das endzeitliche Prophetenamt geht, erklärt sich die Vorrangstellung des Elia bei weitem am besten. Denn schon das AT kennt die Anschauung von der Wiederkehr des Elia (Mal 3,23f.), während die Vorstellung vom endzeitlichen Propheten wie Mose sich wohl schon ausbildete, aber mit einer Entrückung und persönlichen Wiederkehr des Mose doch erst allmählich und in Angleichung an die Eliaerwartung gerechnet wurde. Am deutlichsten hat sich die Ansicht von der gemeinsamen Wiederkehr des Elia und Mose in der jüdischen Vorlage von Apk 11,3ff. niedergeschlagen; vgl. Jeremias, ThWb II S. 941ff. (IV S. 867f.). Bestritten wird letzteres von Johannes Munck, Petrus und Paulus in der Offenbarung Johannis, 1950, bes. S. 81ff.; vgl. dazu die Rezension von Günther Bornkamm, ThLZ 85 (1960) Sp. 195f. Für Mk 9,4 vgl. die Besprechung der Auslegungsversuche und die Kritik an Jeremias bei Baltensweiler, a.a.O. S. 69ff.; dessen eigene Erklärung, daß das Eliabild eine Absage an allen zelotischen Eifer bedeute und Mose nur wegen Mal 4,4 neben V. 5f. (LXX-Zählung = Mal 3,22.23f.) genannt werde, überzeugt schon deswegen nicht, weil hierbei wieder, wie in vielen anderen Deutungen (z.B. Mose und Elia als Repräsentanten des Gesetzes und der Propheten), die Reihenfolge der beiden Gestalten unerklärt bleibt; denn sollte der Bundeserneuerer vor dem erwähnt werden, durch den der Bund geschlossen wurde?

[2] Vgl. in dieser Hinsicht ebenfalls die von Jeremias a.a.O. herangezogene, koptisch erhaltene, in ihrer jetzigen Form aus dem 3.Jh. n.Chr. stammende und teilweise christlich überarbeitete Apokalypse Eliae (ed. G. Steindorff, TU NF 2, 1899; Übersetzung bei Riessler, Altjüdisches Schrifttum S. 114ff.). Hier treten Henoch und Elia nebeneinander auf, und zwar zweimal: zuerst 35,7ff. in einem Kampf gegen den Antichristen, in dem sie unterliegen und getötet werden, dann aber wieder auferstehen und zum Himmel entrückt werden — jene Stelle, die eine überraschende Parallele zu Apk 11,3ff. darstellt, ohne von diesem nt. Text abhängig zu sein —, ferner 42,4ff., unmittelbar bei Anbruch der Endzeit, wo sie den Antichristen töten, und gleich nach ihnen der Messias auftritt. Auch die sonstige Elia-Überlieferung kennt sowohl ein Auftreten vor als auch bei Beginn der Heilszeit, was in der Regel aber nicht miteinander verkoppelt ist; vgl. Billerbeck IV/2 S. 779ff.

kaum ‚Sohn Gottes' gewesen sein kann, denn auf das irdische Wirken
Jesu angewandt, wäre dies in alter, aus palästinisch-jüdischer Denkweise herausgewachsener Tradition[1] undenkbar. ὁ υἱός μου dürfte hier
auf ein ehemaliges עַבְדִּי zurückgehen, was von der Übersetzung her
durchaus möglich ist, sich aber auch von dem Vordersatz der Aussage
der Himmelsstimme her nahelegt, die ganz eng an Jes 42, 1 MT angelehnt ist[2]. Es läge dann an dieser Stelle keine Anspielung auf Ps 2, 7
vor, sondern ein aus Jes 42, 1 und Dt 18, 15 kombiniertes Zitat. Dies
hätte erhebliche Konsequenzen für das Verständnis, denn Jesus wäre
in seinem irdischen Wirken somit in Analogie zu Elia und Mose als
eschatologischer Prophet verstanden[3].

Während die ursprüngliche Gestalt dieses Textabschnittes sicher
auf palästinische Überlieferung zurückgeht, entstammt die bei Markus
vorliegende Fassung der hellenistischen Gemeinde und setzt den
Gottessohnbegriff voraus, und zwar, wie das Motiv der Metamorphose
zeigt, im Sinne göttlichen Wesens[4]. Aus diesem Grunde darf gefolgert
werden, daß V. 2 fin ein sekundärer Zusatz ist[5]. Von hierher erhielt
der nun in V. 7 aufgenommene Gottessohntitel[6] seine eindeutige Interpretation. Damit war eine erhebliche Gewichtsverlagerung vollzogen;
der eschatologische Charakter der Erzählung wurde abgeschwächt,
und bestimmte Motive traten völlig in den Hintergrund. Elia und
Mose sind nur noch Zeugen der mit der leibhaftigen Erscheinung des
Gottessohnes bereits Ereignis gewordenen Erfüllung; in ihrem Auftreten wird nicht mehr auf den baldigen Anbruch der Heilszeit verwiesen, dem Jesu irdisches Wirken unmittelbar vorausgeht[7]. Im redak-

---

[1] Darauf verweist nicht zuletzt auch das aramäische ῥαββί in V. 5.

[2] Vgl. DALMAN, Worte Jesu S. 226ff.; BOUSSET, Kyrios Christos S. 57
Anm. 2; JEREMIAS, ThWb V S. 699; HOOKER, Jesus and the Servant S. 68ff.

[3] Vgl. Anhang S. 396 (380ff.).

[4] Unter keinen Umständen darf man gerade bei dieser Fassung der Erzählung
sagen, daß als Merkmal der Sohnesbezeichnung die Gemeinschaft mit dem Vater
und der Gehorsam Jesu maßgebend seien; gegen CULLMANN, Christologie
S. 281ff.; BALTENSWEILER, a. a. O. S. 105ff.

[5] In dieser Hinsicht hat LOHMEYER, ZNW 21 (1922) S. 203ff., etwas Richti-
ges gesehen. Nur hat er dort mit V. 2 fin auch noch V. 3 aussondern wollen und
dadurch ein Stück herausgebrochen, dessen altertümliche Züge ihm alsbald
selbst auffielen. In seinem Kommentar, Mk S. 174f., beruft er sich dann für
V. 2 fin und V. 3 auf apokalyptische Vorstellungen; ebenso BALTENSWEILER,
a. a. O. S. 63 f. Aber es geht hier ja gar nicht um eine Verwandlung in eine Herr-
lichkeitsgestalt, vielmehr um ein Erscheinenlassen des göttlichen Wesens; das
hat seine Parallelen jedoch gerade nicht im apokalyptischen Denken, sondern im
Hellenismus, wo ja auch der Begriff der Metamorphose beheimatet ist; vgl. dazu
§ 5 S. 310ff.

[6] עבד ist schon in spätjüdischen Schriften mit παῖς, z. T. aber auch mit υἱός
wiedergegeben; vgl. JEREMIAS, ThWb V S. 677.

[7] G. H. BOOBYER, St. Mark and the Transfiguration Story, 1942; kurz zusammengefaßt in dem Aufsatz: St. Mark and the Transfiguration, JThSt 41

tionellen Rahmen ist daher auch diese Offenbarung nicht in Korrelation zur Eschatologie, sondern zur Auferstehung Jesu gebracht (Mk 9,9)[1].

Nach dieser Bestimmung älterer und jüngerer Elemente[2] ist es leicht, die redaktionellen Zusätze innerhalb der Erzählung zu erkennen. Da V. 6 nicht nur eine Umdeutung des vorangegangenen Petruswortes vornimmt, sondern überdies im Dienste des markinischen Motivs des bis zur Auferstehung währenden Jüngerunverständnisses steht, liegt hier sicher eine Zutat des Evangelisten vor[3]. In V. 2 geht das betonende und reichlich nachklappende κατ' ἰδίαν μόνους bestimmt auf Markus zurück; es handelt sich wiederum um eines seiner typischen Motive, das sogar in ziemlich konstanter Formulierung auftaucht[4]. Ob auch die Einführung der drei vertrauten Jünger auf Markus zurückzuführen ist, ist nicht ebenso sicher. Zwar hat er die Vertrauten in einigen Texten gewiß nachträglich eingeführt, aber dies könnte in bestimmten Zusammenhängen auch schon überliefert gewesen sein, was gerade bei der Verklärungsgeschichte nicht ausgeschlossen ist.

Sieht man von V. 6 und der Erwähnung des Alleinseins in V. 2 ab, so hat man ein in sich geschlossenes Traditionsstück, das zwar eine

---

(1940) S. 119—140, will die einzelnen Motive der Mk-Fassung der Verklärungsgeschichte als eine Vorausdarstellung der Parusie deuten; aber das ist in dieser Weise nicht überzeugend. Wohl verlangt die Stellung der Erzählung nach Mk 8,38; 9,1 eine Erklärung, die aber nur aus dem redaktionellen Rahmen gewonnen werden kann und nichts für die Erzählung selbst besagt. Zur Kritik vgl. E. GRÄSSER, Parusieverzögerung S. 149 ff.; BALTENSWEILER, a.a.O. S. 118 f.

[1] Schon wegen dieser erst ganz sekundären Beziehung auf die Auferstehung scheidet die Deutung der Verklärungsgeschichte als ehemalige Ostererzählung aus; so vor allem WELLHAUSEN, Mk S. 71; BULTMANN, Syn. Trad. S. 278. Aber dagegen sprechen auch noch eine Reihe anderer Gründe, die BALTENSWEILER, a.a.O. S. 91 ff., gut zusammengestellt hat.

[2] Hinzuweisen ist nachträglich noch auf die Analyse von HANS-PETER MÜLLER, Die Verklärung Jesu. Eine motivgeschichtliche Studie, ZNW 51 (1960) S. 56—64. Die Spannungen zwischen den verschiedenen Motiven sind deutlich empfunden, mancherlei Einzelheiten zutreffend beobachtet, aber keine überzeugende Lösung gewonnen: es sollen in V. 2a.b.7.9 und V.(2c)3—6.8 zwei ursprünglich selbständige Erzählungen vorliegen, im einen Falle sei die Wolkenerscheinung und Proklamation konstitutiv, im anderen die Erscheinung der Lichtgestalten. Schon die Auseinanderreißung von V. 3f. und V. 7 ist bedenklich, erst recht das Verständnis jener ersten Erzählung als Einsetzung des irdischen Jesus zum Messias und eschatologischen Propheten, der zweiten dagegen als Vision des Erhöhten als des epiphanen Menschensohnes. Die Verbindung sei in der Weise erfolgt, daß die Epiphanie des irdischen Menschensohnes (nachträgliche Einfügung des Verwandlungsmotivs V. 2c) der Einsetzung zum Messias vorausgeht und V. 7 nur noch die Jesus längst zukommende „supranaturale Stellung" bekanntmacht. Ist schon die Übertragung der Messiasvorstellung auf den irdischen Jesus für ein frühes Stadium nicht nachweisbar, so spielt das Erhöhungsmotiv bei der Menschensohnchristologie überhaupt keine Rolle, ist aber auch sonst für die Elemente dieser Erzählung in keiner Weise maßgebend.

[3] Vgl. auch BALTENSWEILER, a.a.O. S. 112 ff.

[4] κατ' ἰδίαν Mk 6,31.32; 9,28; 13,3; κατὰ μόνας Mk 4,10.

ältere Schicht und eine jüngere Umdeutung erkennen läßt, aber sonst keine Nähte und Sprünge mehr aufweist. Als Gattung kommt für die Verklärungsgeschichte die Legende in Frage. Es ist eine Erzählung, in der, wie LOHMEYER trefflich formuliert hat, „für den Glaubenden der innere Sinn der Gestalt Jesu ‚zu lesen' ist"[1].

b) *Mk 1,9—11.* Die Erzählung von der Taufe Jesu ist in ihrem Hauptteil V. 10 f. von dem Evangelisten unverändert übernommen; allenfalls könnte das bei Markus häufige εὐθύς eingefügt sein, obwohl dies auch im volkstümlichen Erzählungsstil vielfach auftaucht und daher nicht grundsätzlich als redaktionell angesehen werden darf[2]. Schwieriger ist zu entscheiden, wieweit Zusätze in der Exposition V. 9 vorliegen, doch braucht dies hier nicht untersucht zu werden; V. 9 fin, die knappe Beschreibung der Taufe Jesu im Jordan durch Johannes, gehört sicher dem überlieferten Bestand an, denn dies ist die eigentliche Voraussetzung für V. 10 f. An das Aufsteigen aus dem Wasser schließen sich drei eng verbundene Geschehnisse an, welche den Charakter der Erzählung bestimmen: die Öffnung des Himmels, das Niedersteigen des Geistes in Gestalt einer Taube und das Lautwerden der Himmelsstimme, die Jesus als den geliebten Gottessohn bezeichnet, auf welchem das göttliche Wohlgefallen ruht. Auch hier muß gefragt werden, wieweit der Text in seiner jetzigen Gestalt das Verständnis der späteren hellenistischen Gemeinde repräsentiert, für die die Anwendung des Gottessohntitels auf den irdischen Jesus keine Schwierigkeit mehr bot; dahinter könnte sich aber vielleicht eine andere Bedeutung der Motive verbergen.

Die Elemente der Erzählung lassen sich in ganz verschiedener Weise erklären, je nachdem, ob man mit alter palästinischer Denkweise rechnet oder von den Anschauungen der hellenistischen Gemeinde ausgeht. Es liegt nahe, wie bei Mk 9,2—8 den Wortlaut der Himmelsstimme nur auf Jes 42,1 zurückzuführen, demnach wiederum ein ehemaliges ‚mein Knecht' anzunehmen und von Ps 2,7 zunächst abzusehen. Die Himmelsöffnung, das Erscheinen des Geistes und das Ergehen einer Stimme unmittelbar vom Himmel her stehen nach spätjüdisch-apokalyptischem Verständnis alle in Relation zur Endzeit, und es handelt sich ursprünglich wohl um eine dreifache Umschreibung des einen, bei diesem Täufling sich erfüllenden wunderbaren Ereignisses. Das seit Jes 63,19b geläufige Motiv der Himmelsöffnung[3] ist bei-

---

[1] LOHMEYER, ZNW 21 (1922) S. 202.

[2] Vgl. JOHANNES WEISS, ΕΥΘΥΣ bei Markus, ZNW 11 (1910) S. 124—133; SUNDWALL, Zusammensetzung des Mk-Ev S. 7 f., läßt in V. 10 εὐθύς als ursprünglich stehen, betrachtet es aber in V. 12 als bloßes Responsionswort.

[3] Zu allererst taucht das Motiv des geöffneten Himmels im AT in Ez 1,1 im Rahmen einer prophetischen Vision auf; in Jes 63,19b ist der eschatologische

spielsweise auch in Apk 4,1 unmittelbar mit dem Lautwerden einer himmlischen Stimme verbunden[1]. Und selbstverständlich ist die Himmelsstimme der Tauferzählung[2] nicht als eine Bat-Qol, die nur Ersatz für das nicht mehr direkt ergehende Reden Gottes war, zu deuten, vielmehr, wie aus dem Gesprochenen klar hervorgeht, als das mit Beginn der Endzeit wiederum anhebende eigene Sprechen Gottes[3]. Dazu gehört dann in gleicher Weise auch die Anschauung vom Geist, denn dieser ist nach weitverbreiteter Ansicht seit den letzten Propheten des Alten Bundes erloschen gewesen und sollte erst wieder am Ende der Zeiten in das Weltgeschehen eingreifen[4]. So läßt diese dreifach-eine Beschreibung erkennen, daß die Heilszeit Gottes im Anbruch ist und der hier von Johannes Getaufte als der ‚Knecht Gottes' sein endzeitliches Amt antritt. Er wird vom Geist ergriffen[5] und kann in wahrer Vollmacht sein Wort und Werk verrichten[6].

---

Bezug eindeutig. Vgl. HELMUT TRAUB, Art. οὐρανός, ThWb V S. 529f., der Anm. 261 sehr schön zeigt, daß das ‚Zerrissensein' der Himmel des Mk-Textes gerade auf Jes 63,19b verweist, während das allgemeinere ‚Geöffnetsein' bei Mt und Lk auf Ez 1,1 anspielt; in Anm. 263 finden sich weitere Stellen aus spätjüdischen Texten. Auch LOHMEYER, Mk S. 21, betont die eschatologische Bedeutung dieses Motivs; vgl. bes. die ausgezeichnete Interpretation der apokalyptischen Elemente der Taufgeschichte bei ROBINSON, Geschichtsverständnis des Mk S. 21f.; ferner HOOKER, Jesus and the Servant S. 67f.

[1] Diesen Zusammenhang zwischen Himmelsöffnung und Himmelsstimme hat LOHMEYER, Mk S. 22, gut herausgestellt.

[2] Die unkonstruierte semitische Einführung von φωνή ist zu beachten; vgl. WELLHAUSEN, Mk S. 6; KLOSTERMANN, Mk S. 9.

[3] Über die Bat-Qol vgl. BILLERBECK I S. 125ff. Die Deutung der himmlischen Stimme bei Jesu Taufe als Bat-Qol ist häufig, vgl. nur KLOSTERMANN, Mk S. 9; SCHNIEWIND, Mk S. 46; SCHLATTER, Mt S. 93f.; TRAUB, ThWb V S. 530f.; TAYLOR, Mk S. 161; CRANFIELD, Mk S. 54. Dagegen mit Recht: LOHMEYER, Mk S. 22; ROBINSON, Geschichtsverständnis S. 22. C. K. BARRETT, Holy Spirit S. 40, betont zwar den Unterschied, wird aber der eschatologischen Bedeutung nicht gerecht: „many Rabbis had heard a voice from heaven, but the Holy Spirit had not been sent since the days of the prophets. Jesus is thus brought at once out of the category of the Rabbis and into that of the prophets".

[4] Vgl. VOLZ, Eschatologie S. 392f.; BILLERBECK II S. 128f.; WERNER BIEDER - ERIK SJÖBERG, Art. πνεῦμα (Judentum), ThWb VI S. 368. 382ff.; u. Anh. S. 351ff. — IVOR BUSE, The Marcan Account of the Baptism of Jesus and Isaiah LXIII, JThSt NS 7 (1956) S. 74f., führt nicht nur das Motiv der Himmelsöffnung, sondern auch das Herabkommen des Geistes, selbst das εἰς αὐτόν auf Jes 63 zurück (vgl. V. 11); überdies erklärt er von hier aus auch die Beziehung auf Mose in 1 Kor 10,1ff.

[5] Ein wichtiges Verbindungsglied dürfte dabei auch Jes 42,1b gewesen sein, wo es im unmittelbaren Anschluß an das von der Himmelsstimme aufgenommene Wort heißt: ‚Ich habe meinen Geist auf ihn gelegt'; vgl. BRANSCOMB, Mk S. 19; JEREMIAS, ThWb V S. 699. Auch ὁ ἀγαπητός stammt aus Jes 42,1 und ist nicht auf Gen 22,1 zu beziehen. Daß es sich hierbei nicht um die Vorstellung vom ‚leidenden' Gottesknecht geht, wird im Anhang S. 396 (380ff.) noch gezeigt werden.

[6] Hier ist unter allen Umständen von dem dynamistischen Geistverständnis auszugehen, wie es aus at. Tradition lebendig war; vgl. dazu BAUMGÄRTEL - SJÖBERG - E. SCHWEIZER, ThWb VI S. 364f., 379ff., 394ff.

Es ist nicht zu übersehen, daß die Motivierung der einzelnen Züge, die für die älteste Gestalt des Überlieferungsstückes vorausgesetzt werden kann, in der von der Gottessohnvorstellung bestimmten Fassung der Erzählung zurückgedrängt ist. Das Schwergewicht verlagert sich einseitig auf die Geistverleihung, die hier im Sinne einer Ausrüstung und ständigen Begabung verstanden ist. Deshalb ist nicht nur von dem Ergriffenwerden Jesu durch den Geist, der brausenden Gottesmacht, die Rede, sondern der Geist steigt leibhaftig vom Himmel hernieder und geht in die menschliche Person Jesu ein, um sich mit ihr zu verbinden. Das für Markus charakteristische εἰς αὐτόν darf nicht abgeschwächt oder umgedeutet werden; ebenso wie in dem späteren Ebionitenevangelium: ἐν εἴδει περιστερᾶς κατελθούσης καὶ εἰσελθούσης εἰς αὐτόν[1], ist es auch hier gemeint[2]. Das in seiner Herleitung schwierige Motiv der Taubengestalt des Geistes dürfte seine eigentliche Bedeutung darin haben, daß gerade der als Gabe verliehene leibhaftige Gottesgeist von diesem erwählten Menschen Besitz ergreift und sich mit ihm vereinigt. Deshalb spricht sehr viel dafür, daß von der Taubengestalt des Geistes überhaupt erst im Zusammenhang mit der Gottessohnvorstellung, also auf hellenistischem Boden gesprochen wurde[3]. Damit

---

[1] Text des Ebionitenevangeliums, Epiphanius, Haer. XXX 13,7, bei ERICH KLOSTERMANN, Apocrypha II (Kl. Texte 8), 1929[3], S. 14; vgl. HENNECKE-SCHNEEMELCHER, Neutestamentliche Apokryphen I, 1959[3], S. 103; dazu WALTER BAUER, Das Leben Jesu im Zeitalter der neutestamentlichen Apokryphen, 1909, S. 117ff.

[2] Das εἰς αὐτόν des Mk-Textes ist also m. E. sehr konkret verstanden; Mt und Lk haben sich mit ἐπ' αὐτόν an den LXX-Text von Jes 42,1b angelehnt. Die leibhaftige Epiphanie des Geistes hat hier nicht eine bloß symbolische Bedeutung, sondern der Geist senkt sich zu einer ganz realen Verbindung in den Täufling hinein; καταβαίνειν hat seinen festen Sitz in den Aussagen über die Epiphanie göttlicher Wesen, wie ROBINSON, Geschichtsverständnis S. 22, zutreffend herausstellt. Wenn LOHMEYER, Mk S. 23, formuliert: der Geist sei hier „nicht Gabe, sondern Gestalt", so ist das unzutreffend, weil aus aristotelischem Denken heraus interpretiert; wenn man in diesem Zusammenhang schon irgendwelche philosophische Hilfen zur Deutung heranziehen will, dann muß man auf die πνεῦμα-Substanz der zeitgenössischen Stoa verweisen; vgl. dazu HERMANN KLEINKNECHT, Art. πνεῦμα (im Griechischen), ThWb VI S. 352ff. Doch ist zur religionsgeschichtlichen Erklärung der nt. Vorstellung von dem massiven volkstümlichen Anschauungen auszugehen, wie dies schon HERMANN GUNKEL, Die Wirkungen des heiligen Geistes, 1888, erkannt und programmatisch gefordert hat; dazu vgl. BULTMANN, Theol. S. 155ff.

[3] Bei der Taubengestalt des Geistes wird man nicht nur auf die Fülle von Assoziationen auf alttestamentlichem und vorderorientalischem Boden verweisen dürfen, wodurch die Taube mit dem Göttlichen verbunden war; so HEINRICH GREEVEN, Art. περιστερά, ThWb VI S. 68. Im Blick auf das palästinische Judentum bleibt es zunächst bei dem Urteil von BILLERBECK I S. 123: „daß sie (sc. die Taube) als Symbol des Geistes Gottes gegolten habe, läßt sich nur in sehr beschränktem Maße wahrscheinlich machen"; vgl. auch BARRETT, Holy Spirit S. 35ff. Vielleicht darf daher eine im Diasporajudentum geläufige Gleichsetzung des auf Erden wirkenden Gottesgeistes mit der Taube erschlossen werden, worauf immerhin die Darstellung der רוּחַ aus Ez 37 in der Synagoge von

verschob sich aber das Verhältnis der drei grundlegenden Motive. Waren sie ursprünglich gleichgeordnet, so kamen sie jetzt in eine sehr bestimmte Zu- und Rangordnung. Die Himmelsöffnung ist nun primär als die notwendige Voraussetzung für die leibhaftige Epiphanie des göttlichen Geistes anzusehen, während ihre eschatologische Bedeutung nur noch abgeblaßt nachklingt. Denn der Himmel muß offen sein, damit die von dort kommende Taube herabfahren kann; der Himmel muß aber auch offen sein, damit die Stimme Gottes gehört werden kann. Ist das Schwergewicht auf die leibhaftige Herabkunft des Geistes und die dadurch sich vollziehende Einsetzung zum Gottessohn gefallen, so ist auch die Himmelsstimme in erster Linie zur vox interpres geworden. Es kommt vornehmlich auf den Inhalt, nicht auf das Ergehen dieser Stimme an[1]. Der Ausspruch selbst enthält auch nicht mehr ausschließlich Jes 42, 1a, sondern ist in seinem ersten Teil eng an das adoptianische Wort Ps 2, 7 angelehnt[2]. Das erscheint dort zunächst überraschend, wo mit der Beschreibung des Geistes der Übergang von einer ausgesprochen dynamistischen Vorstellung zu der Anschauung eines ständigen Geistbesitzes vollzogen ist. Aber auf der anderen Seite darf eben nicht verkannt werden, daß die Voraussetzungen des alttestamentlich-jüdischen Denkens nicht preisgegeben sind und die funktionale Bedeutung des gottverliehenen Amtes bewahrt geblieben ist, daß also die stark hellenistisch verstandene Gottessohn-

---

Dura-Europos verweisen könnte; vgl. dazu WERNER GEORG KÜMMEL, Die älteste religiöse Kunst der Juden, Judaica 2 (1946) S. 1—56, dort S. 51f.; anders HARALD RIESENFELD, The Resurrection in Ezechiel XXXVII and in the Dura-Europos-Paintings (Upsala Universitets Årsskrift 1948/11) S. 31f., der an hellenistische "Psyche-like winged beings" denkt; ebenso RUDOLF MEYER, Betrachtungen zu drei Fresken der Synagoge von Dura-Europos, ThLZ 74 (1949) bes. Sp. 35—38. Vgl. auch die Erwägungen von GOODENOUGH, Jewish Symbols VIII S. 41ff. über den Gebrauch der Taube auf Grabmälern, in Synagogen und im Gedankengut Philos (bes. S. 44ff.). Es geht unter allen Umständen in der Taufgeschichte um eine konkrete Erscheinung des Geistes, was Lk mit σωματικῷ εἴδει ganz sachgemäß verstanden und verdeutlicht hat.

[1] HERBERT BRAUN, Entscheidende Motive in den Berichten über die Taufe Jesu von Markus bis Justin, ZThK 50 (1953) S. 39—43, bes. S. 40f. (Studien S. 168—172, bes. S. 169f.) stellt heraus, daß sowohl die Himmelsöffnung wie auch die Erwähnung der himmlischen Stimme in späteren Texten entfällt; er fragt, ob eine gnostisierende Tendenz im Spiele sei, bemerkt aber selbst, daß Justin dazu nicht paßt. Es erklärt sich m. E. sehr viel besser aus dem oben bezeichneten Übergang zu dem hellenistischen Verständnis der Tauferzählung. Wie selbstverständlich letzteres vielfach zum Ausgangspunkt gemacht und dabei die ursprüngliche Eigenart der Aussagen verkannt wird, zeigt z. B. JOHANNES SCHNEIDER, Die Taufe im Neuen Testament, 1952, S. 25f., der überhaupt nur von zwei konstitutiven Elementen spricht: der Geistverleihung (im Sinne der Ausrüstung!) und der Himmelsstimme, die dazu dient, jenes Ereignis „zu erklären". Ähnlich sogar SCHLATTER, Mt S. 91.

[2] Der Wortlaut ist gegenüber dem masoretischen Text und der LXX umgestellt; dem geläufigen Prädikationsstil entsprechend steht das σὺ εἶ jetzt voran.

schaft — denn nur so war eine Übertragung auf das irdische Leben Jesu möglich — an den Akt einer Einsetzung und Geistverleihung gebunden bleibt.

Die überlieferte Fassung der Himmelsstimme läßt ebenso wie das Motiv der Taubengestalt des Geistes erkennen, daß wir uns im Bereich eines hellenistischen Judenchristentums bewegen. Maßgebend sind letzten Endes nicht mehr die apokalyptischen Motive vom Anbruch der Endzeit, aber auch nicht das Motiv der Übertragung eines eigentlich königlichen Amtes. Vielmehr zeigt sich hier ein Verständnis von Aufgabe und Wirken Jesu, wie es ähnlich das hellenistische Judentum vom Auftreten der alttestamentlichen Gottesmänner hatte[1]. Die wunderbare Fähigkeit und besondere Stellung erhält Jesus durch den Geist, mit dem er ausgerüstet wird. Ps 2,7 spielt wegen des dort vorkommenden Gottessohntitels und vornehmlich des Gedankens der Amtseinsetzung eine Rolle, nicht aber wegen der damit verbundenen königlichen Funktionen. Es zeigt sich hier also jenes Verständnis der Messianität Jesu, welches das irdische Leben mit einbeziehen kann und die Gleichsetzung mit einem bereits hellenisierten Gottessohnbegriff voraussetzt[2]. Die Vorstellung der Messianität im jüdischen Sinne wird man aus diesem Text ganz heraushalten müssen, sie paßt weder für die zugrunde liegende palästinische, noch für die hellenistisch-judenchristliche Fassung der Erzählung[3]. Hinzu kommt, daß die Begebenheiten bei der Taufe nur Jesus allein betreffen, nicht aber im Sinne des Psalmwortes als eine öffentliche Inthronisation verstanden werden[4]. Der Gottessohntitel hat zwar eine funktionale

---

[1] Vgl. § 5 S. 292 ff.   [2] Vgl. § 3 S. 218 ff.

[3] Vielfach wird von „Messiasweihe" gesprochen, was aber bestenfalls in einem sehr übertragenen Sinne möglich ist; vgl. z.B. BULTMANN, Syn. Trad. S. 264. 267; BRAUN, ZThK 50 (1953) S. 42 (Studien S. 171 f.). Polemik dagegen ist dann nicht gerechtfertigt, wenn man statt dessen auf ein Sohnesbewußtsein und auf Sohnesgehorsam rekurriert; so etwa CULLMANN, Christologie S. 282 f.; BIENECK, a.a.O. S. 58 ff.; CRANFIELD, Mk S. 54 f. Es geht vielmehr darum, daß spezifisch jüdische Züge der Vorstellung vom königlichen Messias hier fehlen oder aus ihrem Zusammenhang gelöst und umgedeutet sind. Nun kann natürlich darauf hingewiesen werden, daß ja auch die Geistesmächtigkeit auf Grund von Jes 11,2 als Kennzeichen des Messias gilt; vgl. Stellen aus spätjüdischer Literatur bei SCHNIEWIND, Mk S. 47; BARRETT, Holy Spirit S. 41 ff.; dies mag für die jüngere Gestalt der Erzählung einen gewissen Einfluß gehabt haben, nicht aber für die palästinische Urfassung, wie neuerdings CHEVALLIER, L'esprit et le Messie S. 57 ff. wieder zu zeigen versuchte. Der Hinweis darauf, daß Saul und David bei ihrer vorzeitigen Salbung vom Geist ergriffen werden, paßt hier sicher nicht, denn Ps 2,7 bezieht sich unbestreitbar auf die Inthronisation, nicht auf eine bloße Designation; gegen VAN UNNIK, NTSt 8 (1961/62) S. 116 (zu seinen Thesen vgl. § 3 S. 220 Anm. 5).

[4] Es darf nicht übersehen werden, daß die äußere Stilisierung der Tauferzählung mit ihrer Jesus allein betreffenden Vision und Audition gewisse Ähnlichkeiten mit einer Prophetenberufung hat; vgl. SCHNIEWIND, Mk S. 46; die Unterschiede betont einseitig BULTMANN, Syn. Trad. S. 263 f. Setzt man den voll-

Bedeutung behalten, hat aber mit der alten Messianologie überhaupt nichts mehr zu tun. Auch der für Ps 2, 7 kennzeichnende adoptianische Charakter der Gottessohnschaft ist nicht mehr klar durchgehalten, denn es geht nun nicht mehr um einen Menschen, dem königliche Vollmacht übertragen wird, sondern um einen Menschen, der von göttlichem πνεῦμα durchdrungen ist, das ihn qualitativ auszeichnet. Wie dies im hellenistischen Bereich weiter entfaltet werden konnte, führt die Verklärungsgeschichte in der bei Markus erhaltenen Fassung eindrücklich vor Augen.

Wenden wir uns noch einmal zurück zur älteren, oben versuchsweise eruierten Gestalt und Bedeutung der Tauferzählung. Dort muß der Geist in dem bezeichneten Zusammenhang echt alttestamentlich als unwiderstehliche, den Menschen überfallende Gotteskraft verstanden werden. Dafür haben wir nun noch eine Bestätigung darin, daß der alte, zur Versuchungsgeschichte überleitende V. 12 eben diesen Geistbegriff unzweideutig enthält, was zur jüngeren Fassung der Taufgeschichte gar nicht mehr ohne weiteres paßt[1]. Aber auch das im einzelnen so schwierige Taditionsstück Mk 1, 13 von Jesu Versuchung bietet insofern eine Stütze für die Anschauung von Jesus als eschatologischem Propheten innerhalb der alten Konzeption der Tauferzählung, als nämlich der vierzigtägige Aufenthalt in der Wüste und auch der Dienst der Engel auf eine Mose-Elia-Typologie hinweisen[2]. Jedenfalls soll Jesu Erdenwirken in einen eindeutig escha-

---

ständigen Text von Jes 42, 1a als Wortlaut der Himmelsstimme voraus und beurteilt das Kommen des Geistes nach Jes 42, 1b (vgl. Jes 61, 1), so liegt nicht der geringste Anklang an die königliche Messianologie vor. *Mt* hat die Erzählungsform einschneidend geändert, sofern er aus der Berufung eine öffentliche Epiphanie macht. *Lk* hat den Text seiner Vorlage inhaltlich im wesentlichen übernommen, nur die Erwähnung des Täufers gestrichen; vgl. dazu CONZELMANN, Mitte der Zeit S. 15. 16ff. Der vieldiskutierte westliche Text von Lk 3, 22 hat Ps 2, 7 wörtlich aufgenommen und den Überrest von Jes 42, 1a gestrichen. Dies steht am Ende der Entwicklung und hat keinen Anspruch auf Ursprünglichkeit: einerseits war schon bei Mk alles Gewicht auf die Gottessohnprädikation gefallen und andererseits setzt die Zitierung von Ps 2, 7 im Zusammenhang der Taufe Jesu bereits einen ganz erheblichen Umformungsprozeß messianologischer Motive voraus.

[1] Auf die Verschiedenartigkeit des Geistbegriffes in V. 11 und V. 12 weist LOHMEYER, Mk S. 27, hin; aber seine Unterscheidung, wonach der Geist in V. 12 ein „engelgleiches Wesen" ist, das Gottes Befehle ausführt, ist verfehlt. Er folgert von daher die verschiedene Herkunft von Tauf- und Versuchungserzählung, doch dürfte beides von Anfang an zusammengehört haben, nur hat V. 12f. seine altertümliche Fassung bewahrt und ist erst bei Mt und Lk durch eine Versuchungsgeschichte ersetzt worden, die dann ebenfalls den hellenistischen Gottessohnbegriff voraussetzt. Zutreffend ist der at. Charakter des Geistbegriffes von V. 12 im Sinne der Gotteskraft von EDUARD SCHWEIZER, ThWb VI S. 395f., herausgestellt.

[2] Die schwierige markinische Fassung der *Versuchungsgeschichte* muß aus apokalyptischer Tradition verstanden werden; vgl. vor allem ARNOLD MEYER, Die Versuchung Christi, in: Festgabe Hugo Blümner, 1914, S. 434—468, bes.

tologischen Horizont gerückt werden[1]. Und ähnlich wie bei der alten Fassung der Verklärungsgeschichte wird es darum gehen, daß sein Auftreten unmittelbar vor Beginn der Endzeit erfolgt. Jesu Amt ist es, als der gottwohlgefällige Knecht die anbrechende Herrschaft Gottes zu verkündigen und dem göttlichen Heil entgegenzuführen[2]. Die jüngere Fassung der Taufgeschichte hat den eschatologischen Aspekt belassen, aber zurückgedrängt. Hier besitzt das irdische Wirken Jesu selbst Heilsbedeutung, und in einer grundlegenden, nur auf Jesus bezogenen Begebenheit, die der eigentlichen Wirksamkeit vorangeht, wird Voraussetzung und Sinn seiner irdischen Geschichte zusammengefaßt[3].

---

S. 444 ff. Gerade hier kommt man mit rein at. Voraussetzungen nicht durch; gegen JACQUES DUPONT, L'arrière-fond biblique du Récit des Tentations de Jésus, NTSt 3 (1956/57) S. 287—304. Dies zeigt sich nicht zuletzt an dem Versuchungsgedanken selbst, der durch den eschatologischen Kampf zwischen Gott und Satan bestimmt ist; vgl. KARL GEORG KUHN, Πειρασμός — ἁμαρτία — σάρξ im Neuen Testament und die damit zusammenhängenden Vorstellungen, ZThK 49 (1952) S. 200—222. Auch für das Motiv vom Zusammensein mit den wilden Tieren haben wir nur eine spätjüdische Parallele, TestNapht 8,3 (ähnlich TestIss 7,7), und zwar im Sinne eines „paradiesischen" Zuges, also die Unterordnung der Tiere bezeichnend; dort auch das Motiv der Überwindung des Teufels und des Dienstes der Engel, jedoch bezogen auf den Frommen schlechthin; vgl. A. MEYER, a.a.O. S. 445 f. Ausgangspunkt ist der vierzigtägige einsame Aufenthalt des Mose Ex 34,28 und vor allem des Elia 1 Kg 19,1 ff., da bei letzterem noch der Engeldienst hinzukommt; auch Ps 91,11—13 wirkt ein. — BULTMANN, Syn. Trad. S. 270, stellt fest, daß ein innerer Zusammenhang zwischen Messiasweihe und Versuchung nicht bestehe; das ist richtig, beweist aber nichts, denn wenn man die Vorstellung vom eschatologischen Propheten für die ursprüngliche Taufgeschichte voraussetzt, erklärt sich die Zusammengehörigkeit ausgezeichnet; außerdem darf nicht übersehen werden, daß Mk 1,12 f. schlecht als selbständiges Überlieferungsstück denkbar ist.

[1] Kurz ist noch auf TestLev 18 und TestJud 24 hinzuweisen. An beiden Stellen finden sich bekanntlich sehr ähnliche Motive wie in der Erzählung von der Taufe Jesu, einmal mit der Anschauung vom messianischen Hohenpriester, das andere Mal mit der des messianischen Königs verbunden. Nun wird man gerade aus dieser gleichzeitigen Verwendung der Motive in verschiedenen Zusammenhängen erkennen müssen, daß sie keineswegs fest mit einer bestimmten Heilsgestalt verbunden waren, sondern nur als bezeichnend für eschatologische Ereignisse überhaupt anzusehen sind. Vgl. o. § 5 S. 283 Anm. 5.

[2] Ich wende mich sowohl gegen SCHNIEWIND, Mk S. 47 f., der als eigentliche Einsetzung zum Messias zwar die Erhöhung ansehen will, dann aber sagt, daß es von der Taufe an um den geheimen Messias gehe, als auch gegen CULLMANN, Tauflehre S. 15 f.; DERS., Christologie S. 65 ff., der mit Jesu Taufe das Bewußtsein der Sohnschaft und der Funktion des ‚leidenden' Gottesknechtes verbunden sehen will.

[3] Letzteres ist bei ROBINSON, Geschichtsverständnis S 20 ff., gut herausgestellt.

# RÜCKBLICK

Die einzelnen christologischen Titel sind, soweit sich nicht direkte Überschneidungen und Berührungen ergaben, weitgehend unabhängig voneinander untersucht worden. Gleichwohl haben sich eine ganze Reihe von gemeinsamen Zügen ergeben, die abschließend noch einmal zusammengestellt werden sollen. Offensichtlich halten sich bestimmte Grundtendenzen in den verschiedenartigen Konzeptionen durch.

Die älteste Christologie ist in allen Ausprägungen konsequent eschatologisch ausgerichtet. Der kommende Menschensohn, der wiedererwartete Herr und der endzeitlich eingesetzte Messias stehen am Anfang der Traditionsbildung. Dem korrespondiert, daß nicht nur in der Menschensohnanschauung, sondern in der ältesten Christologie insgesamt das Erhöhungsmotiv fehlt. Die schon in der frühen palästinischen Urgemeinde spürbar werdende Parusieverzögerung wird nicht mit der Vorstellung von der Gegenwart des Herrn, sondern durch ein noch intensiveres Warten und den Aufruf zur Bewährung bewältigt. Umgekehrt darf nicht übersehen werden, daß die Erhöhungsvorstellung frühzeitig dadurch vorbereitet wird, daß die geisterfüllte, schon im Anbruch der Endereignisse sich wissende Gemeinde die eschatologische Vollendung in gewisser Weise antizipiert. Die Erfahrung der Zeit ist aber noch nicht so mächtig geworden, daß dies zu einer neuen Konzeption hingeführt hätte. — Die Rückschau auf Jesu irdisches Wirken spielt ebenfalls von Anfang an eine entscheidende Rolle. Zwar hat sich die Gemeinde gegen alle Messianisierung des Lebens Jesu in der frühesten Zeit gewehrt; Stellung und Autorität des irdischen Jesus ist für sie bezeichnet durch die Prädikate ‚Meister‘ und ‚Herr‘. Aber auch in den Rahmen der Menschensohnvorstellung ist alsbald das Erdenwirken mit aufgenommen worden, und mit der Bezeichnung ‚der Sohn‘ hat die frühe Gemeinde eine weitere Aussage über Jesu besondere Vollmacht und Würde gewonnen. Sind die Anschauungen von Jesus als ‚Meister‘, ‚Herr‘ und ‚Sohn‘ vornehmlich im Blick auf die Lehre entfaltet, so nimmt doch auch Jesu Wirken, sein machtvolles Auftreten und Wundertun, in der Verkündigung eine wichtige Stelle ein. Jesus wird im Licht der alttestamentlichen Charismatiker gesehen und vor allem als der mit

Vollmacht auftretende neue Mose verstanden; diese Anschauung ist
als selbständige Tradition nicht erhalten geblieben, hat aber in Verbindung mit anderen Konzeptionen noch lange nachgewirkt. — Nicht
nur Jesu Lehre und Wirken, auch sein Leiden gehört frühzeitig in die
christologischen Aussagen. Die älteste Leidensgeschichte sucht Jesu
Weg zum Kreuz vom Gedanken der Schriftnotwendigkeit her zu begreifen, um dadurch den Anstoß zu überwinden. Von hier aus hat sich
dann die Neufassung des Messiasbegriffs für die Urgemeinde ergeben.
Denn wenn Jesus nach Gottes Willen als ‚König der Juden' gekreuzigt
worden ist, dann mußte das Leiden des ‚Messias' nach Gottes Willen
sein. Auf diese Weise hat sich noch auf palästinischem Boden die
Passionstradition mit dem Messiastitel verbunden, der fortan gerade
diesen Platz behielt, sofern er nicht verallgemeinert wurde und nur
noch als Eigenname Verwendung fand. Neben dem Gedanken des
Schriftbeweises spielt schon in ältester Zeit der Gedanke der stellvertretenden Sühne eine Rolle. Speziell von Jes 53 und seinem universalen Sühnegedanken her ist allerdings nur ein Teil der Tradition
geprägt. Das Motiv der stellvertretenden Sühne findet sich in der
Abendmahlsüberlieferung sowie in den mit dem Christostitel verbundenen Passionsaussagen. Den starken Einfluß der Passionstradition
zeigen die Worte vom leidenden Menschensohn. War zunächst nur
unter Beibehaltung des Leitmotivs der Menschensohnanschauung von
einem ‚Hingegeben werden in die Hände der Menschen' die Rede,
dann aber der Gedanke der Schriftnotwendigkeit übernommen worden,
so ist zuletzt noch das Sühnemotiv dazugekommen. Auch die Auferstehungsaussagen, die zunächst ausschließlich auf die Parusie
bezogen waren und den Anbruch der Endereignisse signalisierten,
haben dabei ihren festen Platz im Zusammenhang mit Jesu Leiden
erhalten, wie sich aus 1 Kor 15, 3 b—5 und den Langfassungen der
Worte vom leidenden Menschensohn ergibt.

Eine sehr andersartige Überlieferungsstufe wird durch das hellenistische Judenchristentum repräsentiert; denn einerseits ist dort die
Erhöhungsvorstellung ausgebildet und andererseits Schritt um Schritt
die Messiasvorstellung auf den irdischen Jesus übertragen worden.
Die Erhöhungsvorstellung ist der erste konsequente Versuch, der
Tatsache der Parusieverzögerung Rechnung zu tragen, genauer formuliert: die auf die Dauer nicht ausreichende Auffassung der Naherwartung und das enthusiastische Antizipieren der Vollendung zu
korrigieren[1]. Von der Messianität wird jetzt nicht mehr im Blick

---

[1] An dieser Stelle sei kurz auf Martin Werner, Die Entstehung des christlichen Dogmas, 1954², Bezug genommen, der im Anschluß an Albert Schweitzer
am nachdrücklichsten den Versuch unternommen hat, aus der anfänglich
konsequent-eschatologischen Anschauung und der allmählich sich geltend

auf Jesu endzeitliches Werk gesprochen, sondern bereits im Zusammenhang mit der Auferstehung, so daß die Anschauung von der Gegenwärtigkeit seines Wirkens in dieser noch bestehenden Welt ausgebaut werden konnte. Als zweite Komponente kommt dabei die Anschauung von Jesu himmlischer κυριότης zum Tragen. War diese im Zusammenhang von Ps 110,1 zunächst noch im streng funktionalen Sinne verstanden, so wurde unter dem Einfluß der hellenistischen Kyrioskulte mehr und mehr die Vorstellung der Göttlichkeit Jesu wirksam, zumal der Kyriostitel der Septuaginta in vielen Fällen schon auf Jesus Anwendung fand. Damit war eine folgenreiche Entscheidung gefallen. Sie blieb nicht ohne Auswirkung auf die Anschauung von Jesu Erdenwirken. Am Anfang steht im Bereich des hellenistischen Judenchristentums eine eigenständige, unmittelbar mit der Erhöhungsvorstellung korrespondierende Konzeption, die Auffassung von Jesus als ‚Davidssohn', was im Sinne einer vorläufigen Hoheitsstufe verstanden worden ist. Aber alsbald drängte die Christologie darüber hinaus. Jesus war ja schon in palästinischer Tradition als Charismatiker und Geistträger verstanden worden, und dies wurde nun von dem ϑεῖος ἀνήρ-Motiv her aufgenommen und weitergeführt. Das Diasporajudentum hatte diese hellenistische Anschauung im Zusammenhang mit den besonders ausgezeichneten Gottesmännern bereits in vorchristlicher Zeit aufgegriffen und sie ihrer spezifisch heidnischen Spitze beraubt, so daß das hellenistische Judenchristentum daran anknüpfen konnte, was dann auch die Übertragung der Messias- und Gottessohnvorstellung auf den irdischen Jesus ermöglichte. Hinzu kam das Theologumenon von der Jungfrauengeburt, zuerst noch in Verbindung mit der Anschauung von Jesu Davidssohnschaft, später aber als Begründung der Auffassung seiner irdischen Gottessohnschaft. Trotz dieser mancherlei Neuansätze ist allerdings genuin jüdisches Denken darin bewahrt, daß die Messianität und Gottessohnschaft des irdischen Jesus an einen Akt der Einsetzung gebunden bleibt und die besonderen Fähigkeiten auf die von Gott verliehene Gabe des Geistes zurückgeführt werden.

machenden Parusieverzögerung das Problem der weiteren christlichen Lehrbildung zu erklären (vgl. bes. S. 105 ff.). Abgesehen von der problematischen Beurteilung der Geschichte und Verkündigung Jesu sowie der vermeintlichen Bedeutung der sog. Engelchristologie in der frühesten Christenheit (S. 61 ff., 302 ff.), wird man das grundsätzliche Recht dieses Ansatzes nicht ohne weiteres bestreiten können, auch wenn andererseits gesehen werden muß, daß die Parusieverzögerung keineswegs die einzige Triebfeder zur Umgestaltung der frühchristlichen Theologie war. Man wird sehr viel klarer die höchst vielfältigen Elemente in der ältesten Tradition herausarbeiten und vor allem beachten müssen, daß schon sehr früh Vorstellungen vorhanden waren über Jesu irdisches Wirken und dessen Heilsbedeutung, die einen Umbau der konsequent-eschatologischen Konzeption zuließen, ohne daß es zu jener geradezu chaotischen Krise gekommen ist. die W. annimmt (S. 115 ff.).

Im hellenistischen Heidenchristentum tritt, so fließend die Grenzen sein mögen, der Einfluß der alttestamentlich-jüdischen Tradition und der dadurch geprägten Denkweise merklich zurück. Einige Traditionen, wie die vom Menschensohn, aber auch die jüngere von Jesu Davidssohnschaft, verschwinden völlig. Der Christostitel wird, soweit er nicht in Verbindung mit der Passionstradition steht, nur noch als Eigenname aufgefaßt, Kyrios und Gottessohn dagegen werden noch stärker unter hellenistischen Voraussetzungen umgebildet und treten bestimmend in den Vordergrund. Kyrios wird zum beherrschenden Kultbegriff und dient der Akklamation dessen, der die göttliche Herrschermacht über alle Welt innehat. Gottessohn dient fortan in erster Linie zur Bestimmung des göttlichen Wesens Jesu, der aus seiner himmlischen Präexistenz herniedergekommen ist, auf Erden den Tod erlitten hat, dann aber auferstand und zur Rechten Gottes erhöht worden ist, um dereinst in seiner unverborgenen Göttlichkeit vor aller Welt zu erscheinen. Die Christenheit hat sich auf hellenistischem Boden ernsthaft bemüht, bei aller Um- und Ausgestaltung der Christusbotschaft sich jeder Überfremdung zu erwehren, die das Zentrum ihrer Verkündigung betraf. Sie hat in Auseinandersetzung mit Mysterienkulten, aber auch mit dem Kaiserkult die κυριότης Jesu als die eine von Gott auf Jesus übertragene Herrenstellung über alle Welt verstanden und hat die Gottessohnschaft streng am Inkarnationsgedanken ausgerichtet, um sich gegen jeglichen Doketismus zur Wehr zu setzen. So wurde in der Christologie des hellenistischen Heidenchristentums die Konzeption gewonnen, die der gesamten weiteren Entwicklung der alten Kirche bestimmend zugrunde liegt.

# ANHANG: DER ESCHATOLOGISCHE PROPHET

Die Vorstellung vom eschatologischen Propheten hat im Judentum der Zeit Jesu eine nicht geringe Rolle gespielt und ist, soweit wir sehen können, in sehr verschiedenen Ausformungen wirksam gewesen. Die urchristliche Überlieferung ist davon nicht unbeeinflußt geblieben, obwohl der Niederschlag teilweise nur noch indirekt erkennbar ist. Am deutlichsten sind die Züge dieser Anschauung in der Beurteilung Johannes des Täufers ausgeprägt. Aber es darf nicht übersehen werden, daß Person und Wirken Jesu in einem frühen Stadium der Überlieferung ebenfalls mit Hilfe dieser Vorstellung beschrieben worden sind. Dies ist zwar von späteren christologischen Aussagen verwischt und überdeckt worden, jedoch lassen sich noch Eigentümlichkeiten dieser altertümlichen Christologie erkennen. Da die Anschauung von Jesus als dem eschatologischen Propheten mehrfach erwähnt worden ist, sollen die spätjüdische Vorgeschichte und die diesbezügliche urchristliche Überlieferung noch etwas ausführlicher behandelt werden.

## 1. *Die Erwartung des eschatologischen Propheten im Spätjudentum*

Zum Verständnis dieser Erwartung muß beachtet werden, daß es von einem bestimmten Zeitpunkt der nachexilischen Geschichte an das Prophetentum alten Stiles nicht mehr gegeben hat. Die Worte des Volksklageliedes Ps 74,9: ‚Zeichen für uns sehen wir nicht, Propheten gibt es nicht mehr' enthalten einen ersten deutlichen Hinweis auf die sich wandelnde Situation[1]. Ganz unmißverständliche Aussagen enthält das 1. Makkabäerbuch, wo in 9,27 auf die Zeit zurückgeblickt wird, ‚in der ihnen zuletzt ein Prophet erschienen war', und außerdem in 4,46; 14,41 von Entscheidungen berichtet wird, die

---

[1] Wahrscheinlich wird man den Ps 74 schon in die Zeit vor 520 v.Chr., also vor Haggai und Sacharja ansetzen müssen; so die neuerdings bevorzugte Ansetzung, vgl. KRAUS, Psalmen I S. 514f. Es handelt sich dann um ein ausgesprochen nachexilisches Problem, das sich schon in den ersten Anfängen zeigt und fortwährend aktuell bleibt. Über das Zurücktreten des Prophetismus in nachexilischer Zeit und über das spätere Vordringen des Rabbinismus vgl. J. GIBLET, Prophétisme et attente d'un Messie prophète dans l'ancient Judaisme, in: L'attente du Messie (Recherches Bibliques), 1954, S. 85ff.; RUDOLF MEYER, Art. προφήτης (Judentum), ThWb VI S. 813ff., 817ff.

unter dem Vorbehalt getroffen wurden, ‚bis ein (wahrhaftiger) Prophet erstehen würde'. Hier ist noch nicht an den eschatologischen Propheten gedacht[1], aber die Voraussetzungen, aus denen eine solche Vorstellung erwachsen konnte, sind gut erkennbar. Im Zusammenhang mit dem Bewußtsein vom Ausbleiben der Propheten steht auch die bekannte rabbinische Theorie, wonach der prophetische Geist seit Maleachi aus Israel gewichen und ein gewisser Ersatz nur durch die sog. Bat-Qol gegeben worden ist[2]. Man beurteilt diesen Satz falsch, wenn man ihn lediglich als Fiktion zur Stützung des rabbinischen Kanonbegriffes ansieht; daß ein tatsächliches Aussterben prophetischen Wirkens dahinter steht, sollte nicht bestritten werden.

Auf der anderen Seite muß festgestellt werden, daß von einem völligen Verschwinden der Prophetie natürlich keine Rede sein kann und prophetische Äußerungen verschiedenster Art in dieser Epoche effektiv vorhanden waren. Allerdings handelt es sich, wie PLÖGER zutreffend formuliert, „um ein Weiterleben in völlig veränderten Umständen und in einer völlig veränderten Form, wodurch tatsächlich etwas Neues entstanden ist"[3]. Besonders fällt hierbei das Phänomen der geistesmächtigen Schriftauslegung auf, welches in der Apokalyptik ebenso wie in der Qumrangemeinschaft eine beherrschende Rolle spielt; bei aller Freiheit der Ausdeutung ist die grundsätzliche Bindung an die Schrift kennzeichnend[4]. Daneben ist in fast allen Kreisen des Judentums dieser Zeit ein Sehertum hervorgetreten, welches künftige Ereignisse vorausgesagt und Traumerscheinungen ausgelegt hat. Unter den Essenern scheint es eine Schule solcher Seher gegeben zu haben, die eine ausgesprochene Methodik mit kontemplativen und asketischen Übungen ausgebildet hatte; aber auch Pharisäer traten mit Orakeln auf, was sie gemäß rabbinischer Lehre als Wirkung der Bat-Qol verstanden. Am Rande des offiziellen religiösen Lebens hat sich sogar noch ein ausgesprochen ekstatisches Prophetentum uralten Stiles erhalten, offensichtlich in recht barbarischen Formen, wie das Droh-

---

[1] Ebensowenig dürfen diese Stellen aber auf Johannes Hyrkan bezogen werden; gegen R. MEYER, ThWb VI S. 816f. Denn die ganz andersartige Tradition, wonach dieser Herrscher mit der Prophetengabe ausgestattet gewesen sein soll, ist in 1 Makk nicht im geringsten angedeutet und darf nicht eingetragen werden. Vgl. zu den genannten Stellen GIBLET, a.a.O. S. 104ff., und zum Fehlen eschatologischer Erwartungen in der spezifisch makkabäischen Tradition § 3 S. 141f.

[2] So besonders T. Sota 13,2; vgl. dazu BILLERBECK I S. 125ff.

[3] OTTO PLÖGER, Prophetisches Erbe in den Sekten des frühen Judentums, ThLZ 79 (1954) Sp. 291—296; er geht auf bezeichnende Parallelen zwischen Pharisäismus und Essenismus ein sowie auf die Umgestaltung eschatologischer Hoffnungen in der Apokalyptik (das obige Zitat Sp. 291). Vgl. auch neuerdings WERNER FOERSTER, Der heilige Geist im Spätjudentum, NTSt 8 (1961/62) S. 117—134.

[4] Als Beispiele seien nur Dan 9,1f. 20—27; 1 Q pHab genannt.

wort Sach 13,4—6 zeigt oder das Auftreten des merkwürdigen Jesus ben Chananja vor und während des jüdischen Krieges, der mit seinen Weherufen unablässig durch die Straßen von Jerusalem zog. Endlich muß auf die vielen Heils- und Unheilspropheten hingewiesen werden, die im Laufe des Aufstandes auftraten[1].

Eine Sonderstellung innerhalb der spätjüdischen Traditionen nimmt die Beurteilung des Hasmonäers Johannes Hyrkan ein. Er soll nach einer bei Josephus erhaltenen Überlieferung das königliche und hohepriesterliche Amt innegehabt, außerdem aber auch die prophetische Gabe besessen haben[2]. Wie immer es mit der Frage der Aktualität messianischer Erwartungen in der Makkabäerzeit stehen mag, daß es eine spätere makkabäische Hofideologie gegeben hat, welche die alten Erwartungen mit dem neuen Herrschergeschlecht in Verbindung brachte, kann nicht bestritten werden. Die Vereinigung der drei Funktionen des Königs, Hohenpriesters und Propheten ist in jener Form jedenfalls eine Konstruktion, die der Legitimierung des Hasmonäers dienen soll[3].

Bei der Struktur des religiösen Denkens im Spätjudentum ist es nicht überraschend, daß die Hoffnung auf Wiederkehr echter Prophetie in die Endzeit transponiert worden ist. Diese Erwartung ist teilweise schwer zu fassen, ist auch wohl nie ganz klar und einheitlich ausgebildet worden. Man tut auf alle Fälle gut, nicht von vornherein von einem „prophetischen Messias" oder einem „messianischen Pro-

---

[1] Belege und Einzeluntersuchungen vor allem bei RUDOLF MEYER, Der Prophet aus Galiläa. Studie zum Jesusbild der drei ersten Evangelien, 1940, S. 42ff.; DERS., ThWb VI S. 823ff. Ein kurzer Überblick über das Material auch bei OTTO MICHEL, Spätjüdisches Prophetentum, in: Neutestamentliche Studien für Rudolf Bultmann (BZNW 21), 1957[2], S. 60—66. Zu dem späten Wort Sach 13,4—6 vgl. ELLIGER, Kl. Propheten II S. 163f. — Auf Philos mystische Deutung des Prophetenamtes braucht hier nicht eingegangen zu werden.

[2] Über Johannes Hyrkan vgl. JosBell I 68; Ant XIII 300 vgl. 282f.

[3] Nicht ausgeschlossen ist, daß in TestLevi 8 eine derartige Tradition erhalten ist, obwohl gerade der Hinweis auf die prophetische Gabe in 8,15 textkritisch unsicher ist. Die Beziehung auf die Hasmonäer wurde vor allem von R. H. CHARLES, The Apocrypha and Pseudepigrapha of the OT II, 1913, S.314, vertreten. Dagegen T. W. MANSON, Miscellanea Apokalyptica III: Test. XII Patr.: Levi viii, JThSt 48 (1947) S. 59—61, der die Stelle auf die Gründung der zadokidischen Priesterschaft durch Salomo deutet. Offen bleibt dabei aber, trotz des Hinweises auf Melchisedek, was es heißen soll, daß das Priestertum ‚für alle Heiden (nach der Heiden Art)' geschaffen wird — Interpolation? Eine messianische Auslegung dieses Textes kommt wohl nicht in Frage, wie sie sich ja auch mit den eigentlich eschatologischen Aussagen der Test XII nicht in Einklang bringen läßt. Anspielungen auf die Hasmonäer in Test XII werden grundsätzlich bestritten von K. G. KUHN, NTSt 1 (1954/55) S. 168ff., bes. S. 172; er hält eine messianische Interpretation von TestLevi 8 nicht für völlig ausgeschlossen; vgl. S. 178 Anm. 2. Aber der Text wurde doch wohl erst sekundär so verstanden; vgl. GIBLET, a.a.O. S. 106f. Vgl. auch noch ERNST BAMMEL, *APXIEPEYΣ ΠPOΦHTEYΩN*, ThLZ 79 (1954) Sp. 351—356; v. D. WOUDE, Mess. Vorstellungen S. 213; ferner PLÖGER, Theokratie u. Eschat. S. 55f.

pheten" zu sprechen[1]. Denn die ganze Vorstellung vom eschatologischen Propheten hat völlig andere Wurzeln als die königliche Messianologie; spätere Berührungen beider Vorstellungen sollen nicht übersehen werden, sind aber ausgesprochen sekundärer Art. Eine andere Frage ist, ob rein terminologisch die Bezeichnung des endzeitlichen Propheten als eines ‚Gesalbten' üblich war[2]; dann aber geht es um den speziellen Akt der Amtsübertragung durch eine Salbung, nicht zugleich um eine inhaltliche Bestimmung der Funktionen im Sinne der königlichen Messianologie. Gerade bei einer möglichen terminologischen Gleichheit wäre um so genauer auf die sachlichen Differenzen zu achten.

Die Erwartung des endzeitlichen Propheten hat sich offensichtlich in zwei sehr verschiedenartigen Formen ausgebildet, einmal auf Grund von Dt 18,15—18 an die Person des Mose, zum andern auf Grund von Mal 3,1.23f. an die Person des Elia angeschlossen. Nur wenn diese Unterscheidung beachtet wird, können einigermaßen klare Ergebnisse gewonnen werden. Natürlich ist nicht zu erwarten, daß beide Formen nur in reiner und ungetrübter Fassung aufgetreten und erhalten sind und daß keinerlei Vermischungen stattgefunden haben. Aber auch ein komplexer Sachverhalt kann erst dann zutreffend bestimmt werden, wenn die darin verwobenen Einzelelemente klar erkannt sind.

a) Die *Hoffnung auf Elia* ist im Judentum zu allen Zeiten äußerst lebendig gewesen[3]. Dies gilt auch für die neutestamentliche Epoche, wie aus mancherlei Belegen hervorgeht; das Neue Testament enthält eine nicht geringe Zahl von Anspielungen, die eine weitverbreitete Vorstellung voraussetzen, und die spätjüdische Literatur, die eindeutiges Material zwar nur in jüngeren Schichten enthält, läßt doch eine Reihe von einigermaßen zuverlässigen Rückschlüssen zu[4]. Ausgangspunkt für die mit der Person des Elia verbundene eschatologische Erwartung war einerseits seine wunderbare Entrückung in den Himmel 2 Kg 2,1ff., andererseits die Weissagung Mal 3,1, die schon

---

[1] So etwa GRESSMANN, Messias S. 285ff.; J. GIBLET, a.a.O. S. 85ff. Für die Unterscheidung auch CULLMANN, Christologie S. 21.

[2] Daß das Motiv der Salbung eines Propheten vom AT her nicht ausgeschlossen ist, zeigt 1 Kg 19,16; Jes 61,1.

[3] Vgl. GEORG MOLIN, Elijahu. Der Prophet und sein Weiterleben in den Hoffnungen des Judentums und der Christenheit, Judaica 8 (1952) S. 65—94; P. MARIE-JOSEPH STIASSNY, Le prophète Élie dans le Judaisme, in: Élie le Prophète (Études Carmélitaines 35), 1956, II S. 199—255, bes. S. 241ff.; unergiebig ist M. E. BOISMARD, Élie dans le Nouveau Testament, ebd. I S. 116—129.

[4] Das für die neutest. Zeit in Frage kommende Material bei BILLERBECK IV/2 S. 764—798; VOLZ, Eschatologie S. 195—197. 200f.; JOACHIM JEREMIAS, Art. Ἡλ(ε)ίας, ThWb II S. 930—942.

frühzeitig in einem sekundären Anhang 3, 23 f. auf Elia gedeutet
worden war[1]. Dadurch hatte die Anschauung von Elia als eschatologischem Propheten noch im Alten Testament ihren Niederschlag
gefunden[2]. Seine endzeitliche Aufgabe ist es, zur Buße zu führen, um
die Reinheit der Familien und dadurch die innere Verfassung des
Volkes wiederherzustellen[3]. Nach Sir 48, 10 soll er, wohl im Anschluß
an Jes 49, 6, die Stämme Israels wieder aufrichten, also auch die rechte
äußere Verfassung bewerkstelligen. Hier ist gegenüber der älteren Auffassung, die dem wiederkommenden Elia ein rein religiöses Amt zuschreibt, insofern ein gewisser Wandel erkennbar, als ihm eine mehr
politische Funktion aufgetragen ist. Jedoch darf nicht gleich von der
Übertragung einer Aufgabe des königlichen Messias gesprochen werden,
denn es ist nicht von der Ausübung herrscherlicher Macht die Rede[4].
Wesentlich ist auch, daß Elia jeweils als unmittelbarer Vorläufer
Jahwes gilt und für einen königlichen Messias in dieser Konzeption
kein Platz ist. Nun gibt es natürlich auch mancherlei Vermischungen
und Kombinationen. Die Gleichsetzung des Elia mit dem messianischen Hohenpriester[5] wird wahrscheinlich für die Zeit der Urgemeinde
noch nicht in Frage kommen, sondern erst später entstanden sein;
jedenfalls spielt sie innerhalb der urchristlichen Tradition keine Rolle.
Wenn umgekehrt dem messianischen Hohenpriester TestLev 2, 10
(8, 2?) prophetische Gabe zugesprochen wird, so braucht das nicht
notwendig eine Verkoppelung mit der Aufgabe des Elia zu sein, sondern
hängt damit zusammen, daß sich die Anschauungen vom Priester und
Propheten ohnedies leicht verbunden haben[6]. Am ehesten könnte man
noch bei der rätselhaften, aus priesterlichem Geschlecht stammenden
Gestalt des Taxon in AssMos 9, 1 ff. fragen, ob eine Verbindung mit
der Vorstellung vom endzeitlichen Elia vorliegt. Immerhin weist der
Name auf die Ordnerfunktion des Elia und außerdem geht das Auftreten des Taxon dem Erscheinen der Gottesherrschaft unmittelbar

---

[1] Ich verweise nur auf ELLIGER, Kl. Propheten II S. 205 f.

[2] Außer den endzeitlichen Aufgaben wird dem in den Himmel entrückten
Elia die Stellung eines Himmelsschreibers und Fürbitters, aber auch eines
Helfers in den Nöten dieser Welt zugeschrieben, was Mk 15, 35 f. vorausgesetzt
ist; vgl. BILLERBECK IV/2 S. 766 ff., 769 ff.

[3] Vgl. die leichte, aber doch belangvolle Änderung der LXX: das Friede-
stiften zwischen Vätern und Söhnen wird ausgedehnt auf die Menschen und
ihre Nächsten; hier auch das später so bedeutsame Wort ἀποκαταστήσει für
הֵשִׁיב.

[4] Auch Jes 49, 6 wird man nicht als eine „messianische" Aussage verstehen
dürfen, vielmehr geht es um eine spezifisch prophetische Funktion; vgl. u.
S. 357 ff. Dies hindert ebenfalls eine Auslegung von Sir 48, 10 im messianischen
Sinne.

[5] Vgl. BILLERBECK IV/2 S. 789 ff.; JEREMIAS, ThWb II S. 934 f.

[6] Dies gilt auch dort, wo nicht speziell an endzeitliche Gestalten gedacht ist,
z. B. Joh 11, 51. Vgl. hierzu E. BAMMEL, ThLZ 79 (1954) Sp. 351 ff.

23*

voraus[1]. Mit dem königlichen Messias wurde Elia wohl nie gleichgesetzt, dagegen ist ihm die Stellung als dessen Vorläufer zugewiesen worden. Das Alter der Belege dafür läßt sich zwar nicht einwandfrei bis in die vorchristliche Zeit hinein nachweisen[2]. Aber es ist doch sehr wahrscheinlich, daß im Neuen Testament tatsächlich auf eine derartige Kombination zurückgegriffen und diese nicht dort erst geschaffen worden ist. Denn auch die Qumrantexte kennen die Rolle des eschatologischen Propheten vor und neben den beiden Messias, auch wenn dabei der endzeitliche Prophet nicht die Züge des Elia trägt[3]. Natürlich bleibt daneben die Anschauung von Elias Auftreten unmittelbar vor Jahwes eigenem Kommen lebendig und dürfte wohl sogar im Vordergrund gestanden haben. Maßgebend ist jedenfalls für den als Elia erwarteten endzeitlichen Propheten, daß er als Bußprediger auftritt und das Volk dem Heil bzw. Gericht entgegenführt.

b) Neben der Eliaweissagung hat die *Verheißung eines Propheten wie Mose* im Zusammenhang der Vorstellung vom endzeitlichen Propheten eine wichtige Rolle gespielt[4]. Selbstverständlich ist Dt 18, 15—18 ursprünglich nicht in eschatologischer Ausrichtung formuliert worden. Vielmehr geht es dem Deuteronomium um das unter ständiger charismatischer Leitung stehende Israel; und das „Erzamt, in dem sich der eigentliche Lebensverkehr Jahwes mit Israel vollziehen soll, ist das des Propheten, der Israel nie fehlen wird"[5]. Ob dabei an eine festgeordnete Institution gedacht werden muß, welche in fortlaufender Sukzession besetzt wurde[6], dürfte fraglich sein; jedenfalls läßt das

---

[1] Von dem Amt des messianischen Hohenpriesters ist allerdings in AssMos 9 nicht die Rede. Im übrigen ist diese Gestalt des Taxon mit den Zügen der Märtyrer von 2 Makk 6f. ausgestattet, was seine Einordnung weiterhin erschwert; allenfalls ließe sich fragen, ob von daher über ApkEliae 35 Verbindungslinien zu Apk 11,3ff. gezogen werden können.

[2] Vgl. BILLERBECK IV/2 S. 784ff.; JEREMIAS, ThWb II S. 933f. Außer den rabbinischen Belegen kommt besonders noch Justin, Dial 8,4; 49,1 in Frage; aber nun ist Justin für die von seinem Gegner vertretenen Auffassungen kein ganz unvoreingenommener und in jeder Hinsicht zuverlässiger Zeuge; vgl. SJÖBERG, Der verborgene Menschensohn S. 247ff.

[3] Vgl. u. S. 366ff.

[4] Es muß hier beachtet werden, daß im Gegensatz zur Eliaerwartung nicht in erster Linie an einen wiederkehrenden Mose (Mose redivivus) gedacht ist — diese Ansicht bildet sich erst später aus und bleibt eine Seitenlinie —, sondern an einen Propheten ‚wie Mose'. — Eine Spezialuntersuchung hat HOWARD M. TEEPLE, The Mosaic Eschatological Prophet (JBL, Monogr. Ser. X), 1957, vorgelegt. Er stellt die Besonderheiten der Erwartung des Endzeitpropheten wie Mose z.T. gut heraus.

[5] VON RAD, Theologie I S. 106. 292f.

[6] So HANS JOACHIM KRAUS, Gottesdienst in Israel. Studien zur Geschichte des Laubhüttenfestes (BEvTh 19), 1954, S. 62f. Ähnlich ROLF RENDTORFF, Art. προφήτης (AT), ThWb VI S. 803f.

deuteronomistische Geschichtswerk von einem solchen Gedanken nichts erkennen. Daß Israel je und je mit der Sendung von Propheten rechnen durfte, war der entscheidende Gedanke[1].

Für die Hoffnung auf einen eschatologischen Propheten wie Mose läßt sich im Alten Testament kein ausdrücklicher Beleg finden. Immerhin kann erwogen werden, ob sie sich nicht in der vielumstrittenen *Ebed-Jahwe-Gestalt bei Deuterojesaja* niedergeschlagen hat. Sieht man von den Fragen der Textgestalt, des Umfangs und der Herkunft der Lieder ab, so bleiben für das Verständnis bekanntlich immer noch die beiden Hauptprobleme der individuellen bzw. kollektiven Deutung sowie der Beurteilung der königlichen und der prophetischen Elemente[2]. Nachdem die individuelle Deutung seit DUHMS Ausgrenzung der Lieder[3] zunächst im Vordergrund stand, ist sie von EISSFELDT[4] u. a. bestritten worden, so daß seitdem die kollektive Deutung, wonach der Gottesknecht das Volk Israel darstelle, wieder mehr Beachtung fand[5]. Auf Grund der Anschauung von der Corporate Personality[6] wurde auch eine ausgesprochen doppelseitige Auslegung vorgeschlagen: hiernach ist Israel inmitten der Völker der Gottesknecht, wird aber seinerseits wiederum durch den König vertreten[7]; oder etwas anders gewendet: hinter dem Gottesknecht Israel leuchtet gleichzeitig noch die Idee eines kommenden Messias auf[8]. Die individuelle Auslegung verdient jedoch den Vorzug[9]. Aber handelt es sich dann um eine könig-

---

[1] Nach GEORG FOHRER, Elia (AThANT 31), 1957, S. 48ff. ist Elia in den Erzählungen 1 Kg 17—19 als zweiter, neuer Mose dargestellt, ohne daß ihm natürlich hier eine endzeitliche Rolle zukäme.

[2] Vgl. die forschungsgeschichtlichen Überblicke bei C. R. NORTH, The Suffering Servant in Deutero-Isaiah, (1948) 1956², S. 6—116; HERBERT HAAG, Ebed-Jahwe-Forschung 1948—1958, BZ NF 3 (1959) S. 174—204; auch H. H. ROWLEY, The Servant of the Lord in the Light of three Decades of Criticism, in: The Servant of the Lord and other Essays on the Old Testament, 1952, S. 1—57.

[3] BERNHARD DUHM, Das Buch Jesaja, (1892) 1922⁴, zu Jes 42, 1—4; 49, 1—6; 50, 4—9 (10f.); 52, 13—53, 12 (heute wird in der Regel auch noch 42, 5—9 hinzugenommen).

[4] OTTO EISSFELDT, Der Gottesknecht bei Deuterojesaja (Beitr. z. Religionsgeschichte des Altertums 2), 1933; DERS., Einleitung in das Alte Testament, 1956², S. 411f.

[5] Vgl. OTTO KAISER, Der königliche Knecht. Eine traditionsgeschichtlich-exegetische Studie über die Ebed-Jahwe-Lieder bei Deuterojesaja (FRLANT NF 52), 1959, S. 10 u. ö.

[6] Vgl. dazu den kurzen Überblick bei E. SCHWEIZER, Erniedrigung und Erhöhung S. 153f.

[7] So z. B. GEORGES PIDOUX, Le serviteur souffrant d'Esaïe 53, RevThPh n. s. 6 (1956) S. 36—46.

[8] So HELMER RINGGREN, The Messiah in the Old Testament (StudBiblTheol 18), 1956, S. 39ff., bes. S. 66f.

[9] Dafür treten heute vor allem ein: WALTHER ZIMMERLI, Art. παῖς θεοῦ (AT), ThWb V S. 665; MOWINCKEL, He That Cometh S. 213f.; ebenso IVAN ENGNELL,

liche oder um eine prophetische Gestalt? Daß gewisse königliche Züge
vorhanden sind, ist nicht zu bestreiten[1]. Doch umgekehrt zeigt ein
Versuch, die Gottesknechtslieder von der Königsvorstellung her durchgängig zu interpretieren, daß sich hierfür keine eindeutigen Kriterien
ergeben[2]. Es muß sich beim Ebed Jahwe somit um eine prophetische
Gestalt handeln, wie besonders MOWINCKEL und ZIMMERLI gezeigt
haben[3]. Erhält nun aber die Person eines Propheten eine derart
exklusive Funktion im Zusammenhang eschatologischer Ereignisse, so
drängt sich die Frage auf, ob hier nicht eine Anwendung von Dt
18,15—18 vorliegt und der Gottesknecht als neuer, endzeitlicher Mose
dargestellt ist. Diese von BENTZEN[4] und anderen[5] vertretene These
hat viel für sich und verdient Beachtung[6].

---

The Ebed Yahweh Songs and the suffering Messiah in "Deutero-Isaiah", Bull.
of the John Rylands Library 31 (1948) S. 54—93; vgl. auch HAAG, a.a.O.
S. 193 ff.

[1] ZIMMERLI, ThWb V S. 662 f.. 665 f. Dabei wird man allerdings nicht auf die
Tammuz-Religion und ein allgemeines altorientalisches Kultschema der Königs-
ideologie zurückgreifen dürfen, wie dies bei ENGNELL, a.a.O. S. 55 f. u.ö.;
RINGGREN, a.a.O. S. 39 ff., bes. S. 65 geschieht.

[2] Dies zeigt sich m.E. sehr deutlich bei der erwähnten Untersuchung von
O. KAISER, der eine Übertragung der Königsvorstellung auf das Volk nach-
weisen möchte (S 132 ff.). Man vergleiche nur seine Behandlung von Jes 42,1—4
(S. 14 ff.), wo kein einziges der Motive ein wirklich eindeutiges Indizium für die
Herkunft aus der königlichen Tradition darstellt.

[3] ZIMMERLI, ThWb V S. 666 ff. identifiziert den Gottesknecht mit Deuterojesaja im Anschluß an SIGMUND MOWINCKEL, Der Knecht Jahwäs, 1921, S. 9;
DERS., He That Cometh S. 249 f., 253 f. zieht jetzt die Deutung auf eine andere
Person aus dem jesajanisch-deuterojesajanischen Prophetenkreis vor. Vgl. auch
die Auseinandersetzung mit Engnell bei AAGE BENTZEN, Messias — Moses
redivivus — Menschensohn (AThANT 17), 1948, S. 42 ff. Für die individuelle
und prophetische Deutung jetzt auch v. RAD, Theol. II, 1960, S. 271 f., der
S. 264 zugleich für die deuterojesajanische Verfasserschaft eintritt.

[4] BENTZEN, a.a.O. S. 51, 64 ff., 69 ff.; im Anschluß und in Korrektur einer
früher bereits von Sellin vertretenen These; anders TEEPLE, a.a.O. S. 56 ff.

[5] ROBERT KOCH, Geist und Messias S. 107 ff.; RENDTORFF, ThWb VI S. 812;
H. J. KRAUS, Gottesdienst S. 116 ff.: der Ebed Jahwe ist eschatologischer
Bundesmittler; wie BENTZEN, a.a.O. S. 65, weist er S. 117 darauf hin, daß das
Sühneleiden des Knechtes in Verbindung stehen könne mit der Fürbitte des
Mose, bei der dieser sein Leben anbietet (Ex 32,31 ff. vgl. Dt 9); vgl. dazu aber
auch JOHANN JAKOB STAMM, Das Leiden des Unschuldigen in Babylon und in
Israel (AThANT 10), 1946, S. 71 ff. Die Beziehung auf einen ‚Propheten wie
Mose' wird ernsthaft auch von v. RAD, Theol. II S. 273 f. erwogen; vgl. ferner
RENÉE BLOCH, Moïse, type du Messie, in dem Sammelband Moïse, l'homme de
l'alliance, 1955, S. 149 ff. In ähnlicher Weise hat wohl auch die Septuaginta,
mindestens bei Jes 53, die Gottesknechtgestalt verstanden; vgl. dazu K. F.
EULER, Verkündigung vom leidenden Gottesknecht, bes. S. 122 ff., 131 f.

[6] Einen interessanten Hinweis gibt auch HAAG, a.a.O. S. 199 f.: von ‚seiner
Lehre' (Jes 42,4) würde kein Prophet zu reden wagen, nur Mose und der aus ganz
anderer Tradition herkommende Weisheitslehrer nehmen eine Sonderstellung
ein, sonst geht es überall im AT um Jahwes eigene tora. Haag folgert daraus,
einen Einfluß der Weisheitstradition auf die Gottesknechtgestalt. Ob hier nicht
eher an Mose zu denken wäre?

Im *nachbiblischen Judentum*[1] scheint es auf den ersten Blick mit
Belegen für die Erwartung des endzeitlichen Propheten wie Mose
schlecht zu stehen. Die rabbinische Literatur bietet nur sehr wenige
Stellen mit dem grundlegenden Text Dt. 18,15—18 und vermeidet
überall die eschatologische Deutung[2]. Dabei darf aber nicht vergessen
werden, daß der Prophetismus insgesamt für das Rabbinat nur eine
untergeordnete Bedeutung hatte und vom Gesetz und vor allem von
Mose als Gesetzgeber rangmäßig streng geschieden wurde[3]. Auch die
apokalyptische Literatur bietet kein einschlägiges Material, aber wie
an anderen Stellen des Neuen Testamentes wird man hier unter Umständen eine Tradition erschließen müssen, die sich in bruchstückhaft
erhaltenen späteren Schriftdokumenten niedergeschlagen hat[4]. Daß
in neutestamentlicher Zeit die Gestalt ‚des Propheten' in der Enderwartung eine Rolle gespielt hat und von Elia unterschieden war,
ist aus Joh 1,21.25 gut zu erkennen[5]. Die Vermutung legt sich nahe,
daß hierbei die Hoffnung auf den endzeitlichen Propheten wie Mose
zugrunde liegt[6]. Man wird also mit einer volkstümlichen Erwartung
rechnen müssen, die zur Zeit Jesu lebendig war[7]; sie wird sicher nicht
ganz einheitlich gewesen sein und hatte sich wahrscheinlich teilweise
von der Schriftstelle Dt 18,15.18 abgelöst[8]. Daß aber tatsächlich
dieser Deuteronomiumtext im Hintergrund steht und in Verbindung
mit der Vorstellung vom endzeitlichen Propheten auch verwendet
wurde, ist auf Grund der Qumranfunde eindeutig zu erweisen, denn
in den Testimonien aus Höhle 4 werden nacheinander Dt 18,18f.;
Num 24,15—17; Dt 33,8—11 als Weissagungen auf den Endzeitpropheten und die beiden Messias Israels und Aarons angewandt[9].
Nun wird man sich bei der Frage nach dem endzeitlichen Propheten

---

[1] An Literatur kommt vor allem in Frage: JOACHIM JEREMIAS, Art. Μωυσῆς,
ThWb IV S. 852—878; RUDOLF MEYER, Der Prophet aus Galiläa S. 82ff., 97ff.;
GIBLET, a.a.O. S. 113ff.; RUDOLF SCHNACKENBURG, Die Erwartung des ‚Pro-
pheten' nach dem Neuen Testament und den Qumran-Texten, in: Studia Evan-
gelica (TU V/18), 1959, S. 622—639. Außerdem sei verwiesen auf BOUSSET-
GRESSMANN S. 232f.; VOLZ, Eschatologie S. 194f., 195f.

[2] Vgl. BILLERBECK II S. 626f.; R. MEYER, a.a.O. S. 155 Anm. 269.

[3] Dazu GIBLET, a.a.O. S. 90ff.

[4] Ich verweise nur auf die Probleme von Mk 9,4 und Apk 11,3ff. (Elia und
Mose).

[5] Daß hier eine hellenistische Prophetenanschauung zugrunde liege — so
WETTER, Sohn Gottes S. 21ff.; vgl. auch WALTER BAUER, Joh S. 32ff. —, ist
völlig unwahrscheinlich.

[6] Vgl. nur BULTMANN, Joh S. 61f.          [7] JEREMIAS, ThWb IV S. 867.

[8] So SCHNACKENBURG, a.a.O. S. 628f.

[9] Text bei ALLEGRO, JBL 75 (1956) S. 182ff.; vgl. BARDTKE, Handschriftenfunde II S. 300f. Zum Verständnis des eschatologischen Propheten in der
Qumrangemeinschaft vgl. unten S. 366ff.

wie Mose nicht auf das Vorkommen jener Bibelstelle beschränken
dürfen, vielmehr müssen die charakteristischen Züge dieser Vorstellung
bestimmt und damit der eigenständige Typus dieser Erwartung herausgestellt werden.

In später rabbinischer Literatur begegnet der Satz: ‚Wie der erste
Erlöser so der letzte Erlöser‘[1]. Erster Erlöser ist Mose, der das Volk
aus Ägypten geführt hat; als letzter Erlöser wird der königliche Messias
angesehen. Aber es ist sehr die Frage, ob die Vorstellungen vom eschatologischen ‚Erlöser‘ in Entsprechung zu Mose mit der vom Messiaskönig ursprünglich zusammengehörte. Offensichtlich ist hier sekundär
die Tradition vom endzeitlichen Propheten mit der Messianologie verbunden worden. Da Mose im Rabbinat allen Propheten übergeordnet
war, konnte sein endzeitliches Gegenbild keine prophetische Gestalt,
sondern bestenfalls der Messias sein. Während aber dieser herkömm-
licherweise seine eigentliche Aufgabe in der Herrscherfunktion und
der Ausübung gerechten Gerichtes hat, steht bei jener Erlöservor-
stellung das Wunder im Vordergrund[2]. Die Heilszeit wird nicht als
Wiederaufrichtung des Davidsreiches gesehen, sondern in Entsprechung zu der wunderbaren Befreiungstat Gottes am Anfang der
Geschichte des Volkes unter Mose. Eine maßgebende Rolle spielt der
Auszug in die Wüste. Daneben ist auch von den Ereignissen die Rede,
die sich beim Einzug in Kanaan unter Josua abgespielt haben. Man
wird nicht ohne weiteres sagen dürfen, daß in diesem Falle die Mosetypologie verschwinde, vielmehr ist Josua gerade als Nachfolger des
Mose mit diesem zusammen Repräsentant jener ersten Erlösung,
wofür Sir 46, 1 LXX einen aufschlußreichen Text bietet: διάδοχος
Μωυσῆ ἐν προφητείαις (!), ὃς ἐγένετο κατὰ τὸ ὄνομα αὐτοῦ μέγας ἐπὶ σωτηρίᾳ
ἐκλεκτῶν αὐτοῦ[3].

---

[1] Stellen bei JEREMIAS, ThWb IV S. 864f. Vgl. außerdem noch CD V, 19,
wo von der Zeit gesprochen wird, ‚in der Israel das erste Mal erlöst wurde,
(בהושיע ישראל את הראשונה).

[2] Die Bedeutung die dem Wunder in der Vorstellung vom eschatologischen
Propheten wie Mose zukommt, ist von TEEPLE völlig verkannt, sofern er Wundertaten als allgemeines Charakteristikum aller antiken Propheten betrachtet
(S. 88). Wohl gehört das Motiv der wunderbaren Geistesvollmacht beim Richten
seit Jes 11, 2ff. zur Messiasvorstellung, aber nicht, daß der Messias Wundertaten
vollbringt. Vgl. BILLERBECK I S. 593f.; BULTMANN, Syn. Trad. S. 275; vor
allem KLAUSNER, Messianic Idea S. 502ff.: "The Messiah — and this should be
carefully noted — is never mentioned anywhere in the Tannaitic literature as a
wonderworker per se" (S. 506).

[3] Damit erledigt sich der Einwand von R. MEYER, a.a.O. S. 84. Merkwürdigerweise wird auf diese für das Gesamtbild wichtige Stelle aus dem Sirach-
buch nirgends Bezug genommen, soweit ich sehen konnte. Eine ähnliche Verwendung von σωτηρία oder stammverwandter Begriffe findet sich sonst in Sir
nicht. Der hebräische Text von Sir 46, 1 ist inhaltlich dem LXX-Text gleich und
wird zudem in einer Einzelheit nach diesem zu korrigieren sein; vgl. V. RYSSEL.

Von hier aus läßt sich eine sehr bezeichnende Erscheinung in der Geschichte des Judentums zur Zeit Jesu verstehen, welche in ihrer Eigenart oft nicht hinreichend gewürdigt wird. Die mannigfachen *Unruhestifter*, von denen uns Nachricht zugekommen ist, wird man nicht durchweg als Messiasprätendenten ansprechen dürfen. Josephus, der sie sehr ungerecht behandelt und Gaukler und Betrüger nennt, läßt doch noch erkennen, daß einige mit ausgesprochen zelotischen Absichten aufgetreten sind[1], andere aber auf jede Gewaltanwendung verzichtet, das Volk in die Wüste geführt und ihm ein großes Gotteswunder verheißen haben[2]. Zu letzteren gehört vor allem der in Act 5,36 erwähnte Theudas, der eine große Menschenmenge mit sich führte und die Wiederholung des wunderbaren Jordandurchzuges versprach[3]; ferner der ungenannte ägyptische Jude, der das Volk von der Wüste auf den Ölberg führte und dort erwartete, daß die Mauern Jerusalems wie einst die von Jericho zusammenbrechen werden[4]. Ebenso gehören die nur summarisch erwähnten Anführer, die Menschen zum Zug in die Wüste veranlaßten, um dort wunderbarer Geschehnisse teilhaftig zu werden, zu dieser Gruppe[5]. Sowohl bei Theudas als auch bei jenem Ägypter erwähnt Josephus, daß sie mit dem Anspruch des ‚Propheten' aufgetreten seien[6]. Von einer sehr viel späteren ähnlichen Erscheinung auf Kreta im 5.Jh. n. Chr. berichtet der byzantinische Kirchengeschichtsschreiber Sokrates, wo ein Jude den Zug durch das Meer wiederholen und seine Anhänger direkt in das heilige Land führen wollte; dabei heißt es sogar, daß ‚er vorgab, Mose zu sein'[7]. Die typologische Beziehung auf die Zeit der ersten Erlösung ist offenkundig, auch die Entsprechung zu Mose bzw. Josua

---

bei KAUTZSCH, Apokryphen und Pseudepigraphen des AT I S. 456 Anm. z. St.; RUDOLF SMEND, Die Weisheit des Jesus Sirach, 1906, S. 439f.

[1] Mit einem messianischen Anspruch sind der Galiläer Hiskia und seine Nachfahren Judas und Menachem aufgetreten; ebenso später Simon ben Kosba.

[2] Eingehende Besprechung der Texte und sorgfältige Unterscheidung beider Gruppen bei R. MEYER, a.a.O. S. 82ff.; vgl. DERS., ThWb VI S. 827f., und JEREMIAS, ThWb IV S. 866.

[3] JosAnt XX 97f. Theudas trat unter dem Prokurator Fadus 44—46 n. Chr. auf.

[4] JosAnt XX 169ff.; Bell II 261ff. Auftreten dieses Ägypters unter Prokurator Felix 52—60 n.Chr. Vgl. Act 21,38.

[5] JosAnt XX 167f.; Bell II 258ff. Ähnlich dann auch noch der Weber Jonathan, der nach dem jüdischen Krieg in Kyrene auftritt, JosAnt XX 188.

[6] JosAnt XX 97: προφήτης γὰρ ἔλεγεν εἶναι (Theudas); Ant XX 169: προφήτης εἶναι λέγων und Bell II 261: προφήτου πίστιν ἐπιθεὶς ἑαυτῷ (Ägypter). Dagegen wird von dem Zeloten Menachem Bell II 434 gesagt, er sei ‚wie ein König' nach Jerusalem gezogen und dort ‚Führer des Aufstandes' geworden.

[7] Sokrates, Hist. Eccl. VII 38; bei R. MEYER, a.a.O. S. 87f.; DERS., ThWb VI S. 827.

zeichnet sich sachlich deutlich ab[1], und der Titel Prophet scheint hier einen relativ festen Platz gehabt zu haben.

In den gleichen Zusammenhang gehört auch die samaritanische Erwartung des *Ta'eb* (*Taheb*), des ‚Wiederkehrenden'[2]. Diese eschatologische Gestalt zeigt auch einige messianische Züge, ist aber primär der Dt 18,15.18 verheißene Prophet, und zwar der wiederkommende Mose selbst[3]. Er wurde als Prophet und Lehrer, in gleicher Weise aber auch als Wundertäter erwartet. Abgesehen von samaritanischen Quellen[4], läßt sich ersteres auch aus Joh 4,25 erkennen[5], das andere aus einer Nachricht des Josephus, wonach ein Samaritaner das Volk zum Zug auf den Garizim veranlaßte, um dort die von Mose verborgenen Tempelgeräte zu zeigen[6]. Zur samaritanischen Ta'ebvorstellung gehört die vollmächtige Lehre. Wie steht es damit sonst in der Erwartung des endzeitlichen Propheten?[7] Auf Grund der Mosetypologie ist dieser Zug durchaus nicht überraschend. Die *Qumranschriften* bieten dafür nun auch Belege: die Bezeichnung ‚Erforscher der Tora' (דורש התורה) kommt an mehreren Stellen vor[8]. Sie bezieht sich in den

---

[1] AUGUST FRIEDRICH GFRÖRER, Das Jahrhundert des Heils II, 1838, S. 332f., hat sogar vermutet, daß das Kommen aus Ägypten bei jenem ungenannten Juden (vgl. S. 361 Anm. 4) mit der Mose-Typologie zusammenhängen könnte.

[2] Die Bedeutung des Wortes Ta'eb (Taheb) ist allerdings umstritten. Statt intr. ‚der Wiederkehrende' kann das Wort auch kaus. ‚der Wiederhersteller' gedeutet werden. Dann wäre an Mal 3,24 zu denken, was aber bei der ausschließlichen Gültigkeit des Pentateuch bei den Samaritanern sehr unwahrscheinlich ist. Für das intr. Verständnis ADALBERT MERX, Der Messias oder Ta'eb der Samaritaner (BZAW 17), 1909, S. 42; ALBRECHT OEPKE, Art. ἀποκαθίστημι, ThWb I S. 387f.; GÜNTHER BORNKAMM, Der Paraklet im Johannesevangelium, in: Festschrift R. Bultmann, 1949, S. 12—35, dort S. 18f.

[3] Interessanterweise erwägt MERX, a.a.O. S. 43f., ob nicht auch in samaritanischen Texten gewisse Züge auf einen Josua redivivus hinweisen.

[4] Eine eingehende Untersuchung des Materials und Darstellung der samaritanischen Ta'eberwartung fehlt immer noch; die wichtige Arbeit von MERX wollte in erster Linie neue Quellen erschließen, das Buch von M. GASTER, The Samaritan Eschatology, 1932, ist wegen der Quellenbehandlung sehr umstritten. Vgl. die knappen Hinweise bei VOLZ, Eschatologie S. 62.200; JEREMIAS, ThWb IV S. 863 Anm. 126; S. 866; S. 867 Anm. 180. Über ältere Literatur vgl. die Rezension des Merx'schen Buches von PAUL KAHLE, ThLZ 36 (1911) Sp. 198—200. Vgl. ferner JOHN BOWMAN, Early Samaritan Eschatology, Journal of Jewish Studies 6 (1955) S. 63-72.

[5] Vgl. dazu W. BAUER, Joh S. 71; BULTMANN, Joh S. 141 bes. Anm. 5; BARRETT, Joh S. 200.

[6] JosAnt XVIII 85f. Dieser Vorfall in Samaria ereignete sich 35 n. Chr. unter dem Prokurator Pontius Pilatus. Die Anhänger sollen auch Waffen mitgenommen haben, wohl um nach dem Beglaubigungswunder den heiligen Krieg zu beginnen; es vermischten sich somit prophetische und messianische Elemente.

[7] Auch dem deuterojesajanischen Gottesknecht fällt eine Lehraufgabe zu, vgl. nur Jes 42,4.

[8] Vgl. CD VI,8 (Auslegung von מחקק aus Num 21,18); CD VII,18 (Auslegung von כוכב aus Num 24,17); 4 Q Flor 2.

einzelnen Textabschnitten auf verschiedene eschatologische Gestalten[1], aber jedenfalls nirgends auf den königlichen ‚Messias Israels'[2].

Aus der übrigen spätjüdischen Literatur wird man die zwar nur in späten Texten greifbare Anschauung der *Rabbinen* vom Messias als dem Bringer einer ‚neuen Tora' zu beachten haben[3]. Wie bei der Konzeption vom zweiten Erlöser darf erwogen werden, ob vom Rabbinat hier nicht ein altes Theologumenon erst sekundär auf den königlichen Messias übertragen worden ist, eine These, die wieder von den Qumrantexten her gestützt wird. Hier und dort kommt ja eine sehr andere Wertung der Propheten und ihres Verhältnisses zu Mose zum Ausdruck[4]. Wo Mose und Propheten rangmäßig schroff geschieden werden, kann als endzeitliche Gestalt in Entsprechung zu Mose eben allenfalls der Messias in Frage kommen. Bei der einzigartigen Stellung der Mosetora kann jedoch selbst dem Messias nur die Aufgabe der rechten Auslegung zufallen, wie sie zuvor schon von den Gesetzeskundigen geübt wurde, auch wenn seine Gesetzeskenntnis alles jetzt mögliche Verstehen übersteigen wird[5]. Die Offenbarung bisher verborgener Geheimnisse und die Setzung neuer Ordnungen steht ihm nicht zu. Immerhin zeigt eine Stelle der rabbinischen Literatur, daß die ‚neue Tora' des Messias auch Änderungen der alten Tora einschließt[6]. Dieser Zug dürfte bei den Rabbinen bewußt zurückgedrängt

---

[1] Im ersten Fall wird man an den Gründer der Gemeinde denken müssen, mit dem die eschatologischen Ereignisse ihren Anfang nehmen, in den beiden anderen Fällen an eine gleichzeitig mit dem königlichen Messias erscheinende Gestalt, also offensichtlich an den hohepriesterlichen ‚Messias Aarons'. Vgl. v. D. WOUDE a. a. O. S. 54f., 73f., 174f. Über die Gründe zur Übertragung dieser Anschauung auf den messianischen Hohenpriester s. u. S. 367f.

[2] Die Toraforschung hat natürlich auch für das einzelne Glied der Gemeinschaft große Bedeutung; vgl. BRAUN, Radikalismus I S. 16ff. Hierbei ist dann aber nicht von dem דורש התורה die Rede, sondern von einem דורש בתורה; dazu KURT SCHUBERT, Die Messiaslehre in den Texten von Chirbet Qumran, BZ NF 1 (1957) S. 193 Anm. 49. Im übrigen sei darauf hingewiesen, daß natürlich die Funktion des דורש התורה sich nicht auf die bloße Auslegung der Schrift beschränkt, sondern auf die Offenbarung der darin verborgenen Geheimnisse erstreckt, hinzu kommt außerdem noch die Setzung neuer Bestimmungen und Ordnungen; in diesem Sinne wollen ja 1 Q pHab einerseits und 1 Q S andererseits verstanden sein. Vgl. OTTO BETZ, Offenbarung und Schriftforschung in der Qumransekte (WUNT 6), 1960, S. 15ff.

[3] Das Material bei BILLERBECK IV/1 S. 1ff.; eingehende Besprechung bei GERHARD BARTH, Das Gesetzesverständnis des Evangelisten Matthäus, in: G. BORNKAMM - G. BARTH - H. J. HELD, a. a. O. S. 144f.

[4] Immerhin werden in den Qumrantexten sehr anders die Propheten in einer Reihe mit Mose gesehen; vgl. z. B. CD V, 21f.; 1 Q S I, 3. Ebenso wird der die Gemeinde gründende ‚Lehrer der Gerechtigkeit' wieder mit den Propheten gleichgestellt, vgl. 1 Q pHab II, 8f.; VII, 4f.

[5] Vgl. G. BARTH, a. a. O. S. 145ff.: ‚neue Tora' kann prinzipiell auf jede neuartige Auslegung durch einen Schriftgelehrten bezogen werden (so im Anschluß an W. Bacher).

[6] Vgl. die von BILLERBECK IV/2 S. 1162 und G. BARTH, a. a. O. S. 145f. besprochene Stelle LevR 13.

worden sein[1]. Trotzdem wird man für das gesamte Spätjudentum annehmen dürfen, daß die endzeitliche ‚neue Tora' nicht in Antithese, sondern in Analogie zur Mosetora verstanden worden ist[2].

Einige weitere Beobachtungen müssen noch kurz erwähnt werden. Sie erscheinen zwar nicht deutlich in dem Bild vom eschatologischen Propheten wie Mose, welches uns die in dieser Hinsicht sehr fragmentarische Literatur bietet, können aber möglicherweise doch damit zusammenhängen. Vor allem sollen sie berücksichtigt werden, weil sie auch bei der Beurteilung neutestamentlicher Probleme eine gewisse Rolle spielen dürften. Zunächst ist darauf hinzuweisen, daß die Bezeichnung ‚Knecht Gottes' im Spätjudentum neben vielen anderen Verwendungsarten in besonderer Weise als Ehrenname für Mose gebraucht wurde und außerdem auch beliebte Bezeichnung der Propheten war[3]. Von daher gesehen wäre es nicht ausgeschlossen, daß das Prädikat auch auf den endzeitlichen Propheten Anwendung gefunden hat. Sodann muß erwähnt werden, daß das Motiv einer *Prophetensalbung*, welches schon das Alte Testament kennt[4], in den Qumranschriften auftaucht. An zwei Stellen ist die Bezeichnung משיחים eindeutig auf alttestamentliche Propheten angewandt[5]; eine dritte Stelle ist um-

---

[1] Vgl. dazu W. D. DAVIES, Torah in the Messianic Age and / or the Age to Come (JBL Monogr. Ser. VII), 1952, bes. S. 86ff., der das hohe Alter der Vorstellung von der neuen Tora nachweisen möchte; ähnlich TEEPLE, a. a. O. S. 23ff.; die Annahme einer Zurückdrängung infolge antichristlicher Polemik ist m. E. unnötig. Anders KLAUSNER, Mess. Idea S. 446f., der eine erst spätere Entstehung annimmt, und zwar unter christlichem Einfluß, während die genuin jüdische Tradition nur die Wiederaufrichtung der alten Tora kennen soll.

[2] Am ehesten wird man an eine Radikalisierung der Tora denken dürfen, wie sie auch in den Qumranschriften begegnet; vgl. BRAUN, Radikalismus I S. 33ff., 113ff.

[3] Vgl. JEREMIAS, ThWb V S. 679 Anm. 183 und S. 678 Anm. 167.

[4] Es findet sich nur an zwei Stellen: 1 Kg 19,16 (Salbung des Elisa durch Elia); ferner Jes 61,1. Daß die tritojesajanische Stelle 61,1—3 in enger Beziehung zu den Gottesknechtsliedern steht, hat MOWINCKEL, Der Knecht Jahwäs, 1921, S. 16f.; DERS., He That Cometh S. 254f., herausgestellt; in der ersten Veröffentlichung hat er sogar die Verfasserschaft des Deuterojesaja erwogen, jetzt rechnet er die Gottesknechtslieder und Jes 61,1—3 dem deuterojesajanischen Prophetenkreis zu. Bei aller Betonung der Unterschiede wird die Verwandtschaft von Jes 61,1—3 mit den Gottesknechtsliedern auch von DUHM, Jes[3] S. 423f., zugegeben, besonders die Abhängigkeit des Geistmotivs 61,1 von Jes 42,1. Vgl. zu Jes 61,1—3 ROBERT KOCH, Geist und Messias S. 119ff.: während er den Gottesknecht, trotz Anerkennung der prophetischen Züge und der Beziehung zu Dt 18,18, von vornherein mit dem Messias identifiziert (S. 108f., 214f.), rechnet er hier nur mit einem Propheten, dessen Gestalt aber volle Erfüllung erst im Messias Jesus gefunden habe (nach Lk 4,21; S. 120); WIDENGREN, Sakrales Königtum S. 56ff., rechnet Jes 61,1—3 unmittelbar zu den messianischen Texten und bezeichnet den Abschnitt als „königliche Selbstrühmungshymne"; aber die Unterschiede zur Messianologie müssen hier wie bei den Gottesknechtsliedern doch stärker berücksichtigt werden.

[5] CD VI,1: Die Gesetze Gottes sind gegeben ביד משה וגם במשיחי הקודש (במשיחו muß verbessert werden); 1 Q M XI,7: ביד משיחכה sind ‚die Zeiten der

stritten: in der Damaskusschrift II, 12 könnte die Wendung ‚er ließ sie seinen heiligen Geist erkennen ביד משיחו' pluralisch gelesen werden und wäre dann gleichfalls auf die Propheten des Alten Testamentes zu beziehen[1]. Aber andererseits zielt der ganze Zusammenhang CD II, 11 ff. so eindeutig auf die Restgemeinschaft dieser Sekte, daß es nicht ausgeschlossen ist, daß hier der Text in seiner singularischen Form beibehalten werden muß und dann wohl den Lehrer der Gerechtigkeit bezeichnet[2], der somit hier, wie auch an einigen anderen Stellen, dem endzeitlichen Propheten gleichgesetzt wäre. Doch diese Auslegung bleibt unsicher und die Beziehung auf die alttestamentlichen Propheten ist auch bei dem Blick auf die eschatologische Situation der Sekte insofern möglich, als diese ja die Prophetenschriften als eine Fundgrube bislang verborgener Geheimnisse angesehen hat. In jedem Fall darf festgehalten werden, daß auf Grund dieser Zeugnisse der Gedanke der Prophetensalbung in neutestamentlicher Zeit durchaus geläufig gewesen sein muß. Drittens muß noch die Frage gestellt werden, wieweit die Anschauung vom *gewaltsamen Tod* der Propheten auf die Gestalt des eschatologischen Propheten eingewirkt hat. Daß die Prophetenmorde in spätjüdischer Tradition eine geradezu typische Bedeutung gewonnen haben, wurde an anderer Stelle schon berührt[3]. Auch die beiden endzeitlichen Zeugen Apk 11, 3 ff. müssen den Tod erleiden, und daß hier an Mose und Elia gedacht ist, kann kaum bestritten werden[4]. Hinter diesem Text steht auch zweifellos eine jüdische Überlieferung, die für uns in etwas anderer Form nur in der späten Elia-Apokalypse erhalten ist[5]. An einen Sühnetod ist dabei sicher

---

Kriege deiner Hand' verkündigt worden; vgl. dazu v. D. WOUDE, a.a.O. S. 20 ff., 117 ff.

[1] Diese Konjektur ist deswegen ernsthaft zu erwägen, weil in den mittelalterlichen Handschriften der Damaskusschrift alle Pluralformen von משיח getilgt worden sind; vgl. KARL GEORG KUHN, NTSt 1 (1954/55) S. 174; etwas ausführlicher in der englischen Fassung des Aufsatzes: The Two Messiahs of Aaron and Israel, in The Scrolls and the New Testament, ed. Krister Stendahl, 1957, S. 59 f.; ebenso v. D. WOUDE, a.a.O. S. 9. 15 ff., der allerdings fälschlich רוח קדשו mit משיחי (sic) statt mit ויודיעם verbindet; vgl. die Textausgabe der Damaskusschrift hg. von LEONHARD ROST (Kl. Texte 167), 1933, S. 9.

[2] Die verschiedenen Thesen zur Stelle bei v. D. WOUDE, a.a.O. S. 17. Auch BARDTKE, Handschriftenfunde II S. 260, vertritt die singularische Deutung.

[3] In Frage kommen die jüdische Grundschrift der Ascensio Jesaiae und die Vitae prophetarum (RIESSLER, Altjüdisches Schrifttum S. 481 ff., 871 ff.); dazu HANS JOACHIM SCHOEPS, Die jüdischen Prophetenmorde, in: Aus frühchristlicher Zeit, 1950, S. 126—143. Die nt. Stellen bei FRIEDRICH, ThWb VI S. 835 f. Vgl. noch § 1 S. 48 f.

[4] Zu der These von MUNCK, Petrus und Paulus i. d. Offb. Joh., wonach es hier um das Martyrium der beiden Apostel in Rom gehen soll, vgl. die Rezension von GÜNTHER BORNKAMM, ThLZ 85 (1960) Sp. 195 f.

[5] Vgl. Elia-Apokalypse 35, 7 ff. bei RIESSLER, a.a.O. S. 120 f., wo allerdings Henoch und Elia auftreten; dazu JEREMIAS, ThWb II S. 942 f. In Apk 11, 3 ff. sind mehrere Motive miteinander verbunden, so Bußpredigt und Wundertaten

nicht gedacht; dieses Motiv ist der ganzen Überlieferung von den Prophetenmorden fremd. Das erklärt sich daraus, daß nach Auffassung des palästinischen Judentums zur Zeit Jesu wohl das Sterben der Väter Israels, der Gerechten und der unschuldigen Kinder stellvertretende Sühnekraft besitzt[1], nicht aber der Tod des Märtyrers. Das Martyrium wird als Zeichen des Gerichtes und der Züchtigung verstanden und schafft Sühne lediglich für die eigenen Sünden; eine freudige Bejahung des Märtyrertodes kennt daher die alte Überlieferung nicht, einen solchen Tod soll man nach Möglichkeit meiden. Die wenigen Zeugnisse, die darüber hinausgehen, stammen entweder aus dem hellenistischen Judentum (2 Makk; 4 Makk) oder aus der amoräischen Zeit[2]. Dem korrespondiert, daß im Neuen Testament die Tradition vom Prophetenmartyrium nicht nur auf das Sterben Jesu, sondern vor allem auf das Leiden der Jünger angewandt worden ist[3]. Sofern also zur Vorstellung vom eschatologischen Propheten Leiden und Sterben hinzukommen, ist daher nicht mit dem Motiv der stellvertretenden Sühne und erst recht nicht mit dem Gedanken des leidenden Gottesknechtes von Jes 53 zu rechnen[4].

Einer gesonderten Behandlung bedarf noch die Vorstellung vom eschatologischen Propheten innerhalb der *Qumranschriften*, weil sie dort im Rahmen einer systematisch durchgeführten eschatologischen Konzeption steht und außerdem im Laufe der Geschichte der Sekte eine verschiedenartige Anwendung gefunden hat. Auszugehen ist von der vielzitierten Stelle der Sektenschrift: die Glieder der Gemeinschaft sollen sich ‚nach den früheren Gesetzen richten (sc. die von ihrem Gründer erlassen wurden), durch welche die Männer der Gemeinde von Anfang an in Zucht gehalten worden sind, bis zum Kommen eines (des) Propheten und der Gesalbten Aarons und Israels'[5]. Ganz entsprechend werden dann in den Testimonien aus Höhle 4 alttestament-

---

(Wiederholung ägyptischer Plagen), Auseinandersetzung mit dem Antichristen, Martyrium und Entrückung, ferner die in der Regel auf die beiden Messias gedeutete Stelle Sach 4, 3.11—14 von den beiden Ölbäumen (hier im Sinne der Prophetensalbung angewandt?); dazu kommt als spezifisch christlicher Zug die Funktion als ‚Zeugen'.

[1] Vgl. EDUARD LOHSE, Märtyrer und Gottesknecht S. 78 ff.; unter den Vätern, deren Tod stellvertretende Sühnkraft hat, spielt auch Mose eine Rolle (S. 87 ff.); vgl. noch JEREMIAS, ThWb IV S. 858.

[2] E. LOHSE, a.a.O. S. 66 ff., 72 ff., der allerdings von 2 Makk aus auch für die tannaitische Periode gewisse Rückschlüsse ziehen möchte (S. 77 f.).

[3] Vgl. nur 1 Thess 2, 15; Hebr 11, 32 ff.; Mt 5, 12.

[4] Der These von der überaus weiten Verbreitung der Vorstellung vom Gerechten, der freiwillig leidet und stellvertretende Sühne schafft — so E. SCHWEIZER, Erniedrigung und Erhöhung S. 37 f. —, wird man skeptisch gegenüberstehen müssen.

[5] 1 Q S IX, 10 f.: עד בוא נביא ומשיחי אהרון וישראל Übersetzung nach BARDTKE, Handschriftenfunde I S. 102 (vgl. dort auch Anm. 4).

liche Weissagungen für diese drei eschatologischen Gestalten zusammengestellt und dabei ist, wie erwähnt, Dt 18,18 auf den Endzeitpropheten angewandt[1]. Die schon in nachexilischer Tradition des Alten Testamentes erscheinende Konzeption einer Zwei-Messias-Lehre, die sich auch in dem Nebeneinander eines königlichen und hohepriesterlichen Amtes in der Geschichte des Spätjudentums abschattet[2], ist hier also mit der Vorstellung vom Auftreten des eschatologischen Propheten kombiniert, was keineswegs notwendig zusammengehört; denn die Anschauung vom Endzeitpropheten ist ganz selbständig und unabhängig von irgendeiner Messianologie. Sehr bezeichnend für die Qumrangemeinschaft ist es, daß sie nicht die Vorstellung der endzeitlichen Prophetenaufgabe des Elia übernommen hat, dessen Funktion es ist, Buße unter dem Volk zu predigen und Israel auf das Gericht vorzubereiten, das Volk war ja als massa perditionis aufgegeben, sondern jene Mosetypologie. Zwar fehlen alle Züge, die an den endzeitlichen Mose als Wundertäter erinnern, aber um so deutlicher ist dieser eschatologische Prophet als Toralehrer gekennzeichnet. Dies wird besonders gut dort erkennbar, wo die Erwartung dreier eschatologischer Gestalten eine für das Selbstverständnis der Sekte höchst bezeichnende Abwandlung erfährt. Überraschenderweise fehlt nämlich in einigen, offenbar jüngeren Texten der Prophet neben den beiden Messias. Der eschatologische Ausblick richtet sich nun, wie es einmal heißt, ,vom Tage der Wegnahme des alleinigen Lehrers bis zum Auftreten der Messias Aarons und Israels'[3]. Die Vermutung drängt sich auf, daß der sog. Lehrer der Gerechtigkeit (מורה הצדק) mit dem eschatologischen Propheten, dessen Kommen dem der beiden Messias wohl vorangehen sollte, identifiziert worden ist. Dem entspricht die Tatsache, daß diesem Lehrer der Gerechtigkeit, der für die Existenz der Sekte maßgebende Bedeutung besitzt, ausgesprochen prophetische Funktionen zugesprochen werden und es gerade ihm zukommt, die Geheimnisse der alttestamentlichen Prophetenschriften

---

[1] 4 Q Test 5ff.

[2] Vgl. den schon mehrfach herangezogenen Aufsatz von K. G. Kuhn, NTSt 1 (1954/55) S. 168ff., bes. S. 174ff.

[3] CD XIX, 35f.: מיום האסף מורה היחיד עד עמוד משיח(ים) מאהרון ומישראל. Übersetzung nach Bardtke, Handschriftenfunde II S. 275; v. d. Woude, a.a.O S. 37, erwägt, ob nicht יחד oder יחוד gelesen und dann ,Lehrer der Gemeinschaft' übersetzt werden müßte; Schubert, BZ NF 1 (1957) S. 181 Anm. 9, verweist statt dessen auf Test Benj 9,2 μονογενὴς προφήτης, doch ist dort die Textüberlieferung unsicher, vgl. R. H. Charles, The Greek Versions of the Testaments of the Twelve Patriarchs, 1908 (Neudruck 1960), S. 227, und auch eng verbunden mit einer christlichen Interpolation. Ganz anders Leonhard Rost, Der ,,Lehrer der Einung'' und der ,,Lehrer der Gerechtigkeit'', ThLZ 78 (1953) Sp. 143—148, der an zwei ganz verschiedene historische Personen denkt.

kundzumachen[1]; so wurde ihm auch der Titel ‚Toraforscher' zuerkannt[2], und er hatte der Gemeinschaft ihre Ordnung erlassen[3]. Es muß allerdings beachtet werden, daß gleichwohl noch ein Ausblick auf eine prophetische Funktion in der Heilszeit selbst beibehalten bleibt, indem diese dann offensichtlich mit der Gestalt des messianischen Hohenpriesters verbunden worden ist[4]. An einer Stelle wird neben den jetzt lebenden ‚Toraforscher' ein zukünftiger ‚Lehrer der Gerechtigkeit' gestellt[5], wobei beachtet werden muß, daß sowohl ‚Toraforscher' als auch ‚Lehrer der Gerechtigkeit' Titel sind, die unter Umständen ganz verschiedenen Personen zugesprochen werden konnten[6]. Die Erwartung einer Wiederkunft des historischen ‚Lehrers der Gerechtigkeit' darf aus einer solchen Stelle nicht geschlossen werden[7]. Bei aller Unsicherheit, die vorläufig mit der Interpretation der Qumrantexte noch verbunden ist, was nicht zuletzt auch damit zusammenhängt, daß dort verschiedenartige Strömungen und Dokumente verschiedenen Alters begegnen[8], hat dieses Verständnis der Vorstellung vom Endzeitpropheten und deren Anwendung auf den historischen Lehrer der Gerechtigkeit doch einiges für sich[9]. Im Anschluß an Dt 18, 15. 18

---

[1] Vgl. 1 Q pHab II, 5—10 und vor allem VII, 3—5: der Text des AT bezieht sich ‚auf den Lehrer der Gerechtigkeit, dem Gott alle Geheimnisse der Worte seiner Knechte, der Propheten, kundgetan hat' (BARDTKE, Handschriftenfunde I S. 128). Vgl. auch noch CD I, 10—12; hierzu weist SCHUBERT, BZ NF 1 (1957) S. 192 hin, daß אחרונים דורות von דור אחרון (= allerletztes Geschlecht) unterschieden wird; dort weitere Beispiele.

[2] CD VI, 2ff.; vgl. o. S. 362f.

[3] Vgl. nur CD XII, 22f.: ‚das ist die Ordnung (סרך) . . . darin sollen sie wandeln in der Endzeit der Ruchlosigkeit bis zum Auftreten der Gesalbten aus Aaron und Israel'.

[4] CD VII, 18; 4 Q Flor 2. Traditionsgeschichtlich läßt sich das vielleicht so erklären, daß hier die Anschauung von Elia, zwar nicht als dem endzeitlichen Propheten (Vorläufer), wohl aber als dem messianischen Hohenpriester eine Rolle spielt, da diesem ja ebenfalls die rechte Auslegung der Tora zugeschrieben wurde; vgl. dazu BILLERBECK IV/2 S. 789ff., 794ff.; v. D. WOUDE, a. a. O. S. 54f., 186.

[5] CD VI, 10. [6] Vgl. v. D. WOUDE, a. a. O. S. 54f., 67ff.

[7] So etwa JOHN M. ALLEGRO, Die Botschaft vom Toten Meer. Das Geheimnis der Schriftrollen (Fischer-Bücherei 183), 1957, S. 129f. J. CARMIGNAC, Le retour du Docteur de Justice à la fin des jours?, RQ 1 (1958) S. 235—248, hat gezeigt, daß es unter den bis jetzt bekannten Texten keinen Beleg hierfür gibt. Der gewaltsame Tod ist ebenfalls nicht sicher zu erweisen, würde aber der Anwendung der Vorstellung vom eschatologischen Propheten auf den Lehrer der Gerechtigkeit nicht grundsätzlich widersprechen; vgl. die Zitierung von Sach 13, 7 in CD XIX, 5ff., dazu v. D. WOUDE, a. a. O. S. 64f. (dort weitere Stellen).

[8] Vgl. CLAUS-HUNNO HUNZINGER, Aus der Arbeit an den unveröffentlichten Texten von Qumran, ThLZ 85 (1960) Sp. 151f.

[9] So GIBLET, a. a. O. S. 125. 127ff.; K. SCHUBERT, BZ NF 1 (1957) S. 179ff.; DERS., Die Gemeinde vom Toten Meer. Ihre Entstehung und ihre Lehren, 1958, S. 100f.; v. D. WOUDE, a. a. O. S. 67ff., bes. S. 186f.; SCHNACKENBURG, a. a. O. S. 631ff. Etwas anders OTTO BETZ, Offenbarung und Schriftforschung in der

ist also eine Mosetypologie belegt, wobei dem endzeitlichen Propheten als Vorläufer der beiden Messias vor allem die authentische Gesetzesinterpretation, das Festlegen neuer Ordnungen und die Enthüllung bisher verborgener Geheimnisse zukommt[1]. So decken in der Tat die Qumrantexte „eine ziemlich verschüttete Tradition auf, die weit zurückreicht und neben anderen Flüssen messianischer Erwartung bis zur Zeit Jesu und darüber hinaus existierte"[2].

Abschließend muß die Frage beantwortet werden, wie sich die *Anschauung vom eschatologischen Propheten und die Messianologie* zueinander verhalten. Es ist, wie gesagt, falsch, wenn von vornherein und grundsätzlich der Endzeitprophet als „messianischer Prophet" bezeichnet wird[3]. Gerade die Qumranfunde zeigen, daß es sich um eine Gestalt handelt, die von dem königlichen Messias wie von dem hohepriesterlichen klar unterschieden wird. Und die besprochene Tradition vom ersten und zweiten Erlöser, die eigentliche Mosetypologie, läßt ebenfalls erkennen, daß es sich um einen ganz eigenständigen Typus der eschatologischen Erwartung handelt. Dem widerspricht auch die Tatsache nicht, daß im Alten Testament und im Spätjudentum von einer Prophetensalbung und somit von Propheten als ‚Gesalbten' gesprochen werden kann, denn einerseits handelt es sich hier dann gerade

Qumransekte (WUNT 6), 1960, S. 61ff., der zwar die Parallelität des Lehrers der Sekte zu Mose betont, ihn jedoch eigentlich nicht als zweiten, endzeitlichen Mose ansehen will. Aber weder die Tatsache, daß der Lehrer der Sekte kein neues Gesetz bringt, sondern das alte auslegt und neu verstehen lehrt, würde dagegen sprechen, noch der Tod des Lehrers; wenn die vorgeschlagene Deutung von 1 Q H III,1ff. richtig ist, würde sich die Mosetypologie sogar noch verstärken (S. 64ff.: Num 11,11f. auf die ‚Geburt' der Endzeitgemeinde durch den Lehrer angewandt, vgl. DERS., NTSt 3, 1956/57, S. 312—326). Zur Diskussion über den Lehrer der Gerechtigkeit vgl. BURROWS, Mehr Klarheit S. 280ff.; außerdem verweise ich noch auf WILLIAM H. BROWNLEE, Messianic Motives of Qumran and the New Testament, NTSt 3 (1956/57) S. 12—30. 195—210, bes. S. 17f., und neuerdings auf GERT JEREMIAS, Der Lehrer der Gerechtigkeit (Studien z. Umwelt d. NT 2), 1962.

[1] Wieweit die Wüste hierbei eine Rolle spielt, ist schwierig zu beantworten und hängt zudem mit der Frage zusammen, welchen Sinn die Bezeichnung ‚Damaskus' hat; zu letzterem vgl. BURROWS, Mehr Klarheit S. 191ff.; v. D. WOUDE, a.a.O. S. 49ff.; KARL GEORG KUHN, Zum heutigen Stand der Qumranforschung, ThLZ 85 (1960) Sp. 652f. Die Wüste hat, wie HANS BARDTKE, Wüste und Oase in den Hodajoth von Qumran, in: Gott und die Götter (Festgabe für E. Fascher), 1958, S. 44—55, zeigte, sachlich kaum eine Funktion, während die Oase, das Quellwunder von ʿēn feschcha als ein Zeichen der bevorstehenden Heilszeit verstanden worden ist (dazu 1 Q H VIII, 4f. 16ff.). Er schließt daraus, daß sich die Sekte wohl von den Volksgenossen, aber nicht vom Land zurückziehen wollte. Man könnte jedoch erwägen, ob das nicht damit zusammenhängt, daß nach CD V,19 das Land als solches zur Wüste geworden ist.

[2] SCHNACKENBURG, a.a.O. S. 636.

[3] GIBLET, a.a.O. S. 85ff., kommt z.B. von diesem Fehlansatz her zu einem völligen Mißverständnis des Theudas und des ungenannten Ägypters, in denen er nur gewöhnliche Propheten sehen will, weil keinerlei sichere messianische Züge erkennbar sind! Vgl. auch noch JEREMIAS ThWb IV S. 862f. und Anm. 125.

um die Übertragung eines ganz spezifischen Amtes und andererseits ist die Bezeichnung nicht im gleichen Sinne technisch geworden wie bei dem königlichen und hohepriesterlichen Messias, was deutlich aus 1 Q S IX, 10 f. hervorgeht[1]. Nachdem für unseren herkömmlichen Sprachgebrauch der Begriff ‚Messias' zur königlichen Messianologie gehört und nur auf das genau parallel gedachte Amt des eschatologischen Hohenpriesters übertragen worden ist, muß daher die Bezeichnung messianischer Prophet gemieden werden. Etwas anderes ist es natürlich, wenn nachgeprüft wird, wieweit die Erwartung des Endzeitpropheten und des Messiaskönigs sich miteinander verbinden konnten. Dies liegt höchstwahrscheinlich bei der samaritanischen Eschatologie vor und gilt daher auch für den unter Pontius Pilatus aufgetretenen samaritanischen Propheten. Ebenso weist Joh 6, 14 f. auf das Nebeneinander und Ineinander beider Vorstellungen hin: das Volk erkennt auf Grund des σημεῖον der Brotvermehrung in Jesus den ‚Propheten' und will ihn zum ‚König' machen. Der Bezug auf Dt 18, 15 ff. darf nicht bestritten werden[2], denn gerade dieses Wunder ist als Wiederholung der Mannaspeisung verstanden und setzt die Mosetypologie voraus[3]. Mit Übergängen zur Anschauung vom königlichen Messias wird man also rechnen müssen, darf dies aber nicht einfach überall eintragen[4]. In derselben Weise kann es natürlich auch zu einer Vermischung oder wenigstens Angleichung zwischen Elementen der Elia- und der Mose-Erwartung kommen. Das ergibt sich schon durch die Nebeneinanderstellung der beiden Gestalten in Mk 9, 4 und Apk 11, 3 ff. Aber auch sonst dürften Einzelzüge gelegentlich übertragen worden sein, wie z. B. die Funktion des Toralehrers auf Elia als den endzeitlichen Hohenpriester. Aufs Ganze gesehen kann aber doch die Erwartung eines endzeitlichen Propheten, unabhängig von der königlichen und hohepriesterlichen Messianologie, für das Spätjudentum vorausgesetzt werden, und diese hatte sich in den zwei besprochenen Grundformen ausgeprägt, auf der einen Seite verbunden mit Elia im Anschluß an Mal 3, 1. 23 f. und auf der andern Seite verbunden mit Mose im Anschluß an Dt 18, 15. 18.

---

[1] Vgl. o. S. 366 Anm. 5. משיח wird hier auf den Propheten gerade nicht angewandt!

[2] Gegen BULTMANN, Joh S. 158.

[3] So mit Recht BARRETT, Joh S. 231 f., der jedoch völlig unbegründet S. 144 bei Joh 1, 21 den Bezug auf Dt 18, 15 ff. bestreitet; vgl. auch noch v. D. WOUDE, a. a. O. S. 82 f.

[4] Vgl. TEEPLE, a. a. O. S. 102 ff., der zwischen dem eschatologischen Propheten wie Mose als "Prophet-King" bzw. als "Prophet-Lawgiver" unterscheidet; vgl. auch S. 43, wo er den wiederkehrenden Mose gesondert behandelt und dieser nach seiner Meinung nur in der Verbindung mit Elia redivivus vorkommt (dagegen dürfte aber die samaritanische Erwartung sprechen).

Während im ersten Fall die Bußpredigt und die Ankündigung des Gottesgerichtes als die typischen Elemente angesehen werden müssen, so sind es im zweiten Fall das Wunder und die vollmächtige Lehre.

## 2. Johannes der Täufer als endzeitlicher Elia

Die Bußpredigt Johannes des Täufers hat einen ausgesprochen eschatologischen Charakter und weist auf das unmittelbar bevorstehende Kommen Jahwes hin[1]. Nirgends ist zu erkennen, daß von Johannes der Anspruch erhoben wurde, der eschatologische Prophet zu sein. Auch die Kleidung des Täufers läßt einen solchen Schluß nicht zu, denn mag die jetzige Darstellung Mk 1, 6 par. auch an Elia erinnern, so darf doch nicht vergessen werden, daß in dieser Hinsicht eine alte prophetische Tradition lebendig geblieben und kein direkter Bezug auf den Thisbiter notwendig war[2]. Noch weniger läßt sich die Taufe des Johannes in einen solchen Anschauungszusammenhang einordnen, vielmehr war gerade sie es, die als das eigentliche Charakteristikum angesehen wurde und ihm seine besondere Stellung verlieh[3]. Dennoch lag es nahe, auf diesen Prediger des kommenden Gottesgerichtes nachträglich das Motiv vom endzeitlichen Propheten anzuwenden, wenn man seine heilsgeschichtliche Funktion bezeichnen wollte. Dabei kam natürlich nur die Vorstellung vom wiederkommenden Elia in Frage, und diese ist tatsächlich in Täuferkreisen wie im Urchristentum zu großer Bedeutung gelangt. Die Kindheitsgeschichte Lk 1, 5—25. 57—66, teilweise auch V. 67—80, darf heute mit ziemlicher Sicherheit als Überlieferungsstück der Täufergemeinde in Anspruch genommen werden[4]. *Lk 1, 14—17* ist in der Ankündigung des Engels an Zacharias ausdrücklich davon die Rede, daß das verheißene

---

[1] Gegen MARTIN DIBELIUS, Die urchristliche Überlieferung von Johannes dem Täufer (FRLANT 15), 1911, S. 33ff., 139ff., der eine Messiaserwartung beim Täufer voraussetzt.

[2] Es geht dabei um das beispielsweise von den Rechabiten vertretene nomadische Ideal, das in bestimmten spätjüdischen Prophetenkreisen festgehalten wurde (Sach 13, 4!); Vgl. LUDWIG KÖHLER, Kleine Lichter, 1945, S. 85f.; ferner HANS WINDISCH, Die Notiz über Tracht und Speise des Täufers Johannes, ZNW 32 (1933) S. 65—87.

[3] Daher auch die ihm beigelegte Bezeichnung ὁ βαπτίζων bzw. ὁ βαπτιστής. Daß das Taufen von seinem Wirken als eschatologischer Prophet her betrachtet werden müsse — so GERHARD FRIEDRICH, Art. προφήτης, ThWb VI S. 839 — ist unwahrscheinlich, da ein derartiger „symbolischer Akt" nicht zum herkömmlichen Bild des Endzeitpropheten gehört.

[4] Vgl. vor allem MARTIN DIBELIUS, Jungfrauensohn und Krippenkind, in: Botschaft und Geschichte I S. 1ff., bes. S. 8f.; PHILIPP VIELHAUER, Das Benedictus des Zacharias (Lk 1, 68—79), ZThK 49 (1952) S. 255—272, bes. S. 256, 267. Vgl. auch BULTMANN, Syn. Trad. S. 320f. und Ergänzungsheft S. 45 (dort weitere Literatur); JEREMIAS, ThWb II S. 938f.

Kind ‚im Geist und in der Kraft Elias' seinen Auftrag ausrichten
werde; Elias Funktionen wird er erfüllen, wird ‚groß' sein und vor
Gott dem Herrn einhergehen[1]. *Lk 1,76—79* setzt diese Tradition
ebenfalls voraus, obwohl Elia nicht ausdrücklich erwähnt ist; statt
dessen findet sich dort die Prädikation προφήτης ὑψίστου. V. 76f. 79b
halten sich ganz im Rahmen der Verheißung von Mal 3,1.23f. Eine
weiterreichende Aussage macht allerdings Lk 1,78.79a, denn mit
ἀνατολὴ ἐξ ὕψους und dem Zitat aus Jes 9,1 ist sicherlich eine messianische Kennzeichnung beabsichtigt[2]. Hier kann in der Tat gefragt
werden, ob nicht die Täufergemeinde ihren Meister selbst zum Messias
gemacht hat[3]. Aber es empfiehlt sich, eine andere Erwägung einzubeziehen. Die Periode V. 76—79 ist bekanntlich syntaktisch sehr
undurchsichtig[4]. Nimmt man die sachlich eng zueinandergehörenden
Verse 76f.79b zusammen, so ergibt sich eine glatte Konstruktion mit
zwei parallelen Infinitivsätzen. Es dürfte sich demnach in V. 78. 79a
in jedem Falle um eine nachträgliche Erweiterung handeln[5]. Die Frage
ist dann, ob dieser Einschub aus der Täufergemeinde stammt und
im Sinne einer Messianisierung zu verstehen ist, oder ob er auf die
Urchristenheit zurückgeht, welche dies als Hinweis auf Jesus verstanden wissen wollte[6]. Von der Komposition des Benedictus her
ist eine eindeutige Antwort zu gewinnen: schon lange ist die Naht

---

[1] Im einzelnen enthält Lk 1,14—17 eine ganze Reihe von verschiedenartigen
Motiven: die eschatologische Freude deutet in V. 14 bereits auf die einzigartige
Stellung des Johannes hin. V. 15: das μέγας rückt ihn in die Nähe der erwählten
Gottesmänner (vgl. DIBELIUS, Jungfrauensohn S. 4); das sicher der Geschichte
des Täufers entnommene asketische Motiv wird zudem als Enthaltsamkeit von
Wein und Rauschtrank im Sinne der Nasiräer gedeutet und wohl als Hinweis
auf die charismatisch besonders ausgezeichneten Gottesmänner verstanden;
Erfülltsein mit Geist und prophetisches Amt gehören von jeher zusammen; at.
ist ferner der Gedanke, daß die Aussonderung zum Propheten schon im Mutterleibe erfolgt. V. 16f. umschreibt dann die Aufgabe des Johannes, die ihm als
endzeitlichem Elia zukommt, im Anschluß an Mal 3,1.23f. Von einem Messias
ist hier nicht die Rede, es geht um den unmittelbaren Vorläufer Gottes. Daß
κύριος V. 17 fin auf Gott bezogen ist, zeigt κύριος ὁ θεὸς αὐτῶν in V. 16b. Es ist
unzutreffend, hier Johannes als eine „messianische" Gestalt zu bezeichnen;
gegen VIELHAUER, a.a.O. S. 260. Johannes erhält keinerlei königliche oder hohepriesterliche Attribute, hat außerdem seine Aufgabe nicht in, sondern vor der
Heilszeit.

[2] Im einzelnen vgl. VIELHAUER, a.a.O. S. 263ff.; jetzt auch noch JOACHIM
GNILKA, Der Hymnus des Zacharias, BZ NF 6 (1962) S. 215—238, bes. S. 227ff.

[3] So VIELHAUER, a.a.O. S. 267f.

[4] Vgl. dazu VIELHAUER, a.a.O. S. 261f.

[5] Es wäre nur noch zu überlegen, ob V. 78a vielleicht zu V. 76f. gehört, also
der Einschub auf V. 78b.79a zu beschränken wäre; aber formal und sachlich
paßt V. 78a besser als Überleitung zu der messianischen Aussage in V. 78b.79a,
zumal das διὰ σπλάγχνα κτλ. wohl auf den ganzen Vers 76f. bezogen werden muß;
so auch VIELHAUER, a.a.O. S. 263.

[6] Daß beides möglich ist, sagt auch VIELHAUER, a.a.O. S. 264.

zwischen V. 68—75 und V. 76—79 aufgefallen[1]; der eschatologische Hymnus V. 68—75 setzt, wie leicht zu erkennen ist, die nationale Messiashoffnung voraus, er ist daher, unbeschadet seiner sicher jüdischen Herkunft, im Rahmen der in Lk 1, 14—17 und 1, 76f. 79b zum Ausdruck kommenden täuferischen Anschauungen nicht möglich; das Genethliakon[2] V. 76—79 enthält in seiner jetzigen Form[3] und in der Verbindung mit V. 68—75 den Gedanken, daß der ‚Prophet des Höchsten‘ nicht Vorläufer Gottes, sondern Vorläufer des Messias Jesus ist, was sich bei der Doppeldeutigkeit des Kyriostitels (V. 76b) in der Urgemeinde nahelegte. V. 78. 79a ist somit zusammen mit V. 68—75 christlicher Zusatz; durch den Hinweis auf den ‚Aufgang aus der Höhe‘ in Christus erhielt das Benedictus seine Einheit und wurde für den Abschluß der Kindheitserzählung des Johannes geeignet, sofern dieses Kind über sich hinausweist auf den nach ihm Kommenden[4].

---

[1] Vgl. vor allem HERMANN GUNKEL, Die Lieder in der Kindheitsgeschichte Jesu bei Lukas, in: Festgabe für Harnack, 1921, S. 43—60. Der erste Teil Lk 1, 68—75 ist von ihm mit eingehender Begründung als ein eschatologischer Hymnus jüdischer Provenienz erwiesen worden, während der ganze zweite Teil V. 76—79 als christlicher Zusatz angesehen wird. Entsprechend betrachtet er Lk 1, 46f. 49—55 als jüdischen Hymnus und V. 48 als christlichen Zusatz, was sicherlich zutrifft.

[2] Daß es sich um diese Stilform handelt, hat ERDMANN, Vorgeschichten S. 10, zutreffend herausgestellt. Daß jedoch das ganze Benedictus eine christliche Nachdichtung des Magnificat sei (S. 31ff.), ist schwerlich richtig.

[3] Wie JOH. WEISS, Lk in SNT[2] I S. 421, und DIBELIUS, Joh. d. T. S. 74, sieht PIERRE BENOIT, L'enfance de Jean Baptiste selon Luc I, NTSt 3 (1956/57) S. 169—194, nur V. 76f. als Einschub an. V. 68—75. 78f. soll auf einen jüdischen messianischen Hymnus zurückgehen, aber V. 76f. betrachtet er als christliches Interpretament, wie er auch die Kindheitsgeschichte des Täufers aus mündlicher Tradition der Urgemeinde herleitet, die erst von Lk fixiert worden sei.

[4] Das Benedictus hat in seiner jetzigen Fassung somit die gleiche Funktion wie die Geschichte von der Begegnung der Elisabeth und der Maria (samt Magnificat). Umgekehrt kann man fragen, welche Stellung der alten Genethliakon V. 76f. 79b in der Täufererzählung zukam; in der Regel wird angenommen, daß es sich in Lk 1, 67—80 um einen christlichen Anhang handelt; wie aber, wenn in V. 76f. 79b Täufertradition vorliegt? Dann würde sich gut erklären, warum in der Geburtserzählung V. 57—66, welche die Erfüllung der Verheißung an Zacharias V. 5—25 und auf Grund von V. 13 über die besondere Namengebung berichtet, keinerlei Aussagen über die Bedeutung des Kindes gemacht sind und der Text insofern gegenüber V. 5ff. etwas abfällt. Gehört dagegen V. 76f. 79b dazu, so wäre ein volles Gleichgewicht hergestellt. Der Übergangsvers 67 wird natürlich ebenso wie 1, 42c christlich sein (vgl. § 4 S. 271 Anm. 6). Entweder ist eine alte Überlieferung entfallen oder aber, m. E. wahrscheinlicher, schloß das Genethliakon ursprünglich unmittelbar an V. 64 an (wobei die jetzige Schlußwendung von V. 64 möglicherweise erst nachträglich aufgenommen wurde und zur Eingangsformel V. 68 überleitet). Man darf ferner nicht übersehen, daß auch Lk 1, 80 besser in die Täufertradition hineinpaßt als in den redaktionellen Rahmen, denn von Johannes werden hier Aussagen gemacht (Erstarken im Geiste vgl. 1, 15!), wie sie von Jesus vor seiner Taufe in Lk 2, 40. 52 ausdrücklich vermieden werden; dagegen steht 1, 80 mit der Eliaaussage in 1, 14—17 in engem Zusammenhang, wozu vielleicht noch Jdc 13, 24f. herangezogen werden darf. Das würde bedeu-

Daß Johannes in Täuferkreisen auch in irgendeiner Weise als Messias angesehen wurde, ist nicht ausgeschlossen, aber auf Grund von Lk 1 nicht ersichtlich[1]. Hiernach ist seine Stellung die des eschatologischen Propheten in Entsprechung zu Person und Aufgabe des Elia.

Jesus wurde von Johannes getauft und hat sich, wie die synoptischen Evangelien noch erkennen lassen, auch mehrfach über ihn geäußert. Die sog. Täuferrede *Mt 11,7—19 par.* (Q) stellt in ihrer jetzigen Gestalt eine nachträgliche Komposition dar. Vier alte und in ihrer Grundform sicher echte Einzelüberlieferungen sind dabei verwertet worden: die Spruchgruppe V. 7b—9, das Wort V. 11, der sog. Stürmerspruch V. 12f. und das Gleichnis von den zankenden Kindern V. 16—19; das Gleichnis ist allerdings nur durch seine alte, aber gleichwohl sekundäre Auslegung in V. 18f. für diesen Zusammenhang brauchbar geworden, hat ursprünglich aber wohl keinen Bezug auf Johannes und Jesus gehabt[2] und kann daher ausscheiden. Kompositionelle Zufügungen sind V. 10 mit Zitat Mal 3,1 und Mt 11,14f., die Aussage über den Täufer als Elia samt anschließender „Weckformel". V. 7b—9. 11. 12f. stehen hierzu in einer nicht zu verkennenden Spannung. Diese Einzelüberlieferungen sind kurz zu behandeln. *V. 7b—9 par.* läßt keine Zusätze erkennen. Umstritten ist, ob in V. 9b die Meinung des Volkes wiedergegeben ist und Jesus demnach eine Beschuldigung des Volkes beabsichtigt, dessen Begeisterung für den Täufer schon längst wieder verrauscht war[3], oder aber, ob in V. 9b eine Responsion vor-

ten, daß die Täufererzählung außer Lk 1,5—25. 57—66 auch noch V. 76f. 79b und V. 80 enthielt, wobei dieser Schlußvers wohl unmittelbare Überleitung zu einer Darstellung des öffentlichen Wirkens des Täufers war. VIELHAUER geht leider weder auf die Verbindung von V. 68—75 mit V. 76—79 noch auf die des täuferischen Genethliakons mit den sonstigen Johanneserzählungen ein. — Noch eine weitere Beobachtung: Lk 1,5—25. 57—66 ist durch einen ausgesprochen semitisierenden Sprachcharakter bestimmt und dieser erklärt sich „nicht aus Imitation, sondern aus Herkunft"; so DIBELIUS, Jungfrauensohn S. 8 (vgl. S. 3 zur Abgrenzung). Das gilt auch noch, wenn man V. 76f. 79b. 80 hinzurechnet, dagegen ist V. 78 mit dem LXX-Wort ἀνατολή für צמח und der überdies damit verbundenen Astralvorstellung — vgl. den Art. von HEINRICH SCHLIER, ThWb I S. 355; VIELHAUER, a.a.O. S. 263f. — schlechterdings nur auf hellenistischem Boden denkbar.

[1] Innerhalb des NT kann nur Lk 3,15 (red.); Act 13,25a und Joh 1,20 als Hinweis auf eine messianische Verehrung des Täufers angesehen werden, setzt aber auch sehr viel spätere Verhältnisse voraus als Lk 1. Eine eindeutige Messianisierung ist dann aus den Pseudo-Clementinen und Ephraem zu entnehmen; doch dürfte es dazu wohl überhaupt erst durch die Auseinandersetzung mit dem Christentum gekommen sein; so JOSEPH THOMAS, Le mouvement baptiste en Palestine et Syrie (Universitas Catholica Lovaniensis, Dissertationes II/28), 1935, S. 113f.

[2] Vgl. DIBELIUS, Joh. d. T. S. 15ff. Gegen JEREMIAS, Gleichnisse S. 139ff., der auch V. 18f. auf Jesus zurückführen möchte.

[3] So JOH. WEISS, Mt in SNT[2] S. 315 (‚mehr als ein Prophet' soll dann in der Volksmeinung = ‚Messias' sein); SCHNIEWIND, Mt S. 143; SCHLATTER, Mt S. 362f.

liegt (ähnlich wie V. 8b), in der Jesus die V. 9a ausgesprochene Volksmeinung bestätigt und gleichzeitig sein eigenes Urteil über den Täufer
formuliert[1]. Letzteres dürfte den Vorzug verdienen und περισσότερος
προφήτου bedeutet dann, daß Jesus den Täufer überhaupt nicht in
irgendeine der herkömmlichen Kategorien eingeordnet wissen will,
sondern seine Funktion auf diese Weise lediglich per negationem umschreibt. Das zeigt sich in ganz ähnlicher Art auch *V. 11.* Hier wird
man fragen müssen, ob der Aussage nicht die ursprüngliche Pointe
durch V. 11b nachträglich genommen worden ist[2]. In jedem Fall
bietet V. 11b erhebliche Schwierigkeiten, die sich auch dadurch nicht
ohne weiteres beheben lassen, daß man ὁ μικρότερος auf Jesus bezieht[3]
oder ἐν τῇ βασιλείᾳ τῶν οὐρανῶν in kausalem Sinn mit dem Prädikat
verbindet[4]. Wie immer es aber damit steht, V. 11a bietet ein Urteil
über den Täufer, dessen Echtheit nicht zu bestreiten ist; und wieder
wird Johannes eine Stellung zugeschrieben, die nicht durch irgendein
geläufiges Hoheitsprädikat gekennzeichnet ist. Auch *V. 12f.*, der rätsel-
hafte Stürmerspruch[5], läßt soviel erkennen, daß Jesus dem Täufer
im Hinblick auf die anbrechende Gottesherrschaft eine singuläre
Aufgabe zuerkennt, die nicht von der alten Prophetie her, vielmehr
von dem andringenden Neuen aus verstanden sein will. Daher wird
Johannes wie in V. 9b, implizit aber auch in V. 11a, nicht als Erfüller
und eschatologischer Repräsentant der Prophetie angesehen, sondern
aus der Reihe der Propheten ganz herausgenommen[6]. Aus diesem
Grunde ist es nicht möglich, die Gleichsetzung des Täufers mit Elia
auf Jesus selbst zurückzuführen[7].

Die Urgemeinde hat sich, wie das Neue Testament erkennen läßt,
um die rechte Einordnung des Täufers in ihre Verkündigung eingehend bemüht. Sie war dabei einerseits von Jesu eigener Hochschät-
zung des Johannes geleitet, mußte andererseits aber das Verhältnis

---

[1] DIBELIUS, Joh. d. T. S. 10f.; KLOSTERMANN, Mt S. 97.

[2] Vgl. DIBELIUS, Joh. d. T. S. 12ff. (über die ursprüngliche Form des Spruches auch S. 8); KLOSTERMANN, Mt S. 97f.

[3] So FRANZ DIBELIUS, Zwei Worte Jesu, II. Der Kleinere ist im Himmelreich
größer als Johannes (Mt 11,11), ZNW 11 (1910) S. 190—192; neuerdings wieder
aufgenommen von CULLMANN, Christologie S. 31.

[4] So SCHLATTER, Mt S. 365ff.: der Jünger Jesu, der jetzt noch kleiner als
Johannes ist, ist dann, wenn sich die Herrschaft Gottes offenbart, größer als er.

[5] Ich verweise nur auf GOTTLOB SCHRENK, Art. βιάζομαι, ThWb I S. 608ff.;
BULTMANN, Syn. Trad. Ergänzungsheft S. 25 und den Auslegungsversuch von
FRIEDRICH, ThWb VI S. 840f. Siehe auch oben § 3 S. 165.

[6] Sekundär wird dies in Lk 16,16 wieder rückgängig gemacht.

[7] Kurz erwähnt sei auch noch Mk 11,27—33, die Vollmachtsfrage, wo Jesus
die himmlische Legitimation der Johannestaufe seinen Widersachern entgegen-
hält. V. 31f. stellt eine Parenthese dar und ist wohl jüngerer Zusatz; hier wird
als Volksmeinung angegeben, daß Johannes ‚wahrlich ein (der?) Prophet
gewesen ist'.

des Täufers zu Jesus genau fixieren. Es lag für sie nahe, gleichfalls die
Anschauung vom endzeitlichen Elia aufzugreifen, nur daß Johannes
jetzt nicht als Vorläufer Gottes, vielmehr als Vorläufer des Messias
verstanden werden mußte. Der älteste Beleg für die Gleichsetzung
des Täufers mit Elia innerhalb christlicher Überlieferung ist die bereits
berührte Täuferrede Mt 11, 7 ff. par. in ihrer kompositionellen Gestalt.
Schon in V. 11 b ist das Urteil über den Täufer eingeschränkt: mag
er unter allen von Weibern Geborenen der Größte sein, so steht er
gleichwohl noch vor dem Beginn der Heilszeit. Er ist hiernach nicht
der Wächter an der Wende der Äonen, der selbst seine Stellung bereits
von der anbrechenden Zukunft her erhält, sondern nur das letzte und
bedeutsamste Glied in der Kette der Gottesboten, die auf die Heilszeit hinführen. In diesem Sinne gilt von ihm das Wort *Mt 11,10* von
dem endzeitlichen Boten aus Mal 3,1. Dieses Zitat ist allerdings —
wahrscheinlich unter dem Einfluß von Ex 23,20 — christlich umgestaltet[1], damit der messianische Bezug klarer erkennbar wird.
*11,14 f.* nimmt dieses Motiv auf. Dabei muß die Frage gestellt werden,
ob diese ausdrückliche Gleichsetzung des Täufers mit Elia auf die
Logienquelle zurückgeht oder zur Redaktion des Mt gehört. Für ersteres könnte die Tatsache sprechen, daß Lk den Text von Mt 11,12 f.
in diesem Zusammenhang nicht hat, sondern in einer anderen, sehr
lockeren Spruchfolge (Lk 16,15—18). Auf der anderen Seite überrascht die ,,Weckformel'' in Mt 11,15 und überhaupt im Rahmen der
Q-Überlieferung, während sie in der markinischen Gleichnistradition
oder den apokalyptischen Sendschreiben eher verwurzelt zu sein
scheint; außerdem ist die Einleitung ,wenn ihr es annehmen wollt'
V. 14 a in diesem sonst sehr thetisch formulierten Textabschnitt merkwürdig. So wird man die Folgerung ziehen müssen, daß V. 14 f. auf
den Evangelisten zurückgeht[2], der damit die in V. 10 vorgegebene
Intention weitergeführt und verdeutlicht hat[3]. *V. 16—19* fügt sich
dem Gedankengang jener von V. 10 her orientierten Täuferrede ein:

---

[1] Vgl. KRISTER STENDAHL, The School of St. Matthew, 1954, S. 49 ff., der
auch zeigt, daß hier kein LXX-Einfluß vorliegt, sondern eine eigenständige
Texttradition vorauszusetzen ist.

[2] Die Logienquelle dürfte bereits mit Lk 7,29 f. eine abschließende Formulierung gehabt haben, woran V. 31 f. anhangsweise noch zugefügt war; kaum ist
das erst von Lk so geschaffen. Bei Mt ist dagegen 11,12 f. eine konsequente
Weiterführung und V. 16 ff. schließt nach der reaktionellen Einschaltung V. 14 f.
unmittelbar an. Mt muß demnach den Stürmerspruch aus sachlichen Gründen
aus einem anderen Zusammenhang hierher gesetzt haben. Umgekehrt ist auch
kaum wahrscheinlich, daß Lk seinen veränderten Paralleltext in 16,16 unter-
gebracht hätte, wenn er ihm nicht in jener Spruchreihe begegnet wäre.

[3] Vgl. KLOSTERMANN, Mt S. 99; T. W. MANSON, The Sayings of Jesus, 1949[2],
S. 184 f. Ebenso DIBELIUS, Joh. d. T. S. 31 f., der aber zur Einleitungsformel ein
persönliches Objekt ergänzt und übersetzt: ,wenn ihr ihn (sc. den Täufer) annehmen wollt'; unwahrscheinlich.

kennzeichnet der Täufer die Periode der Askese und Buße[1], so steht
das Wirken des Menschensohnes bereits im Zeichen der Heilszeit und
ist daher Zeit der Freude; wieder ist also die Wirksamkeit des Täufers
von derjenigen Jesu abgegrenzt, nicht mit ihr zusammengesehen[2]. Ist
Mt 11,14f. dem Evangelisten zuzuschreiben, so hat er dabei nicht nur
V. 10 weitergeführt, sondern auch noch das Traditionsstück Mk 9,9ff.
auswerten können.

*Mk 9,(9f.)11—13* ist redaktionell stark überarbeitet: als Abschluß
der Verklärungsgeschichte hat Mk den für seine Christologie wichtigen
Gedanken V. 9f. formuliert und dabei in V. 9b eine Leidens- und
Auferstehungsweissagung verwertet, deren ersten Teil er in V. 12b
nachgetragen hat, wodurch er zwar den klaren Gedankengang von
V. 11—13 zerstört, aber statt dessen eine Entsprechung zwischen dem
Leiden des Täufers und dem Leiden Jesu gewonnen hat. Damit hat
er einen Gedanken, der schon 1,14 anklingt und dann für die Aufnahme der Erzählung vom Ende des Täufers in 6,17—29 maßgebend
war, betont zum Abschluß geführt[3]. Wie steht es mit V. 13b? Hat
Mk diese Aussage über die Schriftnotwendigkeit des Täuferleidens
ebenfalls hinzugefügt, weil ihm an der Parallelisierung mit Jesus lag?
Das ist kaum wahrscheinlich. Die Ablehnung beider Gottesboten
kommt auch in Mt 11,16—19 zum Ausdruck; für den Tod des Täufers
gab es außerdem die Vorstellung von dem Leiden und Sterben des
wiederkehrenden Elia, weswegen das καθὼς γέγραπται ἐπ' αὐτόν sich
nicht auf das Alte Testament, sondern auf apokryphe Überlieferung
beziehen dürfte[4]. Aufs Ganze gesehen wird in diesem Abschnitt V. 11.
12a.13 deutlich, daß die Urgemeinde das gesamte Wirken und Leben
des Täufers nach dem Modell des vor der Heilszeit als Bußprediger
wiederkehrenden Elia ausgestaltet hat. Während bei Mk an dieser
Stelle eine ausdrückliche Identifizierung mit dem Täufer fehlt, obwohl
sachlich kein Zweifel darüber besteht, hat sie Mt in 17,13 betont ans
Ende gestellt, ein Hinweis mehr, daß auch Mt 11,14f. dem Evangelisten
zuzuschreiben ist[5].

[1] Anders Lk 1,14! Die Enthaltsamkeit, die V. 15 erwähnt wird, hat anderen
Sinn, vgl. o. S. 372 Anm. 1.
[2] Vgl. Mk 2,18. 19a: Johannes und seine Jünger fasten, bei der Anwesenheit
des Bräutigams hört das Fasten auf. Aber damit ist ursprünglich keine heilsgeschichtliche Abgrenzung des Täufers gegenüber Jesus impliziert; dies ist auch
nicht in Mt 11,16—19 beabsichtigt, ergibt sich aber aus dem Zusammenhang
von Mt 11,7ff.
[3] Vgl. ROBINSON, Geschichtsverständnis des Mk S. 20.
[4] Vgl. KLOSTERMANN, Mk S. 89; LOHMEYER, Mk S. 183f.; TAYLOR, Mk
S. 395; auch JEREMIAS, ThWb II S. 941f.
[5] Anders C. H. KRAELING, John the Baptist, 1951, S. 141ff., der die Kennzeichnung des Täufers als Elia auf Jesus zurückführen will; traditionsgeschichtlich ist dieses Buch wenig ergiebig.

Als letzter Textabschnitt ist *Mk 1,2—8* zu besprechen. Vielfach wird angenommen, daß dieser Zusammenhang erst durch den Evangelisten geschaffen worden ist und er auch die beiden Zitate vorangestellt hat[1]. Auf der andern Seite hat LOHMEYER die Einheitlichkeit des Abschnittes behauptet; Zug um Zug, Zeile um Zeile des alttestamentlichen Zitates sei kunstvoll in der nachfolgenden Erzählung aufgenommen[2]. Beide Lösungen befriedigen nicht. Schon WELLHAUSEN hat darauf hingewiesen, daß die Kombination von Schriftworten, wie sie in V. 2f. vorliegt, nicht der Art des Mk entspricht[3], und die Durchdringung des erzählenden Abschnittes mit Elementen des Zitates wäre für den Evangelisten völlig singulär. Deshalb wird man mit einem überkommenen, von Mk im wesentlichen unverändert aufgegriffenen Überlieferungsstück zu rechnen haben. Daß mancherlei Traditionen zusammengeflossen sind, ist nicht zu bestreiten. Das zeigt die Darstellung des Jordantäufers in V. 4f., die Beschreibung seiner Tracht in V. 6 und das Doppellogion V. 7f. Umgekehrt hat das vorangestellte Jesaja-Zitat durch das Motiv des Wüstenpredigers in V. 4 eingewirkt[4], und das zweimalige κηρύσσειν in V. 4 und V. 7 wird ebenfalls mit der Vorstellung vom Rufer in der Wüste zusammenhängen, auch wenn hier wie bei der Charakterisierung der Taufe V. 4b bereits christliche Terminologie einwirkt; die ungewöhnliche Wendung κηρύσσειν βάπτισμα[5] soll die Funktion als Verkündiger unterstreichen. Man muß also eine etwas längere Entstehungsgeschichte voraussetzen. Das Charakteristikum, welches die Aussagen über die Jordantaufe, die Kleidung und die messianische Verkündigung zusammenfaßt, ist jetzt die Funktion des Wüstenpredigers. Irgendwelche Züge, die an Elia erinnern, lassen sich bestenfalls in V. 6 erkennen, sind jedoch, wie erwähnt, nicht eindeutig. Das bedeutet dann aber, daß von den Zitaten in V. 2f. das ebenso wie in Mt 11,10par. umgeformte Wort aus Mal 3,1 kein wirkliches Gewicht hat, Jes 40,3 dagegen dominiert[6]. Während

---

[1] Vgl. etwa K. L. SCHMIDT, Rahmen S. 18ff.; BULTMANN, Syn. Trad. S. 261f.; MARXSEN, Evangelist Markus S. 17ff.

[2] ERNST LOHMEYER, Die urchristliche Überlieferung von Johannes dem Täufer, JBL 51 (1932) S. 300—319; zusammengefaßt in DERS., Das Urchristentum I: Johannes der Täufer, 1932, S. 13ff.; DERS., Mk S. 9ff.

[3] WELLHAUSEN, Mk S. 3f.

[4] Mit Recht von HELMUT KÖSTER in seiner Rezension des Buches von Marxsen, Verk. u. Forsch. 1956/57 (1959) S. 179 herausgestellt. Allerdings wird man beachten müssen, daß die Wüste auch Mt 11,7f. par. erwähnt wird. Das Motiv ist also nicht einfach aus Jes 40,3 herausgesponnen, will aber in Mk 1,4 von jener at. Aussage her verstanden werden.

[5] Es kann nicht mit ‚aufrufen zu' übersetzt werden. Sonst heißt es βαπτίζειν (τὸ) βάπτισμα; vgl. Konkordanz.

[6] Jes 40,3 ist in einer solchen, auf eine bestimmte Person bezogenen Auslegung offensichtlich im Judentum nicht verwendet worden, wie das Material bei

der messianische Bezug in dem ersten Zitat nur durch das zweimalige σου zum Ausdruck kommt, ist im zweiten von Jesus als dem κύριος gesprochen[1]. Ebenso wie die Abhängigkeit von der Septuaginta zeigt auch dieser Gebrauch des Kyriostitels, daß hier hellenistische Gemeindetradition vorausgesetzt werden muß, während ja das Maleachi-Zitat seine neutestamentliche Gestalt unabhängig von der Septuaginta und höchstwahrscheinlich im semitischen Sprachbereich erhalten hat. Einen alten Anstoß bildet die Tatsache, daß die Zitate V. 2f einleitend als Jesajawort bezeichnet werden. Es ist daher mehrfach der Vorschlag gemacht worden, das Maleachi-Zitat überhaupt als nachträgliche Interpolation anzusehen, wofür noch sprechen könnte, daß dieses auch bei Mt und Lk fehlt, also möglicherweise in deren Vorlage nicht gestanden hat[2]. Auf der andern Seite ist aber nicht zu verkennen, daß beide Zitate vom Vorangehen und vom Zurüsten des Weges sprechen, also offensichtlich als Parallelaussagen miteinander verbunden worden sind, wobei dem älteren Schriftbeweis Mal 3,1 später Jes 40,3 an die Seite gestellt wurde[3]. Und Mk 1,2—8 zeigt, wie das Eliamotiv dann zurücktreten konnte und durch die Anschauung von Johannes als dem Rufer in der Wüste geradezu abgelöst wurde[4]. Mk dürfte das Maleachiwort mit übernommen haben, während es Mt und Lk gestrichen haben, weil es nicht als Jesajazitat in Frage kam, den Textabschnitt sachlich nicht bestimmte und außerdem innerhalb der Q-Überlieferung ohnedies nochmals auftauchte.

Abschließend ist noch ein Blick auf die Konzeptionen der Evangelisten zu werfen. *Markus* hat beide Überlieferungen von Johannes als Elia und als Wüstenprediger aufgenommen und dem Täufer dadurch einen gewichtigen Platz zuerkannt, daß er sein Wirken unter den Leitgedanken ἀρχὴ τοῦ εὐαγγελίου stellte. Auf diese Weise ist jene

---

BILLERBECK I S. 96f. und die Stelle 1 Q S VIII, 14f. („Das bedeutet Erforschung der Tora . . .') zeigen.

[1] Über die christologische Korrektur am Ende und die Verwendung des Kyriostitels vgl. § 2 S. 118.

[2] Vgl. nur LUDWIG KÖHLER, Kleine Lichter, 1945, S. 79f.

[3] Vgl. STENDAHL, School S. 51f. 215, der allerdings völlig unbegründet diese Kombination einer semitischen Grundlage zuweist, obwohl er S. 47f. eindeutig die Abhängigkeit von der LXX in V. 3 im Gegensatz zu V. 2 herausgestellt hat. Abwegig ist auch seine Vermutung, diese Verbindung von Zitaten bereits der Täufergemeinde zuzuschreiben. Aber zutreffend weist er S. 216f. darauf hin, daß die Methode einer solchen Kombinierung von Schriftworten jüdisch ist. Die vielfach im Anschluß an RENDEL HARRIS vertretene These einer Testimoniensammlung bestreitet er S. 207ff. für die älteste Zeit wie ähnlich auch C. H. DODD, According to the Scriptures, 1952, S. 126. In der Tat wird Mk 1,2f. nicht als isoliertes dictum probans für den Täufer tradiert worden sein, sondern es gehört sicher von Anfang an mit V. 4—8 zusammen.

[4] Das läßt sich wohl auch in der Zuweisung der Zitatenkombination Mk 1,2f. an den Propheten Jesaja erkennen.

Intention, welche im Urteil Jesu zu erkennen war, festgehalten und gleichzeitig ist durch den Wegbereitergedanken die Unterordnung unter Jesus eindeutig zum Ausdruck gebracht, wie ja auch in 1,14 die Zeit des Täufers und Jesu klar voneinander unterschieden sind. *Matthäus* hat die Mk-Texte übernommen, hat Material aus der Logienquelle verwendet und, wie schon gezeigt, die Gleichsetzung mit Elia besonders betont [1]. Auch ihm liegt an der engen Verbindung wie an der Unterscheidung Johannes des Täufers und Jesu. Da durch den anderen Beginn des Evangeliums jene so bezeichnende Überschrift des Mk-Evangeliums entfallen mußte, bezieht Mt den Täufer in der Weise in das Evangelium ein, daß er ihm in Mt 3,2 mit μετανοεῖτε· ἤγγικεν γὰρ ἡ βασιλεία τῶν οὐρανῶν dieselbe Botschaft in den Mund legt, mit der nach 4,17 auch Jesus sein Wirken beginnt; unterschieden sind beide nur durch ihre verschiedene heilsgeschichtliche Funktion, was durch die at. Zitate in 3,3 und 4,14—16 deutlich gemacht wird [2]. *Lukas* ist anders vorgegangen. 3,15 spiegelt Auseinandersetzungen mit der Täufergemeinde. Dies sowie die eigene heilsgeschichtliche Konzeption führten ihn dazu, Gestalt und Wirken des Täufers der Zeit des Alten Bundes und der Propheten zuzuordnen; man vergleiche nur das ἀπὸ τότε . . . εὐαγγελίζεται in der Neufassung des Stürmerspruches Lk 16,16 mit Mk 1,1. Die Q-Fassung der Täuferrede Jesu hat Lk übernommen; Mk 1,2—8 und auch die Tauferzählung V. 9—11 wurden erheblich umgestaltet; die Kennzeichnung des Johannes als Elia ist zwar in der Vorgeschichte stehengeblieben, aber Mk 9,11—13 wurde ganz gestrichen [3]. Noch radikaler ist *Johannes* vorgegangen. Aus dem Vorläufer ist der Zeuge Jesu geworden [4]. Das Christusprädikat ebenso wie die Kennzeichnung als Elia oder als der Prophet werden vom Täufer selbst abgewiesen [5]. Jes 40,3 wird nun nicht in Verbindung mit der Vorstellung vom eschatologischen Propheten, sondern im ausdrücklichen Gegensatz zu dieser auf Johannes bezogen (Joh 1,20f.).

### 3. *Jesus als der neue Mose*

Die Frage, ob und in welcher Weise die Anschauung vom endzeitlichen Propheten auf Jesus angewandt wurde, ist lange Zeit hindurch

---

[1] Vgl. noch WOLFGANG TRILLING, Die Täufertradition bei Matthäus, BZ NF 3 (1959) S. 271—289.

[2] Vgl. dazu G. BORNKAMM, Enderwartung, in: BORNKAMM-BARTH-HELD S. 13f.

[3] Zur Stellung des Täufers in der lukanischen Heilsgeschichte vgl. CONZELMANN, Mitte der Zeit S. 16ff.

[4] Joh 1,7.8.15.19.32.34; 3,26.28; 5,33. Vgl. im übrigen DIBELIUS, Joh.d.T. S. 98ff., 119ff.; BULTMANN, Joh S. 30f., 57ff.; CULLMANN, Christologie S. 26ff.

[5] Vgl. neuerdings GEORG RICHTER, „Bist du Elias?" (Joh. 1,21), BZ NF 6 (1962) S. 79—92. 238—256 (noch unabgeschlossen).

nicht gestellt worden und hat erst in neuerer Zeit Beachtung gefunden[1].

Seinem Auftreten nach ist Jesus zunächst wohl hauptsächlich als Rabbi angesehen worden. Bestimmte Züge passen aber nicht zu der Gestalt eines Schriftgelehrten und erinnern eher an die Erscheinung eines Propheten. Eine Bestandsaufnahme solcher Eigentümlichkeiten führt zu einem phänomenologischen Vergleich mit den „gewöhnlichen" Propheten[2]. Dafür, daß aber auch die Anschauung vom endzeitlichen Propheten, und offensichtlich schon sehr früh, auf Jesus übertragen wurde, gibt es eine Reihe von Indizien; das Weiterwirken in etwas modifizierter Gestalt innerhalb der hellenistischen Tradition des Ur-

---

[1] Ansätze schon bei KARL BORNHÄUSER, Das Wirken des Christus durch Taten und Worte (BFchrTh II/2), 1924²; erste Anregungen zur Fragestellung gehen wohl auf GFRÖRER, a.a.O. II S. 318ff., zurück; vor allem ist zu verweisen auf R. MEYER a.a.O. S. 18ff., 103ff.; HARALD RIESENFELD, Jesus als Prophet, in: Spiritus et Veritas (Festschrift für Karl Kundsins), 1953, S. 135—148; CULLMANN, Christologie S. 11ff.; G. FRIEDRICH, ThWb VI S. 847ff., 860f.; TEEPLE, a.a.O. S. 74ff. Kurze Hinweise auch bei LOHMEYER, Mk S. 4; TAYLOR, Names of Jesus S. 16f.; SCHNACKENBURG, a.a.O. S. 636ff.; unbefriedigend FRANKLIN W. YOUNG, Jesus the Prophet: a Re-Examination, JBL 68 (1949) S. 285—299, weil keine klare Abgrenzung gegen die Messiasvorstellung durchgeführt wird; auch ERICH FASCHER, *ΠΡΟΦΗΤΗΣ*, 1927, bietet für diese Fragestellung kaum etwas.

[2] Der Vergleich Jesu mit den at. Propheten hat natürlich von jeher eine Rolle gespielt, man braucht nur an die Vorstellung vom munus propheticum Christi zu denken. Eine ausgezeichnete Zusammenstellung aller prophetischen Züge in diesem Sinn bietet CHARLES HAROLD DODD, Jesus als Lehrer und Prophet, in: Mysterium Christi, 1931, S. 67—86. Ähnlich PAUL E. DAVIES, Jesus and the Role of Prophet, JBL 64 (1945) S. 241—254; C. K. BARRETT, Holy Spirit S. 90ff. Auch das umfangreiche Buch von FÉLIX GILS, Jésus Prophète d'après les Évangiles synoptiques (Orientalia et Biblica Lovaniensia II), 1957, beschränkt sich im wesentlichen auf diese Fragestellung; wohl rechnet der Verfasser damit, daß es sich bei ‚Prophet' um einen sehr alten Hoheitstitel handeln könnte (S. 43ff.), begründet dies dann aber lediglich mit der prophetischen Eigenart der Visionen, der Verkündigung und der Leidensweissagungen (S. 49ff., 89ff., 134ff.), während er die Mosetypologie nur sehr knapp behandelt und ihrer Bedeutung nicht gerecht wird (S. 6f., 30ff.). DODD, a.a.O. S. 71f. 84 weist im Zusammenhang der allgemein-prophetischen Züge auch auf die Gleichnishandlungen hin; der diesbezügliche Beitrag von GUSTAV STÄHLIN, Die Gleichnishandlungen Jesu, in: Kosmos und Ekklesia (Festschrift für Wilhelm Stählin) 1953, S. 9—22, geht aber in der Ausgrenzung dieser Handlungen — sie haben einen tieferen, die Situation übergreifenden Sinn, hinter denen das Sendungsbewußtsein Jesu steht und das *ἄρρητον* der erfüllten *ἔσχατα* zum Ausdruck kommt — von einer zu allgemeinen Bestimmung aus. An Gleichnishandlungen im strengen Sinn werden wohl nur das Abendmahl in seiner ursprünglichen Gestalt, möglicherweise die Tempelreinigung und die wahrscheinlich aus einem Gleichnis sekundär gebildete Verfluchung des Feigenbaumes in Frage kommen. — Bei der Behandlung der prophetischen Elemente muß im übrigen klar geschieden werden zwischen denen, die aus at. Tradition stammen, und den anderen, die hellenistische Denkweise erkennen lassen; letzteres ist vor allem bei dem Motiv vom übernatürlichen Erkenntnisvermögen Jesu zu beachten, wofür es zwar auch im at.-jüdischen Bereich gewisse Analogien gibt, in vielen Fällen aber doch das hellenistische Verständnis des Propheten = *θεῖος ἀνήρ* im Hintergrund steht; vgl. dazu BULTMANN, Joh S. 71 Anm. 4.

christentums ist deutlicher zu greifen. Es handelt sich dabei durchweg um den Typus der Erwartung, die von Dt 18,15ff. geprägt ist[1]. Das ist einmal deswegen verständlich, weil Jesus nicht wie der Täufer als Bußprediger aufgetreten ist und zudem schon die Täufergemeinde die Eliavorstellung übernommen hatte. Zum andern ist die Verwendung jener spätjüdischen Konzeption aber auch dann nicht überraschend, wenn man sich klar macht, daß sie unter allen vorgeprägten Anschauungen von einer Heilsgestalt noch am ehesten auf Jesu irdisches Wirken paßte und ohne allzu große Umformung übernommen werden konnte. Die Menschensohnvorstellung war mit dem apokalyptischen Endgeschehen verbunden, die Messiasvorstellung setzte die Übernahme einer wirklichen Königsherrschaft voraus und die hohepriesterliche Messianologie lag völlig fern, da priesterliche Züge dem irdischen Jesus fremd waren. Die Anrede Jesu mit ‚Rabbi' und ‚Herr' war ursprünglich weder Würdebezeichnung noch mit irgendeiner Heilsvorstellung verknüpft. So blieb nur die Erwartung eines neuen Mose. Da Jesus als vollmächtiger Lehrer und Gesetzesausleger, aber auch als Wundertäter aufgetreten ist, mag sich diese Vorstellung sogar aufgedrängt haben. Selbst Jesu Tod könnte, da er ohnedies mit den jüdischen Prophetenmorden in Verbindung gebracht war[2], in Analogie zu der apokryphen Tradition vom Leiden des endzeitlichen Propheten[3] verstanden worden sein.

Es ist von Texten auszugehen, bei denen die Bezeichnung des Propheten ausdrücklich aufgenommen ist oder Dt 18,15ff. zitiert wird, auch wenn es sich dabei zunächst um jüngere Belege handelt. Immerhin können auf diese Weise einige charakteristische Züge der Anschauung erkannt werden. Eine sehr interessante Überlieferung ist die Stephanusrede *Act 7,2—53*. Sie beginnt mit einem langen Geschichtssummarium V. 2—34, welches, wie der Inhalt und der durchgängige Gebrauch der Septuaginta zeigen, wohl unmittelbar auf die hellenistische

---

[1] Auf Grund von Mk 6,15; 8,28 könnte man fragen, ob nicht Jesus tatsächlich auch als endzeitlicher Elia angesehen worden ist; immerhin hat sich das an diesen Stellen deutlicher niedergeschlagen als die Gleichsetzung mit dem endzeitlichen Propheten wie Mose. Es soll keineswegs bestritten werden, daß eine ganze Reihe von Zügen an Elia erinnern, aber die maßgebende Konzeption ist dies nicht gewesen; vielmehr handelt es sich offenbar um Einzelelemente, die in jene andere Anschauung von Jesus als Endzeitpropheten aufgenommen worden sind.

[2] Lk 13,32f. zeigt, daß der Hinweis auf den Tod der Propheten höchstwahrscheinlich schon in Jesu eigene Verkündigung gehört; vgl. Exk. I S. 65 Anm. 1. Außerdem gehören an nt. Stellen hierher: 1 Thess 2,15; Mt 23,31.37a; Mt 23,29. 34—36 par. (ferner die redaktionellen Stellen Mt 21,35; 22,6). Vgl. auch noch die auf die Gemeinde angewandten Aussagen o. S. 366 mit Anm. 3.

[3] Es sei nochmals ausdrücklich darauf verwiesen, daß damit keine Sühnevorstellung verbunden ist; gegen JEREMIAS, ThWb V S. 710f. Vgl. o. S. 365f.

Synagoge zurückgeht, von deren Geist es geprägt ist[1]. Der eingeschobene V. 25 — vielleicht ist auch V. 22b ergänzt — und der Abschnitt V. 35—39a bieten eine Mosetypologie, in deren Mittelpunkt Dt 18,15 steht. Jesus ist als Erfüller dieser Verheißung zwar nicht ausdrücklich genannt, aber ohne Zweifel ist dieser ganze Passus im Blick auf sein Wirken konzipiert worden. Der nächste Doppelabschnitt V. 39b—43 und V. 44—50 bietet, unmittelbar anschließend, eine Polemik gegen die im Unglauben verharrenden Juden und ihren falschen Gottesdienst; V. 51—53 endlich bringt eine abschließende Anklage, verbunden mit der Beschuldigung des Prophetenmordes und der Tötung Jesu[2]. Auch wenn in V. 35ff. noch einzelne Bruchstücke des jüdischen Geschichtssummariums übernommen sein sollten — besonders bei V. 39b—41 und V. 44—47 ist dies zu erwägen —, so ist doch V. 35—53 in Anlage und Durchführung christlich, was sich in V. 35—38 aus der Thematik sowie der kunstvollen formalen Stilisierung ergibt, in V. 39—50 aus der Verbindung eines berichtenden Abschnittes mit einem deutenden Prophetenwort[3]. Das Drohwort aus Am 5,25—27 zeigt, daß auch V. 39ff. typologisch verstanden und somit V. 43 fin auf die Katastrophe des Jahres 70 n.Chr. bezogen werden muß[4]. Dann erklärt sich zugleich aber auch die Weiterführung in V. 44ff., wo keineswegs nur, wie in der Regel behauptet, ein sehr lockerer Stichwortanschluß ad vocem σκηνή vorliegt, der mag vielleicht überhaupt nur zufällig sein, vielmehr ist der von den Juden ausgeübte Tempeldienst, wie das Prophetenwort V. 48ff. erweisen will, ein Götzendienst, der Gottes wahrer Gottheit widerspricht. Daß der Schluß V. 51—53 christlich ist, liegt auf der Hand; hier stellt sich nun umgekehrt die Frage, wieweit ein redaktioneller Eingriff des Lukas erkennbar wird. Der große zweite Teil der Rede V. (22b. 25) 35—50 zeigt keine lukanische Eigenart[5].

---

[1] Vgl. MARTIN DIBELIUS, Aufsätze zur Apg. S. 143ff.; HARTWIG THYEN, Der Stil der jüdisch-hellenistischen Homilie (FRLANT NF 47), 1955, S. 19f.

[2] Man darf nicht gliedern: V. 2—16 Patriarchenzeit, V. 17—43 Mosegeschichte, V. 44—50 Tempelbau, V. 51—53 Abschluß mit Bezug auf messianische Weissagungen — so PREUSCHEN, Apg S. 38; BAUERNFEIND, Apg S. 113ff. u.a. —, weil dabei das sachliche Anliegen völlig übersehen wird.

[3] Gegen HAENCHEN, Apg S. 239f., der V. 35.37.39—43.48—53 als lukanische Einschübe in das alte Geschichtssummarium ansieht, zu dem er auch V. 36 und 38 rechnet (außerdem V. 44—47). Das zweimalige τοῦτον und das dreimalige οὗτος in V. 35—38 gibt diesem Abschnitt rein stilistisch ein so einheitliches Gepräge, daß man mit der Annahme einer Kompilation nicht durchkommt; und der formalen Eigenart entspricht überdies auch noch die inhaltliche Funktion dieser Verse. In V. 39—50 ist eher mit Elementen des jüdischen Geschichtsberichtes zu rechnen, weil dort der gegenüber V. 2—34 andersartige Charakter vornehmlich durch die anschließenden Prophetenworte erreicht wird.

[4] So zutreffend HAENCHEN, Apg S. 241.

[5] Auch BAUERNFEIND, Apg S. 110ff., nimmt an, daß die Rede dem Lk schon vorgegeben war, wenn er auch im einzelnen die Vorlage nicht auszugrenzen ver-

Während Lukas heilsgeschichtlich im Schema Weissagung und Erfüllung denkt und entsprechend vom Schriftbeweis Gebrauch macht[1],
liegt hier eine rein typologische Denkweise vor, wie sie sich sonst bei
Lukas, dem es auf den zeitlichen Ablauf ankommt, nicht findet. In
Act 7, 22 b. 25. 35 ff. geht es ausschließlich um die Entsprechung. Nach
V. 22 b war Mose ‚mächtig in seinen Worten und Werken‘, nach V. 25
verstehen die Juden nicht, daß Gott ihnen ‚durch seine Hand‘ σωτηρία
geben will, nach V. 35 f. geht es um die Sendung des ἄρχων καὶ λυτρωτής,
in V. 36 um seine τέρατα καὶ σημεῖα und in V. 38 um die λόγια ζῶντα,
die er zur Weitergabe empfangen hat; dazwischen steht das Zitat von
der Sendung des Propheten wie Mose. Ebenso werden die Aussagen
über den Götzen- und Tempeldienst samt den prophetischen Urteilen
auf die Gegenwart der Juden bezogen. Dazu paßt auch das zusammenfassende Wort in V. 51 über die Halsstarrigkeit und Unbußfertigkeit
mit dem abschließenden ‚wie eure Väter so auch ihr‘. Etwas anders
liegen die Dinge in V. 52f. Bei den beiden traditionellen Motiven von
der Verfolgung und Tötung der Propheten sowie der Vermittlung des
Gesetzes durch Engel wird Lukas zwar gleichfalls auf eine Vorlage
zurückgreifen, aber er verbindet dies mit Eigenem: einmal mit der
Funktion der Propheten als προκαταγγείλοντες, wodurch die spezifisch
heilsgeschichtliche Stellung der Propheten betont wird; ferner mit der
Bezeichnung Jesu als δίκαιος, ein, wie Lk 23, 47; Act 22, 14 (auch 3, 14)
zeigt, charakteristisches Motiv der lukanischen Christologie; endlich
ist auch die Beschuldigung der Jerusalemer Juden als der Verräter
und Mörder Jesu ein echt lukanischer Zug[2]. Der redaktionelle Ein-

---

sucht. Als ihre Heimat sieht er das frühe hellenistische Christentum an, hält
sogar eine indirekte Verbindung mit dem Stephanuskreis nicht für unmöglich;
ähnlich auch A. F. J. KLIJN, Stephen's Speech — Acts vii. 2—53, NTSt 4
(1957/58) S. 25—31, auf dessen Untersuchung der Beziehungen zu 1 Q S hier
nicht eingegangen zu werden braucht. Eine gewisse sprachliche Verwandtschaft
von Act 7 mit den lk Schriften — vgl. dazu WILHELM MUNDLE, Die Stephanusrede Apg 7: eine Märtyrerapologie, ZNW 20 (1921) S. 133—147, bes. S. 135 f. —
braucht nicht dagegen zu sprechen, denn die Angleichung an seinen eigenen
Stil hat Lk überall vorgenommen (man vergleiche nur die inhaltlich im wesentlichen unverändert übernommenen Mk-Erzählungen im Lk-Ev) und ist in Act 7
bei der starken Anlehnung an die LXX, die für die Rede wie für Lk selbst bezeichnend ist, ohnedies schwer zu erweisen; an spezifisch lk Spracheigentümlichkeiten ist daher die Liste Mundles nicht einmal sehr reich. Das einleitende
Geschichtssummarium der Rede Act 13, 16 ff. spricht nicht gegen die Selbständigkeit von Act 7, 2 ff., denn dort dürfte sich Lk diese überkommene
„Stephanusrede" zum Vorbild genommen haben; so auch THYEN, a. a. O. S. 19
Anm. 88.
    [1] Vgl. die Behandlung des Schriftbeweises in den Missionsreden, bes. Act 3,
22 ff.; 13, 32 ff.
    [2] Gegen HAENCHEN, Apg S. 240 f., ist zu betonen, daß die ganze Rede in ihrer
jetzigen Gestalt, also sowohl V. 35 ff. als auch V. 52 f., ausgesprochen christologische Intention trägt. Sie ist in keiner Weise martyrologisch ausgerichtet und
schildert auch nicht im geringsten die Situation der Christen, die immer durch

griff dürfte somit auf V. 52 b beschränkt sein, während Act 7, (22 b) 25. 37—52 a. 53 eine vorlukanische, aus dem hellenistischen Judenchristentum stammende Mose-Jesus-Typologie darstellt[1].

Als zweiter Text ist die von Lukas komponierte, aber älteres Material verarbeitende Rede *Act 3, 12—26* zu besprechen. Von der Bezugnahme auf die Situation der Lahmenheilung in V. 12 und 16 kann abgesehen werden. V. 17 f. mit dem Motiv der Unwissenheit und dem Vorausverkündigen der Propheten ist ausgesprochen lukanisch, nur das formelhafte $\pi\alpha\vartheta\varepsilon\tilde{\iota}\nu$ $\tau\grave{o}\nu$ $\chi\varrho\iota\sigma\tau\grave{o}\nu$ ($\alpha\dot{v}\tauο\tilde{v}$) ist übernommen[2]. Die Bußmahnung V. 19 gehört zum Schema der Reden[3], aber möglicherweise ist V. 19 b, sicher V. 20. 21 a alte geprägte Überlieferung[4]. V. 21 b kehrt zum Gedanken der prophetischen Weissagung zurück; dann folgt als christologischer Schriftbeweis, der in V. 23 zugleich die Bußmahnung motiviert, die Bezugnahme auf Dt 18, 15 (f.). 19, unter Einschluß des in Act 7, 37 fehlenden, aber aus der Verklärungsgeschichte bekannten $\alpha\dot{v}\tauο\tilde{v}$ $\dot{\alpha}\kappa\omicron\dot{v}\varepsilon\sigma\vartheta\varepsilon$. Noch ein drittes Mal bringt Lukas in V. 24 den Gedanken der prophetischen Verkündigung des Heils, danach folgt eine Gal 3, 8 entsprechende Anwendung von Gen 12, 3; 22, 18 in V. 25. Der abschließende V. 26 ist in seiner Formulierung sicher lukanisch[5], aber die durch $\dot{\alpha}\nu\alpha\sigma\tau\dot{\eta}\sigma\alpha\varsigma$ $\dot{o}$ $\vartheta\varepsilon\dot{o}\varsigma$ ausdrücklich auf Dt 18, 15 zurückbezogene Prädikation $\dot{o}$ $\pi\alpha\tilde{\iota}\varsigma$ $\alpha\dot{v}\tauο\tilde{v}$ muß einer bestimmten Tradition entstammen. Dasselbe wird man behaupten dürfen von $\dot{\varepsilon}\delta\dot{o}\xi\alpha\sigma\varepsilon\nu$ $\tau\grave{o}\nu$ $\pi\alpha\tilde{\iota}\delta\alpha$ $\alpha\dot{v}\tauο\tilde{v}$ in Act 3, 13, einer aus Jes 52, 13 übernommenen

---

die von Juden entfesselten Verfolgungen betroffen sind. Es geht um eine auf Jesus ausgerichtete Mosetypologie. Dazu kommt noch eine auf das jüdische Volk bezogene typologische Aussage, sofern dieses die göttliche Heilstat abgelehnt, Mose verworfen und die auf Jesus weissagenden Propheten verfolgt hat; aber Zielpunkt ist die Anklage wegen der Tötung Jesu und dem darin zum Ausdruck kommenden Ungehorsam gegen das göttliche Gesetz. Daß diese Rede nur eine sehr lockere Verbindung zum Stephanusmartyrium hat, wird ja von HAENCHEN selbst S. 238 ff. herausgestellt.

[1] Bei MARCEL SIMON, St. Stephen and the Hellenists in the Primitive Church, 1958, S. 37 f., 39 ff., 59 ff., ist der typologische Charakter der Rede beachtet, doch bezieht er dies primär nicht auf Jesu irdisches Leben, da sei nur die Verwerfung durch die Juden entscheidend, sondern auf die erwartete Parusie (S. 74 ff.). Act 7 soll im wesentlichen Gedankengut jener Hellenistengruppe, welches letztlich auf Stephanus zurückgeht, bieten; außerdem bestehe ein Zusammenhang mit der samaritanischen Anschauung vom endzeitlichen Mose, von daher erkläre sich auch die Tempelpolemik. Doch nötigt die Mosetypologie keineswegs zu einem direkten Rückbezug auf die Samaritaner und auch die Aussagen über den Tempel dürften eine andere Wurzel haben. Wieweit das hellenistische Judenchristentum, welches Act 7 geprägt hat, mit jener Jerusalemer Hellenistengruppe in Verbindung gesetzt werden kann, ist eine historisch wohl nicht mehr zu klärende Frage; ein Rückgang auf Stephanus selbst ist sicher nicht möglich.

[2] Vgl. § 3 S. 215 f.

[3] Dazu DIBELIUS, Aufsätze z. Apg S. 142; neuerdings in Auseinandersetzung mit Dibelius ULRICH WILCKENS, Missionsreden der Apg S. 72 ff.

[4] Vgl. § 3 S. 184 ff.          [5] Vgl. Act 10, 36 zu 3, 26 b.

Formulierung, die mit der einer Moseerzählung(!) entstammenden Prädikation Gottes als des Gottes der Väter verbunden ist (Ex 3, 6. 15). Sonst ist der Abschnitt V. 13 b—15 mit seiner dreifachen Klimax der Anklage wiederum für den Verfasser der Apostelgeschichte bezeichnend[1]. Die Rede im ganzen ist natürlich sein Werk, die Formulierung V. 13 a, die Wendung vom Leiden des Christos in V. 18 und das Überlieferungsstück V.(19 b) 20. 21 a hat Lukas in geprägter Form übernommen, doch schließt dies nicht aus, daß er noch andere ältere Traditionen verarbeitet hat, was vor allem für die auf Jesus bezogene Weissagung Dt 18, 15 ff., aber wohl auch für die verschiedenen Prädikationen gilt: δίκαιος ist zwar lukanisches Vorzugswort, dürfte aber eine ältere Vorgeschichte haben; auch ἀρχηγὸς τῆς ζωῆς, das in 5, 31 eine Parallele hat, wird nicht erst von Lukas geprägt worden sein. Für unsern Zusammenhang ist vor allem noch nach Herkunft und Bedeutung von ἅγιος zu fragen. Es kommt außer Lk 4, 34//Mk 1, 24 nur noch Act 4, 27. 30 und dort in Verbindung mit der Gottesknechtsbezeichnung vor; ein spezifisch lukanisches Wort ist es also nicht. Die Vermutung legt sich nahe, daß es auch in Act 3, 14 in Verbindung mit der Gottesknechttradition steht. Nur der Mittelabschnitt dieser Rede V. 17—21 ist vom Christostitel beherrscht, das Kerygma V. 13—15 und der Schriftbeweis V. 22—26 jedoch von dem mit der Verheißung des Propheten wie Mose in Zusammenhang stehenden Titel Gottesknecht. *Act 4, 30* enthält als Abschluß des Gemeindegebetes die Wendung διὰ τοῦ ὀνόματος τοῦ ἁγίου παιδός σου Ἰησοῦ und läßt die alte liturgische Verwurzelung der Bezeichnung Jesu als Gottesknecht erkennen[2]. Auch für ὁ ἅγιος παῖς in *4, 27* wird sich später noch

---

[1] Dazu WILCKENS, a. a. O. S. 37 ff.; er weist auch darauf hin, daß δοξάζειν sonst bei Lk nur im Sinne von ‚(Gott) preisen' vorkommt, hier aber in seiner Bedeutung durch Jes 52, 13 bestimmt ist; sachlich muß es im Gefälle der lk Aussagen auf die Erhöhung bezogen werden; gegen HAENCHEN, Apg S. 165, der an das in Jesu Namen geschehene Wunder denkt. Dies läßt sich noch durch die Beobachtung stützen, daß V. 13—15 im Schema der Rede den Abschnitt ,,Kerygma" darstellt, der nicht auf die Situation zurückbezogen ist; ebenso wie dreimal von Jesu Tod gesprochen wird, so in V. 13 a und in V. 15 b zweimal von der Überwindung des Todes.

[2] Daß eine alte liturgische Wendung im Hintergrund steht, ist weitgehend anerkannt; vgl. z. B. PREUSCHEN, Apg S. 20; WEINEL, Bibl. Theol. d. NT S. 424; JEREMIAS, ThWb V S. 700 f.; HAENCHEN, Apg S. 165; WILCKENS, a. a. O. S. 163 ff. Weder hier noch in den analogen Fällen 1 Clem 59, 2—4; Did 9, 2 f.; 10, 2 f.; MartPol 14, 2; 20, 2; Barn 6, 1; 9, 2 zeigt sich eine Beziehung zur Sühnevorstellung. Bei der atomistischen Exegese der damaligen Zeit besagt auch die Tatsache, daß in Act 3, 13 ein direktes Zitat aus Jes 52, 13 vorliegt, nichts zugunsten der Vorstellung vom Sühnetod des Gottesknechtes. Sofern nicht an den genannten Stellen der Apostolischen Väter allein der Titel auftaucht, zeigt sich noch am regelmäßigsten der Gedanke, daß durch den Gottesknecht ἐπίγνωσις θεοῦ vermittelt wird (1 Clem 59, 2; MartPol 14, 2; Did 10, 2; vgl. das dreimalige γνωρίζειν in Did 9, 2. 3; 10, 2). Man wird hier an die at. דַּעַת יהוה denken müssen;

ergeben, daß mit alter Tradition gerechnet werden darf. Lukas kennt demnach eine Anschauung, welche Jesus als den Dt 18,15 ff. verheißenen neuen Mose ansah und diesen als ‚heiligen Gottesknecht' bezeichnete[1].

In Act 7,35 ff. ging es ausschließlich um die Mosetypologie und um das endzeitliche Prophetenamt Jesu, ohne Verbindung mit dem Bekenntnis zu Jesu Messianität. In Act 3,13—26 war Jesus als der verheißene Prophet und Gottesknecht auch der leidende und wiederkommende Christos. Noch einmal anders ist die Tradition von Jesus als endzeitlichem Propheten in *Lk 24,13—35*, der Geschichte von den Emmausjüngern, verarbeitet. Diese Erzählung, die sicher einen alten Kern enthält, ist in ihrer jetzigen Fassung zwiefach erweitert[2]. Als Zusätze sind anzusehen: der Anhang V. 33—35 und alle Elemente, die mit dem Gespräch zusammenhängen, also V. 14. 15a. 17—27. 32. Die ursprüngliche Geschichte hat nur davon berichtet, daß der auferstandene Jesus als unbekannter Wanderer den beiden Jüngern begegnet und sich ihnen beim Mahl zu erkennen gibt, dann wieder ent-

---

vgl. dazu HANS WALTER WOLFF, ,,Wissen um Gott" bei Hosea als Urform von Theologie, EvTh 12 (1952/53) S. 533—554, der S. 549f. interessanterweise darauf hinweist, daß diese דַּעַת יהוה inhaltlich ,,in den Fakten zwischen der Herausführung aus Ägypten und der Hineinführung ins palästinische Kulturland gegeben war''; auch dies spräche also in unserm Fall für eine Mosetypologie und für die Verwendung von παῖς θεοῦ als prophetisches Prädikat, auch wenn sich im pharisäischen Judentum dieses Wissen um Gott im nomistischen Sinne verschoben hatte (vgl. BULTMANN, Art. γινώσκειν, ThWb I S. 700f.). Eine übersichtliche Zusammenstellung sämtlicher nt. und altkirchlicher Texte bei ADOLF VON HARNACK, Die Bezeichnung Jesu als ,,Knecht Gottes" und ihre Geschichte in der alten Kirche, SAB phil.-hist. Kl. 1926, S. 212—238. Seine These, daß es sich bei diesem niederen Namen nicht um eine alte Prädikation Jesu handle (S. 233f.), παῖς θεοῦ allerdings frühzeitig in der Gebetssprache auftauche, dort aber nur Funktionsbezeichnung sei (S. 234f.), ist korrekturbedürftig. Zum Gebrauch der Bezeichnung ‚Knecht Gottes' in Act 3,13.26; 4,27.30 vgl. HOOKER, Jesus and the Servant S. 107ff., wo die Verwurzelung in ältester palästinischer Tradition, zugleich aber die Unabhängigkeit von der deuterojesajanischen Gottesknechtsvorstellung zutreffend herausgestellt ist.

[1] J. A. T. ROBINSON, Elijah, John and Jesus: An Essay in Detection, NTSt 4 (1957/58) S. 263—281, bestreitet, daß Elia im Judentum schon Vorläufer des Messias war (S. 269f.), und vertritt die These, daß Johannes nicht selbst Elia sein wollte, wohl aber diesen erwartete (S. 264ff.), Jesus dagegen das Programm des Täufers zu verwirklichen begann, dann aber nach einer inneren Wandlung die Aufgabe des leidenden Gottesknechts übernahm (S. 271ff.). Vom Volk sei Jesus als Prophet und Elia angesehen worden. Die älteste Christologie habe dies noch in der Weise festgehalten, daß sie ihn, wie Act 3,12ff. erkennen lasse, zuerst als Prophet und leidenden Gottesknecht verstand und auf sein zweites Kommen als Messias wartete (S. 276ff.). Trotz richtiger Beobachtungen wird man diesen Lösungsvorschlag so nicht akzeptieren können.

[2] Man wird die Erzählung nicht in ihrer bei Lk überlieferten Gestalt als die älteste Ostererzählung ansehen dürfen, wie dies vielfach geschieht; vgl. nur BULTMANN, Syn. Trad. S. 314. Es genügt auch nicht, mit DIBELIUS, Formgeschichte S. 191 Anm. 2, nur V. 21b—24 oder V. 22—24 auszuscheiden.

schwindet[1]. Hinzu kam als ein ganz neuer Schwerpunkt das belehrende Gespräch, ferner sowohl in V. 33—35 wie in V. 21b—24 die Verknüpfung mit anderen Ostererzählungen[2]. Für den hier zu behandelnden Zusammenhang sind die VV. 19—27 von Interesse. Es sind drei verschiedene Elemente verwoben: eine Aussage über Jesus als ἀνὴρ προφήτης in V. 19b. 21a, sodann in V. 20. 21b—24 ein Summarium der Passions- und Osterereignisse[3], endlich in V. 25—27 eine Tradition über das auf Grund der Schrift notwendige Leiden des Christos. Aufs Ganze gesehen kann gesagt werden, daß jene Auffassung von Jesus als Propheten durch die vom leidenden Christos korrigiert werden soll; aber für die Frage nach der urchristlichen Anschauung vom eschatologischen Propheten braucht dies jetzt nicht berücksichtigt zu werden. V. 19b bringt das Motiv der Mächtigkeit in Taten und Worten, wie es auch Act 7,22b. 36. 38 auftaucht. Außerdem gehören als Parallelen noch hierher — auch wenn der Prophetentitel oder eine Erwähnung von Dt 18,15ff. fehlt — die Stellen Act 2,22 und 10,38, wo allerdings nur die Taten erwähnt sind[4]. Daß das Wundertun in der Tradition vom endzeitlichen Propheten wie Mose eine ausschlaggebende Rolle spielt, ist schon in spätjüdischer Überlieferung erkennbar geworden und hat offensichtlich gerade im Blick auf Jesu irdisches Leben große Bedeutung gewonnen. Läßt sich beweisen, daß hier tatsächlich eine sehr alte Vorstellung vorliegt, dann würde sich damit ergeben, daß Jesu irdisches Wirken zumindest in einer bestimmten Überlieferungsschicht von Anfang an von Belang gewesen ist. Wenn vielfach gerade unter Berufung auf Act 2,22. 36 gesagt wird, daß Jesu Leben zunächst „unmessianisch" gesehen worden sei, dann stimmt dies wohl in dem Sinn, daß die königliche Messianologie keine Anwendung fand,

---

[1] Ich folge der ausgezeichneten Analyse von PAUL SCHUBERT, The Structure and Significance of Luke 24, in: Nt. Studien für R. Bultmann (BZNW 21), 1957[2], S. 165—186, bes. S. 174f., der allerdings das Weggespräch V. 17—27 und die damit zusammenhängenden Elemente der Erzählung als lukanisch ansieht; das ist aber m. E. nicht so selbstverständlich, vielmehr dürfte die Erzählung V. 13—35 dem Evangelisten im wesentlichen bereits vorgelegen haben.

[2] Der Anhang V. 33—35 setzt nicht notwendig V. 21b—24 voraus. Vielmehr wird dieser Anhang die erste Erweiterung sein, wozu nachher lediglich noch das τὰ ἐν τῇ ὁδῷ καί in V. 35 ergänzt worden ist.

[3] Hierbei ist zunächst der synoptische Bericht vorausgesetzt, aber in V. 24 eine Überlieferung, wie sie ähnlich in Joh 20,3ff. erhalten ist; daß es sich um ein vorlukanisches Referat der Ostergeschichte handelt, wird von dem erst nachträglich auf Grund von V. 24 eingeschobenen V. 12 bestätigt; vgl. KLOSTERMANN, Lk S. 233. Für V. 24 gilt dasselbe wie für V. 34: es wird auf Traditionen angespielt, die in der synoptischen Überlieferung nicht erhalten sind.

[4] Act 2,22 sind es alle Wunder, die Gott durch ihn tat, in Act 10,38 werden im besonderen das ‚Wohltun' und das Heilen der Besessenen erwähnt. Bezeichnend ist im ersten Fall für die Vorstellung vom endzeitlichen Propheten der Gedanke der Beglaubigung (ἀνὴρ ἀποδεδειγμένος ἀπὸ τοῦ θεοῦ), im andern Fall das Motiv der Salbung durch den heiligen Geist (s. u.).

was aber nicht bedeutet, daß keinerlei Aussage über Jesu Funktion als Heilbringer gemacht worden sei; von Jesus als einem ψιλὸς ἄνϑρωπος, wie er in späterer häretischer Überlieferung verstanden wurde, ist an diesen Stellen ganz gewiß nicht die Rede. Man muß aber auch in anderer Hinsicht vorsichtig sein und darf Jesus nicht als einen „gewöhnlichen" Propheten gekennzeichnet sehen, der in einer Reihe mit den alttestamentlichen Gottesboten steht, selbst wenn der Formulierung der bestimmte Artikel fehlt. Denn wenn nach der langen prophetenlosen Zeit überhaupt wieder ein Prophet auftritt, dann ist es eben der verheißene Endzeitprophet und seine Wunder wie seine Worte weisen ihn als solchen aus [1]. Schwierig ist Lk 24, 21 a. In Act 7, 37 ist λυτρωτής neben ἄρχων und δικαστής das entscheidende Würdeprädikat für Mose, durch dessen Hand Gott σωτηρία geben will. Zur λύτρωσις gehört sicher das machtvolle Wirken durch Wunder und das Verkündigen des Willens Gottes, auch wenn beides bei Mose und Jesus vom Volk abgewiesen wird. Nun wird man überlegen müssen, ob nicht außerdem eine zukünftige Erlösungstat im Blick steht. Dann würde es sich auch erklären, wie die Prophetenanschauung mit der Erwartung der Wiederkunft des zum Himmel entrückten Jesus als des königlichen Messias vereinigt werden konnte (Act 3, 20f.) [2]. Dem ist aber in Lk 24, 21 eine ganz andere Wendung gegeben. Hier wird die Aussage über Jesus als Propheten in Verbindung gebracht mit der Hoffnung auf die Verwirklichung eines irdischen Messiasreiches, einer Hoffnung, die nach Aussage jener Jünger enttäuscht worden ist. Derartige zelotische Erwartungen werden selbstverständlich abgelehnt und durch die wahre, schriftgemäße Auffassung von Jesus als dem leidenden Christos ersetzt. Dennoch bleibt zu fragen, ob nicht der recht sorgfältig stilisierte V. 19b eine alte Überlieferung der nachösterlichen Gemeinde aufnimmt, der das αὐτός ἐστιν ὁ μέλλων λυτροῦσϑαι τὸν Ἰσραήλ V. 21a zugehört und eine durchaus positive, nämlich eschatologische Bedeutung gehabt haben könnte. Eine derartige auf Israel beschränkte Erwartung ist später als unzureichend angesehen und durch andere Vorstellungen ersetzt worden. Doch dies bleibt eine Vermutung. Was der Text sicher erkennen läßt, ist wieder die Anwendung der Prophetenvorstellung auf das irdische Wirken Jesu und die enge Verbindung mit der Messiasvorstellung.

---

[1] In Act 2, 22 wird man daher nicht an den hellenistischen ϑεῖος ἀνήρ zu denken haben; gegen BULTMANN, Theol. S. 133.

[2] Daß sich die Anschauungen vom Endzeitpropheten und königlichen Messias u. U. berühren und überschneiden konnten, wurde oben S. 369f. schon festgestellt. Außer Act 3, 20. 21 a ist auch an 1 Thess 1, 10 zu erinnern, wo ὁ ῥυόμενος neben dem messianisch verstandenen ‚Gottessohn' gebraucht wird, hier allerdings in apokalyptischer Denkweise auf das Weltgericht bezogen; RIGAUX, Thess S. 395f. verweist auf Mose, speziell auf Dt 13, 5; PsSal 9, 1.

Die entscheidende Frage ist nun, ob die in diesen Texten deutlich greifbare Anschauung von Jesus als dem eschatologischen Propheten wie Mose in die ältere palästinische Schicht der neutestamentlichen Tradition zurückreicht und ob sie sich auch unabhängig von der Prophetenbezeichnung und dem Deuteronomiumwort niedergeschlagen hat[1]. Andernfalls könnte man einwenden, daß sie ja ausschließlich in lukanischen Schriften greifbar werde und demzufolge als ein lukanisches Theologumenon angesehen werden müsse. Aber dagegen spricht schon, daß Lukas gerade in dem Sondergut seines Evangeliums zum Teil erstaunlich alten Stoff erhalten hat; hinzu kommt, daß die drei behandelten Texte Act 7, 2—53; 3, 12—26; und Lk 24, 13—35 die zur Diskussion stehende Tradition in sehr verschiedenartiger Form enthalten; auch hat Lukas in den sicher selbst gestalteten Reden der Apostelgeschichte reichlich älteres Material verwertet, selbst wenn dieses nur teilweise in ursprünglicher Gestalt erhalten geblieben ist[2].

Es muß nun untersucht werden, wieweit die Berichte von Jesu Wirken durch die Anschauung vom eschatologischen Propheten bestimmt sind. Zunächst ist auf die *Zeichenforderung* Mk 8, 11 f. par.; Lk 11, (16) 29 par. (Q) zu verweisen. Daß die Beglaubigung durch Wunder nicht zum Rabbi gehört, ist offenkundig. Die Aufgabe des Schriftgelehrten ist die Unterweisung, auch wenn gelegentlich die Fähigkeit zu Wundertaten hinzukam. Auf der andern Seite ist es unzutreffend, bei der Forderung eines Zeichens sofort an die Beglaubigung der Messianität zu denken[3]. Das Beglaubigungswunder hat von jeher seinen Platz im Zusammenhang mit dem Anspruch der Propheten, und schon das Alte Testament enthält heftige Auseinandersetzungen über Bedeutung und Zuverlässigkeit[4]. Das Zeichen ‚vom Himmel‘ ist die nicht durch

---

[1] ‚Prophet‘ kommt als Bezeichnung Jesu noch Mk 6,4 parr. und Lk 7,16 vor; beide Stellen werden später behandelt.

[2] Die bereits erwähnte Arbeit von WILCKENS, Missionsreden der Apg, bemüht sich im besonderen um den Nachweis, daß diese Reden in Aufbau und Inhalt spezifisch lukanisch seien und nur in wenigen Ausnahmefällen mit älterer Tradition gerechnet werden könne. In der Tat ist zuzugeben, daß meist viel zu rasch und selbstverständlich mit altem Überlieferungsstoff in den Reden der Act gerechnet wird. Es muß unter allen Umständen berücksichtigt werden, wie stark der Verfasser selbst gestaltet und formuliert hat. Gleichwohl ist die Frage nach dem kerygmatischen Gut noch nicht erledigt und muß jetzt neu und besser beantwortet werden. Hierbei darf man nicht sofort auf das älteste palästinische Kerygma zurückgehen wollen — so etwa DODD, Apostolic Preaching S. 17 ff. —, sondern muß zunächst einmal mit Überlieferungen der hellenistischen Gemeinde rechnen, der Lukas entstammt; erst dann kann man prüfen, wieweit diese mit den allerfrühesten Anschauungen der Urgemeinde übereinstimmen.

[3] So z.B. KLOSTERMANN, Mk S. 76.

[4] Ich verweise nur auf Dt 13,1ff.; Jer 23; dazu BERTHOLET, Deuteronomium (KHd Comm V), 1899, S. 42f.; ALFRED JEPSEN, Nabi, 1934, S. 209f. Ferner R. MEYER, a.a.O. S. 153 Anm. 222, der mit Recht hinweist, daß zum

eigene Kraft gewirkte Machttat, sondern das von Gott gewährte, legitimierende Wunder[1]. Jesus hat das Verlangen seiner Gegner abgewiesen[2]. Umgekehrt hat die Gemeinde, wie gleich noch zu zeigen sein wird, eine ganze Reihe seiner Wunder in diesem Sinne verstanden. Es zeigt sich dabei, daß auch nicht nur an die Beglaubigung irgendeines Propheten, sondern tatsächlich an die des endzeitlichen Propheten gedacht sein muß. Dafür gibt es noch weitere Anzeichen: einmal spielt gerade bei den als Endzeitpropheten aufgetretenen Unruhestiftern der damaligen Zeit das Beglaubigungswunder eine maßgebende Rolle[3]; zum andern enthält die johanneische Fassung der Zeichenforderung Joh 6,30f. eine direkte Bezugnahme auf die Mannaspeisung durch Mose[4].

Von Joh 6,30f. aus ist die Brücke zur Erzählung von der *wunderbaren Speisung* geschlagen: Mk 6,35—44parr.; Mk 8,1—10par.; Joh 6,1—15. Auf das Verhältnis der verschiedenen Fassungen der Erzählung und auf die Einzelheiten kann hier verzichtet werden. Die Anklänge an die eucharistische Redeweise beim Brechen und Verteilen der Speise sind sicher sekundär. Ursprünglich geht es um das Wunder des eschatologischen Propheten, der die Speisung der Mosezeit in der Wüste wiederholt[5]. Am deutlichsten ist dies noch im Johannes-

---

königlichen Messias die siegreiche Herrschaft gehört und die jüdische Messiasdogmatik erst spät von einem Beglaubigungswunder des Messias spricht; die Stellen bei BILLERBECK I S. 640f., für den Zusammenhang mit der prophetischen Tradition S. 726f. Wahrscheinlich dürfte bei der Forderung eines Beglaubigungswunders beim Messias wieder jene schon mehrfach beobachtete Übernahme von Traditionen des Endzeitpropheten in die Messianologie eine Rolle gespielt haben.

[1] Diese Deutung von ἀπὸ τοῦ οὐρανοῦ ist vorzuziehen vor der Annahme, daß an kosmisch-apokalyptische Zeichen gedacht sei; so LOHMEYER, Mk S. 155. Wie bei der Frage, ob die Johannestaufe ‚vom Himmel' sei, Mk 11,30, handelt es sich um eine Umschreibung zur Vermeidung des Gottesnamens; vgl. DALMAN, Worte Jesu S. 179f.

[2] Auf die schwierige Aussage über das Jonazeichen Lk 11,29 braucht hier nicht eingegangen zu werden; vgl. ANTON VÖGTLE, Der Spruch vom Jonaszeichen, in: Synoptische Studien (Festschrift für A. Wikenhauser), 1953, S. 230—277.

[3] Auch SCHLATTER, Mt S. 414f., verweist auf Theudas, den Ägypter und den Samaritaner.

[4] Dies wird dann in Joh 6,32—34 antitypisch weitergeführt (vgl. Joh 1,17; 9,28): nicht Mose, sondern Jesus, der selbst vom Himmel herabgekommen ist, gibt das wahre Himmelsbrot.

[5] GEORG ZIENER, Das Brotwunder im Markusevangelium, BZ NF 4 (1960) S. 282—285, weist darauf hin, daß die erste Speisungsgeschichte des Mk Anspielungen auf Ex 18,13—27 enthält. „Als neuer Mose gliedert er das Volk in Einzelgemeinden, in seinem Auftrag teilen ihnen die Jünger das Lebensbrot aus. Der zweite Bericht weist nur auf Jesus als den Spender des Lebensbrotes hin." Selbstverständlich spiegelt sich darin das Verständnis der nachösterlichen Gemeinde, aber man wird die Ausformung des Textes sehr früh ansetzen dürfen. Auf Ex 18,13ff. verweist auch ETHELBERT STAUFFER, Zum apokalyptischen Festmahl in Mc 6,34ff., ZNW 46 (1955) S. 264—266, doch mit höchst problema-

evangelium erhalten geblieben, wo es in der sonst fehlenden abschließenden Akklamation des Volkes heißt: οὗτός ἐστιν ἀληθῶς ὁ προφήτης ὁ ἐρχόμενος εἰς τὸν κόσμον, und zugleich durch das Entweichen Jesu jedes Mißverständnis im messianischen Sinne abgewehrt wird[1].

Es muß erwogen werden, ob nicht auch die *Totenerweckungen* in diesen Anschauungskreis hineingehören. In Lk 7, 16 wird als Abschluß der Erzählung vom Jüngling zu Nain Jesus als προφήτης μέγας bezeichnet. Daß der Artikel fehlt, spricht nicht dagegen[2], dies hat seine Parallele in Lk 24, 19b (21a); außerdem ist μέγας im Sinne der singulären Auszeichnung verstanden; endlich wird durch die Aussage von der göttlichen Heimsuchung der eschatologische Aspekt deutlich gemacht[3]. Wir kennen aus rabbinischer Überlieferung die Vorstellung, daß es zur Zeit der Gesetzgebung am Sinai weder Kranke gegeben hat noch dem Todesengel Gewalt über das Volk gegeben war[4], was an dieser Stelle typologisch ausgewertet sein dürfte. Allerdings muß beachtet werden, daß auch Einflüsse der Eliatradition vorliegen können und in Lk 7, 11—17 deutlich hervortreten[5]. Aber die Grundanschauung von Jesus als endzeitlichem Propheten ist doch die Mosetypologie, wo auch der Titel προφήτης seinen festen Platz hat.

Die Übernahme gewisser Züge der Eliaüberlieferung dürfte nicht nur damit zusammenhängen, daß Totenerweckung, Versuchung, Entrückung dort unmittelbare Parallelen besaßen, sondern daß das *Wundertun Jesu* insgesamt durch die alttestamentliche Anschauung vom gottbegabten Charismatiker geprägt ist. Dies hat sich bei Mk 1, 23ff. schon früher ergeben[6] und wird ebenso in Act 10, 38b und in 2, 22 vorausgesetzt. So dürfte es kaum zufällig sein, daß sich die Vorstellungen von Jesus als ἅγιος τοῦ θεοῦ und παῖς θεοῦ verbunden haben und gelegentlich auch die Bezeichnung ὁ ἅγιος παῖς θεοῦ auftaucht (Act 4, 27. 30). Im einzelnen lassen die Wunder-

---

tische Folgerungen für die Geschichte Jesu. — Vgl. im übrigen noch bei Johannes Behm, Art. ἄρτος, ThWb I S. 476, die spätjüdischen Belege für die Erwartung eines eschatologischen Mannawunders, vor allem SyrBar 29,8 ‚Zu jenen Zeiten werden wieder die Mannavorräte von oben herabfallen‘; QohR 1 zu 1,9 ‚Wie der erste Erlöser das Manna herabkommen ließ, so wird auch der letzte Erlöser das Manna herabkommen lassen‘.

[1] Daß Joh 6, 14f. auf den Evangelisten zurückgehen soll, wie Bultmann, Joh S. 157f., behauptet, ist keineswegs überzeugend, auch wenn Joh diesen Zug im Zusammenhang der Mißverständnisse der Wunder durch das Volk gut gebrauchen konnte.

[2] Anders Cullmann, Christologie S. 29.

[3] So Friedrich, ThWb VI S. 847f.; ähnlich auch Rengstorf, Lk S. 97, obwohl er zu Unrecht dann sofort die Aussage als „messianisch" bezeichnet.

[4] Vgl. die Stellen bei Billerbeck I S. 594ff.

[5] Vgl. Gils, a.a.O. S. 26f., der Lk 7, 16 geradezu unter das Thema "Jésus, le nouvel Élie" stellt.

[6] Vgl. Exk. IV S. 235ff.

geschichten diese Konzeption nur mehr selten erkennen, aber der Text *Mt 11,2—6||Lk 7,18f. 22f.* bietet einen wichtigen Beleg. τὰ ἔργα τοῦ χριστοῦ Mt 11,2 und ὁ κύριος Lk 7,19 sind als sekundär anzusehen. Beachtenswert ist vor allem die Wendung σὺ εἶ ὁ ἐρχόμενος sowie die Zitatenkombination Jes 35,5f.; 61,1 samt Makarismus über denjenigen, der an Jesus keinen Anstoß nimmt (V. 5f.)[1]. ὁ ἐρχόμενος wird man kaum in festem terminologischem Sinn mit einer bestimmten Traditionsschicht verbinden können. ‚Kommend' ist alles, was mit der Heilszeit in Verbindung steht, der neue Äon, die Gottesherrschaft, der Weltrichter, Elia, der Messias usw.[2]. Wenn ὁ ἐρχόμενος hier ohne nähere Kennzeichnung verwendet wird, so ist damit wohl an die in urchristlicher Verkündigung weitverbreitete Täuferaussage von dem ‚nach mir Kommenden' gedacht[3]. Die Antwort Jesu ist alles andere als „messianisch". Wunder und Ausrichtung der Freudenbotschaft ist nicht Aufgabe des königlichen Messias[4]. Umgekehrt passen diese Funktionen ausgezeichnet in die Anschauung vom endzeitlichen Propheten[5]. Wiederum wird typologisch die Sinaiperiode vor Augen stehen, ergänzt durch deuterojesajanische Verheißungen. Die Verkündigung Jesu ist dabei nicht als Toralehre, sondern als eschatologische Frohbotschaft, als die Kunde von der anbrechenden Gottes-

---

[1] In Mt 11,5 sind von den 6 Gliedern der Aussage allerdings nur 4 durch at. Zitate zu belegen. Das Reinigen der Aussätzigen und die Totenauferweckung haben dort keine direkte Parallele; nur an ApkEliae 33,1—3 kann erinnert werden, doch muß erwogen werden, ob nicht das Bild vom Wirken Jesu, wie es in der frühen Gemeinde lebendig war, hier eingewirkt hat, wobei vielleicht die Elia-Elisa-Erzählungen mitbestimmend waren.

[2] Vgl. Johannes Schneider, Art. ἔρχομαι, ThWb II S. 666f.; Bultmann, Syn. Trad. S. 168; Staerk, Erlösererwartung S. 89ff. Dagegen will Cullmann, Christologie S. 25.35f., ὁ ἐρχόμενος als t.t. für den Endzeitpropheten ansehen.

[3] Wörtlich Mt 3,11; vgl. aber Mk 1,7; Act 13,25. Im eigentlich formelhaften Sinn ist übrigens ὁ ἐρχόμενος nur noch Apk 1,4 neben ὁ ὢν καὶ ὁ ἦν gebraucht.

[4] An dieser Stelle ist kurz auf Albert Schweitzer, Das Messianitäts- und Leidensgeheimnis, 1901 (1956³) S. 38ff., 43ff.; Ders., Geschichte der Leben-Jesu-Forschung S. 218ff.; Ders., Mystik des Apostels Pls. S. 160ff., hinzuweisen. Zur Zukünftigkeit des Reiches Gottes paßt nur ein zukünftiger Messias, der überdies als mächtiger König auftreten muß. Jesus soll sich als Messias gewußt haben, durfte es aber während seiner öffentlichen Wirksamkeit nicht offenbaren, um seine Mission erfüllen zu können. Das Volk hat ihn daher als Vorläufer verstanden. Auch der Täufer habe als ‚Kommen-Sollenden' nur den Vorläufer erwartet, der den Weg für den Messias erst frei zu machen hatte. Jesus aber habe den Täufer als Elia angesehen. Um sein Messiasgeheimnis nicht preisgeben zu müssen, sei es bei der Anfrage des Täufers zu jener ausweichenden Antwort gekommen, in der Jesus gleichwohl seine Person deutlich in den Vordergrund stellte. — Aber diese ganze Konzeption ist weder auf Grund der spätjüdischen noch der urchristlichen Überlieferung haltbar. Doch sind Schwierigkeiten gegenüber der herkömmlichen Auslegungstradition deutlich empfunden und auch das Problem der Vorläufertradition neben der Messiasauffassung ist gesehen.

[5] So mit Recht R. Meyer, a.a.O. S. 27; Friedrich, ZThK 53 (1956) S. 278. 306; Ders., ThWb VI S. 848; vgl. auch Bornhäuser, a.a.O. S. 57ff.

herrschaft gekennzeichnet[1]. Das erstmals bei Deuterojesaja religiös-technisch gebrauchte Wort בשׂר und das dazugehörige Partizip מְבַשֵּׂר war schon in Jes 61,1 mit der Tradition vom Endzeitpropheten vereinigt worden[2]. Im Spätjudentum blieb es lebendig, wenn auch mit sehr verschiedenen Gestalten verbunden[3]. Da offensichtlich gerade Jes 61,1 für die urchristliche Vorstellung von Jesus als Endzeitpropheten eine wesentliche Rolle gespielt hat, ist es nicht ausgeschlossen, daß das Wort εὐαγγελίζεσθαι ursprünglich in dieser Traditionsschicht verwurzelt war.

Die Bedeutung von Jes 61,1 wird in *Lk 4,16—30* besonders deutlich. Diese Erzählung von Jesu erstem Auftreten in Nazareth kann nicht als lukanische Umarbeitung von Mk 6,1—5 angesehen werden[4]; auch Lk 5,1—11 hat der Evangelist aus einer Sondertradition übernommen und gegen eine Markuserzählung ausgetauscht. Auf Lukas geht selbstverständlich die Einordnung am Anfang der Wirksamkeit Jesu zurück; aber es ist schon lange beobachtet worden, daß dies kaum die Absicht der Erzählung selbst ist, daß vielmehr Spuren ihrer späteren Ansetzung in V. 23b nicht einmal verwischt worden sind[5]. Der Text stellt keine Einheit dar. Die Nahtstelle liegt zwischen V. 22a und V. 22b[6]. V. 16—22a ist als selbständiges Überlieferungsstück anzusehen, ebenso der Vergleich mit Elia und Elisa in V. 25—27[7]. V. 22b—24 setzt eine

---

[1] STROBEL, Verzögerungsproblem S. 265ff., setzt die Täuferanfrage in Beziehung zu Hab 2,3 und der daran anschließenden spätjüdischen Tradition, sieht ὁ ἐρχόμενος als Charakteristikum der „apokalyptischen Messianologie von Qumran und verwandten essenisierenden Kreisen" (S. 273) an, betont im Zusammenhang der Antwort Jesu zutreffend die Bedeutung von Jes 61,1, verkennt aber die eigenständige Konzeption vom eschatologischen Propheten, sondern behandelt auch V. 5 als Beleg für die Messiaserwartung. Völlig abwegig der Versuch, von der Nähe des Täufers zur Qumransekte her die Echtheit des Überlieferungsstückes zu verteidigen.

[2] Vgl. JULIUS SCHNIEWIND, Euangelion. Ursprung und erste Gestalt des Begriffs Evangelium I, 1927, S. 34ff., 45f. Ihm folgt GERHARD FRIEDRICH, Art. εὐαγγελίζομαι, ThWb II S. 707.

[3] FRIEDRICH, ThWb II S. 712f.; Stellen auch noch bei BILLERBECK III S. 8f.

[4] So BULTMANN, Syn. Trad. S. 31, wonach Lk außer der Mk-Erzählung noch die Tradition V. 25—27 und die παραβολή in V. 23 gekannt hat. Vgl. auch CONZELMANN, Mitte der Zeit S. 25ff., der die lukanische Bedeutung der Erzählung herausarbeitet, aber die Frage des Ursprungs zuletzt unentschieden läßt (vgl. ebd. S. 29f. Anm. 2).

[5] WELLHAUSEN, Lk S. 9.

[6] Zutreffend JEREMIAS, Jesu Verheißung für die Völker S. 37ff. Doch ist sein Verständnis von V. 22a — ,sie legten alle Zeugnis gegen ihn ab und wunderten sich, daß er von Gottes Gnade sprach' und nicht von Gottes Gericht (im Zitat von Jes 61,2 bleibt die Aussage über den Rachetag fort) —, womit er die Einheitlichkeit der jetzigen Erzählung erweisen möchte, nicht überzeugend. Ähnlich RENGSTORF, Lk S. 68. Man kann die Einheit der Perikope auch dadurch noch retten, daß man lediglich V. 22b und 24 ausschaltet; so JOH. WEISS, Lk in SNT[2] S. 438.

[7] WELLHAUSEN, Lk S. 10; BULTMANN, Syn. Trad. S. 31.

ähnliche Tradition wie Mk 6,1—5 voraus[1], hat aber darüber hinaus noch das Sprichwort vom Arzt und den Vergleich zwischen Jesu Wundertun in Kapernaum und Nazareth; in V. 28—30 hat die neugeschaffene Erzählung einen stark wunderhaften Abschluß erhalten. Auszugehen ist von V. 16—22a, wo das Zitat Jes 61,1f. (58,8) im Mittelpunkt steht, dessen Erfüllung in der Person Jesu V. 21 expressis verbis konstatiert wird. Als Aufgabe Jesu steht das εὐαγγελίσασθαι πτωχοῖς und das κηρῦξαι ἐνιαυτὸν κυρίου δεκτόν am Anfang und am Ende, dazwischen sind aber auch die Machttaten genannt. Insofern steht der Text Mt 11,5f.par. sehr nahe. Das Spezifikum ist nun, daß auf Grund von Jes 61,1 von Jesus die Geistbegabung und die in diesem Sinn verstandene ,Salbung' ausgesagt wird. *Act 10,38a* enthält die gleiche Aussage. Man wird erwägen müssen, ob dies nicht auch von *Act 4,27* gilt, trotz der von Lukas beabsichtigten engen Verbindung mit dem messianisch gemeinten Zitat von Ps 2,1f. in V. 25f.; auch die Wendung ὁ ἅγιος παῖς σου Ἰησοῦς in V. 27 erweist sich als Bestandteil der Anschauung vom eschatologischen Propheten wie Mose. Natürlich sind die verschiedenen christologischen Überlieferungen von dem Evangelisten zu einem einheitlichen Bild verwoben, wie er es auch in den Reden der Apostelgeschichte durchgeführt hat. Aber gerade der verbale Gebrauch von χρίειν im Gegensatz zu dem feststehenden terminus technicus χριστός zeigt, daß hier im eigentlichen Sinne an eine Salbung gedacht ist, und zwar im Sinne von Jes 61,1 an die Einsetzung in das prophetische Amt[2]. Kehren wir nochmals zu *Lk 4,16ff.* zurück, so muß gesagt werden, daß die ursprüngliche Konzeption durch die Anfügung von V. 22b—30 weitgehend verwischt worden ist, denn in V. 24 geht es mit der Sentenz vom verachteten Propheten um Prophetenschicksal überhaupt, nicht einmal speziell um das Geschick der

---

[1] Mk 6,1—5 ist selbst keine Einheit, sondern aus mehreren Elementen zusammengewachsen.

[2] Vgl. dazu die Untersuchung von J. DE LA POTTERIE, L'onction du Christ, Nouvelle Revue Théologique 80 (1958) S. 225—252, der sehr schön zeigt, daß auf die hohepriesterliche Salbung an keiner einzigen Stelle des NT Bezug genommen wird, auf die königliche Salbung nur metaphorisch in Hb 1,9, daß dagegen die Salbung durch den Geist prophetischen Charakter trage; Beziehungen zum Christustitel werden im NT nicht erkennbar, da dessen Etymologie keine Rolle spielt. An einer Stelle geht de la Potterie dann aber zu weit, wenn er nämlich von der Geistsalbung und Taufe aus sofort Verbindungslinien zur Anschauung vom leidenden Gottesknecht und zur Passion Jesu zieht. — Demgegenüber geht M. A. CHEVALLIER, L'esprit et le Messie S. 74ff., viel zu einseitig sowohl bei dem Motiv der Geistbegabung als auch der Verwendung von Jes 61,1 von der Messiasvorstellung aus. ,,Dans És. 61/1 Jésus trouve le titre messianique ('Yahvé m'a *oint*') lié à la fonction deutéro-isaiaque du Serviteur" (S. 79). Er nimmt an, daß von hier aus dann sekundär Jes 42,1ff. in die Messiasvorstellung einbezogen worden ist und es auf diesem Wege zu einer theologischen Reflexion über Jesus als Gottesknecht gekommen sei. Doch dürfte die Traditionsgeschichte gerade umgekehrt verlaufen sein.

israelitischen Gottesboten, die der Verfolgung durch das halsstarrige Volk ausgesetzt sind, und in V. 25 ff. wird der Vergleich mit Elia und Elisa auch nur in einem allgemein-prophetischen Sinn gemeint sein.

Die an anderer Stelle bereits erörterten Beobachtungen zur ursprünglichen Fassung der *Taufgeschichte* können an dieser Stelle aufgenommen werden. Die Öffnung des Himmels und das Herabkommen des Geistes sind apokalyptische Zeichen für die anbrechende Heilszeit. Der Täufling wird mit dem Geist ausgerüstet und als Gottesknecht von der himmlischen Stimme angesprochen, wobei das Wort Jes 42, 1 a ergeht. Jes 42, 1b sagt wie Jes 61, 1 die Geistverleihung aus; es ist in der Tauferzählung nicht zitiert, aber in der vorangehenden Schilderung der Geschehnisse aufgenommen, die Erfüllung dieser Verheißung ist also konkret dargestellt. Die Taufgeschichte hat ihren traditionsgeschichtlichen Ort somit zunächst im Vorstellungskreis vom eschatologischen Propheten gehabt. Dafür spricht auch die markinische Fassung der Versuchungsgeschichte, bei der die Mosetypologie erkennbar wird, außerdem aber auch noch Züge der Eliaüberlieferung aufgenommen sind[1]. — Die *Verklärungsgeschichte* in ihrer ältesten Fassung ist ebenfalls in diesen Zusammenhang einzuordnen. Hier fehlt das Motiv der Geistverleihung, statt dessen ist aber mit dem ἀκούετε αὐτοῦ ausdrücklich auf Dt 18, 15 Bezug genommen (Mk 9, 7 fin). Wieder ist der Titel des Gottesknechtes und die Verwendung von Jes 42, 1 vorauszusetzen. Elia und Mose legitimieren das Amt, das Jesus vor den Augen der vertrauten Jünger zugesprochen bekommt. Wahrscheinlich ist auch eine eschatologische Blickrichtung damit verbunden und Jesus ebenso wie Elia und später auch Mose als ein in den Himmel entrückter Gottesmann angesehen, der mit jenen beiden am Ende der Zeiten wiedererscheinen wird[2].

Die Vorstellung vom endzeitlichen Propheten wie Mose ist vornehmlich auf Jesu irdisches Wirken angewandt worden[3]. Mk 9, 2—8 und Lk 24, 21 a lassen jedoch vermuten, daß ein eschatologischer Aspekt damit verbunden war. Ganz deutlich zeigt sich dies in *Apk 15, 2—4*, dem Bild vom gläsernen Meer und dem Lied des Mose und des Lammes, wo die Errettung aus dem roten Meer typologisch mit der endzeitlichen Vollendung gleichgesetzt wird[4]. Auf diese Weise war es unter

---

[1] Vgl. Exk. V S. 340 ff.

[2] Vgl. Exk. V S. 334 ff. Die Ansicht von FRIEDRICH, ZThK 53 (1956) S. 308 f., daß Mose hier als endzeitlicher Prophet, Elia aber als messianischer Hoherpriester erscheint, ist ebensowenig haltbar wie seine These, daß Jesus in dieser Erzählung „weder König noch Priester noch Prophet" ist, „sondern er ist der Menschensohn, er ist der leidende Gottesknecht".

[3] Vgl. RIESENFELD, a. a. O. S. 147, und CULLMANN, Christologie S. 42 ff.

[4] Vgl. vor allem HADORN, Apk S. 159; JEREMIAS, ThWb IV S. 856.

Umständen sogar möglich, die Heilszeit ausgesprochen theokratisch zu verstehen, was nicht nur einer gewichtigen Strömung innerhalb der spätjüdischen Erwartung, sondern in gleicher Weise der Verkündigung Jesu entsprach; auch die Menschensohnvorstellung beschränkt sich im wesentlichen auf die Beteiligung am Gericht, aber kennt keine wirkliche Sonderstellung und eigene Funktion des Menschensohns in der Vollendung. Natürlich wird andererseits die enge Verbindung der Anschauung vom Endzeitpropheten und dem königlichen Messias nicht unwirksam geblieben sein, so daß das irdische Wirken Jesu als des verheißenen neuen Mose wohl in der Regel mit dem zukünftigen messianischen Amt koordiniert worden ist, wie dies in Act 3, 12—26 (V. 20. 21 a!) vorliegt, wo ohnehin der Gedanke der Entrückung dem Prophetenbild entnommen sein dürfte. Die Entrückung wie das gewaltsame Sterben lassen sich dieser Konzeption ja ohne weiteres einordnen, wie Apk 11, 7 ff. zeigt[1].

Das *Traditionsgut des Johannesevangeliums* läßt die Anschauung vom Endzeitpropheten wie Mose noch deutlich erkennen. Von Joh 6, 1 ff. 14 f. war schon die Rede. Entsprechend stehen im Streit der Juden um Jesu Würde Joh 7, 40 ff. die Bezeichnungen des Propheten und des Messias nebeneinander. Eine Anspielung auf den Endzeitpropheten findet sich sodann, von Joh 4, 19. 25 innerhalb der Samaritererzählung abgesehen, u. U. noch in Joh 3, 2, wo Nikodemus von dem gottgesandten, wunderwirkenden Lehrer spricht. Ähnlich steht es auch mit Joh 9, 17, wenn der geheilte Blinde Jesus auf Grund des Wunders als Propheten bezeichnet. Man verbaut sich das Verständnis, wenn man in solchen Fällen annimmt, daß es „nur" um die Ansicht des Volkes gehe. Wir müssen mit einer sehr alten christologischen Tradition der Urgemeinde rechnen. In Überlieferungsstücken wie Mk 6, 1—5; 6, 14—16;

---

[1] Man darf diese Verbindung vom endzeitlichen Prophetenamt des irdischen Jesus mit der messianischen Vollenderfunktion allerdings nicht verallgemeinern und schon gar nicht auf Jesus selbst zurückführen, wie dies BORNHÄUSER tut: Jesus ist bei der Taufe zum Propheten und Messias gesalbt worden (a. a. O. S. 26 ff.); nachdem der Täufer als Elia gewirkt hat (S. 25), übernimmt Jesus zunächst das Amt des Endzeitpropheten wie Mose, wirkt Wunder und verkündet das neue Gesetz (S. 57 ff., 62 ff.); auch als Auferstandener und durch seine Jünger wirkt er noch als „Prophet-Messias" (S. 251 ff., 288 ff.); „er erfüllt zuerst die Weissagungen, die dem Propheten wie Mose gelten, ehe er als König in Herrlichkeit kommt" (S. 294). Auch CLAUDE CHAVASSE, Christ and Moses, Theology 54 (1951) S. 244—250. 289—296, will nachweisen, daß Jesus sich als neuen Mose verstanden habe; schon seinen Namen (= Josua) habe er so auffassen müssen, Wüstenaufenthalt, Bergpredigt, Verklärung u. a. sollen es weiterhin beweisen; nach Lk 9, 31 habe er seinen Zug nach Jerusalem als Exodus verstanden! — Wohl führt auch RIESENFELD, a. a. O. S. 146, das Motiv des eschatologischen Propheten in seinen Wurzeln auf Jesus zurück; aber Jesus hat sich nach seiner Meinung weder als Messias noch als Prophet ausgegeben, nur die ständige Bezugnahme auf Kategorien des AT und das Schema Vorbild—Vollendung haben jene Deutung seiner Person durch die Gemeinde nahegelegt (S. 144 ff.).

8,28 ist diese schon völlig verblaßt, weil es dabei teilweise nur noch um ein Prophetenamt im allgemeinen Sinn geht[1].

An einem jüngst erst genauer untersuchten Zusammenhang ist deutlich geworden, daß die Vorstellung von Jesus als dem endzeitlichen Mose schon in palästinischer Tradition eine wichtige Rolle gespielt hat, an der urchristlichen *Passaerwartung*. Diese hat sich vor allem in der Ausgestaltung des Herrenmahles niedergeschlagen[2], hat aber auch sonst im Neuen Testament noch Spuren hinterlassen[3]. Schon das Judentum hat mit der Passafeier eschatologische Erwartungen verknüpft und die Urgemeinde hat sie in einer sehr bezeichnenden Umformung übernommen, indem sie die Vorstellungen von Auszug und Erlösung unter Mose typologisch mit Jesus in Beziehung setzte (Passalamm) und einen Ausblick auf seine Parusie damit verband[4]. Die Bedeutung dieser hier nicht ausführlich darzustellenden Passatradition wird m. E. erst voll erkannt, wenn man beachtet, daß sie in den Gesamtkomplex der Anschauung von Jesus als endzeitlichem Propheten und neuem Mose hineingehört.

Das Ergebnis der Untersuchung kann noch dadurch gestützt werden, daß sich die Kennzeichnung Jesu als des eschatologischen Propheten im *späteren Judenchristentum* erhalten hat[5]. Es darf zwar nicht übersehen werden, daß die uns erhaltenen Dokumente des Judenchristentums, vor allem die Pseudo-Clementinen, die alte Konzeption in einer stark überlagerten und von wesentlich jüngeren Ele-

---

[1] Vgl. oben § 3 S. 222f. εἰς τῶν προφητῶν im Sinne von ‚der‘ Prophet zu verstehen — so Bornhäuser, a.a.O. S. 129f. — kommt für den jetzigen Wortlaut nicht in Frage. Ob Mk 14,65 mit der Vorstellung vom Endzeitpropheten in Beziehung zu setzen ist, so Riesenfeld, a.a.O. S. 143f., ist ungewiß; denn die Aufforderung zum Prophezeien kann in einem sehr allgemeinen Sinn auf 14,58 zurückgezogen sein. Lk 7,39 hat mit der Vorstellung vom neuen Mose nichts zu tun; vgl. Friedrich, ThWb VI S. 844 Anm. 386.

[2] Vgl. Bernhard Lohse, Das Passafest der Quartadezimaner (BFchrTh II/54), 1953, bes. S. 62ff., 89ff., 138ff. — Es bleibt allerdings zu beachten, daß das Verständnis des Herrenmahles als eines Passamahles eine gerade in diesem Vorstellungskreis ausgebildete sekundäre Deutung ist, wobei es nicht nur um eine historische Kontinuität zwischen der jüdischen und christlichen Mahlfeier ging, sondern um jene konstitutive heilsgeschichtliche Entsprechung; auch das zur Abendmahlsüberlieferung gehörende Motiv des Bundes dürfte hier verwurzelt sein.

[3] Es sei nur verwiesen auf die Untersuchungen von August Strobel, Die Passa-Erwartung als urchristliches Problem in Lc 17,20f.; ZNW 49 (1958) S. 157—196; Ders., Passa-Symbolik und Passa-Wunder in Act xii. 3ff., NTSt 4 (1957/58) S. 210—215; Ders., Verzögerungsproblem S. 203ff.; Georg Ziener, Johannesevangelium und urchristliche Passafeier, BZ NF 2 (1958) S. 263—274.

[4] Dazu im einzelnen B. Lohse, a.a.O. S. 75ff., 78ff.

[5] Ähnlich wie bei dem Theologumenon von der Jungfrauengeburt, das von den Judenchristen unentwegt bekämpft wurde, läßt sich hier ein Schluß auf älteste palästinische Überlieferung ziehen. — Vgl. noch Epiphanius, Haer. XXIX 7,3: ἕνα θεὸν καταγγέλουσι καὶ τὸν τούτου παῖδα Ἰησοῦν Χριστόν!

menten umgestalteten Form erhalten haben, denn einerseits ist die
Mosetypologie hier durch eine Adam-Christus-Typologie verdeckt,
welche überdies mit der Lehre von dem in der Geschichte sich fortlaufend inkarnierenden Propheten verbunden ist, der jetzt in Christus
als dem wahren Propheten seine Erfüllung findet, ‚zur Ruhe kommt‘,
wie es im Hebräerevangelium heißt[1]; daß darin gnostische Anschauungen zum Ausdruck kommen, kann nicht bestritten werden[2]. Auf
der anderen Seite ist die alte judenchristliche Überlieferung dadurch
modifiziert, daß Jesus als wahrer Prophet den Mosaismus reformiert
und deshalb antitypisch Mose gegenübergestellt wird[3]. Gleichwohl sind
die Anschauung von Jesus als Endzeitpropheten und Dt 18,15ff. als
Ausgangspunkt einer Mosetypologie noch klar zu erkennen[4]. Selbst
bei der in der Durchführung sicher jüngeren Anschauung von der
Abwandlung des Mosegesetzes durch Jesus ist zu überlegen, ob nicht
ein echter Ansatz in der ältesten urgemeindlichen Überlieferung vorliegen kann, denn Jesus selbst hat in seiner Verkündigung Anordnungen
des Mose bisweilen angegriffen und außer Kraft gesetzt[5]. Sein Verhältnis zur alttestamentlichen Tora läßt sich nicht so ohne weiteres
in das Schema bringen, daß kein Jota des Mosegesetzes aufgelöst
werden soll, wie eine spätere theologische Ansicht es haben wollte.
Die Verkündigung Jesu fügte sich durchaus nicht glatt in eine Mosetypologie ein und das spätere Judenchristentum könnte das Wissen
um diesen Gegensatz, unbeschadet der auch von ihm übernommenen
Anschauung von der Erfüllung der Verheißung Dt 18,15ff., noch bewahrt haben.

[1] Hebr-Ev fr. 4; vgl. ERICH KLOSTERMANN, Apocrypha II (Kleine Texte 8)
S. 6.

[2] Vgl. dazu vor allem die neue Untersuchung von GEORG STRECKER, Das
Judenchristentum in den Pseudoklementinen (TU 70 = V/15), 1959, S. 145ff.;
aber auch OSCAR CULLMANN, Le problème littéraire et historique du roman
Pseudo-Clémentin. Étude sur le rapport entre le Gnosticisme et le Judéo-
Christianisme, 1930, bes. S. 170ff.; DERS., Christologie S. 37ff. Zusammenhänge
mit der Gnosis werden von HANS JOACHIM SCHOEPS, Theologie und Geschichte
des Judenchristentums, 1949, S. 98ff.; DERS., Urgemeinde—Judenchristentum
—Gnosis, 1956, S. 23ff., 44ff. energisch, aber nicht überzeugend bestritten; mit
der Annahme eines heterogenen, aber gleichwohl spezifisch jüdischen Adam-
mythos kommt man hier nicht durch; vgl. die Rezension des erstgenannten
Buches von GÜNTHER BORNKAMM, ZKG 64 (1952/53) S. 199f.; auch SCHNACKEN-
BURG, a.a.O. S. 638f.

[3] Dazu SCHOEPS, Theol. u. Gesch. S. 111ff.

[4] Vgl. SCHOEPS, Theol. u. Gesch. S. 87ff.; DERS., Urgem. S. 22f.; CULL-
MANN, Christologie S. 39f.; FRIEDRICH, ThWb VI S. 860f. Dies ist von STRECKER,
a.a.O. S. 140f., zu Unrecht bestritten und die ursprüngliche Bedeutung des
Motivs verkannt. Etwas vorsichtiger STAERK, Erlösererwartung S. 99ff., obwohl
auch er die gnostischen Züge besonders betont.

[5] Vgl. dazu WERNER GEORG KÜMMEL, Jesus und der jüdische Traditions-
gedanke, ZNW 33 (1934) S. 105—130, bes. S. 122ff.; GÜNTHER BORNKAMM,
Art. πρεσβύτερος, ThWb VI S. 661f.

Es bleibt noch zu untersuchen, wieweit sich die Vorstellung von Jesus als neuem Mose in den Konzeptionen der einzelnen Evangelisten niedergeschlagen hat. Das Motiv spielt im Rahmen des Markusevangeliums keine Rolle, aber um so deutlicher tritt die Mosetypologie im *Matthäusevangelium* hervor. Das zeigt sich schon im Aufbau. Der große Mittelteil des Evangeliums, c. 3—25, hat durch 5 Reden, die jeweils mit einer parallelen Wendung abgeschlossen werden[1], seine Gliederung bekommen, und die These, daß die so gewonnenen Hauptabschnitte den 5 Büchern Mose entsprechen, ist schon deswegen nicht von der Hand zu weisen, weil in c. 8f. auch eine zusammenhängende Gruppe von Wundererzählungen vorliegt, also Lehre und machtvolles Handeln bewußt nebeneinander gestellt worden sind. Sowohl die Verteilung des meisten Stoffes der Logienquelle auf die 5 großen Redekompositionen als auch die Umgruppierung des Mk-Stoffes in c. 8f. gehen auf den Evangelisten zurück und wollen seiner Intention Ausdruck geben[2]. Hier ist der neue Mose, der seine Tora verkündet und seine wunderbaren, von Gott gewährten Machttaten vollbringt. Selbstverständlich ist die Anschauung vom eschatologischen Propheten hineingenommen und vereinigt mit der maßgebenden Christologie der späteren Gemeinde, wonach Jesus der Gottessohn und Christos ist. Aus diesem Grund ist es aber für das matthäische Verständnis auch durchaus zutreffend, von Jesus als dem Bringer der „messianischen Tora" zu sprechen[3]. Das ist zwar neuerdings bestritten worden, da nach jüdischem Verständnis die Mosetora ewige Gültigkeit habe und

---

[1] Mt 7,28f.; 11,1; 13,53; 19,1; 26,1f.

[2] Die Gliederung des Mt-Ev in 5 Teile, den 5 Büchern Mose entsprechend, nebst Einleitung und Schluß ist zuerst von B. W. Bacon, Studies in Matthew, 1930, S. 80ff. (im einzelnen durchgeführt S. 165ff., 339ff.) vertreten worden; er nimmt zu den Reden das jeweils vorausgehende Erzählungsgut hinzu (3,1—7,29; 8,1—11,1; 11,2—13,53; 13,54—19,1; 19,2—26,2). Stendahl, School S. 27, hat eingewandt, daß im Erzählungsgut eine viel zu starke Abhängigkeit von Mk vorliegt und Mt seine Disposition speziell für die 5 Reden geschaffen habe. Immerhin sind auch im Pentateuch Erzählungs- und Redestoffe verbunden. Dem entspricht die andere Feststellung, daß in c. 8f. das Erzählungsgut kompositionell umgestaltet und unter jenes Leitthema gestellt worden ist. Zu beachten ist noch, daß bei den „Reden" über den Täufer und wider die Schriftgelehrten (11,7—19; c. 23) die typische Abschlußwendung fehlt; bei den betont ausgegrenzten Reden geht es ausschließlich um die an die Gemeinde gerichtete Heilszusage und Ermahnung. Gegen Bacon G. Bornkamm, Enderwartung, in: Bornkamm-Barth-Held S. 32 Anm. 2. — In c. 8f. ist nicht unmittelbar typologisch auf Wunder, die von Mose vollbracht wurden, Bezug genommen (so nur Speisungsgeschichten und Apk 11,3ff.), wohl aber ist wie bei den Totenerweckungen und Heilungen die Mosezeit typologisch in den Blick genommen. Nur sehr indirekt kann daher bei diesen 10 Wundern auf die 10 ägyptischen Plagen verwiesen werden; so Friedrich, ThWb VI S. 848f.

[3] Z.B. Schniewind, Mt S. 53; vgl. auch seine treffende Gegenüberstellung: c. 5—7 „Der Messias des Wortes" (S. 37) und c. 8f. „Der Messias der Tat" (S. 106).

es lediglich eine neue Auslegung derselben geben könne, weswegen ein erheblicher gradueller Unterschied in der Kenntnis des Gesetzes für die neue Welt erwartet werde, aber jedenfalls keine Aufhebung oder Abänderung des Mosegesetzes[1]. Ist schon diese rabbinische Ansicht kaum die einzige und allgemein gültige der neutestamentlichen Zeit gewesen[2], so muß außerdem berücksichtigt werden, daß die Urgemeinde zweifellos darum wußte, daß Jesus nicht nur als Ausleger der Mosetora gekommen ist, vielmehr ihr in bestimmten Fällen durchaus kritisch gegenüberstand. Die Anschauung vom endzeitlichen Propheten wie Mose wurde auf ihn übertragen, ohne daß der Gegensatz einfach aufgehoben wurde[3]. Mt jedoch hat den Widerspruch Jesu weithin eingeschränkt auf den Gegensatz zum Rabbinat, im übrigen das Mosegesetz als schlechthin verbindlich hingestellt und die Meinung vertreten, daß es nur besser ausgelegt und vor allem besser befolgt werden müsse. Darum konnte gerade er das Motiv der neuen Tora im Sinne einer neuen, verbindlichen Auslegung übernehmen, auch wenn er den Begriff als solchen meidet, um unter keinen Umständen einen Gegensatz zur Mosetora anklingen zu lassen. Aber den im Stoff (Antithesen!) vorgegebenen Gedanken hat er gleichwohl nicht einfach beseitigt. Die neue Auslegung ist nicht nur graduell verschieden; wohl ist Jesu Lehre Auslegung des Mosegesetzes, aber eine prinzipiell neue und ist daher von der Auslegung der Schriftgelehrten radikal getrennt. Daß Matthäus in dieser Weise tatsächlich an eine neue, messianische Tora gedacht hat, macht er mit der Einteilung des Logiengutes in 5 Reden und ebenso mit der Erwähnung des Berges in Mt 5,1 deutlich. — In seinem Evangelium lassen sich noch weitere Elemente einer Mosetypologie erkennen. Der abschließende Teil der Vorgeschichte Mt 2,13—23 erzählt die Kindheit Jesu in Analogie zur Jugendgeschichte des Mose, ein in dieser Gestalt wohl schon vorgefundener Überlieferungskomplex[4]. Die Versuchungsgeschichte, die zwar in der Mk-, aber nicht in der Q-Form in Verbindung mit der Tradition vom eschatologischen Propheten steht, ist von Mt in 4,2 in eine eindeutige Beziehung zu Mose gebracht worden[5]. In 21,11.46 bringt er neben der

---

[1] So GERHARD BARTH, Das Gesetzesverständnis des Evangelisten Matthäus, in: BORNKAMM-BARTH-HELD S. 143ff.; ähnlich auch TEEPLE, a.a.O. S. 77ff.

[2] Vgl. oben S. 363f.

[3] Vgl. das zum Judenchristentum Gesagte.

[4] Die matthäischen Züge in Mt 2,13—23 betont KRISTER STENDAHL, Quis et Unde? An Analysis of Mt 1—2, in: Judentum—Urchristentum—Kirche (Festschrift für J. Jeremias, BZNW 26), 1960, S. 94—105.

[5] Das zeigt sich besonders deutlich noch bei Lk, der in 4,1.2a dem Mk-Text folgt und sich dann von V. 2b ab der Q-Fassung anschließt, während Mt 4,2 in den Anfang der Versuchungsgeschichte aus Q die 40 Tage der Mk-Erzählung hineinnimmt (vgl. Lk 4,2b), aber noch deutlicher im Anschluß an Ex 34,28 von

Davidssohnbezeichnung (21,9) auch den Prophetentitel. Auch ist
Jesus, nicht der Stand der Schriftgelehrten, nach Mt 23,2.8—10 der
rechtmäßige Inhaber der *κάϑεδρα Μωυσῆς*[1]. Noch einige Beobachtungen wird man, allerdings schon mit Vorbehalt, anfügen können[2]: die
Siebenzahl der Seligpreisungen in Mt 5,3ff. und der Weherufe in
23,13ff. könnten den sieben Segnungen und Flüchen von Dt 28 entsprechen[3] und der Abschluß der letzten Rede Jesu in Mt 26,1f. der
Wendung Dt 32,45 über die Vollendung aller Reden des Mose an
Israel. Ob man über diese hier genannten Analogien noch hinausgehen darf, ist m. E. sehr fraglich[4]. Man muß sich im klaren sein, daß
die Mosetypologie für Matthäus wohl bedeutsam, aber doch nur ein
Einzelelement seiner Christologie ist; sie ist mit vielen anderen Motiven
verwoben und nicht der alleinige Schlüssel zur Erklärung des Evangeliums.

---

40 Tagen und Nächten redet; vgl. dazu auch SCHLATTER, Mt S. 100. Hinter den
beiden ersten Versuchungen der Q-Fassung steht die hellenistische Gottessohnvorstellung, weswegen man die erste Versuchung nicht als eine prophetische bezeichnen und mit dem Mannawunder in Beziehung setzen darf; denn einerseits
geht es hier nicht um Speisung des Volkes, sondern um Selbsthilfe, andererseits
hat die Verwandlung von Steinen in Brot nichts mit dem Mannawunder zu tun;
gegen G. FRIEDRICH, ZThK 53 (1956) S. 300f., der die erste Versuchung als
prophetisch, die zweite als die des messianischen Hohenpriesters versteht (es
handelt sich aber nur um ein im Tempelbereich vollzogenes Schauwunder) und
die dritte als Versuchung des messianischen Königs (letzteres zutreffend).

[1] Dies wird man trotz der nicht ganz eindeutigen Formulierung in Mt 23,2
sagen dürfen. Denn auf jeden Fall ist in V. 8—10 die Singularität des Lehr-
amtes Jesu deutlich herausgestellt und von da aus ergibt sich der Anspruch auf
die *κάϑεδρα Μωυσῆς*. Aber es ist auch gar nicht sicher ausgemacht, ob das
*ἐκάϑισαν* in V. 2 tatsächlich ein Semitismus ist und präsentisch verstanden
werden muß (so WELLHAUSEN, Einleitung[2] S. 18; KLOSTERMANN, Mt S. 181);
es könnte sehr wohl auch auf eine jetzt abgeschlossene Periode zurückgeblickt
werden.

[2] Vgl. die interessante Studie von P. DABECK, „Siehe, es erschienen Moses
und Elia" (Mt 17,3), Biblica 23 (1942) S. 175—189, der im ersten Teil die Mosetypologie des Mt-Evangeliums untersucht.

[3] Zur ursprünglichen Siebenzahl der Makarismen in Mt 5,3ff. vgl. KLOSTER-
MANN, Mt S. 33f. 37. Anders jedoch SCHNIEWIND, Mt S. 40ff., der mit beacht-
lichen Gründen für zweimal vier Seligpreisungen eintritt.

[4] DABECK a.a.O. vergleicht noch Mt 1,1 mit Gen 2,4; 5,1; Mt 28,20 mit
Dt 32,46; das *γενηϑήτω* der Wundererzählungen (Mt 8,13; 9,29; 15,28) mit dem
schöpferischen fiat von Gen 1, dann vor allem den Gedanken, daß Jesus den
Vater offenbart, mit Mose als Repräsentant und Offenbarer des Gottes der
Väter; die Begründung des Reiches Gottes auf Erden Mt 16,17ff. mit der Begründung der Theokratie durch Mose; den Taufbefehl Mt 28,18ff. mit dem Über-
bringen des Gottesnamens; schließlich bringt er noch Mt 1,1—17 als Aussage
über das irdische Vaterhaus des Messias in Korrelation mit der ewigen Zeugung
des Sohnes durch den Vater, doch damit ist die Grenze des wirklich Vergleichbaren und exegetisch Erweisbaren erheblich überschritten. Nach BORNHÄUSER,
a.a.O. S. 66, steht auch die erste Seligpreisung Mt 5,3 in Verbindung mit Jes
61,1: „So bezeichnet sich Jesus mit dem ersten Worte der Bergpredigt als *den*
Propheten".

Ist auch im *Lukasevangelium* ein Nachwirken der Vorstellung von Jesus als eschatologischem Propheten erkennbar? Von DABECK ist behauptet worden, daß im gleichen Verhältnis wie der Christus des Matthäus zu Mose der Christus des Lukas zu Elia stehe[1]. Dies könnte unter Umständen sogar klären, warum einige wesentliche Stellen, die den Täufer als Elia kennzeichnen, bei ihm fehlen. Aber das angeführte Beweismaterial überzeugt nicht[2]. Eine Darstellung Jesu als Elia ist als Leitmotiv der lukanischen Redaktion nicht nachweisbar. Sehr viel eher wäre zu fragen, ob nicht auch hier die Mosetypologie eine Rolle spielt. Immerhin hat Lukas Act 7, 2—53 aufgenommen und in der Missionsrede Act 3, 12—26 die Verheißung Dt 18, 15 christologisch entfaltet. Dafür, daß Lukas den Gedanken eines neuen Exodus durchgeführt habe, wobei das Leiden Jesu als Durchzug durch das Meer, seine Auferstehung als das heilschaffende Gotteswunder, die vierzigtägige Erscheinungszeit als Zug zum verheißenen Land und die Aufnahme in den Himmel als Eingang in das himmlische Jerusalem zu verstehen sei[3], fehlen allerdings alle Hinweise und Anspielungen. Eher ist schon daran zu denken, daß in dem von Markus unabhängigen Mittelteil, dem lukanischen ,Reisebericht', mit seiner betonten Einleitung in 9, 51 f. und seinen im Aufbau parallelen Zügen zum Deuteronomium die Mosetypologie wenigstens angedeutet werden soll[4]. Mit

[1] So DABECK, a. a. O. S. 180ff., im zweiten Teil seiner Abhandlung. Ihm schließt sich RIESENFELD, a. a. O. S. 145f., ohne nähere Begründung an.

[2] Wenn Einzelzüge der Erzählung vom Jüngling zu Nain an 1 Kg 17, 9. 23 erinnern, wenn Lk 9, 62 mit 1 Kg 19, 20; Lk 9, 54 mit 1 Kg 18, 37 f.; 2 Kg 1, 10. 12 (Sir 48, 3) verglichen werden können, so ist damit nur ein Urteil über das Traditionsgut gewonnen. Andere Elemente wie die Wirksamkeit des Geistes, das Motiv der Reise, die Darstellung Jesu als des Mannes der Liebe und des großen Beters, können in ihrer Allgemeinheit erst recht nicht in Anspruch genommen werden. Zudem darf nicht übersehen werden, daß zwar im Blick auf Mose eine ausgesprochene Typologie durchgeführt werden kann, nicht aber bei Elia, da es um die Wiederkehr des Propheten geht, dessen endzeitliche Aufgabe gerade nicht durch das Bild des geschichtlichen Elia bestimmt ist (die Täufertradition kennt bezeichnenderweise keine derartigen typologischen Züge!). Bei den Einzelheiten der synoptischen Tradition, die an die Eliageschichte erinnern, geht es um die Darstellung Jesu als eines besonders ausgerüsteten und beauftragten ,Gottesmannes'; vgl. § 5 S. 292ff.

[3] So JINDŘICH MÁNEK, The New Exodus in the Books of Luke, NovTest 2 (1958) S. 8—23. Er geht von der lk Fassung der Verklärungsgeschichte aus, stellt Mose und Elia, die hier als ,zwei Männer' in Herrlichkeit erscheinen, in Parallele mit den beiden Männern der Auferstehungsgeschichte 24, 4 und versteht vor allem ἔξοδος 9, 31 nicht im Blick auf Jesu Tod allein, sondern auf die Überwindung des Todes.

[4] Vgl. dazu C. F. EVANS, The Central Section of St. Luke's Gospel, in: Studies in the Gospels (Essays in Memory of R. H. Lightfoot), 1955, S. 37—53. ἀνάλημψις Lk 9, 51 nimmt er im Anschluß an spätjüdische Mosetradition im umfassenden Sinn der abschließenden Lehre, des Leidens, der Auferstehung und Erhöhung; ἔξοδος Lk 9, 31 faßt er in analogem Sinn als ein "ambiguous word" auf (S. 39f. 51). Für die Parallelen zwischen Dt und Lk 9—18 bietet er einen interessanten synoptischen Vergleich.

der Bedeutung, welche das Motiv bei Matthäus hat, kann sich dies allerdings nicht messen.

Kurz ist schließlich noch auf das *Johannesevangelium* hinzuweisen. Abgesehen von den schon berührten Anspielungen im Traditionsgut, ist darauf hinzuweisen, daß die Erwartung vom endzeitlichen Propheten in einer stark modifizierten Gestalt auf das Verhältnis Jesu zum Parakleten angewandt worden ist[1]. Ohne im einzelnen die spezifisch johanneische Durchführung des Motivs zu entfalten, soll an dieser Stelle doch herausgestellt werden, wie stark die alte Anschauung von dem irdischem Wirken Jesu als des eschatologischen Propheten, die ausgerichtet war auf die eschatologische Vollendung bei seiner Parusie, nachgewirkt hat. Nur ist jetzt die Funktion Jesu als des machtvoll erscheinenden Messiaskönigs in gewissem Grad enteschatologisiert und auf den Geist als Parakleten übertragen[2], zudem das Vorläufer-Vollender-Schema in dem Sinne abgewandelt ist, daß der Paraklet zu Jesus zurückführt und den Vorangegangenen bestätigt[3].

Die Vorstellung von Jesus als dem neuen Mose hat, wie aus den behandelten Texten ersichtlich ist, im Neuen Testament vielfältige Spuren hinterlassen[4]. Zwar kommt ihr in den meisten Zusammenhängen nur eine untergeordnete Stellung zu, aber es legt sich der Schluß nahe, daß es eine alte, ehemals dominierende Anschauung gewesen sein muß. Wenn dies zutrifft, dann wäre daraus zu erkennen, daß das irdische Leben Jesu bereits in der frühesten urchristlichen Überlieferung eine maßgebende Bedeutung gehabt hat und unmittelbar auf die Wiederkunft ausgerichtet war.

---

[1] Vgl. dazu GÜNTHER BORNKAMM, Der Paraklet im Johannesevangelium, in: Festschrift Rudolf Bultmann, 1949, S. 12—35.

[2] Hierbei haben sehr verschiedenartige Motive zusammengewirkt. Man darf nicht übersehen, daß jedenfalls die Verkoppelung der beiden Funktionen Jesu aus der Traditionsschicht stammt, in der sein Wirken als neuer Mose und als wiederkommender Messias verbunden waren. Auf die Menschensohnvorstellung wird man daher nicht zuallererst rekurrieren dürfen, was auch bei dem Motiv der Geistesausrüstung, des Richteramtes und des (vorübergehenden) Aufbewahrtseins im Himmel gar nicht unbedingt erforderlich ist (etwas anders BORNKAMM, a.a.O. S. 20ff.), auch wenn keineswegs bestritten werden soll, daß apokalyptische Motive stark eingewirkt haben und in der Parakletengestalt mannigfache Elemente verschmolzen sind. Unbefriedigend SCHULZ, Menschensohn-Christologie S. 142ff.

[3] Dies ist von BORNKAMM, a.a.O. S. 27f., mit Recht nachdrücklich herausgestellt worden.

[4] Über die Mosetypologie in 1 Kor 10,1f. und im Hebräerbrief vgl. JEREMIAS, ThWb IV S. 874. 875f.

# ABKÜRZUNGSVERZEICHNIS

AGSU
: Arbeiten zur Geschichte des Spätjudentums und Urchristentums, hrsg. v. Institutum Judaicum Tübingen (Otto Michel), Leiden

ATD
: Das Alte Testament Deutsch (Neues Göttinger Bibelwerk), hrsg. v. Artur Weiser, Göttingen

AThANT
: Abhandlungen zur Theologie des Alten und Neuen Testaments, hrsg. v. Walther Eichrodt u. Oscar Cullmann, Zürich

Bauer, Wb.
: Walter Bauer, Griechisch-deutsches Wörterbuch zu den Schriften des Neuen Testaments und der übrigen urchristlichen Literatur, Berlin 1958⁵

BEvTh
: Beiträge zur Evangelischen Theologie (Theologische Abhandlungen), hrsg. v. Ernst Wolf, München

BFchrTh
: Beiträge zur Förderung christlicher Theologie, hrsg. v. Adolf Schlatter u. Wilhelm Lütgert bzw. v. Paul Althaus, Hermann Dörries u. Joachim Jeremias, Gütersloh

BFchrTh II
: Dasselbe, 2. Reihe: Sammlung wissenschaftlicher Monographien

BH
: Biblia Hebraica, ed. Rudolf Kittel, Albrecht Alt u. Otto Eissfeldt Stuttgart 1949⁴

BHTh
: Beiträge zur Historischen Theologie, hrsg. v. Gerhard Ebeling, Tübingen

Bibl
: Biblica. Commentarii editi cura Pontifici Instituti Biblici, Rom

BiblStud
: Biblische Studien, hrsg. v. Otto Weber, Helmut Gollwitzer u. Hans Joachim Kraus, Neukirchen

Billerbeck
: (Hermann Lebrecht Strack) Paul Billerbeck, Kommentar zum Neuen Testament aus Talmud und Midrasch Bd. I—IV, 1922—28; dazu Bd. V: Rabbinischer Index, hrsg. v. Joachim Jeremias, 1956; Bd. VI: Verzeichnis der Schriftgelehrten, Geographisches Register, hrsg. v. Joachim Jeremias, 1961

BiblKommAT
: Biblischer Kommentar Altes Testament, hrsg. v. Martin Noth, Neukirchen

Bl-Debr
: Friedrich Blaß u. Albert Debrunner, Grammatik des neutestamentlichen Griechisch, 1959¹⁰

Bull. J. Ryl. Libr.
: Bulletin of the John Rylands Library, Manchester

BWANT
: Beiträge zur Wissenschaft vom Alten und Neuen Testament, hrsg. v. Albrecht Alt u. Gerhard Kittel bzw. v. Karl Heinrich Rengstorf u. Leonhard Rost, Stuttgart

BZ NF
: Biblische Zeitschrift Neue Folge, hrsg. v. Vinzenz Hamp u. Rudolf Schnackenburg, Paderborn

BZNW
: Beihefte zur Zeitschrift für die neutestamentliche Wissenschaft und die Kunde der älteren Kirche, hrsg. v. Walther Eltester, Berlin

| | |
|---|---|
| Cambr.Gr.Test.Comm. | Cambridge Greek Testament Commentary, ed. C.F.D. Moule, Cambridge |
| CBQ | The Catholic Biblical Quarterly, Washington |
| DtTh | Deutsche Theologie (Monatsschrift), hrsg. v. Hermann Wolfgang Beyer u. a., Stuttgart |
| EvTh | Evangelische Theologie (Monatsschrift), hrsg. v. Ernst Wolf, München |
| FRLANT (NF) | Forschungen zur Religion und Literatur des Alten und Neuen Testaments, hrsg. v. Wilhelm Bousset u. Hermann Gunkel, Neue Folge v. Rudolf Bultmann, jetzt v. Ernst Käsemann u. Ernst Würthwein, Göttingen |
| GCS | Die Griechischen Christlichen Schriftsteller der ersten drei Jahrhunderte, hrsg. v. der Kommission für spätantike Religionsgeschichte der Deutschen Akademie der Wissenschaften, Berlin |
| HarvTheolRev | The Harvard Theological Review, Cambridge/Mass. |
| Hatch-Redpath | Edwin Hatch and Henry A. Redpath, A Concordance to the Septuagint I/II, Oxford 1897 (Neudruck Graz 1954) |
| HbAT | Handbuch zum Alten Testament, hrsg. v. Otto Eissfeldt, Tübingen |
| HbNT | Handbuch zum Neuen Testament, hrsg. v. Hans Lietzmann bzw. v. Günther Bornkamm, Tübingen |
| HbNT (Erg.) | Dasselbe, Ergänzungsbände |
| HdCommNT | Hand-Commentar zum Neuen Testament, bearb. v. Heinrich Julius Holtzmann u. a., Tübingen-Leipzig |
| HdKommAT | Göttinger Handkommentar zum Alten Testament, hrsg. v. Wilhelm Nowack, Göttingen |
| ICC | The International Critical Commentary, Edinburgh |
| JBL | Journal of Biblical Literature, ed. by the Society of Biblical Literature, Philadelphia/Pennsylvania |
| JBL MonSer | Dasselbe, Monograph Series |
| JR | The Journal of Religion, Chicago/Ill. |
| JThSt | The Journal of Theological Studies, Oxford |
| Kautzsch | Die Apokryphen und Pseudepigraphen des Alten Testaments hrsg. v. Emil Kautzsch, I/II, 1900 (Neudruck 1921) |
| Koehler, Wb. | Ludwig Koehler u. Walther Baumgartner, Lexicon in Veteris Testamenti Libros, 1953 |
| KommAT | Kommentar zum Alten Testament, hrsg. v. Ernst Sellin, Leipzig-Erlangen |
| KommNT | Kommentar zum Neuen Testament, hrsg. v. Theodor Zahn, Leipzig-Erlangen |
| KrExKommNT | Kritisch-exegetischer Kommentar über das Neue Testament, begr. v. Heinrich August Wilhelm Meyer, Göttingen |
| KHdCommAT | Kurzer Hand-Commentar zum Alten Testament, hrsg. v. Karl Marti, Tübingen-Leipzig |
| LXX | Septuaginta id est Vetus Testamentum Graece iuxta LXX interpretes, ed. Alfred Rahlfs, I/II, 1935 |
| MoffattCommNT | The Moffatt New Testament Commentary, ed. James Moffatt, London |
| Moulton-Geden | W. F. Moulton and A. S. Geden, A Concordance to the Greek Testament, 1926[3] (repr. 1957) |
| MT | Masoretischer Text |

| | |
|---|---|
| MPTh | Monatsschrift für Pastoraltheologie, hrsg. v. Martin Fischer, Robert Frick u. a., Göttingen |
| NovTest | Novum Testamentum. An International Quarterly for New Testament and related Studies based on International Cooperation, Leiden |
| NtAbh | Neutestamentliche Abhandlungen, hrsg. v. Max Meinertz, Münster i. W. |
| NTSt | New Testament Studies. An International Journal. Published Quarterly under the auspices of Studiorum Novi Testamenti Societas, Cambridge |
| RB | Revue Biblique, publiée par L'École d'études bibliques établie au Couvent Dominicain St. Étienne de Jérusalem, Paris |
| RGG | Die Religion in Geschichte und Gegenwart, 2. Aufl. hrsg. v. Hermann Gunkel und Leopold Zscharnack, Bd. I—V, 1927—1932; 3.Aufl., hrsg. v. Kurt Galling, Bd. I—VI, Tübingen 1957 ff. |
| RHPhR | Revue d'Histoire et de Philosophie Religieuse, publiée par la Faculté de Théologie protestante de l'Université de Strasbourg, Paris |
| RHR | Revue d'Histoire des religions, Paris |
| Rießler | Paul Rießler, Altjüdisches Schrifttum außerhalb der Bibel, Augsburg 1928 |
| RQ | Revue de Qumran, Paris |
| RThPh | Revue de Théologie et de Philosophie, Lausanne |
| SAB | Sitzungsberichte der Preußischen (Deutschen) Akademie der Wissenschaften zu Berlin, Berlin |
| SAH | Sitzungsberichte der Heidelberger Akademie der Wissenschaften, Heidelberg |
| SAT | Die Schriften des Alten Testaments in Auswahl neu übersetzt und für die Gegenwart erklärt, bearb. v. Hermann Gunkel, Hugo Greßmann u. a., Göttingen |
| SNT | Die Schriften des Neuen Testaments neu übersetzt und für die Gegenwart erklärt, hrsg. v. Johannes Weiß bzw. v. Wilhelm Bousset u. Wilhelm Heitmüller, Göttingen |
| StANT | Studien zum Alten und Neuen Testament, hrsg. v. Vinzenz Hamp und Josef Schmid, München |
| StudBiblTheol | Studies in Biblical Theology, London |
| StudTheol | Studia Theologica, cura ordinum Theologorum Scandinavicorum, Lund |
| ThBibl | Theologische Bibliothek Töpelmann, hrsg. v. Kurt Aland, Karl Georg Kuhn, Carl H. Ratschow, Edmund Schlink, Berlin |
| ThBl | Theologische Blätter, hrsg. v. Karl Ludwig Schmidt bzw. v. Hermann Strathmann, Leipzig |
| TheolBüch | Theologische Bücherei (Neudrucke und Berichte aus dem 20. Jahrhundert), München |
| ThEx | Theologische Existenz heute, Neue Folge, hrsg. v. Karl Gerhard Steck u. Georg Eichholz, München |
| ThHdKommNT | Theologischer Handkommentar zum Neuen Testament, jetzt hrsg. v. Erich Fascher, Berlin |
| ThLZ | Theologische Literaturzeitung (Monatsschrift für das gesamte Gebiet der Theologie und Religionswissenschaft), begr. v. Emil Schürer u. Adolf von Harnack, hrsg. v. Kurt Aland bzw. v. Ernst Sommerlath, Berlin |

| | |
|---|---|
| ThR NF | Theologische Rundschau, Neue Folge, hrsg. v. Rudolf Bultmann u. Erich Dinkler, Tübingen |
| ThRev | Theologische Revue, hrsg. von der Kath.-Theol. Fakultät der Universität Münster, Münster i.W. |
| ThStKr | Theologische Studien und Kritiken (Eine Zeitschrift für das gesamte Gebiet der Theologie), Leipzig |
| ThSt | Theologische Studien, hrsg. v. Karl Barth u. Max Geiger, Zürich |
| ThWb | Theologisches Wörterbuch zum Neuen Testament, hrsg. v. Gerhard Kittel bzw. Gerhard Friedrich, Stuttgart |
| ThZ | Theologische Zeitschrift, hrsg. v. d. Theologischen Fakultät der Universität Basel, Basel |
| TU | Texte und Untersuchungen zur Geschichte der altchristlichen Literatur, begr. v. Oscar von Gebhardt u. Adolf von Harnack, hrsg. v. Kurt Aland, Walther Eltester u. Erich Klostermann, Berlin |
| UNT | Untersuchungen zum Neuen Testament, hrsg. v. Hans Windisch, Leipzig |
| VetTest | Vetus Testamentum, Quarterly published by the International Organisation of Old Testament Scholars, Leiden |
| WMANT | Wissenschaftliche Monographien zum Alten und Neuen Testament, hrsg. v. Günther Bornkamm und Gerhard von Rad, Neukirchen |
| WUNT | Wissenschaftliche Untersuchungen zum Neuen Testament, hrsg. v. Joachim Jeremias u. Otto Michel, Tübingen |
| WZKM | Wiener Zeitschrift für die Kunde des Morgenlandes, Wien |
| ZAW | Zeitschrift für die alttestamentliche Wissenschaft, hrsg. v. Otto Eissfeldt u. Johannes Hempel, Berlin |
| ZKG | Zeitschrift für Kirchengeschichte, hrsg. v. Hans Frhr. von Campenhausen, Karl August Fink u. Ernst Wolf, Stuttgart |
| ZNW | Zeitschrift für die neutestamentliche Wissenschaft und die Kunde der älteren Kirche, begr. v. Erwin Preuschen, hrsg. v. Hans Lietzmann bzw. v. Walther Eltester, Berlin |
| ZRGG | Zeitschrift für Religions- und Geistesgeschichte, hrsg. v. Hans Joachim Schoeps, Köln |
| ZThK | Zeitschrift für Theologie und Kirche, hrsg. v. Gerhard Ebeling, Tübingen |

Zu den Abkürzungen der biblischen und außerbiblischen Quellenschriften sind die Verzeichnisse der RGG und des ThWb zu vergleichen; zu den Qumranschriften sei auf D. Barthélemy - J. T. Milik, Discoveries in the Judaean Desert I, Oxford 1955, S. 46f., verwiesen, zu den rabbinischen Schriften auf Hermann L. Strack, Einleitung in Talmud und Midraš, 1921⁵ (Neudruck 1930).

# REGISTER

In den folgenden Registern sind in der Regel nur Seiten angegeben; die Angabe einer Seite mit **f.** kann sich daher unter Umständen auch auf den Text einer Anmerkung beziehen. Nur im Autorenregister wird bei der jeweils ersten Zitierung einer Arbeit außer der Seite regelmäßig die Anmerkung genannt, um das Auffinden der bibliographischen Angaben zu erleichtern. Im Stellenregister ist durch Kursivdruck auf die Seiten hingewiesen, die eine eingehende Erörterung des Textes enthalten.

## a) AUTOREN

## b) BEGRIFFE

## c) STELLEN

### 1. Altes Testament

## 2. Apokryphen und Pseudepigraphen

## 3. Qumran

## 4. Rabbinica

## 5. Josephus (Philo)

| JosAnt | |
|---|---|
| III, 161 | 235 |
| VI, 76 | 294 |
| VIII, 34 | 294 |
| IX, 64 | 264 |
| XIII, 300 | 352 |
| XVIII, 4f. | 154 |
| XVIII, 23–25 | 154 |
| XVIII, 85f. | 362 |
| XX, 97f. | 361 |
| XX, 167f. | 361 |

| JosAnt | |
|---|---|
| XX, 169ff. | 361 |
| XX, 188 | 361 |

| JosBell | |
|---|---|
| I, 68 | 353 |
| I, 204 | 154 |
| I, 304ff. | 154 |
| II, 56 | 154 |
| II, 118 | 154 |
| II, 125 | 170 |

| JosBell | |
|---|---|
| II, 258ff. | 361 |
| II, 261ff. | 361 |
| II, 433 | 156 |
| II, 434 | 361 |
| VI, 286 | 156 |
| VII, 344 | 294 |

*SlavJos (Halosis)* 162

*Philo* 72.156.294f.309

## 6. Griechische und lateinische Literatur

| | | |
|---|---|---|
| Pindar, Isthm 5,53 | 68 | |
| Euripides, Bacchen | | |
| V. 1329 | 312 | |
| Demeterhymnus | | |
| V. 275ff. | 312 | |

| | | |
|---|---|---|
| Vergil, 4. Ekloge | 69 |
| Tacitus, Ann XV, 44 | 222 |
| Sueton, Caes. 53 | 69 |
| Martial | 69 |

| | | |
|---|---|---|
| Dio Cass. 57, 8, 2 | 69 |
| PapOx I 110 | 69 |
| BGU 1197 I 15 | 69 |
| CIG 9303 | 101 |

## 7. Neues Testament

*Mt*

| | |
|---|---|
| 1,1–17 | *242f.* 402 |
| 1,1–16 | *373* |
| 1,1 | 208. 245. 319. 402 |
| 1,3 | 243 |
| 1,4 | 243 |
| 1,6 | 243 |
| 1,7 | 243 |
| 1,16 | 208. 319 |
| 1,17 | 224 |
| 1,18–25 | 268. *274f. 314f.* |
| 1,18ff. | 278 |
| 1,20 | 73. 245. 274 |
| 1,21 | 243 |
| 1,22 | 73 |
| 1,24 | 73 |
| 2,1–12 | 268f. 275. *277f.* |
| 2,2 | 86. 319 |
| 2,4 | 224. 319 |
| 2,8 | 86 |
| 2,11 | 86 |
| 2,13–23 | 278. 401 |
| 2,15 | 73. 319 |

*Mt*

| | |
|---|---|
| 2,19 | 73. 274 |
| 2,22 | 274 |
| 2,23 | 237 |
| 3,1–7,29 | 400 |
| 3,2 | 380 |
| 3,3 | 380 |
| 3,9 | 243 |
| 3,11 | 393 |
| 3,16f. | 319 |
| 4,1–11 | 72 |
| 4,1–7 | *303* |
| 4,2 | 401 |
| 4,5–7 | 240 |
| 4,8–10 | *175f.* |
| 4,9f. | 86 |
| 4,10 | 72 |
| 4,14–16 | 380 |
| 4,17 | 380 |
| 5,1 | 401 |
| 5,3ff. | 402 |
| 5,3 | 402 |
| 5,11f. | 43 |
| 5,12 | 366 |
| 6,9 | 320 |
| 7,11 | 107 |

*Mt*

| | |
|---|---|
| 7,15–20 | 96 |
| 7,21f. | 83. 85. 98 |
| 7,21 | 96. *97f.* 321 |
| 7,22f. | *96f.* 98 |
| 7,24–27 | 96 |
| 7,28f. | 400 |
| 8,1–11,1 | 400 |
| 8f. | 400 |
| 8,2 | 85. 86 |
| 8,5–13 | 218 |
| 8,6 | 82. 86 |
| 8,8 | *82f.* 86. 94 |
| 8,9 | 82 |
| 8,13 | 402 |
| 8,17 | 54. 202 |
| 8,19–22 | *83f.* |
| 8,20 | 25. *44* |
| 8,21 | 86 |
| 8,25 | 86 |
| 8,27 | 86 |
| 9,11 | 77. 84 |
| 9,18 | 86 |
| 9,27 (f.) | 264 |
| 9,27 | 245. 263 |

## 8. Apokryphe Evangelien, Apostol. Väter, Kirchenväter

FORSCHUNGEN ZUR RELIGION UND LITERATUR
DES ALTEN UND NEUEN TESTAMENTS
Herausgegeben von Ernst Käsemann und Ernst Würthwein

85          WALTER SCHMITHALS
## Paulus und Jakobus

*1963. Etwa 100 Seiten, kart. etwa 11,80 DM.* — Die alte Auffassung der Tübinger
Schule, wonach letztlich Jakobus und Petrus als die Träger der Gegenmission
in den paulinischen Gemeinden anzusehen sind, wird von keiner Seite mehr
unterstützt, wenn es auch bis heute noch umstritten ist, wer als tatsächlicher
Gegner des Paulus in Frage kommt. In jedem Falle stellt sich damit das in
der vorliegenden Arbeit eingehend behandelte Problem neu, das Verhältnis von
Paulus zu Jakobus *als solches* zu beurteilen.

In ständiger Auseinandersetzung mit der bisherigen Forschung erörtert der Ver-
fasser einleitend die vielfältigen Probleme und Zusammenhänge des umfassen-
deren Verhältnisses von Judenchristen und Heidenchristen. Seiner Auffassung
nach gab es schon früh in Jerusalem eine gesetzestreue und eine gesetzesfreie
Richtung des Urchristentums, wobei die gesetzesfreie Richtung auf Grund ihrer
Haltung von den Juden verfolgt wurde (nicht dagegen von den „Judaisten").
Daraus ergibt sich, daß die Einstellung zum Gesetz für die Judenchristen in
Palästina nicht vornehmlich ein theologisches Problem war, sondern primär
eine Frage nach der Möglichkeit, als christliche Gemeinde im jüdischen Land
existieren zu können. Diese Beziehung der Judenchristen zu den Juden Palä-
stinas kompliziert zwar zunächst das Verständnis des Verhältnisses von Paulus
zur Jakobusgemeinde in Jerusalem, läßt den Verfasser jedoch letztlich zwischen Paulus und Jakobus ein Verhältnis der Gemeinsamkeit sehen, das in
einem umfassenden, gedanklich in sich geschlossenen Aufriß dargestellt wird.


84          RUDOLF SMEND
## Jahwekrieg und Stämmebund
### Erwägungen zur ältesten Geschichte Israels

*1963. 99 Seiten, kart. 9,80 DM.* — Die älteste Zeit Israels in Palästina hat der
alttestamentlichen Wissenschaft von jeher besondere Schwierigkeiten bereitet,
da für die Zeit bis zum Königtum Sauls nur eine Geschichtsdarstellung in Um-
rissen möglich ist, die sicheres historisches Wissen nicht zur Grundlage haben
kann. Über die bisherigen Ergebnisse der Forschung teilweise hinausweisend,
verfolgt die vorliegende Untersuchung das Ziel, speziell das Verhältnis zwischen
der von M. Noth nachgewiesenen vorstaatlichen Institution eines sakralen
Bundes von zwölf Stämmen und dem Phänomen, das G. v. Rad als den „Heiligen Krieg im alten Israel" beschrieben hat, näher zu bestimmen. Nach Ansicht
des Verfassers handelt es sich bei den beiden Größen um einen erst spät und
unvollkommen ausgeglichenen Dualismus — ein Umstand, der es erlaubt, gewisse Folgerungen sogar für die fast gar nicht mehr greifbare Zeit vor der Land-
nahme zu ziehen.

VANDENHOECK & RUPRECHT IN GÖTTINGEN UND ZÜRICH

82          GEORG STRECKER

## Der Weg der Gerechtigkeit

Untersuchung zur Theologie des Matthäus

*1962. 267 Seiten, brosch. 26,50 DM.* — Der Untertitel bezeichnet nicht eine Detailstudie, sondern eine umfassende Untersuchung zur Redaktion des Matthäusevangeliums. Es handelt sich um die erste Gesamtdarstellung der matthäischen Theologie im Rahmen der redaktionsgeschichtlichen Forschung. Nach der Behandlung von grundlegenden Einleitungsfragen (religions- und theologiegeschichtliche Stellung des Matthäus, Traditionskritik der sogenannten Reflexionszitate u. a. m.) werden in einem christologischen und in einem ekklesiologischen Teil die wesentlichen Aussagen der matthäischen Theologie in Gegenüberstellung zur vormatthäischen Überlieferung erarbeitet. Es ergibt sich, daß die Redaktion des Matthäus einen systematisch angelegten, konsequent durchgehaltenen theologischen Entwurf erkennen läßt.

81          ARTUR WEISER

## Samuel,

### seine geschichtliche Aufgabe und religiöse Bedeutung

Traditionsgeschichtliche Untersuchungen zu 1. Sam. 7—12

*1962. 96 Seiten, brosch. 9,80 DM.* — „Weiser hat mit seiner oft kühnen Sicht der Dinge erreicht, daß man die sogenannten jüngeren (königsfeindlichen) Bericht über die Entstehung des Königtums vermehrt auf das Vorhandensein älterer, dem deuteronomistischen Verfasser vorgegebene Traditionen hin wird überprüfen müssen."        *Kirchenblatt f. d. ref. Schweiz 23/1962*

---

WENZEL LOHFF, FERDINAND HAHN, GÜNTHER BORNKAMM

## Die Frage nach dem historischen Jesus

(Evangelisches Forum, Heft 2. Herausgegeben von der Evangelischen Akademie Tutzing). *1962. 72 Seiten, kart. 3,90 DM.* — „Das Büchlein orientiert vorzüglich über den gegenwärtigen Stand dieser Frage. Ferdinand Hahn bespricht die Eigenart und den Wert der für ein ‚Leben Jesu' allenfalls in Frage kommenden Quellen und spürt der Kontinuität zwischen der Botschaft Jesu und der Verkündigung über ihn durch die Urgemeinde nach. Erfreulich ist die Aufnahme eines klärenden Kurzreferats über die Bedeutung der philosophischen Frage nach Jesus für den Glauben. Der Verfasser (Wenzel Lohff) wendet sich dabei gegen Denkgewohnheiten, wonach ‚philosophisch' von vornherein als suspekt gilt und die Bedeutung von ‚unsachgemäß' und oft sogar ‚ungläubig' bekommt. Den Abschluß bilden klare, gut lesbare Ausführungen von Günther Bornkamm über die Bedeutung des historischen Jesus für den Glauben."
*Der kleine Bund (Bern) 11/1962*

VANDENHOECK & RUPRECHT IN GÖTTINGEN UND ZÜRICH